MW00780500

largo /'largo/ [ag... FIG abbondante (... *una larga partecipazione di pubblico*: una vasta participación de público FRAS **fate ~!**: ¡abran paso!, ¡largo ◆ [sm] (piazza) plaza (f) FRAS **al ~**: mar adentro. — (14)(15)

laringite /larin'dʒite/ [sf] laringitis (inv).

lasagna /la'zaɲɲa/ [sf] lasaña. — (16)

lasciare (-rsi) /laʃ'ʃare/ [v tr prnl] dejar (-se) ■ **lasciar + inf** permitir/dejar + inf/que se + subj ● *lasciar fare*: permitir que se haga FRAS **lasciarci la pelle**: perder el pellejo.

lavoratore (-trice) /lavora'tore/ [agg/sm] trabajador (f -a). — (17)

lavoro /la'voro/ [sm] **1** trabajo **2** (impiego) empleo **3** (opera) labor (f), obra (f) FRAS **contratto di ~**: contrato de trabajo | **datore di ~**: patrón | **giorno di ~**: día laborable | **lavori in corso**: en obras | **~ dipendente**: trabajo dependiente | **~ in proprio**: trabajo autónomo | **~ nero**: trabajo negro | **~ part-time**: trabajo a tiempo parcial | **orario di ~**: horario laboral. — (18)

lied /'lid/ [sm] **1** *mus* lied*. — (19)

14 esempio uso/ejemplo de uso

15 cambio categoria grammaticale/cambio categoria gramatical

16 costruzioni particolari o plurale irregolare/lexicalización o plural irregular

17 femminile del lemma/femenino del lema

18 fraseologia/locuciones

19 plurale irregolare del traducente/plural irregular de la traducción

OCÉANO

PRÁCTICO

OCÉANO

PRÁCTICO

Laura Tam
DICCIONARIO

ESPAÑOL-ITALIANO
ITALIANO-SPAGNOLO

OCEANO/HOEPLI

© MXMXCIX Ulrico Hoepli Editore S.p.A., Milano (Italia)

Para esta edición, con licencia de
Ulrico Hoepli Editore S.p.A., con exclusión del
mercado europeo:
MMVI EDITORIAL OCEANO
Milanesat, 21-23
EDIFICIO OCEANO
08017 Barcelona (España)
Teléfono: 932 802 020*
Fax: 932 041 073
www.oceano.com

Reservados todos los derechos. Quedan rigurosamente prohibidas,
sin la autorización escrita de los titulares del copyright, bajo las
sanciones establecidas en las leyes, la reproducción total o parcial
de esta obra por cualquier medio o procedimiento, comprendidos
la reprografía y el tratamiento informático, y la distribución
de ejemplares de ella mediante alquiler o préstamo públicos.

ISBN: 84-494-2110-1
Impreso en España - Printed in Spain
Depósito legal: B-42028-XLIV
9000884071205

Presentación

El diccionario *Océano Práctico* Español-Italiano/Italiano-Spagnolo es un excelente instrumento de consulta, rápido y eficaz, para los jóvenes estudiantes hispánicos que se adentran en el conocimiento del italiano y para cualquier persona que, en el ejercicio profesional, en sus viajes o en múltiples circunstancias ha de recurrir a su conocimiento de la lengua italiana.

Este diccionario cuenta con más de 27.000 entradas, formas compuestas y locuciones del vocabulario básico fundamental, rigurosamente actualizado y enriquecido con los neologismos más usuales, términos de áreas temáticas específicas y expresiones coloquiales y familiares.

La organización de la información responde a rigurosos criterios de claridad y precisión: primero se ofrecen las diferentes correspondencias de un término en la otra lengua y a continuación las formas compuestas y las frases o locuciones en las que interviene dicho término. Diferentes etiquetas e indicadores informan sobre el uso y las peculiaridades sintácticas y semánticas de la traducción. Los casos de especial dificultad se ilustran con ejemplos. Se ofrece además la transcripción fonética de las voces italianas y españolas y se incorporan las precisiones, correspondencias y entradas del español latinoamericano.

Como complemento al diccionario se incluyen tablas de numerales, pesos y medidas, monedas, etc., así como un apéndice de morfología de cada lengua. Por último, para la localización de las entradas de forma más clara y precisa se ha recurrido al color.

Los Editores

Abbreviazioni/Abreviaturas

abb	abbigliamento / indumentaria
abbr	abbreviazione / abreviatura
abr	abreviatura / abbreviazione
adj	adjetivo / aggettivo
adj inv	adjetivo invariado / aggettivo invariato
adj num	adjetivo numeral / aggettivo numerale
adv	adverbio / avverbio
agg	aggettivo / adjetivo
agg inv	aggettivo invariato / adjetivo invariado
agg num	aggettivo numerale / adjetivo numeral
Amer	americanismo / americanismo
anat	anatomia / anatomía
arch	architettura / arquitectura
arq	arquitectura / architettura
art det	articolo determinativo / artículo determinado
art indet	articolo indeterminativo / artículo indeterminado
artes	artesanía / artigianato
artig	artigianato / artesanía
avv	avverbio / adverbio
bot	botanica / botánica
cient	científico / scientifico
(cine)	cinema / cine
coc	cocina / cucina
com	comercio / commercio
comm	commercio / comercio
comp	aggettivo comparativo / adjetivo comparativo
cong	congiunzione / conjunción
conj	conjunción / congiunzione
cuc	cucina / cocina
dep	deporte / sport
f	femminile / femenino
fam	familiare/ familiar
fig	figurato / figurado
FRAS	fraseologia / locuciones
geog	geografia / geografía
ger	gerundio / gerundio
gerg	gergo / jerga
giurg	iuridico / jurisprudencia
ict	ictiología / ittiologia
indum	indumentaria / abbigliamento
inf	infinito / infinitivo
inform	informatica / informática
inter	interiezione / interjección
interj	interjección / interiezione

Abbreviazioni/Abreviaturas

inv	invariabile / invariable
iron	ironico / irónico
irr	irregolare / irregular
itt	ittiologia / ictiología
jerg	jerga / gergo
jur	jurisprudencia / giuridico
loc adv	locución adverbial / locuzione avverbiale
loc avv	locuzione avverbiale / locución adverbial
LOC	locuciones / fraseologia
m	maschile / masculino
mar	marina / sector marítimo
med	medicina / medicina
(*meteo*)	meteorologia / meteorología
(*moda*)	moda / moda
mus	musica / música
neg	negativo / negativo
orn	ornitologia / ornitología
pey	peyorativo / peggiorativo
pl	plurale / plural
prep art	preposizione articolata / preposición articulada
prep	preposizione / preposición
pron	pronome / pronombre
r	regolare / regular
*scient*s	científico / científico
sf	sostantivo femminile / sustantivo femenino
sing	singolare / singular
sm	sostantivo maschile / sustantivo masculino
sost	sostantivo / sustantivo
sport	sport / deporte
spreg	peggiorativo / peyorativo
sup	aggettivo superlativo / adjetivo superlativo
sust	sustantivo / sostantivo
tecn	tecnica / técnica
tess	tessile / textil
tex	textil / tessile
(*TV*)	televisione / televisión
v aux	verbo ausiliare/auxiliar
v imp	verbo impersonale/impersonal
v intr	verbo intransitivo/intransitivo
v prnl	verbo pronominale/pronominal
v tr	verbo transitivo/transitivo
volg	volgare / vulgar
vulg	vulgar / volgare
zool	zoologia / zoología

Morfología española
Morfologia spagnola

Morfología española
Morfologia spagnola

Formación del plural en español
Formazione del plurale in spagnolo

1) SINGULAR EN:
   SINGOLARE IN:

• -o	⟶	-os	man*o*	man*os*
• -a	⟶	-as	piern*a*	piern*as*
• -é	⟶	-és	caf*é*	caf*és*
• -e	⟶	-es	cantant*e*	cantant*es*

2) SINGULAR EN:
   SINGOLARE IN:

• -á	⟶	-áes/-ás	raj*á*	raj*áes*/raj*ás*
• -í	⟶	-íes/-ís	rub*í*	rub*íes*/rub*ís*
• -ú	⟶	-úes/- ús	marab*ú*	marab*úes*/marab*ús*
• -y	⟶	-yes	le*y*	le*yes*
• -d	⟶	-des	amista*d*	amista*des*
• -l	⟶	-les	anima*l*	anima*les*
• -n	⟶	-nes	naci*ó*n	naci*ones*
• -r	⟶	-res	docto*r*	docto*res*
• -s	⟶	-ses	inglé*s*	ingle*ses*

   (precedida de vocal tónica
   o en los monosílabos)   mes   me*ses*
   (preceduta da vocale tonica
   o nei monosillabi)

3) SINGULAR EN:
   SINGOLARE IN:

• -z	⟶	-ces	lu*z*	lu*ces*

Los casos particulares, las irregularidades y los sustantivos invariados se incluyen en el diccionario.
I casi particolari, le irregolarità e gli invariati sono riportati all'interno del dizionario.

Formación del femenino en español
Formazione del femminile in spagnolo

1) SUSTANTIVOS QUE TERMINAN POR:
SOSTANTIVI CHE FINISCONO PER:

- **-o** → **-a**

niño	niña	portero	portera
perro	perra	panadero	panadera

- **-consonante** → **-consonante + a**

lector	lectora	inglés	inglesa
león	leona	chaval	chavala

- **-e** → **-esa / -a**

alcalde	alcaldesa	presidente	presidenta
conde	condesa	sirviente	sirvienta

2) SUSTANTIVOS CON FORMA DISTINTA:
SOSTANTIVI INDIPENDENTI:

hombre	mujer	papá	mamá	caballo	yegua
marido	esposa	macho	hembra	padrino	madrina
padre	madre	toro	vaca	yerno	nuera

3) SUSTANTIVOS COMUNES:
SOSTANTIVI DI GENERE COMUNE:

el periodista	la periodista	el pediatra	la pediatra
el estudiante	la estudiante	el atleta	la atleta
el joven	la joven	el homicida	la homicida

4) CASOS PARTICULARES:
CASI PARTICOLARI:

héroe	heroína	gallo	gallina	rey	reina	zar	zarina

5) SUSTANTIVOS CON SIGNIFICADO DISTINTO SEGÚN EL GÉNERO:
SOSTANTIVI CON DIVERSO SIGNIFICATO SECONDO IL GENERE:

el cólera (malattia)	la cólera (ira)
el frente (guerra)	la frente (parte anatomica)
el cura (sacerdote)	la cura (rimedio)
el capital (patrimonio)	la capital (città importante)
el policía (poliziotto)	la policía (istituzione)
el orden (ordine)	la orden (comando)
el guía (guida turistica)	la guía (elenco telefonico)
el cometa (corpo celeste)	la cometa (aquilone)
el margen (margine)	la margen (riva, bordo)
el corte (taglio)	la corte (corte reale)
el final (conclusione)	la final (competizione)
el radio (raggio, elemento chimico)	la radio (apparecchio)
el planeta (corpo celeste)	la planeta (paramento sacerdotale)

Artículo
Articolo

	Determinado Determinativo			Indeterminado Indeterminativo	
	Masculino Maschile	Femenino Femminile	Neutro Neutro	Masculino Maschile	Femenino Femminile
Singular Singolare	el	la	lo	un	una
Plural Plurale	los	las	–	unos	unas

El si usa davanti a parole maschili singolari; si usa inoltre davanti a parole femminili singolari che iniziano per *a* o *ha tonica* (el alma, el hada).

Lo si usa davanti ad aggettivi con valore sostantivale.

Unos traduce le preposizioni articolate con valore partitivo *dei, degli*.

Unas traduce la preposizione articolata con valore partitivo *delle*.

Conjugación de los verbos regulares españoles
Coniugazione dei verbi regolari spagnoli

Primera conjugación: am-**ar**

INDICATIVO *INDICATIVO*			CONDICIONAL *CONDIZIONALE*
presente *presente*	**pretérito perfecto** *passato prossimo*		**presente** *presente*
Yo am-**o**	Yo he amado		Yo am-**aría**
Tú am-**as**	Tú has amado		Tú am-**arías**
Él am-**a**	Él ha amado		Él am-**aría**
Nos. am-**amos**	Nos. hemos amado		Nos. am-**aríamos**
Vos. am-**áis**	Vos. habéis amado		Vos. am-**aríais**
Ellos am-**an**	Ellos han amado		Ellos am-**arían**

pretérito indefinido *passato remoto*	**futuro imperfecto** *futuro*	PARTICIPIO PASADO *PARTICIPIO PASSATO*
Yo am-**é**	Yo am-**aré**	am-**ado**
Tú am-**aste**	Tú am-**arás**	
Él am-**ó**	Él am-**ará**	
Nos. am-**amos**	Nos. am-**aremos**	
Vos. am-**asteis**	Vos. am-**aréis**	
Ello sam-**aron**	Ellos am-**arán**	

Segunda conjugación: tem-**er**

INDICATIVO *INDICATIVO*			CONDICIONAL *CONDIZIONALE*
presente *presente*	**pretérito perfecto** *passato prossimo*		**presente** *presente*
Yo tem-**o**	Yo he temido		Yo tem-**ería**
Tú tem-**es**	Tú has temido		Tú tem-**erías**
Él tem-**e**	Él ha temido		Él tem-**ería**
Nos. tem-**emos**	Nos. hemos temido		Nos. tem-**eríamos**
Vos. tem-**éis**	Vos. habéis temido		Vos. tem-**eríais**
Ellos tem-**en**	Ellos han temido		Ellos tem-**erían**

pretérito indefinido *passato remoto*	**futuro imperfecto** *futuro*	PARTICIPIO PASADO *PARTICIPIO PASSATO*
Yo tem-**í**	Yo tem-**eré**	tem-**ido**
Tú tem-**iste**	Tú tem-**erás**	
Él tem-**ió**	Él tem-**erá**	
Nos. tem-**imos**	Nos. tem-**eremos**	
Vos. tem-**isteis**	Vos. tem-**eréis**	
Ellos tem-**ieron**	Ellos tem-**erán**	

Tercera conjugación: part-**ir**

INDICATIVO
INDICATIVO

presente		pretérito perfecto			presente	
presente		*passato prossimo*			*presente*	
Yo	part-**o**	Yo	he	partido	Yo	part-**iría**
Tú	part-**es**	Tú	has	partido	Tú	part-**irías**
Él	part-**e**	Él	ha	partido	Él	part-**iría**
Nos.	part-**imos**	Nos.	hemos	partido	Nos.	part-**iríamos**
Vos.	part-**ís**	Vos.	habéis	partido	Vos.	part-**iríais**
Ellos	part-**en**	Ellos	han	partido	Ellos	part-**irían**

CONDICIONAL
CONDIZIONALE

pretérito indefinido		futuro imperfecto		PARTICIPIO PASADO
passato remoto		*futuro*		*PARTICIPIO PASSATO*
Yo	part-**í**	Yo	part-**iré**	part-**ido**
Tú	part-**iste**	Tú	part-**irás**	
Él	part-**ió**	Él	part-**irá**	
Nos.	part-**imos**	Nos.	part-**iremos**	
Vos.	part-**isteis**	Vos.	part-**iréis**	
Ellos	part-**ieron**	Ellos	part-**irán**	

Principales verbos irregulares españoles
Principali verbi irregolari spagnoli

Ser

INDICATIVO
INDICATIVO

presente		pretérito perfecto			presente	
presente		*passato prossimo*			*presente*	
Yo	soy	Yo	he	sido	Yo	sería
Tú	eres	Tú	has	sido	Tú	serías
Él	es	Él	ha	sido	Él	sería
Nos.	somos	Nos.	hemos	sido	Nos.	seríamos
Vos.	sois	Vos.	habéis	sido	Vos.	seríais
Ellos	son	Ellos	han	sido	Ellos	serían

CONDICIONAL
CONDIZIONALE

pretérito indefinido		futuro imperfecto		PARTICIPIO PASADO
passato remoto		*futuro*		*PARTICIPIO PASSATO*
Yo	fui	Yo	seré	sido
Tú	fuiste	Tú	serás	
Él	fue	Él	será	
Nos.	fuimos	Nos.	seremos	
Vos.	fuisteis	Vos.	seréis	
Ellos	fueron	Ellos	serán	

Haber

	INDICATIVO *INDICATIVO*				CONDICIONAL *CONDIZIONALE*

presente / *presente*   **pretérito perfecto** / *passato prossimo*   **presente** / *presente*

Yo	he	Yo	he	habido	Yo	habría
Tú	has	Tú	has	habido	Tú	habrías
Él	ha	Él	ha	habido	Él	habría
Nos.	hemos	Nos.	hemos	habido	Nos.	habríamos
Vos.	habéis	Vos.	habéis	habido	Vos.	habríais
Ellos	han	Ellos	han	habido	Ellos	habrían

pretérito indefinido / *passato remoto*   **futuro imperfecto** / *futuro*   PARTICIPIO PASADO / *PARTICIPIO PASSATO*

Yo	hube	Yo	habré	habido
Tú	hubiste	Tú	habrás	
Él	hubo	Él	habrá	
Nos.	hubimos	Nos.	habremos	
Vos.	hubisteis	Vos.	habréis	
Ellos	hubieron	Ellos	habrán	

Tener

	INDICATIVO *INDICATIVO*				CONDICIONAL *CONDIZIONALE*

presente / *presente*   **pretérito perfecto** / *passato prossimo*   **presente** / *presente*

Yo	tengo	Yo	he	tenido	Yo	tendría
Tú	tienes	Tú	has	tenido	Tú	tendrías
Él	tiene	Él	ha	tenido	Él	tendría
Nos.	tenemos	Nos.	hemos	tenido	Nos.	tendríamos
Vos.	tenéis	Vos.	habéis	tenido	Vos.	tendríais
Ellos	tienen	Ellos	han	tenido	Ellos	tendrían

pretérito indefinido / *passato remoto*   **futuro imperfecto** / *futuro*   PARTICIPIO PASADO / *PARTICIPIO PASSATO*

Yo	tuve	Yo	tendré	tenido
Tú	tuviste	Tú	tendrás	
Él	tuvo	Él	tendrá	
Nos.	tuvimos	Nos.	tendremos	
Vos.	tuvisteis	Vos.	tendréis	
Ellos	tuvieron	Ellos	tendrán	

Querer

	INDICATIVO *INDICATIVO*				CONDICIONAL *CONDIZIONALE*	
presente *presente*		**pretérito perfecto** *passato prossimo*			**presente** *presente*	
Yo	quiero	Yo	he	querido	Yo	querría
Tú	quieres	Tú	has	querido	Tú	querrías
Él	quiere	Él	ha	querido	Él	querría
Nos.	queremos	Nos.	hemos	querido	Nos.	querríamos
Vos.	queréis	Vos.	habéis	querido	Vos.	querríais
Ellos	quieren	Ellos	han	querido	Ellos	querrían

pretérito indefinido *passato remoto*		**futuro imperfecto** *futuro*		PARTICIPIO PASADO *PARTICIPIO PASSATO*
Yo	quise	Yo	querré	querido
Tú	quisiste	Tú	querrás	
Él	quiso	Él	querrá	
Nos.	quisimos	Nos.	querremos	
Vos.	quisisteis	Vos.	querréis	
Ellos	quisieron	Ellos	querrán	

Poder

	INDICATIVO *INDICATIVO*				CONDICIONAL *CONDIZIONALE*	
presente *presente*		**pretérito perfecto** *passato prossimo*			**presente** *presente*	
Yo	puedo	Yo	he	podido	Yo	podría
Tú	puedes	Tú	has	podido	Tú	podrías
Él	puede	Él	ha	podido	Él	podría
Nos.	podemos	Nos.	hemos	podido	Nos.	podríamos
Vos.	podéis	Vos.	habéis	podido	Vos.	podríais
Ellos	pueden	Ellos	han	podido	Ellos	podrían

pretérito indefinido *passato remoto*		**futuro imperfecto** *futuro*		PARTICIPIO PASADO *PARTICIPIO PASSATO*
Yo	pude	Yo	podré	podido
Tú	pudiste	Tú	podrás	
Él	pudo	Él	podrá	
Nos.	pudimos	Nos.	podremos	
Vos.	pudisteis	Vos.	podréis	
Ellos	pudieron	Ellos	podrán	

Ir

	INDICATIVO *INDICATIVO*						CONDICIONAL *CONDIZIONALE*	

presente
presente

Yo	voy
Tú	vas
Él	va
Nos.	vamos
Vos.	vais
Ellos	van

pretérito perfecto
passato prossimo

Yo	he	ido
Tú	has	ido
Él	ha	ido
Nos.	hemos	ido
Vos.	habéis	ido
Ellos	han	ido

presente
presente

Yo	iría
Tú	irías
Él	iría
Nos.	iríamos
Vos.	iríais
Ellos	irían

pretérito indefinido
passato remoto

Yo	fui
Tú	fuiste
Él	fue
Nos.	fuimos
Vos.	fuisteis
Ellos	fueron

futuro imperfecto
futuro

Yo	iré
Tú	irás
Él	irá
Nos.	iremos
Vos.	iréis
Ellos	irán

PARTICIPIO PASADO
PARTICIPIO PASSATO

ido

Decir

presente
presente

Yo	digo
Tú	dices
Él	dice
Nos.	decimos
Vos.	decí
Ellos	dicen

pretérito perfecto
passato prossimo

Yo	he	dicho
Tú	has	dicho
Él	ha	dicho
Nos.	hemos	dicho
Vos.	habéis	dicho
Ellos	han	dicho

presente
presente

Yo	diría
Tú	dirías
Él	diría
Nos.	diríamos
Vos.	diríais
Ellos	dirían

pretérito indefinido
passato remoto

Yo	dije
Tú	dijiste
Él	dijo
Nos.	dijimos
Vos.	dijisteis
Ellos	dijeron

futuro imperfecto
futuro

Yo	diré
Tú	dirás
Él	dirá
Nos.	diremos
Vos.	diréis
Ellos	dirán

PARTICIPIO PASADO
PARTICIPIO PASSATO

dicho

Hacer

INDICATIVO *INDICATIVO*					INDICATIVO *INDICATIVO*				CONDICIONAL *CONDIZIONALE*	

presente
presente

Yo	hago
Tú	haces
Él	hace
Nos.	hacemos
Vos.	hacéis
Ellos	hacen

pretérito perfecto
passato prossimo

Yo	he	hecho
Tú	has	hecho
Él	ha	hecho
Nos.	hemos	hecho
Vos.	habéis	hecho
Ellos	han	hecho

presente
presente

Yo	haría
Tú	harías
Él	haría
Nos.	haríamos
Vos.	haríais
Ellos	harían

pretérito indefinido
passato remoto

Yo	hice
Tú	hiciste
Él	hizo
Nos.	hicimos
Vos.	hicisteis
Ellos	hicieron

futuro imperfecto
futuro

Yo	haré
Tú	harás
Él	hará
Nos.	haremos
Vos.	haréis
Ellos	harán

PARTICIPIO PASADO
PARTICIPIO PASSATO

hecho

Venir

INDICATIVO *INDICATIVO*				CONDICIONAL *CONDIZIONALE*

presente
presente

Yo	vengo
Tú	vienes
Él	viene
Nos.	venimos
Vos.	venís
Ellos	vienen

pretérito perfecto
passato prossimo

Yo	he	venido
Tú	has	venido
Él	ha	venido
Nos.	hemos	venido
Vos.	habéis	venido
Ellos	han	venido

presente
presente

Yo	vendría
Tú	vendrías
Él	vendría
Nos.	vendríamos
Vos.	vendríais
Ellos	vendrían

pretérito indefinido
passato remoto

Yo	vine
Tú	viniste
Él	vino
Nos.	vinimos
Vos.	vinisteis
Ellos	vinieron

futuro imperfecto
futuro

Yo	vendré
Tú	vendrás
Él	vendrá
Nos.	vendremos
Vos.	vendréis
Ellos	vendrán

PARTICIPIO PASADO
PARTICIPIO PASSATO

venido

Estar

| INDICATIVO | | CONDICIONAL |
| *INDICATIVO* | | *CONDIZIONALE* |

presente		**pretérito perfecto**		**presente**
presente		*passato prossimo*		*presente*
Yo	estoy	Yo	he	estado	Yo	estaría
Tú	estás	Tú	has	estado	Tú	estarías
Él	está	Él	ha	estado	Él	estaría
Nos.	estamos	Nos.	hemos	estado	Nos.	estaríamos
Vos.	estáis	Vos.	habéis	estado	Vos.	estaríais
Ello	sestán	Ellos	han	estado	Ellos	estarían

pretérito indefinido		**futuro imperfecto**	PARTICIPIO PASADO
passato remoto		*futuro*	*PARTICIPIO PASSATO*
Yo	estuve	Yo	estaré	estado
Tú	estuviste	Tú	estarás	
Él	estuvo	Él	estará	
Nos.	estuvimos	Nos.	estaremos	
Vos.	estuvisteis	Vos.	estaréis	
Ellos	estuvieron	Ellos	estarán	

Fonética española
Fonetica spagnola

Fonema *Fonemi*	Ejemplo *Esempi*
/a/	amapola/amapóla/ halo/álo/
/b/	beso/béso/ ámbito/ámbito/ vago/bágo/ tranvía/trambía/
/β/	niebla/njéβla/ club/klúβ/ submarino/suβmaríno/ obstáculo/oβstákulo/ obtención/oβtenθjón/
/k/	cuclillas/kuklíʎas/ acción/akθjón/ doctor/ðoktór/ vivac/biβák/ choque/tʃóke/ quicio/kíθjo/
/θ/	cecina/θeθína/ zonzo/θónθo/ gaznate/ɣaθnáte/ noviazgo/noβjáθɣo/
/d/	dedo/déðo/ falda /fálda/ ronda/rónda/
/ð/	adalid/aðalíð/ adjunto/aðxúnto/ adquirir/aðkirír/
/e/	evento/eβénto/ heroína/eroína/
/f/	fofo/fófo/ golf/ɣólf/
/g/	galgo/gálɣo/ guerra/géra/ guijarro/gixářo/
/ɣ/	guagua/gwáɣwa/
/i/	ibis/íβis/ hilo/ílo/ buey/bwéi/ día/ðía/
/j/	miaja/mjáxa/ pie/pjé/ violeta/βjoléta/ viuda/bjúða/
/l/	lila/líla/
/ʎ/	lluvia/ʎúβja/ arrullo/ařúʎo/

Fonética española
Fonetica spagnola

Fonema *Fonemi*	Ejemplo *Esempi*
/m/	merengue/meréŋge/ enmienda/emmjénda/ infiernillo/imfjerníʎo/
/n/	nenúfar/nenúfar/ innato/innáto/
/ŋ/	banco/báŋko/ mengua/méŋgwa/ ángel/áŋxel/
/ɲ/	ñoquis/ɲókis/ uña/úɲa/
/o/	ópalo/ópalo/ hoja/óxa/
/p/	papá/papá/ lapso/lápso/ apto/ápto/ galop/ɣalóp/
/r/	tarareo/tararéo/
/r̄/	rabo/r̄áβo/ arrullo/ar̄úʎo/ alrededor/alr̄eðeðór/ enredo/enr̄éðo/ israelí/isr̄aelí/
/s/	salsa/sálsa/ musgo/músɣo/ eslabón/eslaβón/ abismo/aβísmo/
/t/	tarta/tárta/ atleta/aðléta/ arritmia/ar̄ítmja/ etnía/etnía/ complot/komplót/
/tʃ/	chicharra/tʃitʃár̄a/
/u/	úvula/úβula/ hurón/urón/ ganzúa/ganθúa/
/w/	huata/wáta/ muelle/mwéʎe/ ruido/rwíðo/ cuota/kwóta/
/x/	gitano/xitáno/ agente/axénte/ jenjibre/xenxíβre/ reloj/relóx/
/ǰ/	yugo/ǰuɣo/ atalaya/ataláǰa/ hierro/ǰér̄o/

Español-Italiano

Aa

a /a/ [prep] **1** a • ~ *mí me gusta mucho*: a me piace molto | ~ *las dos*: alle due | *hecho* ~ *mano*: fatto a mano **2** (no se suele traducir) • *no conozco* ~ *nadie*: non conosco nessuno **3** (dirección) a, in • *se fue* ~ *casa*: andò a casa | *va* ~ *España*: va in Spagna **4** (percepción, sensación) di • *sabor* ~ *miel*: sapore di miele ■ **de ... a** (distancia) da ... a • *de Londres* ~ *París*: da Londra a Parigi ■ **echar(se)/ponerse a + inf** cominciare/mettersi ~ + inf • *echó* ~ *correr*: si mise a correre ■ **ir a + inf** (futuro) • *voy* ~ *hacerlo*: lo farò LOC ~ **causa/raíz de algo/alguien**: a causa di qualcosa/qualcuno | ~ **condición de (que)**: a patto che | **al principio**: all'inizio.

abajo /aβáxo/ [adv] **1** sotto • *el vecino de* ~: il vicino di sotto **2** giù, in giù • *ven* ~: vieni giù LOC **de arriba** ~: dall'alto in basso | **desde** ~: dal basso | **hacia** ~: in giù ◆ [interj] abbasso!

abalanzarse /aβalanθárse/ [v prnl] (**a/hacia/sobre**) avventarsi, lanciarsi.

abandonar (-se) /aβandonár/ [v tr prnl] abbandonare (-rsi).

abandono /aβandóno/ [sm] abbandono.

abanico /aβaníko/ [sm] ventaglio.

abarcar /aβarkár/ [v tr] **1** abbracciare, circondare **2** FIG (territorios, pueblos) comprendere.

abastecer (-se) /aβasteθér/ [v tr prnl] (**con/de**) fornire (-rsi), rifornire (-rsi).

abatir /aβatír/ [v tr] abbattere.

abdomen /aβðómen/ [sm] addome.

abedul /aβeðúl/ [sm] betulla (f).

abeja /aβéxa/ [sf] ape.

abejorro /aβexóro/ [sm] calabrone.

abertura /aβertúra/ [sf] apertura.

abeto /aβéto/ [sm] abete.

abierto /aβjérto/ [adj] (también FIG) aperto • *carácter* ~: carattere aperto.

abismo /aβísmo/ [sm] (también FIG) abisso.

ablandar (-se) /aβlandár/ [v tr prnl] **1** ammorbidire (-rsi) **2** FIG (persona) commuovere (-rsi).

abochornar /aβotʃornár/ [v tr] FIG mettere in imbarazzo ◆ [v prnl] (**de/por**) FIG vergognarsi.

abofetear /aβofeteár/ [v tr] schiaffeggiare.

abogado /aβoɣáðo/ [sm] avvocato (f -essa).

abolición /aβoliθjón/ [sf] abolizione, abrogazione.

abolir /aβolír/ [v tr] abolire, abrogare.

abolladura /aβoʎaðúra/ [sf] ammaccatura.

abollar /aβoʎár/ [v tr] ammaccare.

abonado /aβonáðo/ [sm] **1** (de servicio público) utente (m,f) **2** (de revista, teatro) abbonato.

abonar /aβonár/ [v tr] **1** pagare • ~ *al contado*: pagare in contanti **2** (a revistas, teatro) abbonare **3** AGR concimare ◆ [v prnl] (**a**) abbonarsi, fare l'abbonamento.

abono /aβóno/ [sm] **1** abbonamento **2** (de dinero) accredito, pagamento **3** AGR concime.

abordar /aβorðár/ [v tr] **1** (también FIG) abbordare • *la abordó en plena calle*: la abbordò in mezzo alla strada **2** FIG (asunto) affrontare.

aborrecer /aβoŕeθér/ [v tr] detestare, odiare.

abortar /aβortár/ [v tr/intr] **1** abortire **2** FIG fallire.

aborto /aβórto/ [sm] aborto.

abotinado /aβotinádo/ [adj] (calzado) con lacci.

abotonar (-se) /aβotonár/ [v tr prnl] abbottonare (-rsi).

abovedado /aβoβeðáðo/ [adj] a volta.

abrasador (-a) /aβrasaðór/ [adj] (clima, día) torrido.

abrasar (-se) /aβrasár/ [v tr prnl] bruciare.

abrasión /aβrasjón/ [sf] abrasione.

abrazar (-se) /aβraθár/ [v tr prnl] abbracciare (-rsi).

abrazo /aβráθo/ [sm] abbraccio.

abrebotellas /aβreβotéλas/ [sm inv] apribottiglie.

abrelatas /aβrelátas/ [sm inv] apriscatole.

abreviar /aβreβjár/ [v tr] abbreviare, accorciare.

abreviatura /aβreβjatúra/ [sf] abbreviazione.

abrigar /aβriɣár/ [v tr] **1** coprire • *abrígala bien*: coprila bene **2** (ropa) tenere caldo ◆ [v prnl] coprirsi.

abrigo /aβríɣo/ [sm] cappotto LOC ~ de pieles: pelliccia.

abril /aβríl/ [sm] aprile.

abrir /aβrír/ [v tr] aprire ◆ [v intr/prnl] **1** aprirsi **2** BOT schiudersi LOC ~ camino: fare strada.

abrochar (-se) /aβrotʃár/ [v tr prnl] allacciare (-rsi).

abrumar /aβrumár/ [v tr] **1** opprimere • *este trabajo me abruma*: questo lavoro mi opprime **2** FIG (molestar) infastidire, seccare **3** FIG (cohibir) mettere in imbarazzo.

abruzo /aβrúθo/ [adj/sm] abruzzese (m,f).

Abruzos /aβrúθos/ [sm pl] Abruzzo (sing).

absceso /aβsθéso/ [sm] ascesso.

ábside /áβsiðe/ [sm] abside (f).

absolución /aβsoluθjón/ [sf] assoluzione.

absoluto /aβsolúto/ [adj/sm] assoluto LOC en ~: in assoluto; per niente (negativo).

absolver /aβsolβér/ [v tr] (de) assolvere.

absorber /aβsorβér/ [v tr] assorbire.

abstemio /aβstémjo/ [adj/sm] astemio.

abstenerse /aβstenérse/ [v prnl] (de) **1** (voto) astenersi **2** rinunciare.

abstinencia /aβstinénθja/ [sf] astinenza LOC síndrome de ~: sindrome da astinenza.

abstracto /aβstrákto/ [adj] astratto LOC arte ~: arte astratta.

absurdo /aβsúrðo/ [adj] assurdo.

abuchear /aβutʃeár/ [v tr] (público) fischiare.

abuelo /aβwélo/ [sm] nonno.

abultar /aβultár/ [v intr] ingombrare ◆ [v tr] ingrossare.

abundancia /aβundánθja/ [sf] abbondanza.

abundante /aβundánte/ [adj m,f] abbondante.

aburrido /aβuříðo/ [adj] **1** annoiato ◆ *estar* ~: essere annoiato **2** noioso ◆ *un libro* ~: un libro noioso.

aburrimiento /aβuřimjénto/ [sm] noia (f).

aburrir (-se) /aβuřír/ [v tr prnl] annoiare (-rsi).

abusar /aβusár/ [v intr] (**de**) abusare.

abusivo /aβusíβo/ [adj] abusivo.

abuso /aβúso/ [sm] abuso.

acá /aká/ [adv] qua, qui ◆ *ven* ~: vieni qua LOC ~ **y allá**: qua e là | **de** ~ **para allá**: da una parte all'altra | **más** ~: più vicino.

acabar (-se) /akaβár/ [v tr prnl/intr] finire ◼ **acabar de + inf** avere appena finito di + inf ◆ *acaban de comer*: hanno appena finito di pranzare ◼ **no acabar de + inf** non riuscire a + inf ◆ *no acabo de entender*: non riesco a capire LOC **¡se acabó!**: basta!

academia /akaðémja/ [sf] **1** accademia **2** (artística, profesional) scuola ◆ ~ *de idiomas*: scuola di lingue LOC ~ **de bellas artes**: accademia di belle arti.

acaecer /akaeθér/ [v intr] succedere, accadere.

acaecimiento /akaeθimjénto/ [sm] avvenimento, evento.

acalorarse /akalorárse/ [v prnl] **1** accaldarsi **2** (con/en/por) FIG accalorarsi, scaldarsi.

acampada /akampáða/ [sf] campeggio (m) LOC ~ **libre**: campeggio libero.

acampar (-se) /akampár/ [v intr prnl] accamparsi.

acantilado /akantiláðo/ [sm] (en la costa) scogliera (f).

acaparar /akaparár/ [v tr] FIG (atención, interés) monopolizzare.

acariciar /akariθjár/ [v tr] accarezzare.

acarrear /akařeár/ [v tr] **1** trasportare **2** FIG causare, procurare.

acaso /akáso/ [adv] **1** forse ◆ ~ *venga*: forse verrà **2** (interrogativo) per caso ◆ *¿* ~ *le oíste?*: l'hai sentito per caso? LOC **por si** ~: caso mai.

acatar /akatár/ [v tr] (ley, decisión) obbedire, rispettare.

acatarrarse /akatařárse/ [v prnl] prendersi un raffreddore, raffreddarsi.

acceder /akθeðér/ [v intr] (**a**) **1** (lugares) accedere **2** FIG acconsentire.

accesible /akθesíβle/ [adj m,f] **1** (lugar) accessibile **2** (persona) gentile.

acceso /akθéso/ [sm] accesso.

accesorio /akθesórjo/ [adj] secondario ◆ *puerta accesoria*: porta secondaria ◆ [sm] accessorio.

accidentado /akθiðentáðo/ [sm] (persona) infortunato.

accidente /akθiðénte/ [sm] **1** incidente, infortunio **2** (casualidad) caso LOC ~ **de circulación/~ laboral**: incidente stradale/infortunio sul lavoro.

acción /akθjón/ [sf] (también título) azione ◆ *compró unas acciones*: ha comperato delle azioni LOC **entrar**

en ~: entrare in azione | **película de ~**: film d'azione.

accionar /akθjonár/ [v tr] azionare.

acechar /aθetʃár/ [v tr] **1** fare la posta **2** FIG spiare, tenere d'occhio.

acecho /aθétʃo/ [sm] appostamento, agguato LOC **estar al/en ~**: stare in agguato.

aceite /aθéite/ [sm] olio LOC **~ de oliva/semillas**: olio di oliva/semi | **~ virgen extra**: olio extra vergine.

aceiteras /aθeitéras/ [sf pl] oliera (sing).

aceituna /aθeitúna/ [sf] oliva.

acelerador /aθeleraðór/ [sm] acceleratore.

acelerar /aθelerár/ [v tr] accelerare.

acelga /aθélɣa/ [sf] bietola.

acento /aθénto/ [sm] accento.

acentuar (-se) /aθentwár/ [v tr prnl] FIG accentuare (-rsi).

aceptación /aθeptaθjón/ [sf] accettazione, consenso (m).

aceptar /aθeptár/ [v tr] accettare.

acequia /aθékja/ [sf] canale d'irrigazione.

acera /aθéra/ [sf] marciapiede (m).

acerca /aθérka/ [prep] (**de**) riguardo a.

acercamiento /aθerkamjénto/ [sm] avvicinamento.

acercar /aθerkár/ [v tr] (**a**) **1** avvicinare **2** FAM dare un passaggio ♦ [v prnl] avvicinarsi.

acero /aθéro/ [sm] acciaio LOC **~ inoxidable**: acciaio inossidabile/inox.

acertado /aθertáðo/ [adj] **1** adatto, conveniente (m,f) **2** (logrado) azzeccato, riuscito.

acertar /aθertár/ [v tr] azzeccare.

acertijo /aθertíxo/ [sm] enigma, indovinello.

acetona /aθetóna/ [sf] acetone (m).

achacar /atʃakár/ [v tr] attribuire, imputare.

achaque /atʃáke/ [sm] acciacco.

achatar /atʃatár/ [v tr] appiattire.

achicar (-se) /atʃikár/ [v tr prnl] **1** rimpicciolire (-rsi), ridurre (-rsi) **2** FIG spaventare (-rsi).

achicharrar (-se) /atʃitʃaṝár/ [v tr prnl] abbrustolire (-rsi).

achicoria /atʃikórja/ [sf] cicoria.

acicalar (-se) /aθikalár/ [v tr prnl] agghindare (-rsi).

acicate /aθikáte/ [sm] incentivo, stimolo.

acidez /aθidéθ/ [sf] (también MED) acidità (inv).

ácido /áθiðo/ [adj/sm] (también FIG) acido ● *un comentario ~*: un commento acido.

acierto /aθjérto/ [sm] abilità (f inv) LOC **ser algo un ~**: essere una bella idea.

aclamar /aklamár/ [v tr] acclamare.

aclaración /aklaraθjón/ [sf] chiarimento (m).

aclarar /aklarár/ [v tr] **1** schiarire **2** COC allungare, diluire **3** FIG (dudas, situaciones) chiarire, spiegare ♦ [v prnl] FIG **1** (entender) raccapezzarsi **2** FAM (entre personas) chiarirsi, spiegarsi.

acné /a(k)né/ [sm] acne (f).

acobardar (-se) /akoβarðár/ [v tr prnl] spaventare (-rsi).

acogedor (-a) /akoxeðór/ [adj] accogliente (m,f).

acoger /akoxér/ [v tr] accogliere.

acogida /akoxíða/ [sf] accoglienza.

acojonar /akoxonár/ [v tr] VULG **1** spaventare **2** (pasmar) lasciare di stucco/merda ♦ [v prnl] VULG **1** spaventarsi **2** (quedarse pasmado) restare di stucco/merda.

acolchado /akolt∫áðo/ [adj] trapuntato.

acometer /akometér/ [v tr] **1** (a/contra) aggredire, attaccare **2** (tarea) intraprendere.

acometida /akometíða/ [sf] (también TECN) attacco (m).

acomodar /akomoðár/ [v tr] accomodare ♦ [v prnl] **1** accomodarsi **2** (a) FIG adattarsi.

acompañamiento /akompaɲamjénto/ [sm] **1** MUS accompagnamento **2** COC contorno.

acompañar /akompaɲár/ [v tr] **1** (también MUS) accompagnare **2** FIG (papel, documento) essere accluso/allegato.

acondicionador /akondiθjonaðór/ [sm] condizionatore LOC ~ de aire: condizionatore d'aria | ~ de pelo: balsamo per capelli.

acongojar /akoŋgoxár/ [v tr] angosciare.

aconsejar /akonsexár/ [v tr] consigliare.

acontecer /akonteθér/ [v intr] accadere, succedere.

acontecimiento /akonteθimjénto/ [sm] evento, avvenimento.

acorazado /akoraθáðo/ [adj] blindato.

acordar /akorðár/ [v tr] (también MUS) accordare ♦ [v prnl] (de) ricordare.

acorde /akórðe/ [adj m,f] conforme, concorde LOC estar ~ con algo: essere conforme a qualcosa.

acordeón /akorðeón/ [sm] fisarmonica (f).

acorralar /akořalár/ [v tr] circondare.

acortar (-se) /akortár/ [v tr/intr prnl] accorciare (-rsi).

acosar /akosár/ [v tr] assillare, tormentare.

acoso /akóso/ [sm] assillo LOC ~ sexual: molestie sessuali.

acostar /akostár/ [v tr] **1** mettere a letto **2** MAR accostare ♦ [v prnl] **1** coricarsi **2** FIG FAM (sexo) andare a letto.

acostumbrado /akostumbráðo/ [adj] solito.

acostumbrar (-se) /akostumbrár/ [v tr prnl] abituare (-rsi) ♦ [v intr] (a) essere solito.

acotar /akotár/ [v tr] delimitare.

acre /ákre/ [adj m,f] acre, aspro (m).

acreditar /akreðitár/ [v tr] accreditare.

acreedor (-a) /akreeðór/ [sm] creditore (f -trice).

acribillar /akriβiʎár/ [v tr] (a) FIG tempestare, assillare.

acristalado /akristaláðo/ [adj] vetrato, a vetro.

acrobacia /akroβáθja/ [sf] acrobazia.

acróbata /akróbata/ [sm,f] acrobata.

acta /ákta/ [sf] **1** verbale (m) **2** (en pl) atti (m), registri (m) LOC levantar ~: stendere/mettere a verbale.

actitud /aktitúð/ [sf] atteggiamento (m), comportamento (m).

activar /aktiβár/ [v tr] attivare, mettere in funzione.

actividad /aktiβiðáð/ [sf] attività (inv).

activo /aktíβo/ [adj/sm] attivo LOC **estar en ~**: essere in servizio (funzionario).

acto /ákto/ [sm] (también teatral) atto LOC **~ seguido**: subito dopo | **en el ~**: subito | **salón de actos**: sala conferenze/congressi.

actor (**-triz**) /aktór/ [sm] attore (f -trice).

actuación /aktwaθjón/ [sf] **1** comportamento (m) **2** (en películas, teatro) recitazione.

actual /aktwál/ [adj m,f] attuale.

actualidad /aktwaliðáð/ [sf] attualità (inv) LOC **estar de ~**: essere di moda/d'attualità.

actualizar (**-se**) /aktwaliθár/ [v tr prnl] aggiornare (-rsi).

actuar (**-se**) /aktwár/ [v intr] **1** agire **2** (**de/como**) (oficio, profesión) lavorare, essere, fare **3** (en cine, teatro) recitare.

acuarela /akwaréla/ [sf] acquerello (m).

acuario /akwárjo/ [sm] (también zodíaco) acquario.

acuático /akwátiko/ [adj] acquatico.

acuchillar /akutʃiʎár/ [v tr] accoltellare.

acudir /akuðír/ [v intr] **1** (**a**) (lugar, cita) andare, recarsi **2** (**ante/en**) accorrere, correre ◆ *acudió en su ayuda*: accorse in suo aiuto **3** (**a**) (persona) rivolgersi, ricorrere.

acueducto /akweðúkto/ [sm] acquedotto.

acuerdo /akwérðo/ [sm] accordo LOC **estar/ponerse de ~**: essere/mettersi d'accordo.

acumular /akumulár/ [v tr] accumulare.

acunar /akunár/ [v tr] (niño) cullare.

acupuntura /akupuntúra/ [sf] agopuntura.

acurrucarse /akur̄ukárse/ [v prnl] raggomitolarsi.

acusación /akusaθjón/ [sf] (también JUR) accusa.

acusado /akusáðo/ [adj] **1** accusato **2** FIG marcato, pronunciato ◆ [sm] imputato, accusato.

acusar (**-se**) /akusár/ [v tr prnl] (**de**) accusare (-rsi).

acuse /akúse/ [sm] ricevuta (f) LOC **~ de recibo**: ricevuta di ritorno.

acústico /akústiko/ [adj] acustico.

adaptación /aðaptaθjón/ [sf] adattamento (m), adeguamento (m).

adaptar (**-se**) /aðaptár/ [v tr prnl] (**a**) adattare (-rsi).

adecuado /aðekwáðo/ [adj] adatto, adeguato.

adecuar (**-se**) /aðekwár/ [v tr prnl] adeguare (-rsi), adattare (-rsi).

adelantado /aðelantáðo/ [adj] **1** (persona) precoce (m,f) **2** FIG (tarea) a buon punto LOC **pago ~**: pagamento anticipato.

adelantar /aðelantár/ [v tr] **1** (mover hacia adelante) spostare/portare in avanti **2** (dejar atrás) sorpassare, superare **3** (también dinero) anticipare ◆ *~ un viaje*: anticipare un viaggio ◆ [v intr] **1** avanzare, procedere **2** (**en**) FIG migliorare, progredire ◆ [v prnl] essere in anticipo.

adelante /aðelánte/ [adv] avanti LOC **en ~**: d'ora in poi | **más ~**: più avanti | **seguir ~**: proseguire ♦ [interj] avanti!

adelanto /aðelánto/ [sm] **1** (también COM) anticipo **2** (mejora) miglioramento.

adelfa /aðélfa/ [sf] oleandro (m).

adelgazamiento /aðelɣaθamjénto/ [sm] dimagrimento.

adelgazar /aðelɣaθár/ [v intr] dimagrire.

ademán /aðemán/ [sm] **1** gesto **2** (en pl) maniere (f), modi.

además /aðemás/ [adv] inoltre, per di più LOC **~ de**: oltre a.

adentrarse /aðentrárse/ [v prnl] (en) addentrarsi.

adentro /aðéntro/ [adv] dentro LOC **mar ~**: al largo | **tierra ~**: entroterra.

aderezar /aðereθár/ [v tr] condire.

aderezo /aðeréθo/ [sm] condimento.

adeudar /aðeuðár/ [v tr] addebitare.

adherir /aðerír/ [v tr/intr] aderire.

adhesivo /aðesíβo/ [adj/sm] adesivo.

adicción /aðikθjón/ [sf] assuefazione.

adición /aðiθjón/ [sf] **1** somma, addizione **2** (añadidura) aggiunta.

adicto /aðíkto/ [adj] **1** fedele (m,f) **2** (a una droga) tossicodipendente (m,f) ♦ [sm] tossicodipendente (m,f).

adiestrar /aðjestrár/ [v tr] addestrare.

adiós /aðjós/ [interj] **1** (para siempre) addio **2** (hasta luego) arrivederci.

adivinar /aðiβinár/ [v tr] indovinare.

adjetivo /aðxetíβo/ [sm] aggettivo.

adjudicar (-se) /aðxuðikár/ [v tr prnl] aggiudicare (-rsi).

adjuntar /aðxuntár/ [v tr] accludere, allegare.

adjunto /aðxúnto/ [adj] accluso, allegato.

administración /aðministraθjón/ [sf] amministrazione LOC **~ pública**: pubblica amministrazione | **consejo de ~**: consiglio di amministrazione.

administrador (-a) /aðministraðór/ [sm] amministratore (f -trice).

administrar /aðministrár/ [v tr] **1** amministrare **2** (medicamento) dare, somministrare.

administrativo /aðministratíβo/ [adj] amministrativo.

admiración /aðmiraθjón/ [sf] ammirazione.

admirador (-a) /aðmiraðór/ [adj/ sm] ammiratore (sust, f -trice).

admirar (-se) /aðmirár/ [v tr prnl] **1** ammirare (-rsi) **2** (extrañarse) meravigliare (-rsi).

admitir /aðmitír/ [v tr] ammettere.

adobar /aðoβár/ [v tr] (carne) marinare.

adolescente /aðolesθénte/ [adj/ sm,f] adolescente.

adonde /aðónde/ [adv] dove ■ (interrogativo) ♦ *¿adónde vas?*: dove vai?

adopción /aðopθjón/ [sf] adozione.

adoptar /aðoptár/ [v tr] adottare.

adoquín /aðokín/ [sm] selce (f), sampietrino.

adorable /aðoráβle/ [adj m,f] adorabile, incantevole.

adorar /aðorár/ [v tr] adorare.

adormecer (-se) /aðormeθér/ [v tr prnl] addormentare (-rsi).

adormilarse /aðormilárse/ [v prnl] appisolarsi.

adornar /aðornár/ [v tr] adornare.

adorno /aðórno/ [sm] ornamento, decorazione (f).

adquirir /aðkirír/ [v tr] **1** acquisire, acquistare **2** FIG (costumbre) prendere **3** COM comprare.

adquisición /aðkisiθjón/ [sf] acquisto (m).

adrede /aðréðe/ [adv] apposta, di proposito.

adriático /aðrjátiko/ [adj] adriatico.

adsorber /aðsorβér/ [v tr] assorbire.

aduana /aðwána/ [sf] dogana.

aduanero /aðwanéro/ [adj] dogana- le (m,f) ◆ [sm] doganiere, finan- ziere.

adueñarse /aðweɲárse/ [v prnl] (**de**) impadronirsi.

adulador (-a) /aðulaðór/ [adj/sm] adulatore (f -trice), lusingatore (f - trice).

adular /aðulár/ [v tr] adulare.

adulterar /aðulterár/ [v tr] adulte- rare.

adulto /aðúlto/ [adj/sm] adulto.

adversario /aðβersárjo/ [sm] avver- sario.

advertencia /aðβerténθja/ [sf] av- vertimento (m).

advertir /aðβertír/ [v tr] avvertire.

adyacente /aðjaθénte/ [adj m,f] adiacente.

aéreo /aéreo/ [adj] aereo.

aerobic /aeroβík/ [sm inv] aerobica (f sing).

aerolínea /aerolínea/ [sf] linea ae- rea.

aeronáutica /aeronáutika/ [sf] aero- nautica.

aeropuerto /aeropwérto/ [sm] aero- porto.

afable /afáβle/ [adj m,f] affabile.

afán /afán/ [sm] impegno.

afanarse /afanárse/ [v prnl] (**por**) darsi da fare.

afear /afeár/ [v tr] imbruttire.

afectar /afektár/ [v tr] **1** colpire ● *su muerte nos ha afectado mucho*: la sua morte ci ha colpiti molto **2** (per- judicar) danneggiare.

afecto /afékto/ [sm] affetto.

afeitado /afeitáðo/ [sm] rasatura (f).

afeitar (-se) /afeitár/ [v tr prnl] ra- dere (-rsi).

aferrar /aferár/ [v tr] afferrare ◆ [v prnl] (**a**) **1** afferrarsi **2** FIG (ideas, excusas) ostinarsi.

afición /afiθjón/ [sf] hobby (m inv).

aficionado /afiθjonáðo/ [adj/sm] **1** appassionato **2** (actor, deportista) dilettante (m,f).

aficionar (-se) /afiθjonár/ [v tr prnl] appassionare (-rsi).

afilar /afilár/ [v tr] (cuchillo, tijera) affilare.

afiliado /afiljáðo/ [adj/sm] **1** socio (sust) **2** (de sociedad deportiva, par- tido) tesserato.

afinar /afinár/ [v tr] **1** correggere, perfezionare ● *~ la puntería*: cor- reggere la mira **2** MUS accordare.

afincarse /afiŋkárse/ [v prnl] (**en**) insediarsi, stabilirsi.

afinidad /afiniðáð/ [sf] affinità (inv).

afirmación /afirmaθjón/ [sf] affer- mazione.

afirmar /afirmár/ [v tr] affermare LOC ~ **con la cabeza**: assentire.

afligir (-se) /aflixír/ [v tr prnl] affliggere (-rsi), addolorare (-rsi).

aflojar (-se) /afloxár/ [v tr prnl] **1** allentare (-rsi) **2** (nudo) sciogliere (-rsi).

aflorar /aflorár/ [v intr] affiorare.

afluencia /aflwénθja/ [sf] affluenza, afflusso (m).

afluente /aflwénte/ [sm] affluente.

afortunado /afortunáðo/ [adj] fortunato.

afrenta /afrénta/ [sf] affronto (m), oltraggio (m) LOC **hacer una ~**: oltraggiare.

África /áfrika/ [sf] Africa.

africano /afrikáno/ [adj/sm] africano.

afrontar /afrontár/ [v tr] affrontare, fronteggiare, opporsi.

after-shave /afterséif/ [sm inv] dopobarba.

afuera /afwéra/ [adv] fuori.

afueras /afwéras/ [sf pl] sobborghi (m), periferia (sing).

agachar (-se) /aɣatʃár/ [v tr prnl] abbassare (-rsi), chinare (-rsi).

agarrado /aɣaɾáðo/ [adj] FIG (persona) tirchio, avaro.

agarrar /aɣaɾár/ [v tr] **1** afferrare **2** (borrachera, enfermedad) prendere ◆ [v prnl] aggrapparsi.

agazaparse /aɣaθapárse/ [v prnl] acquattarsi, accovacciarsi.

agencia /axénθja/ [sf] (también de correos, banco) agenzia LOC **~ de viajes**: agenzia di viaggi.

agenda /axénda/ [sf] agenda.

agente /axénte/ [sm,f] agente.

ágil /áxil/ [adj m,f] agile.

agilidad /axiliðáð/ [sf] agilità (inv).

agilizar /axiliθár/ [v tr] sveltire, semplificare.

agitación /axitaθjón/ [sf] agitazione.

agitar (-se) /axitár/ [v tr prnl] agitare (-rsi).

agobiar (-se) /aɣoβjár/ [v tr prnl] stancare (-rsi).

agobio /aɣóβjo/ [sm] oppressione (f) LOC **¡qué ~!**: che angoscia/stress!

agolpar (-se) /aɣolpár/ [v tr prnl] **1** ammucchiare (-rsi) **2** (personas) accalcare (-rsi).

agonía /aɣonía/ [sf] agonia.

agosto /aɣósto/ [sm] agosto.

agotador (-a) /aɣotaðór/ [adj] stancante (m,f).

agotamiento /aɣotamjénto/ [sm] (también MED) esaurimento.

agotar (-se) /aɣotár/ [v tr prnl] **1** prosciugare (-rsi) **2** (terminar) esaurire (-rsi), finire **3** FIG sfinire (-rsi), stancare (-rsi).

agradable /aɣraðáβle/ [adj m,f] gradevole, piacevole.

agradar /aɣraðár/ [v tr] **1** far piacere ◆ *me agrada tu compañía*: mi fa piacere la tua compagnia **2** (a) piacere.

agradecer /aɣraðeθér/ [v tr] ringraziare.

agradecimiento /aɣraðeθimjénto/ [sm] gratitudine (f), riconoscenza (f).

agrado /aɣráðo/ [sm] **1** gusto **2** (satisfacción) piacere.

agrandar /aɣrandár/ [v tr] ingrandire.

agrario /aɣrárjo/ [adj] agricolo.

agravar (-se) /aɣraβár/ [v tr prnl] aggravare (-rsi).

agravio /aɣráβjo/ [sm] offesa (f).

agredir /aɣreðír/ [v tr] aggredire.

agregarse /aɣreɣárse/ [v prnl] (a) unirsi.

agresión /aɣresjón/ [sf] aggressione.

agresivo /aɣresíβo/ [adj] aggressivo.

agricultor (-a) /aɣrikultór/ [sm] agricoltore (f -trice).

agricultura /aɣrikultúra/ [sf] agricoltura.

agridulce /aɣriðúlθe/ [adj m,f] agrodolce.

agrietar (-se) /aɣrjetár/ [v tr prnl] screpolare (-rsi).

agrio /áɣrjo/ [adj] (también FIG) agro, aspro • un ~ comentario: un commento aspro.

agrios /áɣrjos/ [sm pl] agrumi.

agrupación /aɣrupaθjón/ [sf] 1 raggruppamento (m) 2 associazione • ~ de vecinos: associazione degli inquilini.

agrupar (-se) /aɣrupár/ [v tr prnl] raggruppare (-rsi).

agua /áɣwa/ [sf] acqua LOC ~ con/sin gas: acqua gassata/naturale | ~ de colonia: acqua di colonia | ~ mineral/natural acqua minerale/naturale | ~ oxigenada: acqua ossigenata | ~ potable: acqua potabile.

aguacate /aɣwakáte/ [sm] avocado (inv).

aguacero /aɣwaθéro/ [sm] acquazzone.

aguado /aɣwáðo/ [adj] annacquato.

aguafuerte /aɣwafwérte/ [sf] acquaforte.

aguanieve /aɣwanjéβe/ [sf] nevischio (m).

aguantar /aɣwantár/ [v tr] 1 reggere, sostenere 2 FIG (persona, situa-

ción) sopportare 3 (refrenar) reprimere ♦ [v intr] resistere, tenere duro.

aguante /aɣwánte/ [sm] sopportazione (f), pazienza (f).

aguardiente /aɣwarðjénte/ [sm] acquavite (f).

agudo /aɣúðo/ [adj/sm] (también FIG) acuto • tiene una mirada aguda: ha lo sguardo acuto.

agüero /aɣwéro/ [sm] (sólo en la locución) LOC ser de buen/mal ~: essere di buon/cattivo augurio.

aguijón /aɣixón/ [sm] 1 (de escorpión, abeja) pungiglione, aculeo 2 FIG pungolo, stimolo.

águila /áɣila/ [sf] aquila.

aguja /aɣúxa/ [sf] 1 (también BOT) ago (m) 2 (de reloj) lancetta 3 ARQ guglia, pinnacolo (m).

agujerear /aɣuxereár/ [v tr] bucare, forare.

agujero /aɣuxéro/ [sm] buco LOC ~ de ozono: buco dell'ozono.

aherrumbrarse /aerumbrárse/ [v prnl] arrugginirsi.

ahí /aí/ [adv] lì LOC ~ lo tienes: eccolo, eccoti | ~ cerca: lì vicino | por ~: da qualche parte.

ahínco /aíŋko/ [sm] impegno.

ahogado /aoɣáðo/ [adj/sm] affogato, annegato.

ahogar /aoɣár/ [v tr] 1 (en un líquido) affogare, annegare 2 soffocare, strozzare ♦ [v prnl] 1 (en un líquido) affogarsi, annegarsi 2 soffocarsi, strozzarsi 3 (vehículo) ingolfarsi.

ahogo /aóɣo/ [sm] 1 soffocamento 2 FIG affanno, angoscia (f).

ahondar /aondár/ [v tr/intr] FIG approfondire, andare a fondo.

ahora /aóra/ [adv/conj] ora LOC ~ **mismo**: or ora, in questo momento | **por ~**: per ora, per il momento.

ahorcar (-se) /aorkár/ [v tr prnl] impiccare (-rsi), appendere (-rsi).

ahorrar (-se) /aor̄ár/ [v tr prnl] risparmiare (-rsi).

ahorro /aór̄o/ [sm] risparmio LOC **caja/libreta de ahorros**: cassa/libretto di risparmio.

ahumado /aumáðo/ [adj] (también COC) affumicato.

ahumar /aumár/ [v tr] (también COC) affumicare.

ahuyentar /aujentár/ [v tr] mettere in fuga.

aire /áire/ [sm] **1** (también FIG) aria (f) • *tiene un ~ de misterio*: ha un'aria misteriosa **2** MUS aria (f), melodia (f) LOC ~ **acondicionado**: aria condizionata | **al ~ libre**: all'aria aperta, all'aperto | **darse aires**: darsi delle arie.

airear /aireár/ [v tr] arieggiare.

airoso /airóso/ [adj] brioso LOC **quedar/salir ~**: far bella figura.

aislado /aisláðo/ [adj] isolato.

aislamiento /aislamjénto/ [sm] (también TECN) isolamento LOC ~ **acústico/térmico**: isolamento acustico/termico.

aislar (-se) /aislár/ [v tr prnl] (también TECN) isolare (-rsi).

ajar (**se**) /axár/ [v tr] (cosa) sgualcire, rovinare ♦ [v prnl] **1** (cosa) sgualcirsi, rovinarsi **2** (flor, piel) avvizzire, appassire.

ajedrez /axeðréθ/ [sm] scacchi (pl).

ajeno /axéno/ [adj] **1** altrui (inv), di altri • *propiedad ajena*: proprietà altrui **2** (también FIG) estraneo ♦ *gente ajena a la familia*: persone estranee alla famiglia LOC **estar/ quedarse ~ a algo/alguien**: essere noncurante di qualcosa/qualcuno.

ajetrear /axetreár/ [v tr] affaticare, stancare ♦ [v prnl] affannarsi.

ajetreo /axetréo/ [sm] traffico, trambusto.

ajo /áxo/ [sm] aglio.

ajonjolí /axoŋxolí/ [sm] sesamo.

ajuar /axwár/ [sm] corredo, dote (f).

ajustable /axustáβle/ [adj m,f] regolabile.

ajustado /axustáðo/ [adj] **1** adatto, conveniente (m,f) **2** (indumento) stretto, aderente (m,f).

ajustar (-se) /axustár/ [v tr prnl] **1** stringere (-rsi) • *ajústate el cinturón*: stringi la cintura **2** FIG adattare (-rsi).

ajuste /axúste/ [sm] TECN regolazione (f) LOC ~ **de cuentas**: regolamento di conti.

ajusticiar /axustiθjár/ [v tr] giustiziare.

al /al/ [prep art m sing] al, allo ■ **al +** **inf 1** al/nel + inf, quando/mentre + indicativo • ~ *decírmelo, lloraba*: nel dirmelo piangeva **2** siccome + indicativo • ~ *no verle, me marché*: siccome non lo vidi, me ne andai.

ala /ála/ [sf] (también ARQ DEP) ala*.

alabanza /alaβánθa/ [sf] lode.

alabar /alaβár/ [v tr] lodare, elogiare.

alacena /alaθéna/ [sf] credenza.

alacrán /alakrán/ [sm] ZOOL scorpione.

aladelta /alaðélta/ [sm] deltaplano.

alambre /alámbre/ [sm] filo di ferro LOC ~ **de espino**: filo spinato.

alameda /alaméða/ [sf] (paseo) viale (m).

álamo /álamo/ [sm] pioppo.

alargador /alaryaðór/ [sm] prolunga (f).

alargar /alaryár/ [v tr] **1** allungare **2** (también tiempo) prolungare • *alargaron su estancia*: prolungarono la loro permanenza ◆ [v prnl] allungarsi LOC ~ **el paso**: allungare il passo.

alarido /alaríðo/ [sm] urlo*.

alarma /alárma/ [sf] allarme (m) LOC ~ **antirrobo**: allarme antifurto.

alarmar (-se) /alarmár/ [v tr prnl] allarmare (-rsi), spaventare (-rsi).

alba /álβa/ [sf] alba.

albahaca /alβaáka/ [sf] basilico (m).

albañil /alβaɲíl/ [sm] muratore.

albañilería /alβaɲilería/ [sf] **1** (oficio) edilizia **2** (obra) opera muraria.

albaricoque /alβarikóke/ [sm] **1** (planta) albicocco **2** (fruto) albicocca (f).

alberca /alβérka/ [sf] **1** cisterna, serbatoio (m) **2** *Amer* piscina.

albergue /alβérye/ [sm] **1** alloggio **2** (de montaña) rifugio LOC ~ **juvenil**: ostello della gioventù.

albornoz /alβornóθ/ [sm] accappatoio.

alborotar (-se) /alβorotár/ [v tr prnl] agitare (-rsi).

alboroto /alβoróto/ [sm] chiasso, confusione (f).

alcachofa /alkatʃófa/ [sf] carciofo (m).

alcalde /alkálde/ [sm] sindaco.

alcance /alkánθe/ [sm] **1** portata (f) **2** FIG valore, importanza (f) LOC **al**

~ **de algo/alguien**: a portata di qualcosa/qualcuno.

alcantarilla /alkantaríʎa/ [sf] fogna.

alcanzar /alkanθár/ [v tr] **1** (también FIG) raggiungere • ~ *la felicidad*: raggiungere la felicità **2** FAM dare, passare • *alcánzame la sal*: passami il sale ◆ [v intr] **1** essere sufficiente, bastare **2** (llegar) arrivare, giungere.

alcaparra /alkapárra/ [sf] cappero (m).

alcohol /alkoól/ [sm] (también bebida) alcol.

alcohólico /alkoóliko/ [adj] alcolico ◆ [sm] alcolizzato.

alcornoque /alkornóke/ [sm] quercia (f) da sughero.

aldea /aldéa/ [sf] villaggio (m), frazione.

aleación /aleaθjón/ [sf] (de metales) lega.

alegrar (-se) /aleɣrár/ [v tr prnl] rallegrare (-rsi).

alegre /aléɣre/ [adj m,f] **1** allegro (m) **2** (hecho, noticia) lieto (m) LOC **estar** ~: essere contento; essere brillo (bevitore).

alegría /aleɣría/ [sf] allegria, gioia.

alejado /alexáðo/ [adj] lontano.

alejar (-se) /alexár/ [v tr prnl] allontanare (-rsi).

alemán (-a) /alemán/ [adj/sm] tedesco.

Alemania /alemánja/ [sf] Germania.

alentar /alentár/ [v intr] incoraggiare.

alergia /alérxja/ [sf] allergia.

alérgico /alérxiko/ [adj] allergico.

alerta /alérta/ [adj m,f] attento (m), vigile ◆ [sf] allarme (m).

alertar /alertár/ [v tr] allertare.

aleta /aléta/ [sf] (también DEP) pinna.

alevosía /aleβosía/ [sf] **1** perfidia, malafede **2** JUR premeditazione.

alfabeto /alfaβéto/ [sm] alfabeto.

alfarería /alfarería/ [sf] **1** (arte, oficio) lavorazione della terracotta **2** (taller) bottega di vasaio.

alféizar /alféiθar/ [sm] davanzale.

alfiler /alfilér/ [sm] **1** spillo **2** (broche) spilla (f).

alfombra /alfómbra/ [sf] tappeto (m).

alga /álγa/ [sf] alga.

algarroba /alγaŕóβa/ [sf] carruba.

algarrobo /alγaŕóβo/ [sm] carrubo.

algazara /alγaθára/ [sf] gazzarra, schiamazzo (m).

algo /álγo/ [adv] un poco, un po' • *estoy ~ triste*: sono un po' triste LOC ~ *así como*: più o meno ♦ [pron inv] qualcosa • *¿desean ~?*: desiderano qualcosa? LOC ~ **más**: qualcos'altro.

algodón /alγoðón/ [sm] cotone LOC ~ **hidrófilo**: cotone idrofilo.

alguacil /alγwaθíl/ [sm] (de ayuntamiento) messo comunale.

alguien /álγjen/ [pron inv/sm] qualcuno.

algún /alγún/ [adj] qualche (m,f) • *¿falta ~ libro?*: manca qualche libro?

alguno /alγúno/ [adj] **1** qualche (m,f) **2** (en pl) dei, alcuni • *fui con algunos amigos*: andai con degli amici **3** (negativo) alcuno, nessuno • *no hay riesgo ~*: non c'è nessun rischio ♦ [pron] qualcuno • ~ *de nosotros lo hará*: qualcuno di noi lo farà LOC ~ **que otro**: qualche.

alhaja /aláxa/ [sf] gioiello (m).

aliado /aljáðo/ [adj/sm] alleato.

alianza /aljánθa/ [sf] **1** alleanza **2** (anillo) fede.

aliar (-se) /aljár/ [v tr prnl] alleare (-rsi).

alicaído /alikaíðo/ [adj] avvilito.

alicates /alikátes/ [sm pl] pinza (f sing).

aliciente /aliθjénte/ [sm] incentivo.

aliento /aljénto/ [sm] **1** alito **2** (resuello) fiato, respiro **3** FIG coraggio, animo.

aligerar /alixerár/ [v tr] **1** alleggerire **2** FIG attenuare, mitigare LOC ~ **el paso**: affrettare il passo.

alijo /alíxo/ [sm] merce di contrabbando.

alimentación /alimentaθjón/ [sf] (también TECN) alimentazione.

alimentar (-se) /alimentár/ [v tr prnl] alimentare (-rsi).

alimento /aliménto/ [sm] alimento, cibo.

alinear (-se) /alineár/ [v tr prnl] (con/de) allineare (-rsi).

aliñar /aliɲár/ [v tr] condire.

aliño /alíɲo/ [sm] condimento.

alisar /alisár/ [v tr] lisciare.

alistarse /alistárse/ [v prnl] arruolarsi.

aliviar /aliβjár/ [v tr] **1** (de un peso) alleggerire **2** alleviare, calmare.

alivio /alíβjo/ [sm] sollievo.

aljibe /alxíβe/ [sm] cisterna (f) LOC **camión ~**: autocisterna.

allá /aʎá/ [adv] là, lì ■ **allá por + expresión de tiempo** verso il/intorno a + espressione di tempo • ~ *por el año 1915*: verso il 1915 LOC ~ **abajo/arriba**: laggiù/lassù | **¡~ tú!**:

vedi tu! | **el más ~**: l'aldilà | **ir más ~**: andare oltre.

allende /aʎénde/ [adv] al di là, oltre LOC **~ los Alpes**: oltralpe.

allí /aʎí/ [adv] lì, là LOC **~ abajo/arriba**: lì sotto/lassù.

alma /álma/ [sf] anima LOC **¡mi ~!**: amore!, tesoro mio! | **no haber un ~**: non esserci anima viva | **poner el ~**: mettercela tutta.

almacén /almaθén/ [sm] **1** magazzino, deposito **2** COM negozio all'ingrosso **3** *Amer* negozio di alimentari LOC **grandes almacenes**: grandi magazzini.

almacenar /almaθenár/ [v tr] immagazzinare.

almadraba /almaðráβa/ [sf] tonnara.

almeja /alméxa/ [sf] vongola.

almena /alména/ [sf] ARQ merlo (m).

almendra /alméndra/ [sf] mandorla LOC **aceite/leche de almendras**: olio/latte di mandorle.

almendro /aléndro/ [sm] mandorlo.

almíbar /almíβar/ [sm] sciroppo.

almidón /almiðón/ [sm] amido.

almirante /almiránte/ [sm] ammiraglio.

almohada /almoáða/ [sf] cuscino (m).

almohadón /almoaðón/ [sm] (de sofá, silla, sillón) cuscino.

almorranas /almoр̄ánas/ [sf pl] emorroidi.

almorzar /almorθár/ [v intr] pranzare.

almuerzo /almwérθo/ [sm] pranzo.

alojamiento /aloxamjénto/ [sm] alloggio LOC **dar ~**: ospitare.

alojar (-se) /aloxár/ [v tr prnl] alloggiare.

alondra /alóndra/ [sf] allodola.

alpaca /alpáka/ [sf] (también TEX) alpaca (m inv).

alpargata /alparɣáta/ [sf] (calzado) espadrillas (pl).

alpinismo /alpinísmo/ [sm] alpinismo.

alpinista /alpinísta/ [adj/sm,f] alpinista.

alpino /alpíno/ [adj] alpino.

alpiste /alpíste/ [sm] BOT miglio.

alquilar /alkilár/ [v tr] **1** (habitación) affittare **2** (vehículo) noleggiare.

alquiler /alkilér/ [sm] **1** (de habitación) affitto **2** (de vehículo) noleggio LOC **~ de coches**: autonoleggio | **de ~**: in affitto.

alrededor /alр̄eðeðór/ [adv] (también tiempo, aproximación) intorno, attorno ♦ **~ de la casa**: intorno alla casa.

alrededores /alр̄eðeðóres/ [sm pl] dintorni.

alta /álta/ [sf] (en asociaciones, cuerpos, organismos) iscrizione LOC **dar de ~ a un enfermo**: dimettere un malato.

altanero /altanéro/ [adj] altero, altezzoso.

altar /altár/ [sm] altare.

altavoz /altaβóθ/ [sm] altoparlante.

alteración /alteraθjón/ [sf] **1** alterazione **2** (de alimento, vino) adulterazione, sofisticazione.

alterar /alterár/ [v tr] **1** alterare **2** (alimento, vino) adulterare, sofisticare ♦ [v prnl] alterarsi.

altercado /alterkáðo/ [sm] alterco, litigio, diverbio.

alternancia /alternánθja/ [sf] alternanza.

alternar (-se) /alternár/ [v tr prnl/intr] alternare (-rsi).

alternativa /alternatíβa/ [sf] alternativa, opzione.

alternativo /alternatíβo/ [adj] alternativo.

altibajos /altiβáxos/ [sm pl] alti e bassi.

altillo /áltiʎo/ [sm] (de armario, piso) soppalco.

altiplanicie /altiplaníθje/ [sf] altopiano* (m).

altitud /altitúð/ [sf] altitudine.

altivo /altíβo/ [adj] altezzoso, borioso.

alto /álto/ [adj] **1** (también GEOG) alto **2** ARQ superiore (m,f) • piso ~: piano superiore LOC **alta costura**: alta moda | **alta fidelidad**: alta fedeltà | **alta sociedad**: alta società ◆ [adv] **1** alto **2** (voz) forte, ad alta voce ◆ [interj] alt!, stop! LOC ¡~ ahí!: alt!, alto là! ◆ [sm] **1** altezza (f) • está a 20 metros de ~: è a 20 metri di altezza **2** (en el trabajo, estudio) pausa (f) **3** (en el camino) sosta (f) LOC **pasar por** ~: sorvolare su.

altorrelieve /altoreljéβe/ [sm] altorilievo.

altruista /altrwísta/ [adj/sm,f] altruista.

altura /altúra/ [sf] **1** altezza **2** GEOG MAR altura LOC **a estas alturas**: a questo punto | **a la ~ de algo**: all'altezza di qualcosa, nei pressi di qualcosa.

alubia /alúβja/ [sf] fagiolo (m).

alucinación /aluθinaθjón/ [sf] allucinazione.

alucinar /aluθinár/ [v intr] **1** avere le allucinazioni **2** FIG FAM restare a bocca aperta.

alud /alúð/ [sm] valanga (f).

aludir /aluðír/ [v intr] alludere LOC **no darse por aludido**: far finta di niente.

alumbrado /alumbráðo/ [sm] illuminazione (f).

alumbrar /alumbrár/ [v tr] illuminare.

aluminio /alumínjo/ [sm] alluminio.

alumno /alúmno/ [sm] alunno, studente (f -essa).

alusión /alusjón/ [sf] allusione.

aluvión /aluβjón/ [sm] **1** alluvione (f), inondazione (f) **2** FIG valanga (f), marea (f).

alza /álθa/ [sf] (también COM) rialzo (m) LOC **estar en** ~: essere in rialzo.

alzar (-se) /alθár/ [v tr prnl] alzare (-rsi).

amabilidad /amaβiliðáð/ [sf] gentilezza, cortesia.

amable /amáβle/ [adj m,f] gentile, cortese.

amaestrar /amaestrár/ [v tr] ammaestrare.

amagar /amaγár/ [v tr] accennare.

amainar /amainár/ [v tr] ammainare.

amalgamar /amalγamár/ [v tr] amalgamare.

amamantar /amamantár/ [v tr] allattare.

amanecer /amaneθér/ [sm] alba (f).

amaneramiento /amaneramjénto/ [sm] affettazione (f).

amansar /amansár/ [v tr] ammansire.

amante /amánte/ [adj/sm,f] amante.

amapola /amapóla/ [sf] papavero (m).

amar /amár/ [v tr] amare.

amargar (-se) /amaryár/ [v tr prnl] amareggiare (-rsi), avvilire (-rsi).

amargo /amáryo/ [adj] (también FIG) amaro • *una amarga revelación*: una amara rivelazione.

amargura /amaryúra/ [sf] FIG **1** amarezza **2** (disgusto) dispiacere (m).

amarillo /amaríλo/ [adj/sm] giallo.

amarrar /amařár/ [v tr] **1** MAR ormeggiare **2** legare.

amasar /amasár/ [v tr] **1** COC impastare **2** FIG ammassare.

amasijo /amasíχo/ [sm] **1** COC impasto **2** FIG miscuglio.

ámbar /ámbar/ [sm] ambra (f).

ambición /ambiθjón/ [sf] ambizione.

ambicionar /ambiθjonár/ [v tr] ambire, desiderare.

ambicioso /ambiθjóso/ [adj/sm] ambizioso.

ambientación /ambjentaθjón/ [sf] **1** ambientazione **2** (adaptación) ambientamento (m), adattamento (m).

ambientar /ambjentár/ [v tr] ambientare ♦ [v prnl] acclimatarsi, adattarsi.

ambiente /ambjénte/ [sm] **1** ambiente **2** FIG FAM animazione (f), vita (f).

ambigú /ambiɣú/ [sm] buffet (inv).

ambigüedad /ambiɣweðáð/ [sf] ambiguità (inv).

ambiguo /ambíɣwo/ [adj] ambiguo.

ámbito /ámbito/ [sm] ambito.

ambos (-as) /ámbos/ [adj/pron pl] entrambi, tutti e due.

ambulancia /ambulánθja/ [sf] ambulanza.

ambulante /ambulánte/ [adj m, f] ambulante.

ambulatorio /ambulatórjo/ [sm] ambulatorio.

amedrentar /ameðrentár/ [v tr] impaurire.

amenaza /amenáθa/ [sf] minaccia.

amenazador (-a) /amenaθaðór/ [adj] minaccioso.

amenazar /amenaθár/ [v tr] (**con**) minacciare.

América /amérika/ [sf] America.

americana /amerikána/ [sf] giacca sportiva.

americano /amerikáno/ [adj/sm] americano.

ametralladora /ametraλaðóra/ [sf] mitragliatrice.

amígdala /amíɣðala/ [sf] tonsilla.

amigdalitis /amiɣðalítis/ [sf inv] tonsillite (sing).

amigo /amíɣo/ [sm] amico.

amistad /amistáð/ [sf] amicizia LOC **entablar/hacer/trabar ~**: fare amicizia.

amistoso /amistóso/ [adj] amichevole (m,f) LOC **partido ~**: partita amichevole.

amnesia /amnésja/ [sf] amnesia.

amnistía /amnistía/ [sf] amnistia.

amo /ámo/ [sm] padrone, proprietario LOC **ama de casa**: casalinga.

amoldar (-se) /amoldár/ [v tr prnl] **1** TECN modellare (-rsi) **2** FIG adeguare (-rsi), adattare (-rsi).

amonestación /amonestaθjón/ [sf] rimprovero (m).

amonestar /amonestár/ [v tr] **1** rimproverare **2** DEP JUR ammonire.

amoníaco /amoníako/ [sm] ammoniaca (f).

amontonar /amontonár/ [v tr] ammassare, ammucchiare ◆ [v prnl] **1** (personas) accalcarsi **2** accumularsi.

amor /amór/ [sm] amore LOC ~ **propio**: amor proprio | **hacer el ~**: fare l'amore.

amoroso /amoróso/ [adj] d'amore, amoroso.

amortiguador /amortiɣwaðór/ [sm] ammortizzatore.

amortiguar /amortiɣwár/ [v tr] attenuare, attutire.

amortizar /amortiθár/ [v tr] ammortizzare.

amparar /amparár/ [v tr] proteggere, salvaguardare, tutelare ◆ [v prnl] ripararsi.

amparo /ampáro/ [sm] appoggio, sostegno LOC **al ~ de algo**: al riparo da qualcosa; al riparo di qualcosa.

ampliación /ampljaθjón/ [sf] **1** ampliamento (m) **2** (fotografía) ingrandimento (m).

ampliar /ampljár/ [v tr] **1** ampliare **2** (fotografía) ingrandire.

amplio /ámpljo/ [adj] (también FIG) ampio ● *una amplia mayoría*: un'ampia maggioranza LOC **hacer ~ uso de algo**: farc largo uso di qualcosa.

amplitud /amplitúð/ [sf] ampiezza.

ampolla /ampóʎa/ [sf] **1** vescica **2** (de medicamento) fiala.

amputar /amputár/ [v tr] amputare.

amueblar /amweβlár/ [v tr] arredare.

analfabeto /analfaβéto/ [adj/sm] analfabeta (m,f).

analgésico /analxésiko/ [adj/sm] analgesico.

análisis /análisis/ [sm inv] analisi (f) LOC ~ **clínico**: analisi cliniche.

analizar /analiθár/ [v tr] analizzare.

anaquel /anakél/ [sm] scaffale, mensola (f).

anaranjado /anaraŋxáðo/ [adj/sm] (color) arancione (m,f).

anarquía /anarkía/ [sf] **1** anarchia **2** FIG caos (m), disordine (m).

anatomía /anatomía/ [sf] anatomia.

anca /áŋka/ [sf] ZOOL anca.

ancho /ántʃo/ [adj] (también indumento) largo ◆ [sm] larghezza (f) ● *midió lo ~ de la habitación*: misurò la larghezza della stanza.

anchoa /antʃóa/ [sf] acciuga, alice.

anchura /antʃúra/ [sf] larghezza.

ancianidad /anθjaniðáð/ [sf] anzianità (inv), vecchiaia.

anciano /anθjáno/ [adj/sm] anziano.

ancla /áŋkla/ [sf] MAR ancora LOC **echar/levar anclas**: gettare/levare l'ancora.

anclar /aŋklár/ [v tr/intr] ancorare.

anconitano /aŋkonitáno/ [adj/sm] anconetano.

Andalucía /andaluθía/ [sf] Andalusia.

andaluz (-a) /andalúθ/ [adj/sm] andaluso.

andamio /andámjo/ [sm] impalcatura (f), ponteggio.

andar /andár/ [v intr] **1** camminare **2** (también FIG) andare ● *el coche no anda*: la macchina non va | *las cosas andan bien*: le cose vanno bene ◆ [v tr] percorrere ■ **andar por** +

lugar essere a/in + luogo • *andan por el extranjero*: sono all'estero LOC **¡anda!**: toh! (stupore); su!, dai! (esortazione); ma insomma! (disappunto) | **¡anda ya!**: piantala! | **echar a ~**: mettersi in moto | **ir andando**: andare a piedi.

andén /andén/ [sm] (también de ferrocarril) banchina (f).

anécdota /anékðota/ [sf] aneddoto (m).

anegar /aneɣár/ [v tr] allagare.

anejo /anéxo/ [adj] ARQ annesso ◆ [sm] **1** ARQ annesso **2** allegato.

anemia /anémja/ [sf] anemia.

anestesia /anestésja/ [sf] anestesia LOC **~ general/local**: anestesia generale/locale.

anestesiar /anestesjár/ [v tr] anestetizzare.

anfibio /amfíβjo/ [adj] anfibio.

anfiteatro /amfiteátro/ [sm] anfiteatro.

ángel /ánxel/ [sm] angelo.

anguila /aŋgíla/ [sf] anguilla.

ángulo /áŋgulo/ [sm] **1** angolo **2** FIG punto di vista.

angustia /aŋgústja/ [sf] angoscia, ansia.

angustiar (**-se**) /aŋgustjár/ [v tr prnl] angosciare (-rsi).

anhídrido /aníðriðo/ [sm] anidride (f) LOC **~ carbónico**: anidride carbonica.

anillo /aníʎo/ [sm] anello LOC **~ de boda**: fede, anello nuziale | **~ de circunvalación**: tangenziale.

animación /animaθjón/ [sf] animazione.

animado /animáðo/ [adj] **1** animato, vivo **2** FIG allegro, movimentato.

animadversión /animaðβersjón/ [sf] antipatia, avversione.

animal /animál/ [adj m,f/sm] (también FIG PEY) animale.

animar /animár/ [v tr] **1** animare **2** (estimular) spingere, incoraggiare ◆ [v prnl] **1** (también FIG) animarsi • *la velada fue animándose*: la serata cominciava ad animarsi **2** farsi coraggio • *me animé y se lo dije*: mi feci coraggio e glielo dissi.

¡ánimo! /ánimo/ [interj] coraggio!, forza! ◆ [sm] **1** animo, spirito **2** FIG (valor) coraggio, audacia (f) LOC **con/sin ~ de hacer algo**: con/senza l'intenzione di fare qualcosa.

anís /anís/ [sm] (también licor) anice (f).

aniversario /aniβersárjo/ [sm] anniversario.

ano /áno/ [sm] ano.

anoche /anótʃe/ [adv] ieri sera/notte.

anochecer /anotʃeθér/ [sm] tramonto ◆ [v imp] calare la sera.

anomalía /anomalía/ [sf] anomalia.

anómalo /anómalo/ [adj] anomalo.

anónimo /anónimo/ [adj/sm] anonimo.

anorak /anorák/ [sm] giacca (f) a vento.

anorexia /anoréksja/ [sf] anoressia.

anormal /anormál/ [adj m,f] anormale.

anotación /anotaθjón/ [sf] annotazione, nota.

anotar /anotár/ [v tr] annotare, prendere nota.

ansiedad /ansjeðáð/ [sf] ansia.

ansioso /ansjóso/ [adj] ansioso.

antaño /antáno/ [adv] una volta, un tempo.

antártico /antártiko/ [adj] antartico.

ante /ánte/ [prep] davanti a LOC ~ **todo**: innanzitutto.

ante /ánte/ [sm] (piel) camoscio.

anteayer /anteajér/ [adv] l'altro ieri.

antebrazo /anteβráθo/ [sm] avambraccio.

antelación /antelaθjón/ [sf] anticipo (m) LOC **con ~**: in anticipo.

antemano (de) /antemáno/ [loc adv] in anticipo.

antena /anténa/ [sf] antenna LOC ~ **parabólica**: antenna parabolica | **estar en ~**: essere in onda.

anteojo /anteóxo/ [sm] **1** cannocchiale **2** (en pl) binocolo (sing).

antepasados /antepasáðos/ [sm pl] antenati, avi.

anteponer /anteponér/ [v tr] (a) anteporre.

anterior /anterjór/ [adj m,f] anteriore, precedente.

antes /ántes/ [adj inv] precedente (sing) • *la noche* ~: la sera precedente ♦ [adv] **1** prima • *hemos llegado* ~: siamo arrivati prima **2** (antaño) un tempo, una volta ♦ [conj] piuttosto • *prefiero irme ~ que verla*: preferisco andarmene piuttosto che vederla LOC ~ **bien**: anzi.

antesala /antesála/ [sf] anticamera, antisala.

antibiótico /antiβjótiko/ [sm] antibiotico.

anticipado /antiθipáðo/ [adj] anticipato LOC **por ~**: in anticipo.

anticipar /antiθipár/ [v tr] anticipare ♦ [v prnl] **1** (adelantar) anticipare **2** (llegar antes) essere in anticipo.

anticipo /antiθípo/ [sm] acconto, anticipo.

anticonceptivo /antikonθeptíβo/ [adj/sm] contraccettivo.

anticuado /antikwáðo/ [adj/sm] antiquato (adj).

anticuario /antikwárjo/ [sm] antiquario.

antídoto /antíðoto/ [sm] antidoto.

antigüedad /antiɣweðáð/ [sf] **1** antichità (inv) **2** (laboral) anzianità (inv) LOC **tienda de antigüedades**: negozio di antiquariato.

antiguo /antíɣwo/ [adj] antico.

antihistamínico /anti(i)stamíniko/ [adj/sm] antistaminico.

antílope /antílope/ [sm] antilope (f).

antiniebla /antinjéβla/ [adj inv] antinebbia.

antipatía /antipatía/ [sf] antipatia LOC **coger ~ hacia alguien/tener ~ por alguien**: provare antipatia per/verso qualcuno.

antipático /antipátiko/ [adj] antipatico LOC **caer ~**: essere antipatico.

antirreflector (-a) /antiřeflektór/ [adj] antiriflesso (inv).

antirrobo /antiřóβo/ [adj inv/sm] antifurto.

antiséptico /antiséptiko/ [adj/sm] antisettico.

antiterrorista /antiteřorísta/ [adj m,f] antiterroristico (m).

antojarse /antoxárse/ [v prnl] **1** venire voglia di • *se me antoja un batido de chocolate*: mi è venuta voglia di un frullato al cioccolato **2** FIG pensare, supporre, credere.

antojo /antóxo/ [sm] capriccio.

antología /antoloxía/ [sf] antologia.

antorcha /antórtʃa/ [sf] torcia.

anual /anwál/ [adj m,f] annuale, annuo (m).

anudar (-se) /anuðár/ [v tr prnl] **1** annodare (-rsi), allacciare (-rsi) **2** FIG (discurso, tarea) continuare, proseguire.

anulación /anulaθjón/ [sf] annullamento (m).

anular /anulár/ [adj/sm] anulare ♦ [v tr] annullare.

anunciar /anunθjár/ [v tr] **1** annunciare **2** (producto, acontecimiento) fare pubblicità ♦ [v prnl] farsi pubblicità.

anuncio /anúnθjo/ [sm] (también propaganda) annuncio LOC **anuncios breves**: annunci economici.

anzuelo /anθwélo/ [sm] amo LOC **morder el ~**: abboccare all'amo.

añadidura /aɲaðiðúra/ [sf] aggiunta LOC **por ~**: per giunta.

añadir /aɲaðír/ [v tr] aggiungere.

añejo /aɲéxo/ [adj] (jamón, tocino) stagionato.

año /áɲo/ [sm] anno LOC **el ~ pasado/que viene**: l'anno scorso/ prossimo | **¡feliz ~ nuevo!**: buon anno! | **fin de ~**: capodanno | **por ~**: all'anno.

añorar /aɲorár/ [v tr] avere nostalgia, sentire la mancanza.

aorta /aórta/ [sf] aorta.

aostano /aostáno/ [adj/sm] aostano.

apacible /apaθíβle/ [adj m,f] **1** pacifico (m), tranquillo (m) **2** (tiempo) sereno (m) **3** (mar) calmo (m).

apagar (-se) /apaɣár/ [v tr prnl] spegnere (-rsi).

apalear /apaleár/ [v tr] (persona) picchiare.

apañarse /apaɲárse/ [v prnl] FAM arrangiarsi, cavarsela LOC **estar/ir apañado**: stare fresco.

aparador /aparaðór/ [sm] credenza (f).

aparato /aparáto/ [sm] **1** apparecchio **2** (también ANAT) apparato LOC **ponerse al ~**: rispondere al telefono.

aparatoso /aparatóso/ [adj] spettacolare (m,f).

aparcamiento /aparkamjénto/ [sm] parcheggio.

aparcar /aparkár/ [v tr] parcheggiare, posteggiare.

aparecer /apareθér/ [v intr] apparire, comparire.

aparejador (-a) /aparexaðór/ [sm] geometra (m,f).

aparejos /aparéxos/ [sm pl] arnesi, attrezzi.

aparentar /aparentár/ [v tr] **1** (edad) dimostrare **2** fingere, simulare.

aparente /aparénte/ [adj m,f] apparente.

aparición /apariθjón/ [sf] apparizione.

apariencia /aparjénθja/ [sf] apparenza LOC **en ~**: in/all'apparenza | **guardar las apariencias**: salvare le apparenze.

apartado /apartáðo/ [adj] **1** appartato **2** (cosa) lontano ♦ [sm] paragrafo LOC **~ de correos**: casella postale.

apartamento /apartaménto/ [sm] appartamento.

apartar (-se) /apartár/ [v tr prnl] allontanare (-rsi).

aparte /apárte/ [adj inv] separato (m sing), a sé ♦ [adv] **1** a parte, separatamente ♦ *nos sirvieron la salsa ~*: ci servirono la salsa a parte **2** (a un lado) da parte, in disparte **3** (además) inoltre, in più LOC **~ de**: oltre che.

aparthotel /apartotél/ [sm] residence (inv), casa (f) albergo.

apasionado /apasjonáðo/ [adj/sm] appassionato.

apasionar (-se) /apasjonár/ [v tr prnl] (**con/por**) appassionare (-rsi).

apático /apátiko/ [adj] apatico, indifferente (m,f).

apearse /apeárse/ [v prnl] (**de**) **1** scendere, smontare **2** FIG (ideas, convicciones) abbandonare.

apego /apéγo/ [sm] amore, attaccamento LOC **tener ~ a/por algo/alguien**: essere affezionato a qualcosa/qualcuno.

apelación /apelaθjón/ [sf] JUR appello (m) LOC **tribunal de ~**: corte d'appello.

apelar /apelár/ [v intr] appellarsi.

apellidarse /apeʎiðárse/ [v prnl] chiamarsi/fare di cognome.

apellido /apeʎíðo/ [sm] cognome.

apelmazar (-se) /apelmaθár/ [v prnl] infeltrire (-rsi).

apenar (-se) /apenár/ [v tr prnl] affliggere (-rsi), rattristare (-rsi).

apenas /apénas/ [adv] **1** quasi • *no he comido ~*: non ho quasi mangiato **2** appena • *~ me dio diez euros*: mi diede appena dieci euro.

apéndice /apéndiθe/ [sm] (también ANAT) appendice (f).

apendicitis /apendiθítis/ [sf inv] appendicite (sing).

apercibir /aperθiβír/ [v tr] avvisare, avvertire ♦ [v prnl] (**de**) accorgersi, rendersi conto.

aperitivo /aperitíβo/ [adj/sm] aperitivo.

aperos /apéros/ [sm pl] utensili, attrezzi.

apertura /apertúra/ [sf] apertura.

apesadumbrar (-se) /apesaðumbrár/ [v tr prnl] (**con/por**) affliggere (-rsi).

apestar /apestár/ [v intr] **1** (a/de) puzzare **2** FIG FAM scocciare, rompere.

apetecer /apeteθér/ [v intr] avere voglia, gradire • *¿te apetece un café?*: gradisci un caffè?

apetito /apetíto/ [sm] appetito, fame (f) LOC **abrir/despertar el ~**: stuzzicare l'appetito.

apetitoso /apetitóso/ [adj] **1** appetitoso, stuzzicante (m,f) **2** FIG allettante (m,f).

apiadar (-se) /apjaðár/ [v tr prnl] (**de**) impietosire (-rsi).

apiñar (-se) /apiɲár/ [v tr prnl] stipare (-rsi), ammucchiare (-rsi).

apio /ápjo/ [sm] sedano.

aplacar (-se) /aplakár/ [v tr prnl] placare (-rsi), calmare (-rsi).

aplastante /aplastánte/ [adj m,f] (también FIG) schiacciante • *un triunfo ~*: una vittoria schiacciante.

aplastar /aplastár/ [v tr] **1** schiacciare, pestare **2** FIG annientare, sconfiggere.

aplaudir /aplauðír/ [v tr] applaudire.

aplauso /apláuso/ [sm] applauso.

aplazamiento /aplaθamjénto/ [sm] rinvio, aggiornamento.

aplazar /aplaθár/ [v tr] aggiornare, rimandare.

aplicación /aplikaθjón/ [sf] applicazione.

aplicar /aplikár/ [v tr] **1** applicare **2** (inyecciones) fare, praticare ♦ [v prnl] impegnarsi, darsi da fare.

aplomo /aplómo/ [sm] disinvoltura (f).

apnea /apnéa/ [sf] apnea.

apocado /apokáðo/ [sm] impacciato, timido.

apocar /apokár/ [v tr] mettere in soggezione ♦ [v prnl] inibirsi, intimidirsi.

apoderarse /apoðerárse/ [v prnl] (de) impadronirsi.

apodo /apóðo/ [sm] soprannome.

apolillarse /apoliʎárse/ [v prnl] 1 (indumento) tarmarsi 2 (madera) tarlarsi.

aportación /aportaθjón/ [sf] apporto (m).

aportar /aportár/ [v tr] 1 contribuire con, portare 2 JUR esibire, produrre.

apostar /apostár/ [v tr] (a/por) scommettere LOC ¿qué te apuestas a que?: scommetti che?

apóstol /apóstol/ [sm] apostolo.

apoyar (-se) /apojár/ [v tr prnl] (en) 1 appoggiare (-rsi) 2 FIG basare (-rsi), fondare (-rsi).

apoyo /apójo/ [sm] (también FIG) appoggio ● ¡no me niegues tu ~!: non rifiutarmi il tuo appoggio! LOC en ~ de algo/alguien: in difesa/a sostegno di qualcosa/qualcuno.

apreciar /apreθjár/ [v tr] 1 (percibir) distinguere, osservare 2 FIG apprezzare, stimare.

aprecio /apréθjo/ [sm] stima (f), affetto.

aprehender /apreendér/ [v tr] arrestare.

apremiante /apremjánte/ [adj m,f] urgente.

apremiar /apremjár/ [v tr] sollecitare.

apremio /aprémjo/ [sm] fretta (f).

aprender /aprendér/ [v tr] apprendere, imparare.

aprendiz (-a) /aprendíθ/ [sm] apprendista (m,f).

aprendizaje /aprendiθáxe/ [sm] apprendistato.

aprensivo /aprensíβo/ [adj/sm] apprensivo (adj).

apresurar (-se) /apresurár/ [v tr prnl] affrettare (-rsi).

apretar /apretár/ [v tr] 1 stringere 2 (pulsar) pigiare, premere ♦ [v prnl] stringersi, pigiarsi LOC ~ el paso: affrettare il passo.

apretón /apretón/ [sm] 1 stretta (f) ● un ~ de manos: una stretta di mani 2 (empujón) spintone.

aprieto /aprjéto/ [sm] difficoltà (f inv), guaio LOC poner en un ~: mettere in difficoltà | salir del ~: farcela, venirne fuori.

aprisionar /aprisjonár/ [v tr] imprigionare.

aprobación /aproβaθjón/ [sf] approvazione.

aprobado /aproβáðo/ [sm] (nota escolar) sufficienza (f).

aprobar /aproβár/ [v tr] 1 approvare 2 (una asignatura) essere promosso.

apropiado /apropjáðo/ [adj] appropriato.

apropiarse /apropjárse/ [v prnl] (de) appropriarsi.

aprovechado /aproβetʃáðo/ [sm] FAM scroccone.

aprovechar /aproβetʃár/ [v tr] 1 approfittare, servirsi 2 (usar) utilizzare ● aprovechó la carne para hacer albóndigas: utilizzò la carne per farne polpette ♦ [v prnl] (de) abusare, approfittare LOC ~ **la ocasión**: cogliere l'occasione | **¡que aproveche!**: buon appetito!

aprovisionar (-se) /aproβisjonár/ [v tr prnl] (**de**) approvvigionare (-rsi), rifornire (-rsi).

aproximación /aproksimaθjón/ [sf] FIG approccio (m).

aproximar /aproksimár/ [v tr] accostare, avvicinare ◆ [v prnl] (**a**) avvicinarsi.

aptitud /ap titúð/ [sf] attitudine, inclinazione.

apto /áp to/ [adj] adatto.

apuesta /apwésta/ [sf] scommessa.

Apulia /apúlia/ [sf] Puglia.

apuntar /apuntár/ [v tr] **1** (también en juegos) puntare **2** (anotar) prendere nota, segnare **3** (inscribir) iscrivere, registrare ◆ [v prnl] **1** iscriversi **2** (participar) prendere parte • *siempre se apunta a cada excursión*: prende sempre parte a tutte le gite.

apunte /apúnte/ [sm] annotazione (f), appunto LOC **tomar apuntes**: prendere appunti.

apuñalar /apuɲalár/ [v tr] pugnalare.

apurado /apuráðo/ [adj] (situación) difficile (m,f), pericoloso LOC **estar/ir** ~: avere fretta.

apurar /apurár/ [v tr] (vaso, taza) finire, vuotare ◆ [v prnl] **1** vergognarsi **2** (darse prisa) affrettarsi, sbrigarsi.

apuro /apúro/ [sm] **1** guaio, difficoltà (f inv) **2** (vergüenza) imbarazzo • *me da* ~ *hablar en público*: mi mette in imbarazzo parlare in pubblico LOC **encontrarse/estar/ver-**se **en un** ~: trovarsi/essere nei guai.

aquel /akel/ [adj m] quello.

aquél /akél/ [pron m] quello.

aquella /akeʎa/ [adj f] quella.

aquélla /akéʎa/ [pron f] quella.

aquello /akeʎo/ [pron] ciò, quella cosa.

aquí /akí/ [adv] qui, qua LOC ~ **está**: ecco qui/qua | ~ **estoy**: eccomi qui/qua | ~ **mismo**: proprio qui.

aquietar /akjetár/ [v tr] tranquillizzare, calmare.

arado /aráðo/ [sm] **1** (herramienta) aratro **2** (acción) aratura (f).

Aragón /araɣón/ [sm] Aragona (f).

aragonés (-a) /araɣonés/ [adj/sm] aragonese (m,f).

arancel /aranθél/ [sm] tariffa (f), tassa (f) LOC ~ **de aduana**: tariffa doganale.

arándano /arándano/ [sm] mirtillo.

araña /aráɲa/ [sf] **1** ragno (m) **2** (lámpara) lampadario a gocce di cristallo.

arañar (-se) /araɲár/ [v tr prnl] graffiare (-rsi).

arañazo /araɲáθo/ [sm] graffio.

arar /arár/ [v tr] arare.

arbitrario /arβitrárjo/ [adj] arbitrario.

árbitro /árβitro/ [sm] arbitro.

árbol /árβol/ [sm] albero LOC ~ **de transmisión**: albero di trasmissione | ~ **genealógico**: albero genealogico.

arboleda /arβoléða/ [sf] bosco (m).

arbusto /arβústo/ [sm] arbusto.

arcada /arkáða/ [sf] **1** arcata **2** (de vómito) conato (m).

arcén /arθén/ [sm] (de carretera) banchina (f).

archipiélago /artʃipjélaɣo/ [sm] arcipelago.

archivo /artʃíβo/ [sm] archivio.

arcilla /arθíʎa/ [sf] argilla, creta.

arco /árko/ [sm] arco LOC ~ iris: arcobaleno.

arder /arðér/ [v intr] (también escocer) bruciare.

ardiente /arðjénte/ [adj m,f] (también FIG) ardente • *una ~ declaración de amor*: un'ardente dichiarazione d'amore.

ardilla /arðíʎa/ [sf] scoiattolo (m).

ardor /arðór/ [sm] 1 ardore 2 (escozor) bruciore LOC ~ de estómago: bruciore di stomaco.

arduo /árðwo/ [adj] difficoltoso, difficile (m,f).

área /área/ [sf] (también FIG) area.

arena /aréna/ [sf] 1 sabbia 2 ARQ arena LOC arenas movedizas: sabbie mobili.

arenque /aréŋke/ [sm] aringa (f).

argentino /arxentíno/ [adj/sm] argentino.

argolla /arɣóʎa/ [sf] anello (m), cerchio (m).

argüir /arɣwír/ [v tr] desumere, dedurre.

argumento /arɣuménto/ [sm] argomento.

aridez /ariðéθ/ [sf] aridità (inv).

árido /áriðo/ [adj] arido.

Aries /árjes/ [sm inv] (zodíaco) Ariete (sing).

arisco /arísko/ [adj] (persona) scontroso.

arista /arísta/ [sf] spigolo (m).

aristocracia /aristokráθja/ [sf] aristocrazia.

aristócrata /aristókrata/ [sm,f] aristocratico.

aristocrático /aristokrátiko/ [adj] aristocratico.

aritmética /aritmétika/ [sf] aritmetica.

arma /árma/ [sf] arma* LOC ~ blanca/de fuego: arma bianca/da fuoco | escudo de armas: stemma.

armadillo /armaðíʎo/ [sm] armadillo.

armadura /armaðúra/ [sf] 1 (también TECN) armatura 2 (de gafas) montatura.

armar /armár/ [v tr] 1 armare 2 TECN montare, assemblare 3 FIG FAM provocare • ~ *un escándalo*: provocare uno scandalo ◆ [v prnl] 1 armarsi 2 FIG scoppiare, scatenarsi.

armario /armárjo/ [sm] armadio LOC ~ empotrado/de luna: armadio a muro/specchio.

armazón /armaθón/ [sm,f] TECN scheletro (m), intelaiatura (f).

armisticio /armistíθjo/ [sm] armistizio.

armonía /armonía/ [sf] (también FIG) armonia • *vivir en ~*: vivere in armonia.

armónica /armónika/ [sf] armonica.

armonioso /armonjóso/ [adj] armonioso.

aro /áro/ [sm] anello, cerchio.

aroma /aróma/ [sm] aroma, profumo.

aromático /aromátiko/ [adj] aromatico, profumato.

aromatizar /aromatiθár/ [v tr] aromatizzare.

arpa /árpa/ [sf] arpa.

arpón /arpón/ [sm] fiocina (f).

arquear (-se) /arkeár/ [v tr prnl] inarcare (-rsi).

arqueología /arkeoloxía/ [sf] archeologia.

arquitecto /arkitékto/ [sm] architetto.

arquitectura /arkitektúra/ [sf] architettura.

arrabal /araβál/ [sm] borgo, sobborgo.

arraigado /araiɣáðo/ [adj] (también FIG) radicato.

arraigar (■■) /araiɣár/ [v tr prnl] (también FIG) attecchire • *esta moda ha arraigado*: questa moda ha attecchito.

arrancar /araŋkár/ [v tr] 1 (planta) sradicare 2 strappare ♦ [v intr] (vehículo) partire.

arranque /aráŋke/ [sm] 1 (de vehículo) avviamento, messa (f) in moto 2 forza (f), energia (f) 3 FIG (pronto) impeto, slancio.

arrasar /arasár/ [v tr] 1 (nivelar) spianare 2 (demoler) abbattere.

arrastrar /arastrár/ [v tr] 1 trascinare 2 FIG (en sentido negativo) spingere, condurre, indurre ♦ [v intr] (por) sfiorare, rasentare ♦ [v prnl] strisciare.

arrayán /arajáŋ/ [sm] mirto.

arrebatador (-a) /areβataðór/ [adj] irresistibile (m,f).

arrebatar /areβatár/ [v tr] strappare, portare via.

arrebato /areβáto/ [sm] scatto, impulso.

arrecife /areθífe/ [sm] scoglio, scogliera (f) LOC ~ coralino: scogliera/barriera corallina.

arreglar /areɣlár/ [v tr] 1 (también FIG FAM) sistemare • *¡ya te arreglaré yo a ti!*: ti sistemo io! 2 (adornar) abbellire, ornare ♦ [v prnl] 1 cavarsela 2 (también persona) sistemarsi • *se arregló el pelo*: si sistemó i capelli LOC **arreglárselas**: arrangiarsi.

arreglo /aréɣlo/ [sm] 1 sistemazione (f) • *el ~ de la casa*: la sistemazione della casa 2 accordo • *los dos países han encontrado un ~*: i due stati hanno raggiunto un accordo 3 MUS arrangiamento LOC ~ **de cuentas**: regolamento di conti | **con ~ a algo**: conforme a qualcosa, secondo qualcosa.

arrellanarse /areʎanárse/ [v prnl] adagiarsi.

arremeter /aremetér/ [v intr] (**contra**) FIG scagliarsi.

arrendar /arendár/ [v tr] affittare.

arreos /aréos/ [sm pl] (de montar) finimenti.

arrepentimiento /arepentimjénto/ [sm] pentimento.

arrepentirse /arepentírse/ [v prnl] pentirsi.

arrestar /arestár/ [v tr] arrestare.

arresto /arésto/ [sm] arresto, detenzione (f) LOC ~ **domiciliario**: arresti domiciliari.

arriba /aríβa/ [adv] 1 sopra, su 2 di sopra • *sus padres viven ~*: i suoi genitori abitano di sopra LOC de ~ **abajo**: da cima a fondo; dall'alto in basso | tiene cincuenta/sesenta años para ~: ha più di cinquanta/sessant'anni ♦ [interj] evviva.

arribada /ariβáða/ [sf] (en un puerto) attracco (m).

arribar /ariβár/ [v intr] MAR approdare.

arriendo /arjéndo/ [sm] affitto.

arriesgado /ar̄jesɣáðo/ [adj] rischioso, pericoloso.

arriesgar (-se) /ar̄jesɣár/ [v tr prnl] rischiare.

arrimar (-se) /ar̄imár/ [v tr prnl] accostare (-rsi), avvicinare (-rsi).

arrinconar /ar̄iŋkonár/ [v tr] **1** accantonare **2** FIG (acorralar) mettere alle strette **3** FIG (abandonar) emarginare.

arroba /ar̄oβa/ [sf] (internet) chiocciola.

arrodillarse /ar̄oðiʎárse/ [v prnl] inginocchiarsi.

arrogancia /ar̄oɣánθja/ [sf] arroganza.

arrogante /ar̄oɣánte/ [adj m,f] arrogante, altero (m).

arrojar /ar̄oxár/ [v tr] **1** lanciare, scagliare **2** (persona) buttare fuori, allontanare ♦ [v prnl] gettarsi, lanciarsi, buttarsi.

arrollador (-a) /ar̄oʎaðór/ [adj] FIG travolgente (m,f).

arrollar /ar̄oʎár/ [v tr] travolgere.

arropar (-se) /ar̄opár/ [v tr prnl] coprire (-rsi), imbaccuccare (-rsi).

arroyo /ar̄ójo/ [sm] ruscello.

arroz /ar̄óθ/ [sm] riso.

arrozal /ar̄oθál/ [sm] risaia (f).

arruga /ar̄úɣa/ [sf] ruga, grinza.

arrugar (-se) /ar̄uɣár/ [v tr prnl] **1** raggrinzare (-rsi), corrugare (-rsi) **2** (indumento) sgualcire (-rsi) LOC **~ el ceño**: aggrottare le sopracciglia | **~ la frente**: corrugare la fronte.

arruinar (-se) /ar̄winár/ [v tr prnl] (también FIG) rovinare (-rsi).

arte /árte/ [sm] (también f) arte (f) ■ pl irr **artes** (f) LOC **artes marciales**: arti marziali.

artefacto /artefákto/ [sm] ordigno, apparecchio.

arteria /artérja/ [sf] arteria.

artesanía /artesanía/ [sf] artigianato (m).

artesano /artesáno/ [adj/sm] artigiano.

ártico /ártiko/ [adj] artico LOC **círculo polar ~**: circolo polare artico.

articulación /artikulaθjón/ [sf] (también ANAT) articolazione.

artículo /artíkulo/ [sm] (también COM) articolo.

artífice /artífiθe/ [sm,f] artefice.

artificial /artifiθjál/ [adj m,f] artificiale.

artista /artísta/ [sm,f] (también FIG) artista.

artístico /artístiko/ [adj] artistico.

artritis /artrítis/ [sf inv] artrite (sing).

artrosis /artrósis/ [sf inv] artrosi.

arzobispo /arθoβíspo/ [sm] arcivescovo.

as /ás/ [sm] (de los naipes, también FIG) asso.

asa /ása/ [sf] **1** ansa, manico (m) **2** (de maleta) maniglia.

asado /asáðo/ [adj/sm] arrosto.

asador /asaðór/ [sm] **1** spiedo **2** COM rosticceria (f).

asalariado /asalarjáðo/ [adj/sm] salariato, stipendiato.

asaltar /asaltár/ [v tr] **1** assaltare **2** FIG (dudas, temores) assalire.

asalto /asálto/ [sm] assalto.

asamblea /asambléa/ [sf] assemblea.

asar /asár/ [v tr] arrostire ♦ [v prnl] FIG morire dal caldo, soffocare.

ascendencia /asθendénθja/ [sf] stirpe.

ascender /asθendér/ [v intr] **1** salire **2** (cantidad) ammontare ♦ [v tr] promuovere.

ascendiente /asθendjénte/ [sm] ascendente, influsso.

ascenso /asθénso/ [sm] **1** promozione (f) **2** (de montaña) ascensione (f), scalata (f).

ascensor /asθensór/ [sm] ascensore.

asco /ásko/ [sm] (también FIG) schifo, disgusto ● *¡qué ~ de película!*: che schifo di film! LOC **dar ~**: fare schifo | **ser un ~**: essere uno schifo.

asear /aseár/ [v tr] **1** (limpiar) pulire **2** (arreglar) sistemare, mettere in ordine ♦ [v prnl] mettersi in ordine.

asediar /aseðjár/ [v tr] assediare.

asegurar (-se) /aseɣurár/ [v tr prnl] assicurare (-rsi).

asemejar (-se) /asemexár/ [v intr prnl] somigliarsi, assomigliarsi.

asentar /asentár/ [v tr] consolidare, rinforzare ♦ [v prnl] (persona) stabilirsi.

asentimiento /asentimjénto/ [sm] consenso, approvazione (f).

aseo /aséo/ [sm] **1** pulizia (f), igiene (f) **2** (cuarto) bagno, servizi (pl) LOC **bolsa de ~**: necessaire da toeletta.

asequible /asekíβle/ [adj m,f] accessibile.

asesinar /asesinár/ [v tr] assassinare, uccidere.

asesinato /asesináto/ [sm] assassinio.

asesino /asesíno/ [adj/sm] assassino.

asesor (-a) /asesór/ [sm] consulente (m,f) LOC **~ fiscal**: commercialista.

asesoramiento /asesoramjénto/ [sm] consulenza (f).

asesorar /asesorár/ [v tr prnl] (**con/en**) consigliare (-rsi).

asfalto /asfálto/ [sm] asfalto.

asfixia /asfíksja/ [sf] asfissia.

asfixiar (-se) /asfiksjár/ [v tr prnl] (también FIG) asfissiare (-rsi), soffocare (-rsi).

así /así/ [adv/conj] così ■ **así de + adj** agg + così ● *lo quiero ~ de grande*: lo voglio grande così LOC **~ así**: così così | **~ que**: perciò | **~ y todo**: nonostante tutto.

asiático /asjátiko/ [adj/sm] asiatico.

asidero /asiðéro/ [sm] **1** manico **2** FIG appoggio, protezione (f).

asiduo /asíðwo/ [adj] assiduo.

asiento /asjénto/ [sm] **1** posto, sedile **2** (en un líquido) sedimento, deposito LOC **~ delantero/trasero**: sedile anteriore/posteriore | **~ reservado**: posto prenotato | **tomar ~**: sedersi.

asignar /asiɣnár/ [v tr] assegnare.

asignatura /asiɣnatúra/ [sf] materia, disciplina LOC **~ pendiente**: materia da riparare (a scuola).

asilar /asilár/ [v tr] dare asilo ♦ [v prnl] rifugiarsi.

asilo /asílo/ [sm] asilo, rifugio LOC **~ de ancianos**: casa di riposo per anziani | **~ político**: asilo politico.

asimilar /asimilár/ [v tr] **1** equiparare **2** (comida, conceptos) assimilare.

asimismo /asimís mo/ [adv] ugualmente, comunque, ad ogni modo.

asir /asír/ [v tr] prendere, afferrare ♦ [v prnl] aggrapparsi, attaccarsi.

asistencia /asisténθja/ [sf] **1** assistenza, aiuto (m), soccorso (m) **2** (a espectáculos, conferencias) pubblico (m) LOC ~ **médica**: assistenza sanitaria.

asistenta /asisténta/ [sf] cameriera, domestica.

asistente /asisténte/ [sm,f] assistente LOC ~ **social**: assistente sociale.

asistir /asistír/ [v tr/intr] assistere.

asma /ás ma/ [sf] asma.

asno /ás no/ [sm] asino.

asociación /asoθjaθjón/ [sf] associazione.

asociar (-se) /asoθjár/ [v tr prnl] associare (-rsi).

asomar /asomár/ [v intr] spuntare, nascere ◆ [v tr prnl] affacciare (-rsi).

asombrar (-se) /asombrár/ [v tr prnl] meravigliare (-rsi), stupire (-rsi).

asombro /asómbro/ [sm] **1** (extrañeza) stupore, sconcerto **2** (pasmo) ammirazione (f).

asombroso /asombróso/ [adj] **1** meraviglioso **2** FIG stupefacente (m,f).

asomo /asómo/ [sm] segno, indizio LOC **ni por ~**: neanche per sogno.

aspavientos /aspaβjéntos/ [sm pl] smorfie (f), smancerie (f).

aspecto /aspékto/ [sm] (también FIG) aspetto ◆ *ése es otro ~ del problema*: questo è un altro aspetto del problema LOC **tener buen/mal ~**: avere una bella/brutta cera.

aspereza /asperéθa/ [sf] asprezza.

áspero /áspero/ [adj] **1** (rasposo) ruvido **2** (también FIG) aspro ◆ *un carácter ~*: un carattere aspro.

aspiración /aspiraθjón/ [sf] **1** inspirazione **2** FIG (deseo) aspirazione.

aspiradora /aspiraðóra/ [sf] aspirapolvere (m inv).

aspirante /aspiránte/ [sm,f] aspirante, candidato (m).

aspirar /aspirár/ [v tr] **1** inspirare **2** FIG aspirare, ambire.

asqueroso /askeróso/ [adj/sm] schifoso (adj).

asta /ásta/ [sf] **1** asta **2** (de toro, ciervo) corno* (m).

astigmático /astiɣmátiko/ [adj/sm] astigmatico.

astilla /astíʎa/ [sf] scheggia.

astillero /astiʎéro/ [sm] cantiere navale.

astro /ástro/ [sm] **1** astro **2** FIG stella (f), star (f inv).

astrología /astroloxía/ [sf] astrologia.

astronauta /astronáuta/ [sm,f] astronauta.

astronomía /astronomía/ [sf] astronomia.

astucia /astúθja/ [sf] astuzia.

asturiano /asturjáno/ [adj/sm] asturiano.

Asturias /astúrjas/ [sf pl] Asturie.

astuto /astúto/ [adj] astuto, furbo.

asueto /aswéto/ [sm] (también COM) riposo.

asumir /asumír/ [v tr] **1** (responsabilidades, trabajos) assumere **2** (críticas, hechos) ammettere, accettare.

asunción /asunθjón/ [sf] assunzione.

asunto /asúnto/ [sm] **1** (tema) argomento **2** affare, faccenda (f) ◆ *eso no es ~ mío*: quello non è affare mio.

asustar (-se) /asustár/ [v tr prnl] (**con**/**por**) spaventare (-rsi).

atacar /atakár/ [v tr] (también FIG) attaccare.

atadura /ataðúra/ [sf] **1** legamento (m) **2** FIG legame (m), vincolo (m).

atajar /ataxár/ [v intr] (**por**) (camino) tagliare, accorciare ◆ [v tr] **1** (persona, animal) bloccare, intercettare **2** (interrumpir) fermare.

atajo /atáxo/ [sm] scorciatoia (f).

ataque /atáke/ [sm] (también MED) attacco.

atar /atár/ [v tr] **1** legare **2** (cordones, lazos) allacciare **3** FIG impacciare LOC ~ **cabos**: tirare le fila/somme.

atardecer /atarðeθér/ [sm] crepuscolo, tramonto ◆ [v imp] imbrunire, farsi sera.

atareado /atareáðo/ [adj] occupato, indaffarato.

atarearse /atareárse/ [v prnl] darsi da fare, impegnarsi.

atascar /ataskár/ [v tr] intasare, otturare ◆ [v prnl] **1** (cañerías) intasarsi, otturarsi **2** (vehículo) impantanarsi **3** (mecanismo) incepparsi, bloccarsi.

atasco /atásko/ [sm] **1** (también de tráfico) ingorgo **2** FIG intralcio, ostacolo.

ataúd /ataúð/ [sm] bara (f).

atemorizar (-se) /atemoriθár/ [v tr prnl] spaventare (-rsi).

Atenas /aténas/ [sf] Atene.

atención /atenθjón/ [sf] attenzione LOC **llamar la** ~: attirare/richiamare l'attenzione.

atender /atendér/ [v tr] **1** (deseo, petición) soddisfare, esaudire **2** (cliente) servire **3** FIG ascoltare, dare retta ◆ [v intr] stare attento.

ateneo /atenéo/ [sm] circolo culturale.

ateniense /atenjénse/ [adj/sm,f] ateniese.

atentado /atentáðo/ [sm] attentato LOC ~ **terrorista**: attentato terroristico.

atento /aténto/ [adj] attento.

atenuar (-se) /atenwár/ [v tr prnl] attenuare (-rsi).

ateo /atéo/ [adj/sm] ateo.

aterido /ateríðo/ [adj] intirizzito.

aterrar /aterár/ [v tr] inorridire, agghiacciare.

aterrizaje /aterriθáxe/ [sm] atterraggio LOC ~ **forzoso**: atterraggio di fortuna | **tren de** ~: carrello d'atterraggio.

aterrizar /aterriθár/ [v intr] atterrare.

aterrorizar /aterroriθár/ [v tr] terrorizzare, atterrire.

atestado /atestáðo/ [adj] affollato, gremito.

atestar /atestár/ [v tr] **1** (con personas) affollare, gremire **2** (con cosas) riempire, colmare.

atestiguar /atestiɣwár/ [v tr] **1** JUR testimoniare, deporre **2** FIG dimostrare, provare.

atiborrar (-se) /atiβorár/ [v tr] FIG **1** riempire (-rsi) **2** FAM (de comida) rimpinzare (-rsi).

ático /átiko/ [sm] attico.

atinar /atinár/ [v intr/tr] (**en**/**con**) azzeccare.

atisbar /atis βár/ [v tr] **1** guardare, osservare **2** (vislumbrar) intravedere.

atlántico /at lántiko/ [adj] atlantico.

atlas /át las/ [sm inv] atlante (sing).

atleta /at léta/ [sm,f] atleta.

atletismo /at letísmo/ [sm] atletica (f).

atmósfera /at mósfera/ [sf] (también FIG) atmosfera • *una ~ relajada*: un'atmosfera rilassata.

atmosférico /at mosfériko/ [adj] atmosferico.

atolladero /atoʎaðéro/ [sm] 1 pantano 2 FIG pasticcio, guaio.

atolón /atolón/ [sm] atollo.

atómico /atómiko/ [adj] atomico LOC **energía atómica**: energia atomica.

átomo /átomo/ [sm] atomo.

atontar /atontár/ [v tr] intontire, stordire.

atormentar (-se) /atormentár/ [v tr prnl] (también FIG) tormentare (-rsi).

atornillar /atorniʎár/ [v tr] avvitare.

atosigar (-se) /atosiɣár/ [v tr prnl] 1 avvelenare (-rsi) 2 FIG tormentare (-rsi), assillare (-rsi).

atracadero /atrakaðéro/ [sm] molo, attracco.

atracar /atrakár/ [v tr] 1 MAR attraccare 2 rapinare ♦ [v intr] attraccare.

atracción /atrakθjón/ [sf] (también FIG) attrazione • *la ~ del local son las bailarinas*: l'attrazione del locale sono le ballerine.

atraco /atráko/ [sm] rapina (f) a mano armata.

atractivo /atraktíβo/ [adj] attraente (m,f), affascinante (m,f) ♦ [sm] attrattiva (f), fascino.

atraer (-se) /atraér/ [v tr prnl] (también FIG) attrarre (-rsi), attirare (-rsi) • *me atraen los deportes al aire libre*: mi attirano gli sport all'aperto.

atragantarse /atraɣantárse/ [v prnl] andare di traverso.

atrancar (-se) /atraŋkár/ [v tr] 1 (cerrar) sprangare (-rsi), sbarrare (-rsi) 2 (atascar) intasare (-rsi), ingorgare (-rsi).

atrapar /atrapár/ [v tr] acciuffare, acchiappare.

atrás /atrás/ [adv] 1 indietro • *no mires ~*: non guardare indietro 2 (tiempo) fa • *la vi algunos días ~*: la vidi qualche giorno fa LOC **dar marcha ~**: fare marcia indietro | **volverse/echarse ~**: tirarsi indietro.

atrasar /atrasár/ [v tr/intr] ritardare ♦ [v prnl] 1 (quedarse atrás, también FIG) restare/rimanere indietro 2 ritardare, essere in ritardo.

atraso /atráso/ [sm] 1 ritardo 2 PEY sottosviluppo 3 (en pl) COM arretrati.

atravesado /atraβesáðo/ [adj] di traverso.

atravesar /atraβesár/ [v tr] attraversare ♦ [v prnl] andare di traverso.

atrayente /atrajénte/ [adj m,f] attraente.

atreverse /atreβérse/ [v prnl] osare.

atrevido /atreβíðo/ [adj/sm] 1 audace (m,f) 2 FIG maleducato • *un niño ~*: un bambino maleducato.

atrevimiento /atreβimjénto/ [sm] 1 coraggio 2 FIG sfacciataggine (f).

atribuir (-se) /atriβwír/ [v tr prnl] attribuire (-rsi).

atributo /atriβúto/ [sm] attributo.

atrio /átrjo/ [sm] atrio.

atrocidad /atroθiðáð/ [sf] atrocità (inv).

atropellado /atropeʎáðo/ [adj] (precipitado) precipitoso, avventato.

atropellar /atropeʎár/ [v tr] **1** investire, travolgere • ~ *a un peatón*: investire un pedone **2** FIG (no respetar) calpestare.

atropello /atropéʎo/ [sm] **1** investimento **2** (abuso) sopruso.

atroz /atróθ/ [adj m,f] atroce.

atuendo /atwéndo/ [sm] abito.

atún /atún/ [sm] tonno.

aturdimiento /aturðimjénto/ [sm] stordimento.

aturdir /aturðír/ [v tr] **1** stordire, frastornare **2** FIG sconcertare, sconvolgere ♦ [v prnl] **1** stordirsi **2** FIG turbarsi.

atusar (-se) /atusár/ [v tr prnl] (cabello) ravviare (-rsi).

audaz /auðáθ/ [adj m,f] audace.

audiencia /auðjénθja/ [sf] **1** JUR (acto) udienza **2** (de radio, televisión) audience (inv), pubblico (m) **3** JUR (tribunal) corte.

audiovisual /auðjoβiswál/ [adj m,f] audiovisivo (m).

auditivo /auðitíβo/ [adj] uditivo.

aula /áula/ [sf] aula.

aumentar /aumentár/ [v tr/intr] aumentare.

aumento /auménto/ [sm] aumento LOC *lente de ~*: lente d'ingrandimento.

aún /aún/ [adv] ancora • ~ *no ha llegado*: non è ancora arrivato.

aun /aun/ [conj] (hasta, incluso) anche, perfino LOC ~ *así*: ciononostante | *ni* ~: neppure, neanche.

aunque /auŋke/ [conj] anche se • *iré* ~ *llueva*: andrò anche se pioverà.

auricular /aurikulár/ [adj m,f/sm] auricolare.

aurora /auróra/ [sf] aurora.

ausencia /ausénθja/ [sf] assenza.

ausentarse /ausentárse/ [v prnl] assentarsi.

ausente /ausénte/ [adj/sm,f] (también FIG) assente • *tiene una mirada* ~: ha uno sguardo assente.

auspicio /auspíθjo/ [sm] auspicio.

austero /austéro/ [adj] austero.

austral /austrál/ [adj m,f] australe.

australiano /australjáno/ [adj/sm] australiano.

austriaco /austrjáko/ [adj/sm] austriaco.

autenticar /autentikár/ [v tr] autenticare.

auténtico /auténtiko/ [adj] autentico.

auto /áuto/ [sm] **1** JUR atto **2** ABR auto (f inv), automobile (f).

autobiografía /autoβjoɣrafía/ [sf] autobiografia.

autobús /autoβús/ [sm] autobus (inv).

autocar /autokár/ [sm] pullman (inv).

autocaravana /autokaraβána/ [sf] camper (m inv).

autocontrol /autokontról/ [sm] autocontrollo.

autocrítica /autokrítika/ [sf] autocritica.

autóctono /autóktono/ [adj/sm] autoctono.

autodidacto /autoðiðákto/ [adj/sm] autodidatta (sust m,f).

autoescuela /autoeskwéla/ [sf] autoscuola.

autoestop /autoestóp/ [sm] auto-stop (inv).

autógrafo /autóɣrafo/ [adj/sm] autografo.

autolavado /autolaβáðo/ [sm] autolavaggio.

automático /automátiko/ [adj/sm] (también FIG) automatico • *fue un gesto ~*: è stato un gesto automatico.

automatizar /automatiθár/ [v tr] automatizzare, meccanizzare.

automóvil /automóβil/ [sm] automobile (f).

automovilista /automoβilísta/ [sm,f] automobilista.

autonomía /autonomía/ [sf] 1 autonomia 2 (España) regione autonoma.

autónomo /autónomo/ [adj] autonomo.

autopista /autopísta/ [sf] autostrada LOC ~ de peaje: autostrada a pedaggio.

autopsia /autópsja/ [sf] autopsia.

autor (-a) /autór/ [sm] autore (f -trice).

autoridad /autoriðáð/ [sf] autorità (inv).

autorización /autoriθaθjón/ [sf] autorizzazione, permesso (m).

autorizado /autoriθáðo/ [adj] FIG autorevole (m,f).

autorizar /autoriθár/ [v tr] autorizzare.

autorradio /autor̄áðjo/ [sm] autoradio (f inv).

autoservicio /autoserβíθjo/ [sm] self-service (inv).

autovía /autoβía/ [sf] superstrada.

auxiliar /auksiljár/ [adj m,f] ausiliare, ausiliario (m) LOC profesor ~:

professore supplente ◆ [sm,f] assistente LOC ~ de vuelo: assistente di volo ◆ [v tr] soccorrere, aiutare.

auxilio /auksíljo/ [sm] aiuto, soccorso LOC primeros auxilios: pronto soccorso.

avalancha /aβalántʃa/ [sf] valanga.

avance /aβánθe/ [sm] 1 (también FIG) avanzamento 2 (adelanto) anticipo 3 (de moda, espectáculos) anteprima (f).

avanzar /aβanθár/ [v intr] (también FIG) avanzare.

avaricia /aβaríθja/ [sf] avarizia, tirchieria.

avaro /aβáro/ [adj/sm] avaro, tirchio.

avasallar /aβasaʎár/ [v tr] 1 assoggettare 2 FIG calpestare, violare.

ave /áβe/ [sf] uccello (m) LOC ~ migratoria: uccello migratore | ~ rapaz/de rapiña: uccello rapace

avejentar (-se) /aβexentár/ [v tr prnl] invecchiare (-rsi).

avellana /aβeʎána/ [sf] nocciola.

avellano /aβeʎáno/ [sm] nocciolo.

avena /aβéna/ [sf] avena.

avenencia /aβenénθja/ [sf] accordo (m), intesa.

avenida /aβeníða/ [sf] (calle) viale (m), corso (m).

avenirse /aβenírse/ [v prnl] 1 (llevarse bien) andare d'accordo 2 (ponerse de acuerdo) mettersi d'accordo.

aventajado /aβentaxáðo/ [adj] (persona) straordinario, notevole.

aventajar /aβentaxár/ [v tr] (también FIG) superare • *Pedro me aventaja en todo*: Pietro mi supera in tutto.

aventura /aβentúra/ [sf] avventura.

aventurarse /aβenturárse/ [v prnl] avventurarsi.

avergonzar /aβeryonθár/ [v tr] far vergognare ♦ [v prnl] vergognarsi.

avería /aβería/ [sf] (también MAR) avaria.

averiguación /aβeriγwaθjón/ [sf] accertamento (m), verifica.

averiguar /aβeriγwár/ [v tr] verificare.

aversión /aβersjón/ [sf] avversione.

avestruz /aβestruθ/ [sm] struzzo.

aviación /aβjaθjón/ [sf] aviazione LOC ~ civil: aeronautica civile.

aviador (-a) /aβjaðór/ [adj/sm] aviatore (sust, f -trice).

aviar /aβjár/ [v tr] preparare ♦ [v prnl] 1 prepararsi 2 FIG FAM arrangiarsi LOC estar aviado: trovarsi in un bel pasticcio.

avidez /aβiðéθ/ [sf] avidità (inv).

ávido /áβiðo/ [adj] avido.

avinagrar (-se) /aβinaγrár/ [v tr prnl] inacidire (-rsi).

avión /aβjón/ [sm] aereo.

avioneta /aβjonéta/ [sf] aereo da turismo.

avisado /aβisáðo/ [adj] prudente (m,f).

avisar /aβisár/ [v tr] 1 avvisare, avvertire 2 (médico) chiamare.

aviso /aβíso/ [sm] avviso LOC ~ de recibo: ricevuta di ritorno | poner sobre ~: mettere in guardia.

avispa /aβíspa/ [sf] vespa.

avistar /aβistár/ [v tr] scorgere.

avivar (-se) /aβiβár/ [v tr prnl] ravvivare (-rsi).

axila /aksíla/ [sf] ascella.

ay! /ái/ [interj] ahi!, ah! LOC ¡~ de mí/ti!: povero me!/te! ♦ [sm] lamento, sospiro.

ayer /ajér/ [adv/sm] ieri.

ayuda /ajúða/ [sf] aiuto (m), soccorso (m).

ayudar (-se) /ajuðár/ [v tr prnl] aiutare (-rsi).

ayunar /ajunár/ [v intr] digiunare.

ayunas /ajúnas/ (sólo en la locución) LOC estar en ~: essere a digiuno.

ayuno /ajúno/ [adj/sm] digiuno.

ayuntamiento /ajuntamjénto/ [sm] municipio, comune.

azada /aθáða/ [sf] zappa.

azafata /aθafáta/ [sf] (también de reunión, congreso) hostess (inv).

azafrán /aθafrán/ [sm] (también COC) zafferano.

azahar /aθaár/ [sm] fiore d'arancio.

azar /aθár/ [sm] caso, combinazione (f) LOC al ~: a caso | juego de ~: gioco d'azzardo.

azogue /aθóγe/ [sm] mercurio LOC ser un ~: avere l'argento vivo addosso.

azotar /aθotár/ [v tr] frustare.

azote /aθóte/ [sm] 1 frusta (f) 2 FAM sculacciata (f).

azotea /aθotéa/ [sf] terrazza.

azúcar /aθúkar/ [sm,f] zucchero (m) LOC ~ moreno/de caña: zucchero di canna.

azucarar /aθukarár/ [v tr] zuccherare.

azucarero /aθukaréro/ [sm] zuccheriera (f).

azucarillo /aθukaríʎo/ [sm] (terrón) zolletta (f).

azucena /aθuθéna/ [sf] giglio (m).

azufre /aθúfre/ [sm] zolfo.

azul /aθúl/ [sm] blu (inv), azzurro.

Bb

baba /báβa/ [sf] saliva, bava.

babear /baβeár/ [v intr] sbavare.

babero /baβéro/ [sm] bavaglino.

babosa /baβósa/ [sf] lumaca.

babuino /baβwíno/ [sm] babbuino.

baca /báka/ [sf] (de vehículo) portabagagli (m inv).

bacalao /bakaláo/ [sm] baccalà (inv).

bache /bátʃe/ [sm] **1** (en la carretera) buca (f) **2** (en avión) vuoto d'aria.

bachillerato /batʃiλeráto/ [sm] **1** liceo • *se conocieron en el ~*: si sono conosciuti al liceo **2** (grado) maturità (f inv).

bacilo /baθílo/ [sm] bacillo.

bacteria /baktérja/ [sf] batterio (m).

badén /baðén/ [sm] passo carraio.

bafle /báfle/ [sm] cassa (f) acustica.

bahía /baía/ [sf] baia, insenatura.

bailaor (-a) /bailaór/ [sm] ballerino professionista di flamenco.

bailar /bailár/ [v intr/tr] ballare.

bailarín (-a) /bailarín/ [adj/sm] ballerino.

bailarina /bailarína/ [sf] (calzado) ballerina.

baile /báile/ [sm] ballo LOC ~ **de máscaras/disfraces**: ballo in maschera.

baja /báxa/ [sf] **1** (de trabajador) congedo (m) **2** diminuzione, calo (m) • *hubo una ~ en las matriculaciones*: ci fu un calo nelle iscrizioni LOC **dar de ~ a alguien**: ritirare dal servizio qualcuno; mettere in malattia (medico)| **darse de ~**: licenziarsi (dal lavoro); ritirarsi.

bajada /baxáða/ [sf] discesa.

bajamar /baxamár/ [sf] bassa marea.

bajar /baxár/ [v tr] **1** abbassare **2** tirar giù • ~ *una maleta de la rejilla*: tirar giù una valigia dal portabagagli ◆ [v intr prnl] **1** scendere • *¡bájate de ahí!*: scendi di lì! **2** diminuire • *la temperatura está bajando*: la temperatura sta diminuendo.

bajío /baxío/ [sm] banco di sabbia.

bajo /báxo/ [adj/adv/sm] (también MUS) basso LOC **bajos fondos** bassifondi | **el ~ de la falda/del pantalón**: l'orlo della gonna/dei pantaloni ◆ [prep] sotto LOC ~ **cero**: sotto zero.

bajorrelieve /baxořeljéβe/ [sm] bassorilievo.

bala /bála/ [sf] proiettile (m), pallottola LOC **como una ~**: a razzo.

balance /balánθe/ [sm] (también FIG) bilancio.

balancear (-se) /balanθeár/ [v tr/intr prnl] dondolare (-rsi).

balanceo /balanθéo/ [sm] dondolio, oscillazione (f).

balanza /balánθa/ [sf] bilancia.

balaustrada /balaustráða/ [sf] balaustra, balaustrata.

balazo /baláθo/ [sm] sparo, colpo.

balbucear /balβuθeár/ [v intr] balbettare.

balbuceo /balβuθéo/ [sm] balbettio.

balcón /balkón/ [sm] balcone LOC ~ **corrido**: ballatoio.

balde /bálde/ [sm] secchio LOC de ~: gratis | **en** ~: invano.

baldosa /baldósa/ [sf] mattonella, piastrella.

balear /baleár/ [adj/sm,f] abitante delle Isole Baleari.

ballena /baλéna/ [sf] (también FIG FAM) balena.

ballet /balé/ [sm] balletto, danza (f) ■ pl irr **ballets**.

balneario /balneárjo/ [sm] terme (f pl).

balón /balón/ [sm] **1** pallone **2** bombola (f) • ~ de oxígeno: bombola di ossigeno.

baloncesto /balonθésto/ [sm] pallacanestro (f).

balsa /bálsa/ [sf] zattera LOC ~ **neumática**: canotto pneumatico | **ser una** ~ **de aceite**: essere liscio come l'olio.

bálsamo /bálsamo/ [sm] (también FIG) balsamo.

bambolear (-se) /bamboleár/ [v tr prnl] dondolare (-rsi).

bambú /bambú/ [sm] bambù (inv).

banal /banál/ [adj m,f] banale, superficiale.

banalidad /banaliðað/ [sf] banalità (inv).

anana /banána/ [sf] Amer banana.

anano /banáno/ [sm] Amer banano.

anca /bánka/ [sf] **1** (asiento) panca **2** (naipes) banco (m).

bancario /bankárjo/ [adj/sm] bancario.

bancarrota /bankaróta/ [sf] bancarotta.

banco /bánko/ [sm] **1** (asiento) panchina (f) **2** banca (f) • tengo una cuenta corriente en aquel ~: ho un conto corrente presso quella banca **3** (de peces) banco LOC ~ **de arena**: banco di sabbia | ~ **de datos**: banca dati.

banda /bánda/ [sf] **1** (también MUS) banda **2** (también DEP) fascia • el alcalde lleva la ~ con los colores de la bandera: il sindaco porta la fascia con i colori della bandiera LOC ~ **sonora**: colonna sonora.

bandada /bandáða/ [sf] stormo (m).

bandazo /bandáθo/ [sm] sbandata (f) LOC **dar bandazos**: sbandare.

bandeja /bandéxa/ [sf] vassoio (m) LOC **servir en** ~: servire su un vassoio d'argento.

bandera /bandéra/ [sf] bandiera LOC **bajada de** ~: inizio corsa sul tassametro.

bandido /bandíðo/ [sm] **1** bandito, delinquente (m,f) **2** FIG FAM (niño) birbone.

bando /bándo/ [sm] **1** (aviso) bando **2** partito • es de otro ~: è di un altro partito.

bandolera /bandoléra/ [sf] tracolla LOC **en** ~: a tracolla.

banquero /bankéro/ [sm] banchiere.

banquete /bankéte/ [sm] banchetto.

banquillo /bankíλo/ [sm] **1** JUR banco **2** DEP panchina (f).

bañadera /baɲaðéra/ [sf] Amer vasca da bagno.

bañador /baɲaðór/ [sm] costume da bagno.

bañar /baɲár/ [v tr] **1** fare il bagno **2** COC inzuppare ◆ [v prnl] farsi un bagno LOC **bañado en sudor**: sudato fradicio.

bañera /baɲéra/ [sf] vasca da bagno.

bañista /baɲísta/ [sm,f] **1** (salvamento) bagnino (m) **2** bagnante ◆ *una playa llena de bañistas extranjeros*: una spiaggia piena di bagnanti stranieri.

baño /báɲo/ [sm] (también servicio) bagno LOC ~ (de) **maría**: bagnomaria.

baptisterio /baptistérjo/ [sm] battistero.

bar /bár/ [sm] bar (inv).

baraja /baráxa/ [sf] mazzo (m) di carte.

barandilla /barandíʎa/ [sf] **1** ringhiera **2** (de escalera) corrimano (m).

barato /baráto/ [adj] economico, a buon mercato LOC **resultar/salir/ ser ~**: essere a buon mercato ◆ [adv] a poco prezzo ◆ *aquí se come bien y ~*: qui si mangia bene a poco prezzo.

barba /bárβa/ [sf] barba LOC ~ **cerrada**: barba folta | **por ~**: a testa.

barbacoa /barβakóa/ [sf] barbecue (m inv).

barbaridad /barβariðáð/ [sf] **1** atrocità (inv) **2** FIG (disparate) assurdità (inv), sproposito (m) LOC **costar una ~**: costare moltissimo | ¡qué ~!: che follia! | **una ~ de**: una quantità/marea di.

bárbaro /bárβaro/ [adj] **1** barbaro **2** FIG stupendo LOC ¡qué ~!: fantastico!

barbero /barβéro/ [sm] barbiere, parrucchiere da uomo.

barbilla /barβíʎa/ [sf] mento (m).

barbudo /barβúðo/ [adj] barbuto

barca /bárka/ [sf] barca.

Barcelona /barθelóna/ [sf] Barcellona.

barcelonés (-a) /barθelonés/ [adj, sm] barcellonese (m,f).

barco /bárko/ [sm] nave (f).

barítono /barítono/ [sm] baritono

barman /bárman/ [sm] barman (inv, ■ pl irr **bármanes**.

barniz /barníθ/ [sm] vernice (f).

barnizar /barniθár/ [v tr] verniciare

barómetro /barómetro/ [sm] barometro.

barón /barón/ [sm] barone.

baronesa /baronésa/ [sf] baronessa

barquillo /barkíʎo/ [sm] cialda (f) cialdone LOC ~ **relleno**: wafer.

barra /bářa/ [sf] **1** barra **2** (de bar banco (m), bancone (m) **3** DEP JUI sbarra LOC ~ **antirrobo**: blocca sterzo (di veicolo) | ~ **de chocola te**: tavoletta di cioccolato | ~ **de la bios**: rossetto | ~ **de pan**: filone d pane | **desodorante en ~**: stick deodorante.

barraca /bařáka/ [sf] *Amer* baracca

barranco /bařáŋko/ [sm] burrone precipizio.

barrendero /bařendéro/ [sm] spaz zino.

barrer /bařér/ [v tr] **1** spazzare, sco pare **2** (con) FIG fare piazza pulita

barrera /bařéra/ [sf] **1** (también FIG barriera **2** (de plaza de toros) tribu na LOC **~ de la autopista**: barriera autostradale | **sin barreras**: senza ostacoli.

barricada /bařikáða/ [sf] barricata.

barriga /baříɣa/ [sf] pancia LOC **echar ~**: mettere pancia.

barril /baříl/ [sm] barile.

barrio /bář jo/ [sm] **1** quartiere, rione **2** (del extrarradio) borgata (f) LOC **barrios bajos**: quartieri popolari.

barro /bářo/ [sm] **1** fango **2** (arcilla) creta (f) LOC **~ cocido**: terracotta.

barroco /bařóko/ [adj/sm] barocco.

barroso /bařóso/ [adj] fangoso.

barrote /bařóte/ [sm] sbarra (f).

barruntar /bařuntár/ [v tr] intuire.

barullo /bařúʎo/ [sm] FAM casino, confusione (f).

basar /basár/ [v tr] collocare ♦ [v prnl] **(en)** basarsi su.

base /báse/ [sf] (también FIG) base LOC **a ~ de algo**: a base di qualcosa| **en ~ a algo**: in base a qualcosa, sulla base di qualcosa.

básico /básiko/ [adj] essenziale (m,f), fondamentale (m,f) LOC **educación general básica**: scuola dell'obbligo (Spagna).

basílica /basílika/ [sf] basilica.

bastante /bastánte/ [adv] **1** abbastanza, sufficientemente **2** (mucho) parecchio.

bastar /bastár/ [v imp/intr] (con) bastare LOC **¡basta!**: basta! | **basta y sobra**: basta e avanza.

bastardo /bastárðo/ [adj/sm] (también FIG) bastardo.

bastidor /bastiðór/ [sm] **1** (también TECN) telaio **2** (de escenario) quinta (f).

bastión /bastjón/ [sm] bastione.

basto /básto/ [adj] rozzo, volgare (m,f).

bastón /bastón/ [sm] **1** bastone **2** DEP (esquí) racchetta (f).

basura /basúra/ [sf] immondizia, spazzatura.

basurero /basuréro/ [sm] **1** (persona) spazzino **2** (lugar) discarica (f).

bata /báta/ [sf] **1** vestaglia **2** (de trabajo) camice (m).

batalla /batáʎa/ [sf] battaglia.

batallón /bataʎón/ [sm] battaglione.

batería /batería/ [sf] batteria.

batida /batíða/ [sf] (también de caza) battuta.

batido /batíðo/ [sm] frullato, frappé (inv).

batidora /batiðóra/ [sf] frullatore (m).

batir /batír/ [v tr] **1** battere **2** (también COC) sbattere ♦ [v prnl] lottare LOC **~ las palmas**: applaudire.

baúl /baúl/ [sm] baule.

bautismo /bautísmo/ [sm] battesimo.

bautizar /bautiθár/ [v tr] battezzare.

baya /bája/ [sf] bacca.

baza /báθa/ [sf] (sólo en la locución) LOC **meter ~**: ficcare il naso.

bazo /báθo/ [sm] milza (f).

beato /beáto/ [adj/sm] **1** beato **2** FAM bigotto.

bebé /beβé/ [sm] bebè (inv).

bebedor (-a) /beβeðór/ [sm] bevitore (f -trice).

beber /beβér/ [v tr/intr] **1** bere **2** (a/por) brindare.

bebida /beβíða/ [sf] bibita LOC **darse a la ~**: darsi all'alcol.

beca /béka/ [sf] borsa di studio.

becada /bekáða/ [sf] beccaccia.

becario /bekárjo/ [adj/sm] borsista (sust m,f).

becerro /beθéřo/ [sm] 1 vitello 2 (de lidia) torello.

beicon /béikon/ [sm] bacon (inv).

beige /béis/ [adj m,f/sm inv] beige.

belén /belén/ [sm] presepio.

belga /bélya/ [adj/sm,f] belga.

Bélgica /bélxika/ [sf] Belgio (m).

belleza /beʎéθa/ [sf] bellezza.

bello /béʎo/ [adj] bello LOC bellas artes: belle arti.

bellota /beʎóta/ [sf] ghianda.

bendecir /bendeθír/ [v tr] benedire.

bendición /bendiθjón/ [sf] benedizione.

benefactor (-a) /benefaktór/ [sm] benefattore (f -trice).

beneficencia /benefiθénθja/ [sf] beneficenza.

beneficiar /benefiθjár/ [v tr] (a) fare del bene ♦ [v prnl] (con/de) trarre vantaggio.

beneficio /benefíθjo/ [sm] 1 beneficio 2 (económico) utile, profitto LOC ~ bruto/neto: utile lordo/netto.

benigno /beníyno/ [adj] 1 (clima) mite (m,f) 2 (enfermedad) benigno.

berberecho /berβerétʃo/ [sm] (molusco) cuore di mare.

berenjena /berenxéna/ [sf] melanzana.

Berlín /berlín/ [sm] Berlino (f).

berlinés (-a) /berlinés/ [adj/sm] berlinese (m,f).

bermudas /bermúðas/ [sm pl] bermuda.

berza /bérθa/ [sf] cavolo (m) verza.

besamel /besamél/ [sf] besciamella.

besar (-se) /besár/ [v tr prnl] baciare (-rsi).

beso /béso/ [sm] bacio.

bestia /béstja/ [adj m,f/sf] (también FIG) bestia (sust) LOC ~ de carga: bestia da soma.

bestial /bestjál/ [adj m,f] (también FIG FAM) bestiale.

betún /betún/ [sm] lucido per le scarpe.

bibelot /biβelót/ [sm] soprammobile ▪ pl irr bibelots.

biberón /biβerón/ [sm] biberon (inv).

biblia /bíβlja/ [sf] bibbia.

bibliografía /biβljoyrafía/ [sf] bibliografia.

biblioteca /biβljotéka/ [sf] 1 biblioteca 2 (mueble) libreria.

bibliotecario /biβljotekárjo/ [sm] bibliotecario.

bicarbonato /bikarβonáto/ [sm] bicarbonato.

bíceps /bíθeps/ [sm inv] bicipite (sing).

bicho /bítʃo/ [sm] animaletto LOC ~ raro: persona strana/bizzarra | mal ~: brutta bestia.

bicicleta /biθikléta/ [sf] bicicletta LOC ~ de montaña: mountain bike.

bidé /biðé/ [sm] bidè (inv).

bidón /biðón/ [sm] bidone.

bien /bjén/ [adj inv] bene ● chicos ~: ragazzi bene ♦ [adv] 1 bene ● hiciste ~: hai fatto bene 2 abbastanza, sufficientemente ● ¡llénalo ~!: riempilo bene! LOC más ~: piuttosto | no ~: appena | si ~: sebbene | ¿y ~ ?: e allora? ♦ [conj] sia ● iré ~ so-

la, ~ *contigo*: andrò sia sola sia con te ♦ [sm] **1** bene **2** (en pl) ricchezze (f), beni LOC **bienes de lujo**: articoli di lusso | **hombre de ~**: uomo onesto.

bienal /bjenál/ [adj m,f/sf] biennale.

bienestar /bjenestár/ [sm] benessere.

bienio /bjénjo/ [sm] biennio.

bienvenida /bjembeníða/ [sf] benvenuto (m).

¡bienvenido! /bjembeníðo/ [interj] benvenuto!

bifurcación /bifurkaθjón/ [sf] **1** biforcazione **2** (de camino, carretera) bivio (m).

bifurcarse /bifurkárse/ [v prnl] biforcarsi.

bigote /biɣóte/ [sm] baffi (pl).

bigudí /biɣuðí/ [sm] bigodino.

bikini /bikíni/ [sm] **1** bikini (inv) **2** COC toast (inv).

bilbaíno /bilβaíno/ [adj/sm] bilbaino.

bilis /bílis/ [sf inv] bile (sing).

billar /biʎár/ [sm] biliardo.

billete /biʎéte/ [sm] **1** biglietto **2** (dinero) banconota (f) LOC ~ **colectivo**: biglietto cumulativo | ~ **de ida/~ sencillo**: biglietto di sola andata | ~ **de ida y vuelta**: biglietto di andata e ritorno | ~ **kilométrico**: biglietto chilometrico | **medio ~**: biglietto ridotto.

billetero /biʎetéro/ [sm] portafoglio.

bingo /bíŋgo/ [sm] tombola (f).

biodegradable /bjoðeɣraðáβle/ [adj m,f] biodegradabile.

biografía /bjoɣrafía/ [sf] biografia.

biológico /bjolóxiko/ [adj] biologico.

birome /biróme/ [sf] *Amer* biro (inv), penna a sfera.

bis /bís/ [adv/sm] bis (inv).

bisabuelo /bisaβwélo/ [sm] bisnonno.

bisbiseo /bisβiséo/ [sm] bisbiglio.

biscote /biskóte/ [sm] fetta (f) biscottata.

bisiesto /bisjésto/ [adj] bisestile.

bisnieto /bisnjéto/ [sm] bisnipote (m,f).

bisonte /bisónte/ [sm] bisonte.

bisoñé /bisoɲé/ [sm] parrucchino.

bistec /bisték/ [sm] bistecca (f) ■ pl irr **bistecs, bistés**.

bisturí /bisturí/ [sm] bisturi.

bisutería /bisutería/ [sf] bigiotteria.

bizarría /biθařía/ [sf] **1** (valor) coraggio (m) **2** generosità (inv).

bizco /bíθko/ [adj/sm] strabico.

bizcocho /biθkótʃo/ [sm] pandispagna (inv).

blanco /bláŋko/ [adj] bianco ♦ [sm] **1** bianco **2** (también FIG) bersaglio ● *era el ~ de sus bromas*: era il bersaglio dei loro scherzi LOC **dar en el ~**: colpire il bersaglio, fare centro.

blando /blándo/ [adj] **1** molle (m,f) **2** (tierno) tenero.

blanquear /blaŋkeár/ [v tr] **1** candeggiare, sbiancare **2** (con cal) imbiancare **3** (dinero) riciclare.

blasfemar /blasfemár/ [v intr] **1** (de) bestemmiare **2** (contra) FIG imprecare.

blasfemia /blasfémja/ [sf] **1** bestemmia **2** FIG imprecazione.

bledo /bléðo/ [sm] (sólo en la locución) LOC **importar un ~**: importare un fico secco.

blindado /blindáðo/ [adj] blindato.

blindar /blindár/ [v tr] blindare.

bloque /blóke/ [sm] **1** blocco **2** ARQ isolato LOC **~ de apartamentos/pisos**: condominio | **~ de viviendas**: centro residenziale | **en ~**: in blocco.

bloquear /blokeár/ [v tr] bloccare.

bloqueo /blokéo/ [sm] blocco.

blusa /blúsa/ [sf] camicetta.

boa /bóa/ [sf] boa (m inv).

boato /boáto/ [sm] ostentazione (f).

bobada /boβáða/ [sf] stupidaggine, sciocchezza.

bobina /boβína/ [sf] bobina.

bobo /bóβo/ [adj] sciocco, ingenuo LOC **hacerse el ~**: fare il finto tonto.

boca /bóka/ [sf] **1** (también FIG) bocca **2** (lugar) entrata, ingresso (m) LOC **~ abajo**: bocconi | **~ arriba**: supino | **~ del metro**: entrata/uscita del metro | **dejar/quedarse con la ~ abierta**: lasciare/rimanere a bocca aperta.

bocacalle /bokakáʎe/ [sf] (de calle) imboccatura, imbocco (m).

bocadillo /bokaðíʎo/ [sm] **1** panino imbottito **2** (de viñeta) fumetto.

bocado /bokáðo/ [sm] **1** boccone **2** (mordedura) morso.

bocajarro (a) /bokaxáro/ [loc adv] a bruciapelo.

bocanada /bokanáða/ [sf] boccata.

bocata /bokáta/ [sm] FAM panino imbottito.

bocatería /bokatería/ [sf] paninoteca.

boceto /boθéto/ [sm] bozzetto.

bocha /bótʃa/ [sf] **1** boccia **2** (en pl) gioco delle bocce.

bochorno /botʃórno/ [sm] **1** afa (f) **2** FIG umiliazione (f) ● *¡qué ~ ser reconvenida delante de todos!*: che umiliazione essere rimproverata davanti a tutti!

bochornoso /botʃornóso/ [adj] **1** afoso **2** FIG umiliante (m,f).

bocina /boθína/ [sf] clacson (m inv).

boda /bóða/ [sf] nozze (pl) LOC **bodas de plata/oro**: nozze d'argento/oro.

bodega /boðéɣa/ [sf] **1** cantina **2** COM enoteca.

bodegón /boðeɣón/ [sm] natura (f) morta.

bofetada /bofetáða/ [sf] schiaffo (m), sberla.

bogar /boɣár/ [v tr] vogare.

bogavante /boɣaβánte/ [sm] astice.

boicotear /boikoteár/ [v tr] boicottare.

boicoteo /boikotéo/ [sm] boicottaggio.

boina /bóina/ [sf] INDUM basco (m).

bol /ból/ [sm] ciotola (f), terrina (f).

bola /bóla/ [sf] **1** palla **2** FIG FAM balla, bugia.

bolera /boléra/ [sf] (lugar) bowling (m inv).

bolero /boléro/ [sm] (también MUS) bolero.

boletín /boletín/ [sm] bollettino LOC **~ informativo**: notiziario (radio, televisione).

boleto /boléto/ [sm] *Amer* biglietto.

bolígrafo /bolíɣrafo/ [sm] biro (inv), penna (f) a sfera.

boliviano /boliβjáno/ [adj/sm] boliviano.

bollo /bóʎo/ [sm] **1** COC brioche (inv) **2** FAM ammaccatura (f).

bolo /bólo/ [sm] birillo LOC **jugar a los bolos**: giocare a bowling.

Bolonia /bolónja/ [sf] Bologna.

boloñés (-a) /boloɲés/ [adj/sm] bolognese (m,f).

bolsa /bólsa/ [sf] **1** sacchetto (m) **2** (también economía) borsa LOC **~ de deportes/playa/viaje**: sacca sportiva/da spiaggia/da viaggio | **~ de trabajo**: ufficio di collocamento | **jugar a la ~**: giocare in borsa.

bolsillo /bolsíʎo/ [sm] tasca (f) LOC **de ~**: tascabile.

bolso /bólso/ [sm] borsa (f) LOC **~ de mano**: borsetta.

bomba /bómba/ [adj inv] bomba LOC **pasarlo ~**: divertirsi molto ◆ [sf] **1** (también FIG) bomba • *aquella noticia fue una ~*: quella notizia fu una bomba **2** TECN pompa LOC *Amer* **~ de gasolina**: pompa della benzina.

bombardear /bombarðeár/ [v tr] bombardare.

bombardeo /bombarðéo/ [sm] bombardamento.

bombero /bombéro/ [sm] pompiere.

bombilla /bombíʎa/ [sf] lampadina.

bombillo /bombíʎo/ [sm] *Amer* lampadina (f).

bombón /bombón/ [sm] cioccolatino.

bombona /bombóna/ [sf] bombola.

bombonera /bombonéra/ [sf] scatola di cioccolatini.

bonaerense /bonaerénse/ [adj/sm,f] bonaerense.

bondad /bondáð/ [sf] bontà (inv) LOC **tener la ~**: avere/usare la cortesia.

bondadoso /bondaðóso/ [adj] buono.

boniato /bonjáto/ [sm] patata (f) americana.

bonificar /bonifikár/ [v tr] **1** scontare **2** DEP abbuonare.

bonito /boníto/ [adj] bello, grazioso ◆ [sm] sgombro.

bono /bóno/ [sm] (también economía) buono.

bonobús /bonoβús/ [sm] abbonamento per autobus.

bonometro /bonométro/ [sm] tessera valida dieci viaggi in metropolitana.

boquear /bokeár/ [v intr] boccheggiare.

boquerón /bokerón/ [sm] acciuga (f).

boquiabierto /bokjaβjérto/ [adj] a bocca aperta.

boquilla /bokíʎa/ [sf] bocchino (m) LOC **de ~**: a parole.

borbotar /borβotár/ [v intr] gorgogliare.

borda /bórða/ [sf] MAR bordo (m) LOC **arrojar/tirar por la ~**: buttare al vento.

bordado /borðáðo/ [adj] ricamato ◆ [sm] ricamo.

bordar /borðár/ [v tr] (en) ricamare.

borde /bórðe/ [sm] **1** orlo **2** VULG (persona) bastardo, cafone LOC **estar al ~ de algo**: essere sull'orlo di qualcosa.

bordear /borðeár/ [v tr] costeggiare, fiancheggiare.

bordo /bórðo/ [sm] (sólo en la locución) LOC **a ~**: a bordo.

boreal /boreál/ [adj m,f] boreale, settentrionale.

borrachera /boɾatʃéra/ [sf] ubriacatura, sbronza.

borracho /boɾátʃo/ [adj] **1** ubriaco **2** COC inzuppato LOC ~ **como una cuba**: ubriaco fradicio.

borrador /boɾaðóɾ/ [sm] **1** (de escrito) brutta copia (f) **2** gomma (f) per cancellare • *compré un ~ en la papelería*: ho comperato una gomma per cancellare in cartoleria.

borraja /boɾáxa/ [sf] borragine.

borrar /boɾáɾ/ [v tr] (también FIG) cancellare ◆ [v prnl] **1** cancellarsi **2** (de clubes, asociaciones) ritirarsi LOC ~ **del mapa**: far sparire.

borrasca /boɾáska/ [sf] burrasca.

borrascoso /boɾaskóso/ [adj] (también FIG) burrascoso.

borrego /boɾéyo/ [sm] agnello.

borrico /boɾíko/ [sm] asino.

borroso /boɾóso/ [adj] confuso, vago.

boscoso /boskóso/ [adj] boscoso.

bosque /bóske/ [sm] bosco.

bosquejo /boskéxo/ [sm] schizzo.

bostezar /bosteθáɾ/ [v intr] (de) sbadigliare.

bostezo /bostéθo/ [sm] sbadiglio.

bota /bóta/ [sf] **1** stivale (m) **2** DEP scarpone (m) LOC ~ **campera**: stivaletto | **botas todoterreno**: anfibi (stivali).

botánico /botániko/ [adj/sm] botanico.

botar /botáɾ/ [v tr] mandare via, buttare fuori ◆ [v intr] (también DEP) rimbalzare.

bote /bóte/ [sm] **1** vaso, barattolo • *un ~ de mermelada*: un vasetto di marmellata **2** (salto) rimbalzo **3** MAR scialuppa (f), canotto LOC te-

ner en el ~: avere in mano | **tomates en ~**: pomodori in scatola.

botella /botéʎa/ [sf] bottiglia.

botica /botíka/ [sf] farmacia.

boticario /botikárjo/ [sm] farmacista (m,f).

botijo /botíxo/ [sm] orcio.

botín /botín/ [sm] stivaletto.

botiquín /botikín/ [sm] cassetta (f) del pronto soccorso.

botón /botón/ [sm] **1** bottone • *¡cóseme este ~!*: attaccami questo bottone! **2** pulsante • *tocar el ~*: premere il pulsante **3** (en pl) fattorino (sing).

bóveda /bóβeða/ [sf] volta LOC ~ **de crucería/cañón**: volta a crociera/botte.

bovino /boβíno/ [adj/sm] bovino.

boxeador /bokseaðóɾ/ [sm] pugile.

boxeo /bokséo/ [sm] pugilato.

boya /bója/ [sf] **1** MAR boa **2** (pesca) galleggiante (m).

bozal /boθál/ [sm] museruola (f).

bracear /braθeáɾ/ [v intr] **1** sbracciarsi • *braceaba para que le vieran*: si sbracciava per farsi vedere **2** (en el agua) nuotare.

bracero /braθéro/ [sm] bracciante (m,f).

bragas /bráyas/ [sf] (de mujer, niño) mutande.

bragueta /brayéta/ [sf] abbottonatura dei pantaloni.

branquia /bráŋkja/ [sf] branchia.

brasa /brása/ [sf] brace.

Brasil /brasíl/ [sm] Brasile.

brasileño /brasiléɲo/ [adj/sm] brasiliano.

bravo /bráβo/ [adj] **1** audace (m,f), valoroso **2** (animal) indomito, fiero **3** (a-guas) mosso, agitato.

brazada /braθáða/ [sf] bracciata.

brazalete /braθaléte/ [sm] braccialetto, bracciale.

brazo /bráθo/ [sm] 1 (también FIG) braccio* • *él es el ~ de la operación*: lui è il braccio dell'operazione 2 (de sillón, sofá) bracciolo LOC **llevar un ~ en cabestrillo**: portare un braccio al collo (ingessatura) | **ser el ~ derecho**: essere il braccio destro | **tener en brazos**: tenere in braccio.

brecha /brétʃa/ [sf] (también FIG) breccia.

brécol /brékol/ [sm] broccolo.

bregar /breɣár/ [v intr] (**con**) 1 (trabajar) affannarsi, affaticarsi 2 (enfrentarse) lottare.

breve /bréβe/ [adj m,f] breve, conciso (m) LOC **en ~**: tra poco.

brevedad /breβeðáð/ [sf] brevità (inv).

bricolaje /brikoláxe/ [sm] bricolage (inv), fai da te.

brida /bríða/ [sf] briglia.

brigada /briɣáða/ [sf] 1 (del ejército) brigata 2 gruppo (m), squadra • *una ~ de salvamento*: una squadra di soccorso ◆ [sm] brigadiere.

brillante /briʎánte/ [adj m,f/sm] (también FIG) brillante.

brillar /briʎár/ [v intr] brillare.

brillo /bríʎo/ [sm] lucentezza (f), luminosità (f inv) LOC **~ de labios**: lucidalabbra | **dar/sacar ~**: lucidare.

brincar /briŋkár/ [v intr] (**de**) saltare, balzare.

brinco /bríŋko/ [sm] salto.

brindar /brindár/ [v intr] (**a/con/por**) brindare ◆ [v tr] offrire.

brindis /bríndis/ [sm inv] brindisi.

brío /brío/ [sm] 1 risolutezza (f) 2 FIG brio.

brioso /brjóso/ [adj] brioso.

brisa /brísa/ [sf] brezza.

brizna /bríθna/ [sf] (de hierba, paja) filo (m).

brocado /brokáðo/ [sm] broccato.

brocha /brótʃa/ [sf] 1 pennello (m) 2 (de afeitar) pennello da barba.

broche /brótʃe/ [sm] 1 (joya) spilla (f) 2 (cierre) fibbia (f).

brocheta /brotʃéta/ [sf] 1 spiedo (m) 2 COC spiedino.

broma /bróma/ [sf] scherzo (m) LOC **en ~**: per scherzo | **gastar una ~**: fare uno scherzo.

bromear /bromeár/ [v intr] scherzare, divertirsi.

bronca /bróŋka/ [sf] 1 (riña) rissa 2 (amonestación) sgridata LOC **se armó una ~**: è successo un casino | **echar una ~**: dare una sgridata.

bronce /brónθe/ [sm] bronzo.

bronceado /bronθeáðo/ [adj] abbronzato ◆ [sm] abbronzatura (f).

bronceador /bronθeaðór/ [sm] abbronzante.

broncearse /bronθeárse/ [v prnl] abbronzarsi.

bronco /bróŋko/ [adj] (voz) rauco.

bronconeumonía /broŋkoneumonía/ [sf] broncopolmonite.

bronquio /bróŋkjo/ [sm] bronco.

bronquitis /broŋkítis/ [sf inv] bronchite (sing).

brotar /brotár/ [v intr] 1 germogliare 2 (líquido) sgorgare.

brote /bróte/ [sm] 1 germoglio 2 FIG scoppio • *el ~ de una epidemia*: lo scoppio di un'epidemia LOC **brotes de soja**: germogli di soia.

bruces /brúθes/ [sm pl] (sólo en la locución) LOC de ~: bocconi.

bruja /brúxa/ [sf] (también FIG) strega.

brujería /bruxería/ [sf] stregoneria.

brujo /brúxo/ [sm] stregone.

brújula /brúxula/ [sf] bussola.

bruma /brúma/ [sf] nebbia.

brumoso /brumóso/ [adj] nebbioso.

brusco /brúsko/ [adj] (también FIG) brusco.

brutal /brutál/ [adj m,f] brutale.

brutalidad /brutaliðáð/ [sf] brutalità (inv).

bruto /brúto/ [adj/sm] **1** bruto **2** (grosero) rozzo **3** (sin refinar) grezzo LOC en ~: grezzo, non lavorato | peso ~: peso lordo.

bucal /bukál/ [adj m,f] orale • *cavidad ~*: cavità orale.

buceador (-a) /buθeaðór/ [sm] sommozzatore (f -trice).

bucear /buθeár/ [v intr] **1** nuotare sott'acqua **2** FIG (en) indagare, investigare, ricercare.

bucle /búkle/ [sm] boccolo.

budismo /buðís mo/ [sm] buddismo.

budista /buðísta/ [adj/sm,f] buddista.

buen /bwén/ [adj] buon, buono.

bueno /bwéno/ [adj] **1** buono, buon **2** (curado) sano, guarito LOC buenas tardes/noches: buonasera/buonanotte | buenos días: buongiorno | ¡qué ~!: fantastico!, che bello! | visto ~: nulla osta.

buey /bwéi/ [sm] bue* LOC ojo de ~: oblò.

búfalo /búfalo/ [sm] bufalo.

bufanda /búfanda/ [sf] sciarpa.

bufar /bufár/ [v intr] sbuffare LOC estar que bufa: essere furibondo.

bufé /bufé/ [sm] buffet (inv) LOC ~ libre: self-service.

bufón /bufón/ [sm] buffone.

buhardilla /bwarðíʎa/ [sf] mansarda.

búho /búo/ [sm] gufo.

buitre /bwítre/ [sm] (también FIG) avvoltoio.

bujía /buxía/ [sf] (de motor) candela.

bulbo /búlβo/ [sm] bulbo.

bulevar /buleβár/ [sm] viale.

bulla /búʎa/ [sf] confusione, chiasso (m) LOC armar/meter ~: creare confusione.

bullicio /buʎíθjo/ [sm] **1** (ruido) rumore **2** (confusión) movimento.

bullicioso /buʎiθjóso/ [adj] **1** (ruidoso) rumoroso **2** (también persona) agitato, inquieto.

bullir /buʎír/ [v intr] FIG (personas) andare e venire.

bulto /búlto/ [sm] **1** collo, pacco • *llegó cargando dos bultos*: arrivò portando due pacchi **2** (en una superficie) protuberanza (f) **3** FIG ombra (f) • *vimos alejarse un ~*: vedemmo un'ombra allontanarsi LOC escurrir el ~: schivare l'ostacolo.

bungaló /buŋgaló/ [sm] bungalow (inv).

buñuelo /buɲwélo/ [sm] frittella (f).

buque /búke/ [sm] nave (f) LOC ~ de carga: nave da carico | ~ mercante: nave mercantile.

burbuja /burβúxa/ [sf] bolla, bollicina.

burdel /burðél/ [sm] bordello, casino.

burgués (-a) /burɣés/ [adj/sm] borghese (m,f).

burguesía /burɣesía/ [sf] borghesia.

burla /búrla/ [sf] **1** (broma) scherzo (m) **2** (engaño) beffa.

burladero /burlaðéro/ [sm] **1** staccionata di riparo dal toro **2** (de carretera) spartitraffico.

burlar /burlár/ [v tr] beffare ◆ [v prnl] (de) burlarsi.

burocracia /burokráθja/ [sf] burocrazia.

burocrático /burokrátiko/ [adj] burocratico.

burro /búr̄o/ [adj] ignorante (m,f) ◆ [sm] (también FIG) asino, somaro.

bus /bús/ [sm] ABR autobus (inv), bus (inv).

buscar /buskár/ [v tr] cercare.

búsqueda /búskeða/ [sf] ricerca, indagine.

busto /bústo/ [sm] **1** busto **2** seno, petto • *tiene mucho ~ y la blusa le va apretada*: ha molto seno e la camicia le sta stretta.

butaca /butáka/ [sf] poltrona LOC ~ **de patio**: poltrona di platea.

butifarra /butifár̄a/ [sf] salsiccia.

buzo /búθo/ [sm] **1** sommozzatore (f -trice) **2** *Amer* tuta (f) da ginnastica.

buzón /buθón/ [sm] (para el correo) buca (f) LOC ~ **de correos**: buca delle lettere | ~ **electrónico**: posta elettronica.

Cc

cabal /kaβál/ [adj m,f] (persona) serio (m), onesto (m).

cabalgar /kaβalɣár/ [v intr] cavalcare.

caballería /kaβaʎería/ [sf] cavalcatura.

caballeriza /kaβaʎeríθa/ [sf] scuderia.

caballero /kaβaʎéro/ [sm] **1** (cortesía) signore **2** gentiluomo • *un perfecto ~*: un vero gentiluomo.

caballo /kaβáʎo/ [sm] (también del ajedrez) cavallo.

cabaña /kaβáɲa/ [sf] capanna.

cabecera /kaβeθéra/ [sf] **1** (de cama) testiera, testata **2** (de mesa) capotavola (m,f).

cabello /kaβéʎo/ [sm] capelli (pl).

caber /kaβér/ [v intr prnl] entrarci, starci LOC **no cabe duda**: non c'è dubbio | **no ~ en sí de alegría**: non stare nella pelle dalla gioia.

cabeza /kaβéθa/ [sf] **1** testa **2** (res) capo (m) LOC ~ **de chorlito**: testa di rapa | **perder la ~**: perdere la testa | **sentar la ~**: mettere la testa a posto.

cabezada /kaβeθáða/ [sf] **1** testata, capocciata **2** (gesto) cenno col capo.

cabezón (-a) /kaβeθón/ [adj/sm] FAM testone (sust), cocciuto.

cabida /kaβíða/ [sf] capacità (inv), capienza.

cabina /kaβína/ [sf] cabina LOC ~ **telefónica**: cabina telefonica.

cabizbajo /kaβiθβáxo/ [adj] a testa bassa.

cable /káβle/ [sm] (también MAR) cavo LOC televisión por ~: televisione via cavo.

cabo /káβo/ [sm] 1 (también GEOG MAR) capo 2 (soldado) caporale LOC al ~ de: dopo | de ~ a rabo: da cima a fondo.

cabra /káβra/ [sf] capra LOC estar como una ~: essere fuori di testa.

cabrearse /kaβreárse/ [v prnl] FAM incazzarsi.

cabreo /kaβréo/ [sm] FAM incazzatura (f).

cabriola /kaβrjóla/ [sf] capriola.

cabritilla /kaβritíʎa/ [sf] (piel) capretto (m).

cabrito /kaβríto/ [sm] ZOOL capretto.

cabrón /kaβrón/ [sm] 1 caprone 2 FIG cornuto 3 VULG (insulto) bastardo, stronzo.

caca /káka/ [sf] FAM cacca.

cacahuete /kakawéte/ [sm] arachide (f).

cacao /kakáo/ [sm] 1 cacao 2 FIG FAM casotto, casino LOC crema/manteca de ~: burro di cacao.

cacería /kaθería/ [sf] partita di caccia.

cacerola /kaθeróla/ [sf] pentola.

cacha /kátʃa/ [sf] 1 (de cuchillo, navaja) manico (m) 2 (en pl) FIG FAM gambe.

cacharro /katʃáro/ [sm] 1 stoviglia (f) 2 FIG FAM catorcio.

cachear /katʃeár/ [v tr] (persona) perquisire.

cachemir /katʃemír/ [sm] cachemire (inv).

cachete /katʃéte/ [sm] 1 schiaffo, sberla (f) 2 (carrillo) guancia (f).

cachondearse /katʃondeárse/ [v prnl] (de) FAM prendersi gioco, prendere in giro.

cachondo /katʃóndo/ [adj/sm] 1 FAM burlone 2 VULG (sexo) eccitato (adj).

cachorro /katʃóro/ [sm] cucciolo.

cacto /kákto/ [sm] cactus (inv).

cada /káða/ [adj inv] 1 ogni, ciascuno (m) 2 IRON certo (m sing), tale (sing) • ¡organizaba ~ fiesta!: organizzava certe feste! LOC ~ cual/uno: ognuno, ciascuno | ~ dos por tres: ogni due per tre, molto spesso.

cadáver /kaðáβer/ [sm] cadavere, salma (f) LOC depósito de cadáveres: obitorio.

cadena /kaðéna/ [sf] 1 catena 2 (conjunto de emisoras) rete 3 (emisora) canale (m) LOC ~ de música/sonido: impianto hi-fi/stereo | ~ perpetua: ergastolo | reacción en ~: reazione a catena.

cadera /kaðéra/ [sf] anca, fianco (m).

caducar /kaðukár/ [v intr] (también actos, documentos) scadere.

caducidad /kaðuθiðáð/ [sf] scadenza • fecha de ~: data di scadenza.

caer /kaér/ [v intr] 1 cadere 2 FIG (tocar) capitare, succedere 3 FAM (entender) capire ◆ [v prnl] 1 cadere 2 (botón, clavo) staccarsi ■ caer en cadere di • nochevieja cae en domingo: capodanno cade di domenica LOC ~ bien/mal: essere simpatico/antipatico (persona); stare bene/male (abito, pettinatura) | **~ en la cuenta**: rendersi conto, capire | **caerse de sueño**: cascare dal sonno.

café /kafé/ [sm] (también bebida) caffè (inv) LOC **~ con leche**: caffellatte | **~ cortado**: caffè macchiato | **~ corto**: caffè ristretto | **~ descafeinado**: caffè decaffeinato | **~ exprés**: caffè espresso | **~ solo**: caffè nero.

cafetera /kafetéra/ [sf] caffettiera.

cafetería /kafetería/ [sf] bar (m inv), tavola calda.

cagada /kaɣáða/ [sf] VULG **1** cacata, cagata **2** FIG cazzata.

cagar /kaɣár/ [v intr] VULG cacare, cagare ◆ [v prnl] (**de**) VULG farsela/cacarsi sotto LOC **¡me cago en...!**: accidenti a...!

caída /kaíða/ [sf] caduta.

caimán /kaimán/ [sm] alligatore.

caja /káxa/ [sf] **1** (también COM) cassa • **¡pase por ~!**: passi alla cassa! **2** scatola • **~ de bombones**: scatola di cioccolatini LOC **~ de ahorros**: cassa di risparmio | **~ fuerte**: cassaforte | **~ registradora**: registratore di cassa.

cajero /kaxéro/ [sm] cassiere LOC **~ automático**: bancomat, sportello automatico.

cajón /kaxón/ [sm] cassetto.

cal /kál/ [sf] calce.

cala /kála/ [sf] cala.

calabacín /kalaβaθín/ [sm] zucchina (f).

calabaza /kalaβáθa/ [sf] (fruto) zucca.

calabozo /kalaβóθo/ [sm] (de cárcel) cella (f).

calabrés (-a) /kalaβrés/ [adj/sm] calabrese (m,f).

calada /kaláða/ [sf] (de humo) boccata, tiro (m).

calamar /kalamár/ [sm] calamaro.

calambre /kalámbre/ [sm] **1** crampo **2** (corriente) scossa (f).

calamidad /kalamiðáð/ [sf] **1** calamità (inv), catastrofe **2** FIG (persona) pasticcione (m).

calar /kalár/ [v tr] **1** (líquido) inzuppare **2** (red) calare ◆ [v prnl] **1** inzupparsi **2** (vehículo) ingolfarsi.

calavera /kalaβéra/ [sf] teschio (m).

calcañar /kalkaɲár/ [sm] calcagno*, tallone.

calcetín /kalθetín/ [sm] calzino.

calcio /kálθjo/ [sm] (elemento químico) calcio.

calculadora /kalkulaðóra/ [sf] calcolatrice LOC **~ de bolsillo**: calcolatrice tascabile.

calcular /kalkulár/ [v tr] calcolare.

cálculo /kálkulo/ [sm] calcolo.

caldera /kaldéra/ [sf] caldaia.

calderilla /kalderíʎa/ [sf] spiccioli (m pl).

caldo /káldo/ [sm] brodo.

calefacción /kalefakθjón/ [sf] riscaldamento (m) LOC **~ central/individual**: riscaldamento centralizzato/autonomo.

calefactor /kalefaktór/ [sm] radiatore, termosifone.

calendario /kalendárjo/ [sm] calendario.

caléndula /kaléndula/ [sf] calendola.

calentador /kalentaðór/ [sm] scaldabagno (inv) LOC ~ eléctrico/de gas: scaldabagno elettrico/a gas.

calentamiento /kalentamjénto/ [sm] DEP riscaldamento.

calentar (-se) /kalentár/ [v tr prnl] 1 (también DEP) riscaldare (-rsi), scaldare (-rsi) 2 VULG eccitare (-rsi) LOC calentarse la cabeza: spremersi le meningi.

calentura /kalentúra/ [sf] 1 febbre 2 (en los labios) herpes (m inv) 3 VULG eccitazione.

calibre /kalíβre/ [sm] (también FIG) calibro.

calidad /kaliðáð/ [sf] qualità (inv) LOC de ~: di qualità | en ~ de: in qualità/veste di.

cálido /kálido/ [adj] (también FIG) caldo • un ~ abrazo: un caldo abbraccio.

caliente /kaljénte/ [adj m,f] caldo (m).

calificación /kalifikaθjón/ [sf] 1 qualifica, classificazione 2 (escolar) voto (m).

calificado /kalifikáðo/ [adj] 1 (que tiene autoridad) autorevole (m,f) 2 (preparado) qualificato.

calificar /kalifikár/ [v tr] 1 (de) qualificare, definire 2 (en la escuela) valutare.

calima /kalíma/ [sf] foschia.

cáliz /káliθ/ [sm] (también BOT) calice.

caliza /kalíθa/ [sf] calcare (m).

callado /kaʎáðo/ [adj] 1 (que no habla) zitto 2 (que habla poco) silenzioso.

callar (-se) /kaʎár/ [v tr/intr prnl] tacere.

calle /káʎe/ [sf] 1 via, strada 2 DEP corsia LOC dejar a alguien en la ~: lasciare in mezzo alla strada (lavoratore) | en la ~: in libertà.

callejero /kaʎexéro/ [adj] 1 di strada 2 COM ambulante (m,f) ♦ [sm] stradario, guida (f) stradale.

callejón /kaʎexón/ [sm] vicolo LOC ~ sin salida: vicolo cieco.

callo /káʎo/ [sm] 1 callo 2 FIG FAM (persona) orrore 3 (en pl) COC trippa (f).

calma /kálma/ [sf] (también MAR) calma LOC ~ chicha: calma piatta | perder la ~: perdere la calma.

calmante /kalmánte/ [adj m,f/sm] sedativo, calmante.

calmar (-se) /kalmár/ [v tr prnl] calmare (-rsi).

calmo /kálmo/ [adj] calmo, tranquillo.

calor /kalór/ [sm] (también FIG) calore • aplaudir con ~: applaudire con calore.

calumnia /kalúmnja/ [sf] calunnia, maldicenza.

caluroso /kaluróso/ [adj] 1 (día, temporada) caldo 2 FIG caloroso, affettuoso.

calva /kálβa/ [sf] (cabeza) pelata.

calvario /kalβárjo/ [sm] (también FIG) calvario.

calvicie /kalβíθje/ [sf] calvizie (inv).

calvo /kálβo/ [adj] calvo, pelato.

calzada /kalθáða/ [sf] carreggiata.

calzado /kalθáðo/ [sm] calzatura (f), scarpa (f).

calzar /kalθár/ [v tr] calzare, portare.

calzón /kalθón/ [sm] calzoncini (pl).

calzoncillos /kalθonθíʎos/ [sm pl] (de hombre) mutande (f).

cama /káma/ [sf] letto (m) LOC **guardar ~**: essere/restare a letto (malato).

camada /kamáða/ [sf] **1** ORN nidiata, covata **2** ZOOL cucciolata.

cámara /kámara/ [sf] **1** (también política) camera **2** (de cine, televisión) macchina da presa **3** (de fotos) macchina fotografica.

camarada /kamaráða/ [sm,f] (de escuela, trabajo) compagno (m).

camarero /kamaréro/ [sm] cameriere.

camarón /kamarón/ [sm] gamberetto.

camarote /kamaróte/ [sm] MAR cabina (f).

cambiar (-se) /kambjár/ [v tr prnl/intr] cambiare (-rsi) ■ **cambiar (de) + sust** cambiare + sost • *he cambiado de parecer*: ho cambiato parere LOC **~ una mirada**: scambiare uno sguardo.

cambio /kámbjo/ [sm] **1** cambiamento **2** (de marcha, divisas) cambio **3** FAM (dinero) spiccioli (pl) **4** (intercambio) scambio LOC **a las primeras de ~**: all'improvviso | **en ~**: invece.

camello /kaméʎo/ [sm] **1** cammello **2** JERG spacciatore (f -trice).

camelo /kamélo/ [sm] FAM balla (f).

camilla /kamíʎa/ [sf] barella, lettiga.

caminar /kaminár/ [v intr] camminare ♦ [v tr] percorrere.

camino /kamíno/ [sm] (también FIG) cammino • *a una hora de ~*: a un'ora di cammino LOC **abrirse ~**: farsi largo/strada | **atravesarse/cruzarse en el ~**: sbarrare la strada | **~ de algo**: in direzione di qualcosa.

camión /kamjón/ [sm] camion (inv), autocarro.

camionero /kamjonéro/ [sm] camionista (m,f).

camioneta /kamjonéta/ [sf] camioncino (m).

camisa /kamísa/ [sf] camicia.

camiseta /kamiséta/ [sf] maglietta.

camisón /kamisón/ [sm] camicia (f) da notte.

camorra /kamóra/ [sf] rissa LOC **buscar ~**: attaccare briga.

campamento /kampaménto/ [sm] accampamento.

campana /kampána/ [sf] campana.

campanario /kampanárjo/ [sm] campanile.

campaña /kampáɲa/ [sf] (también militar) campagna.

campeón (-a) /kampeón/ [sm] campione (f -essa).

campeonato /kampeonáto/ [sm] campionato, torneo.

campesino /kampesíno/ [adj] campagnolo ♦ [sm] contadino.

campestre /kampéstre/ [adj m,f] campestre.

camping /kámpiɲ/ [sm inv] campeggio (sing), camping.

campista /kampísta/ [sm,f] campeggiatore (f -trice).

campo /kámpo/ [sm] **1** campagna (f) • *viven en el ~*: abitano in campagna **2** (también AGR DEP) campo.

camuflar /kamuflár/ [v tr] camuffare.

cana /kána/ [sf] capello (m) bianco.

canal /kanál/ [sm] (también de radio, televisión) canale.

canalla /kanáʎa/ [sm,f] canaglia (f), delinquente.

canalón /kanalón/ [sm] grondaia (f).

canapé /kanapé/ [sm] COC tartina (f).

canario /kanárjo/ [adj] abitante delle Isole Canarie ♦ [sm] **1** abitante delle Isole Canarie **2** ORN canarino.

canasta /kanásta/ [sf] (también de baloncesto) canestro (m).

canasto /kanásto/ [sm] cesto, cesta (f).

cancelar /kanθelár/ [v tr] **1** (vuelos, reservas) cancellare **2** (deudas) saldare.

cáncer /kánθer/ [sm] (también zodíaco) cancro.

cancerígeno /kanθeríxeno/ [adj] cancerogeno.

cancha /kántʃa/ [sf] DEP campo (m).

cancillería /kanθiʎería/ [sf] cancelleria.

canción /kanθjón/ [sf] canzone LOC ~ de cuna: ninna nanna.

candado /kandáðo/ [sm] lucchetto.

candente /kandénte/ [adj m,f] **1** rovente **2** FIG (asunto, cuestión) scottante.

candidato /kandiðáto/ [sm] candidato.

cándido /kándiðo/ [adj] candido.

candor /kandór/ [sm] (también FIG) candore.

candoroso /kandoróso/ [adj] FIG candido.

canela /kanéla/ [sf] (también especia) cannella.

cangrejo /kaŋgréxo/ [sm] granchio.

canguro /kaŋgúro/ [sm] canguro ♦ [sm,f] FAM baby-sitter (inv).

canje /kánxe/ [sm] cambio, scambio.

cano /káno/ [adj] (pelo, barba) bianco.

canoa /kanóa/ [sf] canoa.

canon /kánon/ [sm] canone.

cansado /kansáðo/ [adj] **1** stanco **2** (aburrido) noioso, pesante (m,f).

cansancio /kansánθjo/ [sm] stanchezza (f).

cansar /kansár/ [v tr] **1** stancare **2** (molestar) importunare, seccare **3** (aburrir) annoiare ♦ [v prnl] stancarsi.

cantábrico /kantáßriko/ [adj/sm] abitante della Cantabria.

cantante /kantánte/ [sm,f] cantante.

cantaor (-a) /kantaór/ [sm] cantante (m,f) di flamenco.

cantar /kantár/ [v tr/intr] cantare LOC **cantarlas claras**: cantarle chiare | **ser otro ~**: essere un altro paio di maniche.

cante /kánte/ [sm] canzone popolare andalusa LOC ~ **hondo/jondo**: flamenco.

cantera /kantéra/ [sf] cava.

cantidad /kantiðáð/ [adv] FAM molto, moltissimo ♦ *me ha gustado* ~: mi è piaciuto moltissimo ♦ [sf] quantità (inv) LOC ~ **de**: in quantità.

cantimplora /kantimplóra/ [sf] borraccia.

canto /kánto/ [sm] **1** canto **2** (arista) angolo, spigolo LOC ~ **rodado**: ciottolo | **darse con un ~ en los dientes**: considerarsi fortunato.

cantón /kantón/ [sm] GEOG cantone.

canturrear /kantuřeár/ [v intr] FAM canticchiare.

caña /káɲa/ [sf] **1** BOT canna **2** birra alla spina LOC ~ **de azúcar/~ dulce**: canna da zucchero | ~ **de pescar**: canna da pesca.

cáñamo /káɲamo/ [sm] canapa (f).

cañería /kaɲería/ [sf] tubatura, conduttura.

caño /káɲo/ [sm] **1** TECN tubo **2** getto, zampillo.

cañón /kaɲón/ [sm] **1** (pieza de arma) canna (f) **2** (arma) cannone **3** GEOG canyon (inv), gola (f).

cañonazo /kaɲonáθo/ [sm] cannonata (f).

caos /káos/ [sm] (también FIG) caos.

caótico /kaótico/ [adj] caotico, disordinato.

capa /kápa/ [sf] **1** mantello (m), cappa **2** strato (m) • *una ~ de pintura*: uno strato di vernice LOC **andar/estar/ir de ~ caída**: essere giù di corda, essere a terra.

capacidad /kapaθiðáð/ [sf] capacità (inv).

capacitar /kapaθitár/ [v tr] qualificare.

capar /kapár/ [v tr] castrare.

capataz /kapatáθ/ [sm] **1** (obrero) caposquadra **2** AGR fattore.

capaz /kapáθ/ [adj m,f] **1** (lugar, objeto) capiente **2** (persona) capace.

capilar /kapilár/ [adj m,f/sm] capillare.

capilla /kapíʎa/ [sf] cappella LOC **~ ardiente**: camera ardente.

capital /kapitál/ [adj m,f] capitale, principale ◆ [sf] **1** (de país) capitale **2** (de provincia, distrito) capoluogo (m).

capitán /kapitán/ [sm] (también DEP) capitano.

capitel /kapitél/ [sm] capitello.

capítulo /kapítulo/ [sm] capitolo.

capó /kapó/ [sm] (de vehículo) cofano.

capón /kapón/ [sm] cappone.

capota /kapóta/ [sf] (de vehículo) capote (inv).

capotar /kapotár/ [v intr] cappottare.

capote /kapóte/ [sm] **1** pastrano **2** (de torero) cappa (f).

capricho /kaprítʃo/ [sm] capriccio.

caprichoso /kapritʃóso/ [adj] capriccioso.

Capricornio /kaprikórnjo/ [sm] (zodíaco) Capricorno.

cápsula /kápsula/ [sf] (también pastilla) capsula.

captar /kaptár/ [v tr] (también FIG) captare.

captura /kaptúra/ [sf] cattura.

capucha /kapútʃa/ [sf] INDUM cappuccio (m).

capuchino /kaputʃíno/ [sm] cappuccino.

capuchón /kaputʃón/ [sm] (de bolígrafo, pluma) cappuccio.

capullo /kapúʎo/ [sm] **1** ZOOL bozzolo **2** BOT bocciolo **3** FIG VULG stronzo.

caqui /káki/ [adj m,f] (color) cachi (inv) ◆ [sm] **1** (color) cachi (inv) **2** (fruto) caco.

cara /kára/ [sf] **1** (también FIG) faccia • *puso ~ de disgusto*: fece una faccia disgustata **2** FIG (pinta) aspetto (m) **3** (de casete) lato (m) LOC **~ a ~**: faccia a faccia │ **echar en ~**: rinfacciare │ **partir la ~**: spaccare il muso │ **plantar ~**: sfidare.

carabinero /karaβinéro/ [sm] **1** (persona) finanziere, doganiere **2** (marisco) gamberone.

caracol /karakól/ [sm] chiocciola (f).

carácter /karákter/ [sm] (también de imprenta) carattere ■ pl irr **caracteres**.

característica /karakterístika/ [sf] caratteristica.

característico /karakterístiko/ [adj] caratteristico.

caracterizar (-se) /karakteriθár/ [v tr prnl] (**por**) caratterizzare (-rsi).

carajillo /karaxíʎo/ [sm] caffè corretto.

carajo /karáxo/ [sm] VULG cazzo LOC **mandar al** ~: mandare a quel paese.

caramelo /karamélo/ [sm] **1** caramella (f) **2** COC caramello.

carátula /karátula/ [sf] (de autorradio) frontalino (m).

caravana /karaβána/ [sf] **1** carovana **2** FIG (de vehículos) coda, incolonnamento (m) **3** (vehículo) roulotte (inv).

¡caray! /karái/ [interj] accidenti!

carbón /karβón/ [sm] carbone.

carburador /karβuraðór/ [sm] TECN carburatore.

carburante /karβuránte/ [sm] carburante.

carcajada /karkaxáða/ [sf] risata.

carcasa /karkása/ [sf] carcassa, ossatura.

cárcel /kárθel/ [sf] carcere (m), prigione.

carcoma /karkóma/ [sf] tarlo (m).

cardenal /karðenál/ [sm] **1** (persona) cardinale **2** FAM livido.

cárdeno /kárðeno/ [adj] paonazzo.

cardiaco /karðjáko/ [adj/sm] cardiaco.

cardiologo /karðjóloɣo/ [sm] cardiologo.

cardo /kárðo/ [sm] **1** cardo **2** FIG (persona) orso, scontroso.

carecer /kareθér/ [v intr] (**de**) essere sprovvisto • *carecen de agua y medicamentos*: sono sprovvisti di acqua e medicine.

careta /karéta/ [sf] maschera.

carey /karéi/ [sm] (material) tartaruga (f).

carga /kárɣa/ [sf] **1** (acción) caricamento (m) **2** carico (m), peso (m) • *lleva una ~ de dos toneladas*: porta un carico di due tonnellate **3** (también DEP, TECN) carica **4** (de batería, bolígrafo) ricarica LOC ~ **eléctrica**: carica elettrica | **volver a la ~**: tornare alla carica.

cargamento /karɣaménto/ [sm] COM carico.

cargante /karɣánte/ [adj m,f] noioso (m).

cargar /karɣár/ [v tr] **1** (también TECN) caricare **2** COM addebitare • [v intr] **1** (**contra**) caricare, attaccare **2** (**con**) accollarsi • *se ofreció a ~ con los gastos*: si offrì di accollarsi le spese **3** (**sobre**) (responsabilidad, obligación) pesare, gravare • [v prnl] FAM (estropear) rompere, rovinare.

cargo /kárɣo/ [sm] (dignidad, oficio) carica (f) LOC **hacerse** ~: far si carico.

cariar (-se) /karjár/ [v tr prnl] cariare (-rsi).

caricatura /karikatúra/ [sf] caricatura.

caricia /karíθja/ [sf] carezza.

caridad /kariðáð/ [sf] (también limosna) carità (inv).

caries /kárjes/ [sf inv] carie.

cariño /karíɲo/ [sm] **1** affetto **2** (mimo) carezza (f) LOC ¡~!: amore!, tesoro!, caro!

cariñoso /kariɲóso/ [adj] affettuoso.

cariz /karíθ/ [sm] FIG aspetto, piega (f).

carmín /karmín/ [sm] (cosmético) rossetto.

carnaval /karnaβál/ [sm] carnevale.

carne /kárne/ [sf] carne LOC **metido en carnes**: bene in carne (persona) | **ponérsele la ~ de gallina**: venire la pelle d'oca.

carné /karné/ [sm] tessera (f) LOC **~ de conducir**: patente di guida | **~ de identidad**: carta d'identità.

carnero /karnéro/ [sm] montone.

carnicería /karniθería/ [sf] **1** COM macelleria **2** FIG carneficina, strage.

carnicero /karniθéro/ [sm] COM macellaio.

carnívoro /karníβoro/ [adj/sm] carnivoro.

caro /káro/ [adj] caro, costoso.

carota /karóta/ [sm,f] PEY faccia (m) tosta.

carpa /kárpa/ [sf] **1** ICT carpa **2** (de circo) tendone (m).

carpeta /karpéta/ [sf] cartella.

carpintería /karpintería/ [sf] **1** ARQ serramenti (m pl) **2** (oficio) falegnameria.

carpintero /karpintéro/ [sm] falegname.

carrera /karéra/ [sf] **1** (también DEP) corsa **2** (estudios) carriera **3** (en un tejido) smagliatura **4** (de transporte público) percorso (m) LOC **a la ~**: di gran carriera | **de carreras**: da corsa | **hacer ~**: fare carriera | **hacer la ~**: battere il marciapiede.

carrerilla /kareríʎa/ [sf] rincorsa LOC **de ~**: a memoria | **tomar ~**: prendere la rincorsa.

carrete /karéte/ [sm] **1** TEX rocchetto **2** (de fotos) rullino.

carretera /karetéra/ [sf] strada.

carril /karíl/ [sm] (de carretera) corsia (f).

carrillo /karíʎo/ [sm] guancia (f), gota (f) LOC **comer a dos carrillos**: mangiare a quattro palmenti.

carro /káro/ [sm] **1** carro **2** *Amer* automobile (f).

carrocería /karoθería/ [sf] carrozzeria.

carroña /karóɲa/ [sf] (también FIG) carogna.

carta /kárta/ [sf] **1** lettera • *escribir una ~*: scrivere una lettera **2** (naipe, menú) carta LOC **comer a la ~**: mangiare alla carta | **dar/dejar ~ blanca**: dare carta bianca.

cartearse /karteárse/ [v prnl] scriversi.

cartel /kartél/ [sm] cartello, manifesto LOC **en ~**: in cartellone (spettacolo).

cartelera /karteléra/ [sf] **1** (de cine, teatro) cartellone (m) **2** (de periódico, revista) pagina degli spettacoli.

cartera /kartéra/ [sf] **1** portafoglio (m) **2** (de alumno, profesional) cartella.

carterista /karterísta/ [sm,f] borsaiolo (m).

cartero /kartéro/ [sm] postino.

cartílago /kartílaɣo/ [sm] cartilagine (f).

cartilla /kartíʎa/ [sf] (sólo en las locuciones) LOC **leer la ~**: fare una lavata di capo | ~ **de ahorros**: libretto di risparmio.

cartón /kartón/ [sm] (también envase) cartone LOC ~ **piedra**: carta pesta.

cartucho /kartútʃo/ [sm] (también repuesto) cartuccia (f).

cartuja /kartúxa/ [sf] certosa.

casa /kása/ [sf] casa LOC ~ **de labor/labranza**: casa colonica.

casaca /kasáka/ [sf] casacca, giubba.

casamiento /kasamjénto/ [sm] matrimonio LOC ~ **(por lo) civil/~ religioso**: matrimonio civile/religioso.

casar (-se) /kasár/ [v tr prnl] sposare (-rsi) ◆ [v intr] **(con) 1** sposarsi **2** FIG combaciare, coincidere.

cascada /kaskáða/ [sf] cascata.

cascanueces /kaskanwéθes/ [sm inv] schiaccianoci.

cascar /kaskár/ [v tr] rompere, schiacciare.

cáscara /káskara/ [sf] **1** guscio (m) **2** (monda) buccia, scorza **3** (de pan, queso) crosta.

casco /kásko/ [sm] **1** casco **2** (de trabajador) elmetto **3** ZOOL zoccolo **4** (en pl) cuffie (f), auricolari LOC ~ **de botella**: vuoto di bottiglia | **ligero de cascos**: frivolo | ~ **viejo/antiguo**: centro storico.

caserío /kaserío/ [sm] **1** (conjunto de casas) frazione (f) **2** ARQ cascina (f).

casero /kaséro/ [adj] casalingo, casereccio.

caseta /kaséta/ [sf] **1** spogliatoio (m) **2** (de feria) baracca.

casete /kaséte/ [sm] **1** musicassetta (f), cassetta (f) **2** (aparato) mangianastri (inv), registratore.

casi /kási/ [adv] **1** quasi ● *llevo aquí ~ una hora*: sono qui da quasi un'ora **2** per poco non ● ~ *se estrella*: per poco non si è schiantato **3** FIG quasi quasi ● ~ *me apetece más quedarme aquí*: quasi quasi preferisco restare qui.

casilla /kasíʎa/ [sf] casella LOC **sacar/salirse de sus casillas**: far uscire/uscire dai gangheri.

casillero /kasiʎéro/ [sm] **1** casellario **2** DEP tabellone, cartellone.

casino /kasíno/ [sm] **1** casinò (inv) ● *un ~ de Las Vegas*: un casinò di Las Vegas **2** (lugar de recreo) circolo.

caso /káso/ [sm] (también MED) caso LOC ~ **de (que)**: in caso di | **el ~ es que**: fatto sta che | **en ~ de (que)**: nel caso che | **en todo ~**: in ogni caso | **hacer ~**: dare retta | **poner por ~**: mettere il caso che | **venir/hacer al ~**: capitare a proposito.

caspa /káspa/ [sf] forfora.

casta /kásta/ [sf] casta.

castaña /kastáɲa/ [sf] castagna.

castañetear /kastaɲeteár/ [v intr/tr] **1** (dientes) battere **2** (dedos) schioccare.

castaño /kastáɲo/ [adj] castano, marrone (m,f) ◆ [sm] castagno.

castañuela /kastaɲwéla/ [sf] nacchera.

castellano-leonés (-a) /kasteʎánoleonés/ [adj/sm] castigliano.

castidad /kastiðáð/ [sf] castità (inv)

castigar /kastiɣár/ [v tr] castigare, punire.

castigo /kastíɣo/ [sm] **1** castigo, punizione (f) **2** FIG FAM (niño) peste (f)

Castilla-La Mancha /kastíʎala mántʃa/ [sf] Castiglia-La Mancha

Castilla y León /kastíʎaileón/ [sf] Castiglia e León.

castillo /kastíʎo/ [sm] castello.

castizo /kastíθo/ [adj] tipico.

casto /kásto/ [adj] casto, puro.

castor /kastór/ [sm] castoro.

castrar /kastrár/ [v tr] castrare.

casual /kaswál/ [adj m,f] casuale, fortuito (m).

casualidad /kaswaliðáð/ [sf] casualità (inv), caso (m).

cata /káta/ [sf] **1** (acción) degustazione **2** (porción) assaggio (m).

cataclismo /kataklísmo/ [sm] (también FIG) cataclisma.

catalán (-a) /katalán/ [adj/sm] catalano.

catalejo /kataléxo/ [sm] cannocchiale.

catálogo /katáloɣo/ [sm] catalogo.

Cataluña /katalúɲa/ [sf] Catalogna.

catar /katár/ [v tr] (vino, alimento) assaggiare, degustare.

catarata /kataráta/ [sf] cascata.

catarro /katáro/ [sm] **1** MED catarro **2** FAM raffreddore.

catastro /katástro/ [sm] catasto.

catástrofe /katástrofe/ [sf] catastrofe, disastro (m).

catastrófico /katastrófiko/ [adj] catastrofico, disastroso.

catchup /kétʃup/ [sm] ketchup (inv).

cátedra /káteðra/ [sf] cattedra.

catedral /kateðrál/ [sf] cattedrale, duomo (m).

catedrático /kateðrátiko/ [sm,f] docente.

categoría /kateɣoría/ [sf] categoria LOC **de ~**: di classe.

categórico /kateɣóriko/ [adj] categorico.

catolicismo /katoliθísmo/ [sm] cattolicesimo.

católico /katóliko/ [adj/sm] cattolico.

catre /kátre/ [sm] **1** branda (f) **2** FAM letto LOC **~ de tijera**: branda pieghevole.

cauce /káuθe/ [sm] (de río) alveo, letto.

caucho /káutʃo/ [sm] caucciù (inv).

caudal /kauðál/ [sm] **1** (de río) portata (f) **2** (dinero) beni (pl), patrimonio.

causa /káusa/ [sf] (también FIG) causa LOC **a/por ~ de algo/alguien**: a causa di qualcosa/qualcuno.

causar /kausár/ [v tr] causare, provocare.

cautela /kautéla/ [sf] cautela, prudenza.

cauteloso /kautelóso/ [adj] cauto, prudente (m,f).

cautivar /kautiβár/ [v tr] FIG **1** (persona) affascinare, sedurre **2** (admiración, favor) guadagnarsi.

cautiverio /kautiβérjo/ [sm] **1** (de animal) cattività (f inv) **2** (de persona) prigionia (f).

cautivo /kautíβo/ [adj/sm] prigioniero.

cavar /kaβár/ [v tr] **1** AGR vangare, zappare **2** scavare ● **~ un hoyo**: scavare un buco.

caverna /kaβérna/ [sf] caverna.

caviar /kaβjár/ [sm] caviale.

cavidad /kaβiðáð/ [sf] cavità (inv).

caza /káθa/ [sf] (también FIG) caccia.

cazador (-a) /kaθaðór/ [sm] cacciatore (f -trice).

cazadora /kaθaðóra/ [sf] INDUM giubbotto (m).

cazar /kaθár/ [v tr] **1** cacciare **2** FIG (algo difícil, inesperado) procurare.

cazuela /kaθwéla/ [sf] tegame (m).

cebada /θeβáða/ [sf] orzo (m).

cebo /θéβo/ [sm] **1** mangime **2** (para pescar, también FIG) esca (f).

cebolla /θeβóʎa/ [sf] cipolla.

cebollino /θeβoʎíno/ [sm] erba cipollina.

cebra /θéβra/ [sf] zebra.

ceder /θeðér/ [v tr/intr] cedere.

cédula /θéðula/ [sf] certificato (m).

cegar /θeɣár/ [v tr] (también FIG) accecare.

ceguera /θeɣéra/ [sf] cecità (inv).

ceja /θéxa/ [sf] sopracciglio* (m) LOC **estar hasta las cejas**: averne fin sopra i capelli.

celada /θeláða/ [sf] agguato (m), imboscata.

celda /θélda/ [sf] cella.

celebración /θeleβraθjón/ [sf] celebrazione.

celebrar /θeleβrár/ [v tr] **1** (festejar) celebrare **2** (alegrarse) rallegrarsi ◆ [v prnl] avere luogo, tenersi.

célebre /θéleβre/ [adj m,f] celebre, noto (m).

célibe /θéliβe/ [adj m,f] celibe.

celo /θélo/ [sm] **1** diligenza (f), impegno **2** ZOOL calore **3** (en pl) gelosia (f sing).

celofán /θelofán/ [sm] cellofan (inv).

celoso /θelóso/ [adj] **1** (esmerado) coscienzioso, diligente (m,f) **2** (que tiene celos) geloso.

célula /θélula/ [sf] cellula.

celulitis /θelulítis/ [sf inv] cellulite (sing).

cementerio /θementérjo/ [sm] cimitero.

cemento /θeménto/ [sm] cemento.

cena /θéna/ [sf] cena.

cenar /θenár/ [v tr] cenare.

cenicero /θeniθéro/ [sm] portacenere (inv).

ceniza /θeníθa/ [sf] cenere.

censo /θénso/ [sm] censimento.

censura /θensúra/ [sf] censura.

censurar /θensurár/ [v tr] censurare.

centella /θentéʎa/ [sf] lampo (m).

centellear /θenteʎeár/ [v intr] scintillare.

centenar /θentenár/ [sm] centinaio*.

centenario /θentenárjo/ [adj/sm] centenario.

céntimo /θéntimo/ [sm] (moneda) centesimo.

centinela /θentinéla/ [sm] sentinella (f).

centollo /θentóʎo/ [sm] granseola (f).

central /θentrál/ [adj m,f/sf] centrale LOC ~ **eléctrica/nuclear/térmica**: centrale elettrica/nucleare/termica.

centralita /θentralíta/ [sf] (de teléfonos) centralino (m).

centralizar /θentraliθár/ [v tr] accentrare.

centrar /θentrár/ [v tr] **1** (también FIG) centrare ◆ ~ *el problema*: centrare il problema **2** (en) FIG (fundar) imperniare, incentrare, basare **3** FIG (concentrar) accentrare.

céntrico /θéntriko/ [adj] centrale (m,f).

centro /θéntro/ [sm] (también FIG) centro ◆ ~ *comercial*: centro commerciale | *voy al* ~: vado in centro.

ceñido /θeɲíðo/ [adj] stretto, attillato.

ceñir /θeɲír/ [v tr] **1** (de) cingere **2** (ropa) essere attillato LOC **ceñirse a algo**: limitarsi/attenersi a qualcosa.

ceñudo /θeɲúðo/ [adj] imbronciato.

cepa /θépa/ [sf] **1** ceppo (m) **2** (de vid) vitigno (m) LOC **de pura ~**: di razza.

cepillar /θepiʎár/ [v tr] spazzolare.

cepillo /θepíʎo/ [sm] spazzola (f) LOC **a ~**: a spazzola (taglio di capelli) | **~ de dientes**: spazzolino da denti.

cera /θéra/ [sf] cera LOC **~ de los oídos**: cerume | **hacer la ~**: fare la ceretta.

cerámica /θerámika/ [sf] ceramica.

cerca /θérka/ [adv] (lugar, tiempo) vicino LOC **~ de**: circa, all'incirca (tempo); vicino a (luogo) | **de ~**: da vicino ◆ [sf] recinzione, steccato (m).

cercanía /θerkanía/ [sf] **1** vicinanza **2** (en pl) dintorni (m) LOC **tren de cercanías**: treno locale.

cercano /θerkáno/ [adj] **1** vicino, prossimo **2** FIG (íntimo) stretto.

cercar /θerkár/ [v tr] **1** recingere, recintare **2** FIG accerchiare, circondare.

cerciorarse /θerθjorárse/ [v prnl] (de) accertarsi, assicurarsi.

cerco /θérko/ [sm] **1** cerchio, circolo **2** (de enemigos, ciudad) assedio.

Cerdeña /θerðéɲa/ [sf] Sardegna.

cerdo /θérðo/ [sm] (también FIG PEY) maiale.

cereal /θereál/ [sm] cereale.

cerebral /θereβrál/ [adj m,f] cerebrale.

cerebro /θereβro/ [sm] cervello LOC **lavar el ~**: fare il lavaggio del cervello.

ceremonia /θeremónja/ [sf] cerimonia.

cereza /θeréθa/ [sf] ciliegia.

cerezo /θeréθo/ [sm] ciliegio.

cerilla /θeríʎa/ [sf] cerino (m).

cero /θéro/ [sm] zero LOC **de/desde ~**: da zero | **raparse al ~**: raparsi a zero.

cerrado /θeřáðo/ [adj] **1** (también FIG) chiuso ● *una mentalidad cerrada*: una mentalità chiusa **2** (cielo) coperto, nuvoloso.

cerradura /θeřaðúra/ [sf] serratura.

cerrajero /θeřaxéro/ [sm] fabbro.

cerrar /θeřár/ [v tr] **1** chiudere **2** (plazo) scadere **3** (un trato) concludere ◆ [v prnl] chiudersi LOC **~ a medias**: socchiudere | **~ el paso**: sbarrare la strada | **en un abrir y ~ de ojos**: in un batter d'occhio.

cerro /θéro/ [sm] colle, collina (f).

cerrojo /θeróxo/ [sm] chiavistello.

certero /θertéro/ [adj] (juicio, opinión) azzeccato, certo.

certidumbre /θertiðúmbre/ [sf] certezza, sicurezza.

certificación /θertifikaθjón/ [sf] certificazione **2** (de carta, paquete) spedizione raccomandata.

certificado /θertifikáðo/ [sm] certificato.

certificar /θertifikár/ [v tr] **1** certificare **2** (carta, paquete) fare una raccomandata.

cervecería /θerβeθería/ [sf] birreria.

cerveza /θerβéθa/ [sf] birra.

cesar /θesár/ [v intr] cessare, smettere LOC **~ en un cargo**: smettere di lavorare | **sin ~**: senza sosta.

cesárea /θesárea/ [sf] parto (m) cesareo.

cese /θése/ [sm] cessazione (f).

césped /θéspeð/ [sm] **1** prato **2** DEP (fútbol) campo.

cesta /θésta/ [sf] cesta.

cesto /θésto/ [sm] (para perros, gatos) cuccia (f).

cetáceo /θetáθeo/ [sm] cetaceo.

chabola /tʃaβóla/ [sf] baracca, capanna.

cháchara /tʃátʃara/ [sf] chiacchiera.

chacinería /tʃaθinería/ [sf] salumeria.

chafar (-se) /tʃafár/ [v tr prnl] **1** appiattire (-rsi), schiacciare (-rsi) **2** (indumento) sgualcire (-rsi) **3** FIG deprimere (-rsi), demoralizzare (-rsi).

chal /tʃál/ [sm] scialle.

chalar /tʃalár/ [v tr] FAM **1** (cosa) far impazzire • *lo chalan las motos*: le moto lo fanno impazzire **2** (persona) far perdere la testa ◆ [v prnl] FAM impazzire.

chalé /tʃalé/ [sm] chalet (inv), villetta (f) LOC ~ adosado: villetta a schiera.

chaleco /tʃaléko/ [sm] gilet (inv) LOC ~ antibalas: giubbotto antiproiettili | ~ salvavidas: giubbotto di salvataggio.

chalote /tʃalóte/ [sm] scalogno.

chalupa /tʃalúpa/ [sf] scialuppa, lancia.

champiñón /tʃampiɲón/ [sm] champignon (inv).

champú /tʃampú/ [sm] shampoo (inv).

chamuscar (-se) /tʃamuskár/ [v tr prnl] bruciacchiare (-rsi).

chancleta /tʃaŋkléta/ [sf] ciabatta.

chándal /tʃándal/ [sm] tuta (f) da ginnastica.

chantaje /tʃantáxe/ [sm] ricatto.

chantajear /tʃantaxeár/ [v tr] ricattare.

¡chao! /tʃáo/ [interj] FAM ciao!

chapa /tʃápa/ [sf] **1** lamiera, lastra **2** (de botella) tappo (m) a corona.

chapar /tʃapár/ [v tr] **1** (con metal) placcare **2** TECN rivestire.

chaparrón /tʃaparón/ [sm] acquazzone.

chapista /tʃapísta/ [sm] carrozziere.

chapucero /tʃapuθéro/ [sm] pasticcione.

chapuza /tʃapúθa/ [sf] pastrocchio (m).

chapuzón /tʃapuθón/ [sm] tuffo.

chaqueta /tʃakéta/ [sf] giacca.

chaquetón /tʃaketón/ [sm] giaccone.

charco /tʃárko/ [sm] pozza (f), pozzanghera (f).

charcutería /tʃarkutería/ [sf] salumeria.

charcutero [sm] salumiere.

charla /tʃárla/ [sf] **1** chiacchierata **2** (en público) conferenza.

charlar /tʃarlár/ [v intr] chiacchierare.

charlatán (-a) /tʃarlatán/ [sm] **1** chiacchierone **2** (chismoso) pettegolo.

charol /tʃaról/ [sm] vernice (f) • *zapatos de ~*: scarpe di vernice.

chasco /tʃásko/ [sm] beffa (f), burla (f) LOC llevarse un ~: avere/subire una delusione | ¡qué ~!: che fiasco!

chasis /tʃásis/ [sm inv] (de vehículo) telaio (sing).

chasquear /tʃaskeár/ [v tr] (látigo, lengua) schioccare.

chatarra /tʃatára/ [sf] rottame (m).

chato /tʃáto/ [adj] **1** piatto, schiacciato **2** (nariz) camuso, schiacciato ◆ [interj] FAM tesoro!, dolcezza!

chaval (-a) /tʃaβál/ [sm] ragazzo.

chepa /tʃépa/ [sf] FAM gobba.

cheque /tʃéke/ [sm] assegno LOC ~ **al portador**: assegno al portatore | ~ **de viaje**: traveller's cheque.

chequear /tʃekeár/ [v tr] **1** controllare, ispezionare **2** *Amer* (el equipaje) fare il check-in ◆ [v prnl] sottoporsi a check-up.

chequeo /tʃekéo/ [sm] check-up (inv).

chicha /tʃítʃa/ [sf] FAM carne LOC **no ser ni ~ ni limonada**: non essere né carne né pesce.

chichón /tʃitʃón/ [sm] bernoccolo.

chicle /tʃíkle/ [sm] gomma (f) americana, chewing gum (inv).

chico /tʃíko/ [adj] piccolo ◆ [sm] ragazzo.

chifladura /tʃiflaðúra/ [sf] FAM mania.

chiflarse /tʃiflárse/ [v prnl] (por) FAM perdere la testa, andare matto.

chile /tʃíle/ [sm] **1** (país) Cile **2** (especia) peperoncino piccante.

chileno /tʃiléno/ [adj/sm] cileno.

chillar /tʃiʎár/ [v intr] strillare.

chillido /tʃiʎíðo/ [sm] strillo, urlo*.

chillón (-a) /tʃiʎón/ [adj] (prenda, peinado) appariscente (m,f), vistoso.

chimenea /tʃimenéa/ [sf] camino (m).

chimpancé /tʃimpanθé/ [sm] scimpanzé (inv).

chinche /tʃíntʃe/ [sf] cimice ◆ [sm,f] FIG FAM seccatore (f -trice).

chincheta /tʃintʃéta/ [sf] puntina da disegno.

chinchín /tʃintʃín/ [sm] (brindis) cincin (inv).

chipirón /tʃipirón/ [sm] calamaretto.

chiringuito /tʃiriŋgíto/ [sm] chiosco, baracchino ◆ *el ~ de la playa*: il chiosco sulla spiaggia.

chirriar /tʃiřjár/ [v intr] cigolare.

¡chis! /tʃís/ [interj] FAM zitto!, ssh!

chisme /tʃísme/ [sm] **1** (habladuría) pettegolezzo, chiacchiera (f) **2** FAM aggeggio.

chismorrear /tʃismořeár/ [v intr] spettegolare.

chismoso /tʃismóso/ [adj/sm] pettegolo.

chispa /tʃíspa/ [sf] favilla, scintilla LOC **echar alguien chispas**: essere furibondo | **ser alguien una ~**: essere molto sveglio/furbo.

chistar /tʃístar/ [v intr] **1** (negativo) parlare **2** richiamare l'attenzione.

chiste /tʃíste/ [sm] battuta (f), barzelletta (f).

chistera /tʃistéra/ [sf] (sombrero) cilindro (m).

chistoso /tʃistóso/ [adj] faceto, spiritoso.

chivato /tʃiβáto/ [sm] **1** TECN spia (f) **2** FAM spione.

chivo /tʃíβo/ [sm] caprone.

chocar /tʃokár/ [v intr] **1** (también FIG) scontrare, urtare **2** (asombrar) stupire, scioccare.

chochear /tʃotʃeár/ [v intr] rimbambire.

chocolate /tʃokoláte/ [sf] cioccolato, cioccolata (f).

chocolatina /tʃokolatína/ [sf] cioccolatino (m).

chófer /tʃófer/ [sm] autista (m,f).

chopo /tʃópo/ [sm] pioppo.

choque /tʃóke/ [sm] **1** (también FIG) scontro **2** MED shock (inv).

chorizo /tʃoríθo/ [sm] **1** COC salsiccia (f) **2** FAM ladruncolo, borseggiatore (f -trice).

chorrada /tʃoráða/ [sf] VULG cazzata, stronzata.

chorrear /tʃoreár/ [v intr/tr] colare.

chorro /tʃóro/ [sm] **1** getto, fiotto **2** FIG sfilza (f) • *un ~ de insultos*: una sfilza di insulti LOC **a chorros**: a fiumi.

choza /tʃóθa/ [sf] capanna.

chubasco /tʃuβásko/ [sm] acquazzone.

chubasquero /tʃuβaskéro/ [sm] K-way (inv).

chuchería /tʃutʃería/ [sf] gingillo (m).

chucho /tʃútʃo/ [sm] FAM (perro) bastardo.

chulería /tʃulería/ [sf] spavalderia.

chuleta /tʃuléta/ [sf] costoletta, braciola.

chulo /tʃúlo/ [adj] **1** (bonito) grazioso, carino **2** (presumido) tronfio ◆ [sm] **1** VULG magnaccia, pappone **2** FAM bullo, spaccone.

chumbera /tʃumbéra/ [sf] (planta) ficodindia (m).

chupa /tʃúpa/ [sf] giubbotto (m) di pelle.

chupado /tʃupáðo/ [adj] FIG FAM **1** (persona) sciupato, smunto **2** (tarea) facile (m,f), semplice (m,f).

chupar /tʃupár/ [v tr] succhiare ◆ [v prnl] **1** succhiarsi **2** (enflaquecer) dimagrire LOC ¡chúpate esa!: beccati questa!

chupete /tʃupéte/ [sm] **1** ciuccio, succhiotto **2** (del biberón) tettarella (f).

chupito /tʃupíto/ [sm] (de vino, licor) bicchierino.

churrigueresco /tʃuriɣerésko/ [adj] ARQ (s. XVII-XVIII) varietà del barocco spagnolo.

churro /tʃúro/ [sm] COC frittella (f).

chusma /tʃúsma/ [sf] PEY accozzaglia.

cicatriz /θikatríθ/ [sf] cicatrice.

cicatrizar (-se) /θikatriθár/ [v tr prnl] cicatrizzare (-rsi).

ciclismo /θiklís mo/ [sm] ciclismo.

ciclista /θiklísta/ [sm,f] ciclista.

ciclo /θíklo/ [sm] ciclo.

ciclón /θiklón/ [sm] (también FIG) ciclone.

cidra /θíðra/ [sf] (fruto) cedro (m).

cidro /θíðro/ [sm] (planta) cedro.

ciego /θjéɣo/ [adj/sm] cieco LOC **a ciegas**: alla cieca.

cielo /θjélo/ [sm] **1** cielo **2** FAM amore, tesoro LOC **~ raso**: soffitto | ¡~!: santo cielo!

ciempiés /θjempjés/ [sm inv] millepiedi.

cien /θjén/ [sm] cento LOC **al ~ por ~**: al cento per cento.

ciénaga /θjénaɣa/ [sf] palude, pantano (m).

ciencia /θjénθja/ [sf] scienza LOC **~ ficción**: fantascienza.

científico /θjentífiko/ [adj] scientifico ◆ [sm] scienziato.

ciento /θjénto/ [sm] cento LOC **cientos de**: centinaia di | **por ~**: per cento.

cierre /θjére/ [sm] chiusura (f) • *hora de ~*: ora di chiusura LOC **~ metálico**: saracinesca.

cierto /θjérto/ [adj] **1** (verdadero) vero • *eso no es* ~: questo non è vero **2** un certo • *buscaba* ~ *libro*: cercava un certo libro LOC **por** ~: a proposito ♦ [adv] certo, certamente.

ciervo /θjérβo/ [sm] cervo.

cierzo /θjérθo/ [sm] (viento) tramontana (f).

cifra /θífra/ [sf] cifra.

cifrar /θifrár/ [v tr] **1** (estimar) valutare **2** (en) FIG basare, fondare.

cigala /θiɣála/ [sf] ICT scampo (m).

cigarra /θiɣáɾa/ [sf] cicala.

cigarrillo /θiɣaɾíʎo/ [sm] sigaretta (f).

cigarro /θiɣáɾo/ [sm] sigaro LOC ~ **puro/de hoja**: avana.

cigüeña /θiɣwéɲa/ [sf] cicogna.

cilantro /θilántro/ [sm] BOT coriandolo.

cilindrada /θilindráða/ [sf] (de vehículo) cilindrata.

cilindro /θilíndro/ [sm] (tambien de vehículo) cilindro.

cima /θíma/ [sf] **1** GEOG cima **2** FIG culmine (m), apice (m).

cimiento /θimjénto/ [sm] **1** (también pl) fondamenta (f pl) **2** (también pl) FIG base (f), principio.

cincel /θinθél/ [sm] **1** (de escultor) scalpello **2** (para metales) cesello.

cincuentón (-a) /θiŋkwentón/ [adj/sm] cinquantenne (m,f).

cine /θíne/ [sm] cinema (inv) LOC ~ **x**: cinema a luci rosse.

cinemateca /θinematéka/ [sf] cineteca.

cínico /θíniko/ [adj] cinico.

cinta /θínta/ [sf] **1** (también TECN) nastro (m) **2** (película) film (m inv), pellicola **3** COC filetto (m) di maia-

le LOC ~ **aislante/autoadhesiva**: nastro isolante/adesivo | ~ **transportadora**: nastro trasportatore.

cintura /θintúra/ [sf] vita, cintola LOC **meter en** ~: mettere in riga.

cinturón /θinturón/ [sm] cintura (f) LOC **apretarse el** ~: tirare la cinghia | ~ **de seguridad**: cintura di sicurezza.

ciprés /θiprés/ [sm] cipresso.

circo /θírko/ [sm] circo.

circuito /θirkwíto/ [sm] **1** circuito **2** (recorrido) giro, percorso LOC **corto** ~: corto circuito.

circulación /θirkulaθjón/ [sf] circolazione LOC ~ **sanguínea**: circolazione sanguigna/del sangue.

circular /θirkulár/ [adj m,f/sf/v intr] circolare.

círculo /θírkulo/ [sm] **1** cerchio **2** (de amistades) cerchia (f) **3** (de recreo) circolo, club (inv) LOC ~ **polar**: circolo polare | **en** ~: in cerchio.

circunferencia /θirkumferénθja/ [sf] circonferenza.

circunnavegar /θirkunnaβeɣár/ [v tr] circumnavigare.

circunstancia /θirkunstánθja/ [sf] circostanza.

circunstante /θirkunstánte/ [adj sm,f] circostante.

circunvalación /θirkumbalaθjón/ [sf] circonvallazione LOC **carretera de** ~: circonvallazione, tangenziale.

cirio /θírjo/ [sm] cero.

ciruela /θirwéla/ [sf] prugna, susina.

ciruelo /θirwélo/ [sm] prugno, susino.

cirugía /θiruxía/ [sf] chirurgia.

cirujano /θiruxáno/ [sm] chirurgo.

cisne /θísne/ [sm] cigno.

cisterna /θistérna/ [sf] cisterna LOC camión/buque ~: camion/nave cisterna.

cita /θíta/ [sf] appuntamento (m).

citación /θitaθjón/ [sf] JUR citazione, mandato (m) di comparizione.

citar /θitár/ [v tr] 1 fissare un appuntamento 2 (también JUR) citare ◆ [v prnl] darsi appuntamento.

cítrico /θítriko/ [sm] agrume.

ciudad /θjuðáð/ [sf] città (inv) LOC ~ de vacaciones: villaggio vacanze.

ciudadanía /θjuðaðanía/ [sf] cittadinanza.

ciudadano /θjuðaðáno/ [adj/sm] cittadino.

cívico /θíβiko/ [adj] civico.

civil /θiβíl/ [adj/sm,f] civile.

civilización /θiβiliθaθjón/ [sf] civiltà (inv).

civilizar (-se) /θiβiliθár/ [v tr prnl] civilizzare (-rsi).

clamar /klamár/ [v tr] esigere, reclamare.

clamoroso /klamoróso/ [adj] clamoroso.

clandestinidad /klandestiniðáð/ [sf] clandestinità (inv).

clandestino /klandestíno/ [adj] clandestino.

claqué /θlaké/ [sm] tip-tap (inv).

clara /θlára/ [sf] 1 (de huevo) albume (m), chiara 2 (bebida) birra con gazzosa LOC a las claras: chiaramente.

claraboya /klaraβója/ [sf] abbaino (m), lucernario (m).

claridad /klariðáð/ [sf] (también FIG) chiarezza ◆ hablar con ~: parlare con chiarezza.

clarín /klarín/ [sm] clarino.

claro /kláro/ [adj/adv] (también FIG) chiaro ◆ el suyo fue un ~ rechazo: il suo fu un chiaro rifiuto LOC ¡~ (que sí)!: certo! | poner en ~: mettere in chiaro ◆ [sm] (de bosque) radura (f), spiazzo.

clase /kláse/ [sf] 1 (también de medios de transporte, hoteles) classe ◆ asiento de primera ~: posto di prima classe 2 FAM genere (m), razza LOC dar ~: fare lezione.

clásico /klásiko/ [adj/sm] classico.

clasificación /klasifikaθjón/ [sf] 1 classificazione 2 (lista) classifica, graduatoria.

clasificar (-se) /klasifikár/ [v tr prnl] classificare (-rsi).

claustro /kláustro/ [sm] chiostro.

cláusula /kláusula/ [sf] clausola.

clausura /klausúra/ [sf] 1 (de acto ceremonia) chiusura 2 (religiosa) clausura.

clavar /klaβár/ [v tr] 1 (con clavos) inchiodare 2 conficcare ◆ ~ la azada en el terreno: conficcare la vanga nel terreno ◆ [v prnl] 1 conficcarsi 2 FIG piazzarsi ◆ se clavó delante de la televisión: si piazzò davanti alla televisione LOC ~ los ojos en algo/alguien: fissare insistentemente qualcosa/qualcuno ser clavado a alguien: essere identico/sputato a qualcuno.

clave /kláβe/ [adj m,f/sf] chiave.

clavel /klaβél/ [sm] garofano.

clavícula /klaβíkula/ [sf] clavicola

clavo /kláβo/ [sm] **1** chiodo **2** COC chiodo di garofano LOC **dar en el ~**: azzeccare | **no dar/pegar ni ~**: stare con le mani in mano.

clementina /klementína/ [sf] clementina.

clero /kléro/ [sm] clero.

cliente /kljénte/ [sm] cliente (m,f).

clima /klíma/ [sm] (también FIG) clima • *un ~ de tensión*: un clima di tensione.

clínica /klínika/ [sf] clinica.

clínico /klíniko/ [adj] clinico ◆ [sm] clinica (f) universitaria.

clip /klíp/ [sm] clip (f inv), fermaglio.

cloro /klóro/ [sm] cloro.

club /klúβ/ [sm] **1** club (inv), circolo **2** DEP società (f inv).

coagular (-se) /koaɣulár/ [v tr prnl] coagulare (-rsi).

coalición /koaliθjón/ [sf] coalizione.

coartada /koartáða/ [sf] (también FIG) alibi (m inv).

cobarde /koβárðe/ [adj m,f] codardo (m), vigliacco (m).

cobardía /koβarðía/ [sf] codardia, vigliaccheria.

cobaya /koβája/ [sf] (también FIG) cavia.

cobertizo /koβertíθo/ [sm] tettoia (f), pensilina (f).

cobertura /koβertúra/ [sf] (también FIG) copertura.

cobijarse /koβixárse/ [v prnl] trovare riparo.

cobijo /koβíxo/ [sm] **1** rifugio, riparo **2** FIG protezione (f).

cobra /kóβra/ [sf] cobra (m).

cobrar /koβrár/ [v tr] **1** COM riscuotere **2** (precio) chiedere.

cobre /kóβre/ [sm] rame.

cobro /kóβro/ [sm] incasso, riscossione (f).

cocaína /kokaína/ [sf] cocaina.

cocción /kokθjón/ [sf] cottura.

cocer (-se) /koθér/ [v tr prnl] cuocere (-rsi).

coche /kótʃe/ [sm] **1** carrozza (f) **2** (automóvil) macchina (f) **3** (de tren) vagone, vettura (f) LOC **~ cama**: vagone letto | **~ de línea**: autobus di linea.

cochera /kotʃéra/ [sf] garage (m inv), autorimessa.

cochino /kotʃíno/ [adj] PEY **1** (persona) sporco, sozzo **2** (cosa) maledetto ◆ [sm] maiale.

cocina /koθína/ [sf] cucina.

cocinar /koθinár/ [v tr] cucinare.

cocinero /koθinéro/ [sm] cuoco.

coco /kóko/ [sm] **1** noce di cocco **2** FAM testa (f), zucca (f) LOC **comerse el ~**: scervellarsi.

cocodrilo /kokoðrílo/ [sm] coccodrillo.

cocotero /kokotéro/ [sm] (planta) cocco.

cóctel /kóktel/ [sm] cocktail (inv).

codazo /koðáθo/ [sm] gomitata (f).

codear /koðeár/ [v intr] dare gomitate ◆ [v prnl] (**con**) frequentare, avere relazioni.

codicia /koðíθja/ [sf] avidità (inv).

código /kóðiɣo/ [sm] (también FIG) codice LOC **~ civil/penal**: codice civile/penale | **~ postal**: codice di avviamento postale.

codo /kóðo/ [sm] gomito LOC **empinar el ~**: alzare il gomito.

codorniz /koðorníθ/ [sf] quaglia.

coetáneo /koetáneo/ [adj/sm] coetaneo.

cofia /kófja/ [sf] INDUM cuffia.

cofradía /kofraðía/ [sf] **1** (religiosa) confraternita **2** corporazione, associazione.

cofre /kófre/ [sm] cofano.

coger /koxér/ [v tr] **1** (por) (también FIG FAM) prendere • *cogí el autobús*: presi l'autobus | *he cogido un resfriado*: ho preso il raffreddore **2** (también chiste, ocasión) cogliere LOC **cogerla con alguien**: prendere di mira qualcuno.

cohabitar /koaβitár/ [v intr] convivere.

coherente /koerénte/ [adj m,f] coerente.

cohete /koéte/ [sm] razzo.

cohibir (-se) /koiβír/ [v intr prnl] inibire (-rsi).

coincidencia /koinθiðénθja/ [sf] coincidenza.

coincidir /koinθiðír/ [v intr] **1** coincidere **2** (personas) trovarsi, incontrarsi.

cojear /koxeár/ [v intr] zoppicare.

cojín /koxín/ [sm] cuscino.

cojo /kóxo/ [adj/sm] zoppo.

cojón /koxón/ [sm] VULG coglione.

cojonudo /koxonúðo/ [adj] VULG **1** (cosa) forte (m,f), figo **2** (persona) in gamba.

col /kól/ [sf] cavolo (m) LOC ~ **de Bruselas**: cavolino di Bruxelles.

cola /kóla/ [sf] **1** (también FIG) coda • *hay ~ delante del cine*: davanti al cinema c'è coda **2** (pegamento) colla LOC ~ **de caballo**: coda di cavallo.

colaboración /kolaβoraθjón/ [sf] collaborazione.

colaborar /kolaβorár/ [v intr] (con/en) collaborare.

colada /koláða/ [sf] **1** bucato (m) **2** (de metales, volcán) colata.

colador /kolaðór/ [sm] **1** (de té) colino **2** colabrodo (inv).

colapso /kolápso/ [sm] collasso.

colar /kolár/ [v tr] **1** colare, filtrare **2** FIG FAM rifilare, sbolognare ♦ [v prnl] **1** (por) filtrare, passare **2** FAM (en un lugar) intrufolarsi, imbucarsi **3** FAM (en una cola) passare davanti.

colcha /kóltʃa/ [sf] copriletto (m inv).

colchón /koltʃón/ [sm] materasso

colchoneta /koltʃonéta/ [sf] (también DEP) materassino (m).

colección /kolekθjón/ [sf] collezione, raccolta.

coleccionar /kolekθjonár/ [v tr] collezionare.

colectividad /kolektiβiðáð/ [sf] collettività (inv).

colectivo /kolektíβo/ [adj/sm] collettivo.

colega /koléɣa/ [sm,f] **1** (de trabajo) collega **2** FAM amico (m), compagno (m).

colegial (-a) /kolexjál/ [sm] studente (f -essa).

colegio /koléxjo/ [sm] **1** scuola (f) (profesional, político) collegio.

cólera /kólera/ [sf] collera, ira [sm] colera (inv) LOC **montar en** ~: andare su tutte le furie.

colérico /ko+lériko/ [adj] (persona) collerico, irascibile (m,f).

colgar /kolɣár/ [v tr] **1** (de/en) appendere, attaccare **2** (teléfono) riattaccare, riagganciare **3** FIG FAM affibbiare, appioppare ♦ [v intr] pendere ♦ [v prnl] **1** (de) attaccarsi appendersi (ahorcarse) impiccar si LOC **dejar a alguien colgado**: piantare in asso qualcuno.

olibrí /koliβrí/ [sm] colibrì (inv).

ólico /kóliko/ [sm] colica (f) LOC ~ **renal**: colica renale.

oliflor /koliflór/ [sf] cavolfiore (m).

olilla /kolíʎa/ [sf] mozzicone (m), cicca.

olín /kolín/ [sm] grissino.

olina /kolína/ [sf] collina.

olirio /kolírjo/ [sm] collirio.

ollar /koʎár/ [sm] **1** collana (f) **2** (de perro) collare.

olmillo /kolmíʎo/ [sm] ZOOL zanna (f).

olmo /kólmo/ [sm] colmo LOC **para ~**: per di più | **ser el ~**: essere il colmo.

olocación /kolokaθjón/ [sf] **1** collocazione **2** (trabajo) impiego (m).

olocar (-se) /kolokár/ [v tr prnl] collocare (-rsi), sistemare (-rsi).

olombiano /kolombjáno/ [adj/sm] colombiano.

olon /kólon/ [sm] colon.

olonia /kolónja/ [sf] **1** colonia **2** (perfume) acqua di colonia.

olonizar /koloniθár/ [v tr] colonizzare.

oloquio /kolókjo/ [sm] colloquio.

olor /kolór/ [sm] colore LOC **de ~**: colorato (oggetto); di colore (persona).

olorado /koloráðo/ [adj] (sólo en la locución) LOC **ponerse ~**: diventare rosso.

olorante /koloránte/ [adj m,f/sm] colorante.

olorear /koloreár/ [v tr] colorare.

olorete /koloréte/ [sm] fard (inv).

olorín /kolorín/ [sm] cardellino.

colosal /kolosál/ [adj m,f] (también FIG) colossale.

columna /kolúmna/ [sf] colonna LOC ~ **vertebral**: colonna vertebrale.

columnata /kolumnáta/ [sf] colonnato (m).

columpiar (-se) /kolumpjár/ [v tr prnl] dondolare (-rsi).

columpio /kolúmpjo/ [sm] altalena (f).

coma /kóma/ [sf] virgola ◆ [sm] MED coma.

comadrona /komaðróna/ [sf] ostetrica.

comandante /komandánte/ [sm] comandante.

comando /komándo/ [sm] **1** comando (inv) **2** INFORM comando.

comarca /komárka/ [sf] regione, territorio (m).

combar (-se) /kombár/ [v tr prnl] curvare (-rsi), piegare (-rsi).

combate /kombáte/ [sm] combattimento.

combatir /kombatír/ [v tr/intr] (**con/ contra/por**) combattere.

combinación /kombinaθjón/ [sf] **1** combinazione **2** INDUM sottoveste.

combinar /kombinár/ [v tr] (**con**) combinare.

combustible /kombustíβle/ [adj/sm] combustibile.

comedia /koméðja/ [sf] commedia.

comedor /komeðór/ [sm] **1** (de casa) sala (f) da pranzo **2** (de fábrica, escuela) mensa (f).

comentar /komentár/ [v tr] commentare.

comentario /komentárjo/ [sm] commento.

comenzar /komenθár/ [v tr/intr] (a/ por) cominciare, iniziare.

comer /komér/ [v intr] mangiare ♦ [v tr prnl] 1 mangiare (-rsi) 2 (sentimiento) rodere (-rsi), torturare (-rsi) LOC ser de buen ~: essere di bocca buona.

comercial /komerθjál/ [adj m,f] commerciale.

comerciante /komerθjánte/ [sm,f] commerciante, negoziante.

comerciar /komerθjár/ [v intr] (con/en) commerciare, vendere.

comercio /komérθjo/ [sm] 1 commercio 2 (tienda) negozio LOC ~ al por mayor/menor: commercio all'ingrosso/al dettaglio.

comestible /komestíβle/ [adj m,f] commestibile.

comestibles /komestíβles/ [sm pl] generi commestibili/alimentari.

cometa /kométa/ [sf] aquilone (m) ♦ [sm] cometa (f).

cometer /kométer/ [v tr] commettere, compiere.

cometido /kometíðo/ [sm] (trabajo) incarico.

comezón /komeθón/ [sf] 1 prurito (m) 2 FIG angoscia, ansia.

cómic /kómik/ [sm] fumetto ■ pl irr cómics.

cómico /kómiko/ [adj/sm] comico.

comida /komíða/ [sf] 1 (alimento) cibo (m), mangiare (m) 2 pasto (m) • nos sirvieron una abundante ~: ci servirono un pasto abbondante 3 (del mediodía) pranzo (m).

comienzo /komjénθo/ [sm] inizio, principio ■ a comienzos de + tiempo a(ll') inizio (di) + tempo • a comienzos de marzo: a inizio marzo

LOC dar ~ a algo: iniziare/cominciare qualcosa.

comino /komíno/ [sm] (sólo en la locuciones) LOC no importar/valer un ~: non importare/valere un fico secco.

comisaría /komisaría/ [sf] commissariato (m).

comisario /komisárjo/ [sm] commissario LOC ~ de policía: ispettore di polizia.

comisión /komisjón/ [sf] (también COM) commissione.

comité /komité/ [sm] comitato.

comitiva /komitíβa/ [sf] comitiva.

como /komo/ [adv] 1 come 2 circa, quasi • hace ~ un año que no llueve: non piove da un anno circa • cómo (interrogativo, exclamativo) come • ¿cómo estás?: come stai LOC ¡cómo no!: come no! ♦ [conj] siccome, poiché • ~ no lo vi, me fui: siccome non lo vidi, me ne andai ■ tan + adj/adv como così/tanto + agg/avv come • no es tan alto ~ parecía: non è così alto come sembrava ■ tanto... como sia... che/sia • l sabían tanto él ~ su hermano: l sapevano sia lui che il fratello LOC ~ quiera que sea: ad ogni modo ■ hacer ~ que: fare finta di ♦ [prep] come • trabaja ~ dependienta: lavora come commessa.

comodidad /komoðiðáð/ [sf] comodità (inv), comfort (m inv).

comodín /komoðín/ [sm] (también FIG) jolly (inv).

cómodo /kómoðo/ [adj] comodo, confortevole (m,f).

compacto /kompákto/ [adj] compatto ♦ [sm] 1 (disco) compact dis (inv) **2** (aparato) lettore di compact disc.

ompadecer (-se) /kompaðeθér/ [v tr prnl] (**de**) compatire, commiserare.

ompañero /kompaɲéro/ [sm] compagno.

ompañía /kompaɲía/ [sf] compagnia LOC **en ~ de alguien**: in compagnia di qualcuno.

omparación /komparaθjón/ [sf] confronto (m), paragone (m).

omparar (-se) /komparár/ [v tr prnl] (**con**) confrontare (-rsi), paragonare (-rsi).

omparecer /kompareθér/ [v intr] comparire.

ompartimento /kompartiménto/ [sm] compartimento, scompartimento.

ompartir /kompartír/ [v tr] **1** (**con**) dividere, spartire **2** FIG condividere.

ompasión /kompasjón/ [sf] compassione LOC **dar ~**: fare compassione.

ompasivo /kompasíβo/ [adj] compassionevole (m,f), pietoso.

ompatible /kompatíβle/ [adj m,f] (también INFORM) compatibile.

ompensación /kompensaθjón/ [sf] JUR indennizzo (m), risarcimento (m).

ompensar /kompensár/ [v tr] **1** bilanciare, compensare **2** (daño) risarcire.

ompetencia /kompeténθja/ [sf] **1** concorrenza ◆ **~ desleal**: concorrenza sleale **2** competenza.

ompetente /kompeténte/ [adj/sm,f] competente LOC **ser ~ en/para algo**: essere competente in qualcosa.

competer /kompetér/ [v intr] (**a**) competere, spettare.

competición /kompetiθjón/ [sf] **1** competizione, rivalità (inv) **2** DEP gara.

competidor (-a) /kompetiðór/ [adj/sm] **1** concorrente (m,f) **2** DEP avversario (m), rivale.

competir /kompetír/ [v intr] competere.

competitivo /kompetitíβo/ [adj] competitivo.

complacer /komplaθér/ [v tr] compiacere ◆ [v prnl] (**en**) compiacersi, rallegrarsi LOC **¿en qué puedo complacerle?**: cosa posso fare per lei?

complejo /kompléxo/ [adj/sm] (también MED) complesso.

complementario /komplementárjo/ [adj] complementare (m,f).

complemento /kompleménto/ [sm] complemento.

completar /kompletár/ [v tr] completare.

completo /kompléto/ [adj] completo, totale (m,f) LOC **estar ~**: essere al completo (luogo) | **por ~**: totalmente.

complexión /kompleksjón/ [sf] costituzione ◆ **ser de recia ~**: essere di costituzione robusta.

complicación /komplikaθjón/ [sf] (también MED) complicazione.

complicado /komplikáðo/ [adj] complicato.

complicar /komplikár/ [v tr] **1** complicare **2** (persona) implicare, coinvolgere ◆ [v prnl] complicarsi.

cómplice /kómpliθe/ [sm,f] complice.

complicidad /kompliθiðáð/ [sf]
complicità (inv).

complot /komplót/ [sm] complotto,
congiura (f) ■ pl irr **complots**.

componente /komponénte/ [adj
m,f/sm] componente.

componer /komponér/ [v tr] **1** (también MUS) comporre **2** (arreglar) aggiustare, riparare ◆ [v prnl] (**de**)
comporsi, essere formato.

comportamiento /komportamjén-
to/ [sm] comportamento.

comportarse /komportárse/ [v
prnl] comportarsi, agire.

composición /komposiθjón/ [sf] **1**
composizione **2** (tarea escolar) tema (m).

compositor (-a) /kompositór/ [sm]
compositore (f -trice).

compra /kómpra/ [sf] **1** acquisto
(m), compera ● *la ~ de un piso*:
l'acquisto di un appartamento **2**
spesa ● *voy a hacer la ~*: vado a fare la spesa.

comprar (-se) /komprár/ [v tr prnl]
comprare (-rsi).

compraventa /kompraβénta/ [sf]
compravendita.

comprender /komprendér/ [v tr] **1**
(incluir) comprendere **2** (entender)
capire ◆ [v prnl] capirsi.

comprensible /komprensíβle/ [adj
m,f] comprensibile.

comprensión /komprensjón/ [sf]
comprensione.

compresa /komprésa/ [sf] assorbente (m).

comprimido /komprimíðo/ [sm]
MED compressa (f), pastiglia (f).

comprobar /komproβár/ [v tr] accertare, controllare, constatare.

comprometer /komprometér/ [v t▯
compromettere ◆ [v prnl] (**a/er**
impegnarsi.

compromiso /kompromíso/ [sm]
(promesa, obligación) impegno
(apuro) difficoltà (f inv), guaio
(noviazgo) fidanzamento LOC **si**
~: senza impegno.

compuesto /kompwésto/ [ad▯
composto.

comulgar /komulɣár/ [v intr] **1** fa▯
la comunione **2** (**con**) FIG (idea
opiniones) condividere.

común /komún/ [adj m,f] comun▯
LOC **en** ~: in comune | **por lo** ~:
solito.

comunicación /komunikaθjón/ [s▯
(también de teléfono) comunicazi▯
ne.

comunicado /komunikáðo/ [sm
comunicato, avviso LOC ~ d▯
prensa: comunicato stampa.

comunicar /komunikár/ [v tr] **1** c▯
municare **2** (juntar) collegare, me▯
tere in comunicazione ◆ [v intr] (t▯
léfono) essere occupato ◆ [v prn▯
(**con**) comunicare.

comunidad /komuniðáð/ [sf] com▯
nità (inv) LOC ~ **autónoma**: regi▯
ne autonoma | ~ **europea**; Comun▯
tà europea.

comunión /komunjón/ [sf] (tambié
religiosa) comunione.

comunismo /komunísmo/ [sm] c▯
munismo.

comunista /komunísta/ [adj/sm,
comunista.

comunitario /komunitárjo/ [adj c▯
munitario.

con /kon/ [prep] con ● *cortó el pan*
el cuchillo: affettò il pane con

coltello | ~ *alegría*: con allegria | ~ *sus amigos*: con i suoi amici ■ **con** + inf **1** basta + inf • ~ *llegar a las tres es suficiente*: basta arrivare alle tre **2** (gerundio) • *no ganas nada* ~ *gritar*: non ottieni niente gridando LOC ~ **tal que**: a patto che.

oncebir /konθeβír/ [v intr/tr] concepire.

onceder /konθedér/ [v tr] concedere.

oncejal (-a) /konθexál/ [sm] consigliere comunale.

oncejo /konθéxo/ [sm] consiglio comunale.

oncentración /konθentraθjón/ [sf] **1** (reunión) concentramento (m) **2** concentrazione.

oncentrar /konθentrár/ [v tr] **1** concentrare **2** FIG (interés, atención) accentrare ◆ [v prnl] concentrarsi.

oncepto /konθépto/ [sm] concetto LOC en ~ **de**: a titolo di.

oncesión /konθesjón/ [sf] concessione.

oncesionario /konθesjonárjo/ [adj/sm] concessionario.

oncha /kóntʃa/ [sf] (de molusco) conchiglia.

onciencia /konθjénθja/ [sf] coscienza LOC a ~: con coscienza | en ~: in coscienza.

oncierto /konθjérto/ [sm] **1** MUS concerto **2** accordo, intesa (f).

onciliar /konθiljár/ [v tr] conciliare.

oncluir (-se) /koŋklwír/ [v tr prnl] concludere (-rsi).

onclusión /koŋklusjón/ [sf] conclusione.

oncordar /koŋkorðár/ [v tr/intr] (con/en) concordare.

concreto /koŋkréto/ [adj] concreto LOC en ~: concretamente.

concurrido /koŋkurríðo/ [adj] (lugar) frequentato.

concursante /koŋkursánte/ [adj/sm,f] concorrente.

concurso /koŋkúrso/ [sm] concorso.

conde (-esa) /kónde/ [sm] conte (f -essa).

condena /kondéna/ [sf] condanna.

condenado /kondenáðo/ [adj/sm] **1** condannato **2** FAM maledetto.

condenar /kondenár/ [v tr] (a/con/en) condannare.

condición /kondiθjón/ [sf] condizione LOC estar en **condiciones de**: essere in grado di.

condicionar /kondiθjonár/ [v tr] condizionare.

condimentar /kondimentár/ [v tr] condire.

condimento /kondiménto/ [sm] condimento.

condón /kondón/ [sm] preservativo, profilattico.

condonar /kondonár/ [v tr] condonare.

cóndor /kóndor/ [sm] condor (inv).

conducción /kondukθjón/ [sf] **1** conduzione **2** (cañería) conduttura, tubatura.

conducir /konduθír/ [v tr/intr] **1** (a) condurre **2** (vehículo) guidare ◆ [v prnl] comportarsi.

conducta /kondúkta/ [sf] condotta.

conductor (-a) /konduktór/ [sm] conducente (m,f), guidatore (f -trice).

conectar (-se) /konektár/ [v tr prnl] (también TECN) collegare (-rsi).

conejillo /konexíʎo/ [sm] (sólo en la locución) LOC ~ **de Indias**: porcellino d'India, cavia.

conejo /konéxo/ [sm] coniglio.

conexión /koneksjón/ [sf] **1** (también INFORM) connessione **2** TECN allacciamento (m).

confección /komfekθjón/ [sf] INDUM confezione.

confeccionar /komfekθjonár/ [v tr] (también indum) confezionare.

confederación /komfeðeraθjón/ [sf] confederazione, federazione.

conferencia /komferénθja/ [sf] **1** conferenza **2** (telefónica) telefonata interurbana LOC ~ **de prensa**: conferenza stampa.

conferir /komferír/ [v tr] conferire.

confesar (-se) /komfesár/ [v tr/intr prnl] (también JUR) confessare (-rsi).

confesión /komfesjón/ [sf] (también JUR) confessione.

confiado /komfjáðo/ [adj] fiducioso.

confianza /komfjánθa/ [sf] **1** fiducia **2** (de trato) confidenza LOC **de ~**: di fiducia (persona) | **en ~**: in confidenza.

confiar /komfjár/ [v intr] (**en**) confidare, sperare ◆ [v tr prnl] **1** (entregar) affidare (-rsi) **2** (revelar) confidare (-rsi).

confidencia /komfiðénθja/ [sf] confidenza, segreto (m).

confidencial /komfiðenθjál/ [adj m,f] confidenziale.

confín /komfín/ [sm] confine.

confinar /komfinár/ [v intr] (**con**) confinare.

confirmación /komfirmaθjón/ [sf] **1** conferma **2** (religiosa) cresima.

confirmar /komfirmár/ [v tr] (er confermare ◆ [v prnl] **1** (**en**) cor fermarsi, rafforzarsi **2** (niño) rice vere la cresima.

confiscación /komfiskaθjón/ [s confisca.

confiscar /komfiskár/ [v tr] conf scare.

confitería /komfitería/ [sf] pasticc ria, confetteria.

conflicto /komflíkto/ [sm] (tambié FIG) conflitto ● *un ~ de intereses*: u conflitto d'interessi.

confluir /komflwír/ [v intr] (tambié calle, camino) confluire.

conformarse /komformárse/ [prnl] (**con**) accontentarsi.

conforme /komfórme/ [adj m,f] concorde, conforme **2** (persona d'accordo ◆ [adv] man mano ● *reconocí ~ se acercaba*: lo ricono bi man mano che si avvicinav LOC ~ **a**: secondo.

conformista /komformíst [adj/sm,f] conformista.

confortable /komfortáβle/ [adj m, confortevole, comodo (m).

confortar (-se) /komfortár/ [v prnl] **1** (enfortalecer) rinvigori (-rsi) **2** (animar) confortare (-rs consolare (-rsi).

confrontar (-se) /komfrontár/ [v (**con**) confrontare (-rsi).

confundir /komfundír/ [v tr] **1** (co confondere **2** (desordenar) disord nare ◆ [v prnl] confondersi.

confusión /komfusjón/ [sf] conf sione.

confuso /komfúso/ [adj] FIG confus

congelador /koŋxelaðór/ [sm] co gelatore, surgelatore.

ongelar /konxelár/ [v tr] **1** congelare **2** (alimento) surgelare ◆ [v prnl] assiderarsi.

ongestión /konxestjón/ [sf] congestione.

ongoja /kongóxa/ [sf] angoscia, pena.

ongreso /kongréso/ [sm] congresso.

ongrio /kóngrjo/ [sm] ICT grongo.

onjuntivitis /konxuntiβítis/ [sf inv] congiuntivite (sing).

onjunto /konxúnto/ [adj] congiunto, unito ◆ [sm] **1** gruppo, insieme **2** INDUM completo **3** MUS complesso.

onjurar /konxurár/ [v tr] **1** congiurare **2** FIG (riesgos, peligros) scongiurare.

onllevar /konʎeβár/ [v tr] comportare, implicare.

onmigo /kommíɣo/ [pron] con me ◆ *ven* ~: vieni con me.

onmoción /kommoθjón/ [sf] commozione LOC ~ **cerebral**: commozione cerebrale.

onmocionar (-se) /kommoθjonár/ [v tr prnl] FIG scuotere.

onmover (-se) /kommoβér/ [v tr prnl] commuovere (-rsi).

onocer (-se) /konoθér/ [v tr prnl] conoscere (-rsi) LOC **se conoce por**: si capisce da | **se conoce que**: si vede che.

onocido /konoθíðo/ [sm] conoscente (m,f).

onocimiento /konoθimjénto/ [sm] conoscenza (f) LOC **perder el** ~: perdere conoscenza.

onquista /konkísta/ [sf] conquista.

onquistar (-se) /konkistár/ [v tr prnl] conquistare (-rsi).

consciente /konsθjénte/ [adj m,f] **1** cosciente ◆ *el herido sigue* ~: il ferito è ancora cosciente **2** consapevole ◆ *soy* ~ *de los riesgos*: sono consapevole dei rischi.

consecuencia /konsekwénθja/ [sf] conseguenza LOC **a** ~ **de algo**: in/per conseguenza di qualcosa | **en/por** ~: di conseguenza.

consecuente /konsekwénte/ [adj m,f] coerente, conseguente.

consecutivo /konsekutíβo/ [adj] consecutivo.

conseguir /konseɣír/ [v tr] conseguire, ottenere ■ **conseguir + v** riuscire a ◆ *consiguió levantarlo*: riuscì ad alzarlo.

consejero /konsexéro/ [sm] consigliere.

consejo /konséxo/ [sm] (también organismo) consiglio LOC ~ **de ministros**: consiglio dei ministri.

consentimiento /konsentimjénto/ [sm] consenso, permesso.

consentir /konsentír/ [v tr] **1** consentire, permettere **2** (una persona) viziare.

conserje /konsérxe/ [sm,f] custode, portiere (m).

conserjería /konserxería/ [sf] portineria.

conservación /konserβaθjón/ [sf] conservazione.

conservador (-a) /konserβaðór/ [sm] conservatore (f -trice).

conservar (-se) /konserβár/ [v tr prnl] conservare (-rsi).

considerable /konsiðeráβle/ [adj m,f] considerevole, notevole.

consideración /konsiðeraθjón/ [sf] considerazione.

considerar (-se) /konsiðerár/ [v tr prnl] considerare (-rsi).

consigna /konsíɣna/ [sf] (de estación, aeropuerto) deposito (m) bagagli.

consigo /konsíɣo/ [pron] **1** con sé • *lo llevaba* ~: lo portava con sé **2** con loro • *lo llevaban* ~: lo portavano con loro LOC ~ **mismo**: con sé stesso.

consistir /konsistír/ [v intr] (en) consistere.

consolar (-se) /konsolár/ [v tr prnl] (con/de) consolare (-rsi).

consonante /konsonánte/ [sf] consonante.

conspiración /konspiraθjón/ [sf] cospirazione.

conspirar /konspirár/ [v intr] (contra) cospirare.

constante /konstánte/ [adj m,f/sf] costante.

constatar /konstatár/ [v tr] constatare, accertare.

constitución /konstituθjón/ [sf] (también JUR) costituzione.

constituir (-se) /konstitwír/ [v tr prnl] (en) costituire (-rsi).

construcción /konstrukθjón/ [sf] **1** costruzione **2** (oficio, técnica) edilizia.

constructor (-a) /konstruktór/ [adj/sm] costruttore (f -trice).

construir /konstrwír/ [v tr] costruire.

consuelo /konswélo/ [sm] consolazione (f).

cónsul /kónsul/ [sm] console.

consulado /konsuláðo/ [sm] consolato.

consulta /konsúlta/ [sf] **1** consulta-zione **2** (opinión) consiglio (m), parere (m) **3** MED (exámen) visita ‹ MED (lugar) ambulatorio (m).

consultar /konsultár/ [v tr] (a) consultare.

consumar (-se) /konsumár/ [v prnl] consumare (-rsi), compier (-rsi).

consumición /konsumiθjón/ [sf] (también COM) consumazione.

consumidor (-a) /konsumiðór/ [sm] consumatore (f -trice).

consumir (-se) /konsumír/ [v prnl] (de) (también FIG) consumar (-rsi).

consumo /konsúmo/ [sm] consum LOC **bienes de** ~: beni di consu-mo.

contable /kontáβle/ [adj/sm,f] co tabile.

contactar /kontaktár/ [v intr] (co contattare.

contacto /kontákto/ [sm] (tambié TECN) contatto.

contagiar (-se) /kontaxjár/ [v prnl] (también FIG) contagiare (-rs

contagio /kontáxjo/ [sm] contagi

contagioso /kontaxjóso/ [adj] (tan bién FIG) contagioso • *una alegr contagiosa*: un'allegria contagios

contaminación /kontaminaθjó [sf] inquinamento (m).

contaminar (-se) /kontaminár/ [v prnl] inquinare (-rsi).

contar /kontár/ [v tr] **1** contare **2** (r latar) narrare, raccontare **3** (inclui comprendere, includere ♦ [v int (también ser importante) contare [v prnl] contarsi LOC ~ **con** a guien: contare su qualcuno | sin que: senza contare che.

contemporáneo /kontemporáneo/ [adj/sm] contemporaneo.

contenedor /konteneðór/ [sm] **1** contenitore **2** (para residuos) container (inv).

contener /kontenér/ [v tr] contenere ♦ [v prnl] trattenersi.

contenido /konteníðo/ [adj/sm] contenuto.

contentar (-se) /kontentár/ [v tr prnl] (**con**) accontentare (-rsi).

contento /konténto/ [adj] contento ♦ [sm] allegria (f), gioia (f).

contestación /kontestaθjón/ [sf] (a una pregunta) risposta.

contestador /kontestaðór/ [sm] segreteria (f) telefonica.

contestar /kontestár/ [v tr] rispondere ♦ [v intr] FAM rispondere male.

contigo /kontíɣo/ [pron] con te ♦ *iré* ~: verrò con te.

contiguo /kontíɣwo/ [adj] adiacente (m,f), attiguo.

continental /kontinentál/ [adj m,f] continentale.

continente /kontinénte/ [sm] continente.

continuación /kontinwaθjón/ [sf] continuazione, proseguimento (m) LOC **a** ~: in seguito.

continuar /kontinwár/ [v tr/intr] continuare.

continuo /kontínwo/ [adj] continuo.

contorno /kontórno/ [sm] **1** contorno, profilo **2** (en pl) vicinanze (pl).

contra /kontra/ [prep] contro LOC **estar en** ~: essere contro ♦ [sm] contro (inv).

contrabajo /kontraβáxo/ [sm] contrabbasso.

contrabandista /kontraβandísta/ [sm,f] contrabbandiere (m).

contrabando /kontraβándo/ [sm] contrabbando LOC **de** ~: di contrabbando.

contracción /kontrakθjón/ [sf] contrazione.

contraconceptivo /kontrakonθeptíβo/ [adj/sm] contraccettivo.

contracorriente /kontrakorrjénte/ [sf] (sólo en la locución) LOC **ir a** ~: andare controcorrente.

contradecir (-se) /kontraðeθír/ [v tr prnl] contraddire (-rsi).

contradicción /kontraðikθjón/ [sf] contraddizione.

contraer (-se) /kontraér/ [v tr prnl] contrarre (-rsi).

contrahecho /kontraétʃo/ [adj] contraffatto, falsificato.

contraindicación /kontraindikaθjón/ [sf] controindicazione.

contralto /kontrálto/ [sm,f] contralto (m).

contraluz /kontralúθ/ [sf] controluce LOC **a** ~: in controluce.

contramano (**a**) /kontramáno/ [loc adv] contromano.

contraponer (-se) /kontraponér/ [v tr prnl] (**a**) contrapporre (-rsi).

contrariar /kontrarjár/ [v tr] contrariare.

contrariedad /kontrarjeðáð/ [sf] contrarietà (inv).

contrario /kontrárjo/ [adj/sm] contrario LOC **al** ~/**por el** ~: al contrario | **llevar la contraria**: contrariare.

contrasentido /kontrasentíðo/ [sm] controsenso.

contrastar /kontrastár/ [v intr] (**con**) contrastare.

contraste /kontráste/ [sm] (también FIG) contrasto • *hay unos contrastes entre nosotros*: vi sono dei contrasti fra noi.

contrata /kontráta/ [sf] appalto (m), contratto d'appalto.

contratar /kontratár/ [v tr] **1** COM contrattare **2** (emplear) assumere.

contratiempo /kontratjémpo/ [sm] contrattempo.

contrato /kontráto/ [sm] contratto.

contravenir /kontraβenír/ [v intr] contravvenire, trasgredire.

contribución /kontriβuθjón/ [sf] contributo (m).

contribuir /kontriβwír/ [v intr] (**a/con**) contribuire.

contrincante /kontriŋkánte/ [sm,f] avversario (m), rivale.

control /kontról/ [sm] controllo LOC ~ **remoto**: comando a distanza | **tener bajo** ~: avere sotto controllo.

controlar (-se) /kontrolár/ [v tr/intr prnl] controllare (-rsi).

controvertido [adj] controverso.

contusión /kontusjón/ [sf] contusione.

convalecencia /kombaleθénθja/ [sf] convalescenza.

convalidar /kombaliðár/ [v tr] convalidare.

convencer (-se) /kombenθér/ [v tr prnl] (**con/de**) convincere (-rsi).

convencimiento /kombenθimjénto/ [sm] convinzione (f).

convención /kombenθjón/ [sf] (también FIG) convenzione • *no respeta las convenciones sociales*: non rispetta le convenzioni sociali.

convencionado /kombenθjonáðo/ [adj] convenzionato.

convencional /kombenθjonál/ [adj m,f] convenzionale.

conveniencia /kombenjénθja/ [sf] convenienza.

conveniente /kombenjénte/ [adj m,f] conveniente.

convenio /kombénjo/ [sm] accordo, patto.

convenir /kombenír/ [v intr] (**con/en**) convenire.

convento /kombénto/ [sm] convento.

conversación /kombersaθjón/ [sf] conversazione.

conversar /kombersár/ [v intr] conversare.

conversión /kombersjón/ [sf] conversione.

convertir (-se) /kombertír/ [v tr prnl] (**en**) convertire (-rsi).

convicción /kombikθjón/ [sf] convinzione.

convidar /kombiðár/ [v tr] **1** invitare **2** (**a/con**) offrire • *me convidaron a un café*: mi offrirono un caffè.

convivir /kombiβír/ [v intr] convivere.

convocar /kombokár/ [v tr] convocare.

convocatoria /kombokatórja/ [sf] **1** convocazione **2** (de examen) appello (m).

convulsión /kombulsjón/ [sf] MED convulsione.

cónyuge /kónjuxe/ [sm,f] coniuge

coña /koɲá/ [sm] cognac (inv).

coñazo /koɲáθo/ [sm] VULG **1** (persona) rompipalle (m,f inv) **2** (cosa) rottura (f) di palle.

coño /kóɲo/ [sm] VULG **1** fica (f) **2** FIG cazzo LOC ¡~!: cazzo!

cooperación /kooperaθjón/ [sf] cooperazione.

cooperar /kooperár/ [v intr] (**a/con/en**) cooperare.

cooperativa /kooperatíβa/ [sf] cooperativa.

coordinado /koorðináðo/ [adj] coordinato.

coordinar /koorðinár/ [v tr] coordinare.

copa /kópa/ [sf] **1** (también DEP INDUM) coppa **2** bicchiere (m) • *voy a tomar una ~ de vino*: prenderò un bicchiere di vino | *te invito a una ~*: ti offro un bicchiere.

copia /kópja/ [sf] copia.

copiadora /kopjaðóra/ [sf] fotocopiatrice.

copiar /kopjár/ [v tr] copiare.

coqueta /kokéta/ [adj/sf] (mujer) civetta (sust).

coraje /koráxe/ [sm] **1** (valor) coraggio **2** (enojo) rabbia (f), stizza (f).

coral /korál/ [sm] corallo.

coraza /koráθa/ [sf] corazza.

corazón /koraθón/ [sm] **1** (también FIG) cuore **2** (en pl, naipes) cuori LOC **de todo ~**: di buon cuore | **hacer de tripas ~**: farsi coraggio | **revista del ~**: rivista rosa.

corazonada /koraθonáða/ [sf] presentimento (m).

corbata /korβáta/ [sf] cravatta.

corcho /kórtʃo/ [sm] **1** sughero **2** (de botella) tappo.

cordero /korðéro/ [sm] agnello.

cordial /korðjál/ [adj m,f] cordiale.

cordillera /korðiʎéra/ [sf] cordigliera.

cordón /korðón/ [sm] **1** cordone **2** (de zapatos) laccio, stringa (f).

cordura /korðúra/ [sf] buon senso (m), giudizio (m).

coreografía /koreoɣrafía/ [sf] coreografia.

corintio /koríntjo/ [adj] corinzio.

córnea /kórnea/ [sf] cornea.

cornisa /kornísa/ [sf] ARQ cornicione (m).

coro /kóro/ [sm] (también ARQ) coro.

corona /koróna/ [sf] corona.

coronar /koronár/ [v tr] incoronare.

coronel /koronél/ [sm] colonnello.

corporación /korporaθjón/ [sf] corporazione.

corral /korál/ [sm] **1** (de vacas, toros) recinto **2** (para niños) box (inv).

correa /koréa/ [sf] (también TECN) cinghia LOC **~ de transmisión**: cinghia di trasmissione.

corrección /korekθjón/ [sf] **1** correzione **2** (de trato) correttezza.

correcto /korékto/ [adj] corretto.

corredor /koreðór/ [adj] corridore (f corritrice) ◆ [sm] **1** corridore (f corritrice) **2** ARQ corridoio LOC **~ de comercio**: agente di commercio.

corregir (**-se**) /korexír/ [v tr prnl] correggere (**-rsi**).

correo /koréo/ [sm] **1** posta (f) **2** (en pl, lugar) ufficio postale LOC **~ expreso**: postacelere | **enviar/mandar por ~**: spedire/mandare per posta | **lista de ~**: fermo posta.

correr /korér/ [v intr] **1** correre **2** (líquido, tiempo) scorrere ◆ [v tr prnl] spostare (**-rsi**) ■ **correr con + sust** pagare + sost • *~ con los gastos*: pagare le spese LOC **echarse a ~**: scappare, darsela a gambe.

correspondencia /kořespondénθ-ja/ [sf] corrispondenza.

corresponder /kořespondér/ [v tr] contraccambiare, ricambiare ♦ [v intr] **1** spettare, toccare • *te corresponde a ti*: spetta a te **2** (a/con) corrispondere.

corresponsal /kořesponsál/ [sm,f] corrispondente, inviato (m).

corriente /kořjénte/ [adj m,f/sf] (también eléctrica, de aire) corrente LOC **~ alterna/continua**: corrente alternata/continua | **estar/poner al ~**: essere/mettere al corrente.

corro /kóřo/ [sm] **1** capannello, crocchio **2** (juego) girotondo.

corroer /kořoér/ [v tr] corrodere.

corromper (-se) /kořompér/ [v tr prnl] corrompere (-rsi).

corrupción /kořupθjón/ [sf] corruzione.

corsé /korsé/ [sm] corsetto, busto.

cortado /kortáðo/ [sm] caffè macchiato.

cortar /kortár/ [v tr] **1** (también camino) tagliare **2** (una conversación, relación) interrompere, troncare ♦ [v prnl] **1** tagliarsi **2** FIG imbarazzarsi **3** (leche) andare a male, guastarsi LOC **~ el agua/gas/la electricidad**: staccare/togliere l'acqua/il gas/l'elettricità | **~ por la mitad**: tagliare a metà | **~ por lo sano**: tagliare corto | **cortarse la comunicación**: cadere la linea (telefono).

corte /kórte/ [sf] **1** corte, seguito (m) **2** (en pl) parlamento (m) ♦ [sm] **1** taglio **2** FIG imbarazzo **3** (de agua, electricidad) interruzione (f), sospensione (f).

cortés /kortés/ [adj m,f] cortese.

cortesía /kortesía/ [sf] cortesia.

corteza /kortéθa/ [sf] **1** (de planta) corteccia **2** (de fruto) buccia, scorza **3** (de pan, queso) crosta.

cortina /kortína/ [sf] (de ventana, puerta, ducha) tenda.

corto /kórto/ [adj] **1** corto **2** breve (m,f) • *a ~ plazo*: a breve termine **3** FIG ottuso, tardo.

cortocircuito /kortoθirkwíto/ [sm] cortocircuito.

cortometraje /kortometráxe/ [sm] cortometraggio.

corzo /kórθo/ [sm] capriolo.

cosa /kósa/ [sf] cosa LOC **como quien no quiere la ~**: facendo finta di niente | **como si tal ~**: come se niente fosse | **~ mala**: brutta cosa.

cosecha /kosétʃa/ [sf] **1** raccolta, raccolto (m) **2** FIG frutto (m).

cosechar /kosetʃár/ [v tr] AGR raccogliere.

coser /kosér/ [v tr] **1** cucire **2** (botón) attaccare ♦ [v intr] cucire.

cosmético /kosmétiko/ [adj/sm] cosmetico.

cosmos /kósmos/ [sm inv] cosmo.

coso /kóso/ [sm] (plaza de toros) arena (f).

cosquillas /koskíʎas/ [sf pl] solletico (m sing) LOC **hacer ~**: fare il solletico.

cosquillear /koskiʎeár/ [v tr] fare il solletico.

costa /kósta/ [sf] **1** costo (m) **2** GEOG costa LOC **a ~ de**: a costo/forza di | **a ~ de alguien**: a spese di qualcuno | **a toda ~**: a tutti i costi.

costado /kostáðo/ [sm] (también ANAT) fianco LOC **de ~**: di lato.

ostar /kostár/ [v intr/tr] (también FIG) costare • *aquello le costó el trabajo*: ciò gli costò il lavoro LOC **~ caro**: costare caro.

ostarriqueño /kostařikéɲo/ [adj/sm] costaricano.

oste /kóste/ [sm] COM costo.

ostear /kosteár/ [v tr] **1** (embarcación) costeggiare **2** pagare, finanziare ♦ [v prnl] pagarsi, finanziarsi.

ostero /kostéro/ [adj] costiero.

ostilla /kostíʎa/ [sf] **1** costola, costa **2** COC costina.

ostoso /kostóso/ [adj] caro, costoso.

ostra /kóstra/ [sf] crosta.

ostumbre /kostúmbre/ [sf] **1** abitudine, consuetudine **2** (en pl) costume (m sing), tradizione (sing).

ostura /kostúra/ [sf] **1** cucitura **2** (arte, técnica) cucito (m) LOC **alta ~**: alta moda.

osturera /kosturéra/ [sf] sarta.

ota /kóta/ [sf] GEOG quota.

otejar /kotexár/ [v tr] confrontare, paragonare.

otejo /kotéxo/ [sm] confronto, paragone.

otidiano /kotiðjáno/ [adj] quotidiano.

otilla /kotíʎa/ [sm,f] FAM pettegolo (m).

otillear /kotiʎeár/ [v intr] FAM spettegolare.

otillón /kotiʎón/ [sm] veglione, ballo.

otización /kotiθaθjón/ [sf] quotazione.

otizar /kotiθár/ [v tr/intr] (valores, acciones) quotare, essere quotato.

oto /kóto/ [sm] riserva (f) • **~ de caza**: riserva di caccia.

coxis /kóksis/ [sm inv] coccige (sing).

coyote /kojóte/ [sm] coyote (inv).

cráneo /kráneo/ [sm] cranio.

cráter /kráter/ [sm] cratere.

creación /kreaθjón/ [sf] creazione.

crear (-se) /kreár/ [v tr prnl] creare (-rsi).

creativo /kreatíβo/ [adj] creativo.

crecer /kreθér/ [v intr] crescere.

creces /kréθes/ [sf pl] (sólo en la locución) LOC **con ~**: abbondantemente.

crecida /kreθíða/ [sf] (de aguas, río) piena.

crecimiento /kreθimjénto/ [sm] crescita (f).

credibilidad /kreðiβiliðáð/ [sf] credibilità (inv).

crédito /kréðito/ [sm] credito LOC **a ~**: a credito | **dar ~ a alguien**: dare credito a qualcuno.

creencia /kreénθja/ [sf] (también superstición) credenza.

creer /kreér/ [v tr/intr] (en) credere ♦ [v prnl] **1** FIG bere, credere • *se creyó el cuento*: credette a quella storia **2** (considerarse) credersi, ritenersi LOC **¡ya lo creo!**: lo credo bene!

creído /kreíðo/ [adj] vanitoso.

crema /kréma/ [sf] (también COC) crema.

cremación /kremaθjón/ [sf] cremazione.

cremallera /kremaʎéra/ [sf] cerniera lampo, zip (m inv).

crepúsculo /krepúskulo/ [sm] crepuscolo.

crespo /kréspo/ [adj] crespo, riccio.

cresta /krésta/ [sf] cresta LOC **alzar la ~**: alzare la cresta.

cretino /kretíno/ [adj/sm] cretino, stupido.

cría /kría/ [sf] **1** allevamento (m) **2** (animal) cucciolo (m) **3** (camada) cucciolata.

criada /krjáða/ [sf] colf (inv), collaboratrice domestica.

criadero /krjaðéro/ [sm] **1** allevamento **2** BOT ICT vivaio.

criado /krjáðo/ [adj] educato LOC **bien ~**: beneducato | **ser un mal ~**: essere uno screanzato ◆ [sm] domestico.

criar /krjár/ [v tr] **1** (bebé) allattare **2** (niño, animal) allevare **3** (vino) invecchiare ◆ [v prnl] FAM crescere.

criatura /krjatúra/ [sf] creatura.

crimen /krímen/ [sm] crimine.

criminal /kriminál/ [adj/sm,f] criminale.

crisis /krísis/ [sf inv] (también FIG) crisi.

crispar (-se) /krispár/ [v tr prnl] **1** contrarre (-rsi) **2** FIG irritare (-rsi), esasperare (-rsi) LOC **~ los nervios**: dare ai/sui nervi, fare venire i nervi.

cristal /kristál/ [sm] **1** cristallo **2** (de ventana, escaparate) vetro.

cristianismo /kristjanísmo/ [sm] cristianesimo.

cristiano /kristjáno/ [adj/sm] cristiano.

criterio /kritérjo/ [sm] criterio.

criticar /kritikár/ [v tr] criticare.

crítica /krítika/ [sf] critica.

crítico /krítiko/ [adj/sm] critico.

cromo /krómo/ [sm] (para coleccionar) figurina (f).

crónica /krónika/ [sf] cronaca.

crónico /króniko/ [adj] (también MED) cronico.

cronista /kronísta/ [sm,f] cronista reporter (inv).

cronómetro /kronómetro/ [sm] cronometro.

cruasán /krwasán/ [sm] croissan (inv).

cruce /krúθe/ [sm] **1** incrocio **2** (para peatones) passaggio pedona le **3** (de teléfono, radio, televisió interferenza (f).

crucero /kruθéro/ [sm] crociera (f)

crucifijo /kruθifíxo/ [sm] crocifisso

crucigrama /kruθiɣráma/ [sm] cru civerba (inv).

crudo /krúðo/ [adj] **1** (también fig crudo ● la cruda realidad: la cruda realtà **2** tex grezzo **3** (petróleo greggio ◆ [sm] (petróleo) greggio

cruel /krwél/ [adj m,f] (también FIG crudele ● *una ~ revelación*: una cru dele rivelazione.

crueldad /krweldáð/ [sf] crudelt (inv), ferocia.

crujir /kruxír/ [v intr] scricchiolare cricchiare.

crustáceo /krustáθeo/ [adj/sm] cro staceo.

cruz /krúθ/ [sf] croce LOC **~ roja** Croce rossa.

cruzado /kruθáðo/ [adj] INDUM dop piopetto (inv).

cruzar /kruθár/ [v tr] **1** attraversa ● *~ la calle*: attraversare la strada FIG (miradas, palabras) scambiare (también FIG) incrociare ● *~ dos ra zas de perros*: incrociare due razz di cani ◆ [v prnl] **1** incrociarsi (con) (persona) incontrarsi, incon trare LOC **~ las piernas**: accavalla re le gambe | **cruzarse de brazos** stare a braccia conserte.

cuaderno /kwaðérno/ [sm] quaderno.

cuadra /kwáðra/ [sf] **1** (de caballos) scuderia **2** PEY porcile (m), stalla **3** *Amer* isolato (m).

cuadrado /kwaðráðo/ [adj/sm] quadrato.

cuadrar /kwaðrár/ [v intr] FIG (también cuenta) quadrare ◆ [v prnl] FIG impuntarsi.

cuadro /kwáðro/ [sm] **1** (de tela, papel) quadretto **2** (de jardín) aiuola (f) **3** (también FIG) quadro • *un ~ de la situación*: un quadro della situazione LOC **a cuadros**: a quadretti | **~ clínico**: quadro clinico | **~ de mandos**: quadro dei comandi.

cubano /kuβáno/ [adj/sm] cubano.

cual /kwal/ [pron m,f] quale ■ **cuál** (interrogativo) quale • *¿cuál es la comida que preferís?*: quale cibo preferite?

cualidad /kwaliðáð/ [sf] (también FIG) qualità (inv) • *un chico lleno de cualidades*: un ragazzo pieno di qualità.

cualquier /kwalkjér/ [adj inv] qualsiasi, qualunque LOC **a ~ precio**: costi quel che costi.

cualquiera /kwalkjéra/ [adj inv] qualsiasi, qualunque ■ pl irr **cualesquiera** ◆ [pron m,f] chicchessia, chiunque ■ pl irr cualesquiera LOC **ser uno/una ~**: essere una persona qualunque.

cuando /kwando/ [adv] quando ■ **cuándo** (interrogativo, exclamativo) quando • *¿cuándo me pagarás?*: quando mi pagherai? ◆ [conj] quando ■ **cuando + sust 1** da + sost • *~ niña jugaba a las muñecas*: da bambina giocavo con le bambole **2** durante + sost • *~ la guerra vivimos en Buenos Aires*: durante la guerra siamo vissuti a Buenos Aires LOC **~ más**: tutt'al più | **de vez en ~**: di quando in quando | **siempre y ~**: a patto che.

cuanto /kwanto/ [adj] quanto ■ **cuánto** (interrogativo) quanto • *¿cuántos hijos tiene?*: quanti figli ha? ■ **tantos... cuantos** tanti... quanti • *emplearon tantos obreros cuantos se necesitaban*: impiegarono tanti operai quanti occorrevano ◆ [adv] quanto ■ **cuánto** (interrogativo, exclamativo) quanto • *¡cuánto trabaja esta mujer!*: quanto lavora questa donna! LOC **~ antes**: quanto prima, al più presto | **en ~**: non appena | **en ~ a**: per quanto riguarda ◆ [pron] **1** (todo lo que) quanto, tutto ciò che **2** (en pl, todos los que) quanti, tutti quelli che LOC **unos cuantos**: alcuni.

cuarentena /kwarenténa/ [sf] **1** quarantina **2** MED (también FIG) quarantena LOC **poner en ~**: mettere in quarantena.

cuarentón (-a) /kwarentón/ [adj/sm] quarantenne (m,f).

cuaresma /kwarésma/ [sf] quaresima.

cuartel /kwartél/ [sm] caserma (f), quartiere LOC **~ general**: quartier generale.

cuartelillo [sm] posto di polizia.

cuarto /kwárto/ [sm] ARQ camera (f), stanza (f) LOC **~ de baño**: stanza da bagno | **~ de estar**: soggiorno | **tres cuartos**: tre quarti (indumento).

cuarzo /kwárθo/ [sm] quarzo.

cuatrimestre /kwatriméstre/ [sm] quadrimestre.

cuba /kúβa/ [sf] botte, barile (m) LOC estar como una ~: essere sbronzo.

cubierta /kuβjérta/ [sf] 1 copertura 2 (de libro) copertina 3 (de rueda) copertone (m).

cubierto /kuβjérto/ [sm] 1 (servicio) coperto 2 (utensilio) posata (f).

cubil /kuβíl/ [sm] (también FIG) tana (f).

cubito /kuβíto/ [sm] (de hielo) cubetto.

cubo /kúβo/ [sm] 1 (recipiente) secchio 2 cubo LOC ~ de la basura: secchio della spazzatura.

cubrir (-se) /kuβrír/ [v tr prnl] coprire (-rsi).

cucaracha /kukarátʃa/ [sf] scarafaggio (m).

cuchara /kutʃára/ [sf] cucchiaio (m).

cucharita /kutʃaríta/ [sf] cucchiaino (m).

cucharón /kutʃarón/ [sm] mestolo.

cuchichear /kutʃitʃeár/ [v intr] bisbigliare, sussurrare.

cuchillo /kutʃíʎo/ [sm] coltello.

cucurucho /kukurútʃo/ [sm] 1 cartoccio 2 (de helado) cono.

cuello /kwéʎo/ [sm] (también INDUM) collo.

cuenca /kwéŋka/ [sf] bacino (m), conca.

cuenco /kwéŋko/ [sm] (vajilla) ciotola (f), scodella (f).

cuenta /kwénta/ [sf] (también com) conto (m) LOC ~ corriente: conto corrente | darse ~ de algo: render-

si conto di qualcosa | tener/tomar en ~: prendere in considerazione.

cuento /kwénto/ [sm] 1 racconto 2 FIG (chisme) pettegolezzo 3 FIG (mentira) balla (f), frottola (f) LOC ir con el ~: fare la spia | venir a ~: venire/capitare a proposito.

cuerda /kwérða/ [sf] corda.

cuerdo /kwérðo/ [adj] sensato.

cuerno /kwérno/ [sm] corno* LOC ponerle los cuernos a alguien: mettere le corna a qualcuno.

cuero /kwéro/ [sm] cuoio*, pelle (f) LOC ~ cabelludo: cuoio capelluto.

cuerpo /kwérpo/ [sm] corpo LOC ~ a ~: corpo a corpo | hacer de (l) ~: andare di corpo.

cuervo /kwérβo/ [sm] corvo.

cuesta /kwésta/ [sf] pendio (m) LOC a cuestas: a spalla.

cuestión /kwestjón/ [sf] questione.

cueva /kwéβa/ [sf] grotta, caverna.

cuidado /kwiðáðo/ [sm] 1 attenzione (f) 2 cura (f) • le he encomendado el ~ del jardín: gli ho affidato la cura del giardino 3 (en pl) cure (f pl), assistenza (f) LOC ~ con: attenzione a/con | tener ~: fare attenzione | traer/tener sin ~: infischiarsene.

cuidadoso /kwiðaðóso/ [adj] (de/en) attento.

cuidar /kwiðár/ [v tr] 1 badare 2 FIG curare, stare attento • ~ los detalles: curare i particolari 3 (a un enfermo) assistere ♦ [v prnl] (también FIG) curarsi • se cuida mucho a pesar de la edad: si cura molto nonostante l'età.

culebra /kuléβra/ [sf] biscia, serpe

culo /kúlo/ [sm] VULG culo.

ulpa /kúlpa/ [sf] (también JUR) col- pa LOC **echar la ~**: incolpare | **por ~ de algo/alguien**: a causa di qualcosa/qualcuno.

ulpable /kulpáβle/ [adj/sm,f] (también JUR) colpevole.

ulpar (-se) /kulpár/ [v tr prnl] (**de/ por**) accusare (-rsi), incolpare (-rsi).

ultivar /kultiβár/ [v tr] coltivare.

ultivo /kultíβo/ [sm] coltivazione (f), coltura (f).

ulto /kúlto/ [adj] colto, istruito ◆ [sm] culto.

ultura /kultúra/ [sf] cultura.

ultural /kulturál/ [adj m,f] culturale.

ulturismo /kulturís mo/ [sm] culturismo.

umbre /kúmbre/ [sf] **1** cima, picco (m) **2** FIG apice (m), culmine (m).

umpleaños /kumpleáɲos/ [sm inv] compleanno (sing).

umplido /kumplíðo/ [sm] complimento.

umplimiento /kumplimjénto/ [sm] (de plazo, período) compimento.

umplir /kumplír/ [v tr] **1** (también años) compiere **2** (ambiciones, deseos) avverare, realizzare **3** (promesas) mantenere ◆ [v intr] **1** (con) compiere **2** (fecha, plazo) scadere ◆ [v prnl] **1** celebrarsi, compiersi **2** (ambiciones, deseos) realizzarsi, avverarsi LOC **por ~**: per pura formalità.

umulo /kúmulo/ [sm] cumulo, mucchio.

una /kúna/ [sf] culla.

undir /kundír/ [v intr] (noticia, senimiento) diffondersi, divulgarsi.

cuñado /kuɲáðo/ [sm] cognato.

cuota /kwóta/ [sf] (porción) quota.

cupón /kupón/ [sm] **1** (de lotería) biglietto **2** COM tagliando.

cúpula /kúpula/ [sf] cupola.

cura /kúra/ [sf] MED cura, terapia ◆ [sm] curato, parroco.

curación /kuraθjón/ [sf] **1** guarigione **2** (de alimentos) stagionatura.

curar /kurár/ [v tr] **1** MED curare **2** (carne, pescado) affumicare **3** (embutidos) stagionare ◆ [v prnl] (de) MED curarsi.

curiosear /kurjoseár/ [v tr/intr] curiosare.

curiosidad /kurjosiðáð/ [sf] curiosità (inv).

curioso /kurjóso/ [adj] curioso.

cursi /kúrsi/ [adj m,f] PEY **1** pacchiano (m) **2** (estilo) kitsch (inv).

cursiva /kursíβa/ [sf] corsivo (m).

curso /kúrso/ [sm] corso LOC **dar ~ a algo**: avviare/iniziare qualcosa.

curtir /kurtír/ [v tr] **1** conciare **2** (tostar) abbronzare.

curva /kúrβa/ [sf] curva.

curvar (-se) /kurβár/ [v tr prnl] curvare (-rsi), incurvare (-rsi).

curvo /kúrβo/ [adj] curvo, incurvato.

custodia /kustóðja/ [sf] custodia.

custodiar /kustoðjár/ [v tr] custodire.

cutáneo /kutáneo/ [adj] cutaneo.

cutis /kútis/ [sm inv] (del rostro) pelle (f sing).

cutre /kútre/ [adj/sm,f] FAM (lugar) misero (adj m), squallido (adj m).

cuyo /kújo/ [adj] il/di cui, del quale ● **la mujer ~ hijo has visto**: la donna di cui hai visto il figlio.

Dd

dado /dáðo/ [sm] (también TECN) dado.

dama /dáma/ [sf] (también pl, juego) dama.

damasco /damásko/ [sm] *Amer* **1** (fruta) albicocca (f) **2** (árbol) albicocco.

danza /dánθa/ [sf] danza, ballo (m).

danzar /danθár/ [v tr] danzare, ballare.

dañar /daɲár/ [v tr] danneggiare ◆ [v prnl] (alimento) guastarsi, andare a male.

dañino /daɲíno/ [adj] dannoso.

daño /dáɲo/ [sm] **1** (también JUR) danno **2** male • *hacerse ~*: farsi male.

dar /dár/ [v tr] **1** dare **2** FIG fare • *~ pena*: fare pena ◆ [v prnl] darsi ◆ [v intr] **1** (en) urtare **2** venire • *me dan escalofríos*: mi vengono i brividi **3** (a) (asomarse) dare, guardare LOC *~ ganas*: venire voglia | *~ igual/lo mismo*: fare lo stesso | *~ las gracias*: ringraziare | *dárselas de*: darsi le arie da.

datar /datár/ [v intr] (de) datare, risalire a.

dátil /dátil/ [sm] dattero.

dato /dáto/ [sm] dato.

de /de/ [prep] **1** di • *el abrigo ~ María*: il cappotto di Maria | *mesa ~ madera*: tavolo di legno | *uno ~ nosotros*: uno di noi | *murió ~ cáncer*: è morta di cancro **2** (mo-

do) in • *comer ~ pie*: mangiare i[n] piedi **3** (también final) da • *ir [de] Burgos a León*: andare da Burgo[s] a León | *caña ~ pescar*: canna d[a] pesca **4** (manera) con, di • *lo hiz[o] ~ mala gana*: lo fece con svoglia[tezza].

debajo /deβáxo/ [adv] sotto LOC *[~] de algo/alguien*: sotto qualcosa[/] qualcuno.

debate /deβáte/ [sm] dibattito, dis[cussione (f).

debatirse /deβatírse/ [v prnl] diba[tersi, agitarsi.

deber /deβér/ [sm] **1** dovere, obblig[o] **2** (en pl, tarea escolar) compiti ◆ [v tr] (también dinero, favor) dovere [v prnl] essere dovuto a, essere ca[u]sato da ■ **deber de** + inf dovere + futuro del verbo • *deben de ser l[a]cuatro*: saranno le quattro.

débil /déβil/ [adj/sm,f] debole.

debilidad /deβiliðáð/ [sf] **1** debole[za **2** FIG debole (m), preferenza.

debilitar (-se) /deβilitár/ [v tr prn[l] indebolire (-rsi).

debut /deβút/ [sm] esordio ■ pl i[n] **debuts**.

década /dékaða/ [sf] decennio (m[)].

decadencia /dekaðénθja/ [sf] dec[adenza.

decaer /dekaér/ [v intr] decade[r].

decapitar /dekapitár/ [v tr] decap[itare.

decena /deθéna/ [sf] decina.

decencia /deθénθja/ [sf] decenza, convenienza.

decenio /deθénjo/ [sm] decennio.

decente /deθénte/ [adj m,f] decente.

decepción /deθepθjón/ [sf] delusione.

decepcionar /deθepθjonár/ [v tr] deludere.

decidido /deθiðíðo/ [adj] deciso.

decidir (-se) /deθiðír/ [v tr] **1** decidere • *decidió marcharse*: decise di andarsene **2** (causar) determinare ♦ [v prnl] decidersi.

décima /déθima/ [sf] (de fiebre) linea.

decimonónico /deθimonóniko/ [adj] ottocentesco.

decir (-se) /deθír/ [v tr prnl] dire (-rsi) LOC **dar que ~**: far parlare | **entre/para sí**: dire tra sé | **¡diga!**: pronto! (al telefono) | **es ~**: cioè | **es un ~**: si fa per dire.

decisión /deθisjón/ [sf] decisione.

declaración /deklaraθjón/ [sf] dichiarazione LOC **~ tributaria**: dichiarazione dei redditi.

declarar (-se) /deklarár/ [v tr prnl] (también JUR) dichiarare (-rsi) ♦ [v intr] JUR deporre, testimoniare.

declive /deklíβe/ [sm] declivio, pendio.

decoración /dekoraθjón/ [sf] decorazione LOC **~ de interiores**: arredamento d'interni.

decorado /dekoráðo/ [sm] (de teatro) scenografia (f), scenario.

decorar /dekorár/ [v tr] **1** decorare **2** ARQ arredare.

decreto /dekréto/ [sm] decreto LOC **~ ley**: decreto legge.

dedicación /deðikaθjón/ [sf] dedizione LOC **~ parcial/total**: part time/tempo pieno.

dedicar (-se) /deðikár/ [v tr prnl] dedicare (-rsi).

dedicatoria /deðikatórja/ [sf] dedica.

dedo /déðo/ [sm] dito* LOC **~ anular/corazón/índice/meñique/pulgar**: dito anulare/medio/indice/mignolo/pollice | **~ gordo**: pollice (mano); alluce (piede) | **hacer ~**: fare l'autostop.

deducir /deðuθír/ [v tr] **1** dedurre, desumere **2** (suma) sottrarre.

defecto /defékto/ [sm] difetto LOC **en ~ de algo**: in assenza di qualcosa.

defectuoso /defektwóso/ [adj] difettoso.

defender (-se) /defendér/ [v tr prnl] difendere (-rsi).

defensa /defénsa/ [sf] (también DEP JUR) difesa LOC **legítima ~**: legittima difesa ♦ [sm] (fútbol) difensore.

definición /definiθjón/ [sf] definizione LOC **alta ~**: alta definizione.

definir /definír/ [v tr] definire.

definitivo /definitíβo/ [adj] definitivo LOC **en definitiva**: in definitiva.

deforestación /deforestaθjón/ [sf] diboscamento (m).

deformación /deformaθjón/ [sf] deformazione.

deformar (-se) /deformár/ [v tr prnl] deformare (-rsi).

defraudar /defrauðár/ [v tr] **1** (engañar) frodare, truffare **2** FIG deludere.

degenerar /dexenerár/ [v intr] degenerare.

deglutir /deɣlutír/ [v tr/intr] degluti-re.

degollar /deɣoʎár/ [v tr] scannare.

degustación /deɣustaθjón/ [sf] de-gustazione.

dehesa /deésa/ [sf] pascolo (m).

dejación /dexaθjón/ [sf] abbandono (m).

dejar /dexár/ [v tr] **1** lasciare • *¿dónde dejaste el coche?*: dove hai lasciato la macchina? **2** prestare • *¿me dejas el bolígrafo, por favor?*: mi presti la biro, per favore? ◆ [v prnl] lasciarsi ■ **dejar de** + inf smettere di + inf • *ha dejado de nevar*: ha smesso di nevicare ■ **dejarse** + inf farsi + inf • *dejarse sentir*: farsi sentire LOC **~ atrás**: lasciare indietro | **dejarse llevar**: lasciarsi trascinare.

del /del/ [prep art m sing] **1** (pertenencia) del, dello, dell' • *es ~ tío José*: è dello zio Giuseppe **2** (procedencia) dal, dallo, dall' • *llega ~ extranjero*: arriva dall'estero.

delantal /delantál/ [sm] grembiule.

delante /delánte/ [adv] davanti LOC **~ de algo/alguien**: davanti a qualcosa/qualcuno.

delantera /delantéra/ [sf] (de vehículo, edificio) parte anteriore, davanti (m) LOC **llevar la ~**: essere in vantaggio.

delantero /delantéro/ [adj] anteriore (m,f) ◆ [sm] (fútbol) attaccante (m,f), centravanti (m,f).

delatar (-se) /delatár/ [v tr prnl] FIG tradire (-rsi).

delco /délko/ [sm] spinterogeno.

delegación /deleɣaθjón/ [sf] delegazione.

delegar /deleɣár/ [v tr] (**en**) delegare, incaricare.

deletrear /deletreár/ [v tr] compita-re, fare lo spelling.

delfín /delfín/ [sm] delfino.

delgadez /delɣaðéθ/ [sf] magrezza

delgado /delɣáðo/ [adj] **1** (persona) magro **2** sottile (m,f) • **un libro ~** un libro sottile.

delicado /delikáðo/ [adj] (también FIG) delicato • *un asunto ~*: una faccenda delicata.

delicioso /deliθjóso/ [adj] delizioso

delincuencia /deliŋkwénθja/ [sf] delinquenza, criminalità (inv).

delincuente /deliŋkwénte [adj/sm,f] delinquente, criminale

delirar /delirár/ [v intr] delirare.

delirio /delírjo/ [sm] delirio.

delito /delíto/ [sm] delitto.

delta /délta/ [sm] GEOG delta (inv)

demanda /demánda/ [sf] richiesta

demás /demás/ [adj inv] altro (sing) • *vinieron ella y las ~ amiga* vennero lei e le altre amiche [pron m,f inv] resto (sust) • *dime ~*: dimmi il resto LOC **los ~**: gli a tri | **por lo ~**: d'altronde.

demasiado /demasjáðo/ [adj/adv troppo.

democracia /demokráθja/ [sf] democrazia.

demócrata /demókrata/ [sm, (persona) democratico (m).

democrático /demokrátiko/ [adj democratico.

demográfico /demoɣráfiko/ [adj demografico.

demoler /demolér/ [v tr] demolir

demolición /demoliθjón/ [sf] demolizione.

demonio /demónjo/ [sm] demonio.

demora /demóra/ [sf] **1** ritardo (m) **2** JUR mora.

demorar (-se) /demorár/ [v intr prnl] trattenersi, soffermarsi.

demostración /demostraθjón/ [sf] dimostrazione.

demostrar /demostrár/ [v tr] dimostrare.

denegación /deneɣaθjón/ [sf] rifiuto (m), negazione LOC ~ de auxilio: o-missione di soccorso.

denigrar /deniɣrár/ [v tr] **1** (hablar mal) denigrare **2** (ofender) ingiuriare, insultare.

denominación /denominaθjón/ [sf] denominazione LOC ~ de origen: denominazione d'origine controllata.

densidad /densiðáð/ [sf] densità (inv).

denso /dénso/ [adj] **1** denso **2** FIG (texto) oscuro, difficile da capire.

dentadura /dentaðúra/ [sf] dentatura LOC ~ artificial/postiza: dentiera.

dentífrico /dentífriko/ [sm] dentifricio.

dentón /dentón/ [sm] ICT dentice.

dentista /dentísta/ [sm,f] dentista.

dentro /déntro/ [adv] **1** dentro • ~ de la casa: dentro la casa **2** (tiempo) entro, fra, tra • ~ de poco: fra non molto LOC por ~: all'interno.

denuncia /denúnθja/ [sf] denuncia.

denunciar /denunθjár/ [v tr] denunciare.

departamento /departaménto/ [sm] **1** compartimento, scompartimento **2** Amer (piso) appartamento.

depender /dependér/ [v intr] (de) dipendere.

dependienta /dependjénta/ [sf] COM commessa.

dependiente /dependjénte/ [sm] COM dipendente.

depilación /depilaθjón/ [sf] depilazione.

depilar (-se) /depilár/ [v tr prnl] depilare (-rsi).

depilatorio /depilatórjo/ [adj] depilatorio LOC cera/crema depilatoria: ceretta/crema depilatoria.

deponer /deponér/ [v tr/intr] (también JUR) deporre.

deporte /depórte/ [sm] sport (inv).

deportista /deportísta/ [adj/m,f] (persona) sportivo (m).

deportivo /deportíβo/ [adj] sportivo.

depositar /depositár/ [v tr] **1** depositare **2** (sentimiento) riporre, mettere ◆ [v intr prnl] depositarsi.

depósito /depósito/ [sm] **1** (también de dinero) deposito **2** (para líquidos) serbatoio.

depravado /depraβáðo/ [adj/sm] depravato, pervertito.

depresión /depresjón/ [sf] depressione.

deprimente /depriménte/ [adj m,f] deprimente.

deprimido /deprimíðo/ [adj] depresso.

deprimir (-se) /deprimír/ [v tr prnl] deprimere (-rsi).

deprisa /deprísa/ [adv] in fretta, di corsa.

depuración /depuraθjón/ [sf] depurazione.

depurar /depurár/ [v tr] depurare.

derecha /derétʃa/ [sf] destra LOC a la ~: a destra | de ~ (s): di destra, conservatore (politica).

derecho /derétʃo/ [adj] **1** (recto) diritto **2** destro • *pierna derecha*: gamba destra ◆ [sm] **1** diritto **2** (universidad) giurisprudenza (f) LOC ~ **administrativo/civil/penal**: diritto amministrativo/civile/penale.

derivación /deriβaθjón/ [sf] derivazione.

derivar /deriβár/ [v intr] derivare ◆ [v tr prnl] deviare.

dermatitis /dermatítis/ [sf inv] dermatite (sing).

derogar /deroɣár/ [v tr] abrogare, abolire.

derramar /der̄amár/ [v tr] versare, rovesciare ◆ [v prnl] spargersi, sparpagliarsi.

derrame /der̄áme/ [sm] **1** spargimento **2** MED emorragia (f), versamento LOC ~ **cerebral**: ictus cerebrale.

derretir (-se) /der̄etír/ [v tr prnl] sciogliere (-rsi).

derribar /der̄iβár/ [v tr] abbattere.

derrochar /der̄otʃár/ [v tr] **1** (dinero) scialacquare **2** (tiempo, ocasión, energías) sprecare, sciupare.

derroche /der̄otʃe/ [sm] spreco, sperpero.

derrota /der̄óta/ [sf] sconfitta.

derrotar /der̄otár/ [v tr] sconfiggere.

derrumbamiento /der̄umbamjénto/ [sm] crollo.

derrumbar /der̄umbár/ [v tr] demolire, abbattere ◆ [v prnl] (también persona) crollare.

desabotonar (-se) /desaβotonár/ [v tr prnl] sbottonare (-rsi).

desabrido /desaβríðo/ [adj] **1** insipido, scipito **2** FIG (de carácter) brusco.

desabrochar /desaβrotʃár/ [v tr] slacciare.

desaconsejar /desakonsexár/ [v tr] sconsigliare.

desacostumbrado /desakostumbráðo/ [adj] insolito, inconsueto.

desactivar /desaktiβár/ [v tr] (explosivo) disattivare, disinnescare.

desafiar /desafjár/ [v tr] sfidare.

desafinar /desafinár/ [v intr] **1** (voz) stonare **2** (instrumento) scordare.

desafío /desafío/ [sm] sfida (f).

desafortunado /desafortunáðo/ [adj] sfortunato.

desagradable /desaɣraðáβle/ [adj m,f] sgradevole, spiacevole.

desagradecido /desaɣraðeθíðo/ [adj] ingrato, irriconoscente (m,f).

desagradecimiento /desaɣraðeθimjénto/ [sm] ingratitudine (f).

desagrado /desaɣráðo/ [sm] fastidio.

desagüe /desáɣwe/ [sm] scolo, tubo di scarico.

desahogar (-se) /desaoɣár/ [v tr prnl] sfogare (-rsi).

desahogo /desaóɣo/ [sm] **1** sfogo **2** (alivio) sollievo LOC **vivir con ~**: vivere agiatamente.

desahuciar /desauθjár/ [v tr] **1** (enfermo) dichiarare inguaribile **2** (inquilino) sfrattare.

desahucio /desaúθjo/ [sm] sfratto.

desaire /desáire/ [sm] sgarbo.

desalentar (-se) /desalentár/ [v tr prnl] scoraggiare (-rsi).

desaliento /desaljénto/ [sm] sconforto.

desalojar /desaloxár/ [v tr] **1** (lugar) sgomberare **2** (personas) sloggiare

desamparo /desampáro/ [sm] abbandono.

desamueblado /desamweβláðo/ [adj] non ammobiliato.

desandar /desandár/ [v tr] tornare sui propri passi.

desangrar (-se) /desaŋgrár/ [v tr prnl] dissanguare (-rsi).

desanimar (-se) /desanimár/ [v tr prnl] scoraggiare (-rsi).

desaparecer /desapareθér/ [v intr] sparire, scomparire.

desaparición /desapariθjón/ [sf] scomparsa, sparizione.

desapercibido /desaperθiβído/ [adj] inavvertito, inosservato.

desaprobar /desaproβár/ [v tr] disapprovare, riprovare.

desaprovechar /desaproβetʃár/ [v tr] (también FIG) sprecare ◆ ~ una ocasión: sprecare un'occasione.

desarmar /desarmár/ [v tr] 1 disarmare 2 (mecanismos) smontare.

desarraigar /desařaiɣár/ [v tr] sradicare.

desarreglo /desařéɣlo/ [sm] disordine.

desarrollar /desařoʎár/ [v tr] 1 (hacer crecer) sviluppare 2 (un proyecto) realizzare, attuare ◆ [v prnl] 1 (acción, hecho) avvenire, accadere 2 (crecer) svilupparsi.

desarrollo /desařóʎo/ [sm] sviluppo, crescita (f).

desasosegar (-se) /desasoseɣár/ [v tr prnl] agitare (-rsi).

desasosiego /desasosjéɣo/ [sm] inquietudine (f), agitazione (f).

desastre /desástre/ [sm] disastro.

desatar (-se) /desatár/ [v tr prnl] 1 sciogliere (-rsi), slegare (-rsi) 2 FIG scatenare (-rsi).

desatascar /desataskár/ [v tr] (tuberías) sturare.

desatención /desatenθjón/ [sf] disattenzione.

desatender /desatendér/ [v tr] 1 non prestare attenzione 2 (obligaciones, trabajos) trascurare.

desatornillar /desatorniʎár/ [v tr] svitare.

desavenencia /desaβenénθja/ [sf] disaccordo (m), discordia.

desayunar /desaʝunár/ [v intr/tr] fare la prima colazione.

desayuno /desaʝúno/ [sm] colazione (f), prima colazione (f).

desazón /desaθón/ [sf] FIG fastidio (m).

desbordar /desβorðár/ [v intr/tr] straripare ◆ [v prnl] 1 straripare 2 FIG (sentimiento) esplodere, scoppiare.

descabellado /deskaβeʎáðo/ [adj] strampalato, assurdo.

descafeinado /deskafeináðo/ [adj/sm] decaffeinato LOC café ~: caffè decaffeinato.

descalificación /deskalifikaθjón/ [sf] (también DEP) squalifica.

descalificar /deskalifikár/ [v tr] (también DEP) squalificare.

descalzo /deskálθo/ [adj] scalzo.

descampado /deskampáðo/ [sm] spiazzo.

descansado /deskansáðo/ [adj] facile (m,f), poco impegnativo.

descansar /deskansár/ [v intr] riposare ◆ [v tr] 1 (aliviar) dare sollievo 2 (sobre/en) posare, appoggiare.

descansillo /deskansíʎo/ [sm] pianerottolo.

descanso /deskánso/ [sm] 1 riposo 2 (en el cine, teatro) intervallo LOC día de ~: giorno di riposo.

descapotable /deskapotáβle/ [sm] decappottabile (f).

descarado /deskaráðo/ [adj/sm] sfacciato, insolente (adj m,f).

descarga /deskárɣa/ [sf] 1 (de objetos, mercancías) scarico (m) 2 (de arma de fuego) scarica.

descargar /deskarɣár/ [v tr] 1 (también arma de fuego) scaricare 2 FIG (sentimiento) sfogare 3 Amer JUR assolvere, scagionare.

descaro /deskáro/ [sm] sfacciataggine (f).

descarrilar /deskařilár/ [v intr] deragliare.

descartar /deskartár/ [v tr] scartare, eliminare ◆ [v prnl] (de) (naipes) scartare.

descender /desθendér/ [v intr] 1 scendere 2 FIG discendere, trarre origine ◆ [v tr] scendere, discendere.

descendiente /desθendjénte/ [sm,f] discendente.

descenso /desθénso/ [sm] 1 discesa (f) 2 FIG calo, abbassamento.

descifrar /desθifrár/ [v tr] decifrare.

descolgar /deskolɣár/ [v tr] 1 staccare 2 (con una cuerda) calare, far scendere 3 (teléfono) sganciare ◆ [v intr prnl] calarsi, scendere.

descomponer /deskomponér/ [v tr prnl] 1 scomporre (-rsi) 2 (estropear) guastare (-rsi) 3 (organismo) marcire, decomporre (-rsi).

descomposición /deskomposiθjón/ [sf] decomposizione.

descomunal /deskomunál/ [adj m,f] enorme, smisurato (m).

desconcertar (-se) /deskonθertár/ [v tr prnl] sconcertare (-rsi).

desconchar /deskontʃár/ [v tr] scrostare.

desconectar /deskonektár/ [v tr] 1 (enchufe) disinserire 2 (aparato) disinnestare, scollegare.

desconfiado /deskomfjáðo/ [adj/sm] diffidente (m,f), sospettoso.

desconfiar /deskomfjár/ [v intr] diffidare, sospettare.

descongelar /deskonxelár/ [v tr] scongelare.

desconocer /deskonoθér/ [v tr] ignorare.

descontado /deskontáðo/ [adj] scontato, previsto LOC dar por ~ dare per scontato.

descontar /deskontár/ [v tr] scontare.

descontento /deskonténto/ [adj/sm] scontento.

desconvocar /deskombokár/ [v tr] revocare, disdire.

descorazonar (-se) /deskoraθonár/ [v tr prnl] scoraggiare (-rsi) demoralizzare (-rsi).

descorchar /deskortʃár/ [v tr] stappare, sturare.

descortés /deskortés/ [adj m,] scortese, maleducato (m).

descoser (-se) /deskosér/ [v prnl] scucire (-rsi).

descremado /deskremáðo/ [adj] scremato LOC leche descremada latte scremato.

describir /deskriβír/ [v tr] descrivere

descripción /deskripθjón/ [sf] descrizione.

descubierto /deskuβjérto/ [adj/sm] (también COM) scoperto LOC al all'aperto | ~ bancario: scoper bancario.

descubrimiento /deskuβrimjénto/ [sm] scoperta (f).

descubrir (-se) /deskuβrír/ [v tr prnl] scoprire (-rsi).

descuento /deskwénto/ [sm] sconto.

descuidado /deskwiðáðo/ [adj/sm] **1** trascurato **2** (desprevenido) distratto.

descuidar (-se) /deskwiðár/ [v tr prnl] trascurare (-rsi) ◆ [v intr] non preoccuparsi, stare tranquillo • *¡descuida, que yo lo haré!*: non preoccuparti, lo farò io!

descuido /deskwíðo/ [sm] **1** distrazione (f), disattenzione (f) **2** (olvido) dimenticanza (f).

desde /desðe/ [prep] (tiempo, lugar) da LOC ~ **entonces**: da allora | ~ **luego**: naturalmente | ~ **que**: da quando.

desdecir /desðeθír/ [v intr] (**de**) smentire.

desdén /desðén/ [sm] disprezzo.

desdeñar /desðeɲár/ [v tr] disdegnare, disprezzare.

desdicha /desðítʃa/ [sf] disgrazia, sfortuna.

desdoblar /desðoβlár/ [v tr] stendere, spiegare.

desear /deseár/ [v tr] **1** desiderare • *¿desea algo más?*: desidera altro? **2** augurare • *te deseo mucha suerte*: ti auguro molta fortuna LOC **dejar que ~**: lasciare a desiderare.

desechable /desetʃáβle/ [adj m,f] usa e getta, a perdere • *jeringuilla ~*: siringa usa e getta.

desechar /desetʃár/ [v tr] **1** buttare via, scartare **2** (propuesta, consejo) rifiutare, respingere.

desecho /desétʃo/ [sm] rifiuto, scarto.

desembalar /desembalár/ [v tr] disimballare.

desembarazar /desembaraθár/ [v tr] sgombrare ◆ [v prnl] FIG sbarazzarsi, liberarsi.

desembarcar /desembarkár/ [v tr/intr] sbarcare.

desembarco /desembárko/ [sm] sbarco.

desembocadura /desembokaðúra/ [sf] (de río) foce.

desembocar /desembokár/ [v intr] (también FIG) sboccare.

desempate /desempáte/ [sm] spareggio.

desempeñar /desempeɲár/ [v tr] (cargo, profesión) svolgere.

desempleo /desempléo/ [sm] disoccupazione (f).

desempolvar /desempolβár/ [v tr] spolverare.

desencadenar (-se) /deseŋkaðenár/ [v tr prnl] scatenare (-rsi).

desenchufar /desentʃufár/ [v tr] disinserire, staccare.

desenfado /desemfáðo/ [sm] disinvoltura (f).

desenganchar (-se) /deseŋgantʃár/ [v tr prnl] **1** sganciare (-rsi), staccare (-rsi) **2** (quitar) liberare (-rsi).

desengaño /deseŋgáɲo/ [sm] delusione (f), disinganno.

desenlace /desenláθe/ [sm] finale, conclusione (f) LOC ~ **feliz**: lieto fine.

desenmascarar /desemmaskarár/ [v tr] smascherare.

desenredar /desenřeðár/ [v tr] districare, sbrogliare.

desenrollar /desenr̄oʎár/ [v tr] srotolare.

desenroscar (-se) /desenroskár/ [v tr prnl] **1** (extender) srotolare (-rsi) **2** (abrir) svitare (-rsi).

desentenderse /desentendérse/ [v prnl] **1** fingere di non capire **2** (de) (no ocuparse) disinteressarsi.

desenterrar /desenter̄ár/ [v tr] dissotterrare.

desentonar /desentonár/ [v intr] (también MUS) stonare.

desenvoltura /desemboltúra/ [sf] disinvoltura, scioltezza.

desenvolver /desembolβér/ [v tr] scartare • ~ *un regalo*: scartare un regalo ◆ [v prnl] FIG districarsi, cavarsela.

desenvuelto / [adj] disinvolto.

deseo /deséo/ [sm] desiderio.

desequilibrio /desekilíβrjo/ [sm] squilibrio.

desertar /desertár/ [v intr] (de) disertare.

desértico /desértiko/ [adj] desertico.

desertor (-a) /desertór/ [adj/sm] disertore (f -trice).

desesperación /desesperaθjón/ [sf] disperazione.

desesperado /desesperáðo/ [adj] disperato.

desesperante /desesperánte/ [adj m,f] esasperante, snervante.

desesperar (-se) /desesperár/ [v tr/intr prnl] **1** disperare (-rsi) **2** FIG FAM esasperare, far disperare.

desfachatez /desfatʃatéθ/ [sf] FAM sfacciataggine.

desfallecer /desfaʎeθér/ [v intr] **1** sentirsi mancare **2** (desmayarse) svenire.

desfallecimiento /desfaʎeθimjénto/ [sm] **1** debolezza (f), indebolimento **2** (desmayo) svenimento.

desfavorable /desfaβoráβle/ [adj m,f] sfavorevole, contrario (m).

desfigurar /desfiɣurár/ [v tr] **1** sfigurare **2** FIG travisare • ~ *la realidad*: travisare la realtà.

desfiladero /desfilaðéro/ [sm] gola (f), passo.

desfile /desfíle/ [sm] **1** (militar) parata (f) **2** sfilata (f) LOC ~ **de moda**: sfilata di moda.

desgana /desɣána/ [sf] **1** inappetenza **2** FIG malavoglia*, svogliatezza.

desgarrador (-a) /desɣar̄aðór/ [adj] straziante (m,f).

desgarrar /desɣar̄ár/ [v tr] strappare, rompere.

desgarro /desɣár̄o/ [sm] (también MED) strappo.

desgastar (-se) /desɣastár/ [v tr prnl] logorare (-rsi).

desgaste /desɣáste/ [sm] logoramento.

desgracia /desɣráθja/ [sf] disgrazia LOC **por** ~: per disgrazia.

desgraciado /desɣraθjáðo/ [adj/sm] disgraziato.

desguace /desɣwáθe/ [sm] **1** demolizione (f) **2** (de coches) autodemolizione (f).

deshabitado /desaβitáðo/ [adj] disabitato, spopolato.

deshacer /desaθér/ [v tr] **1** disfare **2** (derretir, licuar) sciogliere ◆ [v prnl] disfarsi LOC **deshacerse de algo/alguien**: disfarsi di qualcosa/qualcuno.

deshidratación /desiðrataθjón/ [sf] disidratazione.

deshielo /desjélo/ [sm] disgelo.

deshinchar (-se) /desintʃár/ [v tr prnl] sgonfiare (-rsi).

deshonesto /desonésto/ [adj] disonesto.

deshonra /desónra/ [sf] disonore (m).

deshonrar /desonrár/ [v tr] disonorare.

deshuesado /deswesáðo/ [adj] **1** (fruto) snocciolato **2** (carne) disossato.

deshumano /desumáno/ [sm] disumano, inumano.

desierto /desjérto/ [adj/sm] (también FIG) deserto.

designar /desiɣnár/ [v tr] designare.

desigualdad /desiɣwaldáð/ [sf] **1** disuguaglianza **2** (de superficie) irregolarità (inv).

desilusión /desilusjón/ [sf] delusione.

desilusionar /desilusjonár/ [v tr] disilludere ◆ [v prnl] **1** (perder la ilusión) disilludersi **2** (decepcionarse) rimanere deluso.

desinfectar (-se) /desimfektár/ [v tr prnl] disinfettare (-rsi).

desintegrar (-se) /desinteɣrár/ [v tr prnl] disintegrare (-rsi).

desinterés /desinterés/ [sm] disinteresse.

desintoxicar (-se) /desıntoksikár/ [v tr prnl] disintossicare (-rsi).

desistir /desistír/ [v intr] (de) desistere.

esleal /desleál/ [adj/sm,f] sleale (adj).

esleír /desleír/ [v tr] diluire, stemperare.

deslizar /desliθár/ [v tr] **1** far scivolare **2** FIG (comentario) lasciar cadere, lasciarsi sfuggire ◆ [v prnl] scivolare.

deslumbrar /deslumbrár/ [v tr] **1** abbagliare **2** FIG stupire, sorprendere.

desmán /desmán/ [sm] abuso, eccesso.

desmano (a) /desmáno/ [loc adv] fuorimano.

desmantelar /desmantelár/ [v tr] smantellare.

desmañado /desmaɲáðo/ [adj] maldestro, goffo.

desmayarse /desmajárse/ [v prnl] svenire.

desmayo /desmájo/ [sm] svenimento.

desmedido /desmeðíðo/ [adj] smisurato, sproporzionato.

desmemoriado /desmemorjáðo/ [adj/sm] smemorato, sbadato.

desmentido /desmentíðo/ [sm] smentita (f).

desmentir /desmentír/ [v tr] smentire.

desmesura /desmesúra/ [sf] eccesso (m), dismisura.

desmontar /desmontár/ [v tr] smontare ◆ [v intr prnl] scendere da cavallo.

desmoronarse /desmoronárse/ [v prnl] **1** (pared, edificio) sgretolarsi **2** FIG (venirse abajo) crollare.

desnivel /desniβél/ [sm] dislivello.

desnudar (-se) /desnuðár/ [v tr prnl] denudare (-rsi), svestire (-rsi).

desnudez /desnuðéθ/ [sf] nudità (inv).

desnudo /desnúðo/ [adj/sm] nudo.

desnutrición /desnutriθjón/ [sf] denutrizione.

desobedecer /desoβeðeθér/ [v tr]
disubbidire.

desobediencia /desoβeðjénθja/ [sf]
disubbidienza.

desodorante /desoðoránte/ [adj
m,f/sm] deodorante LOC ~ **corpo-
ral/ambiental**: deodorante per il
corpo/l'ambiente.

desorden /desórðen/ [sm] disordine.

desordenar /desorðenár/ [v tr] dis-
ordinare.

desorientar /desorjentár/ [v tr] disorientare.

despabilado /despaβiláðo/ [adj] FIG
sveglio, furbo.

despachar /despatʃár/ [v tr] **1** sbrigare, risolvere • ~ *un negocio*: risolvere un affare **2** (por correo) spedire, inviare ◆ [v prnl] FAM sfogarsi.

despacho /despátʃo/ [sm] studio,
ufficio.

despacio /despáθjo/ [adv] piano •
habla ~: parla piano | *caminar* ~:
camminare piano.

desparpajo /desparpáxo/ [sm] disinvoltura (f).

desparramar /despařamár/ [v tr] **1**
(esparcir) spargere **2** (verter) versare, rovesciare.

despavorido /despaβoríðo/ [adj]
impaurito, spaventato.

despecho /despétʃo/ [sm] risentimento LOC **a ~ de algo**: nonostan-
te/malgrado qualcosa.

despectivo /despektíβo/ [adj] spregiativo.

despedida /despeðíða/ [sf] addio
(m) • *una triste* ~: un triste addio.

despedir (-se) /despeðír/ [v tr prnl]
1 (del trabajo) licenziare (-rsi) **2** (al
marcharse) accomiatarsi, salutare.

despegar /despeɣár/ [v intr] (avión)
decollare ◆ [v prnl] staccarsi, venire via.

despegue /despéɣe/ [sm] decollo.

despeinar /despeinár/ [v tr] spettinare.

despejar /despexár/ [v tr] **1** sgombrare, sbarazzare **2** FIG (dudas, cue-
stiones) chiarire ◆ [v intr prnl] (cielo) rasserenarsi.

despeñadero /despeɲaðéro/ [sm]
burrone, precipizio.

desperdiciar /desperðiθjár/ [v tr]
(también FIG) sprecare • ~ *una
oportunidad*: sprecare un'opportunità.

desperdicio /desperðíθjo/ [sm] **1**
spreco **2** (sobra) avanzo, residuo.

desperezarse /despereθárse/ [v
prnl] sgranchirsi.

desperfecto /desperfékto/ [sm] **1**
(avería) guasto **2** (falla) difetto, imperfezione (f).

despertador /despertaðór/ [sm]
sveglia (f).

despertar /despertár/ [v tr] **1** svegliare, destare **2** FIG (recuerdos
sensaciones) risvegliare ◆ [v intr]
svegliarsi LOC ~ **el apetito**: stimolare l'appetito.

despiadado /despjaðáðo/ [adj]
spietato, crudele (m,f).

despido /despíðo/ [sm] licenziamento.

despilfarro /despilfářo/ [sm] sper
pero, spreco.

despiste /despíste/ [sm] distrazione
(f).

esplazamiento /desplaθamjénto/ [sm] spostamento.

esplazar /desplaθár/ [v tr] **1** (mover) spostare **2** (sustituir) sostituire, rimpiazzare ◆ [v prnl] spostarsi, muoversi.

espliegue /despljéɣe/ [sm] FIG dimostrazione (f), esibizione (f).

esplomarse /desplomárse/ [v prnl] (también FIG) crollare • *se desplomó encima de la silla*: crollò sulla sedia.

esplumar /desplumár/ [v tr] spennare.

espojos /despóxos/ [sm pl] (de comida) avanzi, resti.

esportillar (-se) /desportiʎár/ [v tr prnl] scheggiare (-rsi).

éspota /déspota/ [sm] (también FIG) despota, tiranno.

espreciar /despreθjár/ [v tr] disprezzare.

esprecio /despréθjo/ [sm] disprezzo.

esprender /desprendér/ [v tr] **1** staccare **2** (olor) emanare ◆ [v prnl] **1** staccarsi **2** (olor) emanare **3** (de) privarsi, rinunciare.

esprendimiento /desprendimjénto/ [sm] **1** frana (f), smottamento **2** FIG generosità (f inv), liberalità (f inv) **3** MED distacco.

espreocupación /despreokupaθjón/ [sf] **1** spensieratezza **2** (negligencia) indifferenza, noncuranza.

esprevenido /despreβenído/ [adj] impreparato.

esproporción /desproporθjón/ [sf] sproporzione.

esprovisto /desproβísto/ [adj] provvisto.

después /despwés/ [adv/conj] dopo LOC ~ **de algo/alguien**: dopo di qualcosa/qualcuno | ~ **de todo**: dopotutto.

destacado /destakáðo/ [adj] celebre (m,f), famoso.

destacar /destakár/ [v tr] **1** risaltare, spiccare **2** FIG sottolineare, mettere in evidenza • *destacó nuestros logros*: sottolineò i nostri successi ◆ [v intr prnl] distinguersi, emergere.

destajo /destáxo/ [sm] cottimo.

destapar (-se) /destapár/ [v tr prnl] **1** (botella) stappare (-rsi), sturare (-rsi) **2** (caja, olla) scoperchiare (-rsi) **3** FIG scoprire (-rsi), rivelare (-rsi).

destartalado /destartaláðo/ [adj] **1** (edificio) scalcinato, trasandato **2** (objeto) sgangherato.

destello /destéʎo/ [sm] **1** bagliore **2** FIG sprazzo, lampo.

desteñir (-se) /desteɲír/ [v tr prnl/intr] stingere (-rsi), scolorire (-rsi).

desterrar /desterrár/ [v tr] **1** esiliare **2** FIG (sentimiento, pensamiento) scacciare, allontanare.

destetar /destetár/ [v tr] (también ZOOL) svezzare.

destiempo (a) /destjémpo/ [loc adv] intempestivamente.

destierro /destjérro/ [sm] esilio.

destilar /destilár/ [v tr] distillare.

destinación /destinaθjón/ [sf] destinazione, meta.

destinar /destinár/ [v tr] destinare.

destinatario /destinatárjo/ [sm] destinatario.

destino /destíno/ [sm] **1** (suerte) destino **2** destinazione (f) • *el tren con ~ a Madrid*: il treno con destinazione Madrid.

destituir /destitwír/ [v tr] destituire.

destornillador /destorniʎaðór/ [sm] cacciavite (inv).

destornillar /destorniʎár/ [v tr] svitare.

destreza /destréθa/ [sf] destrezza, abilità (inv).

destrozar /destroθár/ [v tr] 1 distruggere, fare a pezzi 2 FIG rompere, rovinare ◆ [v prnl] rompersi, spezzarsi.

destrozo /destróθo/ [sm] danno.

destrucción /destrukθjón/ [sf] distruzione.

destruir /destrwír/ [v tr] (también FIG) distruggere • *destruyó nuestras ilusiones*: ha distrutto le nostre illusioni.

desvalijar /desβalixár/ [v tr] svaligiare, rapinare.

desvalorizar /desβaloriθár/ [v tr] deprezzare.

desván /desβán/ [sm] soffitta (f), solaio.

desvanecerse /desβaneθérse/ [v prnl] svanire, dileguarsi.

desvariar /desβarjár/ [v intr] (también FIG) delirare.

desvelo /desβélo/ [sm] insonnia (f).

desventaja /desβentáxa/ [sf] svantaggio (m).

desventura /desβentúra/ [sf] sventura.

desvergonzado /desβeryonθáðo/ [adj/sm] spudorato.

desvergüenza /desβerywénθa/ [sf] sfacciataggine, faccia tosta.

desvestir (-se) /desβestír/ [v tr prnl] svestire (-rsi), spogliare (-rsi).

desviación /desβjaθjón/ [sf] 1 deviazione 2 (de carretera) bivio (m), svincolo (m).

desviar (-se) /desβjár/ [v tr prn] deviare.

desvivirse /desβiβírse/ [v prnl] far in quattro, prodigarsi.

detalle /detáʎe/ [sm] 1 dettaglio particolare 2 FIG finezza (f), delica tezza (f) LOC venta al ~: vendita dettaglio/minuto | con todo lujo d detalles: dettagliatamente, in detta glio.

detallista /detaʎísta/ [adj m,f] met coloso (m) ◆ [sm,f] COM dettagliant

detectar /detek tár/ [v tr] scoprir

detención /detenθjón/ [sf] 1 arres (m), sosta 2 JUR detenzione.

detener (-se) /detenér/ [v tr prn fermare (-rsi).

detenimiento /detenimjénto/ [sm attenzione (f), cura (f).

detergente /deterxénte/ [adj m, detergente ◆ [sm] detersivo.

deteriorar (-se) /deterjorár/ [v prnl] deteriorare (-rsi).

deterioro /deterjóro/ [sm] deterior mento.

determinación /determinaθjón/ [s determinazione.

determinar /determinár/ [v tr] d terminare ◆ [v prnl] decidersi.

detestar /detestár/ [v tr] detesta odiare.

detrás /detrás/ [adv] (lugar, tiemp dietro LOC por ~ de alguien: al spalle di qualcuno.

deuda /déuða/ [sf] debito (m).

deudor (-a) /deuðór/ [adj/sm] de tore (f -trice).

devaluación /deβalwaθjón/ [sf] (moneda) svalutazione.

devaluar /deβalwár/ [v tr] (moned svalutare.

Ee

e /e/ [conj] e.

ebullición /eβuʎiθjón/ [sf] ebollizione.

eccema /ekθéma/ [sm] eczema.

echar /etʃár/ [v tr] **1** (también FIG) lanciare • ~ *una maldición*: lanciare una maledizione **2** FAM (persona) sbattere fuori **3** FAM buttare • ~ *a la basura*: buttare nella spazzatura **4** FAM mettere • *¡échale sal!*: mettici del sale! ◆ [v prnl] buttarsi, gettarsi ■ **echar + sust** fare + sost • ~ *la siesta*: fare un sonnellino ■ **echarse a + inf** mettersi/cominciare a + inf • *echarse a reír*: mettersi a ridere LOC ~ **de menos**: sentire la mancanza | **echarse atrás/a un lado**: tirarsi indietro/farsi da parte | **echarse encima**: andare/venire addosso; scagliarsi contro (voluntariamente).

eclipse /eklípse/ [sm] eclissi (f inv).

eco /éko/ [sm] eco* (m,f).

ecografía /ekoɣrafía/ [sf] ecografia.

ecología /ekoloxía/ [sf] ecologia.

economía /ekonomía/ [sf] economia.

ecuador /ekwaðór/ [sm] equatore.

ecuatoriano /ekwaðorjáno/ [adj/sm] equatoriano.

ecuestre /ekwéstre/ [adj m,f] equestre.

edad /eðáð/ [sf] età (inv) LOC ~ **media**: medioevo | **estar en ~ de**: essere in grado di | **mayor/menor**

de ~: maggiorenne/minorenne | **tercera** ~: terza età.

edición /eðiθjón/ [sf] edizione LOC ~ **de bolsillo**: edizione tascabile.

edificio /eðifíθjo/ [sm] edificio.

editor (-a) /eðitór/ [adj/sm] editore (f -trice).

editorial /eðitorjál/ [adj m,f/sm] editoriale ◆ [sf] casa editrice.

edredón /eðreðón/ [sm] (para la cama) piumino.

educación /eðukaθjón/ [sf] educazione LOC ~ **general básica**: la scuola dell'obbligo spagnola | **ministerio de ~ y ciencia**: ministero della pubblica istruzione.

educado /eðukáðo/ [adj] educato.

educar /eðukár/ [v tr] educare ◆ [v prnl] studiare.

edulcorante /eðulkoránte/ [adj m,f/sm] dolcificante.

efectividad /efektiβiðáð/ [sf] validità (inv).

efectivo /efektíβo/ [adj] **1** efficace (m,f) • *un medicamento* ~: un farmaco efficace **2** effettivo, reale (m,f) • *el nombramiento se hará ~ mañana*: la nomina diverrà effettiva domani ◆ [sm] (dinero) contanti (pl).

efecto /efékto/ [sm] **1** effetto **2** fine, scopo • *lo dijo al ~ de chocarnos*: lo disse al fine di impressionarci **3** COM prodotto, articolo LOC **efectos especiales**: effetti speciali |

efectos personales: effetti personali | **en ~**: effettivamente, in effetti.

efervescente /eferβesθénte/ [adj m,f] **1** effervescente **2** FIG vivace.

eficaz /efikáθ/ [adj m,f] efficace.

eficiente /efiθjénte/ [adj m,f] efficiente.

efusivo /efusíβo/ [adj] affettuoso.

egoísta /eɣoísta/ [adj/sm,f] egoista.

ejecución /exekuθjón/ [sf] (también MUS) esecuzione.

ejecutar /exekutár/ [v tr] **1** (también MUS) eseguire **2** (planes, ideas) realizzare **3** (condenado) giustiziare.

ejecutivo /exekutíβo/ [adj] esecutivo ◆ [sm] dirigente (m,f).

ejemplar /exemplár/ [adj m,f/sm] esemplare.

ejemplo /exémplo/ [sm] esempio LOC **dar ~**: dare il buon esempio | **por ~**: per/ad esempio.

ejercicio /exerθíθjo/ [sm] (también COM) esercizio LOC **en ~**: in esercizio/attività.

ejercitar (-se) /exerθitár/ [v tr prnl] esercitare (-rsi).

ejército /exérθito/ [sm] esercito.

el /el/ [art det m sing] il, lo ■ **el + de** quello di ● *me gusta ~ de Mario*: mi piace quello di Mario ■ **el + que** colui/quello che ● *~ que ves es mi tío*: quello che vedi è mio zio.

él /él/ [pron m sing] lui.

elaborar /elaβorár/ [v tr] **1** elaborare **2** (alimento, bebida) preparare.

elástico /elástiko/ [adj/sm] elastico.

elección /elekθjón/ [sf] **1** (política) elezione **2** scelta ● *la del coche fue una ~ difícil*: quella dell'auto è stata una scelta difficile LOC **eleccio-**

nes autonómicas/regionales: elezioni amministrative | **elecciones generales**: elezioni politiche.

electricidad /elektriθiðáð/ [sf] elettricità (inv).

electricista /elektriθísta/ [sm,f] elettricista.

eléctrico /eléktriko/ [adj] elettrico.

electrocardiograma /elektrokarðjoɣráma/ [sm] elettrocardiogramma.

electrodoméstico /elektroðoméstiko/ [adj/sm] elettrodomestico LOC **tienda de electrodomésticos**: negozio di elettrodomestici.

electrónico /elektróniko/ [adj] elettronico.

elefante /elefánte/ [sm] elefante (f -essa).

elegancia /eleɣánθja/ [sf] eleganza.

elegante /eleɣánte/ [adj m,f] elegante.

elegir /elexír/ [v tr] **1** (escoger) scegliere **2** nominare, eleggere ● *~ un representante*: nominare un rappresentante.

elemental /elementál/ [adj m,f] **1** elementare **2** FAM evidente, ovvio (m).

elemento /eleménto/ [sm] **1** (también FIG) elemento ● *me faltan elementos para juzgar*: mi mancano degli elementi di giudizio **2** (pieza) componente.

elepé /elepé/ [sm] ellepì (inv).

elevar /eleβár/ [v tr] **1** elevare **2** FIG promuovere ◆ [v prnl] **1** (subir) salire, aumentare **2** (levantarse) innalzarsi **3** FIG elevarsi.

eliminación /eliminaθjón/ [sf] eliminazione.

eliminar /eliminár/ [v tr] eliminare.

ella /éʎa/ [pron f sing] lei.

ellas /éʎas/ [pron f pl] loro.

ellos /éʎos/ [pron m pl] loro.

elogiar /eloxjár/ [v tr] elogiare.

emancipación /emanθipaθjón/ [sf] emancipazione.

emancipar (-se) /emanθipár/ [v tr prnl] emancipare (-rsi), liberare (-rsi) LOC **emanciparse de la familia**: diventare indipendente.

embadurnar /embaðurnár/ [v tr] imbrattare.

embajada /embaxáða/ [sf] ambasciata.

embajador (-a) /embaxaðór/ [sm] ambasciatore (f -trice).

embalaje /embaláxe/ [sm] imballaggio.

embalar /embalár/ [v tr] (motor) imballare.

embalsamar /embalsamár/ [v tr] imbalsamare.

embalse /embálse/ [sm] **1** ristagno **2** (artificial) bacino.

embarazada /embaraθáða/ [adj/sf] incinta (adj), gravida (adj) LOC **quedar(se) ~**: rimanere incinta.

embarazar /embaraθár/ [v tr] mettere incinta ♦ [v prnl] rimanere incinta.

embarazo /embaráθo/ [sm] **1** gravidanza (f) **2** FIG imbarazzo, disagio.

embarazoso /embaraθóso/ [adj] imbarazzante (m,f).

embarcar (-se) /embarkár/ [v tr prnl] imbarcare (-rsi).

embargar /embaryár/ [v tr] **1** JUR confiscare **2** FIG pervadere ♦ [v prnl] buttarsi a capofitto, dedicarsi.

embargo /embáryo/ [sm] **1** JUR confisca (f) **2** (político) embargo LOC **sin ~**: ciononostante, tuttavia.

embarque /embárke/ [sm] imbarco LOC **tarjeta de ~**: carta d'imbarco.

embarullar (-se) /embaruʎár/ [v tr prnl] confondere (-rsi).

embate /embáte/ [sm] **1** (de mar, olas) furia (f), urto **2** FIG impeto, forza (f).

embeber /embeβér/ [v tr] **1** assorbire ● *la esponja embebe el agua*: la spugna assorbe l'acqua **2** (también coc) inzuppare.

embellecer (-se) /embeʎeθér/ [v tr prnl] abbellire (-rsi).

embestir /embestír/ [v tr] **1** caricare **2** (objeto) urtare **3** FIG FAM assalire ♦ [v intr] (cuadrúpedo) caricare.

embolia /embolía/ [sf] embolia.

emborrachar /emboratʃár/ [v tr] **1** ubriacare **2** COC inzuppare ♦ [v prnl] ubriacarsi, sbronzarsi.

embotellar /emboteʎár/ [v tr] imbottigliare.

embrague /embráɣe/ [sm] (de vehículo) frizione (f).

embriagar (-se) /embrjaɣár/ [v tr prnl] **1** ubriacare (-rsi) **2** FIG (olor) stordire (-rsi) **3** FIG esaltare (-rsi), inebriare (-rsi).

embriaguez /embrjaɣéθ/ [sf] **1** ubriachezza **2** FIG ebbrezza, stordimento (m).

embrión /embrjón/ [sm] embrione.

embrollar /embroʎár/ [v tr] imbrogliare.

embrollo /embróʎo/ [sm] **1** (de hilos, cables) groviglio **2** FIG pasticcio.

embudo /embúðo/ [sm] imbuto.

embustero /embustéro/ [adj/sm] **1** (mentiroso) bugiardo **2** (estafador) imbroglione.

embutido /embutíðo/ [sm] COC insaccato.

embutir /embutír/ [v tr] **1** (carne) insaccare **2** imbottire.

emergencia /emerxénθja/ [sf] emergenza LOC **salida de ~**: uscita di sicurezza.

emerger /emerxér/ [v intr] **1** (del agua) emergere **2** saltare fuori, sbucare.

emigración /emiɣraθjón/ [sf] emigrazione.

emigrante /emiɣránte/ [adj/sm,f] emigrante.

emigrar /emiɣrár/ [v intr] **1** emigrare **2** ORN ZOOL migrare.

emisión /emisjón/ [sf] **1** emissione **2** (de radio, televisión) trasmissione, programma (m).

emitir /emitír/ [v tr/intr] emettere.

emoción /emoθjón/ [sf] emozione.

emocionar (-se) /emoθjonár/ [v tr prnl] emozionare (-rsi).

emotivo /emotíβo/ [adj] **1** (persona) emotivo, sensibile (m,f) **2** (cosa) commovente (m,f).

empachar /empatʃár/ [v tr] (alimento) appesantire ◆ [v prnl] fare indigestione.

empacho /empátʃo/ [sm] indigestione (f).

empalagar /empalaɣár/ [v tr/intr] **1** nauseare, stomacare **2** FIG FAM stancare.

empalagoso /empalaɣóso/ [adj] **1** indigesto, nauseante (m,f) **2** FIG FAM noioso.

empalmar /empalmár/ [v tr] congiungere, collegare ◆ [v intr] **(con)** (medio de transporte) fare coincidenza.

empalme /empálme/ [sm] **1** innesto, giuntura (f) **2** (de medios de transporte) coincidenza (f) **3** (de carreteras, vías férreas) raccordo.

empanada /empanáða/ [sf] panzerotto (m).

empañar /empaɲár/ [v tr] **1** appannare **2** FIG (fama, mérito) infangare.

empapar /empapár/ [v tr/intr] **1** impregnare **2** COC inzuppare ◆ [v prnl] **1** inzupparsi **2** FIG impregnarsi.

empaquetar /empaketár/ [v tr] impacchettare, incartare.

empastar /empastár/ [v tr] (diente) otturare.

empaste /empáste/ [sm] (de dientes) otturazione (f).

empatar /empatár/ [v tr/intr] pareggiare.

empate /empáte/ [sm] pareggio.

empedernido /empeðerníðo/ [adj] incallito, incorreggibile (m,f).

empedrado /empeðráðo/ [sm] pavé (inv), selciato.

empeñar /empeɲár/ [v tr] impegnare, dare in pegno ◆ [v prnl] **(en)** ostinarsi.

empeño /empéɲo/ [sm] **1** FIG volontà (f inv), desiderio ● *tiene ~ por estudiar*: ha la volontà di studiare **2** FIG impegno ● *si le pones más ~ lo lograrás*: se ci metti maggiore impegno riuscirai **3** pegno LOC **casa de empeños**: monte dei pegni/di pietà.

empeorar (-se) /empeorár/ [v tr/intr prnl] peggiorare, aggravarsi.

empequeñecer /empekeɲeθér/ [v tr] **1** rimpiccolire, diminuire **2** FIG sminuire.

emperador (**-triz**) /emperaðór/ [sm] imperatore (f -trice).

empezar /empeθár/ [v tr/intr] iniziare, cominciare LOC **para ~**: tanto per cominciare | **¡ya empezamos!**: ancora!, ci risiamo!

empinado /empináðo/ [adj] ripido.

empinar /empinár/ [v tr] **1** (enderezar) raddrizzare **2** (levantar) alzare, sollevare LOC **~ el codo**: alzare il gomito.

emplaste /empláste/ [sm] stucco.

empleado /empleáðo/ [adj/sm] impiegato LOC **empleada de hogar**: collaboratrice domestica.

emplear (**-se**) /empleár/ [v tr] impiegare (-rsi).

empleo /empléo/ [sm] **1** uso, utilizzo **2** (trabajo) impiego, lavoro.

empobrecer (**-se**) /empoβreθér/ [v tr/intr prnl] impoverire (-rsi).

empobrecimiento /empoβreθi mjénto/ [sm] impoverimento.

emprendedor (**-a**) /emprendeðór/ [adj] intraprendente (m,f).

emprender /emprendér/ [v tr] intraprendere.

empresa /emprésa/ [sf] (también COM) impresa LOC **~ pública**: società pubblica.

empresario /empresárjo/ [sm] **1** imprenditore (f -trice) **2** (de espectáculos) impresario.

empujar /empuxár/ [v tr] spingere.

empuje /empúxe/ [sm] **1** spinta (f) **2** FIG grinta (f).

empujón /empuxón/ [sm] spintone, spinta (f) LOC **a empujones**: a spintoni.

en /en/ [prep] **1** in **2** (encima de) su, sopra **2** (modo, lugar) a, in • *viaja ~ tren*: viaggia in treno | *vivo ~ Barcelona*: vivo a Barcellona **3** (dentro de) tra • *se lo devuelvo ~ una hora*: glielo restituisco tra un'ora LOC **~ seguida**: subito.

enamorado /enamoráðo/ [adj/sm] innamorato.

enamorar (**-se**) /enamorár/ [v tr prnl] (también FIG) innamorare (-rsi).

enano /enáno/ [adj/sm] nano.

encabezar /eŋkaβeθár/ [v tr] **1** (lista) essere il primo **2** (manifestación, motín) capeggiare.

encajar /eŋkaxár/ [v tr] **1** incastrare, incassare **2** FIG FAM (noticia, golpe) incassare LOC **encajar con algo**: combaciare con qualcosa | **encajar en algo**: incastrarsi (cosa); inserirsi (persona).

encaje /eŋkáxe/ [sm] **1** incastro, incasso **2** (costura) merletto, pizzo.

encalar /eŋkalár/ [v tr] intonacare.

encallar /eŋkaʎár/ [v intr] incagliarsi, arenarsi.

encaminar /eŋkaminár/ [v tr] avviare, dirigere ◆ [v prnl] incamminarsi.

encandilar /eŋkandilár/ [v tr] abbagliare.

encantado /eŋkantáðo/ [adj] **1** FAM contentissimo • *estoy ~ de ir contigo*: sono contentissimo di andarci con te **2** FIG incantato LOC **~ de conocerle**: piacere di conoscerla.

encantador (**-a**) /eŋkantaðór/ [adj] **1** incantevole (m,f), affascinante (m,f) **2** (al trato) cordiale (m,f).

encantar /eŋkantár/ [v tr] **1** incantare, stregare **2** FIG FAM fare piacere • *me encanta que me digan eso*: mi fa piacere che me lo dicano.

encanto /eŋkánto/ [sm] FIG incanto.

encaramarse /eŋkaramárse/ [v prnl] arrampicarsi.

encarcelar /eŋkarθelár/ [v tr] incarcerare.

encarecer /eŋkareθér/ [v tr] aumentare, rincarare.

encarecimiento /eŋkareθimjénto/ [sm] **1** aumento, rincaro **2** FIG accanimento.

encargado /eŋkaryáðo/ [adj/sm] incaricato.

encargar /eŋkaryár/ [v tr] **1** incaricare **2** COM ordinare ♦ [v prnl] prendersi l'incarico di, farsi carico di.

encargo /eŋkáryo/ [sm] **1** COM ordinazione (f) **2** (trabajo) incarico, carica (f) LOC de ~: su commissione.

encariñarse /eŋkariɲárse/ [v prnl] (con) affezionarsi.

encarnizado /eŋkarniθáðo/ [adj] feroce (m,f).

encauzar /eŋkauθár/ [v tr] **1** incanalare **2** FIG dirigere, orientare.

encefalograma /enθefaloyráma/ [sm] encefalogramma.

encender (-se) /enθendér/ [v tr prnl] **1** accendere (-rsi) **2** FIG infiammare (-rsi), eccitare (-rsi).

encendido /enθendíðo/ [sm] accensione (f).

encerrar /enθeřár/ [v tr] **1** rinchiudere, imprigionare **2** (objeto) chiudere, mettere ♦ [v prnl] chiudersi, isolarsi.

enchufar /entʃufár/ [v tr/intr] **1** inserire **2** FIG FAM raccomandare.

enchufe /entʃúfe/ [sm] **1** (toma) presa (f) **2** (clavija) spina (f) **3** FIG FAM raccomandazione (f).

encía /enθía/ [sf] gengiva.

enciclopedia /enθiklopéðja/ [sf] enciclopedia.

encierro /enθjéřo/ [sm] **1** reclusione (f) **2** (lugar) prigione (f) **3** festa popolare con corrida.

encima /enθíma/ [adv] **1** sopra • ~ *de la mesa*: sopra il tavolo **2** (también FIG) addosso • *se le cayó* ~: gli cadde addosso **3** (además) per di più, inoltre LOC llevar ~: avere addosso, portare | por ~: superficialmente.

encina /enθína/ [sf] quercia.

encoger /eŋkoxér/ [v tr] contrarre ♦ [v intr/prnl] restringersi.

encolerizar (-se) /eŋkoleriθár/ [v tr prnl] irritare (-rsi).

encomendar /eŋkomendár/ [v tr] **1** incaricare **2** (entregar) affidare ♦ [v prnl] raccomandarsi.

encomienda /eŋkomjénda/ [sf] **1** incarico (m) **2** *Amer* pacco (m) postale.

encontrado /eŋkontráðo/ [adj] opposto.

encontrar /eŋkontrár/ [v tr] (también FIG) trovare • *la encuentro simpática*: la trovo simpatica ♦ [v prnl] **1** incontrarsi, trovarsi **2** (estar) trovarsi **3** FIG (oponerse) scontrarsi, divergere LOC encontrarse bien/mal: stare bene/male | encontrarse con que: scoprire che.

encorvar /eŋkorβár/ [v tr] piegare.

encrespar (-se) /eŋkrespár/ [v tr prnl] increspare (-rsi).

encrucijada /eŋkruθixáða/ [sf] **1** incrocio (m) **2** FIG dilemma (m).

encuadernación /eŋkwaðernaθjón/ [sf] (tapa) copertina.

encuadrar /eŋkwaðrár/ [v tr] **1** incorniciare **2** (también FIG) inquadrare • ~ *a un político en una corriente*: inquadrare un politico in una corrente.

encubrir (-se) /eŋkuβrír/ [v tr prnl] coprire (-rsi), nascondere (-rsi).

encuentro /eŋkwéntro/ [sm] **1** (también DEP) incontro **2** (también FIG) scontro, urto LOC **ir/salir al ~**: andare/venire incontro.

encuesta /eŋkwésta/ [sf] **1** (investigación) inchiesta, indagine **2** (sondeo) sondaggio (m).

endemoniado /endemonjáðo/ [adj/sm] **1** indemoniato **2** FIG FAM disgustoso (adj), schifoso (adj).

enderezar (-se) /endereθár/ [v tr prnl] **1** raddrizzare (-rsi) **2** dirigere (-rsi), orientare (-rsi) • *enderezó la linterna hacia mí*: diresse la torcia elettrica verso di me.

endeudarse /endeuðárse/ [v prnl] indebitarsi.

endibia /endíβja/ [sf] indivia.

endosar /endosár/ [v tr] **1** (cheque) girare, trasferire **2** FIG FAM (carga, molestia) addossare, scaricare.

endulzar (-se) /endulθár/ [v tr prnl] (también FIG) addolcire (-rsi).

endurecer (-se) /endureθér/ [v tr prnl] **1** (también fig) indurire (-rsi) • *las desgracias la endurecieron*: le disgrazie l'hanno indurita **2** FIG inasprire (-rsi).

endurecimiento /endureθimjénto/ [sm] indurimento.

enemigo /enemíɣo/ [adj/sm] nemico.

enemistad /enemistáð/ [sf] inimicizia.

energía /enerxía/ [sf] energia.

enérgico /enérxiko/ [adj] energico.

enero /enéro/ [sm] gennaio.

enfadar (-se) /emfaðár/ [v tr prnl] irritare (-rsi), innervosire (-rsi), spazientire (-rsi).

enfado /emfáðo/ [sm] **1** rabbia (f), collera (f) **2** *Amer* fastidio, noia (f).

enfermar (-se) /emfermár/ [v intr prnl] ammalarsi.

enfermedad /emfermeðáð/ [sf] malattia.

enfermería /emfermería/ [sf] infermeria.

enfermero /emferméro/ [sm] infermiere.

enfermo /emférmo/ [adj/sm] ammalato, malato LOC **caer ~**: ammalarsi | **enfermo con**: malato di, affetto da | **poner ~**: irritare, dare sui nervi.

enflaquecer /emflakeθér/ [v intr] dimagrire.

enfocar /emfokár/ [v tr] **1** (también FIG) mettere a fuoco • ~ *un problema*: mettere a fuoco un problema **2** (alumbrar) illuminare.

enfoque /emfóke/ [sm] **1** messa (f) a fuoco **2** FIG approccio.

enfrentamiento /emfrentamjénto/ [sm] scontro, faccia a faccia.

enfrentar /emfrentár/ [v tr] **1** mettere a confronto **2** FIG affrontare, tenere testa ◆ [v prnl] **1** (también DEP) affrontarsi, battersi **2** FIG affrontare, tenere testa.

enfrente /emfrénte/ [adv] di fronte, dirimpetto.

enfriamiento /emfrjamjénto/ [sm] raffreddamento.

enfriar (-se) /emfrjár/ [v tr prnl] (también FIG) raffreddare (-rsi) ◆ *nuestra amistad se ha enfriado*: la nostra amicizia si è raffreddata.

enfurecerse /emfureθérse/ [v prnl] infuriarsi.

enganchar /eŋgantʃár/ [v tr] **1** agganciare **2** FIG adescare ◆ [v prnl] **1** agganciarsi, impigliarsi **2 (a)** (en el ejército) arruolarsi **3 (a)** FIG FAM (drogas, aficiones) diventare dipendente da.

engañar /eŋgaɲár/ [v tr/intr] ingannare, imbrogliare.

engaño /eŋgáɲo/ [sm] inganno.

engañoso /eŋgaɲóso/ [adj] ingannevole (m,f).

engendrar /eŋxendrár/ [v tr] (también FIG) generare.

engordar /eŋgorðár/ [v tr/intr] ingrassare.

engorro /eŋgóṛo/ [sm] seccatura (f), fastidio.

engranaje /eŋgranáxe/ [sm] (también FIG) meccanismo.

engranar /eŋgranár/ [v tr/intr] TECN ingranare.

engrandecer /eŋgrandeθér/ [v tr] ingrandire, aumentare.

engrandecimiento /eŋgrandeθimjénto/ [sm] **1** ingrandimento **2** FIG ascesa (f).

engrasar /eŋgrasár/ [v tr] lubrificare.

engrosar /eŋgrosár/ [v tr] **1** ingrossare **2** FIG incrementare.

enhorabuena /enoraβwéna/ [sf] felicitazioni (pl), congratulazioni (pl).

enigma /eníɣma/ [sm] enigma.

enjabonar /eŋxaβonár/ [v tr] insaponare.

enjuagar (-se) /eŋxwaɣár/ [v tr prnl] sciacquare (-rsi).

enjugar (-se) /eŋxuɣár/ [v tr prnl] asciugare (-rsi).

enjuiciar /eŋxwiθjár/ [v tr] istruire un processo.

enjuto /eŋxúto/ [adj] (persona) secco, magro.

enlace /enláθe/ [sm] unione (f), collegamento **2** (de transportes) coincidenza (f).

enlazar /enlaθár/ [v tr] collegare ◆ [v intr] (transportes) fare coincidenza ◆ [v prnl] imparentarsi.

enlodar (-se) /enloðár/ [v tr prnl] infangare (-rsi).

enloquecer /enlokeθér/ [v tr] (también FIG) fare impazzire ◆ [v intr] (también FIG) diventare matto, impazzire.

enmarañar (-se) /emmaraɲár/ [v tr prnl] **1** aggrovigliare (-rsi) **2** FIG complicare (-rsi), ingarbugliare (-rsi).

enmarcar /emmarkár/ [v tr] incorniciare.

enmascarar /emmaskarár/ [v tr] (también FIG) mascherare.

enmendar /emmendár/ [v tr] (daño) risarcire, riparare ◆ [v prnl] correggersi, migliorarsi.

enmienda /emmjénda/ [sf] correzione, modifica.

enmohecer /emmoeθér/ [v tr/intr prnl] **1** ammuffire **2** (aparato) arrugginire.

enmudecer /emmuðeθér/ [v tr] zittire, far tacere ◆ [v intr] ammutolire, tacere.

ennegrecer /enneɣreθér/ [v tr] annerire ♦ [v prnl] **1** annerirsi **2** (cielo) oscurarsi, rannuvolarsi.

enojar (-se) /enoxár/ [v tr prnl] irritare (-rsi).

enojo /enóxo/ [sm] **1** (enfado) collera (f), rabbia (f) **2** (molestia) noia (f), fastidio.

enorme /enórme/ [adj m,f] enorme.

enormidad /enormiðáð/ [sf] enormità (inv).

enredadera /enřeðaðéra/ [sf] rampicante (m).

enredar /enřeðár/ [v tr] **1** aggrovigliare, ingarbugliare **2** FIG (asunto) complicare ♦ [v prnl] FIG FAM fare confusione.

enredo /enřéðo/ [sm] **1** (también FIG) groviglio • *un ~ de mentiras*: un groviglio di bugie **2** FIG guaio, complicazione (f) • *no quiero saber nada de tus enredos*: non voglio saperne nulla dei tuoi guai **3** (de obra) intreccio.

enrevesado /enřeβesáðo/ [adj] intricato, complicato.

enriquecer (-se) /enřikeθér/ [v tr prnl] arricchire (-rsi).

enrojecer /enřoxeθér/ [v intr] (persona) arrossire.

enrollar /enřoʎár/ [v tr] **1** arrotolare, avvolgere **2** FIG FAM coinvolgere.

enroscar /enřoskár/ [v tr] **1** attorcigliare **2** TECN avvitare.

ensalada /ensaláða/ [sf] **1** insalata **2** FIG miscuglio (m), accozzaglia.

ensaladilla /ensalaðíʎa/ [sf] insalata russa.

ensalzar /ensalθár/ [v tr] elogiare, lodare.

ensanchar (-se) /ensantʃár/ [v tr prnl] allargare (-rsi).

ensanche /ensántʃe/ [sm] ampiezza (f), estensione (f).

ensangrentar /ensaŋgrentár/ [v tr] insanguinare.

ensañarse /ensaɲárse/ [v prnl] accanirsi, inferocirsi.

ensartar /ensartár/ [v tr] **1** infilare **2** FIG snocciolare, sciorinare.

ensayar /ensaʝár/ [v tr] **1** sperimentare, provare **2** (espectáculo, actuación) provare, fare le prove.

ensayo /ensáʝo/ [sm] **1** prova (f) **2** (obra) saggio LOC ~ **general**: prova generale.

enseguida /enseɣíða/ [adv] subito, immediatamente.

ensenada /ensenáða/ [sf] insenatura, baia.

enseñanza /enseɲánθa/ [sf] **1** istruzione • *estoy a favor de la ~ pública*: sono a favore dell'istruzione pubblica **2** insegnamento (m) • *la ~ del español*: l'insegnamento dello spagnolo LOC ~ **primaria/secundaria**: scuola elementare/media | ~ **superior/universitaria**: insegnamento universitario, università.

enseñar /enseɲár/ [v tr/intr] **1** insegnare • *enseño idiomas*: insegno lingue **2** indicare, segnalare • *~ la puerta*: indicare la porta **3** mostrare, far vedere • *me enseñó las fotos del verano*: mi mostrò le foto dell'estate.

ensimismarse /ensimismárse/ [v prnl] divenire assorto, concentrarsi.

ensoñación /ensoɲaθjón/ [sf] fantasticheria.

ensordecer /ensorðeθér/ [v tr] assordare.

ensuciar (-se) /ensuθjár/ [v tr prnl] (también FIG) sporcare (-rsi), macchiare (-rsi).

ensueño /enswéɲo/ [sm] sogno LOC de ~: da sogno.

ente /énte/ [sm] ente.

entender /entendér/ [v tr] **1** capire, comprendere • *no entiendo tus razones*: non capisco le tue ragioni **2** avere intenzione di • *entiendo acabar cuanto antes*: ho intenzione di finire al più presto ♦ [v prnl] **1** intendersi, trovarsi d'accordo **2** FAM arrangiarsi, vedersela LOC dar a ~: dare a intendere | ~ de/en algo: essere esperto di/in qualcosa | ¡entendido!: intesi!, d'accordo!

entendido /entendíðo/ [adj] abile (m,f), esperto ♦ [sm] intenditore (f -trice).

entendimiento /entendimjénto/ [sm] **1** intesa (f), accordo **2** FAM giudizio, buonsenso.

enterar /enterár/ [v tr] informare, mettere al corrente ♦ [v prnl] **1** venire a conoscenza, sapere **2** FAM (darse cuenta) rendersi conto, accorgersi.

entereza /entereθa/ [sf] **1** (también FIG) integrità (inv) **2** FIG fermezza • *recibió la noticia con ~*: ricevette la notizia con fermezza.

enternecer /enterneθér/ [v tr] FIG intenerire, commuovere.

entero /entéro/ [adj] **1** intero, intatto **2** FIG integro LOC por ~: interamente, completamente.

enterrar /enterár/ [v tr] (también FIG) seppellire.

entidad /entiðáð/ [sf] entità (inv).

entierro /entjéro/ [sm] **1** sepoltura (f) **2** (ceremonia) funerale.

entonación /entonaθjón/ [sf] intonazione.

entonar /entonár/ [v tr] **1** intonare **2** FAM tirare su, rimettere in sesto.

entonces /entónθes/ [adv] **1** allora, in tal caso • *si se encuentra mala, ~ no vendrá*: se sta male, allora non verrà **2** (tiempo) allora, in quel momento • ~ *lo vi*: allora lo vidi LOC desde ~: da allora.

entorno /entórno/ [sm] ambiente, contesto.

entorpecer /entorpeθér/ [v tr] **1** intorpidire **2** FIG ostacolare, impedire.

entorpecimiento /entorpeθimjénto/ [sm] intorpidimento.

entrada /entráða/ [sf] **1** (también COM) entrata **2** (de espectáculo, museo) biglietto (m) **3** FIG opportunità (inv), occasione • *aquel silencio le dio ~ para intervenir*: quel silenzio gli offrì l'occasione d'intervenire **4** caparra, anticipo (m) • *ingresamos una ~ para el piso*: versammo una caparra per l'appartamento LOC de ~: per cominciare | ~ general: biglietto di loggione.

entrañas /entráɲas/ [sf pl] **1** ZOOL visceri (m), interiora **2** ANAT viscere.

entrañable /entraɲáβle/ [adj m,f] **1** affettuoso (m) **2** (relación) profondo (m).

entrar /entrár/ [v intr] (en) **1** (también FIG) entrare • *en un círculo selecto*: entrare in una cerchia selezionata **2** essere compreso • *el transporte entra en el precio*: il trasporto è compreso nel prezzo **3** FIG entrarci, essere coinvolto • *yo no quiero ~ en eso*: io non voglio entrarci ♦ [v tr] FAM **1** mettere dentro • *¡entra la bicicleta!*: metti dentro la bicicletta! **2** (costura) accorciare, restringere ■ **entrar + sust** venire + sost • *me ha entrado hambre*: mi è venuta fame LOC **entrado en años**: avanti negli anni | ~ **en calor**: riscaldarsi.

entre /éntre/ [prep] tra, fra.

entreacto /entreákto/ [sm] (teatro) intervallo.

entrega /entréɣa/ [sf] **1** consegna **2** (de libro, colección) fascicolo (m) **3** FIG devozione, dedizione.

entregar /entreɣár/ [v tr] consegnare ♦ [v prnl] **1** arrendersi **2** FIG dedicarsi.

entrelazar /entrelaθár/ [v tr] intrecciare.

entremés /entremés/ [sm] antipasto.

entrenador (-a) /entrenaðór/ [sm] allenatore (f -trice).

entrenamiento /entrenamjénto/ [sm] allenamento.

entrenar (-se) /entrenár/ [v tr prnl] allenare (-rsi).

entresuelo /entreswélo/ [sm] ammezzato.

entretanto /entretánto/ [adv] frattanto, nel frattempo.

entretener /entretenér/ [v tr] **1** (retener) trattenere **2** intrattenere, divertire • *nos entretuvo con unos chistes*: ci divertì con delle barzellette ♦ [v prnl] intrattenersi, divertirsi.

entretenimiento /entretenimjénto/ [sm] divertimento, intrattenimento.

entretiempo /entretjémpo/ [sm] mezza stagione (f).

entrevista /entreβísta/ [sf] **1** colloquio (m) **2** (en medios de información) intervista.

entrevistar /entreβistár/ [v tr] intervistare ♦ [v prnl] avere un colloquio.

entristecer /entristeθér/ [v tr] intristire, rattristare.

entrometerse /entrometérse/ [v prnl] intromettersi.

entrometido /entrometíðo/ [adj/sm] ficcanaso (sust m,f).

entumecer (-se) /entumeθér/ [v tr prnl] intorpidire (-rsi).

entusiasmar (-se) /entusjas már/ [v tr prnl] entusiasmare (-rsi).

entusiasmo /entusjás mo/ [sm] entusiasmo.

envasar /embasár/ [v tr] **1** imbottigliare **2** (en latas) inscatolare.

envase /embáse/ [sm] contenitore LOC ~ **desechable/retornable**: vuoto a perdere/rendere.

envejecer /embexeθér/ [v tr/intr] invecchiare.

envenenar (-se) /embenenár/ [v tr prnl] (también FIG) avvelenare (-rsi).

enviado /embjáðo/ [sm] inviato, corrispondente (m,f) LOC ~ **especial/extraordinario**: inviato speciale/straordinario.

enviar /embjár/ [v tr] **1** inviare, mandare **2** (por correo) spedire.

envidia /embíðja/ [sf] invidia, gelosia.

envidiar /embiðjár/ [v tr] invidiare LOC **no tener que ~**: non avere nulla da invidiare.

envío /embío/ [sm] invio, spedizione (f).

enviudar /embjuðár/ [v intr] rimanere vedovo.

envolver (-se) /embolβér/ [v tr prnl] **1** avvolgere (-rsi) **2** FIG coinvolgere, implicare.

enyesar /enɟesár/ [v tr] (también MED) ingessare.

epidemia /epiðémja/ [sf] epidemia.

epilepsia /epilépsja/ [sf] epilessia.

episodio /episóðjo/ [sm] episodio.

época /époka/ [sf] epoca LOC **de ~**: d'epoca, antico.

equilibrar /ekiliβrár/ [v tr] equilibrare.

equilibrio /ekilíβrjo/ [sm] equilibrio LOC **hacer equilibrios para**: fare i salti mortali per.

equilibrista /ekiliβrísta/ [adj/sm,f] equilibrista (sust), acrobata (sust).

equino /ekíno/ [adj/sm] equino.

equinoccio /ekinókθjo/ [sm] equinozio.

equipaje /ekipáxe/ [sm] bagaglio LOC **~ de mano**: bagaglio a mano | **facturación del ~**: check-in | **recogida de ~**: ritiro dei bagagli (aeroporto).

equipar (-se) /ekipár/ [v tr prnl] equipaggiare (-rsi), attrezzare (-rsi).

equipo /ekípo/ [sm] **1** equipaggiamento • **un ~ de esquí**: un equipaggiamento da sci **2** (de personas) equipe (f inv), gruppo **3** DEP squadra (f) **4** (de aparatos) impianto LOC **en ~**: in squadra; di squadra.

equitación /ekitaθjón/ [sf] equitazione, ippica.

equivaler /ekiβalér/ [v intr] equivalere.

equivocación /ekiβokaθjón/ [sf] sbaglio (m), errore (m).

equivocar (-se) /ekiβokár/ [v tr prnl] sbagliare (-rsi).

equívoco /ekíβoko/ [adj/sm] equivoco.

era /éra/ [sf] **1** era, epoca **2** AGR aia.

erario /erárjo/ [sm] erario.

erección /erekθjón/ [sf] erezione.

erguir /erɣír/ [v tr] alzare ♦ [v prnl] ergersi, innalzarsi.

eritema /eritéma/ [sm] eritema LOC **~ solar**: eritema solare.

erizado /eriθáðo/ [adj] ispido.

erizo /eríθo/ [sm] riccio LOC **~ de mar**: riccio di mare.

ermita /ermíta/ [sf] eremo (m).

erosión /erosjón/ [sf] erosione.

erótico /erótiko/ [adj] erotico.

erotismo /erotísmo/ [sm] erotismo.

erradicar /eraðikár/ [v tr] sradicare, estirpare.

error /erór/ [sm] errore.

eructar /eruktár/ [v intr] ruttare.

erupción /erupθjón/ [sf] (también MED) eruzione.

esa /esa/ [adj f sing] questa.

ésa /ésa/ [pron f sing] questa.

esas /esas/ [adj f pl] queste.

ésas /ésas/ [pron f pl] queste.

esbelto /esβélto/ [adj] snello, longilineo.

esbozo /esβóθo/ [sm] bozzetto, abbozzo.

escabeche /eskaβétʃe/ [sm] COC (salsa) marinata (f) LOC **poner en ~**: marinare.

escabullirse /eskaβuʎírse/ [v prnl] svignarsela.

escala /eskála/ [sf] **1** scala **2** (viaje) scalo (m) LOC **en gran/pequeña**

~: su larga/piccola scala | ~ **franca**: porto franco | ~ **técnica**: scalo tecnico | **hacer** ~: fare scalo.

escalar /eskalár/ [v tr] (también DEP) scalare, arrampicarsi.

escaldar (-se) /eskaldár/ [v tr prnl] scottare (-rsi).

escalera /eskaléra/ [sf] scala LOC ~ **de caracol/incendios**: scala a chiocciola/antincendio | ~ **mecánica**: scala mobile.

escalinata /eskalináta/ [sf] scalinata.

escalofriante /eskalofrjánte/ [adj m,f] da brivido, spaventoso (m).

escalofrío /eskalofrío/ [sm] brivido.

escalón /eskalón/ [sm] **1** scalino, gradino **2** FIG grado, livello.

escama /eskáma/ [sf] **1** squama **2** (de jabón) scaglia.

escandalizar (-se) /eskandaliθár/ [v tr prnl] scandalizzare (-rsi).

escándalo /eskándalo/ [sm] **1** scandalo • *dimitió debido al* ~: si dimise a causa dello scandalo **2** (alboroto) confusione (f), baraonda (f).

escáner /eskáner/ [sm] (también MED) scanner (inv).

escapar /eskapár/ [v intr] (**de**) **1** scappare, fuggire **2** (librarse) scampare, sfuggire • [v prnl] **1** (fluido) fuoriuscire **2** FIG sfuggire.

escaparate /eskaparáte/ [sm] vetrina (f).

escape /eskápe/ [sm] **1** (de fluido) fuga (f) **2** (de vehículo) scappamento **3** scampo, salvezza (f) • *buscaban una vía de* ~: cercavano una via di scampo.

escarabajo /eskaraβáxo/ [sm] scarabeo.

escarbar /eskarβár/ [v tr] **1** raspare **2** FIG curiosare.

escarcha /eskártʃa/ [sf] brina.

escarchar /eskartʃár/ [v imp] gelare, brinare.

escarlatina /eskarlatína/ [sf] scarlattina.

escarmentar /eskarmentár/ [v tr] castigare, punire • [v intr] imparare, capire.

escarola /eskaróla/ [sf] scarola, indivia.

escarpado /eskarpáðo/ [adj] scosceso, ripido.

escasear /eskaséar/ [v intr] scarseggiare.

escasez /eskaséθ/ [sf] scarsità (inv), carenza.

escaso /eskáso/ [adj] scarso.

escayola /eskajóla/ [sf] **1** MED gesso (m) **2** stucco (m).

escayolar /eskajolár/ [v tr] **1** MED ingessare **2** stuccare.

escena /esθéna/ [sf] **1** scena **2** FIG FAM scenata LOC **poner en** ~: mettere in scena.

escenario /esθenárjo/ [sm] palcoscenico.

escenografía /esθenoɣrafía/ [sf] scenografia.

escéptico /esθéptiko/ [adj/sm] scettico.

esclarecer /esklareθér/ [v tr] FIG (asunto) risolvere, chiarire • [v imp] albeggiare.

esclarecimiento /esklareθimjénto/ [sm] chiarimento.

esclavo /eskláβo/ [adj/sm] (también FIG) schiavo.

esclerosis /esklerósis/ [sf inv] sclerosi.

esclusa /esklúsa/ [sf] (canal) chiusa.

escoba /eskóβa/ [sf] scopa.

escocer /eskoθér/ [v intr] bruciare, produrre bruciore ◆ [v prnl] infiammarsi, irritarsi.

escoger /eskoxér/ [v tr] scegliere.

escolar /eskolár/ [adj m,f] scolastico (m) LOC edad ~: età scolare.

escollo /eskóʎo/ [sm] scoglio.

escolta /eskólta/ [sf] scorta ◆ [sm,f] (persona) guardaspalle (inv).

escombro /eskómbro/ [sm] 1 ICT scombro, sgombro 2 (en pl) maceria (f).

esconder (-se) /eskondér/ [v tr prnl] (también FIG) nascondere (-rsi), celare (-rsi) ● su fragilidad esconde un carácter fuerte: la sua fragilità nasconde un carattere forte.

escondidas (a) /eskondíðas/ [loc adv] di nascosto/soppiatto.

escondite /eskondíte/ [sm] 1 nascondiglio 2 (juego) nascondino.

escopeta /eskopéta/ [sf] fucile (m).

escorpena /eskorpéna/ [sf] scorfano (m).

Escorpio /eskórpjo/ [sm] (zodíaco) Scorpione.

escorpión /eskorpjón/ [sm] ZOOL scorpione.

escote /eskóte/ [sm] scollatura (f) LOC pagar a ~: pagare alla romana.

escozor /eskoθór/ [sm] bruciore.

escribano /eskriβáno/ [sm] Amer notaio.

escribir (-se) /eskriβír/ [v tr prnl] scrivere (-rsi).

escrito /eskríto/ [sm] scritto, testo LOC por ~: per iscritto.

escritor (-a) /eskritór/ [sm] scrittore (f -trice).

escritorio /eskritórjo/ [sm] scrivania (f).

escritura /eskritúra/ [sf] scrittura.

escrúpulo /eskrúpulo/ [sm] 1 (reparo) scrupolo 2 (repugnancia) schifo LOC sin escrúpulos: senza scrupoli.

escrutar /eskrutár/ [v tr] (también votos) scrutare.

escrutinio /eskrutínjo/ [sm] (también político) scrutinio.

escuadra /eskwáðra/ [sf] 1 squadra 2 MAR flotta.

escualo /eskwálo/ [sm] squalo, pescecane.

escucha /eskútʃa/ [sf] ascolto (m) LOC a la ~: in ascolto | ~ telefónica: intercettazione telefonica.

escuchar /eskutʃár/ [v tr intr] ascoltare, sentire ◆ [v tr] 1 ascoltare 2 FIG dare ascolto/retta.

escudo /eskúðo/ [sm] scudo LOC ~ (de armas): stemma (nobiliare).

escuela /eskwéla/ [sf] scuola.

escueto /eskwéto/ [adj] FIG schietto, diretto.

esculpir /eskulpír/ [v tr] 1 scolpire 2 (grabar) incidere.

escultor (-a) /eskultór/ [sm] scultore (f -trice).

escultura /eskultúra/ [sf] scultura.

escupir /eskupír/ [v tr/intr] sputare.

escurridor /eskuřiðór/ [sm] scolapasta (inv).

escurrir /eskuřír/ [v tr] 1 scolare, sgocciolare ● ¡escurre bien los platos!: scola bene i piatti! 2 (colada) strizzare ◆ [v intr] gocciolare ● ¡cuidado, que la ropa escurre!: attenzione, i panni gocciolano! ◆ [v prnl] scivolare.

ese /ése/ [adj m sing] questo.

ése /ése/ [pron m sing] questo.

esencial /esenθjál/ [adj m,f] essenziale.

esfera /esféra/ [sf] **1** (también FIG) sfera ● *una ~ del saber*: una sfera del sapere **2** (de reloj) quadrante (m) LOC ~ **celeste/terrestre**: sfera celeste/terrestre | ~ **de acción**: sfera di attività.

esférico /esfériko/ [adj] sferico.

esfínter /esfínter/ [sm] sfintere.

esforzar (-se) /esforθár/ [v tr prnl] sforzare (-rsi).

esfuerzo /esfwérθo/ [sm] sforzo.

esfumar /esfumár/ [v tr] (color) sfumare ◆ [v prnl] **1** svanire **2** FIG FAM svignarsela.

esgrima /esyríma/ [sf] scherma.

esguince /esyínθe/ [sm] FAM storta (f), slogatura (f).

eslabón /eslaβón/ [sm] (también FIG) anello ● *un ~ de una cadena de coincidencias*: un anello di una catena di coincidenze.

eslalon /eslálon/ [sm] slalom (inv).

eslip /eslíp/ [sm] slip (inv).

esmalte /esmálte/ [sm] (también FIG) smalto LOC ~ **de uñas**: smalto per unghie.

esmeralda /esmerálda/ [adj inv/sf] smeraldo (m).

esmerarse /esmerárse/ [v prnl] (**en/por**) impegnarsi, sforzarsi.

esmero /esméro/ [sm] diligenza (f), accuratezza (f).

esnob /esnóβ/ [adj/sm,f] snob (inv).

eso /éso/ [pron] ciò LOC **a ~ de las dos**: verso le due | ~ **mismo**: pro-

prio così | **por ~ (mismo)**: per questa ragione.

esófago /esófaɣo/ [sm] esofago.

esos /ésos/ [adj m pl] questi.

ésos /ésos/ [pron m pl] questi.

espabilar (-se) /espaβilár/ [v tr/intr prnl] (también FIG) svegliare (-rsi) ● *si no espabila, seguirán engañándole*: se non si sveglia continueranno a ingannarlo.

espacial /espaθjál/ [adj m,f] spaziale.

espaciar /espaθjár/ [v tr] diradare.

espacio /espáθjo/ [sm] (también tiempo) spazio ● *acabamos en el ~ de una tarde*: terminammo nello spazio di un pomeriggio LOC ~ **vital**: spazio vitale.

espada /espáda/ [sf] spada LOC **entre la ~ y la pared**: con le spalle al muro.

espaguetis /espaɣétis/ [sm pl] spaghetti.

espalar /espalár/ [v tr] spalare.

espalda /espálda/ [sf] **1** schiena **2** ARQ retro (m) **3** (en pl) spalle LOC **dar/volver la ~**: voltare le spalle | **cargado de espaldas**: incurvato, gobbo.

espantar /espantár/ [v tr] **1** (asustar) spaventare **2** (echar) scacciare ◆ [v prnl] spaventarsi.

espanto /espánto/ [sm] **1** spavento **2** FIG cosa spaventosa, orrore.

espantoso /espantóso/ [adj] (también FIG FAM) spaventoso ● *hacía un frío ~*: faceva un freddo spaventoso.

España /espáɲa/ [sf] Spagna.

español (-a) /espaɲól/ [adj/sm] spagnolo.

esparadrapo /esparaðrápo/ [sm] cerotto.

esparcimiento /esparθimjénto/ [sm] **1** (acción) spargimento **2** divertimento • *salió en busca de ~*: uscì in cerca di divertimento.

esparcir /esparθír/ [v tr] **1** spargere, sparpagliare **2** FIG (noticia) diffondere.

espárrago /espáRayo/ [sm] asparago LOC **~ triguero**: asparago selvatico | **mandar a freír espárragos**: mandare a farsi friggere.

espasmo /espás mo/ [sm] spasmo.

especia /espéθja/ [sf] spezia.

especial /espeθjál/ [adj m,f] speciale.

especialidad /espeθjaliðáð/ [sf] specialità (inv).

especialista /espeθjalísta/ [adj sm,f] **1** specialista **2** (de cine, televisión) controfigura (sust f).

especie /espéθje/ [sf] specie (inv) LOC **en ~**: in natura | **una ~ de**: una specie di.

especificación /espeθifikaθjón/ [sf] precisazione.

especificar /espeθifikár/ [v tr] specificare.

específico /espeθífiko/ [adj] specifico.

espectáculo /espektákulo/ [sm] spettacolo LOC **dar un ~**: dare spettacolo.

espectador (-a) /espektaðór/ [sm] spettatore (f -trice).

especulación /espekulaθjón/ [sf] speculazione.

especular /espekulár/ [intr] speculare.

espejismo /espexísmo/ [sm] miraggio.

espejo /espéxo/ [sm] specchio LOC **~ de mano**: specchietto tascabile/da borsetta | **~ retrovisor**: specchietto retrovisore.

espeluznante /espeluθnánte/ [adj m,f] orripilante.

espera /espéra/ [sf] attesa LOC **a la ~**: nell'attesa | **sala de ~**: sala d'attesa.

esperanza /esperánθa/ [sf] speranza LOC **dar ~ (s)**: dare speranze.

esperar /esperár/ [v tr] **1** (también FIG) aspettare, attendere • *en la cena nos espera pescado a la plancha*: a cena ci attende pesce alla griglia **2** FIG sperare, augurarsi • *espero que estés bien*: spero che tu stia bene ◆ [v intr] aspettare un bambino LOC **es/era de ~**: c'è/c'era da aspettarselo | **~ en algo/alguien**: sperare/confidare in qualcosa/qualcuno.

esperma /espérma/ [sm] sperma, seme.

espermatozoo /espermatoθóo/ [sm] spermatozoo.

espeso /espéso/ [adj] spesso.

espesor /espesór/ [sm] **1** spessore, grossezza (f) **2** (de niebla, humo) densità (f inv).

espía /espía/ [sm,f] spia (f).

espiar /espjár/ [v tr] spiare.

espiga /espíya/ [sf] spiga.

espina /espína/ [sf] **1** (también FIG) spina **2** (astilla) scheggia LOC **~ de pescado**: lisca di pesce | **~ dorsal**: spina dorsale.

espinaca /espináka/ [sf] spinacio (m).

espinazo /espináθo/ [sm] FAM spina (f) dorsale.

espinilla /espiníʎa/ [sf] **1** stinco (m) **2** (grano) brufolo (m).

espinoso /espinóso/ [adj] (también FIG) spinoso • *un asunto* ~: una faccenda spinosa.

espiral /espirál/ [sf] (también FIG) spirale • *una* ~ *de violencia*: una spirale di violenza.

espirar /espirár/ [v intr] espirare.

espíritu /espíritu/ [sm] spirito.

espiritual /espiritwál/ [adj m,f] spirituale.

espita /espíta/ [sf] rubinetto (m).

esplendor /esplendór/ [sm] splendore.

esplendoroso /esplendoróso/ [adj] **1** splendente (m,f) **2** FIG splendido, magnifico.

espolear /espoleár/ [v tr] (también FIG) spronare.

espolvorear /espolβoreár/ [v tr] spolverare.

esponja /espónxa/ [sf] (también TEX) spugna.

esponjoso /esponxóso/ [adj] spugnoso.

espontáneo /espontáneo/ [adj] spontaneo.

esposa /espósa/ [sf] **1** moglie*, consorte **2** (en pl) manette.

esposo /espóso/ [sm] marito, coniuge.

espuela /espwéla/ [sf] sperone (m).

espuma /espúma/ [sf] schiuma, spuma LOC ~ *de afeitar*: schiuma da barba.

espumoso /espumóso/ [adj] schiumoso.

esputo /espúto/ [sm] sputo.

esquela /eskéla/ [sf] necrologio (m).

esqueleto /eskeléto/ [sm] (también FIG) scheletro • *el* ~ *de un edificio*: lo scheletro di un edificio.

esquema /eskéma/ [sm] schema.

esquí /eskí/ [sm] sci (inv) LOC ~ *acuático/náutico*: sci nautico | ~ *alpino/* ~ *de fondo*: sci alpino/sci di fondo.

esquiar /eskjár/ [v intr] sciare.

esquimal /eskimál/ [adj/sm,f] eschimese, eschimese.

esquina /eskína/ [sf] angolo (m) LOC **doblar una** ~: girare l'angolo | **hacer algo** ~: fare angolo.

esquivar /eskiβár/ [v tr] evitare, schivare.

esquizofrénico /eskiθofréniko/ [adj] schizofrenico.

esta /esta/ [adj f sing] questa.

ésta /ésta/ [pron f sing] questa.

estabilidad /estaβiliðáð/ [sf] **1** stabilità (inv), equilibrio (m) **2** (de vehículo) tenuta di strada.

estable /estáβle/ [adj m,f] stabile.

establecer (-se) /estaβleθér/ [v tr prnl] stabilire (-rsi).

establecimiento /estaβleθimjénto/ [sm] (también COM, industria) stabilimento.

establo /estáβlo/ [sm] stalla (f).

estaca /estáka/ [sf] bastone (m).

estación /estaθjón/ [sf] **1** (temporada) stagione **2** (lugar) stazione LOC ~ *de autobuses/metro/ferrocarriles*: stazione degli autobus/del metro/dei treni | ~ *de servicio*: stazione di servizio | ~ *terminal*: terminal.

estacionamiento /estaθjonamjénto/ [sm] parcheggio.

estadio /estáðjo/ [sm] (también DEP) stadio.

estadística /estaðístika/ [sf] statistica.

estado /estáðo/ [sm] (también condición) stato LOC ~ **civil**: stato civile | ~ **de alarma**: stato di emergenza | ~ **de ánimo**: stato d'animo | ~ **de excepción/guerra**: stato di allarme/guerra.

estafa /estáfa/ [sf] truffa, frode.

estafar /estafár/ [v tr] truffare, imbrogliare.

estafeta /estaféta/ [sf] ufficio (m) postale.

estallar /estaʎár/ [v intr] (también FIG) scoppiare • *estalló un escándalo internacional*: scoppiò uno scandalo internazionale.

estallido /estaʎíðo/ [sm] scoppio, esplosione (f).

estampa /estámpa/ [sf] **1** stampa, immagine **2** FIG aspetto (m), apparenza.

estampar (-se) /estampár/ [v tr prnl] stampare (-rsi).

estancar (-se) /estaŋkár/ [v tr prnl] **1** stagnare **2** FIG (asunto) bloccare (-rsi), paralizzare (-rsi).

estancia /estánθja/ [sf] **1** permanenza, soggiorno (m) • *nuestra ~ duró una semana*: la nostra permanenza durò una settimana **2** (cuarto) stanza **3** *Amer* tenuta agricola.

estanco /estáŋko/ [adj] stagno, ermetico ◆ [sm] tabaccheria (f).

estanque /estáŋke/ [sm] stagno.

estanquero /estaŋkéro/ [sm] tabaccaio.

estante /estánte/ [sm] scaffale, ripiano.

estaño /estáɲo/ [sm] (metal) stagno.

estar /estár/ [v intr] **1** stare, essere • *la carta está en el cajón*: la lettera è nel cassetto **2** (temporal, ocasional) essere • *el cielo está nublado*: il cielo è coperto | *hoy está triste*: oggi è triste **3** essere pronto • *no estoy todavía*: non sono ancora pronto ◆ [v prnl] starsene ■ **estar de + sust 1** (oficio) fare il • *está de camarero*: fa il cameriere **2** (acción) stare + ger • *de mudanza*: stare traslocando ■ **estar + pp** (pasiva) essere + pp • *el proyecto está firmado por el jefe*: il progetto è firmato dal capo LOC ~ **a**: averne, essere (data); costare (prezzo) | ~ **bien**: stare bene; andare/adattarsi bene (indumento) | ~ **de más**: essere inutile | ~ **malo**: essere malato | ~ **por**: essere da | ~ **por ver**: essere da vedere | ~ **visto**: essere evidente | **¿estás?/¿está?**: ci sei?/c'è?

estas /estas/ [adj f pl] queste.

éstas /éstas/ [pron f pl] queste.

estatal /estatál/ [adj m,f] statale.

estatua /estátwa/ [sf] statua.

estatura /estatúra/ [sf] statura.

estatuto /estatúto/ [sm] statuto.

este /este/ [adj m] questo.

éste /éste/ [pron m] questo.

este /éste/ [sm] est.

estela /estéla/ [sf] scia.

estepa /estépa/ [sf] steppa.

estereofónico /estereofóniko/ [adj] stereofonico.

estéril /estéril/ [adj m,f] sterile.

esterilizar /esteriliθár/ [v tr] sterilizzare.

esterilla /esteríʎa/ [sf] (para playa, piscina) stuoia.

esternón /esternón/ [sm] sterno.

esteticista /estetiθísta/ [sm,f] estetista LOC ~ **facial**: visagista.

estética /estétika/ [sf] estetica.

estético /estétiko/ [adj] estetico.

estilo /estílo/ [sm] stile LOC **al ~ de**: alla maniera di | **algo por el ~**: qualcosa del genere.

estilográfica /estiloɣráfika/ [sf] stilografica.

estima /estíma/ [sf] stima LOC **tener en mucha/poca ~**: avere molta/poca stima.

estimación /estimaθjón/ [sf] COM stima.

estimar /estimár/ [v tr] (también FIG) stimare • *no lo dice, pero te estima mucho*: non lo dice ma ti stima molto LOC **se estima que**: si stima/ritiene che.

estimular /estimulár/ [v tr] stimolare.

estímulo /estímulo/ [sm] stimolo.

estirar /estirár/ [v tr] **1** (alargar) tirare, tendere **2** (alisar) lisciare **3** FIG tirare per le lunghe ♦ [v prnl] **1** (desperezarse) stiracchiarsi, sgranchirsi **2** (crecer) crescere, allungarsi.

estival /estiβál/ [adj m,f] estivo (m).

esto /ésto/ [pron] ciò, questa cosa LOC ~ **es**: cioè.

estofar /estofár/ [v tr] COC stufare.

estómago /estómaɣo/ [sm] stomaco.

estorbar /estorβár/ [v tr] **1** ostacolare, intralciare **2** FIG disturbare, infastidire.

estorbo /estórβo/ [sm] FIG impiccio.

estornudar /estornuðár/ [v intr] starnutire.

estornudo /estornúðo/ [sm] starnuto.

estos /estos/ [adj m pl] questi.

éstos /éstos/ [pron m pl] questi.

estrabismo /estraβísmo/ [sm] strabismo.

estrado /estráðo/ [sm] (de sala de actos) palco.

estrafalario /estrafalárjo/ [adj/sm] FAM strambo, bizzarro.

estrago /estráɣo/ [sm] strage (f).

estragón /estraɣón/ [sm] dragoncello.

estrangular (-se) /estraŋgulár/ [v tr prnl] strangolare (-rsi), strozzare (-rsi).

estratagema /estrataxéma/ [sf] stratagemma (m).

estrategia /estratéxja/ [sf] strategia.

estrato /estráto/ [sm] (también FIG) strato • *viene de un ~ social bajo*: viene da uno strato sociale basso.

estrechar (-se) /estretʃár/ [v tr prnl] stringere (-rsi) LOC ~ **la mano**: stringere la mano.

estrecho /estrétʃo/ [adj/sm] stretto.

estrella /estréʎa/ [sf] stella LOC **buena/mala ~**: buona/mala sorte | ~ **de mar**: stella marina | ~ **fugaz**: stella cadente | **ver las estrellas**: vedere le stelle.

estrellar /estreʎár/ [v tr] gettare, scagliare ♦ [v prnl] **1** schiantarsi **2** FIG fallire.

estremecer /estremeθér/ [v tr] (también FIG) scuotere • *lo ocurrido nos estremeció*: l'avvenimento ci scosse ♦ [v prnl] tremare.

estremecimiento /estremeθimjénto/ [sm] **1** scossa (f) **2** FIG commozione (f).

estrenar /estrenár/ [v tr] **1** sfoggiare **2** (cine, teatro) dare la prima.

estreno /estréno/ [sm] debutto LOC de ~: in prima visione (film); nuovo (abito).

estreñimiento /estreɲimjénto/ [sm] stitichezza (f).

estrés /estrés/ [sm] stress (inv).

estría /estría/ [sf] MED smagliatura.

estribo /estríβo/ [sm] staffa (f) LOC **perder los estribos**: perdere le staffe.

estricto /estríkto/ [adj] **1** rigoroso, preciso **2** (persona) severo, rigido.

estriptis /estríptis/ [sm inv] spogliarello (sing).

estropajo /estropáxo/ [sm] strofinaccio.

estropear /estropeár/ [v tr] **1** rovinare **2** (aparato, mecanismo) guastare ◆ [v prnl] guastarsi.

estructura /estruktúra/ [sf] struttura.

estruendo /estrwéndo/ [sm] fragore, fracasso.

estrujar /estruxár/ [v tr] (exprimir) spremere.

estuario /estwárjo/ [sm] estuario.

estuche /estútʃe/ [sm] astuccio.

estuco /estúko/ [sm] stucco.

estudiante /estuðjánte/ [sm,f] studente (f -essa).

estudiar /estuðjár/ [v tr] studiare.

estudio /estúðjo/ [sm] **1** studio **2** (vivienda) monolocale.

estudioso /estuðjóso/ [adj/sm] studioso.

estufa /estúfa/ [sf] stufa.

estupefaciente /estupefaθjénte/ [adj m,f/sm] stupefacente.

estupendo /estupéndo/ [adj] stupendo.

estupidez /estupiðéθ/ [sf] **1** (calidad) stupidità (inv) **2** (dicho, acción) stupidaggine.

estúpido /estúpiðo/ [adj] stupido, sciocco.

estupor /estupór/ [sm] stupore.

esturión /esturjón/ [sm] storione.

etapa /etápa/ [sf] **1** tappa **2** FIG fase, periodo (m) LOC **quemar etapas**: bruciare le tappe.

etcétera /etθétera/ [sm] eccetera (inv).

eternidad /eterniðáð/ [sf] eternità (inv).

eterno /etérno/ [adj] eterno.

etiqueta /etikéta/ [sf] etichetta LOC **traje de ~**: abito da cerimonia.

etnia /étnja/ [sf] etnia.

étnico /étniko/ [adj] etnico.

eucalipto /eukalípto/ [sm] eucalipto.

eufórico /eufóriko/ [adj] euforico.

euro /éuro/ [sm] euro (inv).

europeo /européo/ [adj/sm] europeo.

evacuación /eβakwaθjón/ [sf] evacuazione.

evacuar /eβakwár/ [v tr] **1** evacuare **2** (gestión, trámite) sbrigare, evadere.

evadir (-se) /eβaðír/ [v tr prnl] (también FIG) evadere ◆ ~ de la rutina: evadere dalla routine.

evaluación /eβalwaθjón/ [sf] valutazione.

evaluar /eβalwár/ [v tr] valutare.

evangelio /eβaŋxéljo/ [sm] vangelo.

evaporación /eβaporaθjón/ [sf] evaporazione.

evaporar (-se) /eβaporár/ [v intr prnl] evaporare.

evasión /eβasjón/ [sf] evasione LOC ~ **fiscal/tributaria**: evasione fiscale.

evasivo /eβasíβo/ [adj] evasivo, sfuggente (m,f).

evento /eβénto/ [sm] **1** (suceso) evento, avvenimento **2** eventualità (f inv), evenienza (f) • *¿cómo te enfrentarías con eventos de este tipo?*: come affronteresti questo tipo di evenienze?

eventual /eβentwál/ [adj m,f] **1** (trabajo) provvisorio (m), a termine **2** eventuale.

evidencia /eβiðénθja/ [sf] evidenza, certezza.

evidente /eβiðénte/ [adj m,f] evidente, chiaro (m).

evitar /eβitár/ [v tr] evitare.

evolución /eβoluθjón/ [sf] evoluzione.

evolucionar /eβoluθjonár/ [v intr] evolversi.

ex /eks/ [prep] ex.

exactitud /eksak titúð/ [sf] esattezza.

exacto /eksákto/ [adj] esatto.

exageración /eksaxeraθjón/ [sf] esagerazione

exagerar /eksaxerár/ [v tr] esagerare.

exaltar (-se) /eksaltár/ [v tr prnl] FIG esaltare (-rsi).

examen /eksámen/ [sm] esame.

examinar /eksaminár/ [v tr] esaminare ◆ [v prnl] dare un esame.

exasperar /eksasperár/ [v tr] (también FIG) esasperare.

excedencia /esθeðénθja/ [sf] (trabajo) aspettativa.

excelente /esθelénte/ [adj m,f] eccellente.

excéntrico /esθéntriko/ [adj] eccentrico.

excepción /esθepθjón/ [sf] eccezione LOC **a/con ~ de algo/alguien**: a eccezione di qualcosa/qualcuno | **hacer una ~**: fare un'eccezione | **sin ~**: senza eccezione.

excepcional /esθepθjonál/ [adj m,f] eccezionale.

excepto /esθépto/ [adv] eccetto, tranne.

exceptuar /esθeptwár/ [v tr] eccettuare, escludere.

excesivo /esθesíβo/ [adj] eccessivo, esagerato.

exceso /esθéso/ [sm] eccesso LOC **en ~**: in eccesso, eccessivamente | **~ de equipaje**: eccesso di bagaglio | **por ~**: per eccesso.

excitación /esθitaθjón/ [sf] eccitazione.

excitante /esθitánte/ [adj m,f/sm] eccitante.

excitar (-se) /esθitár/ [v tr prnl] eccitare (-rsi).

exclamar /esklamár/ [v intr/tr] esclamare.

excluir /esklwír/ [v tr] escludere.

exclusión /esklusjón/ [sf] esclusione.

exclusiva /esklusíβa/ [sf] (también de periódicos) esclusiva.

exclusivo /esklusíβo/ [adj] esclusivo, u-nico.

excursión /eskursjón/ [sf] escursione, gita.

excursionista /eskursjonísta/ [adj/sm,f] escursionista (sust), gitante (sust).

excusa /eskúsa/ [sf] scusa.

excusar /eskusár/ [v tr] **1** (disculpar) scusare **2** evitare • **~ un trabajo**: evitare un lavoro ◆ [v prnl] scusarsi.

exento /eksénto/ [adj] esente (m,f).

exhibición /eksiβiθjón/ [sf] **1** esibizione **2** (arte) mostra, esposizione.

exhibir (**-se**) /eksiβír/ [v tr prnl] esibire (-rsi).

exigencia /eksixénθja/ [sf] esigenza.

exigente /eksixénte/ [adj m,f] esigente.

exiliado /eksiljáðo/ [adj/sm] esiliato, esule (m,f).

exiliar /eksiljár/ [v tr] esiliare.

exilio /eksíljo/ [sm] esilio.

existencia /eksisténθja/ [sf] **1** esistenza, vita **2** (en pl) scorte, giacenze.

existir /eksistír/ [v intr] esistere.

éxito /éksito/ [sm] successo.

éxodo /éksoðo/ [sm] esodo.

exonerar /eksonerár/ [v tr] esonerare.

exótico /eksótiko/ [adj] esotico.

expandir /espandír/ [v tr] **1** espandere **2** (voz, noticia) spargere, diffondere ♦ [v prnl] **1** espandersi **2** (voz, noticia) spargersi, diffondersi.

expansivo /espansíβo/ [adj] FIG espansivo, aperto.

expatriar /espatrjár/ [v tr] esiliare ♦ [v prnl] espatriare, emigrare.

expectativa /espektatíβa/ [sf] **1** aspettativa, attesa **2** (perspectiva) possibilità (inv) LOC **estar a la ~**: essere in attesa.

expedición /espeðiθjón/ [sf] spedizione.

expediente /espeðjénte/ [sm] fascicolo, dossier (inv).

expedir /espeðír/ [v tr] (documento) rilasciare.

expendedor (**-a**) /espendeðór/ [sm] rivenditore (f -trice) LOC **~ automático**: distributore automatico.

experiencia /esperjénθja/ [sf] esperienza.

experimentar /esperimentár/ [v tr] sperimentare.

experimento /esperiménto/ [sm] esperimento.

experto /espérto/ [adj/sm] esperto.

explanada /esplanáða/ [sf] spianata.

explicación /esplikaθjón/ [sf] spiegazione.

explicar (**-se**) /esplikár/ [v tr prnl] spiegare (-rsi).

explícito /esplíθito/ [adj] esplicito, chiaro.

explorar /esplorár/ [v tr] (también MED) esplorare.

explosión /esplosjón/ [sf] esplosione.

explosionar /esplosjonár/ [v intr] esplodere.

explosivo /esplosíβo/ [adj/sm] esplosivo.

explotación /esplotaθjón/ [sf] (también FIG) sfruttamento (m).

explotar /esplotár/ [v tr] (también FIG) sfruttare ● *está explotando tu amistad*: sta sfruttando la tua amicizia ♦ [v intr] esplodere, scoppiare.

exponer (**-se**) /esponér/ [v tr/intr prnl] esporre (-rsi).

exportación /esportaθjón/ [sf] esportazione.

exportar /esportár/ [v tr] esportare.

exposición /esposiθjón/ [sf] esposizione, mostra.

exprés /esprés/ [adj inv/sm] espresso (m) LOC **café ~**: caffè espresso

| enviar por correo ~: fare un espresso (posta).

expresar (-se) /espresár/ [v tr prnl] esprimere (-rsi).

expresión /espresjón/ [sf] espressione.

expreso /espréso/ [adj/sm] (tren) espresso.

exprimir (-se) /esprimír/ [v tr prnl] (también FIG) spremere (-rsi).

expulsar /espulsár/ [v tr] espellere.

expulsión /espulsjón/ [sf] espulsione.

exquisito /eskisíto/ [adj] squisito.

extender /estendér/ [v tr] **1** stendere **2** FIG (noticia, influencia) diffondere ◆ [v prnl] **1** stendersi **2** (espacio) estendersi, distendersi **3** (tiempo) prolungarsi.

extensión /estensjón/ [sf] **1** estensione **2** (de teléfono) interno (m).

exterior /esterjór/ [adj m,f] **1** esteriore, esterno (m) **2** (extranjero) estero ◆ [sm] esterno, facciata (f).

exterminio /estermínjo/ [sm] sterminio.

externo /estérno/ [adj] esterno.

extintor /estintór/ [sm] estintore.

extirpar /estirpár/ [v tr] **1** estirpare **2** MED asportare.

extorsión /estorsjón/ [sf] estorsione.

extra /éstra/ [adj inv] extra ◆ [sm] **1** extra (inv) **2** (cine) comparsa (f).

extracción /estrakθjón/ [sf] estrazione.

extradición /estraðiθjón/ [sf] estradizione.

extraer /estraér/ [v tr] estrarre.

extranjero /estraŋxéro/ [adj/sm] straniero ◆ [sm] estero.

extrañar /estraɲár/ [v tr] **1** (echar de menos) sentire la mancanza **2** (asombrar) sorprendere, stupire ◆ [v prnl] sorprendersi, stupirsi LOC no me extraña: non mi stupisce.

extrañeza /estraɲéθa/ [sf] **1** (rareza) stranezza **2** (asombro) stupore (m), meraviglia.

extraño /estráɲo/ [adj] **1** (desconocido) estraneo **2** (raro) strano LOC ~ a algo: estraneo a qualcosa, al di fuori di qualcosa ◆ [sm] estraneo.

extraordinario /estraorðinárjo/ [adj] straordinario.

extrarradio /estrařáðjo/ [sm] hinterland (inv).

extraterrestre /estrateřéstre/ [adj sm,f] extraterrestre.

extravagante /estraβaɣánte/ [adj m,f] stravagante.

extraviar /estraβjár/ [v tr] **1** smarrire, perdere **2** (mirada) distogliere ◆ [v prnl] disorientarsi, perdersi.

extremado /estremáðo/ [adj] eccessivo.

Extremadura /estremaðúra/ [sf] Estremadura.

extremeño /estreméɲo/ [adj/sm] abitante dell'Estremadura.

extremidad /estremiðáð/ [sf] estremità (inv).

extremo /estrémo/ [adj] estremo ◆ [sm] estremità (f inv) LOC ir/pasar de un ~ al otro: passare da un estremo all'altro.

extrovertido /estroβertíðo/ [adj/sm] estroverso.

exultar /eksultár/ [v intr] esultare.

Ff

fa /fá/ [sm] MUS fa (inv).

fábrica /fáβrika/ [sf] fabbrica, stabilimento (m).

fabricar /faβrikár/ [v tr] 1 fabbricare 2 FIG (futuro, fortuna) costruire.

fabuloso /faβulóso/ [adj] favoloso.

facción /fakθjón/ [sf] 1 fazione, setta 2 (en pl) fattezze, lineamenti (m).

faceta /faθéta/ [sf] FIG aspetto (m), sfaccettatura.

fachada /fatʃáða/ [sf] 1 facciata 2 FIG aspetto (m) • no te dejes engañar por esa ~ tan inofensiva: non lasciarti ingannare da quell'aspetto innocuo.

fácil /fáθil/ [adj m,f] 1 facile 2 FIG (mujer) leggero (m), di facili costumi LOC es ~ que: è probabile/possibile che.

facilidad /faθiliðáð/ [sf] 1 facilità (inv) 2 (para) predisposizione 3 (en pl) agevolazioni, facilitazioni.

facilitar /faθilitár/ [v tr] 1 (hacer más fácil) facilitare, agevolare 2 (proporcionar) procurare.

factor /faktór/ [sm] fattore.

factoría /faktoría/ [sf] fabbrica, stabilimento (m).

factura /faktúra/ [sf] fattura.

facturar /fakturár/ [v tr] (en el aeropuerto) fare il check-in LOC ~ el equipaje/las maletas: fare il check-in del bagaglio.

facultad /fakultáð/ [sf] 1 capacità (inv) 2 (también de universidad) facoltà (inv).

facultativo /fakultatíβo/ [adj] facoltativo ◆ [sm,f] medico.

faena /faéna/ [sf] 1 lavoro (m) 2 FIG tiro (m), brutto scherzo (m) LOC hacer una ~: giocare un brutto scherzo.

faisán /faisán/ [sm] fagiano.

faja /fáxa/ [sf] 1 fascia 2 (prenda interior) guaina.

falange /faláŋxe/ [sf] (también ANAT) falange.

falda /fálda/ [sf] gonna.

falla /fáʎa/ [sf] difetto (m).

fallar /faʎár/ [v tr] (en un concurso) eleggere ◆ [v intr] sbagliare, fallire.

fallecer /faʎeθér/ [v intr] morire.

fallo /fáʎo/ [sm] 1 (de jurado, juez) verdetto 2 (falta) errore.

falo /fálo/ [sm] ANAT fallo.

falsario /falsárjo/ [sm] falsario.

falsear /falseár/ [v tr] falsificare.

falsedad /falseðáð/ [sf] falsità (inv).

falsificar /falsifikár/ [v tr] falsificare, contraffare.

falso /fálso/ [adj] falso LOC dar un paso en ~/pisar en ~: fare un passo falso.

falta /fálta/ [sf] 1 mancanza • esto es una ~ de respeto: questa è mancanza di rispetto 2 (yerro) errore (m) 3 DEP fallo (m) 4 FIG difetto (m) • la codicia es la única ~ que tiene: la cupidigia è il suo unico difetto LOC **a ~ de algo**: in mancanza di qualcosa | **echar en ~**: sentire la mancanza | **hacer ~**: aver bisogno | **sin ~**: immancabilmente.

faltar /faltár/ [v intr] (también FIG) mancare • **~ a una promesa**: mancare a una promessa LOC **¡no faltaba/faltaría más!**: ci mancherebbe altro! | **~ poco para**: mancare poco a/che.

falto /fálto/ [adj] **1** (desprovisto) carente (m,f), privo **2** (necesitado) bisognoso.

fama /fáma/ [sf] (también FIG) fama.

familia /famílja/ [sf] famiglia LOC **en ~**: in famiglia.

familiar /familjár/ [adj m,f/sm] familiare.

famoso /famóso/ [adj] famoso.

fanático /fanátiko/ [adj/sm] fanatico.

fanfarrón (-a) /famfaɾón/ [adj/sm] FAM fanfarone (sust), spaccone (sust).

fango /fáŋgo/ [sm] fango.

fangoso /faŋgóso/ [adj] fangoso.

fantasía /fantasía/ [sf] fantasia LOC **de ~**: fantasia (tessuto).

fantasioso /fantasjóso/ [adj] fantasioso.

fantasma /fantásma/ [adj inv/sm] fantasma.

fantástico /fantástiko/ [adj] (también FAM) fantastico.

fardar /faɾðár/ [v intr] (de) FAM vantarsi, pavoneggiarsi.

fardo /fáɾðo/ [sm] fagotto, involto.

faringe /faɾínxe/ [sf] faringe.

faringitis /faɾinxítis/ [sf inv] faringite (sing).

farmacéutico /farmaθéutiko/ [adj] farmaceutico ♦ [sm] farmacista (m,f).

farmacia /farmáθja/ [sf] farmacia.

fármaco /fármako/ [sm] farmaco, medicina (f).

faro /fáro/ [sm] faro.

farol /faról/ [sm] fanale, lampione.

farola /faróla/ [sf] (alumbrado público) lampione (m).

farro /fáro/ [sm] farro.

farsa /fársa/ [sf] **1** (también FIG) farsa **2** COC farcia, ripieno (m).

fascículo /fasθíkulo/ [sm] fascicolo, dispensa (f).

fascinación /fasθinaθjón/ [sf] fascino (m), attrazione.

fascinante /fasθinánte/ [adj m,f] affascinante, seducente.

fascinar /fasθinár/ [v tr] affascinare.

fascismo /fasθísmo/ [sm] fascismo.

fascista /fasθísta/ [adj/sm,f] fascista.

fase /fáse/ [sf] fase.

fastidiar /fastiðjár/ [v tr] **1** (molestar) infastidire, seccare **2** FAM (estropear) rompere, guastare LOC **¡no fastidies!**: ma dai/va là! | **¡te fastidias!/¡que se fastidie!**: peggio per te/lui/lei!

fastidio /fastíðjo/ [sm] fastidio, seccatura (f).

fastidioso /fastiðjóso/ [adj] fastidioso, seccante (m,f).

fatal /fatál/ [adj m,f] **1** fatale **2** FAM (muy malo) cattivo (m), pessimo (m) ♦ [adv] pessimamente, molto male • **lo pasamos ~ en aquel hotel**: siamo stati molto male in quell'albergo.

fatalidad /fataliðáð/ [sf] fatalità (inv), caso (m).

fatiga /fatíɣa/ [sf] **1** fatica **2** (al respirar) affanno (m).

fatigar (-se) /fatiɣár/ [v tr prnl] affaticare (-rsi).

fatigoso /fatiɣóso/ [adj] faticoso.

fauna /fáuna/ [sf] fauna.

favor /faβór/ [sm] favore LOC **a/en ~ de alguien**: a favore di qualcuno| **hacer el ~ de**: fare il piacere di | **por ~**: per favore.

favorable /faβoráβle/ [adj m,f] (a) favorevole.

favorecer /faβoreθér/ [v tr] favorire.

favorito /faβoríto/ [adj] favorito, preferito.

fax /fáks/ [sm inv] fax.

fe /fé/ [sf] **1** fede **2** (confianza) fiducia LOC **buena/mala ~**: buona fede/malafede.

fealdad /fealdáð/ [sf] bruttezza.

febrero /feβréro/ [sm] febbraio.

fecha /fétʃa/ [sf] data LOC **~ de caducidad**: data di scadenza | **hasta la ~**: fino a oggi/questo momento.

fecundación /fekundaθjón/ [sf] fecondazione LOC **~ artificial**: fecondazione artificiale.

federación /feðeraθjón/ [sf] federazione.

felicidad /feliθiðáð/ [sf] felicità (inv) LOC **¡felicidades!**: auguri!

felicitar /feliθitár/ [v tr] fare gli auguri ◆ [v prnl] (por) congratularsi.

felino /felíno/ [adj/sm] felino.

feliz /felíθ/ [adj m,f] felice LOC **¡~ cumpleaños/Navidad!**: buon compleanno/Natale!

felpa /félpa/ [sf] TEX felpa.

felpudo /felpúðo/ [sm] zerbino.

femenino /femeníno/ [adj] femminile (m,f).

feminismo /feminísmo/ [sm] femminismo.

feminista /feminísta/ [adj/sm,f] femminista.

fémur /fémur/ [sm] femore.

fenomenal /fenomenál/ [adj m,f] FAM **1** (muy bueno) straordinario (m), fenomenale **2** (muy grande) enorme.

fenómeno /fenómeno/ [sm] (también FIG) fenomeno.

feo /féo/ [adj] (también FIG) brutto ◆ *una acción muy fea*: un'azione molto brutta ◆ [sm] FAM sgarbo.

feria /férja/ [sf] (también COM) fiera LOC **~ de muestras**: fiera campionaria.

fermentación /fermentaθjón/ [sf] fermentazione.

fermentar /fermentár/ [v intr] fermentare.

fermento /ferménto/ [sm] (también FIG) fermento ◆ *había ~ en la plaza*: c'era fermento nella piazza.

ferocidad /feroθiðáð/ [sf] ferocia.

feroz /feróθ/ [adj m,f] **1** feroce **2** FIG FAM atroce ◆ *tengo un hambre ~*: ho una fame atroce.

ferretería /fer̄etería/ [sf] ferramenta.

ferrocarril /fer̄okar̄íl/ [sm] ferrovia (f).

ferroviario /fer̄oβjárjo/ [adj] ferroviario ◆ [sm] ferroviere.

ferry /féri/ [sm] traghetto ■ pl irr **ferries**.

fértil /fértil/ [adj m,f] (también FIG) fertile ◆ *una fantasía ~*: una fertile fantasia.

fervor /ferβór/ [sm] fervore, ardore.
festival /festiβál/ [sm] festival (inv).
festividad /festiβiðáð/ [sf] festività (inv).
festivo /festíβo/ [adj] FIG allegro LOC **día ~**: giorno festivo.
feto /féto/ [sm] feto.
fiable /fjáβle/ [adj m,f] affidabile.
fiado /fjáðo/ [adj] (sólo en la locución) LOC **al ~**: a credito.
fiambre /fjámbre/ [sm] COC affettato.
fianza /fjánθa/ [sf] cauzione.
fiar /fjár/ [v tr] fare credito ◆ [v intr prnl] fidarsi, avere fiducia LOC **ser alguien de ~**: essere di fiducia.
fibra /fíβra/ [sf] fibra.
ficción /fikθjón/ [sf] finzione.
ficha /fítʃa/ [sf] **1** gettone (m) **2** (de juego) fiche (inv) **3** (de papel) scheda.
fichar /fitʃár/ [v tr] **1** schedare **2** DEP ingaggiare ◆ [v intr] (trabajo) timbrare il cartellino.
fichero /fitʃéro/ [sm] **1** schedario **2** INFORM file (inv).
fidelidad /fiðeliðáð/ [sf] fedeltà (inv).
fideo /fiðéo/ [sm] **1** (en pl) fedelini **2** FIG persona molto magra.
fiebre /fjéβre/ [sf] (también FIG) febbre LOC **~ del heno**: raffeddore da fieno.
fiel /fjél/ [adj/sm,f] fedele.
fiera /fjéra/ [sf] (también FIG) belva, fiera LOC **estar hecho una ~**: essere inferocito.
fiereza /fjeréθa/ [sf] crudeltà (inv).
fiero /fjéro/ [adj] feroce (m,f).
fiesta /fjésta/ [sf] **1** (reunión de personas) festa **2** festività (inv) ◆ *¿dón-*

de pasarás estas fiestas?: dove passerai queste festività? LOC **¡felices fiestas!**: buone feste!
figura /fiɣúra/ [sf] figura.
figurar /fiɣurár/ [v intr] figurare, apparire ◆ [v prnl] immaginare.
fijación /fixaθjón/ [sf] (también FIG) fissazione.
fijar /fixár/ [v tr] **1** (también FIG) fissare ◆ *todavía no han fijado la fecha*: non hanno ancora fissato la data **2** (pegar) incollare, attaccare ◆ [v prnl] notare, fare attenzione.
fijo /fíxo/ [adj] fisso LOC **de ~**: con certezza.
fila /fíla/ [sf] **1** fila **2** (en pl) FIG fila, ranghi (m) LOC **en ~**: in fila.
filete /filéte/ [sm] filetto.
filiación /filjaθjón/ [sf] (señas) generalità (pl inv).
filmar /filmár/ [v tr/intr] filmare, riprendere.
filmina /filmína/ [sf] diapositiva.
filo /fílo/ [sm] (borde) filo.
filón /filón/ [sm] filone.
filosofía /filosofía/ [sf] filosofia.
filósofo /filósofo/ [sm] filosofo.
filtrar /filtrár/ [v tr/intr] filtrare.
filtro /fíltro/ [sm] filtro.
fin /fín/ [sm] **1** fine (f) **2** (motivo) finalità (f inv), scopo LOC **a ~ de (que)**: al fine di | **al/por ~**: finalmente | **al ~ y al cabo**: dopotutto | **en ~**: insomma | **~ de semana**: fine settimana.
finado /fináðo/ [sm] defunto.
final /finál/ [adj m,f] finale ◆ [sf] DEP finale ◆ [sm] fine (f), finale LOC **al ~**: alla fine.
finalista /finalísta/ [adj/sm,f] finalista.

finalizar /finaliθár/ [v tr] finire, terminare.

financiación /finanθjaθjón/ [sf] finanziamento (m).

financiar /finanθjár/ [v tr] finanziare.

finca /fíŋka/ [sf] proprietà (inv), fondo (m).

fingir (-se) /fiŋxír/ [v tr prnl] fingere (-rsi), far finta.

finlandés (-a) /finlandés/ [adj/sm] finlandese (m,f).

fino /fíno/ [adj] fine (m,f), raffinato.

finura /finúra/ [sf] finezza.

firma /fírma/ [sf] **1** (nombre de persona) firma **2** (empresa) ditta, società (inv).

firmamento /firmaménto/ [sm] firmamento.

firmar /firmár/ [v tr/intr] firmare, sottoscrivere LOC **~ por**: metterci la firma.

firme /fírme/ [adj m,f] (también FIG) fermo (m) • *una ~ decisión*: una ferma decisione.

firmeza /firméθa/ [sf] (también FIG) fermezza • *se opuso con ~*: si oppose con fermezza.

fiscal /fiskál/ [adj m,f] fiscale ♦ [sm] pubblico ministero.

fiscalía /fiskalía/ [sf] JUR procura.

fisco /físko/ [sm] fisco.

fisgar /fisɣár/ [v tr] curiosare, ficcare il naso.

fisgón (-a) /fisɣón/ [adj/sm] ficcanaso (sust m,f).

física /físika/ [sf] fisica.

físico /físiko/ [adj/sm] fisico.

fisioterapeuta /fisjoterapéuta/ [sm,f] fisioterapista.

flaco /fláko/ [adj] **1** magro **2** FIG debole (m,f), fiacco.

flamenco /flaméŋko/ [adj] **1** del flamenco **2** (de Flandes) fiammingo ♦ [sm] **1** ORN fenicottero **2** (cante, baile) flamenco **3** (de Flandes) fiammingo.

flan /flán/ [sm] flan (inv), budino LOC **como un ~**: agitatissimo.

flanco /fláŋko/ [sm] **1** fianco **2** MAR fiancata (f).

flaquear /flakeár/ [v intr] (también FIG) cedere • *¡ánimo, no flaquees ahora!*: coraggio, non cedere ora!

flaqueza /flakéθa/ [sf] **1** magrezza **2** FIG debolezza.

flas /flás/ [sm] flash (inv).

flauta /fláuta/ [sf] flauto (m) LOC **~ dulce/travesera**: flauto dolce/traverso.

flautista /flautísta/ [sm,f] flautista.

flecha /flétʃa/ [sf] freccia LOC **como una ~**: come un fulmine.

flechazo /fletʃáθo/ [sm] FIG colpo di fulmine.

fleco /fléko/ [sm] frangia (f).

flequillo /flekíʎo/ [sm] (peinado) frangetta (f).

fletar /fletár/ [v tr] **1** noleggiare **2** (pasajeros, mercancías) imbarcare.

flete /fléte/ [sm] **1** noleggio **2** (de pasajeros, mercancías) carico.

flexibilidad /fleksiβiliðáð/ [sf] flessibilità (inv).

flexible /fleksíβle/ [adj m,f] (también FIG) flessibile.

flexo /flékso/ [sm] lampada (f) da tavolo.

flirtear /flirteár/ [v intr] flirtare, amoreggiare.

flojear /floxeár/ [v intr] **1** (no empeñarse) battere la fiacca **2** (debilitar) indebolire.

flojedad /floxeðáð/ [sf] **1** debolezza **2** FIG svogliatezza.

flojo /flóxo/ [adj] **1** floscio • *un sombrero ~*: un cappello floscio **2** debole (m,f) • *lo dijo con voz floja*: lo disse con voce debole **3** FIG pigro, svogliato.

flor /flór/ [sf] **1** fiore (m) **2** FIG crema, fior fiore (m) LOC **a ~ de**: a fior di | **en ~**: in fiore | **la ~ y nata**: il fior fiore.

flora /flóra/ [sf] flora LOC **~ intestinal**: flora intestinale.

floral /florál/ [adj m,f] florale, floreale.

florecer /floreθér/ [v intr] **1** fiorire **2** FIG prosperare.

Florencia /florénθja/ [sm] Firenze.

florentino /florentíno/ [adj/sm] fiorentino.

florería /florería/ [sf] (tienda) fioraio (m), fiorista (m).

florero /floréro/ [sm] vaso da fiori.

florista /florísta/ [sm,f] (persona) fiorista.

flota /flóta/ [sf] flotta.

flotador /flotaðór/ [sm] salvagente.

flotante /flotánte/ [adj m,f] **1** galleggiante **2** FIG fluttuante.

flotar /flotár/ [v intr] galleggiare.

flote /flóte/ [sm] galleggiamento LOC **a ~**: a galla.

fluctuación /fluktwaθjón/ [sf] fluttuazione.

fluido /flwíðo/ [adj/sm] fluido.

fluir /flwír/ [v intr] **1** fluire, scorrere **2** FIG sgorgare.

flujo /flúxo/ [sm] (también FIG) flusso.

fluvial /fluβjál/ [adj m,f] fluviale.

fobia /fóβja/ [sf] fobia.

foca /fóka/ [sf] **1** foca **2** FIG FAM persona grassa.

foco /fóko/ [sm] **1** faretto, riflettore **2** (también MED) focolaio **3** *Amer* lampadina (f).

fofo /fófo/ [adj] molle (m,f), flaccido.

fogata /foɣáta/ [sf] fuoco (m), falò (m inv).

folclor /folklór/ [sm] folclore.

folclórico /folklóriko/ [adj] folcloristico.

follar /foʎár/ [v tr/intr] VULG scopare.

folleto /foʎéto/ [sm] opuscolo.

follón /foʎón/ [sm] FIG FAM casino, confusione (f).

fonda /fónda/ [sf] **1** locanda, pensione **2** *Amer* osteria.

fondo /fóndo/ [sm] **1** fondo **2** (de imagen) sfondo **3** MAR fondale LOC **en el ~**: in fondo.

fontanero /fontanéro/ [sm] idraulico.

forcejear /forθexeár/ [v intr] dibattersi, divincolarsi.

forestal /forestál/ [adj m,f] forestale.

forfait /forfáit/ [sm] (esquí) ski-pass (inv) ■ pl irr **forfaits**.

forjar /forxár/ [v tr] forgiare ◆ [v prnl] inventarsi.

forma /fórma/ [sf] **1** forma **2** modo (m), maniera • *apruebo su ~ de hablar*: approvo il suo modo di parlare LOC **de cualquier ~** /de todas formas**: a/in ogni modo | **de ~ que**: in modo che, così che | **en ~**: in forma | **guardar las formas**: rispettare le forme (cortesia); salvare le apparenze (ipocrisia).

formación /formaθjón/ [sf] formazione.

formal /formál/ [adj m,f] formale.

formalidad /formaliðáð/ [sf] **1** formalità (inv) **2** serietà (inv), correttezza.

formar (-se) /formár/ [v tr prnl] (también FIG) formare (-rsi) • *se formó en una universidad americana*: si è formato in un'università americana.

formatear /formateár/ [v tr] formattare.

formato /formáto/ [sm] formato.

formidable /formiðáβle/ [adj m,f] formidabile.

fórmula /fórmula/ [sf] (también FIG) formula LOC ~ **uno**: formula uno.

formular /formulár/ [v tr] formulare.

formulario /formulárjo/ [sm] modulo.

fornido /forníðo/ [adj] robusto.

forofo /forófo/ [adj/sm] FAM tifoso, fanatico.

forraje /forráxe/ [sm] foraggio.

forrar /forrár/ [v tr] foderare, ricoprire ♦ [v prnl] FIG FAM arricchirsi.

forro /fórro/ [sm] fodera (f).

fortalecer /fortaleθér/ [v tr] fortificare, rafforzare.

fortaleza /fortaléθa/ [sf] **1** forza **2** (edificio) fortezza.

fortificación /fortifikaθjón/ [sf] fortificazione.

fortuna /fortúna/ [sf] **1** fortuna **2** FIG successo (m) • *la película tuvo* ~: il film ha avuto successo LOC **golpe de** ~: colpo di fortuna | **hacer** ~: fare fortuna | **por** ~: per fortuna.

forúnculo /forúŋkulo/ [sm] foruncolo.

forzar /forθár/ [v tr] **1** forzare, far forza **2** (a) FIG costringere **3** (una mujer) violentare.

fosa /fósa/ [sf] (también ANAT) fossa.

fosforescente /fosforesθénte/ [adj] fosforescente.

fósforo /fósforo/ [sm] **1** fosforo **2** (cerilla) fiammifero, cerino.

fósil /fósil/ [adj m,f/sm] fossile.

foso /fóso/ [sm] fosso, fossato.

foto /fóto/ [sf] ABR foto (inv).

fotocarné /fotokarné/ [sf] fototessera ■ pl irr **fotoscarné**.

fotocopia /fotokópja/ [sf] fotocopia.

fotocopiadora /fotokopjaðóra/ [sf] fotocopiatrice.

fotografía /fotoɣrafía/ [sf] fotografia LOC ~ **instantánea**: istantanea.

fotografiar /fotoɣrafjár/ [v tr] fotografare.

fotógrafo /fotóɣrafo/ [sm] fotografo.

fotomatón /fotomatón/ [sm] cabina per foto istantanee.

fracasar /frakasár/ [v intr] fallire.

fracaso /frakáso/ [sm] fallimento.

fracción /frakθjón/ [sf] frazione.

fractura /fraktúra/ [sf] frattura.

fracturar (-se) /frakturár/ [v tr prnl] fratturare (-rsi).

fragancia /fraɣánθja/ [sf] fragranza.

fragante /fraɣánte/ [adj m,f] fragrante.

frágil /fráxil/ [adj m,f] fragile.

fragmento /fraɣménto/ [sm] frammento.

fraguar /fraɣwár/ [v tr] FIG macchinare, ordire, tramare ♦ [v intr] (masa, cemento) fare presa.

fraile /fráile/ [sm] frate.

frambuesa /frambwésa/ [sf] lampone (m).

francés (-a) /franθés/ [adj/sm] francese (m,f).

franco /fráŋko/ [adj] (también COM) franco.

franela /franéla/ [sf] flanella.

franja /fráŋxa/ [sf] striscia.

franquear /fraŋkeár/ [v tr] **1** sgomberare, sbarazzare **2** FAM (cruzar) attraversare, oltrepassare **3** (con sellos) affrancare una lettera.

franqueo /fraŋkéo/ [sm] affrancatura (f).

franqueza /fraŋkéθa/ [sf] franchezza, sincerità (inv).

frasco /frásko/ [sm] boccetta (f), flacone.

frase /fráse/ [sf] frase.

fraternal /fraternál/ [adj m,f] fraterno (m).

fraude /fráuðe/ [sm] frode (f), truffa (f).

fray /frái/ [sm] fra • ~ *Tomás*: fra Tommaso.

frazada /fraθáða/ [sf] coperta.

frecuencia /frekwénθja/ [sf] frequenza.

frecuentar /frekwentár/ [v tr] frequentare.

frecuente /frekwénte/ [adj m,f] frequente.

fregadero /freɣaðéro/ [sm] lavandino.

fregar /freɣár/ [v tr] **1** fregare, strofinare **2** *Amer* FIG FAM seccare, disturbare.

freír /freír/ [v tr] **1** friggere **2** (a) FAM (molestar) seccare, disturbare.

fréjol /fréxol/ [sm] fagiolo.

frenar /frenár/ [v tr] **1** frenare **2** FIG (aplacar) calmare.

frenazo /frenáθo/ [sm] frenata (f).

frenesí /frenesí/ [sm] frenesia (f).

frenético /frenétiko/ [adj] frenetico.

freno /fréno/ [sm] (también FIG) freno.

frente /frénte/ [adv] di fronte, davanti • *¡ponte ~ a mí!*: mettiti di fronte a me! LOC **al ~ de algo**: davanti a qualcosa; a capo/guida di qualcosa | **de ~**: di fronte, frontalmente | **~ a algo/alguien**: di fronte a qualcosa/qualcuno ◆ [sf] ANAT fronte LOC **~ a ~**: faccia a faccia | **traer escrito en la ~**: averlo scritto in viso ◆ [sm] fronte LOC **hacer ~**: affrontare.

fresa /frésa/ [adj inv] (color) fragola ◆ [sf] **1** fragola **2** TECN fresa.

fresco /frésko/ [adj] **1** fresco **2** FIG (descarado) sfacciato LOC **quedarse tan ~**: non fare una piega ◆ [sm] **1** (frío) fresco **2** (pintura) affresco LOC **tomar al ~**: prendere il fresco.

frescura /freskúra/ [sf] **1** freschezza, frescura **2** FIG (descaro) sfacciataggine.

frialdad /frjaldáð/ [sf] (también FIG) freddezza.

fricción /frikθjón/ [sf] frizione.

frígido /fríxiðo/ [adj] frigido.

frigorífico /friɣorífiko/ [adj/sm] frigorifero.

frío /frío/ [adj/sm] (también FIG) freddo • *la he notado fría conmigo*: l'ho trovata fredda con me LOC **en ~**: a freddo | **hacer ~**: fare freddo.

frisar /frisár/ [v intr] rasentare, sfiorare.

friso /fríso/ [sm] fregio.

frito /fríto/ [adj/sm] fritto.

fritura /fritúra/ [sf] frittura.

Friul-Venecia Julia /frjúlβenéθja-xúlja/ [sm] Friuli-Venezia Giulia.

friulano /frjuláno/ [adj/sm] friulano.

frivolidad /friβoliðáð/ [sf] frivolezza.

frívolo /fríβolo/ [adj] frivolo, superficiale (m,f).

frontal /frontál/ [adj m,f] frontale.

frontera /frontéra/ [sf] **1** frontiera **2** FIG limite (m).

frontón /frontón/ [sm] frontone.

frotar (-se) /frotár/ [v tr prnl] sfregare (-rsi), strofinare (-rsi).

fruncir /frunθír/ [v tr] **1** (frente, cejas) corrugare, aggrottare **2** (tela, papel) pieghettare, piegare.

frustración /frustraθjón/ [sf] frustrazione.

frustrar /frustrár/ [v tr] frustrare.

fruta /frúta/ [sf] frutta, frutto (m) LOC **ensalada de frutas**: macedonia | ~ **del tiempo**: frutta di stagione.

frutería /frutería/ [sf] (tienda) fruttivendolo (m).

frutero /frutéro/ [sm] **1** fruttivendolo **2** (recipiente) fruttiera (f).

fruto /frúto/ [sm] (también FIG) frutto • *el ~ de un año de trabajo*: il frutto di un anno di lavoro LOC **frutos secos**: frutta secca.

fucsia /fúksja/ [adj inv/sf] fucsia.

fuego /fwéɣo/ [sm] **1** fuoco **2** (de cocina) fornello LOC **a ~ lento**: a fuoco lento | **dar ~**: fare accendere (sigaro, sigaretta) | **fuegos artificiales**: fuochi artificiali | **pegar/prender ~**: appiccare il fuoco.

fuente /fwénte/ [sf] **1** (también FIG) fonte • *esa fue la ~ de mis desgracias*: questa fu la fonte delle mie disgrazie **2** ARQ fontana **3** (para servir en la mesa) piatto (m) di portata **4** (para horno) teglia.

fuera /fwéra/ [adv] fuori LOC **estar ~ de sí**: essere fuori di sé | **~ de**: eccetto, tranne | **por ~**: dal di fuori • [interj] via!, fuori!

fueraborda /fweraβórða/ [sf] fuoribordo (m inv)

fuerte /fwérte/ [adj m,f/sm] (también FIG) forte • [adv] **1** forte • *llovía ~*: pioveva forte **2** (mucho) molto • *bebió ~ y se emborrachó*: bevve molto e si ubriacò.

fuerza /fwérθa/ [sf] forza LOC **a ~ de**: a forza di | **a la ~/por ~**: per forza | **~ de voluntad**: forza di volontà.

fuga /fúɣa/ [sf] (también MUS) fuga.

fular /fulár/ [sm] foulard (inv).

fulminar /fulminár/ [v tr] fulminare.

fumador (-a) /fumaðór/ [adj/sm] fumatore (sust, f -trice).

fumar /fumár/ [v intr] fumare.

función /funθjón/ [sf] **1** funzione **2** (de cine, teatro) spettacolo (m) LOC **en funciones**: sostituto, vice | **poner en ~**: mettere in funzione.

funcionamiento /funθjonamjénto/ [sm] funzionamento.

funcionar /funθjonár/ [v intr] funzionare, andare.

funcionario /funθjonárjo/ [sm] funzionario.

funda /fúnda/ [sf] **1** fodera **2** (de almohada, cojín) federa **3** (estuche) custodia.

fundación /fundaθjón/ [sf] fondazione.

fundador (-a) /fundaðór/ [adj/sm] fondatore (f -trice).

fundamental /fundamentál/ [adj m,f] fondamentale, essenziale.

fundamento /fundaménto/ [sm] fondamento*.

fundar /fundár/ [v tr] **1** fondare, creare **2** (**en/sobre**) FIG (teoría, hipótesis) basare, poggiare ◆ [v prnl] (**en/sobre**) fondarsi, basarsi.

fundir /fundír/ [v tr] (también FIG) fondere ● **~ dos empresas**: fondere due imprese ◆ [v prnl] (bombilla) fulminarsi.

fúnebre /fúneβre/ [adj m,f] **1** funebre **2** FIG triste, malinconico (m) LOC **pompas fúnebres**: pompe funebri.

funeral /funerál/ [sm] funerale.

funeraria /funerárja/ [sf] impresa di pompe funebri.

furgoneta /furɣonéta/ [sf] furgone (m).

furia /fúrja/ [sf] furia LOC **estar hecho una ~**: essere furibondo.

furioso /furjóso/ [adj] furioso.

furor /furór/ [sm] furore LOC **hacer ~**: fare furore.

fusible /fusíβle/ [sm] fusibile.

fusil /fusíl/ [sm] fucile LOC **~ submarino**: fucile subacqueo.

fusilar /fusilár/ [v tr] fucilare.

fusión /fusjón/ [sf] (también FIG) fusione ● **la ~ de dos bancos**: la fusione di due banche.

fusta /fústa/ [sf] frustino (m).

fútbol /fútβol/ [sm] DEP calcio.

futbolista /futβolísta/ [sm,f] calciatore (f -trice).

fútil /fútil/ [adj m,f] futile.

futuro /futúro/ [adj/sm] futuro.

Gg

gabardina /gaβarðína/ [sf] **1** INDUM impermeabile (m) **2** TEX gabardine (inv).

gabinete /gabinéte/ [sm] gabinetto.

gacela /gaθéla/ [sf] gazzella.

gafas /gáfas/ [sf pl] occhiali (m) LOC **~ de sol**: occhiali da sole | **~ de buceo**: occhiali subacquei.

gafe /gáfe/ [adj/sm,f] FAM **1** (que trae mala suerte) iettatore (sust, f -trice) **2** (que tiene mala suerte) sfortunato (m), scalognato (m).

gaita /gáita/ [sf] cornamusa, zampogna.

gajo /gáxo/ [sm] spicchio.

gala /gála/ [sf] galà (m inv), serata di gala.

galán /galán/ [sm] **1** (seductor) rubacuori (inv) **2** (de cine, teatro) attore giovane.

galante /galánte/ [adj m,f] galante.

galantería /galantería/ [sf] galanteria.

galápago /galápaɣo/ [sm] testuggine (f).

galaxia /galáksja/ [sf] galassia.

galería /galería/ [sf] **1** galleria **2** ARQ veranda **3** (de teatro) loggione (m) LOC **~ de arte**: galleria d'arte.

Galicia /galíθja/ [sf] Galizia.

gallardo /gaʎárðo/ [adj] (también FIG) gagliardo.

gallego /gaʎéɣo/ [adj/sm] gallego.

galleta /gaʎéta/ [sf] biscotto (m).

gallina /gaʎína/ [sf] gallina LOC
carne de ~: pelle d'oca | ~ clueca:
chioccia | ~ de Guinea: (gallina)
faraona ◆ [sm,f] FIG FAM coniglio
(m), fifone (m).

gallinero /gaʎinéro/ [sm] 1 pollaio 2
(de cine, teatro) piccionaia (f).

gallo /gáʎo/ [sm] 1 gallo 2 MUS stecca (f).

galopar /galopár/ [v intr] galoppare.

galope /galópe/ [sm] galoppo LOC a
~: al galoppo.

galpón /galpón/ [sm] Amer capannone.

gama /gáma/ [sf] (también de colores) gamma.

gamba /gámba/ [sf] gambero (m).

gamberro /gambéro/ [sm] teppista
(m,f), vandalo.

gamo /gámo/ [sm] daino.

gamuza /gamúθa/ [sf] 1 camoscio
(m) 2 (piel) pelle scamosciata.

gana /gána/ [sf] voglia LOC darle la
~: andare, avere voglia | darle/te-
ner ganas de algo: venire/avere
voglia di qualcosa | de buena/ma-
la ~: volentieri/malvolentieri.

ganadería /ganaðería/ [sf] allevamento (m).

ganadero /ganaðéro/ [adj] del bestiame ◆ [sm] allevatore di bestiame.

ganado /ganáðo/ [sm] bestiame
LOC ~ bravo: tori da corrida | ~
caballar/lanar/vacuno: bestiame
equino/ovino/bovino.

ganador (-a) /ganaðór/ [adj/sm]
vincitore (f -trice).

ganancia /ganánθja/ [sf] 1 guadagno (m), profitto (m) 2 (en pl) utili
(m).

ganar /ganár/ [v tr] 1 guadagnare 2
(concurso, competición) vincere 3
FIG (aventajar) battere, superare ◆
[v intr] vincere.

ganchillo /gantʃíʎo/ [sm] uncinetto
LOC hacer ~: lavorare all'uncinetto.

gancho /gántʃo/ [sm] 1 gancio 2
Amer (para el pelo) forcina (f).

gandul (-a) /gandúl/ [adj/sm] fannullone (sust).

gangrena /gaŋgréna/ [sf] cancrena,
gangrena.

ganso /gánso/ [sm] oca (f).

garabatear /garaβateár/ [v intr/tr]
scarabocchiare.

garabato /garaβáto/ [sm] scarabocc-
chio.

garaje /garáxe/ [sm] garage (inv),
autorimessa (f).

garantía /garantía/ [sf] garanzia.

garantizar /garantiθár/ [v tr] garantire.

garbanzo /garβánθo/ [sm] cece.

garbo /gárβo/ [sm] garbo, grazia (f).

garboso /garβóso/ [adj] garbato,
grazioso.

garfio /gárfjo/ [sm] uncino, gancio.

garganta /garɣánta/ [sf] gola.

gargantilla /garɣantíʎa/ [sf] girocollo (m).

gárgara /gárɣara/ [sf] gargarismo
(m).

garra /gára/ [sf] 1 artiglio (m) 2 FIG
grinfia.

garrafa /garáfa/ [sf] 1 caraffa 2
Amer (de gas) bombola LOC de ~:
in caraffa, sfuso (bevanda).

garrapata /gar̄apáta/ [sf] ZOOL zecca.

garrote /gar̄óte/ [sm] randello, bastone.

garúa /garúa/ [sf] *Amer* pioggerella.

garza /gárθa/ [sf] airone (m).

gas /gás/ [sm] gas (inv) LOC **agua mineral con/sin ~**: acqua minerale gasata/naturale | **gases lacrimógenos**: gas lacrimogeni.

gasa /gása/ [sf] (vendaje) garza.

gaseosa /gaseósa/ [sf] gassosa, gazzosa.

gasóleo /gasóleo/ [sm] gasolio.

gasolina /gasolína/ [sf] benzina LOC **bomba/surtidor de ~**: pompa della benzina | **echar ~**: fare benzina.

gasolinera /gasolinéra/ [sf] distributore (m) di benzina.

gastar /gastár/ [v tr] **1** spendere **2** (también FIG) consumare • *gasta mucha energía en aquel deporte*: consuma molta energia con quello sport ♦ [v prnl] (también FIG) consumarsi, logorarsi • *su amistad acabó por gastarse*: la loro amicizia finì per logorarsi LOC **~ bromas**: fare scherzi.

gasto /gásto/ [sm] **1** spesa (f), costo **2** consumo LOC **correr con los gastos**: farsi carico delle spese | **gastos de envío**: spese di invio/spedizione.

gástrico /gástriko/ [adj] gastrico.

gastritis /gastrítis/ [sf inv] gastrite (sing).

gastronomía /gastronomía/ [sf] gastronomia.

gastrónomo /gastrónomo/ [sm] gastronomo, buongustaio.

gatas (a) /gátas/ [loc adv] gattoni.

gatillo /gatíʎo/ [sm] grilletto.

gato /gáto/ [sm] **1** gatto **2** (automóvil) cric (m inv) LOC **buscarle tres pies al ~**: cercare il pelo nell'uovo | **dar ~ por liebre**: ingannare.

gaviota /gaβjóta/ [sf] gabbiano (m).

gel /xél/ [sm] gel (inv) LOC **~ de baño**: bagnoschiuma.

gelatina /xelatína/ [sf] gelatina.

gema /xéma/ [sf] (también BOT) gemma.

gemelo /xemélo/ [adj/sm] **1** gemello **2** (en pl) binocolo (sing).

gemido /xemíðo/ [sm] gemito.

Géminis /xéminis/ [sm pl] (zodíaco) Gemelli.

gemir /xemír/ [v intr] gemere.

genealogía /xenealoxía/ [sf] genealogia.

generación /xeneraθjón/ [sf] generazione.

generador (-a) /xeneraðór/ [adj] generatore (f -trice) ♦ [sm] TECN generatore.

general /xenerál/ [adj m,f/sm] (también militar) generale LOC **en ~/por lo ~**: in genere.

generalizar /xeneraliθár/ [v tr] generalizzare ♦ [v prnl] (costumbres, creencias) diffondersi, estendersi.

generar /xenerár/ [v tr] generare.

genérico /xenériko/ [adj] generico.

género /xénero/ [sm] **1** genere **2** (tela) stoffa (f) LOC **géneros alimenticios**: generi alimentari | **géneros de punto**: articoli di maglieria.

generosidad /xenerosiðáð/ [sf] generosità (inv).

g

generoso /xeneróso/ [adj/sm] (también FIG) generoso.

génesis /xénesis/ [sf inv] genesi, origine (sing).

genético /xenétiko/ [adj] genetico.

genial /xenjál/ [adj m,f] **1** geniale **2** FIG FAM stupendo (m), fantastico (m) LOC **pasarlo ~**: divertirsi moltissimo.

genialidad /xenjaliðáð/ [sf] genialità (inv).

genio /xénjo/ [sm] **1** (persona) genio **2** carattere **3** (talante) umore LOC **tener buen/mal ~**: avere un buon/brutto carattere.

genitales /xenitáles/ [sm pl] genitali.

Génova /xénoβa/ [sf] Genova.

genovés (-a) /xenoβés/ [adj/sm] genovese (m,f).

gente /xénte/ [sf] gente LOC **buena ~**: brava gente | *Amer* **ser (muy) ~**: essere come si deve.

gentío /xentío/ [sm] folla (f), ressa (f).

gentileza /xentiléθa/ [sf] gentilezza, cortesia.

genuino /xenwíno/ [adj] genuino.

geografía /xeoɣrafía/ [sf] geografia.

geográfico /xeoɣráfiko/ [adj] geografico.

geología /xeoloxía/ [sf] geologia.

geometría /xeometría/ [sf] geometria.

geranio /xeránjo/ [sm] geranio.

gerencia /xerénθja/ [sf] COM direzione.

gerente /xerénte/ [sm,f] COM direttore (f -trice).

germen /xérmen/ [sm] germe.

gesticular /xestikulár/ [v intr] gesticolare.

gestión /xestjón/ [sf] **1** direzione, gestione **2** (en pl, burocracia) pratiche LOC **hacer gestiones**: svolgere pratiche.

gesto /xésto/ [sm] **1** gesto **2** (del rostro) aspetto, espressione (f) LOC **torcer el ~**: mettere il broncio.

gestor (-a) /xestór/ [sm] COM amministratore (f -trice).

gigante /xiɣánte/ [adj m,f] gigantesco (m), gigante ◆ [sm] (también FIG) gigante (f -essa).

gilipollada /xilipoʎáða/ [sf] VULG stronzata, cazzata.

gilipollas /xilipóʎas/ [adj/sm,f inv] VULG stronzo (sing), coglione (sing).

gimnasia /ximnásja/ [sf] ginnastica.

gimnasio /ximnásjo/ [sm] palestra (f).

ginebra /xinéβra/ [sf] gin (m inv).

ginecólogo /xinekóloɣo/ [sm] ginecologo, ostetrico.

gira /xíra/ [sf] **1** giro (m), gita, escursione **2** (de artistas) tournée (inv) LOC **estar de ~**: essere in tournée.

girar /xirár/ [v intr] girare ◆ [v tr] (dinero) fare un vaglia postale.

girasol /xirasól/ [sm] girasole.

giro /xíro/ [sm] **1** giro **2** FIG piega (f), andamento LOC **~ postal/telegráfico**: vaglia postale/telegrafico.

gitano /xitáno/ [adj/sm] gitano, zingaro.

glacial /glaθjál/ [adj m,f] (también FIG) glaciale • *le dirigió una mirada* **~**: le rivolse uno sguardo glaciale.

glaciar /glaθjár/ [sm] ghiacciaio.

glándula /glándula/ [sf] ghiandola.

glaseado /glaseáðo/ [adj] glassato ◆ [sm] glassa (f).

global /gloβál/ [adj m,f] globale.

globo /glóβo/ [sm] **1** globo **2** (vehículo) mongolfiera (f) **3** (juguete, adorno) palloncino gonfiabile.

glóbulo /glóβulo/ [sm] globulo LOC ~ **blanco/rojo**: globulo bianco/rosso.

gloria /glórja/ [sf] gloria.

glorieta /glorjéta/ [sf] piazza.

glorificar /glorifikár/ [v tr] glorificare, lodare.

glorioso /glorjóso/ [adj] glorioso.

glúteo /glúteo/ [adj/sm] gluteo, natica (f).

gobernador /goβernaðór/ [sm] governatore LOC ~ **civil**: prefetto.

gobernanta /goβernánta/ [sf] (de hotel) cameriera.

gobernante /goβernánte/ [adj/sm,f] (político) governante.

gobernar /goβernár/ [v tr/intr] (también MAR) governare.

gobierno /goβjérno/ [sm] governo LOC ~ **civil**: prefettura.

gogó /goɣó/ [sf] animatrice di discoteca.

gol /gól/ [sm] goal (inv), gol (inv), rete (f) LOC **marcar un** ~: fare goal.

golf /gólf/ [sm] DEP golf (inv).

golfo /gólfo/ [sm] **1** (persona) mascalzone **2** GEOG golfo.

golondrina /golondrína/ [sf] **1** rondine **2** MAR motoscafo per trasporto passeggeri.

goloso /golóso/ [adj/sm] (también FIG) ghiotto ◆ *una ocasión golosa*: una ghiotta occasione.

golpe /gólpe/ [sm] **1** (también FIG) colpo ◆ *el despido fue un ~ para él*: il licenziamento è stato un colpo per lui **2** FIG (ocurrencia) trovata (f), colpo di genio LOC **de** ~: di colpo, improvvisamente | ~ **de estado**: colpo di stato | ~ **de gracia**: colpo di grazia | **no dar/pegar** ~: non muovere un dito.

golpear (-se) /golpeár/ [v tr/intr prnl] battere (-rsi), colpire (-rsi).

goma /góma/ [sf] **1** gomma **2** (tira) elastico (m) **3** *Amer* gomma, pneumatico (m) LOC ~ **de borrar**: gomma per cancellare | ~ **de mascar**: gomma americana, chewing-gum.

gomaespuma /gomaespúma/ [sf] gommapiuma.

gomina /gomína/ [sf] gommina, gel (m inv).

gomoso /gomóso/ [adj] gommoso.

gordo /górðo/ [adj] **1** grasso **2** FIG grosso ◆ *un escándalo* ~: un grosso scandalo LOC **dedo** ~: pollice (mano); alluce (piede)| **pez** ~: pezzo grosso ◆ [sm] **1** (persona) grassone **2** (de la lotería) primo premio LOC **algo** ~: qualcosa di grave | **caer alguien** ~: essere antipatico.

gordura /gorðúra/ [sf] grassezza.

gorgotear /gorɣoteár/ [v intr] gorgogliare.

gorila /goríla/ [sm] (también FIG) gorilla (inv).

gorra /góra/ [sf] berretto (m) a visiera LOC **de** ~: a sbafo/ufo.

gorrino /goríno/ [sm] FIG sporcaccione, maiale.

gorrión /gorjón/ [sm] passero.

gorro /góro/ [sm] berretto.

gorronear /gořoneár/ [v tr/intr] FAM scroccare.

gota /góta/ [sf] **1** goccia **2** FIG goccio (m) ● *¡échame una ~ de vino!*: versami un goccio di vino! LOC **caer cuatro gotas**: cadere due gocce (pioggia) | **~ a ~**: flebòclisi.

gotear /goteár/ [v intr] gocciolare.

gotera /gotéra/ [sf] perdita d'acqua, infiltrazione.

gotero /gotéro/ [sm] **1** FAM flebo (f inv) **2** *Amer* contagocce (inv).

gótico /gótiko/ [adj/sm] gotico LOC **~ flamígero/florido**: gotico fiammeggiante/fiorito.

gozar /goθár/ [v intr/tr] (**de**) godere.

gozo /góθo/ [sm] piacere, gioia (f), allegria (f).

gozoso /goθóso/ [adj] gioioso.

grabación /graβaθjón/ [sf] registrazione.

grabado /graβáðo/ [sm] (estampa) incisione (f).

grabador (-a) /graβaðór/ [sm] incisore.

grabadora /graβaðóra/ [sm] [sf] registratore (m).

grabar /graβár/ [v tr] **1** (también MUS) registrare **2** (metal, madera) incidere ● [v prnl] FIG fissarsi, imprimersi.

gracia /gráθja/ [sf] **1** grazia **2** (amabilidad) garbo (m), cortesia LOC **dar las gracias**: dire grazie | **(muchas) gracias**: (molte) grazie | **hacer ~**: piacere; divertire | **¡qué ~!**: che ridere!

grácil /gráθil/ [adj m,f] gracile, esile.

gracioso /graθjóso/ [adj] **1** grazioso **2** (divertido) spiritoso, arguto ● [sm] attore comico.

grada /gráða/ [sf] gradone (m), gradinata.

grado /gráðo/ [sm] **1** grado **2** (de instrucción) diploma, titolo LOC **~ centígrado/Fahrenheit**: grado centigrado/Fahrenheit.

graduación /graðwaθjón/ [sf] **1** (del alcohol) gradazione **2** (estudios) laurea.

graduado /graðwáðo/ [adj] graduato ● [sm] **1** graduato **2** (estudios) laureato.

gradual /graðwál/ [adj m,f] graduale.

graduar /graðwár/ [v tr] **1** regolare **2** (estudiante) diplomare LOC **~ la vista**: misurare la vista.

graffiti /grafíti/ [sm inv] graffito (sing).

gráfica /gráfika/ [sf] grafica.

gráfico /gráfiko/ [adj/sm] grafico.

gragea /graxéa/ [sf] MED capsula, confetto (m).

gramática /gramátika/ [sf] grammatica.

gramatical /gramatikál/ [adj m,f] grammaticale.

gramola /gramóla/ [sf] juke-box (m inv).

gran /grán/ [adj] (también FIG) grande LOC **~ angular**: grandangolare, grandangolo.

granada /granáða/ [sf] (también BOT) granata.

granado /granáðo/ [sm] melograno.

grande /gránde/ [adj/sm,f] (también FIG) grande LOC **ir/quedar ~**: andare largo (abito).

grandeza /grandéθa/ [sf] grandezza.

grandiosidad /grandjosiðáð/ [sf] grandiosità (inv).

grandioso /grandjóso/ [adj] grandioso.

granel (a) /granél/ [loc adv] sfuso.

granero /granéro/ [sm] granaio.

granito /graníto/ [sm] granito.

granizado /graniθáðo/ [sm] granita (f).

granizar /graniθár/ [v imp] grandinare.

granizo /graníθo/ [sm] grandine (f).

granja /gráŋxa/ [sf] **1** tenuta, fattoria **2** COM latteria.

granjero /graŋxéro/ [sm] fattore (f - essa).

grano /gráno/ [sm] **1** (de cereal, fruto) chicco **2** (de arena) granello **3** (de la piel) brufolo, foruncolo LOC **ir al ~**: andare al sodo.

granuja /granúxa/ [sm,f] mascalzone (m).

grapa /grápa/ [sf] graffetta.

grasa /grása/ [sf] grasso (m).

grasiento /grasjénto/ [adj] unto.

graso /gráso/ [adj] (cabello, cutis) grasso.

gratificar /gratifikár/ [v tr] gratificare.

gratis /grátis/ [adv] gratis, gratuitamente.

gratitud /gratitúð/ [sf] gratitudine.

gratuito /gratwíto/ [adj] gratuito.

grava /gráβa/ [sf] ghiaia.

grave /gráβe/ [adj m,f] grave.

gravedad /graβeðáð/ [sf] gravità (inv).

gremio /grémjo/ [sm] corporazione (f).

Grenada /grenáða/ [sf] Granada.

grenadino /grenaðíno/ [adj/sm] granadino.

grey /gréi/ [sf] gregge (m).

griego /grjéɣo/ [adj/sm] greco.

grieta /grjéta/ [sf] fessura, crepa.

grifo /grífo/ [sm] rubinetto.

grillo /gríʎo/ [sm] grillo.

gripe /grípe/ [sf] influenza.

gris /grís/ [adj m,f] **1** (también FIG) grigio (m) • **un día ~**: una giornata grigia **2** FIG (persona) scialbo (m) • [sm] grigio.

gritar /gritár/ [v intr] gridare.

grito /gríto/ [sm] grido*, urlo*.

grosella /groséʎa/ [sf] ribes (m inv).

grosería /grosería/ [sf] scortesia.

grosero /groséro/ [adj] **1** (descortés) maleducato **2** (basto) ordinario.

grosor /grosór/ [sm] grossezza (f), spessore.

grotesco /grotésko/ [adj] grottesco.

grúa /grúa/ [sf] **1** TECN gru (inv) **2** (vehículo) carro attrezzi.

grueso /grwéso/ [adj] **1** grosso, grande (m,f) **2** (persona) grasso LOC **el ~ de algo**: il grosso/la maggior parte di qualcosa.

grulla /grúʎa/ [sf] ORN gru (inv).

grumo /grúmo/ [sm] grumo, coagulo.

gruñido /gruɲíðo/ [sm] (también FIG) grugnito.

gruñir /gruɲír/ [v intr] (también FIG) grugnire.

gruñón (-a) /gruɲón/ [adj] brontolone.

grupo /grúpo/ [sm] gruppo LOC **~ sanguíneo**: gruppo sanguigno.

gruta /grúta/ [sf] grotta.

guadaña /gwaðáɲa/ [sf] falce.

guagua /gwáɣwa/ [sf] *Amer* **1** (vehículo) autobus (m inv) **2** FAM (niño) neonato (m).

guante /gwánte/ [sm] guanto.

guantera /gwantéra/ [sf] (de vehículo) vano (m) portaoggetti.

guapo /gwápo/ [adj/sm] FAM bello.

guapura /gwapúra/ [sf] FAM bellezza.

guarda /gwárða/ [sm] custode (m,f), guardiano LOC ~ **jurado**: guardia giurata.

guardabarros /gwarðaβárros/ [sm inv] parafango (sing).

guardabosques /gwarðaβóskes/ [sm inv] guardaboschi.

guardacoches /gwarðakótʃes/ [sm inv] parcheggiatore (sing).

guardacostas /gwarðakóstas/ [sm inv] guardacoste.

guardaespaldas /gwarðaespáldas/ [sm inv] guardia (f sing) del corpo.

guardar /gwarðár/ [v tr] **1** sorvegliare • ~ *la entrada de un edificio*: sorvegliare l'ingresso di un edificio **2** mettere via • *¡guarda eso en un cajón!*: mettilo via in un cassetto! **3** (retener) conservare • *guardo un buen recuerdo de Milán*: ho un buon ricordo di Milano ◆ [v prnl] (**de**) guardarsi LOC ~ **cama**: rimanere a letto.

guardarropa /gwarðarópa/ [sm] guardaroba (inv).

guardería /gwarðería/ [sf] (para niños) asilo (m).

guardia /gwárðja/ [sf] guardia LOC **farmacia de ~**: farmacia di turno | ~ **civil**: guardia civile spagnola ◆ [sm,f] (persona) guardia (f) LOC ~ **de tráfico**: vigile urbano addetto al traffico | ~ **urbano/municipal**: vigile urbano/municipale.

guardián (-a) /gwarðján/ [adj] da guardia LOC **perro ~**: cane da guardia ◆ [sm] guardiano.

guarecer (-se) /gwareθér/ [v tr prnl] (**de**) proteggere (-rsi).

guarida /gwaríða/ [sf] (también FIG) tana • *encontraron la ~ de los secuestradores*: trovarono la tana dei rapitori.

guarnición /gwarniθjón/ [sf] **1** COC contorno (m) **2** guarnizione.

guarro /gwáro/ [sm] (también FIG) porco, maiale.

guasa /gwása/ [sf] tono (m) canzonatorio/burlone.

guatemalteco /gwatemaltéko/ [adj/sm] guatemalteco.

gubernamental /guβernamentál/ [adj m,f] governativo (m).

guepardo /gepárðo/ [sm] ghepardo.

guerra /géra/ [sf] guerra LOC **dar ~**: dar filo da torcere.

guerrilla /geríʎa/ [sf] guerriglia.

gueto /géto/ [sm] (también FIG) ghetto.

guía /gía/ [sf] (también FIG) guida LOC ~ **telefónica/de teléfonos**: elenco telefonico ◆ [sm,f] (persona) guida (f).

guiar /gjár/ [v tr] (también FIG) guidare ◆ [v prnl] (**por**) orientarsi.

guijarro /gixáro/ [sm] ciottolo.

guinda /gínda/ [sf] amarena.

guindilla /gindíʎa/ [sf] peperoncino (m) rosso.

guiñar /giɲár/ [v tr] (los ojos) strizzare, socchiudere LOC ~ **el ojo**: fare l'occhiolino, strizzare l'occhio.

guiño /gíɲo/ [sm] strizzata (f) d'occhio.

guión /gjón/ [sm] **1** (esquema) scaletta (f) **2** (de cine, teatro) copione, sceneggiatura (f).

guirnalda /girnálda/ [sf] ghirlanda.

guisante /gisánte/ [sm] pisello.

guisar /gisár/ [v tr] **1** cucinare **2** FIG tramare.

guitarra /gitáʀa/ [sf] chitarra.

guitarrista /gitaʀísta/ [sm,f] chitarrista.

gula /gúla/ [sf] gola, ingordigia.

gurú /gurú/ [sm] guru (inv).

gusano /gusáno/ [sm] (también FIG) verme LOC ~ de luz: lucciola | ~ de seda: baco da seta.

gustar /gustár/ [v intr] piacere ♦ [v tr] (alimento, bebida) assaggiare LOC ¿gusta?: vuole favorire? | ~ con locura: piacere da matti.

gusto /gústo/ [sm] **1** gusto **2** FIG piacere, soddisfazione (f) ● será para mí un ~ ayudarle: per me sarà un piacere aiutarla LOC encontrarse/estar/sentirse a ~: trovarsi/essere/sentirsi a proprio agio | con mucho ~: con molto piacere | de buen/mal ~: di buon/cattivo gusto.

gustoso /gustóso/ [adj] **1** gustoso **2** con piacere, volentieri ● iré ~ contigo: verrò con te con piacere.

Hh

haba /áβa/ [sf] fava.

habano /aβáno/ [sm] (cigarro) avana (inv).

haber /aβér/ [sm] avere ♦ [v aux] **1** (tr) avere ● he visto a tu madre: ho visto tua madre **2** (intr) essere ● ha venido Carlos: è venuto Carlo ♦ [v imp] esserci ● hay gente: c'è gente ■ haber de dovere ● hemos de estudiar: dobbiamo studiare ■ haber que (impersonal) bisognare ● hay que estudiar: bisogna studiare LOC hola, ¿qué hay?: ciao come va? | no hay de qué: non c'è di che.

hábil /áβil/ [adj m,f] abile, capace LOC día ~: giorno feriale.

habilidad /aβiliðáð/ [sf] abilità (inv).

habitación /aβitaθjón/ [sf] stanza, camera.

habitante /aβitánte/ [sm,f] abitante.

habitar /aβitár/ [v intr/tr] abitare.

hábito /áβito/ [sm] **1** abitudine (f) **2** (religioso) abito, tonaca (f).

habitual /aβitwál/ [adj m,f] abituale, solito (m).

habla /áβla/ [sf] **1** parola ● el choque le hizo perder el ~: il trauma le fece perdere la parola **2** (jerga, idioma) parlata LOC al ~: in ascolto.

hablar /aβlár/ [v intr/tr] parlare ♦ [v prnl] parlarsi LOC ~ alto/bajo: parlare forte/piano | ~ claro: parlar chiaro | ¡ni ~!: non se ne parla!

hacer /aθér/ [v tr] **1** fare **2** FIG supporre, credere ● la hacía más lista: la supponevo più furba ♦ [v imp] **1** essere ● hace poco que lo sé: è da poco che lo so **2** fare ● hace mucho *calor*: fa molto caldo ♦ [v intr] (**de**) (papel, profesión) fare il/la ♦ [v prnl] **1** (a) abituarsi **2** (volverse) diventare, farsi ■ **hacer + inf/hacer que + subj** fare + inf ● *lo hizo venir*: lo fece venire LOC ~ **como que**: fare finta di | **hacerse a un lado**: farsi da parte | **hacerse** (**de**) **rogar**: farsi pregare | **no ~ más que...**: non fare altro che... | **¡qué le vamos a ~!**: pazienza!

hacha /átʃa/ [sf] ascia.

hachís /xatʃís/ [sm inv] hascisc.

hacia /aθja/ [prep] **1** (lugar) verso ● *iba ~ su casa*: andava verso casa **2** (tiempo aproximado) verso, intorno a ● *llegaré ~ las cuatro*: arriverò verso le quattro.

hacienda /aθjénda/ [sf] **1** AGR tenuta, fondo (m) **2** patrimonio (m) LOC ~ **pública**: patrimonio dello stato.

hada /áða/ [sf] fata.

Haití /aití/ [sf] Haiti.

haitiano /aitjáno/ [adj/sm] haitiano.

halcón /alkón/ [sm] **1** falco **2** (de caza) falcone.

hallar (-se) /aʎár/ [v tr] **1** (encontrar) trovare **2** scoprire ● *halló que se encontraba solo en aquel edificio*: scoprì di essere solo nell'edificio ♦ [v prnl] trovarsi, essere LOC no **hallarse**: sentirsi a disagio.

hallazgo /aʎáθyo/ [sm] **1** ritrovamento ● *el ~ de un secuestrado*: il ritrovamento di un rapito **2** scoperta (f) ● *un ~ científico*: una scoperta scientifica.

halógeno /alóxeno/ [adj] alogeno ♦ [sm] lampada (f) alogena.

hamaca /amáka/ [sf] **1** amaca **2** (tumbona) sdraio (inv).

hambre /ámbre/ [sf] **1** fame **2** FIG desiderio (m) ● ~ *de riquezas*: desiderio di ricchezze LOC **entrar ~**: venire fame | **más listo que el ~**: furbo come una volpe | **tener ~**: avere fame.

hambriento /ambrjénto/ [adj/sm] **1** affamato **2** FIG assetato (adj) ● *está ~ de poder*: è assetato di potere.

hamburguesa /amburɣésa/ [sf] hamburger (m inv).

hámster /xámster/ [sm] criceto (inv).

handicap /xándikap/ [sm] handicap (inv).

harem /arén/ [sm] harem (inv).

harina /arína/ [sf] farina LOC ~ **lacteada**: farina lattea.

hartar (-se) /artár/ [v tr prnl] **1** saziare (-rsi) **2** FIG annoiare (-rsi) LOC ~ **de algo**: rimpinzare di qualcosa | **hartarse de algo/alguien**: stancarsi di qualcosa/qualcuno.

harto /árto/ [adj] **1** (de comida) sazio, pieno **2** (cansado) stufo LOC **tener ~ a alguien**: aver stancato qualcuno.

hasta /asta/ [prep] **1** (tiempo, espacio) fino a **2** perfino, persino ● *y ~ lo amenazó*: e lo minacciò perfino LOC ~ **ahora**: a presto, a tra poco | ~ **luego**: arrivederci | ~ **mañana**: a domani | ~ **que**: fino a quando.

hato /áto/ [sm] fagotto, fardello.

haya /ája/ [sf] faggio (m).

haz /áθ/ [sm] fascio.

hazaña /aθáɲa/ [sf] prodezza.

he /é/ [adv] ecco LOC ~ **aquí**: ecco qui.

hebilla /eβíʎa/ [sf] fibbia.

hebraísmo /eβraísmo/ [sm] ebraismo.

hebreo /eβréo/ [adj] ebraico ◆ [sm] ebreo.

hechicero /etʃiθéro/ [sm] stregone.

hechizo /etʃíθo/ [sm] **1** incantesimo **2** FIG fascino, seduzione (f).

hecho /étʃo/ [adj] **1** fatto ● *volvimos a la habitación y encontramos la cama hecha*: tornammo in camera e trovammo il letto fatto **2** pronto ● *la comida está hecha*: il pranzo è pronto LOC **bien ~**: ben fatto ◆ [sm] fatto LOC **de ~**: di fatto.

hediondo /eðjóndo/ [adj] **1** puzzolente (m,f), fetido **2** FIG ripugnante (m,f), schifoso.

hedor /eðór/ [sm] fetore, puzzo.

helada /eláða/ [sf] gelata.

heladería /elaðería/ [sf] gelateria.

helado /eláðo/ [adj] gelato, gelido ◆ [sm] gelato.

helar /elár/ [v tr] **1** gelare **2** FIG raggelare ◆ [v prnl] congelarsi ◆ [v imp] gelare.

helecho /elétʃo/ [sm] felce (f).

hélice /éliθe/ [sf] elica.

helicóptero /elikóptero/ [sm] elicottero.

hematoma /ematóma/ [sm] ematoma.

hembra /émbra/ [sf] (también TECN) femmina.

hemisferio /emisférjo/ [sm] emisfero.

hemorragia /emoráxja/ [sf] emorragia.

hemorroide /emoróiðe/ [sf] emorroide.

heno /éno/ [sm] fieno.

hepatitis /epatítis/ [sf inv] epatite (sing).

herbolario /erβolárjo/ [sm] erboristeria (f).

herboristería /erβoristería/ [sf] erboristeria.

heredar /ereðár/ [v tr] ereditare.

heredero /ereðéro/ [sm] erede (sust m,f).

hereditario /ereðitárjo/ [adj] ereditario.

hereje /eréxe/ [sm,f] eretico (m).

herencia /erénθja/ [sf] eredità (inv).

herida /eríða/ [sf] (también FIG) ferita.

herido /eríðo/ [adj/sm] ferito.

herir (**-se**) /erír/ [v tr prnl] ferire (-rsi).

hermana /ermána/ [sf] (también religiosa) sorella.

hermanastro /ermanástro/ [sm] fratellastro.

hermandad /ermandáð/ [sf] **1** fratellanza **2** FIG fraternità (inv) **3** (de profesionales, altruistas) associazione.

hermano /ermáno/ [sm] **1** fratello **2** (religioso) frate LOC **~ gemelo/mellizo**: fratello gemello | **primo ~**: primo cugino.

hermético /ermétiko/ [adj] ermetico.

hermoso /ermóso/ [adj] bello.

hermosura /ermosúra/ [sf] bellezza.

hernia /érnja/ [sf] ernia LOC **~ discal**: ernia del disco.

héroe /éroe/ [sm] eroe.

heroico /eróiko/ [adj] eroico.

heroína /eroína/ [sf] (también droga) eroina.

herpes /érpes/ [sm,f inv] herpes.

herradura /er̄aðúra/ [sf] (de caballo, asno) ferro (m).

herramienta /er̄amjénta/ [sf] arnese (m), attrezzo (m).

herrero /er̄éro/ [sm] fabbro.

herrumbre /er̄úmbre/ [sf] ruggine.

hervidor /erβiðór/ [sm] bollitore.

hervir /erβir/ [v intr] **1** bollire **2** (de/en) FIG ribollire, fremere ◆ [v tr] far bollire LOC ~ de gente: brulicare di gente.

hervor /erβór/ [sm] bollore, bollitura (f).

hez /éθ/ [sf] **1** (también FIG) feccia **2** (en pl) feci.

híbrido /íβriðo/ [adj/sm] ibrido.

hidalgo /iðálɣo/ [adj/sm] gentiluomo.

hidratante /iðratánte/ [adj m,f/sm] idratante.

hidratar /iðratár/ [v tr] idratare.

hídrico /íðriko/ [adj] idrico.

hidroeléctrico /iðroeléktriko/ [adj] idroelettrico.

hidrofobia /iðrofóβja/ [sf] idrofobia.

hidrógeno /iðróxeno/ [sm] idrogeno.

hiedra /jéðra/ [sf] edera.

hiel /jél/ [sf] fiele (m), bile.

hielo /jélo/ [sm] **1** ghiaccio **2** (también FIG) gelo ● *al entrar él, se hizo el ~ en la habitación*: entrato lui calò il gelo nella stanza LOC ~ **seco**: ghiaccio secco | **romper el ~**: rompere il ghiaccio.

hiena /jéna/ [sf] (también FIG) iena.

hierba /jérβa/ [sf] (también droga) erba.

hierro /jéro/ [sm] ferro LOC **de ~**: di ferro (salute, carattere) | **~ forjado**: ferro battuto | **quitar ~ a algo**: sdrammatizzare qualcosa.

hígado /íɣaðo/ [sm] fegato LOC **tener hígados**: avere fegato.

higiene /ixjéne/ [sf] igiene LOC **~ bucal/personal**: igiene orale/personale.

higiénico /ixjéniko/ [adj] igienico LOC **compresa higiénica**: assorbente igienico.

higo /íɣo/ [sm] (fruto) fico LOC **de higos a brevas**: di tanto in tanto | **~ chumbo**: fico d'India | **importar un ~**: non importare un fico secco.

higuera /iɣéra/ [sf] (planta) fico (m).

hijastro /ixástro/ [sm] figliastro.

hijo /íxo/ [sm] **1** figlio **2** FAM su!, dai! ● *¡Ana, hija, date prisa!*: dai Anna, sbrigati! LOC **~ de papá**: figlio di papà.

hilado /iláðo/ [sm] **1** (acción) filatura (f) **2** (tejido) filato.

hilar /ilár/ [v tr] **1** filare **2** FIG (datos, elementos) collegare.

hilera /iléra/ [sf] fila.

hilo /ílo/ [sm] **1** (también FIG) filo ● *del surtidor sólo mana un ~ de agua*: dalla fontanella sgorga solo un filo d'acqua **2** (tela) lino LOC **~ de bramante**: spago | **~ de esperanza**: filo di speranza | **~ de voz**: filo di voce | **~ musical**: filodiffusione | **perder/retomar el ~ (del discurso)**: perdere/ritrovare il filo (del discorso).

himno /ímno/ [sm] inno.

hincar /iŋkár/ [v tr] **1** (clavar) conficcare **2** (apoyar) puntare ● *~ los pies*: puntare i piedi ◆ [v prnl] **1** conficcarsi **2** (de rodillas) inginocchiarsi.

hincha /ínt∫a/ [sm,f] tifoso (m).

hinchar /int∫ár/ [v tr] (también FIG) gonfiare • ~ *una noticia*: gonfiare una notizia ◆ [v prnl] **1** gonfiarsi **2** (**de**) rimpinzarsi, abboffarsi **3** FIG insuperbirsi.

hinchazón /int∫aθón/ [sf] gonfiore (m).

hindú /indú/ [adj/sm,f] indù (m).

hinduísmo /indwísmo/ [sm] induismo.

hinojo /inóxo/ [sm] finocchio.

hipar /ipár/ [v intr] **1** avere il singhiozzo **2** (al llorar) singhiozzare.

hipermercado /ipermerkáðo/ [sm] ipermercato.

hipertensión /ipertensjón/ [sf] ipertensione.

hípica /ípika/ [sf] ippica.

hipnosis /ipnósis/ [sf inv] ipnosi.

hipnotizar /ipnotiθár/ [v tr] (también FIG) ipnotizzare.

hipo /ípo/ [sm] singhiozzo.

hipocresía /ipokresía/ [sf] ipocrisia.

hipócrita /ipókrita/ [adj/sm,f] ipocrita.

hipódromo /ipóðromo/ [sm] ippodromo.

hipopótamo /ipopótamo/ [sm] ippopotamo.

hipoteca /ipotéka/ [sf] ipoteca.

hipotecar /ipotekár/ [v tr] ipotecare.

hipótesis /ipótesis/ [sf inv] ipotesi.

hippie /xípi/ [sm] hippy (m,f inv).

histérico /istériko/ [adj/sm] isterico.

historia /istórja/ [sf] (también FIG FAM) storia • *¡no me vengas con historias!*: non raccontarmi storie!

historiador (-a) /istorjaðór/ [sm] storiografo, storico.

historial /istorjál/ [sm] curriculum (inv) LOC ~ **clínico/médico**: cartella clinica | ~ **profesional**: curriculum professionale.

histórico /istóriko/ [adj] storico.

historieta /istorjéta/ [sf] fumetto (m).

hobby /xóβi/ [sm] hobby (inv).

hocico /oθíko/ [sm] (también FIG) muso, grugno LOC **meter el ~**: ficcare il naso.

hogar /oγár/ [sm] **1** focolare **2** FIG casa (f) • *echa de menos las comodidades del ~*: gli mancano le comodità di casa **3** FIG famiglia (f) • *casarse para formar un ~*: sposarsi per farsi una famiglia LOC **tienda de artículos para el ~**: negozio di casalinghi.

hoguera /oγéra/ [sf] falò (m inv).

hoja /óxa/ [sf] **1** foglia **2** (de papel) foglio (m) **3** (de arma, utensilio) lama **4** (de puerta, ventana) battente (m), imposta LOC ~ **de afeitar**: lametta da rasoio.

hojaldre /oxáldre/ [sm] pasta (f) sfoglia.

hojear /oxeár/ [v tr] (libro, revista) sfogliare.

¡hola! /óla/ [interj] ciao!, salve!

holandés (-a) /olandés/ [adj/sm] olandese (m,f).

holgado /olγáðo/ [adj] **1** largo, grande (m,f) **2** FIG (persona) agiato, benestante (m,f).

holgar /olγár/ [v intr] **1** essere superfluo • *huelga decir que te lo agradezco*: è superfluo dire che te ne sono grato **2** oziare • *se pasó las vacaciones holgando*: trascorse le vacanze a oziare.

holgazán (-a) /olɣaθán/ [adj/sm] fannullone (sust), ozioso.

holgura /olɣúra/ [sf] 1 ampiezza, agio (m) • *la ~ de una manga*: l'ampiezza di una manica 2 agiatezza, benessere (m inv) • *una temporada de ~ económica*: un periodo di benessere economico LOC vivir con ~: vivere agiatamente.

hombre /ómbre/ [sm] uomo* LOC ~ de negocios: uomo d'affari ♦ [interj] 1 (saludo) salve! • *¡~ , Renato!, ¿qué tal?*: salve, Renato, come va? 2 (extrañeza) dai!, ma va!, su! • *¡~ , pero qué dices!*: dai, ma che dici? LOC ¡pero, ~!: ma dai!

hombro /ómbro/ [sm] spalla (f) LOC cargado de hombros: gobbo.

homenaje /omenáxe/ [sm] omaggio, tributo LOC en ~ a algo/alguien: in onore di qualcosa/qualcuno.

homeopatía /omeopatía/ [sf] omeopatia.

homogéneo /omoxéneo/ [adj] omogeneo.

homónimo /omónimo/ [adj/sm] omonimo.

homosexual /omosekswál/ [adj/sm,f] omosessuale.

hondo /óndo/ [adj] (también FIG) fondo, profondo ♦ [sm] profondità (f inv) • *lo ~ de un pozo*: la profondità di un pozzo.

hondonada /ondonáða/ [sf] avvallamento (m).

hondura /ondúra/ [sf] profondità (inv).

hondureño /onduréɲo/ [adj/sm] honduregno.

honestidad /onestiðáð/ [sf] 1 (honradez) onestà (inv) 2 (recato) decoro (m).

honesto /onésto/ [adj] 1 (honrado) onesto 2 (recatado) decoroso.

hongo /óŋgo/ [sm] 1 (también MED) fungo 2 (sombrero) bombetta (f).

honor /onór/ [sm] onore LOC en ~ de algo/alguien: in omaggio a qualcosa/qualcuno | hacer ~ a algo/alguien: fare onore a qualcosa/qualcuno.

honra /ónra/ [sf] onore (m), dignità (inv) LOC ¡a mucha ~!: e me ne vanto! | honras fúnebres: onori funebri, esequie.

honradez /onraðéθ/ [sf] onestà (inv).

honrado /onráðo/ [adj] onesto.

honrar /onrár/ [v tr] onorare ♦ [v prnl] (en/con) essere onorato/fiero.

hora /óra/ [sf] ora LOC a la ~ de: nel momento di | a última ~: all'ultimo minuto | dar/tener/pedir ~: dare/avere/chiedere appuntamento | ~ punta: ora di punta | no ver la ~: non vedere l'ora.

horario /orárjo/ [adj/sm] orario.

horca /órka/ [sf] forca.

horchata /ortʃáta/ [sf] orzata LOC ~ de chufas/~ valenciana: orzata di dolcichini.

horizontal /oriθontál/ [adj m,f] orizzontale.

horizonte /oriθónte/ [sm] orizzonte.

horma /órma/ [sf] forma, sagoma LOC de ~ ancha: a pianta larga (calzatura).

hormiga /ormíɣa/ [sf] formica.

hormigón /ormiɣón/ [sm] cemento LOC ~ armado: cemento armato.

hormigueo /ormiɣéo/ [sm] formicolio.

hormiguero /ormiɣéro/ [sm] formicaio LOC **oso ~**: formichiere.

hormona /ormóna/ [sf] ormone (m).

hornacina /ornaθína/ [sf] nicchia.

hornillo /orníʎo/ [sm] fornello LOC **~ de gas/petróleo**: fornello a gas/petrolio.

horno /órno/ [sm] **1** (también FIG) forno • *¡qué calor, este coche está hecho un ~!*: che caldo, questa macchina è un forno! **2** TECN fornace (f) LOC **no estar el ~ para bollos**: non essere il momento adatto.

horóscopo /oróskopo/ [sm] oroscopo.

horquilla /orkíʎa/ [sf] **1** (también TECN) forcella **2** (para el pelo) forcina.

horrible /oříβle/ [adj m,f] **1** orribile, atroce **2** FIG orrendo (m).

horror /oříór/ [sm] (también FIG) orrore • *su novia es un ~*: la sua ragazza è un orrore LOC **gustar un ~/horrores**: piacere tantissimo, piacere un sacco.

horroroso /oříoróso/ [adj] (también FIG FAM) orribile (m,f), orrendo.

hortaliza /ortalíθa/ [sf] ortaggio (m).

hortera /ortéra/ [adj m,f] di pessimo gusto ◆ [sm,f] FAM cafone (m).

hosco /ósko/ [adj] FIG scontroso.

hospedar /ospeðár/ [v tr] ospitare ◆ [v prnl] alloggiare.

hospicio /ospíθjo/ [sm] ospizio.

hospital /ospitál/ [sm] ospedale LOC **~ de día**: day hospital.

hospitalario /ospitalárjo/ [adj] **1** ospitale (m,f) **2** MED ospedaliero.

hospitalidad /ospitaliðáð/ [sf] ospitalità (inv), accoglienza.

hostal /ostál/ [sm] (alojamiento) pensione (f).

hostelería /ostelería/ [sf] industria alberghiera.

hostia /óstja/ [sf] **1** ostia **2** VULG sberla, ceffone (m) LOC **estar de mala ~**: essere di cattivo umore | **tener mala ~**: avere un brutto carattere.

hostil /ostíl/ [adj m,f] ostile, nemico (m).

hostilidad /ostiliðáð/ [sf] ostilità (inv).

hotel /otél/ [sm] albergo, hotel (inv).

hotelero /oteléro/ [adj] alberghiero ◆ [sm] albergatore (f -trice).

hoy /ói/ [adv] oggi LOC **de ~ en adelante**: d'ora in avanti | **~ (en) día**: al giorno d'oggi, oggigiorno | **por ~**: per oggi.

hoyo /ójo/ [sm] **1** buco **2** (sepultura) tomba (f), fossa (f).

hoz /óθ/ [sf] falce.

hucha /útʃa/ [sf] salvadanaio (m).

hueco /wéko/ [adj] **1** vuoto, cavo **2** (voz) grave (m,f), profondo **3** FIG vuoto, futile (m,f) ◆ [sm] **1** vuoto **2** (tiempo) momento, buco **3** FAM (plaza) posto libero LOC **hacer un ~**: fare posto.

huelga /wélɣa/ [sf] sciopero (m) LOC **convocar/desconvocar una ~**: indire/revocare uno sciopero | **~ del hambre**: sciopero della fame.

huelguista /welɣísta/ [sm,f] scioperante.

huella /wéʎa/ [sf] **1** (también FIG) orma, impronta • *se nota en el cua-*

dro la ~ del maestro: si nota nel quadro l'impronta del maestro **2** FIG (rastro) traccia LOC ~ **dactilar/digital**: impronta digitale.

huérfano /wérfano/ [adj/sm] orfano.

huerto /wérto/ [sm] orto.

hueso /wéso/ [sm] **1** osso* **2** BOT nocciolo LOC **color** ~: color avorio | **ser un** ~: essere un osso duro.

huésped (-**a**) /wéspeð/ [sm] ospite (m,f).

huevo /wéβo/ [sm] **1** uovo* **2** (en pl) VULG coglioni, palle (f).

huida /wíða/ [sf] fuga.

huir /wír/ [v intr] (**de**) **1** fuggire • ~ de casa: fuggire di casa **2** sfuggire, evitare • ~ de las responsabilidades: evitare le responsabilità ♦ [v tr] evitare, sfuggire.

hule /úle/ [sm] **1** cauccíù (inv) **2** (encerado) tela (f) cerata/impermeabilizzata.

humanidad /umaniðáð/ [sf] (también FIG) umanità (inv).

humano /umáno/ [adj] (también FIG) umano.

humedad /umeðáð/ [sf] umidità (inv).

humedecer (-**se**) /umeðeθér/ [v tr prnl] inumidire (-rsi).

húmedo /úmeðo/ [adj] umido.

húmero /úmero/ [sm] omero.

humildad /umildáð/ [sf] umiltà (inv).

humilde /umílde/ [adj m,f] umile.

humillación /umiʎaθjón/ [sf] umiliazione.

humillar (-**se**) /umiʎár/ [v tr prnl] umiliare (-rsi).

humo /úmo/ [sm] **1** fumo **2** vapore • cuando veas subir el ~ de la olla, echa la pasta: quando vedi alzarsi il vapore dalla pentola, getta la pasta **3** (en pl) FIG arie (f), superbia (f sing).

humor /umór/ [sm] **1** umore **2** FIG humour (inv), umorismo LOC **de buen/mal** ~: di buon/cattivo umore | **sentido del** ~: senso dell'humour/umorismo.

humorismo /umorísmo/ [sm] umorismo.

hundimiento /undimjénto/ [sm] **1** affondamento **2** (también FIG) crollo • aquello representó el ~ de sus esperanzas: ciò determinò il crollo delle sue speranze.

hundir /undír/ [v tr] **1** affondare • ~ un barco: affondare una nave **2** far sprofondare/crollare • el terremoto hundió la casa: il terremoto fece crollare la casa **3** FIG distruggere ♦ [v prnl] **1** affondare • el barco se hundió: la nave affondò **2** crollare • la casa se hundió: la casa crollò **3** (negocio, proyecto) fallire.

huracán /urakán/ [sm] uragano.

huraño /uráno/ [adj] scontroso.

hurgar /uryár/ [v tr] **1** frugare **2** FIG curiosare, ficcare il naso.

hurtadillas (**a**) /urtaðíʎas/ [loc adv] furtivamente, di nascosto.

hurtar /urtár/ [v tr] rubare ♦ [v prnl] FIG nascondersi.

hurto /úrto/ [sm] **1** furto **2** (lo robado) refurtiva (f).

husmear /usmeár/ [v tr/intr] **1** fiutare, annusare **2** FIG curiosare.

huso /úso/ [sm] fuso LOC ~ **horario**: fuso orario.

Ii

ibérico /iβériko/ [adj/sm] iberico (adj).

ibicenco /iβiθéŋko/ [adj/sm] abitante di Ibiza.

iceberg /áisβerk/ [sm] iceberg (inv).

ida /íða/ [sf] andata.

idea /iðéa/ [sf] idea LOC **no tener ni ~**: non averne la più pallida idea.

ideal /iðeál/ [adj m,f/sm] ideale.

idéntico /iðéntiko/ [adj] identico.

identidad /iðentiðáð/ [sf] identità (inv) LOC **carné/***Amer* **cédula de~/documento nacional de ~**: carta d'identità.

identificación /iðentifikaθjón/ [sf] identificazione.

identificar (-se) /iðentifikár/ [v tr prnl] (**con**) identificare (-rsi).

ideología /iðeoloxía/ [sf] ideologia.

idioma /iðjóma/ [sm] lingua (f).

idiota /iðjóta/ [adj/sm,f] idiota.

idiotez /iðjotéθ/ [sf] idiozia, stupidità (inv).

ídolo /íðolo/ [sm] (también FIG) idolo.

idóneo /iðóneo/ [adj] idoneo.

iglesia /iɣlésja/ [sf] chiesa.

ignorancia /iɣnoránθja/ [sf] ignoranza.

ignorante /iɣnoránte/ [adj/sm,f] ignorante.

ignorar /iɣnorár/ [v tr] ignorare.

igual /iɣwál/ [adj m,f] uguale ■ **igual que** come • *reaccionó ~ que tú*: reagì come te LOC **de ~ manera**: allo stesso modo ◆ [adv] **1** uguale, allo stesso modo • *son ~ de altos*: sono alti uguale **2** FAM (a lo mejor) magari • *dijo que no, pero ~ viene*: ha detto di no, ma magari verrà LOC **da/es ~**: fa/è lo stesso | **por ~**: allo stesso modo ◆ [sm] (signo gráfico) uguale.

igualar /iɣwalár/ [v tr] **1** uguagliare **2** (superficie) spianare.

igualdad /iɣwaldáð/ [sf] uguaglianza.

igualmente /iɣwálménte/ [adv] ugualmente LOC **¡gracias, ~!**: grazie, altrettanto!

iguana /iɣwána/ [sf] iguana.

ilegal /ileɣál/ [adj m,f] illegale.

ilegítimo /ilexítimo/ [adj] illegittimo.

ilegible /ilexíβle/ [adj m,f] illeggibile.

ileso /iléso/ [adj] illeso.

ilimitado /ilimitáðo/ [adj] illimitato.

iluminación /iluminaθjón/ [sf] (también FIG) illuminazione.

iluminar /iluminár/ [v tr] illuminare.

ilusión /ilusjón/ [sf] **1** (engaño) illusione **2** gioia, piacere (m) • *recibió la noticia con ~*: accolse la notizia con gioia LOC **hacer ~**: fare piacere | **hacerse ilusiones**: farsi illusioni.

ilusionar /ilusjonár/ [v tr] **1** (engañar) illudere **2** fare piacere • *me* *ilusiona pensar que nos veremos pronto*: mi fa piacere pensare che ci vedremo presto ♦ [v prnl] (**con**) illudersi.

iluso /ilúso/ [adj/sm] illuso.

ilustración /ilustraθjón/ [sf] illustrazione.

ilustrar /ilustrár/ [v tr] illustrare.

ilustre /ilústre/ [adj m,f] illustre, egregio (m).

imagen /imáxen/ [sf] immagine.

imaginación /imaxinaθjón/ [sf] immaginazione.

imaginar (-se) /imaxinár/ [v tr prnl] immaginare (-rsi).

imaginario /imaxinárjo/ [adj] immaginario.

imán /imán/ [sm] FAM magnete, calamita (f).

imbécil /imbéθil/ [adj/sm,f] imbecille.

imitación /imitaθjón/ [sf] imitazione.

imitar /imitár/ [v tr] (**a/en**) imitare.

impaciencia /impaθjénθja/ [sf] impazienza.

impacientar /impaθjentár/ [v tr] far perdere la pazienza ♦ [v prnl] (**con/por**) spazientirsi.

impaciente /impaθjénte/ [adj/sm,f] (**por**) impaziente (adj).

impacto /impákto/ [sm] (también FIG) impatto ● *el ~ de la noticia fue tremendo*: l'impatto della notizia fu tremendo.

impar /impár/ [adj m,f/sm] dispari (inv).

imparcial /imparθjál/ [adj m,f] imparziale.

impasible /impasíβle/ [adj m,f] impassibile.

impecable /impekáβle/ [adj m,f] impeccabile.

impensado /impensáðo/ [adj] **1** impensato **2** (inesperado) inatteso, inaspettato.

imperceptible /imperθeptíβle/ [adj m,f] impercettibile.

impedir /impeðír/ [v tr] impedire.

imperdible /imperðíβle/ [sm] spilla (f) di sicurezza.

imperfección /imperfekθjón/ [sf] imperfezione.

imperfecto /imperfékto/ [adj] imperfetto.

imperial /imperjál/ [adj m,f] imperiale.

imperio /impérjo/ [sm] (también FIG) impero LOC **~ colonial**: impero coloniale.

impermeable /impermeáβle/ [adj m,f/sm] impermeabile.

impertinencia /impertinenθja/ [sf] impertinenza, sfacciataggine.

impertinente /impertinénte/ [adj/sm,f] impertinente.

impetuoso /impetwóso/ [adj] impetuoso.

implicar (-se) /implikár/ [v tr prnl] (**en**) implicare.

implícito /implíθito/ [adj] implicito.

implorar /implorár/ [v tr] implorare, supplicare.

imponente /imponénte/ [adj m,f] **1** imponente **2** FIG formidabile, magnifico (m).

imponer /imponér/ [v tr] **1** imporre **2** (dinero) versare, depositare ♦ [v prnl] **1** imporsi, affermarsi ● *ha logrado imponerse como tenor*: è riuscito ad affermarsi come tenore **2** (**a/sobre**) farsi valere.

importación /importaθjón/ [sf] importazione.

importancia /importánθja/ [sf] importanza LOC **darse ~**: darsi importanza/delle arie.

importante /importánte/ [adj m,f] importante.

importar /importár/ [v tr] COM importare ◆ [v intr] **1** interessare, importare ● *a mí lo que él diga no me importa nada*: a me non interessa nulla di quello che dice lui **2** (cortesía) spiacere ● *¿te importa cerrar la puerta?*: ti spiace chiudere la porta?

imposible /imposíβle/ [adj m,f] **1** impossibile **2** FIG FAM (persona) insopportabile LOC **hacer lo ~**: fare l'impossibile.

imposición /imposiθjón/ [sf] **1** imposizione **2** (de dinero) versamento (m).

impotencia /impoténθja/ [sf] impotenza.

impracticable /impraktikáβle/ [adj m,f] (camino) intransitabile.

impotente /impoténte/ [adj/sm,f] impotente.

imprecación /imprekaθjón/ [sf] imprecazione.

imprenta /imprénta/ [sf] **1** (arte, oficio) stampa **2** (taller) tipografia, stamperia LOC **letra de ~**: stampatello.

imprescindible /impresθindíβle/ [adj m,f] imprescindibile, indispensabile.

impresión /impresjón/ [sf] **1** stampa ● *la calidad de esta ~ es mala*: la qualità di questa stampa è cattiva **2** (también FIG) impressione ● *el suceso causó mucha ~*: il fatto causò

molta impressione LOC **dar/tener la ~ de que**: dare/avere l'impressione di.

impresionante /impresjonánte/ [adj m,f] impressionante.

impresionar /impresjonár/ [v tr] **1** fare impressione **2** (película) impressionare ◆ [v prnl] (**con**) impressionarsi.

impreso /impréso/ [sm] **1** stampato **2** (formulario) modulo **3** (envío por correo) stampa (f).

impresora /impresóra/ [sf] stampante.

imprevisto /impreβísto/ [adj/sm] imprevisto.

imprimir /imprimír/ [v tr] **1** (también FIG) imprimere ● *lo ocurrido se le imprimió en la memoria*: ciò che accadde gli si impresse nella mente **2** (**en/sobre**) stampare.

improvisar /improβisár/ [v tr] improvvisare.

improviso /improβíso/ [adj] improvviso LOC **de ~**: all'improvviso, di colpo.

imprudencia /impruðénθja/ [sf] imprudenza.

imprudente /impruðénte/ [adj m,f] imprudente.

impuesto /impwésto/ [sm] imposta (f), tassa (f) LOC **~ sobre el valor añadido**: imposta sul valore aggiunto.

impulsar /impulsár/ [v tr] (también FIG) spingere.

impulsivo /impulsíβo/ [adj] impulsivo.

impulso /impúlso/ [sm] **1** spinta (f), slancio **2** FIG impulso LOC **tomar ~**: prendere lo slancio.

inacabable /inakaβáβle/ [adj m,f] interminabile.

inaccesible /inakθesíβle/ [adj m,f] 1 inaccessibile 2 FIG incomprensibile.

inaceptable /inaθeptáβle/ [adj m,f] inaccettabile.

inactivo /inaktíβo/ [adj] inattivo, ozioso.

inadecuado /inaðekwáðo/ [adj] inadeguato.

inadvertido /inaðβertíðo/ [adj] (sólo en la locución) LOC pasar ~: passare inosservato.

inagotable /inaɣotáβle/ [adj m,f] inesauribile.

inaguantable /inaɣwantáβle/ [adj m,f] insopportabile.

inalcanzable /inalkanθáβle/ [adj m,f] irraggiungibile.

inalterable /inalteráβle/ [adj m,f] 1 inalterabile 2 FIG imperturbabile, impassibile.

inanimado /inanimáðo/ [adj] 1 inanimato 2 (desmayado) esanime (m,f), privo di sensi.

inasequible /inasekíβle/ [adj m,f] irraggiungibile, inaccessibile.

inaugurar /inauɣurár/ [v tr] inaugurare.

incandescente /iŋkandesθénte/ [adj m,f] incandescente.

incansable /iŋkansáβle/ [adj m,f] instancabile.

incapacidad /iŋkapaθiðáð/ [sf] 1 (también JUR) incapacità (inv) 2 (ámbito laboral) inabilità (inv).

incapaz /iŋkapáθ/ [adj m,f] 1 (de) (también JUR) incapace 2 (para) negato (m).

incendiar (-se) /inθendjár/ [v tr prnl] incendiare (-rsi).

incendio /inθéndjo/ [sm] incendio.

incertidumbre /inθertiðúmbre/ [sf] incertezza.

incesante /inθesánte/ [adj m,f] incessante.

incidente /inθiðénte/ [sm] incidente.

incidir /inθiðír/ [v intr] (en) FIG incidere, influenzare ◆ [v tr] (también MED) incidere.

incierto /inθjérto/ [adj] incerto, dubbio.

incineración /inθineraθjón/ [sf] (de persona) cremazione.

incisión /inθisjón/ [sf] incisione.

incitar /inθitár/ [v tr] (a/contra) incitare.

inclinación /iŋklinaθjón/ [sf] (también FIG) inclinazione.

inclinar /iŋklinár/ [v tr] 1 inclinare, chinare 2 FIG rendere incline, indurre ◆ [v prnl] (a/por) FIG essere incline/propenso.

incluir /iŋklwír/ [v tr] (en) includere, comprendere.

inclusive /iŋklusíβe/ [adv] compreso ● este bar permanecerá cerrado hasta el día cinco ~: il bar è chiuso fino al giorno cinque compreso.

incluso /iŋklúso/ [adv] 1 perfino ● e ~ la llegó a amenazar: e arrivò perfino a minacciarla 2 (aun) anche ● y me dio ~ algunos consejos: e mi diede anche dei consigli.

incógnito /iŋkóɣnito/ [adj] incognito LOC de ~: in incognito.

incoherente /iŋkoerénte/ [adj m,f] incoerente.

incoloro /iŋkolóro/ [adj] incolore (m,f).

incomodar /iŋkomoðár/ [v tr prnl] **1** scomodare, disturbare **2** (molestar) infastidire, dare fastidio.

incómodo /iŋkómoðo/ [adj] **1** scomodo **2** FIG a disagio.

incompatible /iŋkompatíβle/ [adj m,f] (**con**) incompatibile.

incompetente /iŋkompeténte/ [adj m,f] incompetente.

incompleto /iŋkompléto/ [adj] incompleto.

incomprensible /iŋkomprensíβle/ [adj m,f] incomprensibile.

incomprensión /iŋkomprensjón/ [sf] incomprensione.

incomunicado /iŋkomunikáðo/ [adj] **1** JUR in isolamento **2** isolato ◆ *en invierno el pueblo se encontraba ~*: d'inverno il paese era isolato.

incondicional /iŋkondiθjonál/ [adj m,f] incondizionato (m) ◆ [sm,f] fanatico (m).

inconformista /iŋkomformísta/ [adj/sm,f] anticonformista.

inconsciencia /iŋkonsθjénθja/ [sf] incoscienza.

inconsciente /iŋkonsθjénte/ [adj m,f] incosciente ◆ [sm] inconscio.

incontable /iŋkontáβle/ [adj m,f] **1** innumerevole **2** FIG infinito (m).

incontaminado /iŋkontamináðo/ [adj] incontaminato.

incontinencia /iŋkontinénθja/ [sf] incontinenza.

inconveniente /iŋkombenjénte/ [adj] inopportuno ◆ [sm] inconveniente LOC **no tener ~ en**: non avere difficoltà a.

incordiar /iŋkorðjár/ [v tr] importunare, infastidire.

incorporar /iŋkorporár/ [v tr] (**a/en**) incorporare ◆ [v prnl] **1** mettersi seduto **2** (**a**) (trabajo) prendere servizio.

incorrecto /iŋkořékto/ [adj] scorretto.

incredulidad /iŋkreðuliðáð/ [sf] incredulità (inv).

incrédulo /iŋkréðulo/ [adj/sm] incredulo.

increíble /iŋkreíβle/ [adj m,f] incredibile.

incriminar /iŋkriminár/ [v tr] incriminare.

incubadora /iŋkuβaðóra/ [sf] incubatrice.

incurable /iŋkuráβle/ [adj m,f] **1** incurabile **2** FIG inguaribile ◆ *un ~ romántico*: un inguaribile romantico.

incursión /iŋkursjón/ [sf] incursione.

indagación /indaɣaθjón/ [sf] indagine.

indagar /indaɣár/ [v tr] **1** indagare **2** JUR inquisire.

indecente /indeθénte/ [adj m,f] indecente.

indecisión /indeθisjón/ [sf] indecisione, esitazione.

indeciso /indeθíso/ [adj] indeciso, titubante (m,f).

indefenso /indefénso/ [adj] indifeso.

indefinido /indefiníðo/ [adj] indefinito.

indeleble /indeléβle/ [adj m,f] indelebile.

indemne /indémne/ [adj m,f] (**de**) indenne.

indemnización /indemniθaθjón/ [sf] indennità (inv), risarcimento (m).

indemnizar /indemniθár/ [v tr] (de/ por) indennizzare, risarcire.

independencia /independénθja/ [sf] indipendenza.

independiente /independjénte/ [adj m,f] (de) indipendente, autonomo (m).

independizar (-se) /independiθár/ [v tr prnl] (de) rendere (-rsi) indipendente.

indescriptible /indeskriptíβle/ [adj m,f] indescrivibile.

indeterminado /indetermináðo/ [adj] indeterminato.

indicación /indikaθjón/ [sf] indicazione.

indicador /indikaðór/ [sm] indicatore, segnalatore LOC indicadores de dirección: indicatori di direzione.

indicar /indikár/ [v tr] indicare.

indicativo /indikatíβo/ [adj] indicativo.

índice /índiθe/ [adj/sm] (también FIG) indice • esto es ~ de mala digestión: questo è indice di cattiva digestione LOC dedo ~: indice.

indicio /indíθjo/ [sm] indizio.

indiferencia /indiferénθja/ [sf] indifferenza.

indiferente /indiferénte/ [adj m,f] indifferente.

indígena /indíxena/ [adj/sm,f] indigeno (m).

indigestarse /indixestárse/ [v prnl] fare indigestione.

indigestión /indixestjón/ [sf] indigestione.

indigesto /indixésto/ [adj] indigesto.

indio /índjo/ [adj/sm] 1 (de la India) indiano 2 (de América) indio.

indirecto /indirékto/ [adj] indiretto.

indiscreción /indiskreθjón/ [sf] indiscrezione.

indiscreto /indiskréto/ [adj] indiscreto.

indispensable /indispensáβle/ [adj m,f] indispensabile LOC lo ~: l'indispensabile.

indisponer /indisponér/ [v tr] far sentire male • la cena lo indispuso: la cena lo ha fatto sentire male.

indisposición /indisposiθjón/ [sf] indisposizione, malessere (m).

individual /indiβiðwál/ [adj m,f] individuale LOC habitación ~: camera singola.

individuo /indiβíðwo/ [sm] individuo.

indoloro /indolóro/ [adj] indolore (m,f).

inducir /induθír/ [v tr] (a) indurre.

indudable /induðáβle/ [adj m,f] indubbio (m), evidente.

indumentaria /indumentárja/ [sf] vestiario (m), abbigliamento (m).

industria /indústrja/ [sf] industria.

industrial /industrjál/ [adj m,f/sm] industriale.

inencogible /ineŋkoxíβle/ [adj m,f] irrestringibile.

inesperado /inesperáðo/ [adj] inaspettato, inatteso.

inestabilidad /inestaβiliðáð/ [sf] instabilità (inv).

inestable /inestáβle/ [adj m,f] instabile.

inexperto /inespérto/ [adj] inesperto.

inexpresivo /inespresíβo/ [adj] inespressivo.

inexistente /ineksisténte/ [adj m,f] inesistente.

infalible /imfalíβle/ [adj m,f] infallibile.

infame /imfáme/ [adj/sm,f] infame.

infancia /imfánθja/ [sf] infanzia.

infanta /imfánta/ [sf] (título de las hijas del rey) principessa.

infante /imfánte/ [sm] **1** infante (m,f) **2** (soldado) fante **3** (título de los hijos del rey) principe.

infantil /imfantíl/ [adj m,f] (también FIG) infantile.

infarto /imfárto/ [sm] infarto.

infatigable /imfatiɣáβle/ [adj m,f] infaticabile, instancabile.

infección /imfekθjón/ [sf] infezione.

infeccioso /imfekθjóso/ [adj] infettivo LOC **enfermedad infecciosa:** malattia infettiva.

infectar (-se) /imfektár/ [v tr prnl] infettare (-rsi).

infeliz /imfelíθ/ [adj m,f] infelice.

inferior /imferjór/ [adj m,f] (a) inferiore ◆ [sm,f] subordinato (m).

infernal /imfernál/ [adj m,f] (también FIG) infernale.

infestar /imfestár/ [v tr] (con/de) infestare.

infidelidad /imfiðeliðáð/ [sf] infedeltà (inv).

infiel /imfjél/ [adj m,f] infedele.

infiernillo /imfjerníʎo/ [sm] fornellino ad alcol.

infierno /imfjérno/ [sm] (también FIG) inferno LOC **mandar al ~:** mandare all'inferno | **¡vete al ~!:** vai al diavolo!

infiltración /imfiltraθjón/ [sf] infiltrazione.

infinidad /imfiniðáð/ [sf] (también FIG) infinità (inv).

infinito /imfiníto/ [adj] (también FIG) infinito.

inflación /imflaθjón/ [sf] inflazione.

inflamación /imflamaθjón/ [sf] infiammazione.

inflamar (-se) /imflamár/ [v tr prnl] (también MED) infiammare (-rsi).

inflar /imflár/ [v tr] (también FIG) gonfiare ● *la prensa infló lo ocurrido*: la stampa ha gonfiato i fatti.

inflexible /imfleksíβle/ [adj m,f] **1** inflessibile **2** (material) rigido (m).

influencia /imflwénθja/ [sf] **1** (efecto, autoridad) influenza **2** (en pl) appoggi (m).

influir /imflwír/ [v intr] (en/sobre) **1** influire **2** FIG influenzare ● *¡no intentes ~ en su decisión!*: non cercare di influenzare la sua decisione.

influjo /imflúxo/ [sm] influsso, influenza (f).

influyente /imflujénte/ [adj m,f] influente.

información /imformaθjón/ [sf] **1** informazione **2** (conjunto de datos) informazioni (pl) ● *en esta oficina le podemos proporcionar toda la ~ que necesita*: in questo ufficio le possiamo fornire tutte le informazioni che le servono.

informal /imformál/ [adj m,f] informale.

informar (-se) /imformár/ [v tr prnl] (de/en/sobre) informare (-rsi).

informática /imformátika/ [sf] informatica.

informativo /imformatíβo/ [adj] informativo ◆ [sm] (de radio, televisión) notiziario.

informe /imfórme/ [sm] **1** rapporto, relazione (f) **2** (en pl) referenze (f).

infracción /imfrakθjón/ [sf] infrazione.

infusión /imfusjón/ [sf] infusione, infuso (m).

ingeniería /iŋxenjería/ [sf] ingegneria.

ingeniero /iŋxenjéro/ [sm] ingegnere (m,f).

ingenio /iŋxénjo/ [sm] **1** (cualidad) ingegno **2** (artefacto) congegno.

ingenioso /iŋxenjóso/ [adj] **1** ingegnoso **2** FIG arguto, spiritoso.

ingenuidad /iŋxenwiðáð/ [sf] ingenuità (inv).

ingenuo /iŋxénwo/ [adj] ingenuo.

ingerir /iŋxerír/ [v tr] ingerire, ingoiare.

Inglaterra /iŋglatéřa/ [sf] Inghilterra.

ingle /íŋgle/ [sf] inguine (m).

inglés (-a) /iŋglés/ [adj/sm] inglese (m,f).

ingrato /iŋgráto/ [adj] ingrato.

ingrediente /iŋgreðjénte/ [sm] ingrediente.

ingresado /iŋgresáðo/ [adj/sm] ricoverato.

ingresar /iŋgresár/ [v intr] (en) **1** entrare **2** MED ricoverarsi ♦ [v tr] (dinero) versare.

ingreso /iŋgréso/ [sm] **1** (también FIG) ingresso, entrata (f) ♦ *hizo su ~ en la alta sociedad*: ha fatto il suo ingresso nell'alta società **2** (de dinero) versamento.

inhalación /inalaθjón/ [sf] inalazione.

inicial /iniθjál/ [adj m,f/sf] iniziale.

iniciar /iniθjár/ [v tr] iniziare.

iniciativa /iniθjatíβa/ [sf] iniziativa LOC **tomar la ~**: prendere l'iniziativa.

inicio /iníθjo/ [sm] inizio, principio.

inigualable /iniɣwaláβle/ [adj m,f] ineguagliabile.

ininterrumpido /ininteřumpíðo/ [adj] ininterrotto.

injerto /iŋxérto/ [sm] innesto.

injuria /iŋxúrja/ [sf] ingiuria, oltraggio (m).

injuriar /iŋxurjár/ [v tr] ingiuriare, oltraggiare.

injusticia /iŋxustíθja/ [sf] ingiustizia.

injustificado /iŋxustifikáðo/ [adj] ingiustificato.

injusto /iŋxústo/ [adj] ingiusto.

inmediaciones /immeðjaθjónes/ [sf pl] vicinanze, dintorni (m).

inmediato /immeðjáto/ [adj] **1** immediato, pronto **2** (lugar) attiguo, confinante (m,f) LOC **de ~**: immediatamente.

inmensidad /immensiðáð/ [sf] (también FIG) immensità (inv).

inmenso /imménso/ [adj] (también FIG) immenso.

inmersión /immersjón/ [sf] immersione.

inmigración /immiɣraθjón/ [sf] immigrazione.

inmigrante /immiɣránte/ [adj/sm,f] immigrante.

inminente /imminénte/ [adj m,f] imminente.

inmisario /immisárjo/ [adj] GEOG affluente (m,f).

inmiscuirse /immiskwírse/ [v prnl] (en) FIG immischiarsi, intromettersi.

inmobiliaria /immoβiljárja/ [sf] agenzia immobiliare.

inmobiliario /immoβiljárjo/ [adj] immobiliare (m,f).

inmóvil /immóβil/ [adj m,f] immobile.

inmovilizar /immoβiliθár/ [v tr] immobilizzare.

inmueble /immwéβle/ [sm] immobile LOC ~ **arrendado/desocupado**: immobile affittato/sfitto.

inmundicia /immundíθja/ [sf] immondizia, rifiuti (m pl).

inmune /immúne/ [adj m,f] (también MED) immune.

inmunidad /immuniðáð/ [sf] (también MED) immunità (inv) LOC ~ **diplomática/parlamentaria**: immunità diplomatica/parlamentare.

innato /innáto/ [adj] innato.

innovación /innoβaθjón/ [sf] innovazione, novità (inv).

innumerable /innumeráβle/ [adj m,f] innumerevole.

inocencia /inoθénθja/ [sf] innocenza.

inocente /inoθénte/ [adj/sm,f] innocente.

inocuo /inókwo/ [adj] innocuo, inoffensivo.

inodoro /inoðóro/ [adj] inodoro, inodore (m,f) ♦ [sm] (váter) tazza (f).

inofensivo /inofensíβo/ [adj] inoffensivo, innocuo.

inolvidable /inolβiðáβle/ [adj m,f] indimenticabile.

inoportuno /inoportúno/ [adj] inopportuno.

inquietar (-se) /iŋkjetár/ [v tr prnl] (con/de/por) inquietare (-rsi), preoccupare (-rsi).

inquieto /iŋkjéto/ [adj] inquieto, preoccupato.

inquietud /iŋkjetúð/ [sf] inquietudine, agitazione.

inquilino /iŋkilíno/ [sm] inquilino.

inquisición /iŋkisiθjón/ [sf] inquisizione.

inquisidor (-a) /iŋkisiðór/ [adj/sm] inquisitore (f -trice).

insano /insáno/ [adj] malsano.

insatisfecho /insatisfétʃo/ [adj] insoddisfatto, scontento LOC **quedar** ~: restare insoddisfatto.

inscribir (-se) /inskriβír/ [v tr prnl] (en) iscrivere (-rsi).

inscripción /inskripθjón/ [sf] iscrizione.

insecticida /insektiθíða/ [adj m,f/sm] insetticida.

insecto /insékto/ [sm] insetto.

inseguro /inseɣúro/ [adj] insicuro, incerto.

inseminación /inseminaθjón/ [sf] inseminazione, fecondazione LOC ~ **artificial**: inseminazione artificiale.

insensato /insensáto/ [adj/sm] insensato.

insensible /insensíβle/ [adj m,f] (también FIG) insensibile.

inseparable /inseparáβle/ [adj/sm,f] (también FIG) inseparabile (adj), indivisibile (adj).

insertar /insertár/ [v tr] (en) inserire.

insignificante /insiɣnifikánte/ [adj m,f] insignificante.

insinuar (-se) /insinwár/ [v tr prnl] (también FIG) insinuare (-rsi).

insistencia /insisténθja/ [sf] insistenza.

insistente /insisténte/ [adj m,f] insistente.

insistir /insistír/ [v intr] (en) insistere.

insolación /insolaθjón/ [sf] insolazione.

insólito /insólito/ [adj] insolito, inconsueto.

insomnio /insómnjo/ [sm] insonnia (f).

insoportable /insoportáβle/ [adj m,f] insopportabile.

insospechable /insospetʃáβle/ [adj m,f] insospettabile.

inspección /inspekθjón/ [sf] 1 ispezione 2 (lugar) ispettorato (m) LOC ~ ocular: sopralluogo.

inspeccionar /inspekθjonár/ [v tr] ispezionare.

inspector (-a) /inspektór/ [adj/sm] ispettore (sust, f -trice) LOC ~ de policía: ispettore di polizia.

inspiración /inspiraθjón/ [sf] 1 (también FIG) ispirazione 2 (de aire) inspirazione.

inspirar /inspirár/ [v tr] 1 (también FIG) ispirare 2 (aire) inspirare ◆ [v prnl] (en) ispirarsi.

instalación /instalaθjón/ [sf] 1 (también TECN) installazione 2 (en pl) attrezzature, impianti (m).

instalar (-se) /instalár/ [v tr prnl] installare (-rsi).

instantánea /instantánea/ [sf] istantanea.

instantáneo /instantáneo/ [adj] istantaneo.

instante /instánte/ [sm] istante, momento LOC a cada ~: a ogni istante | al ~: all'istante, subito.

instaurar /instaurár/ [v tr] instaurare.

instinto /instínto/ [sm] istinto LOC por ~: d'istinto.

institución /instituθjón/ [sf] (también JUR) istituzione.

instituir /institwír/ [v tr] istituire.

instituto /institúto/ [sm] 1 istituto 2 (de enseñanza) scuola media inferiore/superiore LOC ~ de belleza: istituto di bellezza | ir al ~: fare le medie (11-13 anni); fare le superiori (14-18 anni).

instrucción /instrukθjón/ [sf] 1 istruzione 2 (en pl) istruzioni, indicazioni LOC instrucciones de uso: istruzioni per l'uso | libro de instrucciones: manuale di istruzioni.

instructor (-a) /instruktór/ [adj/sm] istruttore (f -trice).

instruir (-se) /instrwír/ [v tr prnl] istruire (-rsi).

instrumento /instruménto/ [sm] (también FIG) strumento ● fue el ~ de su venganza: fu lo strumento della sua vendetta LOC ~ de cuerda/percusión/viento: strumento a corda/percussione/vento.

insuficiencia /insufiθjénθja/ [sf] insufficienza.

insuficiente /insufiθjénte/ [adj m,f] insufficiente.

insufrible /insufríβle/ [adj m,f] insopportabile.

insulto /insúlto/ [sm] insulto.

insuperable /insuperáβle/ [adj m,f] (también FIG) insuperabile.

insurrección /insur̃ekθjón/ [sf] insurrezione.

intacto /intákto/ [adj] intatto.

integración /inteɣraθjón/ [sf] integrazione.

integral /inteɣrál/ [adj m,f] integrale.

integrar /inteɣrár/ [v tr] **1** integrare **2** (formar parte) costituire ◆ [v prnl] (en) integrarsi, inserirsi.

íntegro /ínteɣro/ [adj] integro.

intelectual /intelektwál/ [adj/sm,f] intellettuale.

inteligencia /intelixénθja/ [sf] intelligenza.

inteligente /intelixénte/ [adj] intelligente.

intención /intenθjón/ [sf] intenzione, proposito (m) LOC **con ~**: di proposito | **doble/segunda ~**: doppio/secondo fine.

intendencia /intendénθja/ [sf] intendenza LOC *Amer* **~ municipal**: comune, municipio.

intensificar (-se) /intensifikár/ [v tr prnl] intensificare (-rsi), aumentare.

intensidad /intensiðáð/ [sf] (también FIG) intensità (inv) ● *la ~ de una mirada*: l'intensità di uno sguardo.

intenso /inténso/ [adj] (también FIG) intenso ● *una intensa emoción*: un'emozione intensa.

intentar /intentár/ [v tr] tentare, provare, cercare.

intento /inténto/ [sm] **1** intento, proposito **2** tentativo ● *lo logró al primer ~*: riuscì al primo tentativo LOC **de ~**: di proposito.

intercambiar /interkambjár/ [v tr] scambiare.

intercambio /interkámbjo/ [sm] scambio.

interceptar /interθeptár/ [v tr] **1** (también DEP) intercettare **2** (camino, salida) ostruire.

interés /interés/ [sm] interesse.

interesado /interesáðo/ [adj] (**en/por**) interessato.

interesante /interesánte/ [adj m,f] interessante LOC **hacerse el ~**: darsi delle arie.

interesar /interesár/ [v tr] interessare ◆ [v intr prnl] (**por**) interessarsi.

interferencia /interferénθja/ [sf] interferenza.

interferir /interferír/ [v intr] interferire ◆ [v tr prnl] (en) interferire, intromettersi.

interior /interjór/ [adj m,f] **1** interno (m) **2** FIG interiore, spirituale ◆ [sm] **1** (también GEOG) interno **2** FIG intimo.

intermediario /intermeðjárjo/ [adj/sm] intermediario.

intermedio /interméðjo/ [adj] intermedio ◆ [sm] **1** (descanso) pausa (f), intervallo **2** (en una representación) intermezzo.

interminable /intermináβle/ [adj m,f] interminabile.

intermitente /intermiténte/ [adj m,f] intermittente ◆ [sm] lampeggiatore.

internacional /internaθjonál/ [adj m,f] internazionale.

internado /internáðo/ [sm] **1** (lugar) collegio **2** (persona) internato.

internar /internár/ [v tr] (en) internare ◆ [v prnl] (en) addentrarsi.

internet /internét/ [sf] internet (m).

interno /intérno/ [adj] interno.

interpretación /interpretaθjón/ [sf] interpretazione.

interpretar /interpretár/ [v tr] **1** interpretare **2** (a otro idioma) fare l'interprete.

intérprete /intérprete/ [sm,f] interprete.

interrogante /inteŕoɣánte/ [adj m,f] interrogativo (m) ◆ [sm] **1** (duda) interrogativo, dubbio **2** (signo gráfico) punto interrogativo.

interrogar /inteŕoɣár/ [v tr] interrogare.

interrogatorio /inteŕoɣatórjo/ [sm] interrogatorio.

interrumpir /inteŕumpír/ [v tr] interrompere.

interrupción /inteŕupθjón/ [sf] interruzione.

interruptor /inteŕuptór/ [sm] interruttore.

interurbano /interurβáno/ [adj] interurbano.

intervalo /interβálo/ [sm] **1** intervallo **2** arco, spazio • *llegaron ambos en el ~ de un cuarto de hora*: arrivarono entrambi nell'arco di un quarto d'ora LOC **a intervalos**: a intervalli.

intervención /interβenθjón/ [sf] (también MED) intervento (m).

intervenir /interβenír/ [v intr] **(en)** intervenire ◆ [v tr] MED operare.

intestinal /intestinál/ [adj m,f] intestinale LOC **cólico ~**: colica intestinale.

intestino /intestíno/ [sm] intestino.

intimidad /intimiðáð/ [sf] **1** intimità (inv) **2** (en pl) fatti privati.

íntimo /íntimo/ [adj/sm] intimo.

intolerancia /intoleránθja/ [sf] intolleranza.

intoxicación /intoksikaθjón/ [sf] intossicazione.

intoxicar (-se) /intoksikár/ [v tr prnl] intossicare (-rsi).

intranquilizar (-se) /intraŋkiliθár/ [v tr prnl] inquietare (-rsi), preoccupare (-rsi).

intransigente /intransixénte/ [adj m,f] intransigente.

intriga /intríɣa/ [sf] intrigo (m).

intrigante /intriɣánte/ [adj/sm,f] intrigante.

intrigar /intriɣár/ [v tr] incuriosire.

introducción /introðukθjón/ [sf] introduzione.

introducir (-se) /introðuθír/ [v tr prnl] **(en/entre)** introdurre (-rsi).

introvertido /introβertíðo/ [adj/sm] introverso.

intruso /intrúso/ [adj/sm] intruso.

intuición /intwiθjón/ [sf] **1** intuito (m) • *siempre presume de su ~*: si vanta sempre del suo intuito **2** FAM intuizione • *tener una ~*: avere un'intuizione.

intuir /intwír/ [v tr] intuire, prevedere.

inundación /inundaθjón/ [sf] inondazione.

inútil /inútil/ [adj m,f] inutile ◆ [sm,f] incapace, inetto (m).

invadir /imbaðír/ [v tr] invadere.

invalidez /imbaliðéθ/ [sf] invalidità (inv).

inválido /imbáliðo/ [adj/sm] invalido, disabile (m,f).

invariable /imbarjáβle/ [adj m,f] invariabile.

invasión /imbasjón/ [sf] invasione.

invasor (-a) /imbasór/ [adj/sm] invasore (f -dstrice).

invencible /imbenθíβle/ [adj m,f] **1** invincibile **2** FIG insuperabile, insormontabile ·UN OBSTÁCULO ~: un ostacolo insormontabile.

invención /imbenθjón/ [sf] (también FIG) invenzione • *no te creo, esta es otra ~ tuya*: non ti credo, questa è un'altra delle tue invenzioni.

inventar (-se) /imbentár/ [v tr prnl] (también FIG FAM) inventare (-rsi).

inventario /imbentárjo/ [sm] inventario.

inventor (-a) /imbentór/ [adj/sm] inventore (f -trice).

invernadero /imbernaðéro/ [sm] serra (f).

invernal /imbernál/ [adj m,f] invernale.

inversión /imbersjón/ [sf] **1** inversione **2** (económica) investimento (m).

inverso /imbérso/ [adj] inverso, opposto.

inversor (-a) /inbersór/ [adj/sm] (economía) investitore (f -trice).

invertir /imbertír/ [v tr] **1** invertire **2** (dinero) investire **3** (tiempo) impiegare, trascorrere.

investigación /imbestiɣaθjón/ [sf] **1** investigazione, indagine **2** (científica, académica) ricerca.

investigador (- a) /imbestiɣaðór/ [adj/sm] **1** investigatore (f -trice) **2** (científico, académico) ricercatore (sust, f -trice).

investigar /imbestiɣár/ [v tr] **1** investigare **2** (tema, disciplina) ricercare, studiare.

invierno /imbjérno/ [sm] inverno.

invitación /imbitaθjón/ [sf] invito (m).

invitado /imbitáðo/ [adj/sm] invitato.

invitar /imbitár/ [v tr] (a) invitare.

involuntario /imboluntárjo/ [adj] involontario.

inyección /inɟekθjón/ [sf] iniezione LOC ~ **intramuscular/intravenosa/subcutánea**: iniezione intramuscolare/endovenosa/sottocutanea | **poner una ~**: fare un'iniezione.

inyectar /inɟektár/ [v tr] **1** (también MED) iniettare **2** FIG infondere.

ir /ír/ [v intr] andare ◆ [v prnl] **1** andarsene **2** FIG scappare • *¡me voy, que tengo prisa!*: scappo perché ho fretta! **3** (mancha, señal) scomparire ■ **ir a** + **inf** stare per + inf, essere sul punto di + inf • *va a salir*: sta per uscire ■ **ir con** + **sust** procedere/agire/comportarsi con + sost • *~ con cuidado*: procedere con attenzione ■ **ir** + **ger** stare + ger • *va anocheciendo*: sta facendo notte LOC **¡a eso voy/iba!**: lì ti voglio/volevo! | **~ descaminado**: essere fuori strada | **~ (para) largo**: andare per le lunghe | **~ (a) por algo**: andare a prendere | **¿qué le vamos a hacer?**: cosa vuoi farci? | **¡qué va!**: ma va là! | **¡vamos!**: andiamo!, su!, forza! | **¡vamos a ver!**: vediamo per ho'! | **¡vaya!**: però!, accidenti! | **¡vete a saber!**: chi lo sa!

ira /íra/ [sf] ira.

iris /íris/ [sm] ANAT iride (f).

irlandés (-a) /irlandés/ [adj/sm] irlandese (m,f)

ironía /ironía/ [sf] ironia.

irónico /iróniko/ [adj] ironico.

irreal /iřeál/ [adj m,f] irreale.

irrealizable /iřealiθáβle/ [adj m,f] irrealizzabile.

irregular /iřeɣulár/ [adj m,f] irregolare.

irregularidad /iřeɣulariðáð/ [sf] irregolarità (inv).

irresistible /ireˠsistíβle/ [adj m,f] irresistibile.

irresponsable /ireˠsponsáβle/ [adj/sm,f] irresponsabile.

irrigación /iriɣaθjón/ [sf] irrigazione.

irrigar /iriɣár/ [v tr] irrigare.

irritar (-se) /iritár/ [v tr prnl] irritare (-rsi).

irrompible /irompíβle/ [adj m,f] infrangibile.

isla /ísla/ [sf] isola LOC ~ **peatonal**: isola pedonale.

islamismo /islamísmo/ [sm] islamismo.

islámico /islámiko/ [adj] islamico.

Islas Baleares /íslasβaleáres/ [sf pl] Isole Baleari.

Islas Canarias /íslaskanárjas/ [sf pl] Isole Canarie.

isleño /isléɲo/ [adj/sm] isolano.

israelita /israelíta/ [adj/sm,f] israelita.

italiano /italiáno/ [adj/sm] italiano.

itinerario /itinerárjo/ [sm] itinerario.

izquierda /iθkjérða/ [sf] sinistra LOC **a la ~**: a sinistra | **hacia la ~**: verso sinistra | **de ~(s)**: di sinistra (politica).

izquierdo /iθkjérðo/ [adj] sinistro ◆ [sm] mancino.

jabalí /xaβalí/ [sm] cinghiale.

jabalina /xaβalína/ [sf] giavellotto (m).

jabón /xaβón/ [sm] sapone LOC ~ **de olor**: saponetta | **pompa de ~**: bolla di sapone.

jactarse /xaktárse/ [v prnl] vantarsi.

jade /xáðe/ [sm] giada (f).

jadear /xaðeár/ [v intr] respirare con affanno.

jadeo /xaðéo/ [sm] affanno.

jaguar /xaɣwár/ [sm] giaguaro.

jalar /xalár/ [v tr] tirare.

jalea /xaléa/ [sf] gelatina LOC ~ **real**: pappa reale.

jaleo /xaléo/ [sm] FAM confusione (f), casino.

jalonar /xalonár/ [v tr] FIG segnare, scandire.

Jamaica /xamáika/ [sf] Giamaica.

jamaicano /xamaikáno/ [adj/sm] giamaicano.

jamás /xamás/ [adv] mai LOC **nunca ~**: mai più.

jamón /xamón/ [sm] prosciutto.

jaque /xáke/ [sm] scacco LOC ~ **mate**: scacco matto.

jaqueca /xakéka/ [sf] emicrania.

jarabe /xaráβe/ [sm] sciroppo.

jardín /xarðín/ [sm] giardino LOC ~ **botánico**: orto botanico | **~ de infancia**: asilo infantile.

jardinero /xarðinéro/ [sm] giardiniere.

jarra /xáȓa/ [sf] **1** brocca, caraffa ♦ *nos trajeron una ~ de agua del tiempo*: ci portarono una caraffa di acqua a temperatura ambiente **2** (vaso) boccale (m) LOC **con los brazos en jarras**: con le braccia sui fianchi.

jarrón /xaȓón/ [sm] vaso.

jaspeado /xaspeáðo/ [adj] venato, screziato.

jauja /xáuxa/ [sf] pacchia, cuccagna LOC **ser ~**: essere una pacchia.

jaula /xáula/ [sf] gabbia.

jazmín /xaθmín/ [sm] gelsomino.

jefatura /xefatúra/ [sf] direzione, comando (m) LOC **~ superior de policía**: questura.

jefe /xéfe/ [sm] capo LOC **~ de estación**: capostazione | **~ de partido**: segretario di partito.

jengibre /xeŋxíβre/ [sm] zenzero.

jeque /xéke/ [sm] sceicco.

jerarquía /xerarkía/ [sf] gerarchia.

jerez /xeréθ/ [sm] sherry (inv).

jerga /xérɣa/ [sf] gergo (m).

jeringar /xeriŋgár/ [v tr] **1** siringare **2** FIG FAM scocciare.

jeringuilla /xeriŋgíʎa/ [sf] siringa.

jeroglífico /xeroɣlífiko/ [sm] **1** geroglifico **2** FIG (también juego) rebus (inv).

jersey /xerséi/ [sm] maglia (f), golf (inv) LOC **~ de cuello alto**: dolcevita | **~ de pico/~ en uve**: golf a V.

jesús /xesús/ [interj] salute!

jet /ʝét/ [sm] jet (inv).

jeta /xéta/ [sf] (también FIG) muso (m) LOC **tener ~**: avere la faccia tosta/di bronzo.

jícara /xíkara/ [sf] *Amer* tazzina.

jilguero /xilɣéro/ [sm] cardellino.

jinete /xinéte/ [sm] **1** cavallerizzo **2** (profesional) fantino.

jirafa /xiráfa/ [sf] giraffa.

joder /xoðér/ [interj] VULG cazzo! [v tr] VULG fottere, scopare ♦ [v intr prnl] VULG **1** fottere, scopare **2** (fastidiar) rompere le palle LOC **joderla**: fare/dire una cazzata.

jónico /xóniko/ [adj] **1** ionio **2** ARQ ionico ♦ [sm] ARQ ionico.

jornada /xornáða/ [sf] **1** (de trabajo) giornata **2** (en pl) convegno (m sing), seminario (m sing) LOC **~ completa**: tempo pieno | **~ continuada**: orario continuato | **~ flexible**: orario flessibile.

joroba /xoróβa/ [sf] gobba.

jorobado /xoroβáðo/ [adj/sm] gobbo.

jorobar (-se) /xoroβár/ [v tr prnl] FIG FAM (fastidiar) scocciare (-rsi), seccare (-rsi).

jota /xóta/ [sf] (sólo en la locución) LOC **ni ~**: nulla, un accidenti.

joven /xóβen/ [adj/sm,f] giovane.

joya /xóʝa/ [sf] gioiello (m).

joyería /xoʝería/ [sf] gioielleria.

joyero /xoʝéro/ [sm] **1** (persona) gioielliere **2** (objeto) portagioie (inv).

jubilación /xuβilaθjón/ [sf] (del trabajo) pensione.

jubilado /xuβiláðo/ [adj/sm] (trabajador) pensionato.

jubilar /xuβilár/ [v tr] mettere in pensione ♦ [v prnl] andare in pensione.

jubileo /xuβiléo/ [sm] giubileo.

judaísmo /xuðaísmo/ [sm] ebraismo.

judería /xuðería/ [sf] quartiere (m) ebreo.

judía /xuðía/ [sf] fagiolo (m) LOC ~ verde: fagiolino.

judicatura /xuðikatúra/ [sf] magistratura.

judicial /xuðiθjál/ [adj m,f] giudiziario (m).

judío /xuðío/ [adj/sm] ebreo, giudeo.

judo /júðo/ [sm inv] judo.

judoka /juðóka/ [sm,f inv] judoka.

juego /xwéɣo/ [sm] **1** gioco • *un ~ aburrido*: un gioco noioso **2** set (inv) • *un ~ de maletas*: un set di valigie **3** (de vajilla) servizio **4** (de ropa) completo, coordinato LOC fuera de ~: fuorigioco | hacer ~ algo: intonarsi | ~ limpio/sucio: gioco pulito/sporco | poner en ~: mettere in gioco.

juerga /xwérɣa/ [sf] baldoria LOC estar de ~: fare baldoria.

juerguista /xwerɣísta/ [sm,f] festaiolo (m).

jueves /xwéβes/ [sm inv] giovedì.

juez /xwéθ/ [sm] **1** giudice **2** DEP arbitro LOC ~ de línea: guardalinee, segnalinee | ~ de silla: giudice di gara.

jugada /xuɣáða/ [sf] giocata, mossa.

jugador (-a) /xuɣaðór/ [adj/sm] giocatore (sust, f -trice).

jugar /xuɣár/ [v intr] **1** (también FIG) giocare • *no juegues con mis sentimientos*: non giocare con i miei sentimenti **2** (pieza) muoversi, avere gioco ◆ [v tr] giocare ◆ [v prnl] giocarsi LOC jugársela(s) a alguien: prendersi gioco di qualcuno | por ~: per gioco.

jugo /xúɣo/ [sm] **1** succo • *exprimir el ~ de un limón*: spremere il succo di un limone **2** sugo, salsa (f) • *sirvan el asado en su jugo*: servite l'arrosto con il suo sugo **3** FIG sostanza (f), nocciolo LOC ~ gástrico: succo gastrico | sacar el ~ a algo/alguien: spremere qualcosa/qualcuno.

jugoso /xuɣóso/ [adj] succoso.

juguete /xuɣéte/ [sm] (también FIG) giocattolo.

juicio /xwíθjo/ [sm] **1** (también JUR) giudizio **2** opinione (f), parere • *¡ten cuidado con formarte un ~ equivocado!*: attento a non farti un'opinione sbagliata! LOC perder el ~: perdere l'uso della ragione | poner en tela de ~: mettere in dubbio.

julio /xúljo/ [sm] luglio.

jungla /xúŋgla/ [sf] giungla.

junio /xúnjo/ [sm] giugno.

junta /xúnta/ [sf] assemblea, giunta LOC ~ administrativa/municipal: giunta comunale.

juntar /xuntár/ [v tr] **1** unire **2** (reunir) accumulare ◆ [v prnl] riunirsi.

junto /xúnto/ [adj] unito ◆ [adv] **1** (con) insieme **2** vicino • *una casa ~ al río*: una casa vicino al fiume LOC todo ~: tutto insieme.

juntura /xuntúra/ [sf] giuntura.

Júpiter /xúpiter/ [sm] Giove.

jurado /xuráðo/ [sm] **1** (también JUR) giuria (f) **2** (persona) giurato.

juramento /xuraménto/ [sm] **1** (promesa) giuramento **2** (blasfemia) bestemmia (f).

jurar /xurár/ [v tr] giurare ◆ [v intr] bestemmiare.

jurídico /xuríðiko/ [adj] giuridico.
justamente /xústaménte/ [adv] proprio.
justicia /xustíθja/ [sf] (también JUR) giustizia LOC **hacer ~**: fare giustizia.
justificación /xustifikaθjón/ [sf] giustificazione.
justificar (-se) /xustifikár/ [v tr prnl] giustificare (-rsi).

justo /xústo/ [adj/sm] giusto ◆ [adv] esattamente, proprio ● *lo vi ~ al salir*: lo vidi proprio mentre uscivo.
juventud /xuβentúð/ [sf] **1** gioventù (inv) **2** (en pl) giovani (m pl).
juzgado /xuθɣáðo/ [sm] **1** JUR tribunale **2** giuria (f).
juzgar /xuθɣár/ [v tr] (también JUR) giudicare.

Kk

kamikaze /kamikáθe/ [adj inv/sm] **1** kamikaze (inv) **2** FIG temerario (sing).
kárate /kárate/ [sm] karatè (inv).
karateca /karatéka/ [sm,f] karateka (inv).
kayak /kaják/ [sm inv] kayak.

kendo /kéndo/ [sm] kendo.
kermés /kermés/ [sf] kermesse (inv).
kibutz /kiβúθ/ [sm inv] kibbutz.
kilim /kílim/ [sm] kilim (inv).
kilometraje /kilometráxe/ [sm] kilometraggio, chilometraggio.

Ll

la /la/ [art det f sing] la ◆ [pron f sing] la | **la + de** quella di ● *~ de Andrés es verde*: quella di Andrea è verde ■ **la + que** quella che ● *~ que ves es Ana*: quella che vedi è Anna.
la /lá/ [sm] MUS la (inv).
laberinto /laβerínto/ [sm] labirinto.
labio /láβjo/ [sm] **1** labbro* **2** FIG (en pl) bocca (f).

labor /laβór/ [sf] **1** (tarea) lavoro (m) **2** (obra) opera LOC **~ de punto**: lavoro a maglia.
laboral /laβorál/ [adj m,f] del lavoro LOC **jornada ~**: orario di lavoro.
laboratorio /laβoratórjo/ [sm] laboratorio.
laborioso /laβorjóso/ [adj] laborioso.

labrado /laβráðo/ [sm] lavorazione (f).

labrador (-a) /laβraðór/ [sm] agricoltore, contadino.

labranza /laβránθa/ [sf] coltivazione.

labrar /laβrár/ [v tr] **1** lavorare **2** FIG costruire • *logró ~ un futuro para sus hijos*: è riuscito a costruire un futuro per i suoi figli.

laca /láka/ [sf] lacca LOC ~ de uñas: smalto per unghie.

lacio /láθjo/ [adj] **1** (cabello) liscio **2** (mustio) appassito ◆ [sm] Lazio.

lactancia /laktánθja/ [sf] allattamento (m).

lactante /laktánte/ [adj/sm,f] lattante.

lácteo /lákteo/ [adj] latteo LOC vía ~: via lattea ◆ [sm] latticino.

ladear /laðeár/ [v tr/intr prnl] **1** girare da un lato • *ladeó la cabeza y lo vi de perfil*: girò la testa da un lato e lo vidi di profilo **2** inclinare • ~ *un cuadro*: inclinare un quadro.

lado /láðo/ [sm] **1** ANAT ZOOL fianco **2** (también FIG) lato • *el asunto tiene un ~ negativo*: la faccenda ha un lato negativo **3** (sitio) posto LOC al ~: vicinissimo, a due passi | al ~ de algo/alguien: di fianco a qualcosa/qualcuno | a su ~: in confronto a | dejar a un ~: lasciare da parte | de ~: di lato/fianco.

ladrar /laðrár/ [v intr] abbaiare.

ladrillo /laðríʎo/ [sm] mattone.

ladrón (-a) /laðrón/ [adj/sm] ladro.

lagar /laɣár/ [sm] **1** (de uva) torchio **2** (de aceitunas) frantoio.

lagartija /laɣartíxa/ [sf] lucertola.

lago /láɣo/ [sm] lago.

lágrima /láɣrima/ [sf] **1** lacrima **2** FIG goccia • *quiero té con una ~ de leche*: voglio del tè con una goccia di latte.

laguna /laɣúna/ [sf] **1** laguna **2** FIG lacuna.

laico /láiko/ [adj/sm] laico.

lamentar /lamentár/ [v tr] dispiacere ◆ [v prnl] (de/por) lamentarsi.

lamento /laménto/ [sm] lamento.

lamer /lamér/ [v tr] leccare.

lámina /lámina/ [sf] **1** lamina **2** (grabado) incisione **3** (estampa) stampa.

lámpara /lámpara/ [sf] lampada LOC ~ de rayos UVA: lampada a raggi UVA | ~ de techo: lampadario.

lana /lána/ [sf] lana LOC ~ artificial: misto lana | ~ fría: fresco di lana.

lance /lánθe/ [sm] situazione (f) LOC de ~: di seconda mano.

lancha /lántʃa/ [sf] MAR lancia LOC ~ neumática: gommone | ~ motora: motoscafo.

langosta /laŋgósta/ [sf] **1** ICT aragosta **2** ZOOL cavalletta.

langostino /laŋgostíno/ [sm] gambero.

lanza /lánθa/ [sf] lancia.

lanzado /lanθáðo/ [adj] determinato.

lanzador (-a) /lanθaðór/ [adj/sm] lanciatore (sust, f -trice).

lanzamiento /lanθamjénto/ [sm] lancio.

lanzar (-se) /lanθár/ [v tr prnl] (también FIG) lanciare (-rsi).

lápida /lápiða/ [sf] lapide.

lapilli /lapíli/ [sm pl] lapilli.

lápiz /lápiθ/ [sm] matita (f) LOC ~ **de color**: matita colorata, pastello | ~ **de labios**: rossetto | ~ **de ojos**: matita per gli occhi.

largar /larɣár/ [v tr] **1** (también MAR) mollare • *le largó una bofetada*: gli mollò un ceffone **2** FAM (persona) licenziare ♦ [v prnl] andarsene via.

largo /lárɣo/ [adj] **1** lungo **2** FIG aperto, liberale (m,f) **3** (cantidad) abbondante (m,f) ♦ [adv] molto, a lungo • *hablar* ~: parlare a lungo LOC **a la larga**: a lungo andare | **a lo ~ de**: lungo, durante | **¡~!**: via!; fate largo! | **vestir de ~**: vestire da sera/in lungo ♦ [sm] **1** lunghezza (f) • *midió lo ~ de la habitación*: misurò la larghezza della stanza **2** mus largo.

largometraje /larɣometráxe/ [sm] lungometraggio.

laringe /laríŋxe/ [sf] laringe.

laringitis /lariŋxítis/ [sf inv] laringite (sing).

larva /lárβa/ [sf] larva.

las /las/ [art det/pron f pl] le.

lasaña /lasápa/ [sf] lasagna.

láser /láser/ [sm inv] laser.

Las Marcas /lasmárkas/ [sf pl] Marche.

Las Palmas de Gran Canaria /laspálmasðeɣráŋkanárja/ [sf pl] Las Palmas di Gran Canaria.

lástima /lástima/ [sf] pena LOC **dar** ~: fare pena | **¡(qué)** ~!: (che) peccato!

lastimar (-se) /lastimár/ [v tr prnl] fare (-rsi) male.

lastre /lástre/ [sm] **1** zavorra (f) **2** FIG peso.

lata /láta/ [sf] **1** latta **2** FIG FAM scocciatura LOC **dar la** ~: scocciare.

latente /laténte/ [adj m,f] latente.

lateral /laterál/ [adj m,f] laterale ♦ [sm] (fútbol) ala* (f), laterale.

latido /latíðo/ [sm] pulsazione (f).

látigo /látiɣo/ [sm] **1** frusta (f) **2** (de parque de atracciones) montagne (f pl) russe.

latín /latín/ [sm] (lengua) latino.

latino /latíno/ [adj/sm] latino LOC **América latina**: America latina.

Latinoamérica /latinoamérika/ [sf] America latina.

latinoamericano /latinoamerikáno/ [adj/sm] latinoamericano.

latir /latír/ [v intr] battere, pulsare.

latitud /latitúð/ [sf] latitudine (f).

latón /latón/ [sm] ottone.

laurel /laurél/ [sm] alloro.

lava /láβa/ [sf] lava.

lavable /laβáβle/ [adj m,f] lavabile.

lavabo /laβáβo/ [sm] **1** (pila) lavandino **2** (cuarto) bagno, gabinetto.

lavado /laβáðo/ [sm] **1** (colada) bucato **2** lavaggio • *no sé cómo hacer el lavado de esta prenda*: non so come fare il lavaggio di questo capo LOC ~ **gástrico**: lavanda gastrica.

lavadora /laβaðóra/ [sf] lavatrice (f).

lavanda /laβánda/ [sf] lavanda.

lavandería /laβandería/ [sf] lavanderia.

lavaplatos /laβaplátos/ [sm inv] **1** (aparato) lavapiatti (f) **2** *Amer* lavandino (sing).

lavar (-se) /laβár/ [v tr prnl] lavare (-rsi) LOC ~ **en seco**: lavare a secco | ~ **y marcar**: shampoo e messa in piega.

lavativa /laβatíβa/ [sf] clistere (m).

lavavajillas /laβaβaxíʎas/ [sm inv] lavastoviglie (f).

laxante /laksánte/ [adj m,f/sm] lassativo (m).

laxo /lákso/ [adj] **1** rilassato **2** FIG permissivo.

lazo /láθo/ [sm] **1** fiocco **2** FIG vincolo, legame LOC **caer en el ~**: cadere nella trappola | **tender un ~**: tendere un tranello.

le /le/ [pron] gli (m), le (f).

leal /leál/ [adj m,f] leale.

lealtad /lealtáð/ [sf] lealtà (inv).

lección /lekθjón/ [sf] lezione.

leche /létʃe/ [sf] latte (m) LOC **de ~**: da latte | **~ condensada**: latte condensato | **~ de larga conservación**: latte a lunga conservazione | **~ limpiadora**: latte detergente | **~ semidesnatada**: latte parzialmente scremato.

lechería /letʃería/ [sf] latteria.

lechero /letʃéro/ [adj/sm] (persona) lattaio.

lecho /létʃo/ [sm] (de río) letto.

lechón /letʃón/ [sm] maialino da latte.

lechuga /letʃúɣa/ [sf] lattuga LOC **como una ~**: fresco come una rosa.

lechuza /letʃúθa/ [sf] civetta.

lector (-a) /lektór/ [adj/sm] lettore (f -trice).

lectura /lektúra/ [sf] lettura.

leer /leér/ [v tr] leggere.

legado /leɣáðo/ [sm] (también FIG) eredità (f inv).

legal /leɣál/ [adj m,f] **1** legale **2** FAM (persona) affidabile.

legalidad /leɣaliðáð/ [sf] legalità (inv).

legalizar /leɣaliθár/ [v tr] **1** legalizzare **2** (firma, documento) autenticare.

legaña /leɣáɲa/ [sf] cispa.

legislatura /lexislatúra/ [sf] legislatura.

legítimo /lexítimo/ [adj] **1** legittimo **2** autentico, vero • *plata legítima*: vero argento LOC **legítima defensa**: legittima difesa.

legumbre /leɣúmbre/ [sf] legume (m).

lejanía /lexanía/ [sf] lontananza.

lejano /lexáno/ [adj] lontano, distante (m,f).

lejos /léxos/ [adv] lontano LOC **a lo/de/desde ~**: in lontananza | **~ de**: invece di.

lencería /lenθería/ [sf] biancheria LOC **~ íntima/de la casa**: biancheria intima/da casa | **tienda de ~**: negozio di intimo.

lengua /léŋgwa/ [sf] (también ANAT) lingua LOC **~ materna**: lingua madre/materna | **no tener pelos en la ~**: non avere peli sulla lingua.

lenguado /leŋgwáðo/ [sm] sogliola (f).

lenguaje /leŋgwáxe/ [sm] linguaggio.

lente /lénte/ [sf] **1** lente **2** (en pl) occhiali (m), lenti LOC **lentes de contacto**: lenti a contatto.

lenteja /lentéxa/ [sf] lenticchia.

lentitud /lentitúð/ [sf] lentezza.

lento /lénto/ [adj/sm] (también MUS) lento LOC **a fuego ~**: a fuoco lento.

leña /léɲa/ [sf] legna.

Leo /léo/ [sm] (zodíaco) Leone.

león (-a) /león/ [sm] **1** (también FIG) leone (f -essa) **2** *Amer* puma (inv).

leopardo /leopárðo/ [sm] leopardo.

leotardo /leotárðo/ [sm] calzamaglia (f).

les /les/ [pron m,f pl] loro, a loro, gli.

lesbiana /lesβjána/ [adj/sf] lesbica.

lesión /lesjón/ [sf] lesione.

letal /letál/ [adj m,f] letale.

letargo /letárγo/ [sm] letargo.

letra /létra/ [sf] **1** (del alfabeto) lettera **2** (escritura) calligrafia, scrittura **3** (en pl) lettere • *estudia letras en Madrid*: studia lettere a Madrid LOC **a la ~/al pie de la ~**: alla lettera, letteralmente | **~ por ~**: parola per parola.

letrero /letréro/ [sm] insegna (f), cartello.

levadura /leβaðúra/ [sf] lievito (m) LOC **~ de cerveza**: lievito di birra.

levantamiento /leβantamjénto/ [sm] sollevamento.

levantar /leβantár/ [v tr] **1** alzare, sollevare **2** (quitar) togliere **3** (prohibición, pena) revocare **4** (erigir) costruire ◆ [v prnl] alzarsi LOC **~ el vuelo**: alzarsi in volo | **~ la voz**: alzare la voce.

levante /leβánte/ [sm] levante.

levar /leβár/ [v tr] MAR salpare.

leve /léβe/ [adj m,f] lieve, leggero (m).

levedad /leβeðáð/ [sf] leggerezza.

ley /léi/ [sf] legge.

llado /ljáðo/ [adj] (persona) occupato, indaffarato.

liar /ljár/ [v tr] **1** avvolgere **2** FIG FAM convincere ◆ [v prnl] FAM **1** avere una relazione • *Salvador se ha liado con Carmela*: Salvatore ha una relazione con Carmela **2** confondersi • *liarse al hablar*: confunder-

si mentre si parla LOC **liarla**: farla bella/grossa | **liarse a bofetadas/tortas con alguien**: prendere a sberle qualcuno.

libélula /liβélula/ [sf] libellula.

liberación /liβeraθjón/ [sf] liberazione.

liberal /liβerál/ [adj/sm,f] liberale.

liberalizar /liβeraliθár/ [v tr] liberalizzare.

liberar (-se) /liβerár/ [v tr prnl] liberare (-rsi).

libertad /liβertáð/ [sf] **1** libertà (inv) **2** (confianza) disinvoltura LOC **~ de prensa**: libertà di stampa | **tomarse unas libertades**: prendersi delle libertà.

libidinoso /liβiðinóso/ [sf] libidinoso.

Libra /líβra/ [sf] (zodíaco) Bilancia.

librar /liβrár/ [v tr] **1** liberare **2** (letra, sentencia) emettere, spiccare ◆ [v intr] (trabajador) avere il giorno libero/di riposo ◆ [v prnl] (de) FAM liberarsi, sbarazzarsi.

libre /líβre/ [adj m,f] libero (m) ◆ [sm] (fútbol) libero LOC **aire ~**: aria aperta | **asiento/plaza/sitio ~**: posto libero | **entrada ~**: entrata libera | **~ de impuestos**: esente da imposta.

librería /liβrería/ [sf] libreria.

librero /liβréro/ [sm] **1** libraio **2** *Amer* (mueble) libreria (f).

libreta /liβréta/ [sf] **1** (bancaria) libretto (m) **2** taccuino (m).

libreto /liβréto/ [sm] MUS libretto.

libro /líβro/ [sm] libro.

licencia /liθénθja/ [sf] **1** licenza **2** *Amer* (de conducir) patente LOC **~**

de armas: porto d'armi | **~ de caza/pesca**: licenza di caccia/pesca.

licenciado /liθenθjáðo/ [adj] **1** laureato **2** (del ejército) congedato.

licenciar (-se) /liθenθjár/ [v tr prnl] **1** laureare (-rsi) **2** (del ejército) congedare (-rsi).

licenciatura /liθenθjatúra/ [sf] laurea.

licor /likór/ [sm] liquore.

licuadora /likwaðóra/ [sf] COC centrifuga.

licuar (-se) /likwár/ [v tr prnl] liquefare (-rsi).

líder /líðer/ [sm] capo, leader (m,f inv).

lidia /líðja/ [sf] corrida.

lidiar /liðjár/ [v intr] combattere, lottare ◆ [v tr] toreare.

liebre /ljéβre/ [sf] lepre.

lienzo /ljénθo/ [sm] tela (f).

liga /líγa/ [sf] **1** lega **2** DEP campionato (m) LOC **título de ~**: scudetto.

ligamento /liγaménto/ [sm] legamento.

ligar /liγár/ [v tr] (también COC) legare ◆ [v intr prnl] FAM rimorchiare, cuccare.

ligereza /lixeréθa/ [sf] **1** (también FIG) leggerezza ● *hablar con ~*: parlare con leggerezza **2** (soltura) agilità (inv).

ligero /lixéro/ [adj] **1** leggero **2** veloce (m,f) LOC **a la ligera**: alla leggera.

ligue /líγe/ [sm] FAM **1** flirt (inv) ● *lo suyo no pasa de ser un ~ veraniego*: il loro è soltanto un flirt estivo **2** conquista (f) ● *¡mira a Jorge con su último ~!*: guarda Giorgio con la sua ultima conquista!

ligur /liγúr/ [adj/sm,f] ligure.

lila /líla/ [adj m,f/sm] **1** (color) lilla (inv) **2** BOT lillà (inv).

lima /líma/ [sf] lima LOC **~ de uñas**: lima per unghie.

limaza /limáθa/ [sf] lumaca.

limar /limár/ [v tr] limare.

limitación /limitaθjón/ [sf] limitazione LOC **~ de velocidad**: limite di velocità.

limitar (-se) /limitár/ [v tr prnl] limitare (-rsi) ◆ [v intr] confinare.

límite /límite/ [adj inv/sm] limite.

limón /limón/ [sm] limone.

limonada /limonáða/ [sf] limonata.

limonero /limonéro/ [sm] (planta) limone.

limosna /limósna/ [sf] elemosina.

limpiaparabrisas /limpjaparaβrísas/ [sm inv] tergicristallo (sing).

limpiar /limpjár/ [v tr] **1** pulire **2** FIG FAM ripulire ● *el atracador limpió la caja registradora*: il bandito ha ripulito il registratore di cassa.

límpido /límpiðo/ [adj] limpido, terso.

limpieza /limpjéθa/ [sf] **1** pulizia **2** FIG destrezza, abilità (inv) LOC **~ del cutis**: pulizia del viso | **~ en seco**: pulizia a secco | **mujer de la ~**: donna delle pulizie.

limpio /límpjo/ [adj] **1** (también FIG) pulito ● *me aseguró que era un asunto ~*: mi assicurò che era una faccenda pulita **2** (cantidad de dinero) netto LOC **sacar en ~**: risolvere, ottenere.

lince /línθe/ [sm] (también FIG) lince (f) LOC **vista de ~**: occhio di lince.

linchar /lintʃár/ [v tr] linciare.

lindar /lindár/ [v intr] (**con**) essere adiacente/attiguo.

linde /línde/ [sm,f] limite (m), confine (m).

lindero /lindéro/ [adj] confinante (m,f).

lindeza /lindéθa/ [sf] **1** grazia, leggiadria **2** IRON (en pl) insulti (m).

lindo /líndo/ [adj] carino, grazioso LOC ¡**qué ~!**: che carino! (persona); che bello! (cosa)

línea /línea/ [sf] **1** linea **2** (renglón) riga **3** fila • *una ~ de coches*: una fila di automobili LOC **coche de ~**: autobus di linea, corriera | **guardar la ~**: mantenere la linea | **~ eléctrica**: linea elettrica | **líneas aéreas**: linee aeree | **~ telefónica**: linea telefonica | **vuelo de ~**: volo di linea.

lineal /lineál/ [adj m,f] lineare.

lingote /liŋgóte/ [sm] lingotto.

lino /líno/ [sm] lino.

linterna /lintérna/ [sf] torcia elettrica.

lío /lío/ [sm] **1** fagotto, involto **2** FIG confusione (f) • *¡qué ~ en tu cajón!*: che confusione nel tuo cassetto! **3** FIG imbroglio, pasticcio • *no sé cómo salir de este ~*: non so come togliermi da questo impiccio **4** FIG FAM relazione (f) amorosa LOC **armar un ~**: far scoppiare un casino | **meterse en líos**: cacciarsi nei pasticci.

liofilizar /ljofiliθár/ [v tr] liofilizzare.

liquidación /likiðaθjón/ [sf] liquidazione.

liquidar /likiðár/ [v tr] (también FIG FAM) liquidare ◆ [v intr] fare una liquidazione LOC **~ por reformas**: svendere per rinnovo locali.

liquidez /likiðéθ/ [sf] liquidità (inv).

líquido /líkiðo/ [adj/sm] liquido.

lira /líra/ [sf] MUS lira.

lírica /lírika/ [sf] lirica.

lirio /lírjo/ [sm] giaggiolo, iris (f).

lirón /lirón/ [sm] ghiro LOC **dormir como un ~**: dormire come un ghiro.

lisiado /lisjáðo/ [adj/sm] storpio.

lisiar (**-se**) /lisjár/ [v tr prnl] storpiare (-rsi).

liso /líso/ [adj] **1** liscio **2** (tela, papel) a tinta unita.

lisonja /lisónxa/ [sf] lusinga.

lista /lísta/ [sf] **1** lista **2** COM listino (m) LOC **~ de boda**: lista di nozze | **~ de espera**: lista d'attesa | **~ de correos**: fermo posta.

listín /listín/ [sm] elenco telefonico.

listo /lísto/ [adj] **1** sveglio, intelligente (m,f) • *va bien en los estudios porque es lista y aplicada*: va bene negli studi perché è sveglia e diligente **2** furbo • *¡no te hagas el ~, que ya te conozco!*: non fare il furbo, che ti conosco! **3** (a punto) pronto LOC **pasarse de ~**: fare il furbo.

litera /litéra/ [sf] **1** (de tren, buque) cuccetta **2** letto (m) a castello.

literario /literárjo/ [adj] letterario.

literatura /literatúra/ [sf] letteratura.

litografía /litoɣrafía/ [sf] litografia.

litoral /litorál/ [adj/sm] litorale.

liviano /liβjáno/ [adj] (también FIG) leggero • *una muchacha liviana*: una ragazza leggera.

lívido /líβiðo/ [adj] livido.

llaga /ʎáɣa/ [sf] piaga.

llagarse /ʎaɣárse/ [v prnl] piagarsi.

llama /ʎáma/ [sf] **1** fiamma **2** ZOOL lama (m inv).

llamada /ʎamáða/ [sf] chiamata LOC ~ a cobro revertido: chiamata a carico del destinatario.

llamamiento /ʎamamjénto/ [sm] appello.

llamar /ʎamár/ [v tr] chiamare ♦ [v intr] **1** FAM (a la puerta) chiamare **2** FIG (gustar) attirare ♦ [v prnl] chiamarsi LOC ~ la atención: attirare l'attenzione | ~ por teléfono: telefonare.

llamarada /ʎamaráða/ [sf] **1** fiammata **2** FIG (de rubor) vampata.

llamativo /ʎamatíβo/ [adj] vistoso, appariscente (m,f).

llaneza /ʎanéθa/ [sf] FIG **1** (de trato) spontaneità (inv) **2** (de estilo) semplicità (inv), sobrietà (inv).

llano /ʎáno/ [adj] **1** piano, liscio **2** FIG spontaneo.

llanta /ʎánta/ [sf] **1** cerchione (m) **2** Amer (neumático) copertone (m).

llanto /ʎánto/ [sm] pianto.

llanura /ʎanúra/ [sf] pianura.

llave /ʎáβe/ [sf] **1** (también MUS) chiave **2** (de cañerías) rubinetto (m) LOC bajo ~: sotto chiave | echar la ~: chiudere a chiave | ~ inglesa: chiave inglese.

llavero /ʎaβéro/ [sm] portachiavi (inv).

llegada /ʎeɣáða/ [sf] arrivo (m).

llegar /ʎeɣár/ [v intr] (a) **1** arrivare **2** (alcanzar) ammontare ■ llegar a + inf riuscire a + inf • no llegó a coger el tren: non riuscì a prendere il treno LOC ~ a las manos: venire alle mani | ~ a ser: diventare | ~ lejos: fare strada/carriera.

llena /ʎéna/ [sf] (de río) piena.

llenar (-se) /ʎenár/ [v tr prnl] riempire (-rsi).

lleno /ʎéno/ [adj] pieno ♦ [sm] FIG pienone.

llevar /ʎeβár/ [v tr] **1** portare **2** (tardar) impiegare, metterci ♦ [v prnl] **1** portarsi via **2** essere di moda • este año se llevan las minifaldas: quest'anno sono di moda le minigonne ■ llevar + expresión de tiempo essere da • ¿llevas mucho aquí?: è da molto che sei qui? ■ llevar + ger verbo + da • llevo cinco meses trabajando: lavoro da cinque mesi LOC ~ a cabo/efecto: portare a termine | ~ consigo: avere/portare con sé | ~ la contraria: contraddire | llevarse bien/mal: andare/non andare d'accordo.

llorar /ʎorár/ [v intr/tr] piangere.

llover /ʎoβér/ [v imp] piovere ♦ [v intr/tr] FIG piovere, fioccare LOC como quien oye ~: come se niente fosse | ~ a cántaros: piovere a catinelle/dirotto | ~ sobre mojado: piovere sul bagnato.

llovizna /ʎoβíθna/ [sf] pioviggine.

lloviznar /ʎoβiθnár/ [v intr] piovigginare.

lluvia /ʎúβja/ [sf] (también FIG) pioggia • una ~ de insultos: una pioggia d'insulti.

lluvioso /ʎuβjóso/ [adj] piovoso.

lo /lo/ [art det m sing] il • ~ mejor de la obra es el final: il meglio dell'opera è il finale ♦ [pron m sing] lo • ~ *veré*: lo vedrò ■ **lo + que** quello che • ~ *que dices*: quello che dici.

lobo /lóβo/ [sm] lupo.

lóbrego /lóβreɣo/ [adj] lugubre (m,f).

lóbulo /lóβulo/ [sm] lobo.

local /lokál/ [adj m,f/sm] locale LOC **anestesia ~**: anestesia locale | ~ **nocturno**: locale notturno.

localidad /lokaliðáð/ [sf] **1** località (inv) **2** (billete, entrada) posto (m), biglietto (m).

localizar /lokaliθár/ [v tr] localizzare.

loción /loθjón/ [sf] lozione.

loco /lóko/ [adj/sm] **1** matto, pazzo **2** FIG esagerato (adj), pazzesco (adj) • *una suerte loca*: una fortuna pazzesca LOC **estar ~ de atar/rematte**: essere pazzo da legare | **volver ~**: far diventare matto | **volverse ~ por algo**: andare matto per qualcosa.

locomotora /lokomotóra/ [sf] locomotiva.

locura /lokúra/ [sf] pazzia, follia LOC **con ~**: perdutamente, alla follia | **de ~**: straordinario.

locutor (-a) /lokutór/ [sm] (de radio, televisión) annunciatore (f -trice).

locutorio /lokutórjo/ [sm] cabina (f) telefonica.

lodo /lóðo/ [sm] fango.

lógica /lóxika/ [sf] logica.

lógico /lóxiko/ [adj] logico.

lograr /loɣrár/ [v tr] **1** farcela, riuscire • *no logré convencerla*: non riuscii a convincerla **2** ottenere, conseguire • ~ *un trabajo*: ottenere un lavoro.

logro /lóɣro/ [sm] **1** conseguimento **2** (éxito) successo, trionfo.

lomo /lómo/ [sm] **1** ANAT lombo **2** dorso • *el ~ de un libro*: il dorso di un libro **3** COC lombata (f).

lona /lóna/ [sf] DEP tappeto (m).

loncha /lóntʃa/ [sf] fetta.

londinense /londinénse/ [adj/sm,f] londinese.

Londres /lóndres/ [sm] Londra (m).

longaniza /loŋɡaniθa/ [sf] salsiccia.

longitud /loŋxitúð / [sf] **1** (largo) lunghezza **2** longitudine.

long-play /lompléi/ [sm] long-playing (inv).

lonja /lóɲxa/ [sf] mercato (m) generale.

loro /lóro/ [sm] pappagallo LOC **estar al ~**: essere aggiornato/ben informato.

los /los/ [art det m pl] gli, i • [pron m pl] li • *los he visto*: li ho visti.

losa /lósa/ [sf] lastra.

lotería /lotería/ [sf] lotteria LOC **caerle/tocarle la ~**: vincere alla lotteria; fare tombola | ~ **primitiva**: lotto.

loza /lóθa/ [sf] **1** maiolica • *un plato de ~*: un piatto di maiolica **2** stoviglie (pl) • *puso la ~ en el lavaplatos*: mise le stoviglie nella lavapiatti LOC **tienda de ~ y cristal**: negozio di casalinghi.

lozanía /loθanía/ [sf] **1** (de planta) rigoglio (m) **2** floridezza.

lozano /loθáno/ [adj] **1** (planta) rigoglioso **2** florido.

lubina /luβína/ [sf] branzino (m), spigola.

lubricante /luβrikánte/ [adj m,f/sm] lubrificante.

lucero /luθéro/ [sm] stella (f).

lucha /lútʃa/ [sf] **1** (combate) lotta **2** (enfrentamiento) conflitto (m), scontro (m) LOC ~ **libre**: lotta libera.

luchador (-a) /lutʃaðór/ [adj/sm] lottatore (f -trice).

luchar /lutʃár/ [v intr] **1** lottare, combattere **2** (**por**) contendersi, disputarsi LOC ~ **a brazo partido**: lottare con tutte le forze.

lucidez /luθiðéθ/ [sf] lucidità (inv).

lucido /luθíðo/ [adj] splendido, ben riuscito.

lúcido /lúθiðo/ [adj] FIG lucido.

luciérnaga /luθjernáɣa/ [sf] lucciola.

lucimiento /luθimjénto/ [sm] bella figura (f).

lucio /lúθjo/ [sm] luccio.

lucir /luθír/ [v intr] **1** brillare **2** FIG (surtir efecto) fare effetto ◆ [v tr] **1** sfoggiare **2** (pared) intonacare ◆ [v prnl] mettersi in mostra.

lucro /lúkro/ [sm] lucro, profitto.

luego /lwéɣo/ [adv] dopo ◆ [conj] dunque, quindi LOC **desde** ~: indubbiamente | **¡hasta** ~**!**: arrivederci! | ~ **que**: dopo che.

lugar /luɣár/ [sm] posto LOC **en** ~ **de**: al posto di | **fuera de** ~: fuori luogo | **hacer** ~: fare posto | ~ **de nacimiento**: luogo di nascita | **ser del** ~: essere del posto | **tener** ~: aver luogo.

lúgubre /lúɣuβre/ [adj m,f] lugubre.

lujo /lúxo/ [sm] lusso LOC **con** ~ **de detalles**: nei minimi dettagli.

lujoso /luxóso/ [adj] lussuoso.

lumbago /lumbáɣo/ [sm] lombaggine (f).

luminosidad /luminosiðáð/ [sf] luminosità (inv).

luminoso /luminóso/ [adj] luminoso.

luna /lúna/ [sf] **1** luna **2** (de armario) luce, specchio (m) **3** (de escaparate) vetrina LOC ~ **de miel**: luna di miele.

lunar /lunár/ [adj m,f] lunare ◆ [sm] **1** neo **2** (en tela, papel) pois (inv).

lunes /lúnes/ [sm inv] lunedì.

luneta /lunéta/ [sf] **1** (de gafas) lente **2** (de automóvil) lunotto (m).

lupa /lúpa/ [sf] lente d'ingrandimento.

lustrar /lustrár/ [v tr] lucidare.

lustroso /lustróso/ [adj] **1** lucido, brillante (m,f) **2** FIG FAM florido, sano.

luto /lúto/ [sm] lutto LOC **estar de** ~: essere in lutto.

luxación /luksaθjón/ [sf] lussazione.

Luxemburgo /luksembúrɣo/ [sm] Lussemburgo.

luxemburgués (-a) /luksemburɣés/ [adj/sm] lussemburghese (m,f).

luz /lúθ/ [sf] **1** luce **2** ARQ (de puerta, ventana) vano (m) **3** FIG (en pl) intelligenza LOC **dar a (la)** ~: dare alla luce | **luces largas/de carretera**: fari abbaglianti | **luces de cruce/~ corta**: fari anabbaglianti | **luces de freno**: luci d'arresto | **luces de posición**: luci di posizione | ~ **de neón**: luce al neon | ~ **eléctrica**: luce elettrica | **traje de luces**: costume da torero | **ver la** ~: venire alla luce.

Mm

macarrones /makařónes/ [sm pl] maccheroni.

machacar /matʃakár/ [v tr] frantumare ◆ [v intr] FIG FAM insistere.

machismo /matʃísmo/ [sm] maschilismo.

machista /matʃísta/ [adj m,f] maschilista.

macho /mátʃo/ [adj] virile (m,f) ◆ [sm] ZOOL (también TECN) maschio.

macizo /maθíθo/ [adj] **1** massiccio **2** FAM (persona) forte (m,f), robusto ◆ [sm] **1** GEOG massiccio **2** aiuola (f).

madeja /maðéxa/ [sf] matassa.

madera /maðéra/ [sf] **1** legno (m) **2** FIG FAM stoffa LOC **tocar ~**: toccare ferro/legno.

madrastra /maðrástra/ [sf] matrigna.

madre /máðre/ [sf] (también religiosa) madre.

madreperla /maðrepérla/ [sf] madreperla.

madrileño /maðriléɲo/ [adj/sm] madrileno.

madrina /maðrína/ [sf] madrina.

madrugada /maðruɣáða/ [sf] alba LOC **de ~**: di buon mattino.

madrugar /maðruɣár/ [v intr] alzarsi di buon'ora.

madurar /maðurár/ [v tr/intr] (también FIG) maturare.

madurez /maðuréθ/ [sf] (también FIG) maturità (inv).

maduro /maðúro/ [adj] (también FIG) maturo.

maestro /maéstro/ [sm] (también MUS) maestro.

mafia /máfja/ [sf] mafia.

magacín /maɣaθín/ [sm] **1** rivista (f) illustrata **2** (televisivo) varietà (inv).

magia /máxja/ [sf] magia.

mágico /máxiko/ [adj] magico.

magistrado /maxistráðo/ [sm] magistrato, giudice (m,f).

magnético /maɣnétiko/ [adj] magnetico.

magnífico /maɣnífiko/ [adj] magnifico.

mago /máɣo/ [adj/sm] mago (sust).

magullar (-se) /maɣuʎár/ [v tr prnl] ammaccare (-rsi).

maíz /maíθ/ [sm] mais (inv), granturco.

majo /máxo/ [adj] FAM carino.

mal /mál/ [adj] brutto, cattivo ● *un ~ día*: una brutta giornata ◆ [adv] male LOC **caer ~ alguien**: non piacere, stare antipatico (persona) | **estar ~ algo**: essere scorretto/sbagliato (cosa) | **estar ~ alguien**: stare male (persona) | **menos ~ que**: meno male che | **sentirse ~**: sentirsi male ◆ [sm] male LOC **~ que bien**: bene o male | **tomárselo a ~**: prenderla male.

Málaga /málaɣa/ [sf] Malaga.

malagueño /malaɣwéɲo/ [adj/sm] abitante di Malaga.

maldad /maldáð/ [sf] malvagità (inv), cattiveria.

maldecir /maldeθír/ [v tr] maledire.

maldición /maldiθjón/ [sf] maledizione.

malecón /malekón/ [sm] molo.

maleducado /maleðukáðo/ [adj] maleducato.

malentendido /malentendíðo/ [sm] malinteso, equivoco.

malestar /malestár/ [sm] malessere.

maleta /maléta/ [sf] valigia LOC hacer la ~: fare la valigia.

maletero /maletéro/ [sm] 1 (de vehículo) baule, bagagliaio 2 Amer facchino, portabagagli (inv).

maletín /maletín/ [sm] valigetta (f), borsa (f) a mano.

maleza /maléθa/ [sf] erbacce (pl).

malformación /malformaTjón/ [sf] malformazione.

malhechor (-a) /maletʃór/ [sm] malfattore (f -trice), delinquente (m,f).

malhumor /malumór/ [sm] malumore.

malicia /malíθja/ [sf] malizia, malignità (inv).

malicioso /maliθjóso/ [adj/sm] malizioso (adj).

maligno /malíɣno/ [adj] (también MED) maligno.

malla /máʎa/ [sf] 1 (tejido) maglia 2 Amer costume (m) da bagno 3 (en pl) pantacollant (m inv).

malo /málo/ [adj] 1 brutto, cattivo • malas costumbres: cattive abitudini 2 (dañino) nocivo, dannoso LOC estar ~: essere malato | ponerse ~: stare/sentirsi male.

maltratar /maltratár/ [v tr] strapazzare, maltrattare.

malva /máĺßa/ [adj inv/sf] malva.

malvado /malßáðo/ [adj] malvagio, cattivo, maligno.

mama /máma/ [sf] mammella.

mamá /mamá/ [sf] FAM mamma ■ pl irr mamás.

mamar /mamár/ [v tr] poppare.

mamífero /mamífero/ [adj/sm] mammifero.

manada /manáða/ [sf] 1 (de animales) branco (m), mandria 2 FIG (de personas) frotta.

manantial /manantjál/ [sm] sorgente (f), fonte (f).

manar /manár/ [v tr/intr] sgorgare.

mancha /mántʃa/ [sf] macchia.

manchar (-se) /mantʃár/ [v tr prnl] macchiare (-rsi), sporcare (-rsi).

manchego /mantʃéɣo/ [adj/sm] abitante della Mancha.

manco /máŋko/ [adj/sm] monco.

mandamiento /mandamjénto/ [sm] 1 (religioso) comandamento 2 JUR mandato.

mandante /mandánte/ [sm,f] mandante.

mandar /mandár/ [v tr] 1 ordinare • mandó traer al preso: ordinò che portassero il prigioniero 2 (enviar) mandare ♦ [v intr] comandare LOC ~ a la porra/a freír espárragos: mandare a quel paese.

mandarina /mandarína/ [sf] mandarino (m).

mandato /mandáto/ [sm] 1 JUR ordine, decreto 2 (político) mandato.

mandíbula /mandíßula/ [sf] mandibola.

mandil /mandíl/ [sm] grembiule.

mando /mándo/ [sm] (también TECN) comando LOC **alto ~**: alta carica | **~ a distancia**: telecomando.

mandolina /mandolína/ [sf] mandolino (m).

manejar /manexár/ [v tr] **1** maneggiare **2** *Amer* (vehículo) guidare.

manera /manéra/ [sf] **1** maniera, modo (m) **2** (en pl) maniere LOC **de ~ que**: perciò (quindi); in modo da (affinché) | **de todas maneras**: comunque, in ogni modo | **no haber ~**: non esserci modo.

manga /mánga/ [sf] **1** manica **2** DEP manche (inv) LOC **de ~ corta/larga**: a manica corta/lunga (indumento).

mango /mángo/ [sm] **1** manico **2** BOT mango.

manguera /mangéra/ [sf] canna per innaffiare.

maní /maní/ [sm] *Amer* arachide (f) ◼ pl irr **manises**.

manía /manía/ [sf] mania, fissazione LOC **cogerle/tenerle ~ a alguien**: avere/provare antipatia per qualcuno.

maníaco /maníako/ [sm] MED maniaco.

maniático /manjátiko/ [adj/sm] maniaco, fissato.

manicura /manikúra/ [sf] manicure (inv).

manifestación /manifestaθjón/ [sf] manifestazione.

manifestar (-se) /manifestár/ [v tr prnl] manifestare (-rsi).

manifiesto /manifjésto/ [adj/sm] manifesto.

manillar /maniʎár/ [sm] manubrio.

maniobra /manjóβra/ [sf] manovra.

maniobrar /manjoβrár/ [v intr] (también MAR) manovrare.

manipular /manipulár/ [v tr] (también FIG) manipolare, maneggiare.

maniquí /manikí/ [sm] manichino ◆ [sm,f] (persona) modello (m), indossatore (f -trice).

manivela /maniβéla/ [sf] manovella.

mano /máno/ [sf] **1** (también FIG) mano* ◆ *se nota la ~ de un experto*: si nota la mano di un esperto **2** COC zampetto (m) LOC **a ~/al alcance de la ~**: a portata di mano | **a ~ derecha**: a destra| **a ~ izquierda**: a sinistra | **echar una ~**: dare una mano | **~ de obra**: manodopera.

manojo /manóxo/ [sm] **1** (de llaves) mazzo **2** fascio.

manopla /manópla/ [sf] manopola.

manosear /manoseár/ [v tr] palpare.

mansedumbre /manseðúmbre/ [sf] docilità (inv).

manso /mánso/ [adj] **1** mite (m,f), tranquillo **2** (animal) docile (m,f).

manta /mánta/ [sf] **1** coperta **2** ICT manta.

manteca /mantéka/ [sf] **1** (de leche) crema, panna **2** (de cerdo) sugna, strutto (m).

mantecoso /mantekóso/ [adj] grasso.

mantel /mantél/ [sm] tovaglia (f).

mantener /mantenér/ [v tr] **1** (también costear) mantenere **2** (sujetar) sostenere ◆ [v prnl] **1** mantenersi **2** (en) FIG perseverare.

mantenimiento /mantenimjénto/ [sm] **1** mantenimento **2** TECN manutenzione (f).

m

mantequilla /mantekíʎa/ [sf] burro (m).

manto /mánto/ [sm] manto.

mantón /mantón/ [sm] scialle frangiato.

manual /manwál/ [adj m,f/sm] manuale.

manufactura /manufaktúra/ [sf] **1** manufatto (m) **2** (fábrica) manifattura.

manuscrito /manuskríto/ [adj/sm] manoscritto.

manutención /manutenθjón/ [sf] mantenimento (m).

manzana /manθána/ [sf] **1** mela **2** (de edificios) isolato (m).

manzanilla /manθaníʎa/ [sf] (también infusión) camomilla.

manzano /manθáno/ [sm] melo.

mañana /maɲána/ [adv/sm] domani LOC **a partir de ~**: da domani | **pasado ~**: dopodomani ♦ [sf] mattino (m), mattina LOC **muy de ~**: di buon mattino | **por la ~**: in mattinata, di mattina.

mapa /mápa/ [sm] mappa (f) LOC **~ físico/político**: cartina fisica/politica | **~ geográfico**: carta geografica.

maquillaje /makiʎáxe/ [sm] **1** maquillage (inv), trucco **2** (cosmético) fondotinta (inv).

maquillar (-se) /makiʎár/ [v tr prnl] truccare (-rsi).

máquina /mákina/ [sf] **1** macchina, apparecchio (m) **2** (de tren) locomotiva LOC **~ de coser**: macchina per cucire | **~ de escribir**: macchina per scrivere.

maquinilla /makiníʎa/ [sf] rasoio (m) LOC **~ eléctrica**: rasoio elettrico.

mar /már/ [sm] mare LOC **alta ~**: alto mare | **a mares**: moltissimo | **la ~ de**: un mare di | **~ en calma**: mare calmo | **~ gruesa**: mare grosso.

maraña /maráɲa/ [sf] **1** (también FIG) groviglio (m) **2** (de arbustos) sterpaia.

maratón /maratón/ [sm,f] maratona (f).

maravilla /maraβíʎa/ [sf] meraviglia.

maravillar (-se) /maraβiʎár/ [v tr prnl] meravigliare (-rsi).

marca /márka/ [sf] **1** marca, marchio (m) **2** (también FIG) segno (m) ● *se nota la ~ del bañador en la piel*: si vede il segno del costume da bagno sulla pelle **3** DEP record (m inv) LOC **de ~**: di marca | **mejorar/batir una ~**: migliorare/battere un record.

marcar /markár/ [v tr] **1** marcare, marchiare **2** (también FIG) segnare ● *la desgracia la marcó de por vida*: la disgrazia la segnò a vita **3** (número, clave) comporre, fare ♦ [v prnl] DEP segnare.

marcha /mártʃa/ [sf] **1** (también MUS) marcia **2** FIG piega, andamento (m) **3** FAM animazione, vita, movimento (m) LOC **estar algo en ~**: essere in funzione | **irse alguien de ~**: andare a divertirsi | **~ atrás**: retromarcia | **poner en ~**: mettere in moto (veicolo); mettere in funzione (apparecchio).

marchar /martʃár/ [v intr] **1** (también FIG) andare ● *¿qué tal marcha el negocio?*: come vanno gli affari? **2** (soldado) marciare ♦ [v prnl] partire, andarsene.

marchitar (-se) /martʃitár/ [v tr prnl] appassire, sfiorire.

marchito /martʃíto/ [adj] appassito, sfiorito.

marco /márko/ [sm] **1** cornice (f) **2** (de puerta, ventana) telaio **3** FIG ambito.

marea /maréa/ [sf] marea LOC ~ alta/baja: alta/bassa marea.

marear /mareár/ [v tr/intr] **1** dare la nausea • *ir en el asiento trasero me marea*: viaggiare sul sedire posteriore mi dà la nausea **2** FIG FAM frastornare **3** (bebida) dare alla testa ♦ [v prnl] **1** (en barco) soffrire il mal di mare **2** venire un capogiro/la nausea.

maremoto /maremóto/ [sm] maremoto.

mareo /maréo/ [sm] nausea (f).

marfil /marfíl/ [sm] avorio.

margarina /marɣarína/ [sf] margarina.

margarita /marɣaríta/ [sf] margherita.

margen /márxen/ [sf] (de río) sponda, riva ♦ [sm] margine.

marginación /marxinaθjón/ [sf] emarginazione.

marginar /marxinár/ [v tr] emarginare.

marica /maríka/ [sf] FAM checca (f), finocchio.

maricón /marikón/ [sm] VULG frocio.

marido /maríðo/ [sm] marito.

marihuana /mariwána/ [sf] marijuana (inv).

marina /marína/ [sf] marina LOC ~ de guerra/~ mercante: marina militare/mercantile.

marinero /marinéro/ [adj/sm] marinaro.

marino /maríno/ [adj] marino LOC azul ~: blu marino ♦ [sm] marinaio.

marioneta /marjonéta/ [sf] marionetta.

mariposa /maripósa/ [sf] farfalla.

mariquita /marikíta/ [sf] coccinella.

marisco /marísko/ [sm] frutto di mare.

marítimo /marítimo/ [adj] marittimo.

mármol /mármol/ [sm] marmo.

marmota /marmóta/ [sf] marmotta.

marrano /maráno/ [adj] sporcaccione, sozzone ♦ [sm] (también FIG) maiale, porco.

marrón /marón/ [adj m,f/sm] (color) marrone.

Marte /márte/ [sm] Marte.

martes /mártes/ [sm inv] martedì.

martillo /martíʎo/ [sm] (también DEP) martello.

mártir /mártir/ [sm,f] martire.

marzo /márθo/ [sm] marzo.

mas /mas/ [conj] ma, però.

más /más/ [adv] **1** in/di più, ancora • *¿quieres ~?*: ne vuoi ancora? **2** (negativa) più, oltre • *no puedo ~*: non ne posso più LOC cuanto ~... ~: tanto più... più | de ~: di troppo, in più | es ~: anzi | ~ bien: piuttosto | ~ o menos: più o meno | ~ ... que: più... di | *Amer* no ~: solo, soltanto | por ~ que: per quanto ♦ [sm] più.

masa /mása/ [sf] **1** (también COC) pasta • *cubran la ~ y déjenla descansar*: coprite la pasta e lasciate riposare **2** massa.

masacrar /masakrár/ [v tr] massacrare.

m

masacre /masákre/ [sf] massacro (m).

masaje /masáxe/ [sm] massaggio LOC **dar/darse un ~**: fare/farsi fare un massaggio.

masajista /masaxísta/ [sm,f] massaggiatore (f -trice).

mascar /maskár/ [v tr] masticare.

máscara /máskara/ [sf] maschera LOC **~ antigás**: maschera antigas.

mascarilla /maskaríʎa/ [sf] **1** mascherina **2** (cosmética) maschera di bellezza LOC **~ de oxígeno**: maschera dell'ossigeno.

masculino /maskulíno/ [adj/sm] maschile (m,f).

masivo /masíβo/ [adj] massiccio, ingente (m,f).

masoquista /masokísta/ [sm,f] masochista.

masticar /mastikár/ [v tr] masticare.

mástil /mástil/ [sm] MAR albero.

mata /máta/ [sf] cespuglio (m).

matadero /mataðéro/ [sm] macello, mattatoio.

matanza /matánθa/ [sf] **1** massacro (m), carneficina **2** (de cerdos) macellazione.

matar /matár/ [v tr] **1** uccidere, ammazzare **2** FIG sfinire, distruggere ♦ [v prnl] **1** uccidersi, suicidarsi **2** rimanere ucciso ♦ *se mató en un accidente*: rimase ucciso in un incidente **3** FIG ammazzarsi, farsi in quattro.

mate /máte/ [adj m,f] opaco (m) ♦ [sm] (también infusión) mate.

matemáticas /matemátikas/ [sf pl] matematica (sing).

materia /matérja/ [sf] (también FIG) materia ● *~ de estudio*: materia di studio LOC **~ prima**: materia prima.

material /materjál/ [adj m,f/sm] materiale.

maternidad /materniðáð/ [sf] maternità (inv).

materno /matérno/ [adj] materno.

matiz /matíθ/ [sm] (también FIG) sfumatura (f).

matizar /matiθár/ [v tr] FIG chiarire, puntualizzare.

matrícula /matríkula/ [sf] **1** matricola **2** (placa) targa LOC **~ de honor**: lode (università).

matricular (-se) /matrikulár/ [v tr prnl] immatricolare (-rsi), iscrivere (-rsi).

matrimonio /matrimónjo/ [sm] **1** matrimonio **2** (pareja) coppia (f) LOC **cama de ~**: letto matrimoniale | **~ civil/religioso**: matrimonio civile/religioso.

matriz /matríθ/ [sf] matrice.

maullar /mauʎár/ [v intr] miagolare.

maxilar /maksilár/ [sm] mascella (f).

máximo /máksimo/ [sup/sm] massimo.

mayo /májo/ [sm] maggio.

mayonesa /majonésa/ [sf] maionese.

mayor /majór/ [adj m,f] **1** (también MUS) maggiore **2** (de edad) grande, adulto (m) **3** (viejo) anziano (m) LOC **al por ~**: all'ingrosso | **la ~ parte**: la maggior parte | **~ que**: maggiore di ♦ [sm] **1** (militar) maggiore **2** (en pl) antenati, avi.

mayoría /majoría/ [sf] maggioranza LOC **~ de edad**: maggiore età.

mayúscula /majúskula/ [sf] maiuscola.

me /me/ [pron] me, mi • ~ *lo dijo*: me lo disse | ~ *volví*: mi voltai.

mear /meár/ [v intr] VULG pisciare ◆ [v prnl] VULG pisciarsi sotto.

mecánica /mekánika/ [sf] meccanica.

mecánico /mekániko/ [adj/sm] meccanico.

mecanismo /mekanísmo/ [sm] meccanismo.

mecanógrafo /mekanóɣrafo/ [sm] dattilografo.

mecer (-se) /meθér/ [v tr prnl] cullare (-rsi), dondolare (-rsi).

mecha /métʃa/ [sf] **1** stoppino (m) **2** (de explosivo) miccia **3** (en pl) mèche (inv), colpi di sole.

mechero /metʃéro/ [sm] accendino.

mechón /metʃón/ [sm] ciuffo.

medalla /meðáʎa/ [sf] medaglia.

medallón /meðaʎón/ [sm] medaglione.

media /méðja/ [sf] **1** media **2** INDUM calza **3** *Amer* calzino (m).

mediado /meðjáðo/ [adj] dimezzato LOC **a mediados del mes/año**: a metà mese/anno.

mediano /meðjáno/ [adj] **1** medio **2** FAM mediocre (m,f).

medianoche /meðjanótʃe/ [sf] mezzanotte*.

mediante /meðjánte/ [prep] per mezzo di, mediante.

medicación /meðikaθjón/ [sf] medicazione.

medicamento /meðikaménto/ [sm] medicina (f), farmaco.

medicina /meðiθína/ [sf] medicina.

médico /méðiko/ [adj/sm] medico LOC ~ **de cabecera/guardia**: medico di famiglia/guardia | ~ **(en) je-**fe: primario | **reconocimiento** ~: visita medica.

medida /meðíða/ [sf] **1** (también FIG) misura • *no tiene* ~ *en lo que a beber se refiere*: non ha misura nel bere **2** FIG (en pl) misure, provvedimenti (m) LOC **a (la)** ~: su misura | **a** ~ **que**: man mano.

medieval /meðjeɣál/ [adj m,f] medievale.

medio /méðjo/ [adj] **1** (mitad) mezzo **2** (mediano) medio ■ **a medio +sust** a metà (di) + sost • *a* ~ *camino*: a metà strada LOC **media pensión/ración**: mezza pensione/porzione ◆ [adv] mezzo, a metà LOC **a** ~ **hacer**: fatto a metà | **de por** ~: di mezzo | **en** ~ **de algo**: in mezzo a qualcosa ◆ [sm] **1** mezzo **2** (también FIG) ambiente • *un* ~ *hostil*: un ambiente ostile **3** FIG (en pl) mezzi, risorse (f) LOC **a medias**: a metà | ~ **ambiente**: habitat, ambiente | **por** ~ **de algo/alguien**: per mezzo di qualcosa/qualcuno | **quitar/quitarse de en** ~: levare/levarsi di mezzo.

mediocre /meðjókre/ [adj m,f] mediocre.

mediodía /meðjoðía/ [sm] mezzogiorno.

medir /meðír/ [v tr] **1** misurare **2** FIG valutare, soppesare ◆ [v intr] essere alto.

meditar /meðitár/ [v tr/intr] meditare.

mediterráneo /meðiteřáneo/ [adj] mediterraneo.

médula /méðula/ [sf] **1** midollo* (m) **2** FIG sostanza, nocciolo (m) LOC ~ **espinal**: midollo spinale.

medusa /meðúsa/ [sf] medusa.

megáfono /meɣáfono/ [sm] megafono.

mejicano /mexikáno/ [adj/sm] messicano.

Méjico /méxiko/ [sm] Messico.

mejilla /mexíʎa/ [sf] guancia, gota.

mejillón /mexiʎón/ [sm] cozza (f), mitilo.

mejor /mexór/ [adj m,f] migliore LOC **lo ~**: la cosa migliore ◆ [adv] **1** meglio ● *no vayas*: è meglio che tu non vada **2** (más bien) piuttosto LOC **a lo ~**: forse, probabilmente | **~ dicho**: anzi, per meglio dire | **ser ~ que**: essere meglio che.

mejora /mexóra/ [sf] **1** miglioramento (m), progresso (m) **2** (en pl) migliorie, restauri (m).

mejorar /mexorár/ [v tr/intr] migliorare.

melancolía /melaŋkolía/ [sf] malinconia.

melena /meléna/ [sf] **1** capigliatura, chioma **2** (de león) criniera.

mella /méʎa/ [sf] **1** sbeccatura **2** (hueco) vuoto (m), buco (m) **3** FIG incrinatura LOC **hacer ~**: fare impressione, colpire.

mellizo /meʎíθo/ [adj/sm] gemello.

melocotón /melokotón/ [sm] BOT pesca (f).

melocotonero /melokotonéro/ [sm] pesco.

melodía /melodía/ [sf] melodia.

melodrama /meloðráma/ [sm] melodramma.

melón /melón/ [sm] melone LOC **~ de agua**: anguria, cocomero.

membrana /membrána/ [sf] membrana.

membrete /membréte/ [sm] intestazione (f) LOC **papel con ~**: carta intestata.

membrillo /membríʎo/ [sm] **1** (planta) cotogno, melocotogno **2** (fruto) cotogna (f), mela cotogna LOC **carne de ~**: cotognata.

memoria /memórja/ [sf] **1** memoria **2** (informe) relazione, rapporto (m) LOC **aprenderse/saberse de ~**: imparare/sapere a memoria.

mencionar /menθjonár/ [v tr] menzionare, citare.

mendigar /mendiɣár/ [v tr] mendicare.

mendigo /mendíɣo/ [sm] mendicante (m,f), accattone.

menear /meneár/ [v tr] agitare, dimenare ◆ [v prnl] **1** dimenarsi, agitarsi **2** FIG FAM sbrigarsi, spicciarsi.

menester /menestér/ [sm] bisogno, necessità (f inv) LOC **ser ~**: essere necessario, esserci bisogno.

mengua /méŋgwa/ [sf] diminuzione, calo (m).

meningitis /meniŋxítis/ [sf inv] meningite (sing).

menor /menór/ [adj m,f] minore LOC **al por ~**: al dettaglio | **~ que**: minore di ◆ [sm,f] minorenne, minore.

menos /ménos/ [adv/sm] meno LOC **cuando ~**: almeno | **echar de ~**: sentire la mancanza | **~ de**: meno di | **~ mal**: meno male ◆ [conj] eccetto, tranne ● *fueron todos ~ él*: andarono tutti tranne lui LOC **al ~**: almeno | **a ~ que**: a meno che.

menospreciar /menospreθjár/ [v tr] **1** sottovalutare ● *no menosprecies su fuerza*: non sottovalutare la sua forza **2** disprezzare • *menosreció mi ayuda*: disprezzò il mio aiuto.

mensaje /mensáxe/ [sm] messaggio.

mensajería /mensaxería/ [sf] COM (servicio) corriere (m).

mensajero /mensaxéro/ [sf] **1** messaggero **2** COM (persona) corriere (m).

menstruación /menstrwaθjón/ [sf] mestruazione.

mensual /menswál/ [adj m,f] mensile.

menta /ménta/ [sf] menta.

mentalidad /mentaliðáð/ [sf] mentalità (inv).

mentar /mentár/ [v tr] menzionare, citare.

mente /ménte/ [sf] mente.

mentir /mentír/ [v intr] mentire LOC *¡miento!*: chiedo scusa!

mentira /mentíra/ [sf] bugia, menzogna LOC *parecer ~*: non parere vero.

mentiroso /mentiróso/ [adj/sm] bugiardo.

mentón /mentón/ [sm] mento.

menú /menú/ [sm] menu (inv), menù (inv) ▪ pl irr **menús** LOC *~ del día/ ~ turístico*: menu del giorno/menu turistico.

menudo /menúðo/ [adj] **1** minuto, piccolo **2** FIG irrilevante (m,f) LOC *a ~*: spesso, di frequente.

meñique /meɲíke/ [sm] mignolo.

meollo /meóʎo/ [sm] **1** midollo* **2** FIG sostanza (f), nocciolo.

mercado /merkáðo/ [sm] mercato LOC *~ de abastos*: mercato generale | *~ negro*: mercato nero.

mercancía /merkanθía/ [sf] merce, mercanzia.

mercancías /merkanθías/ ♦ [sm inv] treno (sing) merci.

mercantil /merkantíl/ [adj m,f] mercantile.

mercenario /merθenárjo/ [adj/sm] mercenario.

mercería /merθería/ [sf] merceria.

mercurio /merkúrjo/ [sm] (también planeta) mercurio.

merecer (-se) /mereθér/ [v tr prnl] meritare (-rsi) LOC *~ la pena*: valere la pena.

merengue /meréŋge/ [sm] meringa (f).

meridiano /meriðjáno/ [sm] meridiano.

meridional /meriðjonál/ [adj/sm,f] meridionale.

merienda /merjénda/ [sf] merenda.

mérito /mérito/ [sm] merito.

merluza /merlúθa/ [sf] merluzzo (m).

mermar /mermár/ [v intr prnl] calare, diminuire ♦ [v tr] ridurre.

mermelada /mermeláða/ [sf] marmellata, confettura.

mero /méro/ [sm] cernia (f).

merodear /meroðeár/ [v intr] vagabondare.

mes /més/ [sm] mese LOC *el ~ pasado/que viene*: il mese scorso/venturo.

mesa /mésa/ [sf] tavolo (m), tavola LOC *la buena ~*: la buona tavola | *poner/quitar la ~*: apparecchiare/ sparecchiare la tavola.

mesilla /mesíʎa/ [sf] tavolino (m) LOC *~ de noche*: comodino.

mesón /mesón/ [sm] trattoria (f).

mestizo /mestíθo/ [adj/sm] **1** meticcio **2** BOT ZOOL ibrido.

mesura /mesúra/ [sf] misura, moderazione.

meta /méta/ [sf] meta.

metal /metál/ [sm] metallo.

metálico /metáliko/ [adj] metallico ◆ [sm] denaro contante.

meteorito /meteoríto/ [sm] meteorite (m,f).

meteoro /meteóro/ [sm] meteora (f).

meteorológico /meteorolóxiko/ [adj] meteorologico.

meter /metér/ [v tr] **1** mettere, infilare **2** FIG invischiare ◆ [v prnl] **1** finire, andare a finire • *¿dónde se ha metido mi bolso?*: dov'è finita la mia borsa? **2** intromettersi • *no te metas en mis asuntos*: non intrometterti nelle mie faccende **3** FIG (en líos, apuros) cacciarsi LOC ~ **la pata**: fare una gaffe | **~ la primera (marcha/velocidad)**: mettere in prima (automobile) | **~ miedo/prisa/ruido**: mettere paura/fare fretta/rumore | **meterse con alguien**: attaccare briga con qualcuno, litigare con qualcuno.

método /métoδo/ [sm] metodo.

metralleta /metraʎéta/ [sf] mitragliatrice.

metro /métro/ [sm] **1** (instrumento) metro **2** ABR metro (inv), metropolitana (f).

metrópoli /metrópoli/ [sf] metropoli (inv).

mezcla /méθkla/ [sf] mescolanza, miscuglio (m).

mezclar (-se) /meθklár/ [v tr prnl] mescolare (-rsi), mischiare (-rsi).

mezquino /meθkíno/ [adj/sm] **1** tirchio, avaro **2** FIG meschino.

mezquita /meθkíta/ [sf] moschea.

mi /mi/ [adj m,f] mio* (m).

mí /mí/ [pron m,f sing] me LOC **para ~**: secondo me, per me | **por ~**: per quanto mi riguarda ◆ [sm] MUS mi (inv).

microbio /mikróβjo/ [sm] microbo.

microbús /mikroβús/ [sm] minibus (inv).

micrófono /mikrófono/ [sm] microfono.

microondas /mikroóndas/ [sf] FAM forno a microonde.

microscópico /mikroskópiko/ [adj] (también FIG) microscopico.

miedo /mjéδo/ [sm] paura (f) LOC **dar/meter ~**: fare/mettere paura | **de ~**: da urlo/sballo | **tener ~ a/de/por algo/alguien**: avere paura di/per qualcosa/qualcuno.

miel /mjél/ [sf] miele (m).

miembro /mjémbro/ [sm] **1** membro* **2** ANAT arto.

mientras /mjentras/ [adv] mentre • *cantaba ~ cosía*: cantava mentre cuciva ◆ [conj] (hasta que) finché LOC ~ **más/menos**: quanto più/meno | ~ **que**: invece.

miércoles /mjérkoles/ [sm inv] mercoledì.

mierda /mjérða/ [sf] VULG (también FIG) merda.

miga /míɣa/ [sf] **1** mollica **2** FIG FAM sostanza, nocciolo (m).

migaja /miɣáxa/ [sf] **1** briciola **2** FIG briciolo (m), granello (m).

migración /miɣraθjón/ [sf] **1** emigrazione **2** ORN migrazione.

migraña /miɣráɲa/ [sf] emicrania.

mil /míl/ [sm] FIG mille (inv) LOC **miles de**: migliaia di.

mijo /míxo/ [sm] miglio.

milagro /miláɣro/ [sm] (también FIG) miracolo.

Milán /milán/ [sm] Milano.

milanés (-a) /milanés/ [adj/sm] milanese (m,f).

militar /militár/ [adj m,f/sm] militare.

millar /miʎár/ [sm] migliaio* LOC a millares: a migliaia.

millardo /miʎárðo/ [sm] miliardo.

millón /miʎón/ [sm] milione.

mimar /mimár/ [v tr] **1** (hacer mimos) coccolare **2** (consentir) viziare.

mimético /mimétiko/ [adj] mimetico.

mímica /mímika/ [sf] mimica.

mimo /mímo/ [sm] **1** (gesto) coccola (f) **2** (mala costumbre) vizio **3** (persona) mimo **4** (en pl, espectáculo) pantomima (f).

mimoso /mimóso/ [adj/sm] coccolone (sust).

mina /mína/ [sf] **1** (lugar) miniera **2** (explosivo) mina.

mineral /minerál/ [adj m,f/sm] minerale.

minero /minéro/ [adj] minerario ◆ [sm] minatore.

miniatura /minjatúra/ [sf] miniatura.

minifalda /minifálda/ [sf] minigonna.

mínimo /mínimo/ [sup/sm] minimo LOC como ~: come minimo | en lo más ~: assolutamente.

ministerio /ministérjo/ [sm] ministero LOC ~ de asuntos exteriores: ministero degli affari esteri | ~ de defensa: ministero della difesa | ~ de economía y hacienda: mi-nistero delle finanze; ministero del tesoro | ~ de educación y ciencia: ministero della pubblica istruzione | ~ de justicia: ministero di grazia e giustizia | ~ del interior: ministero degli interni | ~ de sanidad: ministero della sanità | ~ de transportes turismo y telecomunicaciones: ministero dei trasporti e delle telecomunicazioni; ministero del turismo.

ministro /minístro/ [sm] ministro LOC primer ~: primo ministro, presidente del consiglio.

minoría /minoría/ [sf] minoranza LOC ~ de edad: minore età.

minucioso /minuθjóso/ [adj] minuzioso.

minúscula /minúskula/ [sf] minuscolo (m).

minúsculo /minúskulo/ [adj] minuscolo.

minusvalía /minusβalía/ [sf] menomazione, handicap (m inv).

minusválido /minusβálido/ [adj/sm] disabile (m).

minuta /minúta/ [sf] parcella.

minuto /minúto/ [sm] minuto.

mío /mío/ [adj/pron] mio* LOC lo ~: ciò che è mio, le mie cose | los míos: i miei, la mia famiglia.

miope /mjópe/ [adj/sm,f] miope.

miopía /mjopía/ [sf] miopia.

mira /míra/ [sf] mirino (m).

mirada /miráða/ [sf] **1** occhiata ● *le lanzó una* ~: gli lanciò un'occhiata **2** sguardo (m) ● *tenía la* ~ *fija en ella*: teneva lo sguardo fisso su di lei LOC echar una ~ a algo/alguien: dare un'occhiata a qualcosa/qualcuno.

mirado /miráðo/ [adj] FIG attento, accorto LOC **estar bien/mal ~**: essere ben/mal visto.

mirador /miraðór/ [sm] **1** loggia (f), veranda (f) **2** (altura) belvedere.

mirar /mirár/ [v tr] **1** guardare **2** FIG mirare, tendere ♦ [v intr] badare, avere cura ♦ [v prnl] guardarsi LOC **~ atrás**: guardare indietro | **~ por encima**: dare un'occhiata | **mirarse en el espejo**: guardarsi allo specchio.

mirlo /mírlo/ [sm] merlo.

mirón (-a) /mirón/ [sm] guardone.

mirto /mírto/ [sm] mirto.

misa /mísa/ [sf] messa.

miserable /miseráβle/ [adj/sm,f] miserabile.

miseria /misérja/ [sf] miseria.

misericordia /miserikórðja/ [sf] misericordia.

mísero /mísero/ [adj] misero, povero.

misil /misíl/ [sm] missile.

misión /misjón/ [sf] missione.

misionero /misjonéro/ [adj/sm] missionario.

mismo /mísmo/ [adj] stesso, medesimo LOC **dar/ser lo ~**: essere/fare lo stesso | **lo ~ que**: come se | **por eso ~**: perciò, proprio per questo.

misterio /mistérjo/ [sm] mistero LOC **película de ~**: film giallo.

misterioso /misterjóso/ [adj] misterioso.

místico /místiko/ [adj/sm] mistico.

mistral /mistrál/ [sm] maestrale.

mitad /mitáð/ [sf] metà (inv) LOC **a ~ del camino**: a metà strada | **a ~ de precio**: a metà prezzo | **cor-** tar/partir por la **~**: tagliare/dividere a metà.

mitin /mítin/ [sm] meeting (inv), riunione (f).

mito /míto/ [sm] mito.

mixto /míksto/ [adj/sm] misto.

mixtura /mikstúra/ [sf] mistura.

mobiliario /moβiljárjo/ [sm] mobilia (f).

mocasín /mokasín/ [sm] mocassino.

mochila /motʃíla/ [sf] zaino (m).

mochuelo /motʃwélo/ [sm] barbagianni (inv).

moco /móko/ [sm] **1** muco **2** FAM moccolo, moccio LOC **limpiarse los mocos**: pulirsi il naso.

moda /móða/ [sf] moda LOC **estar/ser de ~**: andare/essere di moda | **pasar de ~**: passare di moda | **tienda de modas**: boutique.

modales /moðáles/ [sm pl] modi, maniere (f).

modelar /moðelár/ [v tr] modellare.

modelo /moðélo/ [adj inv/sm] modello ♦ [sm,f] (persona) modello (m).

modem /móðem/ [sm inv] modem.

moderado /moðeráðo/ [adj/sm] moderato.

moderar (-se) /moðerár/ [v tr prnl] moderare (-rsi), contenere (-rsi).

modernismo /moðernísmo/ [sm] ARQ modernismo, liberty (inv).

moderno /moðérno/ [adj/sm] moderno.

modestia /moðéstja/ [sf] modestia.

modesto /moðésto/ [adj] modesto.

modificar (-se) /moðifikár/ [v tr prnl] modificare (-rsi), cambiare, mutare.

modisto /moðísto/ [sm] **1** sarto **2** (de alta costura) stilista (m,f).

modo /móðo/ [sm] **1** modo **2** (en pl) maniere (f), modi LOC **de otro ~**: altrimenti | **de todos modos**: in/ad ogni modo | **en cierto ~**: in certo modo, in parte | **~ de empleo**: istruzioni per l'uso.

módulo /móðulo/ [sm] modulo.

mofa /mófa/ [sf] beffa, burla.

mofarse /mofárse/ [v prnl] burlarsi.

mohín /moín/ [sm] smorfia (f).

mohíno /moíno/ [adj] malinconico, triste (m,f).

moho /móo/ [sm] muffa (f).

mohoso /moóso/ [adj] ammuffito.

mojar /moxár/ [v tr] **1** bagnare **2** FAM inzuppare ◆ **~ una galleta**: inzuppare un biscotto.

molde /mólde/ [sm] (también TECN) stampo.

moldear /moldeár/ [v tr] modellare.

molécula /molékula/ [sf] molecola.

moler /molér/ [v tr] **1** macinare **2** (aceitunas) spremere **3** FIG esaurire, stancare LOC **~ a palos**: darle di santa ragione.

molestar /molestár/ [v tr] disturbare, dare fastidio ◆ [v prnl] **1** prendersi il disturbo **2** (resentirse) offendersi.

molestia /moléstja/ [sf] **1** molestia, fastidio (m) **2** (dolencia) disturbo (m), malessere (m).

molesto /molésto/ [adj] fastidioso, molesto LOC **estar alguien ~**: sentirsi a disagio (in un luogo); essere offeso (con qualcuno) | **ser ~**: essere sgradevole.

molido /molíðo/ [adj] macinato LOC **estar alguien ~**: essere a pezzi.

molinillo /moliníʎo/ [sm] macinino LOC **~ de pimienta**: macinapepe.

molino /molíno/ [sm] mulino LOC **~ de viento**: mulino a vento | **rueda de ~**: macina.

molleja /moʎéxa/ [sf] COC animella.

molusco /molúsko/ [sm] mollusco.

momentáneo /momentáneo/ [adj] momentaneo, passeggero.

momento /moménto/ [sm] momento LOC **a cada ~**: continuamente, in continuazione | **de ~/por el ~**: al/per il momento | **dentro de un ~**: tra un attimo.

momia /mómja/ [sf] mummia.

mona /móna/ [sf] **1** ZOOL scimmia **2** FIG FAM bella.

monarquía /monarkía/ [sf] monarchia LOC **~ absoluta/constitucional**: monarchia assoluta/costituzionale.

monárquico /monárkiko/ [adj/sm] monarchico.

monasterio /monastérjo/ [sm] monastero.

monda /mónda/ [sf] bucce (pl).

mondadientes /mondaðjéntes/ [sm inv] stuzzicadenti.

mondar /mondár/ [v tr] sbucciare, pelare.

moneda /monéða/ [sf] moneta LOC **~ corriente**: moneta corrente | **pagar con la misma ~**: ripagare con la stessa moneta.

monedero /moneðéro/ [sm] portamonete (inv), borsellino.

monetario /monetárjo/ [adj] monetario.

mongólico /moŋgóliko/ [adj/sm] MED mongoloide (m,f).

m

monitor (-a) /monitór/ [sm] **1** allenatore (f -trice) **2** TECN (aparato) monitor (inv).

monja /mónxa/ [sf] suora, monaca.

monje /mónxe/ [sm] monaco, frate.

mono /móno/ [adj] grazioso, bello • [sm] **1** scimmia (f) **2** INDUM tuta (f).

monólogo /monóloγo/ [sm] monologo.

monopatín /monopatín/ [sm] skateboard (inv).

monoplano /monopláno/ [sm] monoplano.

monoplaza /monopláθa/ [adj/sm] monoposto (adj inv).

monopolio /monopóljo/ [sm] monopolio.

monopolizar /monopoliθár/ [v tr] monopolizzare.

monotonía /monotonía/ [sf] monotonia.

monótono /monótono/ [adj] monotono.

monstruo /mónstrwo/ [sm] (también FIG) mostro • *¡eres un ~ insensible!*: sei un mostro insensibile!

monta /mónta/ [sf] ZOOL (también equitación) monta LOC **de poca ~**: di poco conto.

montaje /montáxe/ [sm] **1** TECN (también de cine) montaggio **2** FAM montatura (f) LOC **~ en cadena**: catena di montaggio | **~ fotográfico**: fotomontaggio | **~ teatral**: messa in scena teatrale.

montaña /montáɲa/ [sf] montagna LOC **~ rusa**: montagne russe.

montañero /montaɲéro/ [sm] alpinista (m,f).

montañés (-a) /montaɲés/ [adj/sm] montanaro (sust), montano (adj).

montañismo /montaɲísmo/ [sm] alpinismo.

montar /montár/ [v intr] **1** (**en**) montare, salire **2** (una caballería) cavalcare ◆ [v tr] **1** (también COC) montare **2** (tienda, negocio) mettere su LOC **~ en cólera**: montare in collera | **tanto monta**: fa lo stesso.

monte /mónte/ [sm] montagna (f), monte LOC **~ alto/bajo**: foresta di alberi d'alto fusto/boscaglia d'arbusti | **~ de piedad**: monte di pietà.

monto /mónto/ [sm] ammontare, importo.

montón /montón/ [sm] (también FIG) mucchio • *un ~ de problemas*: un mucchio di problemi LOC **del ~**: mediocre (persona).

montura /montúra/ [sf] (de gafas, joyas) montatura.

monumental /monumentál/ [adj m,f] monumentale.

monumento /monuménto/ [sm] **1** monumento **2** (en Semana Santa) sepolcro.

monzón /monθón/ [sm] monsone.

moño /móɲo/ [sm] crocchia (f), chignon (inv) LOC **estar hasta el ~**: averne fin sopra i capelli.

moqueta /mokéta/ [sf] moquette (inv).

mora /móra/ [sf] BOT mora.

morada /moráða/ [sf] casa, dimora.

morado /moráðo/ [adj/sm] violetto LOC **pasarlas moradas**: vedersela brutta | **ponerse ~ de algo**: fare una scorpacciata di qualcosa.

moral /morál/ [adj m,f/sf] morale LOC **tener la ~ por los suelos**: avere il morale a terra.

moralidad /moraliðáð/ [sf] moralità (inv).

morar /morár/ [v intr] abitare, risiedere.

morbo /mórβo/ [sm] morbo LOC **tener algo ~**: attrarre, eccitare.

morbosidad /morβosiðáð/ [sf] morbosità (inv).

morboso /morβóso/ [adj] morboso.

mordaza /morðáθa/ [sf] bavaglio (m).

morder (-se) /morðér/ [v tr prnl] mordere (-rsi) LOC **estar que muerde**: essere furibondo (persona) | **~ el anzuelo**: abboccare all'amo.

mordida /morðíða/ [sf] *Amer* tangente.

mordisco /morðísko/ [sm] morso.

mordisquear /morðiskeár/ [v tr] mordicchiare, rosicchiare.

morena /moréna/ [sf] ICT murena.

moreno /moréno/ [adj] **1** (tez, pelo) bruno **2** abbronzato ● *¡qué ~ estás!*: come sei abbronzato! ◆ [sm] **1** bruno, moro **2** FAM mulatto, nero.

morera /moréra/ [sf] gelso (m).

morería /morería/ [sf] quartiere (m) musulmano.

moretón /moretón/ [sm] FAM livido.

morfina /morfína/ [sf] morfina.

moribundo /moriβúndo/ [adj/sm] moribondo.

morir /morír/ [v intr] **1** morire **2** FIG affievolirsi, spegnersi ◆ [v prnl] morire LOC **morirse por alguien**: morire dietro a qualcuno | **morirse por algo**: morire dalla voglia di qualcosa.

morisco /morísko/ [adj] moresco.

moro /móro/ [adj/sm] moro.

morro /móro/ [sm] **1** muso **2** FAM labbra (f pl) **3** FIG FAM sfacciataggine (f) LOC **beber a ~**: bere a canna/garganella | **torcer el ~**: fare il muso lungo.

morsa /mórsa/ [sf] tricheco (m).

mortadela /mortaðéla/ [sf] mortadella.

mortal /mortál/ [adj m,f] **1** mortale **2** FIG (muy fuerte, intenso) impressionante LOC **accidente/choque ~**: incidente/scontro mortale | **aburrimiento/ofensa ~**: noia/offesa mortale ◆ [sm] mortale.

mortalidad /mortaliðáð/ [sf] mortalità (inv).

mortero /mortéro/ [sm] mortaio.

mortificación /mortifikaθjón/ [sf] mortificazione.

mortificar (-se) /mortifikár/ [v tr prnl] mortificare (-rsi).

mortuorio /mortwórjo/ [adj] mortuario LOC **cámara mortuoria**: camera mortuaria.

moruno /morúno/ [adj] moresco.

mosaico /mosáiko/ [sm] mosaico.

mosca /móska/ [sf] mosca LOC **estar alguien ~**: essere preoccupato/inquieto | **estar ~ con alguien**: avercela con qualcuno | **por si las moscas**: se per caso, casomai.

mosquearse /moskeárse/ [v prnl] FAM risentirsi, scocciarsi LOC **estar mosqueado**: essere risentito.

mosquitero /moskitéro/ [sm] zanzariera (f).

mosquito /moskíto/ [sm] **1** zanzara (f) **2** FAM moscerino.

mostaza /mostáθa/ [sf] senape.

mosto /mósto/ [sm] mosto.

mostrador /mostraðór/ [sm] (de bar, tienda) banco.

mostrar (-se) /mostrár/ [v tr prnl] (también demostrar) mostrare (-rsi).

mota /móta/ [sf] (dibujo) pallino (m), pois (m inv).

mote /móte/ [sm] soprannome.

moteado /moteáðo/ [adj] a pois.

motel /motél/ [sm] motel (inv).

motín /motín/ [sm] insurrezione (f), rivolta (f).

motivar /motiβár/ [v tr] motivare.

motivo /motíβo/ [sm] (también MUS, decoración) motivo LOC **con ~ de algo**: in occasione di qualcosa | **dar motivos**: dar motivo, causare.

moto /móto/ [sf] ABR moto, motocicletta LOC **estar alguien como una ~**: essere nervosissimo (agitato); essere pazzo (folle).

motocicleta /motoθikléta/ [sf] motocicletta.

motociclismo /motoθiklís mo/ [sm] motociclismo.

motocross /motokrós/ [sm inv] motocross.

motor (-a) /motór/ [adj] motore (f -trice) ◆ [sm] motore LOC **~ de arranque**: motorino d'avviamento | **~ diesel/de inyección**: motore diesel/a iniezione.

motora /motóra/ [sf] motoscafo (m).

motorista /motorísta/ [sm,f] **1** motociclista **2** (policía) poliziotto della stradale.

motriz /motríθ/ [adj f] motrice LOC **fuerza ~**: forza motrice.

mover (-se) /moβér/ [v tr prnl] (también darse prisa) muovere (-rsi) LOC **moverse bien**: muoversi bene (in un ambiente); saperci fare (con qualcuno).

movible /moβíβle/ [adj m,f] movibile, mobile.

movido /moβíðo/ [adj] **1** movimentato **2** (imagen) mosso, sfuocato.

movida /moβíða/ [sf] FIG FAM vita, ambiente (m).

móvil /móβil/ [adj m,f] mobile ◆ [sm] **1** movente **2** FAM (teléfono) cellulare.

movilidad /moβiliðáð/ [sf] mobilità (inv).

movimiento /moβimjénto/ [sm] (también MUS) movimento LOC **~ estudiantil/obrero**: movimento studentesco/operario.

mozárabe /moθáraβe/ [sm] ARQ (s. IX) stile della Spagna islamica diffusosi negli stati cristiani.

mozo /móθo/ [adj] giovane (m,f) ◆ [sm] **1** giovane **2** (soldado) recluta (f), coscritto **3** Amer cameriere LOC **buen ~**: bell'uomo | **~ de estación**: portabagagli, facchino.

mucama /mukáma/ [sf] Amer domestica.

muchacho /mutʃátʃo/ [sm] ragazzo.

muchedumbre /mutʃeðúmbre/ [sf] moltitudine, folla.

mucho /mútʃo/ [adj] molto, tanto ◆ [adv] assai, parecchio, molto LOC **como ~**: al massimo, a dir tanto | **con ~**: di gran lunga | **~ mejor/peor**: molto meglio/peggio | **ni ~ menos**: niente affatto | **por ~ que**: per quanto.

muda /múða/ [sf] **1** (de ropa) cambio (m) **2** ZOOL muta.

mudable /muðáβle/ [adj m,f] mutabile, mutevole.

mudanza /muðánθa/ [sf] **1** cambiamento (m) **2** (de casa) trasloco (m) LOC **estar de ~**: stare traslocando.

mudar /muðár/ [v intr/tr] cambiare, mutare ♦ [v prnl] **1** (de ropa) cambiarsi **2** (de lugar) traslocare.

mudéjar /muðéxar/ [sm] ARQ (s. XIV-XVI) stile derivato dalla fusione di elementi cristiani e arabi.

mudo /múðo/ [adj/sm] muto.

mueble /mwéβle/ [adj m,f/sm] mobile LOC **tienda de muebles**: negozio di arredamento.

mueca /mwéka/ [sf] smorfia.

muecín /mweθín/ [sm] muezzin (inv).

muela /mwéla/ [sf] molare (m) LOC **~ del juicio/~ cordal**: dente del giudizio.

muelle /mwéʎe/ [adj m,f] **1** soffice, morbido (m) **2** FIG comodo (m) ♦ [sm] **1** molla (f) **2** MAR molo, banchina (f) LOC **colchón de muelles**: materasso a molle | **~ de descarga de mercancías**: scalo merci (ferrovia).

muerte /mwérte/ [sf] **1** morte **2** (asesinato) omicidio (m) LOC **de mala ~**: povero, molto modesto (ambiente); scadente (qualità) | **de ~**: grande, straordinario; buono da morire (cibo).

muerto /mwérto/ [adj] **1** morto, defunto **2** (FIG, también color) spento LOC **~ de cansancio/hambre/ miedo**: stanco mor-to/morto di fame/paura ♦ [sm] morto LOC **hacer el ~**: fare il morto (nuoto).

muestra /mwéstra/ [sf] **1** (también estadística) campione (m) **2** FIG segno (m), dimostrazione LOC **dar ~ de algo**: dare prova di qualcosa.

muestrario /mwestrárjo/ [sm] campionario.

mugir /muɣír/ [v intr] muggire.

mugre /múɣre/ [sf] sporcizia, sudiciume (m).

mugriento /muɣrjénto/ [adj] lercio, sporco.

mujer /muxér/ [sf] **1** donna ● *una ~ morena*: una donna bruna **2** moglie* ● *son marido y ~*: sono marito e moglie LOC **~ de la limpieza**: donna di servizio.

mújol /múxol/ [sm] cefalo.

mulato /muláto/ [adj/sm] mulatto.

muleta /muléta/ [sf] stampella.

mullido /muʎíðo/ [adj] soffice (m,f), morbido.

mulo /múlo/ [sm] **1** mulo **2** FIG FAM (persona) quercia (f), roccia (f) LOC **más terco que una mula**: ostinato come un mulo.

multa /múlta/ [sf] multa LOC **poner una ~**: fare una multa.

multar /multár/ [v tr] multare.

multimedia /multiméðja/ [adj inv] multimediale (m,f sing).

multimillonario /multimiʎonárjo/ [adj/sm] miliardario.

multinacional /multinaθjonál/ [adj m,f/sf] multinazionale.

múltiple /múltiple/ [adj m,f] multiplo (m) LOC **fractura ~**: frattura multipla.

multiplicación /multiplikaθjón/ [sf] (también matemáticas) moltiplicazione.

multiplicar /multiplikár/ [v tr] (también matemáticas) moltiplicare ♦ [v prnl] **1** moltiplicarsi, riprodursi **2** FIG farsi in quattro.

multitud /multitúð/ [sf] moltitudine, folla.

mundano /mundáno/ [adj] mondano.

mundial /mundjál/ [adj m,f] mondiale LOC **éxito ~**: successo mondiale | **guerra ~**: guerra mondiale ♦ [sm] campionato mondiale.

mundo /múndo/ [sm] mondo LOC **por nada del ~**: per niente al mondo | **tercer ~**: terzo mondo | **todo el ~**: tutti quanti.

munición /muniθjón/ [sf] munizione.

municipal /muniθipál/ [adj m,f] municipale, comunale.

municipio /muniθípjo/ [sm] municipio, comune.

muñeca /muɲéka/ [sf] **1** polso (m) **2** (juguete) bambola.

muñeco /muɲéko/ [sm] fantoccio, pupazzo.

mural /murál/ [sm] affresco.

muralla /muráʎa/ [sf] muraglia, muro* (m) • **la gran ~ china**: la grande muraglia cinese.

Murcia /múrθja/ [sf] Mursia.

murciano /murθjáno/ [adj/sm] abitante della Mursia.

murciélago /murθjélaɣo/ [sm] pipistrello.

murmullo /murmúʎo/ [sm] **1** bisbiglio, sussurro **2** (cuchicheo) mormorio, brusio.

murmurar /murmurár/ [v intr/tr] **1** bisbigliare, sussurrare **2** (de) sparlare, criticare.

muro /múro/ [sm] muro*.

musa /músa/ [sf] (también FIG) musa.

muscular /muskulár/ [adj m,f] muscolare.

músculo /múskulo/ [sm] muscolo.

museo /muséo/ [sm] museo LOC **~ de cera**: museo delle cere.

musgo /músɣo/ [sm] muschio.

música /músika/ [sf] **1** musica **2** FIG PEY baccano (m), chiasso (m) LOC **~ clásica/jazz/ligera/lírica/moderna/pop/sacra/de cámara**: musica classica/jazz/ leggera/lirica/moderna/pop/sacra/da camera.

músico /músiko/ [sm] musicista (m,f) LOC **~ de jazz**: jazzista.

musitar /musitár/ [v intr] bisbigliare, mormorare.

muslo /múslo/ [sm] coscia (f).

mustela /mustéla/ [sf] palombo (m).

mustio /mústjo/ [adj] **1** appassito, avvizzito **2** FIG depresso, malinconico.

musulmán (-a) /musulmán/ [adj/sm] musulmano.

musulmanismo /musulmanísmo/ [sm] musulmanesimo.

mutación /mutaθjón/ [sf] cambiamento (m).

mutilación /mutilaθjón/ [sf] mutilazione.

mutilar /mutilár/ [v tr] mutilare.

mutismo /mutísmo/ [sm] mutismo.

mutualidad /mutwaliðáð/ [sf] mutua.

mutualista /mutwalísta/ [sm,f] mutuato (m).

mutuo /mútwo/ [adj] mutuo, reciproco.

muy /múi/ [adv] molto LOC **el ~...**: quel grande/grosso...

Nn

nabo /náβo/ [sm] rapa (f).

nácar /nákar/ [sm] madreperla (f).

nacer /naθér/ [v intr] nascere.

nacido /naθído/ [sm] nato LOC **recién ~**: neonato.

nacimiento /naθimjénto/ [sm] **1** (también FIG) nascita (f) **2** (de río) sorgente (f) **3** (belén) presepio.

nación /naθjón/ [sf] nazione.

nacionalidad /naθjonaliðáð/ [sf] **1** nazionalità (inv) **2** cittadinanza • *tener doble ~*: avere doppia cittadinanza.

nacionalizar /naθjonaliθár/ [v tr] nazionalizzare ◆ [v prnl] ottenere la cittadinanza.

nada /náða/ [adv] niente affatto, assolutamente LOC **antes de ~**: prima di tutto | **¡de ~!**: prego!, di niente! | **¡~ menos!**: nientemeno! ◆ [pron inv/sf inv] niente (m), nulla (m).

nadador (-a) /naðaðór/ [adj/sm] nuotatore (sust, f -trice).

nadar /naðár/ [v intr] (en) nuotare.

nadería /naðería/ [sf] inezia.

nadie /náðje/ [pron inv] nessuno (m) LOC **ser un don ~**: non essere nessuno.

nado (a) /náðo/ [loc adv] a nuoto.

nailon /náilon/ [sm] nylon.

naipe /náipe/ [sm] (carta de juego) carta (f).

nalga /nálɣa/ [sf] natica.

Nápoles /nápoles/ [sm] Napoli.

napolitano /napolitáno/ [adj/sm] napoletano.

naranja /naráŋxa/ [sf] **1** arancia **2** (color) arancione (m).

naranjada /naraŋxáða/ [sf] aranciata.

naranjo /naráŋxo/ [sm] arancio.

narcótico /narkótiko/ [adj/sm] narcotico.

narcotráfico /narkotráfiko/ [sm] narcotraffico.

nariz /naríθ/ [sf] naso (m) LOC **meter las narices en algo**: ficcare/mettere il naso in qualcosa | **~ aguileña/chata/respingona**: naso aquilino/camuso/all'insù | **por narices**: per amore o per forza.

narración /naraθjón/ [sf] narrazione.

narrar /narár/ [v tr] narrare, raccontare.

narrativa /naratíβa/ [sf] narrativa.

nasal /nasál/ [adj m,f] nasale.

nata /náta/ [sf] panna LOC **~ montada**: panna montata.

natación /nataθjón/ [sf] nuoto (m).

natalidad /nataliðáð/ [sf] natalità (inv).

nativo /natíβo/ [adj/sm] nativo.

natural /naturál/ [adj m,f] **1** naturale **2** (persona) originario (m) LOC **al ~**: al naturale.

naturaleza /naturaléθa/ [sf] natura LOC **~ muerta**: natura morta | **por ~**: di natura.

naturalidad /naturaliðáð/ [sf] naturalezza, spontaneità (inv).

naturalizar (-se) /naturaliθár/ [v tr prnl] naturalizzare (-rsi).

naufragar /naufraɣár/ [v intr] (también FIG) naufragare.

naufragio /naufráxjo/ [sm] naufragio.

náufrago /náufraɣo/ [sm] naufrago.

náusea /náusea/ [sf] (también pl) nausea.

náutico /náutiko/ [adj] nautico.

navaja /naβáxa/ [sf] coltello (m) a serramanico LOC ~ de afeitar: rasoio a mano.

navajazo /naβaxáθo/ [sm] coltellata (f).

naval /naβál/ [adj m,f] navale.

navarro /naβáɾo/ [adj/sm] navarrese (m,f).

nave /náβe/ [sf] **1** nave **2** ARQ navata **3** (de fábrica, almacén) capannone (m) LOC ~ espacial: astronave | ~ principal: navata centrale.

navegable /naβeɣáβle/ [adj m,f] navigabile.

navegación /naβeɣaθjón/ [sf] (también INFORM) navigazione LOC diario de ~: diario di bordo.

navegar /naβeɣár/ [v intr] (también INFORM) navigare.

Navidad /naβiðáð/ [sf] **1** Natale (m) **2** (también pl) vacanze di Natale LOC ¡feliz ~!: buon Natale!

navideño /naβiðéɲo/ [adj] natalizio.

nazi /náθi/ [adj/sm,f] nazista.

nazismo /naθísmo/ [sm] nazismo.

neblina /neβlína/ [sf] foschia, nebbia.

necedad /neθeðáð/ [sf] sciocchezza, stupidaggine.

necesario /neθesárjo/ [adj] necessario, indispensabile (m,f).

neceser /neθesér/ [sm] nécessaire (inv).

necesidad /neθesiðáð/ [sf] necessità (inv), bisogno (m) LOC por ~: per forza.

necesitado /neθesitáðo/ [adj/sm] bisognoso, indigente (m,f).

necesitar /neθesitár/ [v intr/tr] (de) avere bisogno, essere necessario ◆ [v imp] cercare.

necio /néθjo/ [adj/sm] tonto, stolto.

necrológica /nekrolóxika/ [sf] necrologio (m).

necrópolis /nekrópolis/ [sf inv] necropoli.

néctar /néktar/ [sm] nettare.

nectarina /nektarína/ [sf] pesca noce.

negación /neɣaθjón/ [sf] negazione.

negado /neɣáðo/ [adj/sm] negato (adj) ◆ es ~ para el baile: è negato per il ballo.

negar /neɣár/ [v tr] **1** negare **2** (denegar) rifiutare **3** (no permitir) vietare, impedire ◆ [v prnl] (a) rifiutarsi.

negativa /neɣátiβa/ [sf] rifiuto (m).

negativo /neɣatíβo/ [adj/sm] negativo.

negligencia /neɣlixénθja/ [sf] negligenza.

negociación /neɣoθjaθjón/ [sf] trattativa, negoziato (m).

negociante /neɣoθjánte/ [sm,f] negoziante, commerciante.

negociar /neɣoθjár/ [v intr] (con/en) commerciare ◆ [v tr] negoziare.

negocio /neɣóθjo/ [sm] **1** commercio **2** FIG affare • *hacer un buen ~*: concludere un buon affare.

negro /néɣro/ [adj] **1** nero **2** (novela, película) giallo ◆ [sm] (persona, color) nero.

nene /néne/ [sm] FAM **1** bimbo **2** caro • *¡ven aquí, ~!*: vieni qui, caro!

neón /neón/ [sm] neon (inv), lampada (f) al neon.

Neptuno /neptúno/ [sm] Nettuno.

nervio /nérβjo/ [sm] **1** nervo **2** BOT nervatura (f) LOC **tener mucho ~**: avere molta grinta.

nerviosismo /nerβjosísmo/ [sm] nervosismo.

nervioso /nerβjóso/ [adj] nervoso.

neto /néto/ [adj] (también precio, cantidad) netto LOC **en ~**: al netto.

neumático /neumátiko/ [sm] pneumatico, gomma (f).

neumonía /neumonía/ [sf] polmonite.

neura /néura/ [sf] FAM mania, ossessione.

neuralgia /neurálxja/ [sf] nevralgia.

neurólogo /neuróloɣo/ [sm] neurologo.

neurosis /neurósis/ [sf inv] nevrosi.

neurótico /neurótiko/ [adj] (también FAM) nevrotico.

neutral /neutrál/ [adj m,f] neutrale

neutralizar /neutraliθár/ [v tr] neutralizzare.

neutro /néutro/ [adj] neutro.

nevada /neβáða/ [sf] nevicata.

nevar /neβár/ [v imp] nevicare.

nevera /neβéra/ [sf] frigorifero (m).

nevisca /neβíska/ [sf] nevischio (m).

nexo /nékso/ [sm] nesso.

ni /ni/ [conj] **1** né • *~ de día ~ de noche*: né di giorno né di notte **2** neppure, neanche, nemmeno • *no quiso ~ hablarle*: non volle nemmeno parlargli LOC **~ que**: come se.

nicaragüense /nikaraɣwénse/ [adj/sm,f] nicaraguense.

nicho /nítʃo/ [sm] **1** nicchia (f) **2** (de cementerio) loculo.

nicotina /nikotína/ [sf] nicotina.

nidada /niðáða/ [sf] nidiata.

nido /níðo/ [sm] nido.

niebla /njéβla/ [sf] nebbia.

nieto /njéto/ [sm] nipote (m,f) (di nonno).

nieve /njéβe/ [sf] neve.

nimiedad /nimjeðáð/ [sf] inezia, sciocchezza.

nimio /nímjo/ [adj] insignificante (m,f).

ningún /niŋgún/ [adj] nessuno, nessun • *~ hombre*: nessun uomo.

ninguno /niŋgúno/ [adj/pron] nessuno.

niña /níɲa/ [sf] **1** ANAT pupilla **2** (cariñoso) cara, bambina.

niñera /niɲéra/ [sf] bambinaia.

niñez /niɲéθ/ [sf] infanzia.

niño /níɲo/ [adj/sm] bambino LOC **estar como ~ con zapatos nuevos**: essere felice come una pasqua.

niqui /níki/ [sm] maglietta (f).

nítido /nítiðo/ [adj] nitido, limpido.

nivel /niβél/ [sm] livello LOC **~ de vida**: livello di vita | **paso a ~**: passaggio a livello.

nivelar /niβelár/ [v tr] livellare, pareggiare.

no /nó/ [adv] **1** (respuesta) no **2** non • *esto ~ vale nada*: questo non vale niente LOC ¡cómo ~!: come no!, certamente! | ~ bien: non appena, appena | ~ más: e basta ♦ [sm] no.

noble /nóβle/ [adj/sm,f] nobile.

nobleza /noβléθa/ [sf] nobiltà (inv).

noche /nótʃe/ [sf] notte LOC **buenas noches**: buona sera (dalle ore 21); buona notte (commiato) | **de la ~ a la mañana**: di punto in bianco | **de ~**: di notte | **media ~**: mezzanotte.

nochebuena /notʃeβwéna/ [sf] vigilia di Natale.

nochevieja /notʃeβjéxa/ [sf] notte di san Silvestro.

noción /noθjón/ [sf] nozione.

nocivo /noθíβo/ [adj] nocivo, dannoso.

nocturno /noktúrno/ [adj/sm] notturno.

nódulo /nóðulo/ [sm] nodulo.

nogal /noɣál/ [sm] (planta, madera) noce.

nómada /nómaða/ [adj/sm,f] nomade.

nombramiento /nombramjénto/ [sm] nomina (f).

nombrar /nombrár/ [v tr] **1** nominare **2** (para) proporre.

nombre /nómbre/ [sm] nome LOC **en ~ de alguien**: da parte di qualcuno | **~ de pila**: nome di battesimo.

nómina /nómina/ [sf] **1** elenco (m) **2** (plantilla) organico (m) **3** (sueldo) stipendio (m), busta paga.

nominal /nominál/ [adj m,f] nominale.

nórdico /nórðiko/ [adj/sm] nordico.

norma /nórma/ [sf] (también JUR) norma, regola.

normal /normál/ [adj m,f] normale, comune.

normalidad /normaliðáð/ [sf] normalità (inv).

norte /nórte/ [sm] nord LOC **estrella del ~**: stella polare | **perder el ~**: perdere la bussola.

norteamericano /norteamérikano/ [adj/sm] americano.

nos /nos/ [pron m,f pl] ci, ce ♦ ~ *miró*: ci guardò | *dánoslo*: daccelo.

nosotros (-as) /nosótros/ [pron m pl] noi (m,f).

nostalgia /nostálxja/ [sf] nostalgia.

nostálgico /nostálxiko/ [adj] nostalgico.

nota /nóta/ [sf] **1** (también mus) nota **2** (calificación) voto (m), giudizio (m) **3** com conto (m), fattura LOC **tomar ~**: prendere nota.

notable /notáβle/ [adj m,f] notevole ♦ [sm] (calificación) ottimo.

notar /notár/ [v tr] notare LOC **hacerse ~**: farsi notare.

notario /notárjo/ [sm] notaio.

noticia /notíθja/ [sf] notizia.

noticiario /notiθjário/ [sm] notiziario.

notificación /notifikaθjón/ [sf] notifica.

notificar /notifikár/ [v tr] notificare.

notoriedad /notorjeðáð/ [sf] notorietà (inv), fama.

novato /noβáto/ [adj] **1** principiante (m,f) **2** FIG inesperto, novellino.

novedad /noβeðáð/ [sf] novità (inv).

novedoso /noβeðóso/ [adj] nuovo, innovativo.

novela /noβéla/ [sf] **1** romanzo (m) **2** (de televisión) teleromanzo (m) LOC **~ de ciencia ficción**: romanzo di fantascienza | ~ policial: romanzo giallo/poliziesco | ~ rosa/ sentimental: romanzo rosa.

novelista /noβelísta/ [sm,f] romanziere (m).

noventón (-a) /noβentón/ [adj] novantenne (m,f).

noviazgo /noβjáθγo/ [sm] fidanzamento.

novicio /noβíθjo/ [adj] FIG principiante (m,f) ◆ [sm] (religioso) novizio.

noviembre /noβjémbre/ [sm] novembre.

novillada /noβiʎáða/ [sf] corrida di torelli.

novillo /noβíʎo/ [sm] torello LOC hacer novillos: marinare la scuola, bigiare.

novio /nóβjo/ [sm] 1 (casado) sposo 2 (soltero) fidanzato.

nube /núβe/ [sf] 1 nube, nuvola 2 FIG (de personas, insectos) moltitudine LOC estar alguien en las nubes: essere tra le nuvole | estar algo por las nubes: essere molto costoso.

nublado /nuβláðo/ [adj] (cielo) nuvoloso, coperto ◆ [sm] nuvolone.

nublarse /nuβlárse/ [v prnl] 1 annuvolarsi, coprirsi di nuvole 2 FIG (vista, memoria) annebbiarsi.

nubosidad /nuβosiðáð/ [sf] nuvolosità (inv).

nuboso /nuβóso/ [adj] (día) nuvoloso.

nuca /núka/ [sf] nuca.

nuclear /nukleár/ [adj m,f] nucleare.

núcleo /núkleo/ [sm] nucleo.

nudillo /nuðíʎo/ [sm] nocca (f).

nudista /nuðísta/ [adj/sm,f] nudista.

nudo /núðo/ [sm] 1 (también FIG) nodo ● el ~ de la cuestión: il nodo del problema 2 FIG (lazo) legame, vincolo LOC hacérsele un ~ en la garganta: venire un groppo alla gola.

nuera /nwéra/ [sf] nuora.

nuestro /nwestro/ [adj/pron] nostro.

nueva /nwéβa/ [sf] nuova, notizia.

nuevo /nwéβo/ [adj] 1 nuovo 2 AGR novello LOC de ~: di nuovo, nuovamente.

nuez /nwéθ/ [sf] (fruto) noce LOC ~ moscada: noce moscata.

nulidad /nuliðáð/ [sf] (también FIG) nullità (inv).

nulo /núlo/ [adj] 1 nullo, non valido 2 (persona) incapace (m,f), negato.

numerar /numerár/ [v tr] numerare.

numerario /numerárjo/ [adj/sm] (funcionario) in organico, di ruolo LOC profesor ~: professore di ruolo.

número /número/ [sm] 1 (también de periódico, espectáculo) numero 2 FIG scandalo, scenata (f) LOC de ~: di ruolo (funcionario) | montar el ~: fare una scenata.

numeroso /numeróso/ [adj] numeroso.

nunca /núŋka/ [adv] mai LOC ~ jamás: mai più, mai e poi mai.

nupcial /nupθjál/ [adj m,f] nuziale.

nupcias /núpθjas/ [sf pl] nozze.

nutrición /nutriθjón/ [sf] nutrimento (m).

nutrir (-se) /nutrír/ [v tr prnl] (con/de) nutrire (-rsi), alimentare (-rsi).

nutritivo /nutritíβo/ [adj] nutriente (m,f).

n

Ññ

ñame /ɲáme/ [sm] igname.

ñandú /ɲandú/ [sm] nandù (inv) ▪ pl irr **nandús**.

ñapa /ɲápa/ [sf] *Amer* FAM aggiunta, giunta.

ñato /ɲáto/ [adj] *Amer* FAM (nariz) camuso.

ñiquiñaque /ɲikiɲáke/ [sm] *Amer* FAM **1** (persona) mascalzone **2** (cosa) robaccia (f).

ñoñería /ɲoɲería/ [sf] scempiaggine.

ñoño /ɲóɲo/ [adj] FIG **1** lagnoso • *cuando niño era ~ y cobarde*: da piccolo era lagnoso e codardo **2** (soso) insipido, scialbo.

ñoqui /ɲóki/ [sm] gnocco.

ñora /ɲóra/ [sm] peperoncino rosso piccante.

ñu /ɲú/ [sm] gnu ▪ pl irr **nús**.

Oo

o /o/ [conj] o.

oasis /oásis/ [sm inv] oasi (f).

obedecer /oβeðeθér/ [v tr/intr] ubbidire.

obediencia /oβeðjénθja/ [sf] ubbidienza.

obediente /oβeðjénte/ [adj m,f] ubbidiente.

obertura /oβertúra/ [sf] MUS ouverture (inv).

obesidad /oβesiðáð/ [sf] obesità (inv).

obeso /oβéso/ [adj] obeso.

obispo /oβíspo/ [sm] vescovo.

objeción /oβxeθjón/ [sf] obiezione LOC **poner objeciones**: fare obiezioni.

objetar /oβxetár/ [v tr] obiettare.

objetividad /oβxetiβiðáð/ / [sf] obiettività (inv), imparzialità (inv).

objetivo /oβxetíβo/ [adj/sm] (también de cámara) obiettivo.

objeto /oβxéto/ [sm] oggetto LOC **al/con ~ de**: allo scopo di | **objetos perdidos**: oggetti smarriti.

objetor (-a) /oβxetór/ [sm] obiettore (f -trice) LOC **~ de conciencia**: obiettore di coscienza.

oblicuo /oβlíkwo/ [adj] obliquo.

obligación /oβliɣaθjón/ [sf] **1** obbligo (m) **2** (economía) obbligazione.

obligar (-se) /oβliɣár/ [v tr prnl] (**a/con**) obbligare (-rsi).

obligatorio /oβliɣatórjo/ [adj] obbligatorio.

oboe /oβóe/ [sm] oboe.

obra /óβra/ [sf] **1** (también literaria, teatral) opera **2** (construcción) cantiere (m) **3** (en pl) lavori (m pl) • *carretera cortada por obras*: strada chiusa per lavori LOC **en obras**: lavori in corso | ~ **de arte**: opera d'arte | ~ **maestra**: capolavoro.

obrar /oβrár/ [v tr/intr] operare • *aquella desgracia obró un cambio en él*: la disgrazia operò un cambiamento su di lui LOC ~ **bien/mal**: agire bene/male.

obrero /oβréro/ [adj/sm] operaio.

obscenidad /oβsθeniðáð/ [sf] oscenità (inv).

obsceno /oβsθéno/ [adj] osceno.

obsequiar /oβsekjár/ [v tr] (**con**) regalare.

obsequio /oβsékjo/ [sm] regalo, dono.

observación /oβserβaθjón/ [sf] osservazione.

observador (-a) /oβserβaðór/ [adj/sm] osservatore (f -trice).

observar /oβserβár/ [v tr] (también una ley) osservare.

observatorio /oβserβatórjo/ [sm] osservatorio.

obsesión /oβsesjón/ [sf] ossessione, idea fissa.

obsesionar (-se) /oβsesjonár/ [v prnl] ossessionare (-rsi), tormentare (-rsi).

obstaculizar /oβstakuliθár/ [v tr] ostacolare, impedire.

obstáculo /oβstákulo/ [sm] (también FIG) ostacolo LOC **carrera de obstáculos**: corsa a ostacoli.

obstante /oβstánte/ [adj m,f] (sólo en la locución) LOC **no** ~: nonostante.

obstinación /oβstinaθjón/ [sf] ostinazione, caparbietà (inv).

obstinarse /oβstinárse/ [v prnl] (**en**) ostinarsi, impuntarsi.

obstruir (-se) /oβstrwír/ [v tr prnl] ostruire (-rsi).

obtener /oβtenér/ [v tr] ottenere.

obviar /oββjár/ [v tr] (dificultades, percances) evitare, schivare.

obvio /óββjo/ [adj] ovvio, evidente (m,f).

oca /óka/ [sf] oca.

ocasión /okasjón/ [sf] (también COM) occasione LOC **con** ~ **de algo**: in occasione di qualcosa | **dar** ~: dare/fornire l'occasione | **de** ~: d'occasione.

ocasionar /okasjonár/ [v tr] causare, provocare.

ocaso /okáso/ [sm] tramonto.

occidental /okθiðentál/ [adj/sm,f] occidentale.

occidente /okθiðente/ [sm] occidente.

océano /oθéano/ [sm] oceano.

ochentón (-a) /otʃentón/ [adj] FAM ottantenne (m,f).

ocio /óθjo/ [sm] ozio.

ocioso /oθjóso/ [adj/sm] **1** ozioso, pigro **2** (sin hacer nada) inattivo (adj).

oclusión /oklusjón/ [sf] occlusione LOC ~ **intestinal**: occlusione intestinale.

ocre /ókre/ [adj m,f/sm] ocra (inv).

octubre /oktúβre/ [sm] ottobre.

ocular /okulár/ [adj m,f] oculare.

oculista /okulísta/ [sm,f] oculista.

ocultar (-se) /okultár/ [v tr prnl] (**a/de**) nascondere (-rsi).

o

oculto /okúlto/ [adj] **1** (escondido) nascosto **2** FIG occulto, oscuro.

ocupación /okupaθjón/ [sf] (también empleo, trabajo) occupazione LOC **dar ~**: dare occupazione/lavoro.

ocupar (-se) /okupár/ [v tr prnl] (también FIG) occupare (-rsi) • *¿cómo ocupa su tiempo libre?*: come occupa il tempo libero? | *me ocupo yo de la cosa*: mi occupo io della faccenda.

ocurrencia /okuṝénθja/ [sf] trovata, idea.

ocurrente /okuṝénte/ [adj m,f] (persona) divertente, spassoso (m).

ocurrir /okuṝír/ [v intr] succedere, accadere ♦ [v prnl] venire/saltare in mente • *se me ocurre una idea*: mi è venuta in mente un'idea LOC **lo que ~ es que**: il fatto è che.

odiar /oðjár/ [v tr] odiare, detestare.

odio /óðjo/ [sm] odio, avversione (f).

oeste /oéste/ [sm] ovest.

ofender (-se) /ofendér/ [v tr prnl] **(con/por)** offendere (-rsi).

ofendido /ofendíðo/ [adj] offeso.

ofensa /ofénsa/ [sf] offesa.

oferta /oférta/ [sf] (también COM) offerta LOC **estar de/en ~**: essere in offerta.

ofertar /ofertár/ [v tr] (producto) promuovere, lanciare.

oficial /ofiθjál/ [adj m,f] ufficiale ♦ [sm] **1** (militar) ufficiale **2** (trabajador) lavorante, operaio.

oficina /ofiθína/ [sf] ufficio (m) LOC **~ de correos**: ufficio postale.

oficinista /ofiθinísta/ [sm,f] impiegato (m).

oficio /ofíθjo/ [sm] **1** professione (f) **2** (manual) lavoro, mestiere LOC **abogado de ~**: avvocato d'ufficio.

oficioso /ofiθjóso/ [adj] ufficioso, non ufficiale.

ofrecer (-se) /ofreθér/ [v tr prnl] offrire (-rsi) LOC **¿qué se le ofrece?**: desidera qualcosa?

ofrecimiento /ofreθimjénto/ [sm] offerta (f).

oída /oíða/ [sf] (sólo en la locución) LOC **de oídas**: per sentito dire.

oído /oíðo/ [sm] **1** udito **2** ANAT orecchio* LOC **abrir los oídos**: porgere/prestare l'orecchio | **al ~**: all'orecchio | **llegar a oídos de alguien**: giungere all'orecchio di qualcuno.

oír /oír/ [v tr] **1** (también enterarse) sentire **2** (un ruego, aviso) ascoltare, accogliere LOC **¡oiga!/¡oigan!**: senta!, sentite!; pronto! (al telefono).

¡ojalá! /oxalá/ [interj] magari!

ojeada /oxeáða/ [sf] occhiata, sbirciata.

ojear /oxeár/ [v tr] guardare, dare un'occhiata.

ojera /oxéra/ [sf] occhiaia.

ojeriza /oxeríθa/ [sf] malanimo (m) LOC **tenerle ~ a alguien**: avercela con qualcuno.

ojo /óxo/ [sm] (también FIG) occhio • *tiene ~ para los negocios*: ha occhio negli affari LOC **a ~ (de buen cubero)**: a occhio | **comer(se) con los ojos**: mangiare con gli occhi | **echar el ~**: mettere gli occhi addosso | **no cerrar/pegar ~**: non chiudere occhio | **ojos rasgados**: occhi a mandorla.

ola /óla/ [sf] **1** onda **2** FIG ondata • ~ *de frío*: ondata di freddo.

¡olé! /olé/ [interj] evviva!

oleada /oleáða/ [sf] (también FIG) ondata.

óleo /óleo/ [sm] (pintura) olio.

oler /olér/ [v tr] fiutare, annusare • ~ *un perfume*: annusare un profumo ◆ [v intr] odorare, sapere • ~ *a limpio*: odorare di pulito ◆ [v prnl] FIG fiutare, intuire • *me huelo un buen negocio*: fiuto un buon affare LOC ~ **bien**: profumare | ~ **mal**: puzzare.

olfatear /olfateár/ [v tr] **1** annusare, fiutare **2** FIG FAM ficcare il naso, curiosare.

olfato /olfáto/ [sm] **1** olfatto, odorato **2** FIG intuito, fiuto.

olimpiada /olimpjáða/ [sf] olimpiade.

oliva /olíβa/ [sf] oliva.

olivo /olíβo/ [sm] olivo.

olla /óʎa/ [sf] pentola LOC ~ **exprés/a presión**: pentola a pressione.

olor /olór/ [sm] odore LOC **jabón de** ~: saponetta profumata.

oloroso /oloróso/ [adj] profumato.

olvidadizo /olβiðaðíθo/ [adj] smemorato.

olvidar (-se) /olβiðár/ [v tr prnl] dimenticare (-rsi).

olvido /olβíðo/ [sm] **1** oblio **2** dimenticanza (f), negligenza (f) • *no lo hizo por* ~: non l'ha fatto per dimenticanza.

ombligo /omblíɣo/ [sm] ombelico.

omisión /omisjón/ [sf] omissione.

omitir /omitír/ [v tr] omettere, tralasciare.

omóplato /omóplato/ [sm] scapola (f).

onda /ónda/ [sf] (también de la física) onda.

ondear /ondeár/ [v intr] ondeggiare.

ondulado /onduláðo/ [adj] **1** ondulato **2** (cabello) mosso.

onomástico /onomástiko/ [sm] onomastico.

opaco /opáko/ [adj] **1** opaco **2** FIG mediocre (m,f).

opción /opθjón/ [sf] opzione, scelta.

opcional /opθjonál/ [adj m,f] opzionale LOC **equipamiento** ~: optional (auto).

ópera /ópera/ [sf] MUS opera.

operación /operaθjón/ [sf] operazione LOC ~ **quirúrgica**: intervento chirurgico.

operador (-a) /operaðór/ [sm] operatore (f -trice).

operar (-se) /operár/ [v tr prnl] (**de**) (también MED) operare (-rsi).

opereta /operéta/ [sf] MUS operetta.

opinar /opinár/ [v intr/tr] (**de/sobre**) **1** pensare, essere dell'avviso • *¿tú qué opinas?*: tu cosa pensi? **2** esprimere la propria opinione • ~ *sobre un tema*: esprimere la propria opinione su un argomento.

opinión /opinjón/ [sf] opinione LOC **cambiar de** ~: cambiare idea | ~ **pública**: opinione pubblica.

opio /ópjo/ [sm] oppio.

oponer (-se) /oponér/ [v tr prnl] (**a/contra**) opporre (-rsi).

oporto /opórto/ [sm] (vino) porto (inv).

oportunidad /oportuniðáð/ [sf] opportunità (inv), occasione.

oportunista /oportunísta/ [adj/sm,f] oportunista.

oportuno /oportúno/ [adj] oportuno, adatto.

oposición /oposiθjón/ [sf] **1** opposizione **2** (en pl) concorso (m sing).

opositor (-a) /opositór/ [sm] **1** oppositore (f -trice) **2** (de oposiciones) candidato.

opresión /opresjón/ [sf] oppressione.

opresor (-a) /opresór/ [adj/sm] oppressore.

oprimir /oprimír/ [v tr] **1** schiacciare, premere **2** FIG opprimere.

optar /optár/ [v tr/intr] (**por**) optare, scegliere.

óptica /óptika/ [sf] **1** (también FIG) ottica **2** COM negozio di ottica.

optimismo /optimísmo/ [sm] ottimismo.

optimista /optimísta/ [adj/sm,f] ottimista.

óptimo /óptimo/ [sup] ottimo.

opuesto /opwésto/ [adj] opposto.

oración /oraθjón/ [sf] (también rezo) orazione.

oral /orál/ [adj m,f] orale.

orangután /oraŋgután/ [sm] orango, orangutan (inv).

oratorio /oratórjo/ [sm] ARQ oratorio.

órbita /órβita/ [sf] orbita.

orca /órka/ [sf] orca.

orden /órðen/ [sf] **1** (también COM, religiosa) ordine (m) ♦ *llevar a cabo una ~*: eseguire un ordine **2** FIG carattere (m), natura ♦ *una cuestión de ~ moral*: una questione di carattere morale LOC **por ~ de alguien**: per ordine di qualcuno ♦ [sm] ordi-

ne ♦ ~ *alfabético*: ordine alfabetico | *no hay un gran ~ en tu habitación*: non c'è molto ordine nella tua stanza LOC **en ~**: in ordine, a posto | **~ público**: ordine pubblico.

ordenador /orðenaðór/ [sm] computer (inv) LOC **~ personal**: personal computer.

ordenanza /orðenánθa/ [sf] ordinanza ♦ [sm] (de oficina) fattorino.

ordenar /orðenár/ [v tr] (también mandar) ordinare.

ordeñar /orðeɲár/ [v tr] mungere.

ordinario /orðinárjo/ [adj] (también grosero) ordinario LOC **correo ~**: posta ordinaria | **de ~**: di solito.

orégano /oréɣano/ [sm] origano.

oreja /oréxa/ [sf] ANAT orecchio* (m), orecchia LOC **orejas de soplillo**: orecchie a sventola.

orejeras /orexéras/ [sf pl] paraorecchie (m).

orfanato /orfanáto/ [sm] orfanotrofio.

orfebre /orféβre/ [sm,f] orafo (m), orefice.

orgánico /orɣániko/ [adj] organico.

organillo /orɣaníʎo/ [sm] organetto.

organismo /orɣanísmo/ [sm] (también FIG) organismo ♦ *un ~ internacional*: un organismo internazionale.

organización /orɣaniθaθjón/ [sf] organizzazione.

organizador (-a) /orɣaniθaðór/ [adj/sm] organizzatore (f -trice).

organizar (-se) /orɣaniθár/ [v tr prnl] organizzare (-rsi).

órgano /órɣano/ [sm] (también ANAT MUS) organo.

orgasmo /orɣásmo/ [sm] orgasmo.

orgía /orxía/ [sf] orgia.

orgullo /orɣúʎo/ [sm] orgoglio.

orgulloso /orɣuʎóso/ [adj/sm] orgoglioso.

orientación /orjentaθjón/ [sf] orientamento (m).

oriental /orjentál/ [adj/sm,f] orientale.

orientar /orjentár/ [v tr] (hacia) (también FIG) orientare ♦ [v prnl] 1 (por) orientarsi 2 (hacia) FIG indirizzarsi.

oriente /orjénte/ [sm] oriente.

orificio /orifíθjo/ [sm] orifizio.

origen /oríxen/ [sm] (también FIG) origine (f) LOC dar ~ a algo: dare origine a qualcosa.

original /orixinál/ [adj m,f/sm] originale.

originar (-se) /orixinár/ [v tr prnl] originare (-rsi).

originario /orixinárjo/ [adj] originario.

orilla /oríʎa/ [sf] 1 orlo (m), bordo (m), estremità (inv) 2 (de río, mar) riva, sponda 3 (de calzada) bordo (m).

orín /orín/ [sm] ruggine (f).

orinar (-se) /orinár/ [v tr/intr prnl] orinare.

orla /órla/ [sf] 1 (franja) frangia, festone (m) 2 (tira) bordo (m).

ornamental /ornamentál/ [adj m,f] ornamentale, decorativo (m).

ornamento /ornaménto/ [sm] ornamento, decorazione (f).

ornar /ornár/ [v tr] ornare.

oro /óro/ [sm] oro LOC siglo de ~: secolo d'oro.

orquesta /orkésta/ [sf] orchestra.

orquídea /orkíðea/ [sf] orchidea.

ortiga /ortíɣa/ [sf] ortica.

ortografía /ortoɣrafía/ [sf] ortografia.

ortopédico /ortopéðiko/ [adj] ortopedico.

oruga /orúɣa/ [sf] 1 ZOOL bruco (m) 2 (vehículo) cingolato (m).

orujo /orúxo/ [sm] (licor) acquavite (f).

orzuelo /orθwélo/ [sm] orzaiolo.

os /os/ [pron m,f pl] 1 vi, voi ● ~ llaman: vi chiamano 2 ve, ve ● yo ~ lo dije: ve l'avevo detto | ~ contaré una historia: vi racconterò una storia.

osadía /osaðía/ [sf] 1 audacia, coraggio (m) 2 FIG (descaro) sfacciataggine, insolenza.

osar /osár/ [v intr/tr] osare.

oscilación /osθilaθjón/ [sf] oscillazione.

oscilar /osθilár/ [v intr] 1 oscillare 2 FIG oscillare.

oscurecer /oskureθér/ [v tr] 1 oscurare, rendere scuro 2 FIG (fama, razón) offuscare ♦ [v imp] imbrunire, scurire ♦ [v prnl] (cielo) rannuvolarsi, coprirsi.

oscuridad /oskuriðáð/ [sf] oscurità (inv), tenebre (pl).

oscuro /oskúro/ [adj] 1 buio ● noche oscura: notte buia 2 scuro, cupo ● verde ~: verde scuro 3 FIG (proveniencia, origen) oscuro, ignoto LOC estar a oscuras: essere al buio; essere all'oscuro (non informato).

óseo /óseo/ [adj] osseo.

oso /óso/ [sm] orso.

ostentación /ostentaθjón/ [sf] ostentazione, esibizione.

ostentar /ostentár/ [v tr] **1** ostentare **2** (cargo, título) occupare.

ostentoso /ostentóso/ [adj] sontuoso, lussuoso.

ostia /óstja/ [sf] ICT ostrica

ostra /óstra/ [sf] ostrica LOC **aburrirse como una ~**: morire di noia | **¡ostras!**: accidenti!, caspita!

otitis /otítis/ [sf inv] otite (sing).

otoñal /otoɲál/ [adj m,f] autunnale, lussuoso.

otoño /otóɲo/ [sm] autunno.

otorgar /otoryár/ [v tr] **1** concedere, dare **2** (ley) promulgare.

otorrinolaringólogo /otoร̃inolaringóloyo/ [sm] otorinolaringoiatra (m,f).

otro /ótro/ [adj/pron] altro • *otra vez será*: sarà per un'altra volta | *que lo haga ~*: che lo faccia un altro LOC **al ~ día**: il giorno dopo | **por otra parte**: d'altro canto.

ovación /oβaθjón/ [sf] ovazione, applauso (m).

ovalado /oβaláðo/ [adj] ovale (m,f).

ovario /oβárjo/ [sm] ovaia (f).

oveja /oβéxa/ [sf] pecora LOC **~ descarriada/negra**: pecora nera.

ovillo /oβíʎo/ [sm] gomitolo • *un ~ de lana*: un gomitolo di lana.

ovino /oβíno/ [adj/sm] ovino.

ovni /óβni/ [sm inv] ufo.

óvulo /óβulo/ [sm] ovulo.

oxidar (-se) /oksiðár/ [v tr prnl] ossidare (-rsi).

óxido /óksiðo/ [sm] ossido.

oxígeno /oksíxeno/ [sm] ossigeno.

¡oye! /óje/ [interj] FAM hei!, senti!

oyente /ojénte/ [adj/sm,f] ascoltatore (f -trice).

ozono /oθóno/ [sm] ozono.

Pp

pabellón /paβeʎón/ [sm] **1** bandiera (f) nazionale **2** ARQ padiglione.

pacer /paθér/ [v intr/tr] pascolare.

paciencia /paθjénθja/ [sf] pazienza LOC **perder la ~**: perdere la pazienza.

paciente /paθjénte/ [adj/sm,f] paziente.

pacífico /paθífiko/ [adj] pacato, pacifico.

pacifismo /paθifísmo/ [sm] pacifismo.

pacifista /paθifísta/ [sm,f] pacifista.

pactar /paktár/ [v tr] pattuire.

pacto /pákto/ [sm] **1** COM patto, accordo **2** (político) alleanza (f).

padecer /paðeθér/ [v tr/intr] soffrire.

padecimiento /paðeθimjénto/ [sm] sofferenza (f).

padrastro /paðrástro/ [sm] patrigno.

padre /páðre/ [sm] **1** padre **2** (en pl) genitori.

padrino /paðríno/ [sm] **1** padrino **2** (de boda) testimone (m,f).

padrón /paðrón/ [sm] anagrafe (f).

paga /páɣa/ [sf] paga, stipendio (m) LOC ~ **extraordinaria**: tredicesima.

pagadero /paɣaðéro/ [adj] pagabile (m,f) LOC ~ **a la vista**: pagabile a vista.

pagador (-a) /paɣaðór/ [sm] pagante (m,f).

pagar /paɣár/ [v tr] **1** pagare **2** FIG ripagare, ricambiare LOC **pagarla(s)**: scontarla, pagarla.

página /páxina/ [sf] pagina LOC **páginas amarillas**: pagine gialle.

pago /páɣo/ [sm] **1** COM pagamento **2** FIG ricompensa (f) LOC ~ **al contado/en efectivo**: pagamento in contanti.

país /país/ [sm] paese, nazione (f) LOC **Países Bajos**: Olanda | **producto del ~**: prodotto nostrano.

paisaje /paisáxe/ [sm] paesaggio.

paisano /paisáno/ [adj/sm] compaesano (sust).

País Vasco /paísβásko/ [sm] Paesi Baschi (pl).

paja /páxa/ [sf] **1** paglia **2** (para bebidas) cannuccia.

pajar /paxár/ [sm] pagliaio.

pajarita /paxaríta/ [sf] INDUM farfallino (m).

pájaro /páxaro/ [sm] uccello.

pala /pála/ [sf] **1** (herramienta) pala **2** paletta • *cortó la tarta con una ~*: tagliò la torta con una paletta LOC ~ **mecánica**: ruspa.

palabra /paláβra/ [sf] parola LOC **de ~**: a voce | **mantener la ~/faltar a la ~**: mantenere/non mantenere la parola | ~ **clave**: parola chiave.

palabrota /palaβróta/ [sf] parolaccia.

palacete /palaθéte/ [sm] palazzina (f).

palacio /paláθjo/ [sm] palazzo LOC ~ **de justicia**: palazzo di giustizia | ~ **de las cortes**: parlamento.

paladar /palaðár/ [sm] **1** palato **2** FIG (gusto) sensibilità (f inv).

paladear /palaðeár/ [v tr] **1** (comidas, bebidas) assaporare **2** FIG godersi, gustare.

palanca /palánka/ [sf] **1** leva **2** (en la piscina) trampolino (m) LOC ~ **de cambios**: leva del cambio.

palangana /palaŋgána/ [sf] catino (m).

palatino /palatíno/ [adj] ANAT palatale (m,f).

palco /pálko/ [sm] palco LOC ~ **escénico**: palcoscenico.

palermitano /palermitáno/ [adj/sm] palermitano.

paleta /paléta/ [sf] **1** paletta **2** (de pintor) tavolozza.

paletilla /paletíʎa/ [sf] **1** scapola **2** (asado) spalla.

paleto /paléto/ [adj/sm] rozzo (adj), cafone.

palidecer /paliðeθér/ [v intr] impallidire.

palidez /paliðéθ/ [sf] pallore (m).

pálido /páliðo/ [adj] (también color) pallido.

palillo /palíʎo/ [sm] **1** stuzzicadenti (inv) **2** (en pl, cubierto) bacchette (f).

paliza /palíθa/ [sf] **1** battuta **2** FIG sfacchinata LOC **dar la ~**: sfinire | **pegar una ~**: riempire di botte.

palma /pálma/ [sf] palma LOC **batir palmas**: battere le mani.

p

palmada /palmáða/ [sf] **1** manata • *me dio una ~ en la espalda*: mi diede una manata sulla schiena **2** applauso (m).

Palma de Mallorca /pálmaðemaʎórka/ [sf] Palma di Maiorca.

palmense /palménse/ [adj/sm,f] abitante di Las Palmas di Gran Canaria.

palmera /palméra/ [sf] palma da datteri.

palmesano /palmesáno/ [adj/sm] abitante di Palma di Maiorca.

palmo /pálmo/ [sm] palmo LOC ~ a ~: palmo a palmo.

palo /pálo/ [sm] **1** palo **2** (material) legno **3** (también FIG) bastonata (f), legnata (f) • *¡menudo ~ la cuenta!*: che legnata il conto! **4** (de naipes) seme **5** MAR albero LOC no dar ~: battere la fiacca | ~ dulce: liquirizia.

paloma /palóma/ [sf] colomba.

palomita /palomíta/ [sf] pop corn (m inv).

palomo /palómo/ [sm] colombo, piccione.

palpable /palpáβle/ [adj m,f] FIG evidente, palese.

palpar /palpár/ [v tr] palpare.

palpitación /palpitaθjón/ [sf] MED palpitazione.

palpitar /palpitár/ [v intr] battere, pulsare.

pan /pán/ [sm] **1** pane **2** (de mantequilla) panetto LOC ~ de molde/ ~ integral: pan carré/integrale | ser algo ~ comido: essere facilissimo.

pana /pána/ [sf] fustagno (m).

panadería /panaðería/ [sf] panetteria, panificio (m).

Panamá /panamá/ [sm] Panama.

panameño /panaméɲo/ [adj/sm] panamense (m,f).

pancarta /paŋkárta/ [sf] striscione (m).

panceta /panθéta/ [sf] pancetta.

páncreas /páŋkreas/ [sm inv] pancreas.

panda /pánda/ [sm] panda (inv).

pandereta /panderéta/ [sf] tamburello (m).

pandilla /pandíʎa/ [sf] **1** gruppo (m), compagnia **2** PEY banda, cosca.

panel /panél/ [sm] **1** pannello **2** *Amer* (de concurso) giuria (f) LOC ~ solar: pannello solare.

panfleto /pamfléto/ [sm] opuscolo, volantino.

pánico /pániko/ [sm] panico, terrore.

panocha /panótʃa/ [sf] pannocchia.

panorama /panoráma/ [sm] (también FIG) panorama.

panorámico /panorámiko/ [adj] panoramico.

panqueque /paŋkéke/ [sm] *Amer* crespella (f).

pantalla /pantáʎa/ [sf] **1** schermo (m) **2** (de lámpara) paralume (m) LOC servir de ~: fare da paravento.

pantalón /pantalón/ [sm] pantaloni (pl), calzoni (pl) LOC falda ~: gonna-pantalone | ~ corto: pantaloncino | ~ vaquero: jeans.

pantano /pantáno/ [sm] **1** palude (f), pantano **2** (embalse) bacino artificiale.

panteón /panteón/ [sm] pantheon (inv).

pantera /pantéra/ [sf] **1** pantera **2** *Amer* giaguaro (m) LOC ~ negra: pantera nera.

pantomima /pantomíma/ [sf] **1** (en el teatro) pantomima **2** FIG farsa.

pantorrilla /pantoříʎa/ [sf] polpaccio (m).

pantys /pántis/ [sm pl] collant (inv).

panza /pánθa/ [sf] FAM pancia.

pañal /paɲál/ [sm] pannolino LOC ~ **braguita**: pannolino a mutandina.

paño /páɲo/ [sm] **1** (también TEX) panno **2** (tapiz) arazzo **3** (para limpiar) strofinaccio.

pañuelo /paɲwélo/ [sm] fazzoletto LOC **el mundo es un ~**: com'è piccolo il mondo!

Papa /pápa/ [sm] Papa.

papá /papá/ [sm] FAM papà (inv) ∎ pl irr **papás**.

papada /papáða/ [sf] doppio mento (m).

papagayo /papaɣáʝo/ [sm] pappagallo.

paparazzi /paparáθi/ [sm inv] paparazzo (sing).

papaya /papáʝa/ [sf] papaia.

papel /papél/ [sm] **1** (también documento) carta (f) **2** ruolo • **actúa en el ~ del malo**: recita nel ruolo del cattivo LOC **hacer un buen/mal ~**: fare una bella/brutta figura | ~ **higiénico**: carta igienica | ~ **pintado**: tappezzeria | ~ **cuadriculado/rayado**: carta a quadretti/righe | ~ **sellado**: carta bollata/da bollo.

papelera /papeléra/ [sf] cestino (m) della carta straccia.

papelería /papelería/ [sf] cartoleria.

papeleta /papeléta/ [sf] biglietto (m), foglietto (m) LOC ~ **electoral**: scheda elettorale.

papelón /papelón/ [sm] figuraccia (f).

paperas /papéras/ [sf pl] FAM orecchioni (m).

papila /papíla/ [sf] ANAT papilla.

papilla /papíʎa/ [sf] (para bebés) pappa.

papiro /papíro/ [sm] BOT papiro.

paquete /pakéte/ [sm] pacco, pacchetto LOC ~ **postal**: pacco postale.

par /pár/ [adj m,f] pari (inv) ♦ [sm] **1** paio* • **un ~ de guantes**: un paio di guanti **2** coppia (f) • **un ~ de bueyes**: una coppia di buoi LOC **abierto de ~ en ~**: spalancato | **a la ~**: contemporaneamente | **sin ~**: incomparabile.

para /para/ [prep] **1** per • **lo hago ~ ahorrar**: lo faccio per risparmiare **2** (utilidad, destino, tiempo) a, per • ¿~ **qué sirve?**: a cosa serve? **3** (dirección, término) a, in, nel • **va ~ los Estados Unidos**: va negli Stati Uniti ∎ **para + pron** per/secondo + pron • ~ **mí es tonto**: secondo me è sciocco ∎ **para que + subj** perché/affinché + congv • ~ **que aprendas**: affinché impari LOC **ir ~ largo**: andare per le lunghe | ~ **colmo**: come se non bastasse | ¿~ **qué?**: a quale scopo?

parabólica /paraβólika/ [sf] antenna parabolica.

parabrisas /paraβrísas/ [sm inv] parabrezza.

paracaídas /parakaíðas/ [sm inv] paracadute.

paracaidista /parakaiðísta/ [sm,f] paracadutista.

parachoques /paratʃókes/ [sm inv] paraurti.

parada /paráða/ [sf] **1** (lugar) fermata **2** (tiempo) sosta LOC ~ **de**

emergencia: sosta di emergenza | ~ de autobuses: fermata di autobus | ~ de taxis: posteggio di taxi | ~ discrecional: fermata facoltativa.

parado /paráðo/ [adj] **1** fermo, immobile (m,f) **2** FIG timido **3** (trabajador) disoccupato LOC *Amer* **estar ~**: stare in piedi | **quedarse ~**: restare a bocca aperta ◆ [sm] (trabajador) disoccupato.

parador /paraðór/ [sm] albergo LOC **~ nacional de turismo**: albergo dello stato spagnolo sito in antiche dimore signorili.

paraguas /paráɣwas/ [sm inv] ombrello (sing).

paraguayo /paraɣwáʝo/ [adj/sm] paraguaiano.

paraíso /paraíso/ [sm] **1** (también FIG) paradiso **2** (de cine, teatro) loggione.

paralelo /paralélo/ [sm] parallelo.

parálisis /parálisis/ [sf inv] (también FIG) paralisi ● *la ~ del transporte público*: la paralisi dei trasporti pubblici.

paralítico /paralítiko/ [adj/sm] paralitico.

parangón /paraŋgón/ [sm] paragone, confronto.

parapente /parapénte/ [sm] parapendio.

parapeto /parapéto/ [sm] parapetto.

parar /parár/ [v intr] **1** smettere ● *¡para ya de molestar!*: insomma, smetti di disturbare! **2** FIG finire ● *¿adónde habrá ido a ~?*: dove sarà andato a finire? ◆ [v tr] **1** fermare, bloccare **2** DEP parare ◆ [v prnl] fermarsi LOC **no ~**: non stare fermo

un attimo (persona) | **sin ~**: senza sosta.

parásito /parásito/ [sm] (también FIG) parassita.

parasol /parasól/ [sm] ombrellone.

parcela /parθéla/ [sf] (terreno) appezzamento (m).

parche /pártʃe/ [sm] toppa (f), pezza (f).

parcial /parθjál/ [adj m,f] parziale.

pardo /párðo/ [adj] **1** (color) marrone scuro **2** (cielo) nuvoloso.

parecer /pareθér/ [sm] parere, opinione (f) ◆ [v intr/imp] sembrare, parere ◆ [v prnl] assomigliarsi LOC **al ~**: a quanto pare | **parece mentira**: sembra impossibile | **~ bien/mal**: sembrare/non sembrare giusto | **¿qué te parece?**: che te ne pare?

parecido /pareθíðo/ [adj] simile (m,f) ◆ [sm] somiglianza (f).

pared /paréð/ [sf] parete, muro* (m).

pareja /paréxa/ [sf] **1** (par) coppia **2** compagno (m) ● *Marcos vino con su ~*: Marcos venne con la sua compagna LOC **en ~**: in coppia | **por parejas**: a coppie.

parejo /paréxo/ [adj] uguale (m,f).

parentesco /parentésko/ [sm] **1** parentela (f) **2** FIG collegamento, relazione (f).

paréntesis /paréntesis/ [sm inv] parentesi (f) LOC **entre ~**: fra parentesi.

paridad /pariðáð/ [sf] parità (inv).

pariente /parjénte/ [adj/sm] parente (sust m,f).

parir /parír/ [v intr/tr] **1** partorire **2** ZOOL figliare.

París /parís/ [sm] Parigi (f).

parisino /parisíno/ [adj/sm] parigino.

parlamentario /parlamentárjo/ [adj/sm] parlamentare (m,f).

parlamento /parlaménto/ [sm] parlamento.

paro /páro/ [sm] **1** disoccupazione (f) **2** (huelga) sciopero LOC **estar alguien en ~**: essere disoccupato | **~ cardiaco**: arresto cardiaco.

parpadear /parpaðeár/ [v intr] **1** sbattere le palpebre **2** (luz) lampeggiare.

párpado /párpaðo/ [sm] palpebra (f).

parque /párke/ [sm] **1** parco **2** (para bebés) box (inv) LOC **~ acuático**: acquario | **~ de atracciones**: parco dei divertimenti | **~ de maquinaria**: parco macchine | **~ nacional/natural**: parco nazionale/naturale | **~ zoológico**: giardino zoologico.

parqué /parké/ [sm] parquet (inv).

parquear /parkeár/ [v tr] *Amer* parcheggiare.

parqueo /parkéo/ [sm] *Amer* parcheggio.

parquímetro /parkímetro/ [sm] parchimetro.

parra /pářa/ [sf] vite rampicante.

parranda /pařánda/ [sf] FAM baldoria LOC **estar/ir de ~**: fare baldoria.

parrilla /paříʎa/ [sf] **1** griglia **2** (restaurante) griglieria **3** *Amer* (de vehículo) portapacchi (m inv) LOC **~ de salida**: griglia di partenza | **~ de TV**: palinsesto della TV.

parrillada /pařiʎáða/ [sf] grigliata.

párroco /pářoko/ [sm] parroco.

parroquia /pařókja/ [sf] parrocchia.

parte /párte/ [sf] parte LOC **de ~ de alguien**: da parte di qualcuno | **en ~**: in parte | **formar ~ de algo**: fare parte di qualcosa | **por mi ~**: per quanto mi riguarda | **por una ~**: da un lato | **tomar ~ en algo**: prendere parte a qualcosa ♦ [sm] rapporto LOC **~ meteorológico**: bollettino meteorologico.

participación /partiθipaθjón/ [sf] partecipazione.

participar /partiθipár/ [v intr] partecipare.

particular /partikulár/ [adj m,f] **1** personale, privato (m) • *coche ~*: auto privata **2** particolare • *se le notaba por su atuendo ~*: la si notava per gli abiti particolari LOC **en ~**: in particolare ♦ [sm] (persona) privato.

particularidad /partikulariðáð/ [sf] particolarità (inv).

partida /partíða/ [sf] **1** partenza **2** (documento) atto (m), certificato (m) **3** (juego) partita LOC **~ de nacimiento/casamiento/defunción**: certificato di nascita/matrimonio/morte | **punto de ~**: punto di partenza.

partidario /partiðárjo/ [adj/sm] sostenitore (f -trice).

partido /partíðo/ [sm] **1** partito **2** DEP partita (f) LOC **sacar ~**: trarre vantaggio.

partir /partír/ [v tr] **1** (también repartir) dividere **2** spaccare • *~ leña*: spaccare la legna ♦ [v intr] partire ♦ [v prnl] spaccarsi LOC **a ~ de**: a partire da | **~ por la mitad**: divide-

re a metà | ~ **el corazón**: spezzare
il cuore.

partitura /partitúra/ [sf] partitura,
spartito (m).

parto /párto/ [sm] parto LOC **sala
de partos**: sala parto.

parturienta /parturjénta/ [sf] parto-
riente.

parvulario /parβulárjo/ [sm] asilo,
scuola (f) materna.

pasa /pása/ [sf] uvetta, uva passa
LOC ~ **de Corinto**: sultanina.

pasada /pasáða/ [sf] (sólo en las locuciones) LOC **mala ~**: brutto ti-
ro/scherzo | **ser algo una ~**: essere
troppo forte/bello.

pasado /pasáðo/ [adj/sm] passato
LOC **estar ~**: essere andato a male
(alimento) | ~ **de moda**: passato di
moda | ~ **mañana**: dopodomani.

pasador /pasaðór/ [sm] (para el pelo) fermaglio.

pasaje /pasáxe/ [sm] **1** (también
MUS) passaggio **2** (de avión, barco)
biglietto.

pasajero /pasaxéro/ [adj/sm] passeggero.

pasamontañas /pasamontáɲas/
[sm inv] passamontagna.

pasaporte /pasapórte/ [sm] passaporto.

pasar /pasár/ [v tr] **1** (también tiempo) passare **2** FAM (enfermedad) attaccare **3** FAM (películas, documen-
tales) dare ◆ [v intr] **1** (también
tiempo) passare **2** FIG succedere,
accadere ◆ [v prnl] **1** (también
tiempo) passare **2** (alimento) marcire, andare a male **3** esagerare • *¡no
te pases con la comida!*: non esagerare con il cibo! LOC ~ **de algo/al-**
guien: fregarsene di qualcosa/qual-
cuno | **pasarlo bomba/en grande**:
divertirsi un casino/sacco | ~ **por**:
passare per/da | **¡pasa!/pase(n)!**:
avanti! | **pase lo que pase**: a ogni
costo | **¿qué pasa?**: che cosa suc-
cede?

pasarela /pasaréla/ [sf] passerella.

pasatiempo /pasatjémpo/ [sm] passatempo.

Pascua /páskwa/ [sf] Pasqua.

pase /páse/ [sm] **1** permesso, lascia-
passare (inv) **2** (de película) proiezione (f).

pasear /paseár/ [v tr] **1** portare a
spasso **2** FIG esibire ◆ [v intr/prnl]
passeggiare.

paseo /paséo/ [sm] **1** passeggiata (f),
giro **2** (calle) corso.

pasillo /pasíʎo/ [sm] corridoio.

pasión /pasjón/ [sf] passione.

pasivo /pasíβo/ [adj/sm] passivo.

pasmado /pasmáðo/ [adj] sbalordito, stupefatto.

pasmar (-se) /pasmár/ [v intr/tr
prnl] FIG sbalordire.

pasmo /pásmo/ [sm] FIG FAM sbalor-
dimento, stupore.

paso /páso/ [sm] **1** passaggio **2** (también FIG) passo • *¡piénsatelo bien
antes de dar ese ~!*: pensaci bene
prima di compiere quel passo! **3** (de
montaña) passo, valico **4** (del teléfono) scatto LOC **abrirse ~**: farsi
strada | **dar un mal ~/un ~ en fal-**
so: fare un passo falso | **de ~**: di
passaggio | ~ **a nivel**: passaggio a
livello | ~ **de peatones/cebra**: pas-
saggio pedonale.

pasta /pásta/ [sf] **1** impasto (m) **2**
COC pasta **3** FAM soldi (m pl), grana

LOC ~ **de dientes**: dentifricio | **sopa de ~**: pastina in brodo.

pastel /pastél/ [sm] **1** (dulce) torta (f), crostata (f) **2** (salado) torta (f) salata **3** (lápiz) pastello.

pastelería /pastelería/ [sf] pasticceria.

pastilla /pastíʎa/ [sf] pastiglia LOC ~ **de jabón**: saponetta.

pasto /pásto/ [sm] **1** (hierba) foraggio **2** (prado) pascolo.

pastor (-a) /pastór/ [sm] pastore.

pata /páta/ [sf] **1** zampa **2** (de mueble) gamba, piede (m) LOC **a cuatro patas**: gattoni/carponi | **meter la ~**: fare una gaffe | **patas arriba**: sottosopra.

patada /patáða/ [sf] pedata, calcio (m).

patata /patáta/ [sf] patata LOC **patatas fritas**: patatine fritte.

patente /paténte/ [adj m,f] palese, evidente ♦ [sf] **1** brevetto (m) **2** COM licenza.

paterno /patérno/ [adj] paterno.

patético /patétiko/ [adj] patetico.

patilla /patíʎa/ [sf] **1** basetta • *lleva barba y patillas*: porta la barba e le basette **2** stanghetta degli occhiali.

patín /patín/ [sm] pattino LOC ~ **de cuchilla/ruedas**: pattino da ghiaccio/a rotelle.

patinaje /patináxe/ [sm] pattinaggio LOC ~ **artístico/~ sobre hielo**: pattinaggio artistico/su ghiaccio.

patinar /patinár/ [v intr] **1** pattinare **2** (vehículo) slittare.

patio /pátjo/ [sm] **1** patio, cortile **2** AGR aia (f) LOC ~ **de butacas**: platea (di cinema, teatro).

pato /páto/ [sm] anatra (f), anitra (f).

patológico /patolóxiko/ [adj] patologico.

patria /pátrja/ [sf] patria.

patrimonio /patrimónjo/ [sm] patrimonio.

patriota /patrjóta/ [sm,f] patriota.

patrocinador (-a) /patroθinaðór/ [adj/sm] sponsor (sust m,f inv).

patrón (-a) /patrón/ [sm] **1** proprietario **2** MAR skipper (m,f inv) LOC **cortados por el mismo ~**: fatti con lo stampino.

patrono /patróno/ [sm] (de pueblos, ciudades) santo patrono.

patrulla /patrúʎa/ [sf] pattuglia.

pausa /páusa/ [sf] (también MUS) pausa.

pausado /pausáðo/ [adj] lento, tranquillo.

pauta /páuta/ [sf] **1** norma, regola **2** FIG modello (m).

pavimento /paβiménto/ [sm] **1** pavimento **2** (de calle, carretera) manto stradale.

pavo /páβo/ [adj] FIG FAM imbranato ♦ [sm] **1** tacchino **2** FIG FAM imbranato LOC ~ **real**: pavone.

payaso /paʝáso/ [sm] (también FIG) pagliaccio.

paz /páθ/ [sf] pace LOC **dejar en ~**: lasciare in pace | **hacer las paces**: fare la pace.

peaje /peáxe/ [sm] pedaggio.

peatón (-a) /peatón/ [sm] pedone.

peatonal /peatonál/ [adj m,f] pedonale.

peca /péka/ [sf] lentiggine.

pecado /pekáðo/ [sm] peccato.

pecho /pétʃo/ [sm] **1** petto **2** (de mujer) seno LOC **anginas de ~**: angina pectoris | **dar el ~**: allattare | **ni ño de ~: poppante | **tomar el ~:** poppare | **tomarse a ~ algo:** prendersela per qualcosa.

pechuga /petʃúɣa/ [sf] **1** (de ave) petto (m) **2** FIG FAM poppe (pl), tette (pl).

peculiar /pekuljár/ [adj m,f] peculiare, singolare.

peculiaridad /pekuljariðáð/ [sf] peculiarità (inv), singolarità (inv).

pedagogía /peðaɣoxía/ [sf] pedagogia.

pedal /peðál/ [sm] pedale.

pedalear /peðaleár/ [v intr] pedalare.

pedazo /peðáθo/ [sm] pezzo, frammento LOC **caerse a pedazos:** cadere a pezzi | **hacer (mil) pedazos:** mandare in (mille) pezzi.

pediatra /peðjátra/ [sm,f] pediatra.

pediatría /peðjatría/ [sf] pediatria.

pedicura /peðikúra/ [sf] pedicure (inv).

pedido /peðíðo/ [sm] COM ordine.

pedir /peðír/ [v tr] **1** chiedere, domandare • *me pidió un cigarrillo*: mi chiese una sigaretta **2** (mendigo) elemosinare, mendicare LOC **~ a gritos:** esigere | **~ hora:** fissare un appuntamento | **~ la hora:** chiedere che ora è.

pedo /péðo/ [sm] **1** VULG peto, scoreggia (f) **2** *Amer* FAM sbornia (f).

pega /péɣa/ [sf] FAM ostacolo (m).

pegajoso /peɣaxóso/ [adj] **1** appiccicoso **2** FIG FAM sdolcinato.

pegamento /peɣaménto/ [sm] colla (f).

pegar /peɣár/ [v tr] **1** (también FIG, enfermedad) attaccare **2** (con cola) incollare, appiccicare • [v intr] FIG intonarsi, stare bene • [v prnl] **1** picchiarsi • *los niños se están pegando*: i bambini si stanno picchiando **2** incollarsi, appiccicarsi • *las hojas se han pegado*: i fogli si sono appiccicati **3** FIG affezionarsi LOC **no ~ ojo:** non chiudere occhio | **~ un salto:** fare un salto | **~ un susto:** spaventare.

peinado /peináðo/ [sm] pettinatura (f), acconciatura (f).

peinar (-se) /peinár/ [v tr prnl] pettinare (-rsi).

peine /péine/ [sm] pettine.

peineta /peinéta/ [sf] (adorno) pettine (m).

peladilla /pelaðíʎa/ [sf] confetto (m).

pelaje /peláxe/ [sm] manto, mantello.

pelar /pelár/ [v tr] **1** (fruto) pelare, sbucciare **2** (ave) spiumare **3** FIG FAM spennare • [v prnl] spellarsi LOC **hace un frío que pela:** fa un freddo boia | **ser un hueso duro de ~:** essere un osso duro.

peldaño /peldáɲo/ [sm] gradino.

pelea /peléa/ [sf] lite, litigio (m).

pelear /peleár/ [v intr] lottare, combattere • [v prnl] litigare.

peletería /peletería/ [sf] pellicceria.

pelicano /pelikáno/ [sm] pellicano.

película /pelíkula/ [sf] **1** pellicola **2** (de cine, televisión) film (m inv) LOC **~ en color/blanco y negro:** film a colori/in bianco e nero.

peligrar /peliɣrár/ [v intr] essere in pericolo.

peligro /pelíɣro/ [sm] pericolo, rischio LOC **fuera de ~:** fuori pericolo.

peligroso /peliɣróso/ [adj] pericoloso.

pelirrojo /peliřóxo/ [adj] dai capelli rossi.

pellejo /peʎéxo/ [sm] (curtidura, también BOT) pelle (f) LOC **jugarse el ~**: rischiare la pelle.

pellizcar (-se) /peʎiθkár/ [v tr prnl] pizzicare (-rsi).

pellizco /peʎíθko/ [sm] **1** pizzicotto **2** FIG FAM pizzico.

pelma /pélma/ [sm,f] FAM rompiscatole (inv).

pelo /pélo/ [sm] **1** (también FIG) pelo ● *faltó un ~ que me atropellara*: c'è mancato un pelo che mi investisse **2** (de la cabeza) capello **3** FIG capelli (pl) ● *me quiero teñir el ~*: voglio tingermi i capelli LOC **por un ~**: per un pelo | **tomar el ~**: prendere in giro.

pelota /pelóta/ [sf] **1** palla **2** (en pl) FIG FAM palle, coglioni (m) ◆ [sm,f] FIG FAM leccapiedi (m,f inv) LOC **hacer la ~**: leccare, lisciare (adulatore) | **hinchar/tocar las pelotas**: rompere le palle | **por pelotas**: per forza.

peluca /pelúka/ [sf] parrucca.

peludo /pelúðo/ [adj] peloso.

peluquería /pelukería/ [sf] **1** (de hombre) barbiere (m) **2** (de mujer) parrucchiere (m).

peluquero /pelukéro/ [sm] **1** (de hombre) barbiere **2** (de mujer) parrucchiere.

pelvis /pélβis/ [sf inv] pelvi.

pena /péna/ [sf] (también JUR) pena LOC **a duras penas**: a fatica/malapena | **es una ~ que**: è un peccato che | **merecer/valer la ~**: valere la pena | **~ capital/de muerte**: pena capitale/di morte | **¡qué ~!**: che peccato!

penal /penál/ [adj m,f] penale ◆ [sm] penitenziario, carcere.

penalidad /penaliðáð/ [sf] pena, sanzione.

penalti /penálti/ [sm] (fútbol) calcio di rigore.

penar /penár/ [v intr] penare, soffrire.

pendenciero /pendenθjéro/ [adj] litigioso, rissoso.

pender /pendér/ [v intr] pendere.

pendiente /pendjénte/ [adj m,f] pendente, inclinato (m) LOC **~ de algo**: attento a qualcosa ◆ [sf] pendenza, pendio (m) ◆ [sm] orecchino.

pene /péne/ [sm] pene.

penetrante /penetránte/ [adj m,f] (también FIG) penetrante.

penetrar /penetrár/ [v tr] penetrare.

penicilina /peniθilína/ [sf] penicillina.

península /península/ [sf] penisola.

penitencia /peniténθja/ [sf] **1** penitenza **2** FIG castigo (m).

penoso /penóso/ [adj] penoso.

pensamiento /pensamjénto/ [sm] **1** pensiero **2** viola (f) del pensiero LOC **malos pensamientos**: brutti pensieri.

pensar /pensár/ [v tr/intr] (**en**) pensare LOC **pensándolo bien**: pensandoci bene | **sin ~**: senza volere.

pensativo /pensatíβo/ [adj] pensieroso.

pensión /pensjón/ [sf] **1** (también hostal) pensione **2** (de divorciado) alimenti (m pl) LOC **media ~/~**

completa: mezza pensione/pensione completa | ~ **de invalidez**: pensione d'invalidità.

pensionista /pensjonísta/ [sm,f] **1** (jubilado) pensionato (m) **2** (huésped) pensionante.

penúltimo /penúltimo/ [adj] penultimo.

peña /péɲa/ [sf] **1** roccia, masso (m) **2** (de personas) circolo (m).

peñasco /peɲásko/ [sm] macigno (m).

peón /peón/ [sm] **1** manovale **2** AGR bracciante **3** (de ajedrez, dama) pedina (f) LOC ~ **caminero**: operaio stradale.

peonza /peónθa/ [sf] trottola.

peor /peór/ [adj m,f] peggiore ◆ [adv] peggio ● *viste ~ que yo*: veste peggio di me LOC **mucho ~**: molto peggio.

pepino /pepíno/ [sm] cetriolo LOC **importar un ~**: non importare un fico secco.

pepita /pepíta/ [sf] **1** seme (m) **2** (mineral) pepita.

pequeño /pekéɲo/ [adj/sm] piccolo.

pera /péra/ [sf] **1** pera **2** MED peretta.

peral /perál/ [sm] pero.

percance /perkánθe/ [sm] contrattempo.

percatarse /perkatárse/ [v prnl] (**de**) rendersi conto.

perceptible /perθeptíβle/ [adj m,f] percettibile.

percha /pértʃa/ [sf] (de armario) gruccia.

perchero /pertʃéro/ [sm] attaccapanni (inv).

percibir /perθiβír/ [v tr] percepire.

perdedor (-a) /perðeðór/ [adj/sm] perdente (m,f).

perder /perðér/ [v tr] (también FIG) perdere ● *me hizo ~ la paciencia*: mi fece perdere la pazienza ◆ [v prnl] **1** perdersi, smarrirsi **2** FIG distrarsi LOC ~ **la cabeza**: perdere la testa | ~ **peso**: perdere peso | **sin ~ un minuto**: senza perdere un minuto.

pérdida /pérðiða/ [sf] perdita LOC ~ **de gas**: perdita di gas.

perdido /perðíðo/ [adj] perso, perduto LOC **a ratos perdidos**: a tempo perso | **borracho ~**: ubriaco fradicio | **ponerse ~**: sporcarsi.

perdiz /perðíθ/ [sf] pernice.

perdón /perðón/ [sm] perdono LOC ¡~!: scusa! scusi! pardon!

perdonar /perðonár/ [v tr] **1** perdonare **2** FIG (deuda) abbonare **3** FIG (de castigos, obligaciones) dispensare, esimere.

perecer /pereθér/ [v intr] morire.

peregrinación /pereɣrinaθjón/ [sf] pellegrinaggio (m).

peregrino /pereɣríno/ [adj/sm] pellegrino.

perejil /perexíl/ [sm] prezzemolo.

perenne /perénne/ [adj m,f] (también BOT) perenne.

perentorio /perentórjo/ [adj] **1** perentorio **2** urgente (m,f) ● *unos gastos perentorios*: delle spese urgenti.

pereza /peréθa/ [sf] pigrizia LOC **me da ~**: non ne ho voglia.

perezoso /pereθóso/ [adj] pigro.

perfección /perfekθjón/ [sf] perfezione.

perfeccionar (-se) /perfekθjonár/ [v tr prnl] perfezionare (-rsi), migliorare.

perfeccionista /perfekθjonísta/ [adj/ sm,f] perfezionista.

perfecto /perfékto/ [adj] perfetto, eccellente (m,f).

perfil /perfíl/ [sm] profilo.

perfilar (-se) /perfilár/ [v tr prnl] profilare (-rsi).

perforación /perforaθjón/ [sf] (también TECN) perforazione.

perfumar (-se) /perfumár/ [v tr prnl/intr] profumare (-rsi).

perfume /perfúme/ [sm] profumo.

perfumería /perfumería/ [sf] profumeria.

periferia /periférja/ [sf] periferia.

perilla /períʎa/ [sf] barbetta.

perímetro /perímetro/ [sm] perimetro.

periódico /perjóðiko/ [adj] periodico ♦ [sm] giornale, quotidiano.

periodismo /perjoðísmo/ [sm] giornalismo.

periodista /perjoðísta/ [sm,f] giornalista.

periodo /perjóðo/ [sm] periodo.

peritonitis /peritonítis/ [sf inv] peritonite (sing).

perjudicar /perxuðikár/ [v tr] pregiudicare.

perjudicial /perxuðiθjál/ [adj m,f] dannoso (m), nocivo (m).

perjuicio /perxwíθjo/ [sm] (también JUR) danno.

perla /pérla/ [sf] perla LOC **ir algo de perlas**: andare benissimo.

permanecer /permaneθér/ [v intr] rimanere, restare.

permanencia /permanénθja/ [sf] permanenza.

permanente /permanénte/ [adj m,f/sf] permanente.

permisivo /permisíβo/ [adj] permissivo.

permiso /permíso/ [sm] permesso LOC ¡**con ~!**: permesso! | **~ de circulación/conducir**: libretto di circolazione/patente di guida.

permitir /permitír/ [v tr] **1** permettere ● *no me permitió salir*: non mi permise di uscire **2** (aceptar) consentire, accettare ♦ [v prnl] permettersi.

pernoctar /pernoktár/ [v intr] pernottare.

pero /pero/ [conj] ma, però LOC ¡**~!**: allora!

pero /péro/ [sm] ma (inv).

peroné /peroné/ [sm] perone.

perpendicular /perpendikulár/ [adj m,f/sf] perpendicolare.

perpetuo /perpétwo/ [adj] perpetuo.

perplejidad /perplexiðáð/ [sf] perplessità (inv).

perplejo /perpléxo/ [adj] perplesso.

perrera /peṙéra/ [sf] canile (m).

perrito /peṙíto/ [sm] cagnolino LOC **~ caliente**: hot dog.

perro /péṙo/ [sm] (también FIG PEY) cane LOC **~ callejero**: cane randagio | **~ de ayuda/caza**: cane da soccorso/caccia | **~ pastor**: cane da pastore | **tratar como un ~**: trattare come un cane | **vida perra**: vita da cani.

persecución /persekuθjón/ [sf] persecuzione.

perseguir /perseɣír/ [v tr] **1** (seguir) inseguire **2** (molestar) perseguitare.

perseverar /perseβerár/ [v intr] perseverare.

persiana /persjána/ [sf] persiana LOC **~ enrollable**: tapparella.

p

persistente /persisténte/ [adj m,f] persistente.

persistir /persistír/ [v intr] persistere.

persona /persóna/ [sf] persona LOC **buena ~**: brava persona | **en ~**: di/in persona.

personaje /personáxe/ [sm] personaggio.

personal /personál/ [adj m,f/sm] personale.

personalidad /personaliðáð/ [sf] personalità (inv).

personarse /personárse/ [v prnl] presentarsi.

perspectiva /perspektíβa/ [sf] prospettiva.

perspicaz /perspikáθ/ [adj m,f] FIG perspicace.

persuadir (-se) /perswaðír/ [v tr prnl] persuadere (-rsi).

persuasión /perswasjón/ [sf] persuasione.

pertenecer /perteneθér/ [v intr] appartenere.

pertenencia /pertenénθja/ [sf] **1** appartenenza **2** (en pl) beni/oggetti (m) personali.

pértiga /pértiγa/ [sf] DEP asta.

perturbación /perturβaθjón/ [sf] **1** (del tiempo) perturbazione **2** turbamento (m), alterazione.

Perú /perú/ [sm] Perù.

peruano /perwáno/ [adj/sm] peruviano.

Perusa /perúsa/ [sf] Perugia.

perusino /perusíno/ [adj/sm] perugino.

perversión /perβersjón/ [sf] perversione.

perverso /perβérso/ [adj/sm] perverso.

pesa /pésa/ [sf] DEP peso (m).

pesadez /pesaðéθ/ [sf] pesantezza.

pesadilla /pesaðíʎa/ [sf] (también FIG) incubo (m).

pesado /pesáðo/ [adj] **1** (también FIG) pesante (m,f) • *un trabajo ~*: un lavoro pesante **2** FIG (movimiento) lento LOC **¡qué ~ eres!**: come sei noioso!

pesadumbre /pesaðúmbre/ [sf] dispiacere (m).

pésame /pésame/ [sm] condoglianze (f pl) LOC **dar el ~**: fare le condoglianze.

pesar /pesár/ [sm] dispiacere LOC **a ~ de (que)**: malgrado, nonostante ♦ [v intr] **1** (también FIG) pesare • *esto no pesará en mi juicio*: ciò non peserà sul mio giudizio **2** dispiacere • *me pesa habérselo dicho*: mi dispiace di avergielo detto ♦ [v tr] pesare.

pesca /péska/ [sf] pesca LOC **~ costera/submarina/de altura**: pesca costiera/subacquea/d'altura.

pescadería /peskaðería/ [sf] pescheria.

pescadero /peskaðéro/ [sm] pescivendolo.

pescadilla /peskaðíʎa/ [sf] nasello (m).

pescado /peskáðo/ [sm] COC pesce LOC **~ azul/blanco**: pesce azzurro/bianco.

pescador (-a) /peskaðór/ [adj/sm] pescatore (f -trice).

pescar /peskár/ [v tr] pescare.

pesebre /peséβre/ [sm] **1** (de establo) mangiatoia (f) **2** (belén) presepe, presepio.

pesimismo /pesimísmo/ [sm] pessimismo.

pesimista /pesimísta/ [sm,f] pessimista.

pésimo /pésimo/ [sup] pessimo.

peso /péso/ [sm] (también FIG) peso • *el ~ de unas responsabilidades*: il peso delle responsabilità LOC **~ bruto/neto**: peso lordo/netto.

pesquero /peskéro/ [sm] peschereccio.

pesquisa /peskísa/ [sf] indagine, inchiesta.

pestaña /pestáṇa/ [sf] (de los párpados) ciglio* (m).

peste /péste/ [sf] **1** MED peste **2** (mal olor) puzza LOC **decir pestes de alguien**: dire peste e corna di qualcuno.

pétalo /pétalo/ [sm] petalo.

petate /petáte/ [sm] sacca (f) LOC **liar el ~**: fare fagotto.

petición /petiθjón/ [sf] richiesta.

petirrojo /petiróxo/ [sm] pettirosso.

peto /péto/ [sm] salopette (f inv).

petróleo /petróleo/ [sm] petrolio LOC **~ crudo**: petrolio grezzo.

petrolero /petroléro/ [sm] MAR petroliera (f).

petrolífero /petrolífero/ [adj] petrolifero.

peyorativo /peʝoratíβo/ [adj] peggiorativo, spregiativo.

pez /péθ/ [sm] pesce LOC **~ espada**: pesce spada/rosso | **~ gordo**: pezzo grosso.

pezón /peθón/ [sm] capezzolo.

pezuña /peθúṇa/ [sf] ZOOL zoccolo (m).

Piamonte /pjamónte/ [sm] Piemonte.

piamontés (-a) /pjamontés/ [adj/sm] piemontese (m,f).

pianista /pjanísta/ [sm,f] pianista.

piano /pjáno/ [sm] piano, pianoforte.

pibe /píβe/ [sm] *Amer* ragazzo.

picas /píkas/ [sf pl] (de los naipes) picche.

picadillo /pikaðíʎo/ [sm] trito.

picadura /pikaðúra/ [sf] (de insecto) puntura.

picante /pikánte/ [adj m,f/sm] (también FIG) piccante.

picar /pikár/ [v tr] **1** (ave) beccare **2** (insecto) pungere **3** (billetes) forare **4** COC tritare ◆ [v intr] **1** prudere **2** (comida) pizzicare **3** (también FIG) abboccare • *le conté que era extranjero y ella picó*: le raccontai di essere straniero e lei abboccò ◆ [v prnl] **1** FIG offendersi **2** (diente) cariarsi.

picardía /pikarðía/ [sf] FIG astuzia.

pícaro /píkaro/ [adj] FIG **1** (listo) astuto, furbo **2** malizioso • *un ~ comentario*: un commento malizioso **3** (niño) birichino.

picatoste /pikatóste/ [sm] crostino.

pichi /pítʃi/ [sm] scamiciato.

pichón /pitʃón/ [sm] piccione.

picnic /píknik/ [sm inv] picnic.

pico /píko/ [sm] **1** (también de ave) becco **2** (de montaña) picco, cima (f) **3** (herramienta) piccone ◼ **cantidad + y pico**: quantità + e rotti/passa • *tiene treinta años y ~*: ha trent'anni e passa LOC **cerrar el ~**: chiudere il becco | **irse de picos pardos**: andare a fare baldoria.

picor /pikór/ [sm] **1** prurito **2** (ardor) bruciore.

pie /pjé/ [sm] (también de mueble) piede LOC **de pies a cabeza**: da capo a piedi | **estar de ~**: stare/essere in piedi | **quedarse a ~**: rimanere a piedi.

piedad /pjeðáð/ [sf] pietà (inv).

piedra /pjéðra/ [sf] pietra LOC **~ pómez**: pietra pomice | **~ preciosa**: pietra preziosa.

piel /pjél/ [sf] **1** (también curtida) pelle **2** (en pl) pelliccia (sing) LOC **~ de gallina**: pelle d'oca | **~ roja**: pellerossa.

pierna /pjérna/ [sf] **1** gamba **2** ZOOL (también COC) coscia.

pieza /pjéθa/ [sf] **1** (también MUS, TECN) pezzo (m) **2** ARQ stanza, locale (m) LOC **dejar/quedarse de una ~**: lasciare/rimanere di stucco | **dos piezas**: due pezzi, bikini.

pijama /pixáma/ [sm] pigiama.

pila /píla/ [sf] **1** (también batería) pila **2** (en la cocina) lavello (m) LOC **~ bautismal**: fonte battesimale.

pilar /pilár/ [sm] pilastro.

píldora /píldora/ [sf] pillola, pastiglia LOC **~ anticonceptiva**: pillola anticoncezionale.

pillar /piʎár/ [v tr] FAM **1** acchiappare **2** FIG beccare, sorprendere ◆ *los pillaron fumando*: li sorpresero a fumare **3** FIG (entender) capire ◆ [v prnl] **1** (enfermedad) beccare, prendersi **2** schiacciarsi ◆ *pillarse un dedo*: schiacciarsi un dito LOC **~ cerca/lejos**: essere di strada/essere lontano | **~ desprevenido**: cogliere di sorpresa.

pillo /píʎo/ [sm] **1** mascalzone **2** (niño) birbante.

piloto /pilóto/ [adj inv] pilota ◆ [sm] **1** pilota (m,f) **2** TECN spia (f).

pimentón /pimentón/ [sm] paprica (f).

pimienta /pimjénta/ [sf] pepe (m).

pimiento /pimjénto/ [sm] peperone LOC **importar un ~**: non importare un fico secco | **~ morrón**: peperone dolce gigante.

pimpón /pimpón/ [sm] ping-pong (inv).

pinacoteca /pinakotéka/ [sf] pinacoteca.

pináculo /pinákulo/ [sm] pinnacolo, guglia (f).

pinar /pinár/ [sm] pineta (f).

pincel /pinθél/ [sm] pennello.

pincelada /pinθeláða/ [sf] pennellata.

pinchadiscos /pintʃaðískos/ [sm inv] disc-jockey, dee-jay.

pinchar /pintʃár/ [v tr] pungere ◆ [v intr] (neumático) forare, bucare ◆ [v prnl] **1** pungersi **2** FIG FAM (droga) bucarsi.

pinchazo /pintʃáθo/ [sm] **1** puntura (f) **2** (de neumático) foratura (f) **3** FAM (de dolor) fitta (f).

pincho /píntʃo/ [sm] **1** aculeo, spina (f) **2** COC stuzzichino LOC **~ moruno**: spiedino.

pingüino /piŋgwíno/ [sm] pinguino.

pino /píno/ [sm] pino LOC **~ marítimo**: pino marittimo.

pinta /pínta/ [sf] FIG aspetto (m).

pintada /pintáða/ [sf] scritta.

pintar /pintár/ [v tr] **1** dipingere **2** (con barniz) verniciare, pitturare ◆ [v prnl] truccarsi.

pintor (-a) /pintór/ [sm] **1** (artista) pittore (f -trice) **2** (artesano) imbianchino.

pintoresco /pintorésko/ [adj] pittoresco.

pintura /pintúra/ [sf] **1** pittura **2** (obra) dipinto (m) LOC ~ al fresco: affresco.

pinza /pínθa/ [sf] **1** (también ICT) pinza **2** (en pl) pinzette.

piña /pípa/ [sf] **1** (del pino) pigna **2** (fruta) ananas (m inv).

piñón /pipón/ [sm] pinolo.

piojo /pjóxo/ [sm] pidocchio.

pipa /pípa/ [sf] **1** pipa **2** (de fruto) seme (m).

piragua /piráɣwa/ [sf] piroga.

piraña /pirápa/ [sf] piranha (m inv).

pirámide /pirámiðe/ [sf] piramide.

pirata /piráta/ [adj inv/sm] pirata.

piropo /pirópo/ [sm] complimento.

pis /pís/ [sm] FAM pipì (f inv).

pisada /pisáða/ [sf] **1** impronta, orma **2** (ruido) passo (m).

pisar /pisár/ [v tr] **1** pestare **2** (también FIG) calpestare • *no te dejes ~ por él*: non farti calpestare da lui.

piscina /pisθína/ [sf] piscina.

Piscis /písθis/ [sm pl] (zodíaco) Pesci.

piso /píso/ [sm] **1** pavimento **2** (también de edificio) piano **3** appartamento • *se alquilan pisos*: si affittano appartamenti.

pista /písta/ [sf] (también FIG) pista • *te voy a dar una ~ a ver si aciertas*: ti darò una pista per fartici arrivare LOC ~ de aterrizaje/despegue: pista di atterraggio/decollo.

pistacho /pistátʃo/ [sm] pistacchio.

pisto /písto/ [sm] (sólo en la locución) LOC darse ~: darsi delle arie.

pistola /pistóla/ [sf] pistola.

pistón /pistón/ [sm] pistone.

pitar /pitár/ [v intr] fischiare.

pitido /pitíðo/ [sm] **1** fischio **2** (zumbido) ronzio.

pitillo /pitíʎo/ [sm] sigaretta (f).

pito /píto/ [sm] **1** fischietto **2** (vehículo) clacson (inv).

pitón /pitón/ [sm] pitone.

pizarra /piθáɾa/ [sf] lavagna.

pizca /píθka/ [sf] FAM pizzico (m) LOC ni ~: neanche un briciolo.

pizzería /pitsería/ [sf] pizzeria.

placa /pláka/ [sf] **1** placca, piastra **2** (también de vehículo) targa.

placentero /plaθentéro/ [adj] piacevole (m,f).

placer /plaθér/ [sm] piacere.

plácido /pláθiðo/ [adj] placido, pacifico.

plaga /pláɣa/ [sf] (también FIG) piaga.

plagio /pláxjo/ [sm] plagio.

plan /plán/ [sm] **1** (también FIG) piano, progetto **2** FAM programma, idea (f).

plana /plána/ [sf] **1** facciata, pagina **2** GEOG piana.

plancha /plántʃa/ [sf] **1** lastra **2** (electrodoméstico) ferro (m) da stiro **3** COC piastra.

planchar /plantʃár/ [v tr] stirare.

planeador /planeaðór/ [sm] aliante.

planear /planeár/ [v tr] pianificare, programmare ◆ [v intr] planare.

planeta /planéta/ [sm] pianeta.

plano /pláno/ [adj] piano, piatto ◆ [sm] **1** (también MUS) piano **2** pianta (f), mappa (f) • *un ~ de la ciudad*: una pianta della città LOC de ~: completamente | primer ~: primo piano,

planta /plánta/ [sf] **1** (también ANAT) pianta **2** (de edificio) piano (m) **3**

TECN impianto (m) LOC ~ **baja**: pianterreno, piano terra.

plantación /plantaθjón/ [sf] piantagione.

plantar /plantár/ [v tr] piantare ♦ [v prnl] impuntarsi, ostinarsi.

plantear /planteár/ [v tr] (una cuestión) esporre, illustrare LOC ~ **una pregunta/un problema**: porre una domanda/un problema.

plantilla /plantíʎa/ [sf] 1 (de zapato) soletta 2 (de empresa) organico (m) 3 DEP squadra.

plasma /plásma/ [sm] plasma.

plasmar /plasmár/ [v tr] (también FIG) plasmare.

plasta /plásta/ [adj m,f] FAM palloso (m), rompiscatole (inv).

plástico /plástiko/ [sm] 1 plastica (f) 2 (explosivo) plastico.

plastificado /plastifikáðo/ [adj] plastificato.

plata /pláta/ [sf] 1 argento (m) 2 Amer soldi (m pl), denaro (m).

plataforma /platafórma/ [sf] piattaforma.

plátano /plátano/ [sm] 1 platano 2 (árbol frutero) banano 3 (fruto) banana (f).

platea /platéa/ [sf] platea.

plateresco /platerésko/ [sm] ARQ (s. XVI) stile che fonde elementi rinascimentali italiani, gotici e arabi spagnoli.

platería /platería/ [sf] argenteria.

platillo /platíʎo/ [sm] 1 piattino 2 MUS (también de balanza) piatto LOC ~ **volante**: disco volante.

platino /platíno/ [sm] platino.

plato /pláto/ [sm] (también COC) piatto LOC ~ **combinado/fuerte**: piatto unico/forte | ~ **hondo/llano**: fondina/piatto piano.

plató /plató/ [sm] (de cine, televisión) set (inv).

plausible /plausíβle/ [adj m,f] plausibile.

playa /pláʝa/ [sf] 1 spiaggia, lido (m) 2 Amer area, piazzale (m).

plaza /pláθa/ [sf] 1 (también COM) piazza 2 FIG posto (m) LOC **cama de una ~/dos plazas**: letto a una piazza/a due piazze | ~ **de aparcamiento**: posto macchina | ~ **de toros**: arena.

plazo /pláθo/ [sm] 1 termine, scadenza (f) 2 COM rata (f) LOC **a corto/medio/largo ~**: a breve/medio/lungo termine | **a plazos**: a rate.

pleamar /pleamár/ [sf] alta marea.

plegable /pleɣáβle/ [adj m,f] pieghevole.

plegar (-se) /pleɣár/ [v tr prnl] piegare (-rsi).

pleito /pléito/ [sm] JUR causa (f).

pleno /pléno/ [adj] pieno ■ **en pleno** + sust in pieno + sost • *en ~ día*: in pieno giorno LOC **en ~**: intero, per intero.

pliegue /pljéɣe/ [sm] piega (f).

plomo /plómo/ [sm] piombo.

pluma /plúma/ [sf] 1 (también para escribir) penna 2 piuma • *liviano como una ~*: leggero come una piuma LOC ~ **estilográfica**: penna stilografica.

plumífero /plumífero/ [sm] INDUM piumino.

plural /plurál/ [sm] plurale.

pluriempleo /plurjempléo/ [sm] doppio lavoro.

plus /plús/ [sm] gratifica (f).

plusmarca /plusmárka/ [sf] primato (m), record (m inv).

Plutón /plutón/ [sm] Plutone.

población /poβlaθjón/ [sf] **1** popolazione **2** (lugar) insediamento (m) urbano.

poblar (-se) /poβlár/ [v tr prnl/intr] popolare (-rsi).

pobre /póβre/ [adj/sm,f] povero (m) LOC ¡~ **de ti!**: guai a te!

pobreza /poβréθa/ [sf] povertà (inv).

pocilga /poθílγa/ [sf] (también FIG) porcile (m).

poción /poθjón/ [sf] pozione.

poco /póko/ [adj/adv/sm] poco ■ **a poco de** + inf subito dopo (che) + pp, appena + pp • *a ~ de llegar, llamó*: chiamò appena arrivato LOC **dentro de ~**: tra poco | **hace ~**: poco fa | **por ~**: per poco, quasi | **un ~**: un po'.

podar /poðár/ [v tr] potare.

poder /poðér/ [sm] potere ◆ [v tr] **1** potere **2** (ganar) essere più forte, superare ◆ [v imp] essere probabile/possibile LOC **a más no ~**: a più non posso | **no ~ más**: non farcela/poterne più | **no ~ ver**: non poter vedere/sopportare | **~ con algo**: farcela | **¿se puede?**: si può?, posso entrare?

poderoso /poðeróso/ [adj/sm] potente (m,f).

podio /póðjo/ [sm] podio.

podrido /poðríðo/ [adj] **1** putrido, marcio **2** FIG corrotto.

poema /poéma/ [sm] poesia (f).

poesía /poesía/ [sf] (arte) poesia.

poeta /poéta/ [sm] poeta.

poetisa /poetísa/ [sf] poetessa.

polar /polár/ [adj m,f] polare LOC **círculo/estrella ~**: circolo/stella polare.

polémica /polémika/ [sf] polemica.

polen /pólen/ [sm] polline.

poleo /poléo/ [sm] menta (f).

policía /poliθía/ [sf] polizia LOC **~ de tráfico/~ urbana**: polizia stradale/municipale ◆ [sm,f] (persona) poliziotto (m).

policiaco /poliθjáko/ [adj] poliziesco LOC **novela/película policiaca**: romanzo/film giallo.

poliestireno /poljestiréno/ [sm] polistirolo.

polilla /políʎa/ [sf] tarma.

pólipo /pólipo/ [sm] (también MED) polipo.

política /polítika/ [sf] politica.

político /polítiko/ [adj/sm] politico.

póliza /póliθa/ [sf] polizza LOC **~ de seguros**: polizza di assicurazione.

pollo /póʎo/ [sm] pollo.

polluelo /poʎwélo/ [sm] pulcino.

polo /pólo/ [sm] **1** (también DEP) polo **2** (helado) ghiacciolo **3** INDUM polo (f inv) LOC **~ norte/sur**: polo nord/sud.

polvo /pólβo/ [sm] **1** polvere (f) **2** (en pl) cipria (f sing) LOC **echar un ~**: scopare, farsi una scopata | **en ~**: in polvere | **estar hecho ~**: essere distrutto/a pezzi | **polvos de talco**: borotalco.

polvoriento /polβorjénto/ [adj] polveroso.

pomada /pomáða/ [sf] pomata.

pomelo /pomélo/ [sm] pompelmo.

pómez /pómeθ/ [sf] pomice.

pómulo /pómulo/ [sm] zigomo.

p

poner /ponér/ [v tr] **1** mettere **2** (a) (apostar) scommettere ◆ [v intr] (ave) deporre le uova ◆ [v prnl] **1** mettersi **2** (sol, luna) tramontare ■ **poner de + adj/sust** far diventare/mettere di + agg/sost • *la pelea lo puso de mal humor*: il litigio l'-ha messo di cattivo umore ■ **ponerse + adj** diventare + agg • *ponerse viejo*: diventare vecchio LOC **~ en escena**: mettere in scena | **~ la radio/tele**: accendere la radio/tele | **ponerse al aparato**: rispondere al telefono | **ponerse malo/bueno**: sentirsi male/guarire | **~ una película**: trasmettere un film.

poni /póni/ [sm] pony (inv).

poniente /ponjénte/ [sm] ponente, ovest.

pontífice /pontífiθe/ [sm] pontefice.

popa /pópa/ [sf] MAR poppa.

popular /populár/ [adj m,f] popolare.

popularidad /populariðáð/ [sf] popolarità (inv), fama.

póquer /póker/ [sm] poker (inv).

por /por/ [prep] **1** (también matemáticas) per • *ir ~ la calle*: camminare per strada | *lo he hecho ~ ti*: l'ho fatto per te | *mandar ~ correo*: spedire per posta | *vine en coche ~ no tardar*: sono venuto in auto per fare presto **2** da • *orquesta dirigida por*: orchestra diretta da ■ **estar por** stare per • *estoy ~ salir*: sto per uscire ■ **ir por** andare a cercare/prendere • *ir ~ cerillas*: andare a prendere i fiammiferi ■ **por + inf** da + inf • *queda esto ~ hacer*: questo rimane da fare LOC **~ ahora**: per ora | **~ cierto**: a proposito | **¡~ fin!**: finalmente! | **~ la mañana/tarde/noche**: di mattina/sera/notte | **~ más/mucho que**: per quanto, anche se | **~ medio de algo/alguien**: per mezzo di qualcosa/qualcuno | **~ mí**: per me | **¿~ qué?**: perché?

porcelana /porθelána/ [sf] porcellana.

porcentaje /porθentáxe/ [sm] percentuale (f).

porción /porθjón/ [sf] porzione.

porfiar /porfjár/ [v intr] (en) impuntarsi, ostinarsi.

pórfido /pórfiðo/ [sm] porfido.

pormenor /pormenór/ [sm] particolare, dettaglio.

porno /pórno/ [adj inv] porno.

pornografía /pornoɣrafía/ [sf] pornografia.

poro /póro/ [sm] ANAT poro.

porque /porke/ [conj] perché.

porqué /porké/ [sm] perché (inv), causa (f).

porquería /porkería/ [sf] porcheria.

porro /póřo/ [sm] JERG spinello.

portada /portáða/ [sf] **1** ARQ facciata **2** (de libro, periódico) copertina.

portador (-a) /portaðór/ [sm] portatore (f -trice) LOC **cheque al ~**: assegno al portatore.

portaequipaje /portaekipáxe/ [sm] portabagagli (inv).

portal /portál/ [sm] androne, atrio.

portarse /portárse/ [v prnl] agire, comportarsi LOC **~ bien/mal**: comportarsi bene/male.

portátil /portátil/ [adj m,f/sm] portatile.

portavoz /portaβóθ/ [sm,f] portavoce (inv).

porte /pórte/ [sm] **1** (también pl) COM trasporto **2** portamento, aspetto.

portería /portería/ [sf] **1** portineria **2** DEP porta.

portero /portéro/ [sm] **1** portinaio, custode (m,f) **2** DEP portiere LOC ~ **automático**: citofono | ~ **de noche**: portiere di notte.

pórtico /pórtiko/ [sm] portico, loggia (f).

Portugal /portuɣál/ [sm] Portogallo.

portugués (-a) /portuɣés/ [adj/sm] portoghese (m,f).

porvenir /porβenír/ [sm] avvenire, futuro.

posar (-se) /posár/ [v tr prnl/intr] posare (-rsi).

poseer /poséer/ [v tr] possedere.

posesión /posesjón/ [sf] **1** possesso (m) **2** proprietà (inv), bene (m) • *he vendido unas posesiones*: ho venduto delle proprietà.

posibilidad /posiβiliðáð/ [sf] possibilità (inv).

posible /posíβle/ [adj m,f] possibile LOC **hacer** ~: rendere possibile | **¡será** ~!: ma dico!, ma è mai possibile!

posición /posiθjón/ [sf] posizione.

positivo /positíβo/ [adj] positivo.

posponer /pospóner/ [v tr] **1** posporre **2** (aplazar) posticipare, rimandare.

postal /postál/ [adj m,f] postale LOC **código** ~: codice d'avviamento postale ◆ [sf] cartolina.

poste /póste/ [sm] (también DEP) palo.

póster /póster/ [sm] poster (inv), manifesto ▪ pl irr **pósters**.

posterior /posterjór/ [adj m,f] posteriore.

postigo /postíɣo/ [sm] (de ventana) imposta (f).

postizo /postíθo/ [adj] posticcio.

postración /postraθjón/ [sf] **1** prostrazione **2** (física) spossatezza, debolezza.

postre /póstre/ [sm] dolce, dessert (inv).

potable /potáβle/ [adj m,f] potabile.

potaje /potáxe/ [sm] minestrone.

potencia /poténθja/ [sf] potenza.

potente /poténte/ [adj m,f] potente.

potito /potíto/ [sm] omogeneizzato.

potro /pótro/ [sm] puledro.

pozo /póθo/ [sm] pozzo.

práctica /práktika/ [sf] **1** pratica **2** (en pl) tirocinio (m sing) LOC **poner en** ~: mettere in pratica.

practicable /praktikáβle/ [adj m,f] praticabile.

practicante /praktikánte/ [sm,f] MED assistente ospedaliero.

practicar /praktikár/ [v tr] **1** praticare **2** (profesional) fare il tirocinio ◆ [v intr] esercitarsi.

práctico /práktiko/ [adj] pratico.

pradera /praðéra/ [sf] prateria.

prado /práðo/ [sm] prato.

preaviso /preaβíso/ [sm] preavviso.

precario /prekárjo/ [adj] precario.

precaución /prekauθjón/ [sf] precauzione LOC **adoptar precauciones**: prendere provvedimenti.

precaver /prekaβér/ [v tr] (de riesgos, peligros) prevenire ◆ [prnl] (**contra/de**) premunirsi.

precavido /prekaβíðo/ [adj] prudente (m,f).

precedencia /preθeðénθja/ [sf] precedenza LOC **tener ~**: avere la precedenza.

precedente /preθeðénte/ [sm] precedente.

preceder /preθeðér/ [v tr/intr] precedere.

preciado /preθjáðo/ [adj] pregiato, prezioso.

preciarse /preθjárse/ [v prnl] **(de)** vantarsi.

precio /préθjo/ [sm] (también FIG) prezzo • *el ~ de la celebridad*: il prezzo della celebrità LOC **no tener ~**: non avere prezzo | **~ asequible**: prezzo accessibile | **~ fijo**: prezzo fisso.

precioso /preθjóso/ [adj] **1** (también FIG) prezioso • *una ayuda preciosa*: un aiuto prezioso **2** FIG (hermoso) bellissimo, meraviglioso.

precipicio /preθipíθjo/ [sm] burrone, precipizio.

precipitación /preθipitaθjón/ [sf] precipitazione, fretta LOC **~ atmosférica**: precipitazione atmosferica.

precipitarse /preθipitárse/ [v prnl] **1 (desde/por)** cadere giù, precipitare **2** (apresurarse) affrettarsi.

precisar /preθisár/ [v tr] precisare ◆ [v intr] **(de)** avere bisogno, occorrere.

precisión /preθisjón/ [sf] precisione.

preciso /preθíso/ [adj] preciso LOC **es ~ que**: bisogna che, è necessario che.

precoz /prekóθ/ [adj m,f] precoce.

predador (-a) /preðaðór/ [adj] ZOOL predatore (f -trice).

predecesor (-a) /preðeθesór/ [sm] predecessore.

predecir /preðeθír/ [v tr] predire, pronosticare.

prédica /préðika/ [sf] predica.

predilección /preðilekθjón/ [sf] predilezione.

predisponer (-se) /preðisponér/ [v tr prnl] predisporre (-rsi).

predisposición /preðisposiθjón/ [sf] predisposizione.

predominio /preðomínjo/ [sm] predominio.

preescolar /preeskolár/ [adj m,f] prescolare.

prefabricado /prefaβrikáðo/ [adj/sm] prefabbricato.

prefacio /prefáθjo/ [sm] prefazione (f).

preferencia /preferénθja/ [sf] preferenza LOC **mostrar/tener ~ por algo/alguien**: dimostrare predilezione per qualcosa/qualcuno.

preferir /preferír/ [v tr] preferire.

prefijar /prefixár/ [v tr] prestabilire.

prefijo /prefíxo/ [sm] (también del teléfono) prefisso.

pregonar /preɣonár/ [v tr] **1** (cualidades) lodare, elogiare **2** (noticias, secretos) divulgare.

pregunta /preɣúnta/ [sf] domanda.

preguntar (-se) /preɣuntár/ [v tr prnl] domandare (-rsi), chiedere (-rsi) LOC **~ por algo**: informarsi su qualcosa | **~ por alguien**: chiedere di qualcuno.

prehistoria /preistórja/ [sf] preistoria.

prejuicio /prexwíθjo/ [sm] pregiudizio.

premamá /premamá/ [adj m,f inv] pre-maman.

prematuro /prematúro/ [adj] prematuro.

premiar /premjár/ [v tr] premiare.

premio /prémjo/ [sm] premio LOC ~ **gordo**: primo premio della lotteria di Natale (Spagna).

premisa /premísa/ [sf] premessa.

prenda /prénda/ [sf] **1** INDUM capo (m) **2** pegno (m).

prendedor /prendeðór/ [sm] spilla (f), fermaglio.

prender /prendér/ [v tr] **1** prendere **2** (poner, coser) attaccare, applicare **3** (sujetar) fermare ♦ [v intr] (fuego, lumbre) prendere LOC ~ **fuego a algo**: dare fuoco a qualcosa.

prensa /prénsa/ [sf] **1** (taller) stamperia, tipografia **2** stampa, giornali (m pl) LOC ~ **amarilla/del corazón**: stampa scandalistica/rosa | **tener buena/mala ~**: avere buona/cattiva fama.

prensar /prensár/ [v tr] pressare, torchiare.

preñez /preɲéθ/ [sf] gravidanza.

preocupación /preokupaθjón/ [sf] preoccupazione.

preocupar (-se) /preokupár/ [v tr prnl] (**de/por**) preoccupare (-rsi).

preparación /preparaθjón/ [sf] preparazione.

preparar (-se) /preparár/ [v tr prnl] preparare (-rsi).

preparativos /preparatíβos/ [sm pl] preparativi.

prepotencia /prepoténθja/ [sf] prepotenza.

prepotente /prepoténte/ [adj/sm,f] prepotente.

presa /présa/ [sf] **1** preda **2** (obra de contención) diga LOC **hacer ~**: fare presa.

présbita /présβita/ [adj/sm,f] presbite.

prescindir /presθindír/ [v intr] (**de**) prescindere.

prescribir /preskriβír/ [v tr] (también MED) prescrivere.

presencia /presénθja/ [sf] **1** presenza **2** FIG aspetto (m) LOC **en ~ de alguien**: in/alla presenza di qualcuno.

presentación /presentaθjón/ [sf] presentazione.

presentador (-a) /presentaðór/ [sm] (de radio, televisión) presentatore (sust, f -trice).

presentar (-se) /presentár/ [v tr prnl] presentare (-rsi).

presente /presénte/ [sm] (también regalo) presente.

presentimiento /presentimjénto/ [sm] presentimento.

preservar (-se) /preserβár/ [v tr prnl] preservare (-rsi).

preservativo /preserβatíβo/ [sm] preservativo, profilattico.

presidencia /presiðénθja/ [sf] presidenza.

presidente /presiðénte/ [sm] presidente.

presión /presjón/ [sf] (también FIG) pressione LOC **hacer ~**: fare pressione, sollecitare | ~ **atmosférica/sanguínea**: pressione atmosferica/sanguigna.

presionar /presjonár/ [v tr] (también FIG) fare pressione.

preso /préso/ [adj/sm] carcerato, detenuto.

prestación /prestaθjón/ [sf] prestazione LOC ~ **social sostitutoria**: servizio civile.

prestamista /prestamísta/ [sm,f] usuraio (m).

préstamo /préstamo/ [sm] prestito.

prestar (-se) /prestár/ [v tr prnl] (también FIG) prestare (-rsi) • *me prestó su ayuda*: mi prestò il suo aiuto.

prestigio /prestíxjo/ [sm] prestigio.

presumido /presumído/ [adj/sm] presuntuoso.

presumir /presumír/ [v tr] presumere, supporre ♦ [v intr] (**de**) vantarsi, darsi arie.

presunción /presunθjón/ [sf] presunzione.

presuponer /presuponér/ [v tr] presupporre.

presupuesto /presupwésto/ [sm] **1** presupposto, condizione (f) **2** COM preventivo.

presuroso /presuróso/ [adj] rapido, veloce (m,f).

pretender /pretendér/ [v tr] **1** pretendere • *pretende haberlo hecho él*: pretende di averlo fatto lui **2** intendere, volere • *pretendo acabar para mañana*: intendo finire entro domani.

pretensión /pretensjón/ [sf] pretesa.

pretexto /pretésto/ [sm] pretesto, scusa (f).

prevalecer /preβaleθér/ [v intr] (**entre/sobre**) prevalere.

prevención /preβenθjón/ [sf] prevenzione LOC **mirar con ~**: guardare con sospetto.

prevenir /preβenír/ [v tr] **1** prevenire **2** (**de/sobre**) avvisare, avvertire ♦ [v prnl] (**contra/de**) premunirsi.

preventivo /preβentíβo/ [adj] preventivo.

prever /preβér/ [v tr] prevedere.

previsible /preβisíβle/ [adj m,f] prevedibile.

previsión /preβisjón/ [sf] previsione LOC **en ~ de algo**: in previsione di qualcosa.

prima /príma/ [sf] (también de seguros) premio (m).

primacía /primaθía/ [sf] priorità (inv).

primaria /primárja/ [adj/sf] (escuela) elementare (adj m,f).

primario /primárjo/ [adj] primario.

primavera /primaβéra/ [sf] primavera.

primaveral /primaβerál/ [adj m,f] primaverile.

primera /priméra/ [adj/sf] (de vehículo) prima.

primero /priméro/ [adv] **1** prima, innanzitutto **2** (*más bien*) piuttosto.

primicia /primíθja/ [sf] primizia.

primitivo /primitíβo/ [adj] primitivo.

primo /prímo/ [sm] **1** (*pariente*) cugino **2** FAM scemo, tonto.

primor /primór/ [sm] accuratezza (f) LOC **ser un ~**: essere un amore/una bellezza.

prímula /prímula/ [sf] primula.

princesa /prinθésa/ [sf] principessa.

principal /prinθipál/ [adj m,f] principale.

príncipe /prínθipe/ [sm] principe.

principiante /prinθipjánte/ [adj/sm] principiante (m,f).

principio /prinθípjo/ [sm] principio LOC **al ~**: all'inizio | **en ~**: in linea di massima | **a principios de mes**: agli inizi del mese.

pringar /priŋgár/ [v tr] **1** ungere **2** FIG FAM (comprometer) invischiare **3** JERG farsi il mazzo ◆ [v prnl] (**con/de**) macchiarsi, sporcarsi.

pringoso /priŋgóso/ [adj] appiccicoso.

prioridad /prjoriδáδ/ [sf] priorità (inv), precedenza LOC **~ de paso**: diritto di precedenza.

prisa /prísa/ [sf] fretta LOC **meter ~**: fare fretta | **darse ~**: affrettarsi | **tener ~**: avere fretta.

prisión /prisjón/ [sf] prigione, carcere (m).

prisionero /prisjonéro/ [sm] prigioniero.

prismáticos /prismátikos/ [sm pl] binocolo (sing).

privacidad /priβaθiδáδ/ [sf] intimità (inv), privacy (inv).

privación /priβaθjón/ [sf] **1** privazione **2** (en pl) ristrettezze.

privado /priβáδo/ [adj] privato, personale (m,f) LOC **vida privada**: privacy, vita privata ◆ [sm] favorito.

privar (-se) /priβár/ [v tr prnl] (**de**) privare (-rsi) LOC **privarse por algo/alguien**: andare pazzo per qualcosa/qualcuno.

privatizar /priβatiθár/ [v tr] privatizzare.

privilegiado /priβilexjáδo/ [adj/sm] privilegiato.

privilegiar /priβilexjár/ [v tr] privilegiare.

privilegio /priβiléxjo/ [sm] privilegio.

pro /pro/ [prep] pro LOC **en ~ de algo/alguien**: in favore di qualcosa/qualcuno.

pro /pró/ [sm] pro (inv) LOC **el ~ y el contra**: il pro e il contro.

proa /próa/ [sf] prua.

probabilidad /proβaβiliδáδ/ [sf] probabilità (inv).

probable /proβáβle/ [adj m,f] probabile, possibile.

probador /proβaδór/ [sm] (de tienda) camerino.

probar /proβár/ [v tr] **1** provare **2** (alimento) assaggiare ◆ [v prnl] provarsi, misurarsi LOC **no ~ bocado**: non toccare cibo.

problema /proβléma/ [sm] problema.

probóscide /proβósθiδe/ [sf] proboscide.

procedencia /proθeδénθja/ [sf] provenienza.

proceder /proθeδér/ [v intr] **1** derivare **2** (de lugares, descendencias) provenire **3** FIG (obrar) comportarsi, agire.

procedimiento /proθeδimjénto/ [sm] procedimento.

procesado /proθesáδo/ [sm] imputato.

procesador /proθesaδór/ [sm] elaboratore.

procesar /proθesár/ [v tr] (**por**) processare.

procesión /proθesjón/ [sf] processione.

proceso /proθéso/ [sm] (también JUR) processo.

proclamación /proklamaθjón/ [sf] proclamazione.

proclamar (-se) /proklamár/ [v tr prnl] proclamare (-rsi).

p

procurar /prokurár/ [v tr] **1** (conseguir) procurare **2** (intentar) cercare, provare ◆ [v prnl] procurarsi.

prodigio /proðíxjo/ [sm] prodigio.

producción /proðukθjón/ [sf] (también de espectáculos) produzione.

producir /proðuθír/ [v tr] produrre ◆ [v prnl] accadere, avvenire.

producto /proðúkto/ [sm] **1** prodotto **2** COM utile, profitto LOC **productos alimenticios**: generi alimentari.

productor /proðuktór/ [sm] (de espectáculos) produttore.

profanar /profanár/ [v tr] profanare.

profecía /profeθía/ [sf] profezia.

profesión /profesjón/ [sf] professione, attività (inv) LOC ~ **liberal**: libera professione.

profesional /profesjonál/ [adj m,f] professionale ◆ [sm,f] professionista.

profesor (-a) /profesór/ [sm] professore (f -essa).

profeta /proféta/ [sm] profeta.

profiláctico /profiláktiko/ [sm] profilattico, preservativo.

prófugo /prófuγo/ [adj/sm] **1** latitante (m,f) **2** (del servicio militar) disertore.

profundidad /profundiðáð/ [sf] (también FIG) profondità (inv).

profundizar /profundiθár/ [v intr] FIG (**en**) approfondire.

profundo /profúndo/ [adj] (también FIG) profondo ● *una profunda admiración*: una profonda ammirazione.

programa /proγráma/ [sm] programma.

programar /proγramár/ [v tr] programmare.

progresar /proγresár/ [v intr] progredire.

progreso /proγréso/ [sm] progresso (f).

prohibición /proiβiθjón/ [sf] proibizione, divieto (m).

prohibir /proiβír/ [v tr] proibire, vietare, interdire LOC **prohibido adelantar/aparcar**: divieto di sorpasso/sosta | **prohibido fumar**: vietato fumare.

proletario /proletárjo/ [adj/sm] proletario.

prólogo /próloγo/ [sm] prologo.

prolongación /prolonγaθjón/ [sf] prolungamento (m).

prolongar (-se) /prolonγár/ [v tr prnl] prolungare (-rsi).

promedio /proméðjo/ [sm] media (f).

promesa /promésa/ [sf] promessa LOC **cumplir una ~/faltar a una ~**: mantenere/non mantenere una promessa.

prometer /prometér/ [v tr] **1** promettere **2** FAM assicurare, garantire ● *te prometo que es cierto*: ti garantisco che è vero ◆ [v intr] promettere, essere promettente.

promiscuo /promískwo/ [adj] promiscuo.

promoción /promoθjón/ [sf] **1** (también COM) promozione **2** (año) classe, generazione.

promocionar /promoθjonár/ [v tr] promuovere.

promontorio /promontórjo/ [sm] promontorio.

promover /promoβér/ [v tr] **1** promuovere **2** (causar) provocare.

pronóstico /pronóstiko/ [sm] **1** pronostico **2** MED prognosi (f inv) LOC ~ **reservado**: prognosi riservata.

prontitud /prontitúð/ [sf] prontezza, sollecitudine.

pronto /prónto/ [adj] pronto, immediato ◆ [adv] presto ● *hazlo* ~: fai presto LOC **de** ~: all'improvviso | **por de/lo** ~: per il momento | **tan ~ como**: appena ◆ [sm] scatto.

pronunciación /pronunθjaθjón/ [sf] pronuncia.

pronunciar /pronunθjár/ [v tr] pronunciare.

propagar /propaɣár/ [v tr prnl] propagare (-rsi), diffondere (-rsi).

propasarse /propasárse/ [v prnl] **1** eccedere, esagerare **2** (con una mujer) prendersi delle libertà.

propensión /propensjón/ [sf] propensione.

propiedad /propjeðáð/ [sf] proprietà (inv) LOC ~ **particular/privada**: proprietà privata.

propietario /propjetárjo/ [sm] proprietario.

propina /propína/ [sf] mancia LOC **dar la** ~: dare la mancia.

propio /própjo/ [adj] **1** proprio, suo* ● *Marta tiene coche* ~: Marta ha un'auto sua **2** (mismo) stesso, in persona.

proponer (-se) /proponér/ [v tr prnl] proporre (-rsi).

proporción /proporθjón/ [sf] proporzione.

proporcionar /proporθjonár/ [v tr] dare, fornire.

proposición /proposiθjón/ [sf] proposta.

propósito /propósito/ [sm] proposito, intenzione (f) LOC **a** ~ **de algo/alguien**: a proposito di qualcosa/qualcuno | **hacer algo a** ~: fare apposta/di proposito.

propuesta /propwésta/ [sf] proposta, suggerimento (m).

prórroga /próroɣa/ [sf] **1** proroga **2** DEP tempi (m pl) supplementari.

prosa /prósa/ [sf] prosa.

prospecto /prospékto/ [sm] prospetto, opuscolo.

prosperar /prosperár/ [v intr] progredire, migliorare.

próstata /próstata/ [sf] prostata.

prostituir (-se) /prostitwír/ [v tr prnl] prostituire (-rsi).

prostituta /prostitúta/ [sf] prostituta.

protagonista /protaɣonísta/ [sm,f] protagonista.

protección /protekθjón/ [sf] protezione, aiuto (m).

protector (-a) /protektór/ [adj] protettivo ◆ [sm] **1** protettore (f -trice) **2** DEP protezione (f).

protege-eslip /protéxeeslíp/ [sm] salvaslip (inv).

proteger /protexér/ [v tr] proteggere.

proteína /proteína/ [sf] proteina.

protésico /protésiko/ [sm] (persona) odontotecnico.

prótesis /prótesis/ [sf inv] protesi LOC ~ **dental**: protesi dentaria.

protesta /prótesta/ [sf] protesta.

protestante /protestánte/ [adj/sm,f] protestante.

protestantismo /protestantísmo/ [sm] protestantesimo.

protestar /protestár/ [v intr] (**contra/por**) protestare.

p

prototipo /prototípo/ [sm] prototipo.

provecho /proβétʃo/ [sm] **1** profitto, beneficio **2** COM utile LOC ¡buen ~!: buon appetito! | en ~ de algo/alguien: a beneficio di qualcosa/qualcuno.

proveedor (-a) /proβeeðór/ [sm] COM fornitore (f -trice).

proveer /proβeér/ [v intr] provvedere ♦ [v prnl] (de) rifornirsi, munirsi.

provenir /proβenír/ [v intr] provenire, venire.

providencia /proβiðénθja/ [sf] JUR provvedimento (m).

provincia /proβínθja/ [sf] provincia.

provincial /proβinθjál/ [adj m,f] provinciale.

provinciano /proβinθjáno/ [adj] FIG PEY provinciale (m,f), arretrato.

provisión /proβisjón/ [sf] provvista.

provisional /proβisjonál/ [adj m,f] provvisorio (m).

provocación /proβokaθjón/ [sf] provocazione.

provocar /proβokár/ [v tr] provocare.

provocativo /proβokatíβo/ [adj] provocante (m,f).

próximo /próksimo/ [adj] **1** (lugar) vicino **2** (tiempo) prossimo, venturo.

proyección /projekθjón/ [sf] proiezione LOC ~ cinematográfica: proiezione cinematografica.

proyectar /projektár/ [v tr] **1** (imágenes) proiettare **2** (planear) progettare.

proyectil /projektíl/ [sm] proiettile.

proyecto /projékto/ [sm] progetto LOC ~ de ley: disegno di legge | tener en ~: avere in programma.

proyector /projektór/ [sm] proiettore.

prudencia /pruðénθja/ [sf] prudenza.

prudente /pruðénte/ [adj m,f] prudente.

prueba /prwéβa/ [sf] **1** (también DEP JUR) prova **2** (de alimento) assaggio (m) **3** MED analisi (inv) LOC a ~ de algo: a prova di qualcosa | poner a ~: mettere alla prova.

psicología /sikoloxía/ [sf] psicologia.

psicólogo /sikóloɣo/ [sm] psicologo.

psique /síke/ [sf] psiche.

psiquiatra /sikjátra/ [sm,f] psichiatra.

psiquiatría /sikjatría/ [sf] psichiatria.

psiquiátrico /sikjátriko/ [sm] ospedale psichiatrico.

psoriasis /sorjásis/ [sf inv] psoriasi.

púa /púa/ [sf] **1** FAM spina **2** MUS plettro (m) LOC púas del peine: denti del pettine.

pubis /púβis/ [sm inv] pube (sing).

publicación /puβlikaθjón/ [sf] pubblicazione.

publicar /puβlikár/ [v tr] pubblicare.

publicidad /puβliθiðáð/ [sf] (también COM) pubblicità (inv).

publicitario /puβliθitárjo/ [adj] pubblicitario, promozionale (m,f).

público /púβliko/ [adj/sm] pubblico LOC de dominio ~: di pubblico dominio | en ~: in pubblico.

puchero /putʃéro/ [sm] pentolino.

pudor /puðór/ [sm] pudore.

pudoroso /puðoróso/ [adj] pudico.

pudrir (-se) /puðrír/ [v tr prnl] **1** marcire, imputridire **2** FIG corrompere (-rsi) LOC **estar podrido**: essere marcio.

pueblo /pwéβlo/ [sm] **1** paese, villaggio • *vive en un ~ del interior*: vive in un paese dell'interno **2** (gentes) popolo.

puente /pwénte/ [sm] (también vacación) ponte LOC **hacer ~**: fare il ponte (vacanza) | **~ levadizo**: ponte levatoio.

puerco /pwérko/ [sm] (también FIG PEY) porco, maiale LOC **~ espín**: istrice, porcospino.

puerro /pwéřo/ [sm] porro.

puerta /pwérta/ [sf] **1** (también DEP INFORM) porta **2** (de mueble) anta **3** (de vehículo) portiera LOC **~ de entrada/~ principal**: porta d'ingresso | **~ trasera**: porta posteriore; portellone (di automobile).

puerto /pwérto/ [sm] **1** MAR porto **2** GEOG valico, passo LOC **~ Rico**: Portorico.

puertorriqueño /pwertořiéɲo/ [adj/sm] portoricano.

pues /pwes/ [conj] **1** allora • *si quieres, ~ hazlo*: se vuoi, allora fallo | *~, como os dije*: allora, come vi dicevo **2** ma! • *¡~ no faltaba más!*: ma ci mancherebbe! LOC **~...**: ma..., beh..., no... | *¿~ qué?*: e allora?

puesta /pwésta/ [sf] (de sol, luna) tramonto (m) LOC **~ al día**: aggiornamento | **~ a punto**: messa a punto | **~ en escena**: messa in scena.

puesto /pwésto/ [sm] **1** (también trabajo) posto **2** COM (en mercados, calles) bancarella (f) **3** COM (de ferias) stand (inv) LOC **~ de policía**: stazione di polizia | **~ de socorro**: pronto soccorso.

púgil /púxil/ [sm] pugile.

puja /púxa/ [sf] (de subasta) offerta.

pujar /puxár/ [v tr] (**por**) **1** (en una subasta) fare un'offerta **2** FIG lottare.

pulcro /púlkro/ [adj] **1** (limpio) pulito **2** (elegante) impeccabile (m,f).

pulga /púlɣa/ [sf] pulce.

pulgar /pulɣár/ [sm] (dedo) pollice.

pulir /pulír/ [v tr] **1** lustrare **2** FIG FAM (robar) ripulire.

pullés (-a) /puʎés/ [adj/sm] pugliese (m,f).

pulmón /pulmón/ [sm] polmone.

pulmonía /pulmonía/ [sf] polmonite.

pulpa /púlpa/ [sf] (también BOT) polpa.

púlpito /púlpito/ [sm] pulpito.

pulpo /púlpo/ [sm] ICT polipo.

pulsación /pulsaθjón/ [sf] pulsazione, battito (m).

pulsar /pulsár/ [v tr] pigiare, premere ♦ [v intr] pulsare.

pulsera /pulséra/ [sf] braccialetto (m) LOC **reloj de ~**: orologio da polso.

pulso /púlso/ [sm] **1** battito, pulsazione (f) **2** ANAT polso LOC **echar un ~**: fare a braccio di ferro | **tomar el ~**: tastare il polso.

pulular /pululár/ [v intr] pullulare.

pulverizar /pulβeriθár/ [v tr] **1** macinare **2** (líquido) vaporizzare.

puma /púma/ [sm] puma (inv).

punición /puniθjón/ [sf] punizione.

punta /púnta/ [sf] **1** (también GEOG) punta **2** (también FIG) punta, pizzico (m) • *lo dijo con una ~ de rencor*: lo disse con un pizzico di rancore LOC **hora ~**: ora di punta | **te-**

p

ner en la ~ de la lengua: avere sulla punta della lingua.

puntada /puntáða/ [sf] **1** (de costura) punto (m) **2** (toros) cornata.

puntapié /puntapjé/ [sm] calcio, pedata (f).

puntera /puntéra/ [sf] (de calzado) punta.

puntería /puntería/ [sf] mira LOC **tener buena/mala ~**: avere una buona/cattiva mira.

puntiagudo /puntjaɣúðo/ [adj] appuntito, aguzzo.

puntilla /puntíʎa/ [sf] (encaje) merletto (m), trina LOC **de puntillas**: in punta di piedi.

puntilloso /puntiʎóso/ [adj] permaloso.

punto /púnto/ [sm] punto ◆ *en aquel ~*: a quel punto | *~ de reunión*: punto di ritrovo LOC **en ~**: in punto | **estar a ~**: essere pronto | **estar a ~ de**: essere sul punto di | **géneros de ~**: maglieria | **~ de vista**: punto di vista | **~ muerto**: folle (marcia di automobile) | **puntos cardinales**: punti cardinali | **tejido de ~**: maglia | **tener/hacerse un ~**: smagliarsi (calze).

puntuación /puntwaθjón/ [sf] **1** (en un texto) punteggiatura **2** (calificación) punteggio (m).

puntual /puntwál/ [adj m,f] puntuale.

puntuar /puntwár/ [v tr] **1** (en la escuela) dare voti **2** (también DEP) attribuire un punteggio.

punzada /punθáða/ [sf] FAM fitta.

punzante /punθánte/ [adj m,f] (también FIG) pungente.

punzar /punθár/ [v tr] pungere.

puñado /puɲáðo/ [sm] manciata (f), pugno.

puñal /puɲál/ [sm] pugnale.

puñeta /puɲéta/ [sf] FAM rottura LOC **mandar a hacer puñetas**: mandare a cagare | **¡puñetas!**: porco giuda!

puñetazo /puɲetáθo/ [sm] pugno, cazzotto.

puño /púɲo/ [sm] **1** pugno **2** INDUM polsino **3** (de bastón, paraguas) manico **4** (de manillar) manopola (f) LOC **tener en un ~**: tenere in pugno.

pupila /pupíla/ [sf] ANAT pupilla.

pupitre /pupítre/ [sm] banco, scrittoio.

purasangre /purasáɳgre/ [adj/sm,f] purosangue (inv).

puré /puré/ [sm] COC **1** (de patatas) purè (inv) **2** passato.

pureza /puréθa/ [sf] purezza.

purga /púrɣa/ [sf] purga.

purgante /purɣánte/ [sm] purgante, purga (f).

purgar /purɣár/ [v tr] **1** purgare **2** MED somministrare un purgante ◆ [v prnl] purgarsi.

purgatorio /purɣatórjo/ [sm] purgatorio.

puro /púro/ [adj] puro ◆ [sm] sigaro.

pus /pús/ [sm] pus (inv).

puta /púta/ [sf] VULG puttana, troia.

putrefacción /putrefakθjón/ [sf] putrefazione, decomposizione.

Q q

que /ke/ [conj] **1** che • *quiero ~ lo sepas*: voglio che tu lo sappia **2** di • *más veloz ~ el viento*: più veloce del vento LOC **a menos ~**: a meno che | **con tal ~**: basta che | **por más ~**: per quanto | **¿por qué?**: perché? | **¿qué tal?**: come stai?/come sta? (persona); come è...? (cosa) | **sin ~**: senza che | **¿y qué?**: e con ciò? ◆ [pron m,f inv] **1** chi • *el ~ lo sepa que lo diga*: chi lo sa lo dica **2** che • *la casa ~ vendí*: la casa che ho venduto ■ **qué** (interrogativo, exclamativo) che • *¿qué quieres?*: che cosa vuoi? | *¡qué tiempo más raro!*: che tempo strano!

qué /ké/ [adv] quanto, come • *¡~ cansado estoy!*: quanto sono stanco!

quebrada /keβráða/ [sf] GEOG gola.

quebradizo /keβraðíθo/ [adj] fragile (m,f), delicato.

quebrantamiento /keβrantamjénto/ [sm] infrazione (f).

quebrantar /keβrantár/ [v tr] infrangere.

quebrar (-se) /keβrár/ [v tr prnl] rompere (-rsi), spaccare (-rsi) ◆ [v intr] **1** COM fallire **2** (voz) tremare.

quedar /keðár/ [v intr] **1** rimanere, restare **2** (en) accordarsi • *quedamos en vernos mañana*: ci siamo accordati per vederci domani **3** (con) dare appuntamento • *quedé con Marcos en un café*: ho dato appuntamento a Marco in un caffè ◆ [v prnl] **1** rimanere, restare **2** (con) tenersi, trattenere • *se quedó con la mitad del dinero*: si tenne la metà dei soldi LOC **¿en qué quedamos?**: cosa facciamo? | **~ atrás**: rimanere indietro | **~ bien/mal**: fare una bella/brutta figura: stare bene/male (indumento) | **quedarse tan ancho**: fare come se niente fosse.

quedo /kéðo/ [adj] **1** calmo, tranquillo **2** (voz) sommesso.

queja /kéxa/ [sf] **1** lamento (m) • *las quejas de los heridos*: i lamenti dei feriti **2** lamentela • *si tiene alguna ~, hable conmigo*: se ha delle lamentele, ne parli con me.

quejarse /kexárse/ [v prnl] lamentarsi.

quejumbroso /kexumbróso/ [adj] piagnucoloso.

quema /kéma/ [sf] **1** (acción) bruciatura **2** incendio (m).

quemado /kemáðo/ [adj] **1** bruciato **2** (piel) bruciato, scottato ◆ [sm] ustionato.

quemadura /kemaðúra/ [sf] bruciatura, scottatura.

quemar /kemár/ [v tr] **1** (también FIG) bruciare • *la derrota todavía le quema*: la sconfitta gli brucia ancora **2** (metales, tejidos) corrodere, intaccare ◆ [v intr] bruciare, scottare ◆ [v prnl] scottarsi, ustionarsi.

quemarropa (a) /kemaŕópa/ [loc adv] a bruciapelo.

quemazón /kemaθón/ [sf] **1** bruciore (m) **2** FIG risentimento (m).

q

querella /keréʎa/ [sf] **1** lite, dissidio (m) **2** JUR querela, causa.

querellarse /kereʎárse/ [v prnl] (**de/contra**) querelare.

querer /kerér/ [sm] amore ♦ [v tr] **1** volere • *quiero que te vayas*: voglio che te ne vada **2** amare • *quiere mucho a su padre*: ama molto il padre LOC ~ **bien/mal a alguien**: essere ben/mal disposti verso qualcuno | ~ **decir**: voler dire, significare | **sin** ~: senza volere.

querido /keríðo/ [adj] caro ♦ [sm] amante (m,f).

quesería /kesería/ [sf] latteria.

quesito /kesíto/ [sm] formaggino.

queso /késo/ [sm] formaggio.

quicio /kíθjo/ [sm] (de puerta, ventana) cardine LOC **fuera de** ~: fuori di sé | **sacar de** ~: far uscire dai gangheri.

quiebra /kjéβra/ [sf] **1** fallimento (m), bancarotta • *la* ~ *de una empresa*: il fallimento di una ditta **2** rottura, spaccatura • *la* ~ *de una tubería*: la rottura di un condotto.

quien /kjen/ [pron m,f sing] **1** chi (inv) **2** (negativo) nessuno (m) che • *no hay* ~ *lo sepa*: non c'è nessuno che lo sappia ■ **quién** (interrogativo) chi • *¿con quién hablas?*: con chi parli?

quienquiera /kjenkjéra/ [pron m,f sing] chiunque ■ pl **quienesquiera**.

quieto /kjéto/ [adj] **1** quieto **2** FIG tranquillo LOC **estar(se)** ~: stare fermo.

quietud /kjetúð/ [sf] (también FIG) quiete, calma.

quijada /kixáða/ [sf] mascella.

quilate /kiláte/ [sm] carato.

quilla /kíʎa/ [sf] chiglia.

química /kímika/ [sf] chimica.

químico /kímiko/ [adj] chimico.

quimioterapia /kimjoterápja/ [sf] chemioterapia.

quinceañero /kinθeaɲéro/ [adj/sm] quindicenne (m,f).

quiniela /kinjéla/ [sf] **1** (juego) totocalcio (m) **2** (boleto) schedina **3** *Amer* lotteria LOC **tocarle la** ~: vincere al totocalcio.

quinta /kínta/ [sf] **1** villa di campagna **2** (en el ejército) classe, leva.

quinteto /kintéto/ [sm] (también MUS) quintetto.

quiosco /kjósko/ [sm] **1** chiosco **2** (de periódicos) edicola (f).

quirófano /kirófano/ [sm] sala (f) operatoria.

quiromante /kirománte/ [sm,f] chiromante.

quirúrgico /kirúrxiko/ [adj] chirurgico.

quisquilloso /kiskiʎóso/ [adj/sm] permaloso.

quiste /kíste/ [sm] cisti (f inv).

quitaesmalte /kitaesmálte/ [sm] solvente per smalto.

quitamanchas /kitamántʃas/ [sm inv] smacchiatore (sing).

quitanieves /kitanjéβes/ [sf inv] spazzaneve (m).

quitar /kitár/ [v tr] **1** togliere **2** FIG FAM vietare, proibire ♦ [v prnl] **1** togliersi, levarsi **2** (de) (vicio, costumbre) smettere LOC **de quita y pon**: staccabile (manica, cappuccio) | **quitarse de encima/in medio**: togliersi dai piedi/di mezzo.

quivi /kíβi/ [sm] kiwi.

quizá /kiθá/ [adv] (probabilidad) magari, forse.

Rr

rábano /ráßano/ [sm] ravanello LOC **importar/no importar un ~**: non importare un fico secco/un cavolo.

rabia /ráßja/ [sf] (también MED) rabbia LOC **dar ~**: fare rabbia.

rabiar /raßjár/ [v intr] FIG arrabbiare LOC **~ por algo**: fare follie per qualcosa.

rabillo /raßíʎo/ [sm] picciolo LOC **mirar con el ~ del ojo**: guardare con la coda dell'occhio.

rabino /raßíno/ [sm] rabbino.

rabioso /raßjóso/ [adj] (también MED) rabbioso.

rabo /ráßo/ [sm] **1** coda (f) **2** VULG cazzo.

racha /rátʃa/ [sf] **1** (de viento) raffica **2** FIG momento (m), periodo (m) • *estamos pasando una mala ~*: stiamo passando un brutto momento.

racial /raθjál/ [adj m,f] razziale.

racimo /raθímo/ [sm] grappolo.

ración /raθjón/ [sf] **1** COC porzione **2** FIG dose, razione.

racional /raθjonál/ [adj] razionale.

racismo /raθísmo/ [sm] razzismo.

racista /raθísta/ [adj/sm,f] razzista.

rada /ráða/ [sf] rada, insenatura.

radiación /raðjaθjón/ [sf] radiazione.

radiactividad /raðjaktißiðáð/ [sf] radioattività (inv).

radiactivo /raðjaktíßo/ [adj] radioattivo.

radiador /raðjaðór/ [sm] **1** termosifone **2** (de vehículo) radiatore.

radical /raðikál/ [adj m,f] radicale.

radicar /raðikár/ [v intr] FIG (estribar) stare, consistere.

radio /ráðjo/ [sf] ABR radio (inv) ♦ [sm] (también de rueda) raggio LOC **~ de acción**: raggio d'azione.

radiofónico /raðjofóniko/ [adj] radiofonico.

radiografía /raðjoɣrafía/ [sf] radiografia.

radiotaxi /raðjotáksi/ [sm] radiotaxi (inv).

radioyente /raðjojénte/ [sm,f] radioascoltatore (f -trice).

raer /raér/ [v tr] raschiare, grattare.

ráfaga /ráfaɣa/ [sf] raffica.

raído /raíðo/ [adj] consumato, logoro.

raíl /raíl/ [sm] rotaia (f).

raíz /raíθ/ [sf] (también FIG) radice • *la ~ de un mal*: la radice di un male LOC **a ~ de algo**: a causa di qualcosa.

raja /ráxa/ [sf] **1** (grieta) crepa, fenditura **2** (de fruta, alimento) fetta, spicchio (m).

rajar /raxár/ [v tr] **1** (partir) affettare **2** (quebrar) spaccare, rompere ♦ [v prnl] **1** spaccarsi, aprirsi **2** FIG FAM (persona) tirarsi indietro.

rajatabla (a) /raxatáßla/ [loc adv] a ogni costo.

ralentí /r̄alentí/ [sm] rallentatore LOC **al ~**: al rallentatore.

rallador /r̄aʎaðór/ [sm] grattugia (f.).

rallar /r̄aʎár/ [v tr] grattugiare.

ralo /r̄álo/ [adj] rado.

rama /r̄áma/ [sf] (también de parentesco) ramo (m.).

ramalazo /r̄amaláθo/ [sm] FIG **1** fitta (f), trafittura (f) **2** (de rabia, ira) impeto.

rambla /r̄ámbla/ [sf] viale (m), corso (m).

ramificarse /r̄amifikárse/ [v prnl] FIG ramificarsi.

ramo /r̄ámo/ [sm] **1** (rama cortada, también FIG) ramo • *¿en qué ~ trabaja?*: in che ramo lavora? **2** (de flores) mazzo LOC **día/domingo de Ramos**: domenica delle Palme.

rampa /r̄ámpa/ [sf] rampa.

rana /r̄ána/ [sf] rana LOC **salir ~**: deludere le aspettative.

rancio /r̄ánθjo/ [adj] **1** rancido **2** FIG nobile (m,f), antico, illustre (m,f).

rango /r̄áŋgo/ [sm] rango.

ranking /r̄áŋkiŋ/ [sm inv] (también DEP) classifica (f sing), graduatoria (f sing).

ranura /r̄anúra/ [sf] fessura.

rapar /r̄apár/ [v tr] **1** (barba) radere, rasare **2** (pelo) rapare.

rapaz /r̄apáθ/ [adj m,f] rapace ♦ [sf] ORN rapace (m).

rape /r̄ápe/ [sm] rana (f) pescatrice.

rapidez /r̄apiðéθ/ [sf] rapidità (inv), velocità (inv).

rápido /r̄ápiðo/ [adj] rapido ♦ [sm] **1** (de río) rapida (f) **2** (tren) rapido.

raptar /r̄aptár/ [v tr] rapire, sequestrare.

rapto /r̄ápto/ [sm] **1** (arrebato) raptus (inv) **2** rapimento, sequestro.

raqueta /r̄akéta/ [sf] (también DEP) racchetta.

rareza /r̄aréθa/ [sf] **1** rarità (inv) • *la ~ de un mineral*: la rarità di un minerale **2** stravaganza • *no puedo más con sus rarezas*: non ne posso più delle sue stravaganze.

raro /r̄áro/ [adj] **1** raro • *una edición rara*: un'edizione rara **2** strano • *un atuendo ~*: uno strano abbigliamento LOC **¡qué ~!**: che strano!

ras /r̄ás/ [sm] livello LOC **a ~ del suelo**: raso terra.

rascacielos /r̄askaθjélos/ [sm inv] grattacielo (sing).

rascar (-se) /r̄askár/ [v tr prnl] grattare (-rsi).

rasgar (-se) /r̄asɣár/ [v tr prnl] strappare (-rsi), stracciare (-rsi).

rasgo /r̄ásɣo/ [sm] (también FIG) tratto • *la amabilidad es un ~ de su carácter*: la cortesia è un tratto del suo carattere LOC **a grandes rasgos**: a larghi/grandi tratti.

rasguño /r̄asɣúɲo/ [sm] graffio.

raso /r̄áso/ [adj] raso LOC **al ~**: all'aperto, all'aria aperta | **cielo ~**: soffitto | **soldado ~**: soldato semplice ♦ [sm] TEX raso.

raspar /r̄aspár/ [v tr] **1** raschiare **2** (bebida) raspare, pizzicare • *este vino raspa la garganta*: questo vino pizzica in gola ♦ [v intr] irritare.

rastrear /r̄astreár/ [v tr] (lugar) perlustrare.

rastrillo /r̄astríʎo/ [sm] rastrello.

rastro /r̄ástro/ [sm] **1** (también FIG) traccia (f) **2** FAM mercato delle pulci.

rasurar (-se) /r̄asurár/ [v tr prnl] (pelo, barba) radere (-rsi), rasare (-rsi).

rata /r̄áta/ [sf] ratto (f).

rato /r̄áto/ [sm] **1** (tiempo) momento, istante **2** (distancia) tratto LOC **a cada ~**: tutti i momenti | (hacer) **pasar un mal ~**: (far) passare un brutto quarto d'ora | **tener para ~**: averne per molto.

ratón /r̄atón/ [sm] **1** topo, ratto **2** INFORM mouse (inv).

raya /r̄ája/ [sf] **1** (también de pelo, pantalones) riga **2** ICT razza LOC **pasar(se) de la ~**: oltrepassare i limiti | **poner a ~**: mettere in riga.

rayado /r̄ajáðo/ [adj] a righe.

rayar /r̄ajár/ [v tr] rigare ♦ [v intr] (con/en) FIG sconfinare, essere prossimo.

rayo /r̄ájo/ [sm] **1** raggio **2** fulmine ♦ *una tormenta con rayos y truenos*: un temporale con fulmini e tuoni LOC **caer como un ~**: arrivare come un fulmine a ciel sereno | **rayos X**: raggi X.

raza /r̄áθa/ [sf] razza LOC **de (pura) ~**: di razza (pura).

razón /r̄aθón/ [sf] ragione LOC **dar la ~**: dare ragione | **no atender razones**: non sentire ragioni | **tener ~**: avere ragione.

razonar /r̄aθonár/ [v intr] ragionare.

re /r̄é/ [sm] MUS re (inv).

reacción /r̄eakθjón/ [sf] (también FIG) reazione ♦ *Mario tuvo una ~ comprensible*: Mario ebbe una reazione comprensibile LOC **a/de ~**: a reazione (apparecchio) | **~ alérgica**: reazione allergica.

reaccionar /r̄eakθjonár/ [v intr] (también FIG) reagire.

reaccionario /r̄eakθjonárjo/ [adj/ sm] reazionario.

reacio /r̄eáθjo/ [adj] restio, contrario.

real /r̄eál/ [adj m,f] reale.

realce /r̄eálθe/ [sm] (también FIG) rilievo ♦ *dar ~ a un suceso*: dare rilievo a un avvenimento LOC **poner de ~**: mettere in rilievo.

realidad /r̄ealiðáð/ [sf] realtà (inv) LOC **en ~**: in realtà.

realización /r̄ealiθaθjón/ [sf] realizzazione.

realizar (-se) /r̄ealiθár/ [v tr prnl] realizzare (-rsi).

realzar /r̄ealθár/ [v tr] FIG mettere in risalto.

reanimar /r̄eanimár/ [v tr] rianimare.

reanudar (-se) /r̄eanuðár/ [v tr prnl] riprendere, ricominciare.

rebaja /r̄eβáxa/ [sf] **1** sconto (m) **2** (en pl) COM saldi (m), liquidazione (sing).

rebajar /r̄eβaxár/ [v tr] **1** abbassare **2** COM (precio, artículo) ribassare, ridurre **3** FIG (persona) umiliare ♦ [v prnl] (a/ante) FIG abbassarsi, umiliarsi.

rebanada /r̄eβanáða/ [sf] (de pan) fetta.

rebanar /r̄eβanár/ [v tr] affettare.

rebaño /r̄eβáɲo/ [sm] gregge.

rebasar /r̄eβasár/ [v tr] **1** eccedere **2** (vehículo) superare, sorpassare.

rebatir /r̄eβatír/ [v tr] FIG ribattere.

rebeca /r̄eβéka/ [sf] golfino (m).

rebeco /r̄eβéko/ [sm] camoscio.

rebelarse /r̄eβelárse/ [v prnl] (contra) ribellarsi.

r

rebelde /r̄eβélde/ [adj m,f/sm] (también FIG) ribelle • *un niño ~*: un bambino ribelle.

rebelión /r̄eβeljón/ [sf] ribellione.

reblandecer (-se) /r̄eβlandeθér/ [v tr prnl] rammollire (-rsi).

rebosar /r̄eβosár/ [v intr] (de/en) traboccare LOC ~ alegría/salud: sprizzare allegria/salute.

rebotar /r̄eβotár/ [v intr] rimbalzare ◆ [v tr] FAM far arrabbiare.

rebote /r̄eβóte/ [sm] (también DEP) rimbalzo.

rebozar /r̄eβoθár/ [v tr] COC impanare.

recadero /r̄ekaðéro/ [sm] fattorino.

recado /r̄ekáðo/ [sm] **1** messaggio, avviso • *dejar un ~*: lasciare un messaggio **2** commissione (f), incombenza (f) • *salir a hacer un ~*: uscire a fare una commissione.

recaer /r̄ekaér/ [v intr] **1** (en/sobre) ricadere **2** (enfermo) riammalarsi, avere una ricaduta.

recalar /r̄ekalár/ [v intr] MAR approdare.

recalentar /r̄ekalentár/ [v tr] **1** scaldare, riscaldare **2** (motor, aparato) surriscaldare ◆ [v prnl] surriscaldarsi.

recambio /r̄ekámbjo/ [sm] ricambio.

recapacitar /r̄ekapaθitár/ [v tr/intr] ripensare, riflettere.

recargar /r̄ekaryár/ [v tr] **1** ricaricare **2** sovraccaricare • *~ de trabajo*: sovraccaricare di lavoro.

recargo /r̄ekáryo/ [sm] maggiorazione (f), supplemento.

recato /r̄ekáto/ [sm] **1** cautela (f), prudenza (f), discrezione (f) **2** (modestia) pudore.

recauchutado /r̄ekautʃutáðo/ [sm] (sólo en la locución) LOC (**taller de**) **recauchutados**: gommista.

recaudación /r̄ekauðaθjón/ [sf] **1** (acción) riscossione, esazione **2** (cantidad) incasso (m).

recaudar /r̄ekauðár/ [v tr] **1** (deudas, impuestos) riscuotere **2** raccogliere.

recelar /r̄eθelár/ [v tr] (de) diffidare, sospettare.

recelo /r̄eθélo/ [sm] diffidenza (f), sospetto.

recepción /r̄eθepθjón/ [sf] **1** ricezione **2** (de hotel, oficina) reception (inv) **3** (también fiesta) ricevimento (m).

recepcionista /r̄eθepθjonísta/ [sm,f] receptionist (inv).

receta /r̄eθéta/ [sf] (también MED) ricetta.

recetar /r̄eθetár/ [v tr] (medicamento) prescrivere.

rechazar /r̄etʃaθár/ [v tr] respingere, rifiutare.

rechazo /r̄etʃáθo/ [sm] rifiuto.

rechifla /r̄etʃífla/ [sf] (abucheo) fischi (m pl).

rechinar /r̄etʃinár/ [v intr] cigolare, scricchiolare.

recibidor /r̄eθiβiðór/ [sm] anticamera (f).

recibir /r̄eθiβír/ [v tr] ricevere ◆ [v prnl] (de) *Amer* laurearsi.

recibo /r̄eθíβo/ [sm] **1** ricevimento **2** COM ricevuta (f), scontrino.

reciclar /r̄eθiklár/ [v tr] **1** riciclare, riutilizzare **2** (profesional) aggiornare.

recién /r̄eθjén/ [adv] appena • *~ llegado*: appena arrivato.

reciente /r̄eθjénte/ [adj m,f] recente, nuovo (m).

recinto /r̄eθínto/ [sm] recinto.

recio /r̄éθjo/ [adj] robusto, forte (m,f).

recipiente /r̄eθipjénte/ [sm] recipiente.

recíproco /r̄eθíproko/ [adj] reciproco.

recitar /r̄eθitár/ [v tr] recitare.

reclamación /r̄eklamaθjón/ [sf] reclamo (m), protesta LOC **hoja/libro de reclamaciones**: stampato/libro dei reclami.

reclamar /r̄eklamár/ [v tr] (persona) cercare, volere • *el público reclama a la cantante*: il pubblico vuole la cantante ◆ [v intr] (**ante/contra**) reclamare, protestare.

reclamo /r̄eklámo/ [sm] **1** ORN (también de caza) richiamo **2** reclamo.

reclinar (-se) /r̄eklinár/ [v tr prnl] (**en/sobre**) reclinare.

recluir /r̄eklwír/ [v tr] rinchiudere, imprigionare.

reclusión /r̄eklusjón/ [sf] reclusione.

recluta /r̄eklúta/ [sm,f] recluta (f).

reclutar /r̄eklutár/ [v tr] reclutare.

recobrar /r̄ekoβrár/ [v tr] recuperare ◆ [v prnl] (**de**) riprendersi LOC **~ el conocimiento**: riprendere conoscenza.

recodo /r̄ekóðo/ [sm] **1** svolta (f), curva (f) **2** (de río) ansa (f).

recoger /r̄ekoxér/ [v tr] **1** raccogliere **2** (poner orden) mettere in ordine **3** (persona) passare a prendere ◆ [v prnl] **1** (persona) rincasare, rientrare a casa **2** (pelo) raccogliere, legare LOC **~ la mesa**: sparecchiare |

recogerse las mangas: rimboccarsi le maniche.

recogimiento /r̄ekoximjénto/ [sm] raccoglimento.

recomendación /r̄ekomendaθjón/ [sf] raccomandazione.

recomendar (-se) /r̄ekomendár/ [v tr prnl] raccomandare (-rsi).

recompensa /r̄ekompénsa/ [sf] ricompensa.

recompensar /r̄ekompensár/ [v tr] ricompensare.

reconcentrarse /r̄ekonθentrárse/ [v prnl] (**en**) concentrarsi.

reconciliar (-se) /r̄ekonθiljár/ [v tr prnl] riconciliare (-rsi).

reconocer /r̄ekonoθér/ [v tr] **1** (también JUR) riconoscere **2** MED visitare, esaminare ◆ [v prnl] riconoscersi.

reconocido /r̄ekonoθíðo/ [adj] riconoscente (m,f), grato.

reconocimiento /r̄ekonoθimjénto/ [sm] **1** riconoscimento **2** (agradecimiento) riconoscenza (f), gratitudine (f) LOC **~ médico**: visita medica.

reconstrucción /r̄ekonstrukθjón/ [sf] ricostruzione.

reconstruir /r̄ekonstrwír/ [v tr] ricostruire.

reconvenir /r̄ekombenír/ [v tr] rimproverare.

recopilación /r̄ekopilaθjón/ [sf] raccolta, compendio (m).

récord /r̄ékor/ [sm] primato, record (inv) ▪ pl irr **récords**.

recordar /r̄ekorðár/ [v tr] ricordare.

recorrer /r̄ekor̄ér/ [v tr] **1** percorrere **2** (con la mirada) scorrere.

recorrido /r̄ekor̄íðo/ [sm] **1** percorso, tragitto • *un breve ~*: un breve percorso **2** itinerario • *el ~ del autobús*: l'itinerario dell'autobus **3** giro • *hacer el ~ de la ciudad*: fare il giro della città.

recortar /r̄ekortár/ [v tr] **1** ritagliare **2** (gastos, presupuestos) tagliare, diminuire.

recorte /r̄ekórte/ [sm] **1** ritaglio **2** (de gastos, presupuestos) taglio.

recostar /r̄ekostár/ [v tr] (**en/sobre**) reclinare, appoggiare ♦ [v prnl] (tenderse) sdraiarsi, coricarsi.

recoveco /r̄ekoβéko/ [sm] **1** (de río, camino) meandro **2** (rincón) angolo.

recreo /r̄ekréo/ [sm] (en la escuela) ricreazione (f) LOC **casa/finca de ~**: casa di campagna.

recriminar /r̄ekriminár/ [v tr] rimproverare ♦ [v prnl] rinfacciarsi.

recta /r̄ékta/ [sf] retta, linea retta LOC **~ final**: dirittura d'arrivo.

rectangular /r̄ektaŋgulár/ [adj m,f] rettangolare.

rectángulo /r̄ektáŋgulo/ [adj/sm] rettangolo.

rectilíneo /r̄ektilíneo/ [adj] rettilineo.

recto /r̄ékto/ [adj] **1** (también FIG) retto • *es un hombre ~*: è un uomo retto **2** (significado) proprio ♦ [sm] ANAT retto.

recuento /r̄ekwénto/ [sm] conteggio.

recuerdo /r̄ekwérðo/ [sm] **1** ricordo **2** dono, regalo • *¡tráeme un ~!*: portami un regalo! **3** (en pl) saluti • *dales mis recuerdos*: porgi loro i miei saluti.

recuperación /r̄ekuperaθjón/ [sf] **1** recupero (m) **2** (económica) ripresa.

recuperar /r̄ekuperár/ [v tr] recuperare ♦ [v prnl] **1** (de un desmayo) riprendere i sensi **2** (de una enfermedad) ristabilirsi, rimettersi **3** (economía) riprendersi.

recurrir /r̄ekur̄ír/ [v intr] (**a**) ricorrere.

recurso /r̄ekúrso/ [sm] **1** (también JUR) ricorso **2** (también pl) risorsa (f).

red /r̄éð/ [sf] (también INFORM) rete.

redacción /r̄eðakθjón/ [sf] redazione.

redactor (-a) /r̄eðaktór/ [sm] redattore (f -trice).

redada /r̄eðáða/ [sf] retata.

redil /r̄eðíl/ [sm] ovile.

redoblar /r̄eðoβlár/ [v tr] raddoppiare.

redonda /r̄eðónda/ [sf] (sólo en la locución) LOC **a la ~**: nel raggio di.

redondear (-se) /r̄eðondeár/ [v tr prnl] arrotondare (-rsi).

redondel /r̄eðondél/ [sm] (círculo) tondo.

redondo /r̄eðóndo/ [adj] **1** rotondo, tondo **2** FIG (tajante) chiaro, chiaro e tondo **3** FIG (exitoso) perfetto, riuscito LOC **en ~**: in tondo, in cerchio.

reducción /r̄eðukθjón/ [sf] riduzione.

reducir (-se) /r̄eðuθír/ [v tr prnl] (**a/en**) ridurre (-rsi) ♦ [v intr] (**a**) (marcha) scalare.

reedición /r̄eeðiθjón/ [sf] ristampa, riedizione.

reeducar /r̄eeðukár/ [v tr] rieducare.

reembolsar /r̄eembolsár/ [v tr] rimborsare.

reembolso /r̄eembólso/ [sm] rimborso.

reemplazar /r̄eemplaθár/ [v tr] (**con/por**) sostituire, rimpiazzare.

reemplazo /r̄eempláθo/ [sm] sostituzione (f), rimpiazzo.

reencontrar (-se) /r̄eeŋkontrár/ [v tr prnl] ritrovare (-rsi).

reestreno /r̄eestréno/ [sm] (de película, obra teatral) replica (f).

referencia /r̄eferénθja/ [sf] **1** riferimento (m), cenno (m) **2** (en pl) referenze LOC **con ~ a algo**: con/in riferimento a qualcosa | **punto de ~**: punto di riferimento.

referendo /referéndo/ [sm] referendum (inv).

referir (-se) /r̄eferír/ [v tr prnl] riferire (-rsi).

refilón (de) /r̄efilón/ [loc adv] **1** (de lado) di sbieco **2** (de pasada) di sfuggita.

refinado /r̄efináðo/ [adj] raffinato.

refinamiento /r̄efinamjénto/ [sm] raffinatezza (f).

refinar (-se) /r̄efinár/ [v tr prnl] raffinare (-rsi).

refinería /r̄efinería/ [sf] raffineria.

reflector /r̄eflektór/ [sm] riflettore.

reflejar (-se) /r̄eflexár/ [v tr prnl] (también FIG) riflettere (-rsi) • *sus convicciones se reflejan en sus actos*: le sue convinzioni si riflettono nelle sue azioni.

reflejo /r̄efléxo/ [adj/sm] (también FIG) riflesso.

reflexión /r̄efleksjón/ [sf] riflessione.

reflexionar /r̄efleksjonár/ [v intr/tr] riflettere.

reforestar /r̄eforestár/ [v tr] rimboschire.

reforma /r̄efórma/ [sf] riforma.

reformar /r̄eformár/ [v tr] **1** riformare **2** ARQ restaurare, ristrutturare ◆ [v prnl] correggersi, emendarsi.

reforzar /r̄eforθár/ [v tr] **1** rinforzare, rafforzare **2** (aumentar) intensificare.

refractario /r̄efraktárjo/ [adj] (a) (persona) restio, riluttante (m,f).

refrán /r̄efrán/ [sm] proverbio.

refregar /r̄efreɣár/ [v tr] strofinare, sfregare ◆ [v prnl] (ojos, manos) sfregarsi, stropicciarsi.

refrenar (-se) /r̄efrenár/ [v tr prnl] FIG contenere (-rsi).

refrendar /r̄efrendár/ [v tr] (documentos) vidimare, ratificare.

refrescar (-se) /r̄efreskár/ [v tr prnl/intr] rinfrescare (-rsi) LOC **~ la memoria**: rinfrescare la memoria.

refresco /r̄efrésko/ [sm] **1** bibita/bevanda (f) fresca **2** (fiesta) rinfresco, ricevimento.

refrigeración /r̄efrixeraθjón/ [sf] **1** refrigerazione **2** (aire acondicionado) impianto (m) di condizionamento.

refrigerador /r̄efrixeraðór/ [sm] frigorifero.

refrigerio /r̄efrixérjo/ [sm] (tentempié) spuntino.

refrito /r̄efríto/ [sm] soffritto.

refuerzo /r̄efwérθo/ [sm] **1** rinforzo **2** FIG sostegno, appoggio.

refugiado /r̄efuxjáðo/ [adj/sm] rifugiato, profugo.

refugiar /r̄efuxjár/ [v tr] dare rifugio ◆ [v prnl] rifugiarsi.

r

refugio /r̄efúxjo/ [sm] rifugio.

refundir /r̄efundír/ [v tr] FIG fondere, unire.

refunfuñar /r̄efumfuɲár/ [v intr] FAM brontolare.

regalado /r̄eɣaláðo/ [adj] **1** (muy barato) a buon mercato **2** (placentero) piacevole (m,f), gradevole (m,f).

regalar /r̄eɣalár/ [v tr] **1** regalare, donare **2** (**con**) deliziare.

regaliz /r̄eɣalíθ/ [sm] liquirizia (f).

regalo /r̄eɣálo/ [sm] regalo, dono.

regañadientes (a) /r̄eɣaɲaðjéntes/ [loc adv] malvolentieri, di malavoglia.

regañar /r̄eɣaɲár/ [v intr] FAM litigare, bisticciare ♦ [v tr] FAM sgridare, rimproverare.

regar /r̄eɣár/ [v tr] (**con/de**) **1** AGR irrigare **2** bagnare, annaffiare ● ~ *las plantas*: bagnare le piante **3** FIG disseminare.

regata /r̄eɣáta/ [sf] regata.

regatear /r̄eɣateár/ [v tr] **1** (precio) contrattare, trattare **2** FIG FAM (esfuerzos) risparmiare.

regazo /r̄eɣáθo/ [sm] grembo.

regentar /r̄exentár/ [v tr] dirigere, amministrare.

regente /r̄exénte/ [sm,f] **1** reggente **2** COM responsabile, direttore (f -trice).

régimen /r̄éximen/ [sm] **1** (también TECN) regime **2** (alimenticio) dieta (f) ● *ponerse a ~*: mettersi a dieta.

región /r̄exjón/ [sf] regione.

regional /r̄exjonál/ [adj m,f] regionale.

regir /r̄exír/ [v tr] reggere ♦ [v intr] (ley, norma) essere in vigore.

registrar /r̄existrár/ [v tr] **1** (persona, lugar) perquisire **2** (también COM) registrare ♦ [v prnl] verificarsi.

registro /r̄exístro/ [sm] **1** (de persona, lugar) perquisizione (f) **2** registro LOC ~ **civil**: anagrafe.

regla /r̄éɣla/ [sf] **1** (objeto) regolo (m), righello (m) **2** (también JUR) regola **3** FAM mestruazioni (pl) LOC **en ~**: in regola.

reglaje /r̄eɣláxe/ [sm] TECN regolazione (f), messa (f) a punto.

reglamento /r̄eɣlaménto/ [sm] regolamento.

reglar /r̄eɣlár/ [v tr] regolare, disciplinare.

regocijar (-se) /r̄eɣoθixár/ [v tr prnl] (**con**) rallegrare (-rsi).

regocijo /r̄eɣoθíxo/ [sm] gioia (f), allegria (f).

regordete /r̄eɣorðéte/ [adj] FAM grassoccio.

regresar /r̄eɣresár/ [v intr] ritornare, tornare.

regreso /r̄eɣréso/ [sm] ritorno.

regulación /r̄eɣulaθjón/ [sf] regolazione LOC ~ **de nacimientos**: controllo delle nascite.

regular /r̄eɣulár/ [adj m,f/v tr] regolare ♦ [adv] discretamente, così così ● *"¿Cómo estás?" "~"*: "Come stai?" "Così così".

regularidad /r̄eɣulariðáð/ [sf] regolarità (inv).

regusto /r̄eɣústo/ [sm] **1** retrogusto **2** FIG senso, impressione (f).

rehabilitación /r̄eaβilitaθjón/ [sf] **1** MED rieducazione **2** ARQ restauro (m), ristrutturazione.

rehabilitar /r̄eaβilitár/ [v tr] **1** MED

rieducare 2 ARQ restaurare, ristrutturare.

rehacer /řeaθér/ [v tr] rifare.

rehén /řeén/ [sm] ostaggio.

rehogar /řeoɣár/ [v tr] (**con/en**) soffriggere.

rehuir /řewír/ [v tr/intr] sfuggire, sottrarsi.

rehusar /řeusár/ [v tr] rifiutare.

reimpresión /řeimpresjón/ [sf] ristampa.

reina /řéina/ [sf] regina.

reinado /řeináðo/ [sm] (tiempo) regno ● *durante el ~ de Felipe II*: durante il regno di Filippo II.

reinar /řeinár/ [v intr] (**en/sobre**) regnare.

reino /řéino/ [sm] (también FIG) regno ● *dice que su casa es su ~*: dice che la sua casa è il suo regno.

reinserción /řeinserθjón/ [sf] reinserimento (m).

reinsertar (**-se**) /řeinsertár/ [v tr prnl] reinserire (-rsi).

reintegrar /řeinteɣrár/ [v tr] **1** (dinero) restituire, rendere **2** (gastos) rimborsare, risarcire ◆ [v prnl] (**a**) reintegrarsi, reinserirsi.

reintegro /řeintéɣro/ [sm] (de una deuda) pagamento.

reír (**-se**) /řeír/ [v intr prnl] (**a/de**) ridere.

reiterado /řeiteráðo/ [adj] frequente (m,f).

reivindicación /řeiβindikaθjón/ [sf] rivendicazione.

reivindicar /řeiβindikár/ [v tr] rivendicare.

reja /řéxa/ [sf] inferriata, grata.

rejilla /řexíʎa/ [sf] **1** rete metallica **2** (en el tren) rete portabagagli.

rejuvenecer /řexuβeneθér/ [v tr] ringiovanire.

relación /řelaθjón/ [sf] **1** relazione **2** (en pl) conoscenze LOC **relaciones públicas**: pubbliche relazioni.

relacionar /řelaθjonár/ [v tr] mettere in relazione ◆ [v prnl] (**con**) (personas) frequentare.

relajación /řelaxaθjón/ [sf] rilassamento (m).

relajado /řelaxáðo/ [adj] rilassato.

relajar (**-se**) /řelaxár/ [v tr prnl] (también FIG) rilassare (-rsi) ● *me relajo escuchando música clásica*: mi rilasso ascoltando musica classica.

relamerse /řelamérse/ [v prnl] leccarsi.

relámpago /řelámpaɣo/ [sm] lampo.

relatar /řelatár/ [v tr] raccontare.

relativo /řelatíβo/ [adj] relativo.

relato /řeláto/ [sm] racconto.

relator (**-a**) /řelatór/ [adj/sm] (de congreso, ponencia) relatore (f -trice).

relente /řelénte/ [sm] rugiada (f).

relevar /řeleβár/ [v tr] **1** (**de**) esonerare **2** (también DEP) sostituire.

relevo /řeléβo/ [sm] **1** cambio di guardia **2** DEP staffetta (f) LOC **carrera de relevos**: corsa a staffetta.

relieve /řeljéβe/ [sm] (también FIG) rilievo ● *su opinión no tiene ~*: la sua opinione è priva di rilievo LOC **dar ~**: dare importanza | **poner ~**: mettere in rilievo.

religión /řelixjón/ [sf] religione.

religioso /řelixjóso/ [adj/sm] religioso.

rellano /r̄eʎáno/ [sm] pianerottolo.

rellenar /r̄eʎenár/ [v tr] **1** (también impreso) riempire **2** COC farcire.

relleno /r̄eʎéno/ [adj] (también COC) ripieno ♦ [sm] **1** COC ripieno **2** (material) imbottitura (f).

reloj /r̄elóx/ [sm] orologio LOC ~ **de pulsera**: orologio da polso.

reluciente /r̄eluθjénte/ [adj m,f] lucente.

relucir /r̄eluθír/ [v intr] splendere, brillare LOC **sacar a ~ algo**: tirare in ballo | **salir a ~ algo**: saltare fuori.

remanente /r̄emanénte/ [sm] rimanente, restante.

remangar (-se) /r̄emaŋgár/ [v tr prnl] rimboccare (-rsi) le maniche.

remar /r̄emár/ [v intr] remare.

rematar /r̄ematár/ [v tr] **1** finire **2** DEP (fútbol) lanciare, tirare **3** *Amer* COM svendere, liquidare ♦ [v intr] **(con/en)** finire.

remate /r̄emáte/ [sm] **1** fine (f), termine **2** DEP (fútbol) lancio, tiro **3** *Amer* COM liquidazione (f) LOC **loco de ~**: matto da legare.

remedar /r̄emeðár/ [v tr] imitare, copiare.

remediar /r̄emeðjár/ [v tr] riparare.

remedio /r̄eméðjo/ [sm] **1** rimedio **2** MED medicina (f) LOC **no haber/tener más ~**: non esserci altra soluzione | **no tener algo ~**: non esserci niente da fare | **no tener alguien ~**: essere incorreggibile.

remendar /r̄emendár/ [v tr] rammendare, rattoppare.

remiendo /r̄emjéndo/ [sm] toppa (f), pezza (f).

remilgo /r̄emílɣo/ [sm] smanceria (f), moina (f), vezzo.

remite /r̄emíte/ [sm] (dirección) mittente.

remitente /r̄emiténte/ [sm,f] (persona) mittente.

remitir /r̄emitír/ [v tr] spedire, mandare.

remo /r̄émo/ [sm] **1** remo **2** DEP canottaggio.

remodelar /r̄emoðelár/ [v tr] ARQ ristrutturare.

remojar /r̄emoxár/ [v tr] mettere a bagno.

remojo /r̄emóxo/ [sm] **1** (de colada) ammollo **2** (de legumbres, pescado) bagno.

remolacha /r̄emolátʃa/ [sf] barbabietola LOC **~ azucarera**: barbabietola da zucchero.

remolcar /r̄emolkár/ [v tr] (tambien MAR) rimorchiare, trainare.

remolino /r̄emolíno/ [sm] **1** vortice **2** FIG (de gente) moltitudine (f).

remolón (-a) /r̄emolón/ [adj/sm] fannullone (sust).

remolonear /r̄emoloneár/ [v intr] poltrire, oziare.

remolque /r̄emólke/ [sm] (también MAR) rimorchio LOC **a ~**: a rimorchio.

remontar /r̄emontár/ [v tr] **1** (pendientes) salire, scalare **2** (ríos) risalire **3** FIG (obstáculos, dificultades) superare ♦ [v prnl] **(a)** FIG (tiempo) risalire.

remonte /r̄emónte/ [sm] (esquí) impianto di risalita.

remordimiento /r̄emorðimjénto/ [sm] rimorso, cruccio.

remover /r̄emoβér/ [v tr] **1** rimuovere **2** (líquido) mescolare, agitare ♦ [v prnl] muoversi, agitarsi.

remuneración /r̄emuneraθjón/ [sf] (pago) retribuzione.

remunerar /r̄emunerár/ [v tr] **1** (persona) rimunerare, ricompensare **2** (trabajo) retribuire, pagare.

renacentista /r̄enaθentísta/ [adj m,f] rinascimentale.

renacer /r̄enaθér/ [v intr] rinascere.

rencor /r̄eŋkór/ [sm] rancore, risentimento.

rendija /r̄endíxa/ [sf] fessura.

rendimiento /r̄endimjénto/ [sm] rendimento.

rendir /r̄endír/ [v tr] **1** sottomettere **2** (también COM) rendere **3** (cansar) stancare, affaticare ◆ [v intr] rendere, fruttare ◆ [v prnl] (también FIG) arrendersi ● *me rendí ante su voluntad*: mi arresi alla loro volontà.

renegar /r̄eneɣár/ [v intr] (de) rinnegare.

renglón /r̄eŋglón/ [sm] (de texto) riga (f) LOC **a ~ seguido**: subito dopo.

reno /r̄éno/ [sm] renna (f).

renombrado /r̄enombráðo/ [adj] rinomato, famoso.

renombre /r̄enómbre/ [sm] fama (f), prestigio.

renovación /r̄enoβaθjón/ [sf] **1** rinnovamento (m) **2** (acción) rinnovo (m).

renovar /r̄enoβár/ [v tr] **1** rinnovare **2** (conversaciones, relaciones) riprendere, riannodare ◆ [v prnl] rinnovarsi.

renta /r̄énta/ [sf] **1** (beneficio) reddito (m), rendita **2** (alquiler) affitto (m) LOC **vivir de las rentas**: vivere di rendita.

rentable /r̄entáβle/ [adj m,f] redditizio (m).

rentar /r̄entár/ [v tr/intr] rendere, fruttare.

renuncia /r̄enúnθja/ [sf] rinuncia.

renunciar /r̄enunθjár/ [v tr] (a) rinunciare.

reñido /r̄eɲíðo/ [adj] **1** (persona) in collera **2** (competición) accanito.

reñir /r̄eɲír/ [v intr] litigare ◆ [v tr] sgridare.

reo /r̄éo/ [adj/sm,f] JUR imputato (m).

reojo /r̄eóxo/ [sm] (sólo en la locución) LOC **mirar de ~**: guardare con la coda dell'occhio.

reparación /r̄eparaθjón/ [sf] riparazione.

reparar /r̄eparár/ [v tr] riparare ◆ [v intr] (en) **1** (pensar) riflettere, considerare **2** (darse cuenta) notare, accorgersi LOC **no ~ en gastos**: non badare a spese.

reparo /r̄epáro/ [sm] **1** (advertencia) obiezione (f), osservazione (f) **2** (escrúpulo) riguardo, riserbo LOC **poner reparos**: fare obiezioni.

repartir /r̄epartír/ [v tr] **1** (dividir) ripartire, dividere **2** (también entregar) distribuire ● *el correo se reparte por la mañana*: la posta viene distribuita di mattina **3** FIG (golpes) affibbiare, mollare ◆ [v prnl] ripartirsi, dividersi.

reparto /r̄epárto/ [sm] **1** ripartizione (f), distribuzione (f) **2** COM (entrega) consegna (f) **3** (de película, obra teatral) cast (inv).

repasar /r̄epasár/ [v tr] **1** (cuenta, texto) rivedere **2** (lo estudiado) ripassare.

repaso /r̄epáso/ [sm] scorsa (f).

repatriar (-se) /r̄epatrjár/ [v tr prnl] rimpatriare.

r

repelente /r̄epelénte/ [adj m,f] repellente.

repeler /r̄epelér/ [v tr] **1** respingere **2** (dar asco) disgustare.

repente /r̄epénte/ [sm] (sólo en la locución) LOC de ~: all'improvviso.

repentino /r̄epentíno/ [adj] repentino, improvviso.

repercusión /r̄eperkusjón/ [sf] (también FIG) ripercussione • *su gesto tuvo graves repercusiones*: il suo gesto ebbe gravi ripercusioni.

repercutir /r̄eperkutír/ [v intr] (en) **1** rimbombare, risonare **2** FIG ripercuotersi, riflettersi.

repertorio /r̄epertórjo/ [sm] repertorio.

repetición /r̄epetiθjón/ [sf] ripetizione.

repetir /r̄epetír/ [v tr] ripetere ◆ [v intr] **1** (sentar mal) tornare su • *a mí el ajo me repite*: a me l'aglio torna su **2** (tomar más) fare il bis • ~ *el postre*: fare il bis con il dolce ◆ [v prnl] ripetersi.

repetitivo /r̄epetitíβo/ [adj] ripetitivo.

repicar /r̄epikár/ [v intr] rintoccare.

repisa /r̄epísa/ [sf] mensola.

replegarse /r̄epleɣárse/ [v prnl] **1** ripiegarsi, piegarsi **2** (tropas) indietreggiare, ritirarsi.

repleto /r̄epléto/ [adj] stipato, zeppo.

réplica /r̄éplika/ [sf] (también copia) replica.

replicar /r̄eplikár/ [v tr/intr] replicare.

repoblar /r̄epoβlár/ [v tr] **1** ripopolare **2** (bosque) rimboschire.

repollo /r̄epóʎo/ [sm] cavolo cappuccio.

reponer /r̄eponér/ [v tr] **1** (en) rimettere **2** (espectáculos) replicare **3** (reemplazar) sostituire ◆ [v prnl] (de) **1** (una enfermedad) ristabilirsi, rimettersi **2** (sustos, disgustos) riprendersi.

reportaje /r̄eportáxe/ [sm] reportage (inv), servizio.

reportar /r̄eportár/ [v tr] **1** (beneficios) fruttare **2** (desventajas) arrecare, causare.

reportero /r̄eportéro/ [adj/sm] reporter (sust m,f inv) LOC ~ **gráfico**: fotoreporter.

reposado /r̄eposáðo/ [adj] calmo, tranquillo.

reposar (-se) /r̄eposár/ [v intr prnl] riposare (-rsi).

reposición /r̄eposiθjón/ [sf] (de espectáculo) replica.

reposo /r̄epóso/ [sm] riposo LOC **guardar** ~: stare a riposo.

repostería /r̄epostería/ [sf] pasticceria.

represa /r̄eprésa/ [sf] diga di sbarramento.

represalia /r̄epresálja/ [sf] rappresaglia.

representación /r̄epresentaθjón/ [sf] **1** (también de teatro) rappresentazione **2** (también com) rappresentanza.

representante /r̄epresentánte/ [sm,f] (también com) rappresentante.

representar /r̄epresentár/ [v tr] **1** (también en el teatro) rappresentare **2** fig (edad) dimostrare.

representativo /r̄epresentatíβo/ [adj] rappresentativo.

represión /r̄epresjón/ [sf] repressione.

represivo /r̃epresíβo/ [adj] represivo.

reprimenda /r̃epriménda/ [sf] sgridata, rimprovero (m).

reprimir (-se) /r̃eprimír/ [v tr prnl] reprimere (-rsi).

reprobación /r̃eproβaθjón/ [sf] riprovazione, disapprovazione.

reprochar (-se) /r̃eprotʃár/ [v tr prnl] **1** rimproverare (-rsi) **2** (echar en cara) rinfacciare (-rsi).

reproche /r̃eprótʃe/ [sm] rimprovero.

reproducción /r̃eproðukθjón/ [sf] riproduzione.

reproducir (-se) /r̃eproðuθír/ [v tr prnl] riprodurre (-rsi).

reptar /r̃eptár/ [v intr] strisciare.

reptil /r̃eptíl/ [adj/sm] rettile (sust).

república /r̃epúβlika/ [sf] repubblica.

republicano /r̃epuβlikáno/ [adj/sm] repubblicano.

repuesto /r̃epwésto/ [sm] (pieza) pezzo di ricambio LOC **de ~**: di scorta, di riserva.

repugnancia /r̃epuɲnánθja/ [sf] **1** (disgusto) ripugnanza **2** (asco) schifo (m).

repugnar /r̃epuɲnár/ [v intr] ripugnare.

repulsión /r̃epulsjón/ [sf] repulsione.

repulsivo /r̃epulsíβo/ [adj] repulsivo.

reputación /r̃eputaθjón/ [sf] reputazione.

reputar (-se) /r̃eputár/ [v tr prnl] reputare (-rsi), ritenere (-rsi).

requerimiento /r̃ekerimjénto/ [sm] **1** jur ingiunzione (f) **2** richiesta (f), esigenza (f).

requerir /r̃ekerír/ [v tr] richiedere, esigere.

requisa /r̃ekísa/ [sf] jur espropriazione.

requisar /r̃ekisár/ [v tr] **1** requisire **2** jur (inmueble) espropriare.

requisito /r̃ekisíto/ [sm] requisito, qualità (f inv) LOC **cumplir los requisitos**: soddisfare i requisiti richiesti.

res /r̃és/ [sf] capo (m) di bestiame.

resaca /r̃esáka/ [sf] postumi (m pl), conseguenze (pl) • *la ~ de una borrachera*: i postumi di una sbornia.

resaltar /r̃esaltár/ [v intr] distinguersi, spiccare.

resarcir /r̃esarθír/ [v tr] (de) risarcire, indennizzare ◆ [v prnl] (de) rifarsi.

resbaladizo /r̃esβalaðíθo/ [adj] **1** scivoloso **2** fig (tema, asunto) pericoloso.

resbalar (-se) /r̃esβalár/ [v intr prnl] **1** (en/de) scivolare **2** (líquido) colare LOC **resbalarle a uno algo**: lasciare indifferente.

resbalón /r̃esβalón/ [sm] scivolone, caduta (f).

rescatar (-se) /r̃eskatár/ [v tr prnl] riscattare (-rsi).

rescate /r̃eskáte/ [sm] riscatto.

resentirse /r̃esentírse/ [v prnl] (con/por) fig offendersi.

reseña /r̃eséɲa/ [sf] **1** rassegna **2** (literaria) recensione.

reserva /r̃esérβa/ [sf] **1** (de habitación, mesa, billete) prenotazione **2** riserva • *tiene una ~ de vino en la bodega*: ha una riserva di vino in cantina **3** (en pl) risorse LOC **de ~**:

di riserva | ~ **natural/nacional**: riserva naturale, parco nazionale.

reservado /r̄eserβáðo/ [adj] riservato.

reservar /r̄eserβár/ [v tr] (habitación, mesa, billete) prenotare ◆ [v prnl] (**para**) risparmiarsi.

resfriado /r̄esfrjáðo/ [sm] raffreddore.

resfriarse /r̄esfrjárse/ [v prnl] (también med) raffreddarsi.

resfrío /r̄esfrío/ [sm] *Amer* raffreddore.

resguardar (-se) /r̄esɣwarðár/ [v tr prnl] (**de**) proteggere (-rsi).

resguardo /r̄esɣwárðo/ [sm] **1** protezione (f), riparo **2** com ricevuta (f).

residencia /r̄esiðénθja/ [sf] **1** residenza **2** (de estudiantes) pensionato (m), collegio (m) LOC ~ **de ancianos**: casa di riposo per anziani.

residente /r̄esiðénte/ [adj/sm,f] residente.

residir /r̄esiðír/ [v intr] (**en**) risiedere.

residuo /r̄esíðwo/ [sm] **1** residuo **2** (en pl) rifiuti.

resignación /r̄esiɣnaθjón/ [sf] rassegnazione, pazienza.

resignarse /r̄esiɣnárse/ [v prnl] rassegnarsi.

resina /r̄esína/ [sf] resina.

resistencia /r̄esisténθja/ [sf] (también tecn) resistenza.

resistente /r̄esisténte/ [adj m,f] resistente.

resistir (-se) /r̄esistír/ [v intr prnl] **1** resistere **2** (**a**) rifiutarsi.

resol /r̄esól/ [sm] riverbero.

resollar /r̄esoʎár/ [v intr] ansimare.

resolución /r̄esoluθjón/ [sf] **1** (también decisión) risoluzione **2** (valor) coraggio (m).

resolver /r̄esolβér/ [v tr] **1** (problemas, dudas) risolvere **2** (también jur) decidere ◆ [v prnl] (**a/en**) decidere.

resonar /r̄esonár/ [v intr] risuonare.

resoplar /r̄esoplár/ [v intr] sbuffare.

resorte /r̄esórte/ [sm] **1** tecn molla (f) **2** fig espediente, mezzo LOC **tocar todos los resortes**: ricorrere a ogni mezzo.

respaldar /r̄espaldár/ [v tr] fig appoggiare, spalleggiare.

respaldo /r̄espáldo/ [sm] **1** schienale, spalliera (f) **2** fig appoggio, protezione (f).

respectar /r̄espektár/ [v tr] (sólo en la locución) LOC **por lo que respecta a algo/alguien**: per quanto riguarda qualcosa/qualcuno.

respectivo /r̄espektíβo/ [adj] rispettivo, relativo.

respecto /r̄espékto/ [sm] (sólo en las locuciones) LOC **al ~**: riguardo a | (**con**) ~ **a/de algo**: rispetto a qualcosa.

respetar /r̄espetár/ [v tr] rispettare LOC **hacerse ~**: farsi rispettare.

respeto /r̄espéto/ [sm] **1** rispetto **2** (miedo) timore, paura (f) LOC **faltar el ~**: mancare di rispetto.

respetuoso /r̄espetwóso/ [adj] rispettoso.

respingo /r̄espíŋgo/ [sm] sussulto, scatto.

respiración /r̄espiraθjón/ [sf] respirazione, respiro (m) LOC ~ **artificial**: respirazione artificiale.

respirar /r̄espirár/ [v tr/intr] respirare LOC **no dejar ~**: togliere il fiato | **no poder ~**: non avere un attimo di respiro.

resplandecer /r̄esplandeθér/ [v intr] risplendere.

resplandor /r̄esplandór/ [sm] (también fig) splendore.

responder /r̄espondér/ [v tr] rispondere ◆ [v intr] **1** (a/de) rispondere **2** fam rispondere male.

respondón (-a) /r̄espondón/ [adj/sm] fam sfacciato.

responsabilidad /r̄esponsaβiliðáð/ [sf] responsabilità (inv).

responsable /r̄esponsáβle/ [adj/sm,f] responsabile.

respuesta /r̄espwésta/ [sf] risposta.

resquebrajar (-se) /r̄eskeβraxár/ [v tr prnl] screpolare (-rsi).

resquicio /r̄eskíθjo/ [sm] **1** (también fig) spiraglio **2** (grieta) fessura (f).

resta /r̄ésta/ [sf] (matemáticas) sottrazione.

restablecer (-se) /r̄estaβleθér/ [v tr prnl] ristabilire (-rsi).

restallar /r̄estaʎár/ [v intr] **1** (látigo) schioccare **2** (crujir) scricchiolare.

restañar /r̄estaɲár/ [v tr] ristagnare, stagnare.

restar /r̄estár/ [v tr] **1** sottrarre **2** fig sminuire, diminuire ◆ [v intr] restare, rimanere.

restauración /r̄estauraθjón/ [sf] **1** restaurazione **2** (reparación) restauro (m) **3** (hostelería) ristorazione.

restaurante /r̄estauránte/ [sm] ristorante.

restaurar /r̄estaurár/ [v tr] restaurare.

restitución /r̄estituθjón/ [sf] restituzione.

restituir /r̄estitwír/ [v tr] restituire.

resto /r̄ésto/ [sm] resto.

restregar (-se) /r̄estreɣár/ [v tr prnl] sfregare (-rsi).

restricción /r̄estrikθjón/ [sf] restrizione, limitazione.

restringir /r̄estriɲxír/ [v tr] restringere, limitare.

resucitación /r̄esuθitaθjón/ [sf] med rianimazione.

resuello /r̄eswéʎo/ [sm] **1** respiro affannoso **2** fam forze (f pl) ● *quedarse sin ~*: restare senza forze.

resuelto /r̄eswélto/ [adj] (persona) risoluto, deciso.

resultado /r̄esultáðo/ [sm] risultato.

resultar /r̄esultár/ [v intr] **1** (de) risultare **2** (tener éxito) riuscire, avere successo ■ **resultar + adj** rimanere + agg ● *~ herido*: rimanere ferito LOC **~ ser**: rivelarsi.

resumen /r̄esúmen/ [sm] riassunto LOC **en ~**: in sintesi.

resumir (-se) /r̄esumír/ [v tr prnl] (en) riassumere (-rsi).

retaguardia /r̄etaɣwárðja/ [sf] (también dep) retroguardia.

retahíla /r̄etaíla/ [sf] filza, sfilza.

retar /r̄etár/ [v tr] (a) sfidare.

retazo /r̄etáθo/ [sm] **1** scampolo, ritaglio **2** fig (de texto) brano, stralcio.

retención /r̄etenθjón/ [sf] **1** med ritenzione **2** (en pagos, cobros) trattenuta, ritenuta **3** (de tráfico) intasamento (m), ingorgo (m).

retener /r̄etenér/ [v tr] **1** mantenere ● *~ un secreto*: mantenere un segreto **2** (también descontar) trattenere **3**

(detener) interrompere, impedire ◆ [v prnl] trattenersi.

retina /r̄etína/ [sf] anat retina LOC **desprendimiento de la ~**: distacco della retina.

retintín /r̄etintín/ [sm] fig fam ironia (f), sarcasmo.

retirada /r̄etiráða/ [sf] (de objetos) raccolta.

retirado /r̄etiráðo/ [adj/sm] (persona) pensionato.

retirar (-se) /r̄etirár/ [v tr] (también fig) ritirare (-rsi) ● *se ha retirado de la política*: si è ritirato dalla politica.

retiro /r̄etíro/ [sm] ritiro LOC **estar en ~**: essere in pensione.

reto /r̄éto/ [sm] sfida (f).

retomar /r̄etomár/ [v tr] riprendere, ricominciare.

retoño /r̄etóɲo/ [sm] **1** germoglio **2** fig figlioletto.

retoque /r̄etóke/ [sm] ritocco, rifinitura (f).

retorcer /r̄etorθér/ [v tr] ritorcere ◆ [v prnl] (**de**) contorcersi.

retorcido /r̄etorθíðo/ [adj] fig **1** fam (persona) ambiguo **2** (lenguaje) contorto.

retorno /r̄etórno/ [sm] ritorno.

retractar (-se) /r̄etraktár/ [v tr prnl] ritrattare.

retraer /r̄etraér/ [v tr] **1** ritrarre, tirare indietro **2** (**de**) (disuadir) distogliere ◆ [v prnl] (**en**) chiudersi in sé.

retraído /r̄etraíðo/ [adj/sm] scontroso (adj).

retransmisión /r̄etransmisjón/ [sf] (de radio, televisión) trasmissione LOC **~ en diferido/directo**: trasmissione in differita/diretta.

retransmitir /r̄etransmitír/ [v tr] (por radio, televisión) trasmettere.

retrasar /r̄etrasár/ [v tr] **1** rimandare, differire **2** (un reloj) mettere/spostare indietro ◆ [v prnl] **1** ritardare, essere in ritardo **2** (reloj) essere indietro.

retraso /r̄etráso/ [sm] ritardo.

retratar /r̄etratár/ [v tr] **1** ritrarre **2** fig descrivere.

retrato /r̄etráto/ [sm] (también fig) ritratto ● *un fiel ~ de la sociedad española*: un fedele ritratto della società spagnola LOC **~ robot**: indentikit.

retrete /r̄etréte/ [sm] (cuarto) gabinetto.

retribución /r̄etriβuθjón/ [sf] retribuzione, compenso (m).

retribuir /r̄etriβwír/ [v tr] retribuire, pagare.

retroceder /r̄etroθeðér/ [v intr] **1** retrocedere, indietreggiare **2** fig desistere.

retrospectiva /r̄etrospektíva/ [sf] (exhibición) retrospettiva.

retrovisor /r̄etroβisór/ [sm] (de vehículo) retrovisore.

retumbar /r̄etumbár/ [v intr] (**con/en**) rimbombare.

reumatismo /r̄eumatísmo/ [sm] reumatismo.

reunión /r̄eunjón/ [sf] riunione.

reunir /r̄eunír/ [v tr] **1** riunire **2** fig (requisitos, características) possedere, avere ◆ [v prnl] riunirsi, radunarsi.

revalorizar /r̄eβaloriθár/ [v tr] rivalutare.

revaluar /r̄eβalwár/ [v tr] (moneda) rivalutare.

revancha /r̄eβántʃa/ [sf] rivincita, rappresaglia LOC **tomarse la ~**: prendersi la rivincita.

revelación /r̄eβelaθjón/ [sf] rivelazione.

revelado /r̄eβeláðo/ [sm] (de fotografía) sviluppo.

revelar /r̄eβelár/ [v tr] **1** rivelare **2** (fotografía) sviluppare ◆ [v prnl] rivelarsi.

reventar /r̄eβentár/ [v intr] (también fig) scoppiare ◆ **~ de risa**: scoppiare dalle risate ◆ [v tr] **1** far scoppiare **2** fig (cansar) sfiancare, sfinire **3** fig (enfadar) scocciare ◆ [v prnl] (globo, neumático) scoppiare, bucarsi.

reverberación /r̄eβerβeraθjón/ [sf] riverbero (m).

reverencia /r̄eβerénθja/ [sf] riverenza.

reversible /r̄eβersíβle/ [adj m,f] indum double-face (inv).

revertir /r̄eβertír/ [v intr] (a/en) (condición, estado) tornare.

revés /r̄eβés/ [sm] **1** (también dep) rovescio **2** (bofetada) schiaffo, sberla (f) LOC **al ~**: alla rovescia.

revestimiento /r̄eβestimjénto/ [sm] rivestimento.

revestir /r̄eβestír/ [v tr] (de/con) rivestire.

revisar /r̄eβisár/ [v tr] (también tecn) revisionare.

revisión /r̄eβisjón/ [sf] **1** revisione **2** med check-up (m inv) LOC **~ de coche**: tagliando.

revisor (-a) /r̄eβisór/ [adj/sm] (de tren) controllore.

revista /r̄eβísta/ [sf] rivista ◆ **~ de actualidad**: rivista di attualità LOC **pasar ~**: passare in rassegna.

revivir /r̄eβiβír/ [v intr] **1** (resucitar) resuscitare, risorgere **2** (también fig) ravvivarsi ◆ **nuestra amistad ha revivido**: la nostra amicizia si è ravvivata ◆ [v tr] rievocare, ricordare.

revocar /r̄eβokár/ [v tr] revocare.

revolcar /r̄eβolkár/ [v tr] atterrare, gettare a terra ◆ [v prnl] (en) rotolarsi.

revolotear /r̄eβoleteár/ [v intr] **1** (ave) volteggiare **2** (objeto) svolazzare.

revoltijo /r̄eβoltíxo/ [sm] groviglio, intrico.

revoltoso /r̄eβoltóso/ [adj] fig vivace (m,f), irrequieto.

revolución /r̄eβoluθjón/ [sf] **1** (también fig) rivoluzione ◆ **una ~ de las costumbres**: una rivoluzione dei costumi **2** (de motor, disco) giro (m).

revolucionar /r̄eβoluθjonár/ [v tr] (también fig) rivoluzionare.

revolucionario /r̄eβoluθjonárjo/ [adj/sm] (también fig) rivoluzionario ◆ **un invento ~**: un'invenzione rivoluzionaria.

revolver /r̄eβolβér/ [v tr] **1** (mezclar) rimescolare **2** (desordenar) mettere sottosopra ◆ [v prnl] (moverse) rigirarsi, agitarsi.

revuelo /r̄eβwélo/ [sm] agitazione (f), subbuglio LOC **armar/causar ~**: mettere in subbuglio.

revuelta /r̄eβwélta/ [sf] rivolta, insurrezione.

rey /r̄éi/ [sm] re (inv) LOC **día de Reyes**: Epifania.

rezar /r̄eθár/ [v tr] **1** (por) pregare **2** (rezos) recitare ◆ [v intr] pregare.

rezo /r̄éθo/ [sm] preghiera (f).

rezongar /r̄eθoŋgár/ [v intr] brontolare.

rezumar /r̄eθumár/ [v tr/intr] trasudare, traspirare.

riachuelo /r̄iaθ ʃwélo/ [sm] ruscello.

riada /r̄jáða/ [sf] piena, fiumana.

ribera /r̄iβéra/ [sf] riva, sponda.

rico /r̄íko/ [adj] 1 ricco 2 (alimento) squisito, prelibato 3 fig fam carino, grazioso.

ridículo /r̄iðíkulo/ [adj/sm] ridicolo LOC **poner/dejar en ~**: mettere in ridicolo.

riego /r̄jéɣo/ [sm] irrigazione (f).

riel /r̄jél/ [sm] 1 (de vehículo) rotaia (f) 2 (de mueble, cortina) guida (f).

rienda /r̄jénda/ [sf] 1 redine, briglia 2 (en pl) fig redini, direzione (sing), guida (sing) LOC **dar ~ suelta**: dare libero sfogo.

riesgo /r̄jésɣo/ [sm] rischio LOC **correr el ~**: correre il rischio.

rifa /r̄ífa/ [sf] lotteria.

rigidez /r̄ixiðéθ/ [sf] 1 rigidità (inv) 2 fig inflessibilità (inv), severità (inv).

rígido /r̄íxiðo/ [adj] (también fig) rigido • *un horario ~*: un orario rigido.

rigor /r̄iɣór/ [sm] rigore.

riguroso /r̄iɣuróso/ [adj] 1 (también preciso) rigoroso 2 (también clima) rigido.

rijoso /r̄ixóso/ [adj] rissoso, litigioso.

rima /r̄íma/ [sf] rima.

rímel /r̄ímel/ [sm inv] (cosmético) rimmel, mascara.

rincón /r̄iŋkón/ [sm] angolo.

rinoceronte /r̄inoθerónte/ [sm] rinoceronte.

riña /r̄íɲa/ [sf] rissa, lite.

riñón /r̄iɲón/ [sm] rene* LOC **costar un ~**: costare un occhio della testa | **tener riñones**: avere fegato.

riñonera /r̄iɲonéra/ [sf] (moda) marsupio (m).

río /r̄ío/ [sm] (también fig) fiume • *un ~ de lava*: un fiume di lava.

riojano /r̄joxáno/ [adj/sm] abitante di La Rioja.

riqueza /r̄ikéθa/ [sf] ricchezza.

risa /r̄ísa/ [sf] riso* (m), risata LOC **destornillarse/troncharse de ~**: sbellicarsi dalle risa.

risco /r̄ísko/ [sm] rupe (f).

risotada /r̄isotáða/ [sf] risata.

ristra /r̄ístra/ [sf] 1 resta, filza 2 fig sfilza, serie (inv), sequela.

risueño /r̄iswéɲo/ [adj] sorridente (m,f), allegro.

ritmo /r̄ítmo/ [sm] (también mus) ritmo.

rito /r̄íto/ [sm] rito.

ritual /r̄itwál/ [adj m,f/sm] rituale.

rival /r̄iβál/ [adj/sm,f] rivale, concorrente.

rivalidad /r̄iβaliðáð/ [sf] rivalità (inv).

rizado /r̄iθáðo/ [adj] 1 (pelo) riccio 2 (agua) mosso.

rizar (-se) /r̄iθár/ [v tr prnl] 1 (pelo) arricciare (-rsi) 2 (agua) increspare (-rsi).

rizo /r̄íθo/ [sm] riccio, ricciolo.

robar /r̄oβár/ [v tr] 1 (también fig) rubare • *~ horas al sueño*: rubare ore al sonno 2 (cartas, fichas).

roble /r̄óβle/ [sm] (también fig) quercia (f).

robo /r̄óβo/ [sm] furto.

robustecer (-se) /r̄oβusteθér/ [v tr prnl] irrobustire (-rsi).

robusto /r̄oβústo/ [adj] robusto.

roca /r̄óka/ [sf] roccia LOC **ser alguien una ~**: essere una roccia.

roce /r̄óθe/ [sm] **1** (marca) graffio **2** (contacto) sfioramento **3** fig attrito, contrasto.

rociar /r̄oθjár/ [v tr] (**con/de**) **1** spruzzare, bagnare **2** fig (comida) annaffiare, accompagnare.

rocío /r̄oθío/ [sm] rugiada (f).

rodaballo /r̄oðaβáλo/ [sm] rombo chiodato.

rodaja /r̄oðáxa/ [sf] (de alimento) fetta.

rodaje /r̄oðáxe/ [sm] **1** (de vehículo) rodaggio **2** (de película) ripresa (f).

rodar /r̄oðár/ [v intr] **1** (dar vueltas) ruotare, girare **2** (por) (caerse) cadere, ruzzolare ◆ [v tr] (también películas) girare LOC **echarlo todo a ~**: mandare tutto a rotoli.

rodear /r̄oðeár/ [v tr] **1** circondare **2** (dar la vuelta) fare il giro di ◆ [v prnl] (**de**) circondarsi.

rodeo /r̄oðéo/ [sm] **1** giro **2** (en pl) fig preamboli, storie (f) LOC **andar con rodeos**: menare il can per l'aia | **hablar sin rodeos**: parlare chiaro.

rodilla /r̄oðíλa/ [sf] ginocchio* (m) LOC **de rodillas**: in ginocchio.

rodillo /r̄oðíλo/ [sm] **1** (también tecn) rullo **2** coc matterello.

roer /r̄oér/ [v tr] (también fig) rodere ● *la roía el remordimiento*: la rodeva il rimorso.

rogar /r̄oɣár/ [v tr] pregare, supplicare LOC **hacerse (de) ~**: farsi pregare.

rojo /r̄óxo/ [adj/sm] rosso LOC **al ~ (vivo)**: incandescente | **ponerse ~**: diventare rosso, arrossire (persona).

rollizo /r̄oλíθo/ [adj] (persona) grosso, robusto.

rollo /r̄óλo/ [sm] **1** rotolo **2** fig fam palla (f), menata (f) **3** fig fam (lío) storia (f), flirt (inv).

románico /r̄omániko/ [adj/sm] romanico.

romano /r̄ománo/ [adj/sm] romano.

romántico /r̄omántiko/ [adj] romantico.

romería /r̄omería/ [sf] **1** (peregrinación) pellegrinaggio (m) **2** (fiesta) sagra, festa popolare.

romero /r̄oméro/ [sm] **1** pellegrino **2** bot rosmarino.

rompecabezas /r̄ompekaβéθas/ [sm inv] **1** puzzle **2** fig rompicapo (sing).

romper (-se) /r̄ompér/ [v tr prnl] (también fig) rompere (-rsi) ● ~ *la monotonía*: rompere la monotonia ◆ [v intr] (**con**) fig rompere, troncare.

ron /r̄ón/ [sm] rum (inv).

roncar /r̄oŋkár/ [v intr] russare.

roncha /r̄óntʃa/ [sf] pomfo (m).

ronco /r̄oŋko/ [adj] rauco, roco.

ronda /r̄ónda/ [sf] **1** ronda **2** dep (también de consumiciones) giro (m) **3** (de juego de naipes) mano*, partita.

rondar /r̄ondár/ [v tr] (también fig) girare/ronzare intorno.

ronquera /r̄oŋkéra/ [sf] raucedine.

ronroneo /r̄onr̄onéo/ [sm] fusa (f pl).

roña /ʁóɲa/ [sf] sporcizia.

ropa /ʁópa/ [sf] **1** biancheria • *planchar la ~*: stirare la biancheria **2** vestito (m), indumento (m) • *~ de verano*: vestiti estivi LOC *~ interior*: biancheria intima.

ropero /ʁopéro/ [sm] (mueble) guardaroba (inv), armadio.

rosa /ʁósa/ [adj m,f/sm] (color) rosa (inv) ♦ [sf] bot rosa.

rosal /ʁosál/ [sm] roseto, rosaio.

rosca /ʁóska/ [sf] **1** tecn bullone (m) **2** (bollo) ciambella LOC **hacer la ~**: leccare, adulare | **no comerse una ~**: andare in bianco | **pasarse de ~**: esagerare.

rosetón /ʁosetón/ [sm] rosone.

rosquilla /ʁoskíʎa/ [sf] ciambellina.

rostro /ʁóstro/ [sm] viso, volto.

rotación /ʁotaθjón/ [sf] rotazione.

roto /ʁóto/ [sm] (en un tejido) rottura (f), strappo.

rotonda /ʁotónda/ [sf] (también plaza) rotonda.

rótula /ʁótula/ [sf] rotula.

rotulador /ʁotulaðór/ [sm] pennarello LOC *~ fluorescente*: evidenziatore.

rótulo /ʁótulo/ [sm] **1** etichetta (f), cartellino **2** (de tienda) insegna (f).

rotundo /ʁotúndo/ [adj] fig categorico.

rotura /ʁotúra/ [sf] **1** rottura **2** (abertura) crepa, fessura.

rozadura /ʁoθaðúra/ [sf] **1** sfregamento (m) **2** med abrasione.

rozamiento /ʁoθamjénto/ [sm] **1** sfregamento, strofinamento **2** (también fig) attrito • *hubo unos roza-*

mientos entre ellos: vi furono attriti fra loro.

rozar /ʁoθár/ [v tr/intr] **1** sfiorare **2** fig approssimarsi, sfiorare • *el valor del solar roza el millón*: il valore del terreno si approssima al milione.

rubéola /ʁuβéola/ [sf] rosolia.

rubí /ʁuβí/ [sm] rubino ▪ pl irr **rubís**.

rubio /ʁúβjo/ [adj/sm] biondo.

rubor /ʁuβór/ [sm] rossore.

ruborizar /ʁuβoriθár/ [v tr] far arrossire ♦ [v prnl] arrossire.

rudeza /ʁuðéθa/ [sf] rudezza.

rudimentario /ʁuðimentárjo/ [adj] rudimentale (m,f).

rudo /ʁúðo/ [adj] **1** grezzo, rozzo **2** (persona, modales) rude (m,f).

rueda /ʁwéða/ [sf] ruota LOC **ir sobre ruedas**: andare liscio/a gonfie vele | **~ de prensa**: conferenza stampa.

ruedo /ʁwéðo/ [sm] **1** (plaza de toros) arena (f) **2** (de personas) capannello.

ruego /ʁwéɣo/ [sm] supplica (f), petizione (f), istanza (f).

rugoso /ʁuɣóso/ [adj] rugoso, grinzoso.

ruido /ʁwíðo/ [sm] **1** rumore, chiasso **2** fig scandalo.

ruidoso /ʁwiðóso/ [adj] rumoroso, chiassoso.

ruin /ʁwín/ [adj m,f] **1** vile **2** (tacaño) avaro (m), tirchio (m).

ruina /ʁwína/ [sf] **1** (también fig) rovina • *él fue la ~ de la familia*: lui fu la rovina della famiglia **2** (en pl, monumentos) rovine.

ruiseñor /ʁwiseɲór/ [sm] usignolo.

ruleta /ʁuléta/ [sf] roulette (inv).

rulo /ʁúlo/ [sm] bigodino.

rumbo /r̄úmbo/ [sm] rotta (f) LOC **poner ~ a/hacia algo**: fare rotta verso qualcosa | **~ a/hacia un lugar**: diretto verso un luogo.

rumor /r̄umór/ [sm] (noticia) voce (f), diceria (f).

rumorearse /r̄umoreárse/ [v imp] parere/sembrare che.

ruptura /r̄uptúra/ [sf] med (también fig) rottura • *una ~ entre dos partidos*: una rottura fra due partiti.

rural /r̄urál/ [adj m,f] rurale.

rústico /r̄ústiko/ [adj] rustico.

ruta /r̄úta/ [sf] rotta.

rutina /r̄utína/ [sf] tran tran (m inv), routine (inv).

Ss

sábado /sáβaðo/ [sm] sabato.

sábana /sáβana/ [sf] lenzuolo* (m).

saber /saβér/ [sm/v tr] sapere ◆ [v intr] **1** sapere • *no sé dónde está*: non so dov'è **2** saperne • *no quiso ~ más de él*: non ha voluto più saperne di lui LOC **hacer ~**: far sapere | **~ a algo**: sapere di qualcosa (sapore, odore) | **~ bien/mal**: avere un buon/cattivo sapore/odore | ¡**yo qué sé!**: che ne so?

sabiduría /saβiðuría/ [sf] saggezza.

sabio /sáβjo/ [adj/sm] saggio.

sabor /saβór/ [sm] sapore, gusto.

sabroso /saβróso/ [adj] saporito, gustoso.

sacacorchos /sakakórtʃos/ [sm inv] cavatappi.

sacapuntas /sakapúntas/ [sm inv] temperino (sing).

sacar /sakár/ [v tr] **1** tirare fuori • ~ *el pañuelo del bolsillo*: tirare fuori il fazzoletto di tasca **2** portare fuori • ¿*quién saca al perro?*: chi porta fuori il cane? LOC **~ dinero**: prelevare soldi (banca) | **~ en claro/lim-** pio: capire | **~ entradas**: comperare biglietti (spettacolo) | **~ una foto**: scattare una foto.

sacarina /sakarína/ [sf] saccarina.

sacerdote /saθerðóte/ [sm] sacerdote.

saciar (-se) /saθjár/ [v tr prnl] saziare (-rsi).

saco /sáko/ [sm] **1** sacco **2** *Amer* giacca (f) LOC **~ de dormir**: sacco a pelo.

sacramento /sakraménto/ [sm] sacramento.

sacrificar (-se) /sakrifikár/ [v tr prnl] sacrificare (-rsi).

sacrificio /sakrifíθjo/ [sm] (también fig) sacrificio.

sacristán /sakristán/ [sm] sagrestano.

sacro /sákro/ [adj] sacro LOC **hueso ~**: osso sacro.

sacudida /sakuðíða/ [sf] scossa.

sacudir (-se) /sakuðír/ [v tr prnl] scuotere (-rsi).

sádico /sáðiko/ [adj/sm] sadico.

safari /safári/ [sm] safari (inv).

Sagitario /saxitárjo/ [sm] (zodíaco) Sagittario.

sagrado /saɣráðo/ [adj] (también fig) sacro • *para mí las vacaciones son sagradas*: per me la vacanza è sacra.

sal /sál/ [sf] sale (m) LOC ~ **fina/gorda**: sale fine/grosso.

sala /sála/ [sf] **1** (también muebles) salotto (m), sala **2** sala • ~ *de cine*: sala cinematografica LOC ~ **de espera/fiestas**: sala d'attesa/da ballo | ~ **de estar**: salotto.

salado /saláðo/ [adj] **1** salato **2** fig (gracioso) spiritoso.

salami /salámi/ [sm] salame.

salar /salár/ [v tr] salare.

salario /salárjo/ [sm] salario, paga (f).

salchicha /saltʃítʃa/[sf] salsiccia LOC ~ **Frankfurt**: würstel.

salchichón /saltʃitʃón/ [sm] salame.

saldar /saldár/ [v tr] **1** saldare, pagare **2** com svendere, liquidare.

saldo /sáldo/ [sm] **1** saldo **2** (en pl, rebajas) saldi LOC **saldos de fin de temporada**: saldi di fine stagione.

salero /saléro/ [sm] **1** saliera (f) **2** fig fam grazia (f), brio.

salida /salíða/ [sf] **1** uscita • *¡busquemos la ~!*: cerchiamo l'uscita! **2** fig via d'uscita **3** (también dep) partenza • *¿a qué hora tiene ~ el tren?*: a che ora è la partenza del treno? LOC ~ **de emergencia**: uscita di sicurezza.

salido /salíðo/ [adj] sporgente (m,f).

saliente /saljénte/ [sm] sporgenza (f).

salir /salír/ [v intr] **1** (a/de) uscire • ~ *de casa*: uscire di casa **2** (**hacia/para**) partire • ~ *para Málaga*: partire per Malaga **3** fig venire, riuscire • *el bizcocho salió mal*: la torta è venuta male LOC ~ **adelante**: farcela | ~ **algo bien/mal**: riuscire bene/male | ~ **algo caro**: costare caro.

saliva /salíβa/ [sf] saliva.

salivazo /saliβáθo/ [sm] sputo.

salmón /salmón/ [adj inv/sm] salmone LOC ~ **ahumado**: salmone affumicato.

salmonete /salmonéte/ [sm] triglia (f).

salmuera /salmwéra/ [sf] salamoia.

salón /salón/ [sm] **1** salone, sala (f) **2** com fiera (f) LOC ~ **de belleza**: istituto di bellezza | ~ **de té**: sala da tè.

salpicadero /salpikaðéro/ [sm] (de vehículo) cruscotto.

salpicar /salpikár/ [v tr] (también manchar) schizzare.

salsa /sálsa/ [sf] **1** salsa **2** (para pasta) sugo (m) LOC ~ **rosa/tártara/verde**: salsa rosa/tartara/verde.

saltamontes /saltamóntes/ [sm inv] cavalletta (f sing).

saltar (-se) /saltár/ [v tr prnl/intr] saltare LOC ~ **a la vista**: saltare agli occhi.

salto /sálto/ [sm] salto LOC ~ **con pértiga/de altura/longitud**: salto con l'asta/in alto/lungo | ~ **mortal**: salto mortale.

salud /salúð/ [sf] salute LOC ¡~!: salute! (brindisi).

saludar (-se) /saluðár/ [v tr prnl] salutare (-rsi).

saludo /salúðo/ [sm] saluto.

salvación /salβaθjón/ [sf] salvezza.

salvado /salβáðo/ [sm] crusca (f).

salvadoreño /salβaðoréɲo/ [adj/sm] salvadoregno.

salvaguardar /salβaɣwarðár/ [v tr] salvaguardare.

salvaje /salβáxe/ [adj m,f] **1** (planta, animal) selvatico (m) **2** selvaggio (m) ◆ [sm,f] selvaggio (m).

salvamento /salβaménto/ [sm] salvataggio.

salvar /salβár/ [v tr] **1** (también inform) salvare **2** (obstáculos) superare ◆ [v prnl] (de) salvarsi.

salvavidas /salβaβíðas/ [sm inv] salvagente LOC **bote/chaleco ~**: scialuppa/giubbotto di salvataggio.

salvia /sálβja/ [sf] salvia.

salvo /sálβo/ [adj/adv] salvo LOC **a ~**: in salvo.

san /sán/ [adj] san, santo.

sanar /sanár/ [v tr/intr] (**de/en**) guarire.

sanción /sanθjón/ [sf] sanzione.

sandalia /sandálja/ [sf] sandalo (m).

sandez /sandéθ/ [sf] stupidaggine.

sandía /sandía/ [sf] anguria.

sándwich /sáŋgwitʃ/ [sm] tramezzino ■ pl irr **sándwiches**.

sangrar /saŋgrár/ [v intr] sanguinare.

sangre /sáŋgre/ [sf] sangue (m) LOC **~ caliente/fría**: sangue caldo/freddo.

sangriento /saŋgrjénto/ [adj] **1** sanguinante (m,f), insanguinato **2** (cruel) sanguinario.

sanguíneo /saŋgíneo/ [adj] sanguigno LOC **grupo/vaso ~**: gruppo/vaso sanguigno.

sanidad /saniðáð/ [sf] sanità (inv).

sanitario /sanitárjo/ [adj] sanitario ◆ [sm] (en pl) sanitari, impianti sanitari.

sano /sáno/ [adj] (también fig) sano ● *una educación sana*: una sana educazione LOC **cortar por lo ~**: darci un taglio | **~ y salvo**: sano e salvo.

santiguarse /santiɣwárse/ [v prnl] farsi il segno della croce.

santo /sánto/ [adj] santo ◆ [sm] **1** (también fig) santo ● *¡su marido es un ~!*: suo marito è un santo! **2** (día) onomastico LOC **írsele el ~ al cielo**: uscire di mente | **~ y seña**: parola d'ordine.

santuario /santwárjo/ [sm] santuario.

sapiencia /sapjénθja/ [sf] sapienza.

sapo /sápo/ [sm] rospo.

saque /sáke/ [sm] dep (fútbol) calcio LOC **~ de banda/esquina**: rimessa laterale/corner.

saquear /sakeár/ [v tr] saccheggiare.

sarampión /sarampjón/ [sm] morbillo.

sarcasmo /sarkásmo/ [sm] sarcasmo.

sardina /sarðína/ [sf] sardina, sarda.

sardo /sárðo/ [adj/sm] sardo.

sargento /sarxénto/ [sm] sergente.

sargo /sárɣo/ [sm] sarago.

sarpullido /sarpuʎíðo/ [sm] fam eruzione (f) cutanea, sfogo.

sarro /sáro/ [sm] **1** incrostazione (f) **2** med tartaro.

sarta /sárta/ [sf] **1** filza ● *una ~ de perlas*: una filza di perle **2** fig sfilza.

sartén /sartén/ [sf] padella, tegame (m).

sastre /sástre/ [sm] sarto LOC **traje ~**: tailleur.

sastrería /sastrería/ [sf] sartoria.

satélite /satélite/ [adj m,f/sm] satellite LOC **~ artificial**: satellite artificiale.

sátira /sátira/ [sf] satira.

satisfacción /satisfakθjón/ [sf] soddisfazione.

satisfacer /satisfaθér/ [v tr/intr] soddisfare.

satisfactorio /satisfaktórjo/ [adj] soddisfacente (m,f).

satisfecho /satisfétʃo/ [adj] soddisfatto, contento.

Saturno /satúrno/ [sm] Saturno.

sauce /sáuθe/ [sm] salice LOC **~ llorón**: salice piangente.

sauna /sáuna/ [sf] sauna.

savia /sáβja/ [sf] linfa.

saxófono /saksófono/ [sm] sassofono.

sazonar /saθonár/ [v tr] condire.

se /se/ [pron] **1** si • *lavarse las manos*: lavarsi le mani **2** gli • **~** *lo daré*: glielo darò.

secador /sekaðór/ [sm] asciugatore LOC **~ de pelo**: asciugacapelli, phon.

secar (-se) /sekár/ [v tr prnl] asciugare (-rsi).

sección /sekθjón/ [sf] **1** (de tienda, empresa) reparto (m), settore (m) **2** sezione.

seco /séko/ [adj] (también fig) secco, asciutto • *carácter* ~: carattere asciutto LOC **golpe ~**: colpo secco.

secretaría /sekretaría/ [sf] segreteria.

secretario /sekretárjo/ [sm] segretario.

secreto /sekréto/ [adj/sm] segreto.

secta /sékta/ [sf] setta.

sector /sektór/ [sm] settore LOC **~ privado/público**: settore privato/pubblico.

secuela /sekwéla/ [sf] (también med) postumo (m), strascico (m).

secuencia /sekwénθja/ [sf] sequenza.

secuestrar /sekwestrár/ [v tr] **1** (personas) sequestrare, rapire **2** (avión) dirottare.

secuestro /sekwéstro/ [sm] **1** (de personas) sequestro, rapimento **2** (de avión) dirottamento.

secular /sekulár/ [adj m,f] secolare.

secundar /sekundár/ [v tr] assecondare, aiutare.

secundario /sekundárjo/ [adj] secondario.

sed /séð/ [sf] sete.

seda /séða/ [sf] seta LOC **de media/toda ~**: misto seta/di seta pura | **~ dental**: filo interdentale.

sedante /seðánte/ [adj m,f] calmante ♦ [sm] calmante.

sede /séðe/ [sf] sede.

sedentario /seðentárjo/ [adj] sedentario.

sediento /seðjénto/ [adj] (persona, también fig) assetato • **~ de cariño**: assetato d'affetto.

sedimento /seðiménto/ [sm] sedimento.

seducción /seðukθjón/ [sf] seduzione.

seducir /seðuθír/ [v tr] sedurre, conquistare.

seductor (-a) /seðuktór/ [adj] seducente (adj m,f) ♦ [sm] seduttore (f -trice).

seguido /seɣíðo/ [adj] di fila/seguito • *estudió dos horas seguidas*: studiò due ore di fila ◆ [adv] dritto • *vaya todo ~*: vada sempre dritto.

seguidor (-a) /seɣiðór/ [adj/sm] fig seguace (m,f).

seguir /seɣír/ [v tr] (también fig) seguire • *~ una explicación*: seguire una spiegazione ◆ [v intr] **1** fig essere sempre/ancora • *sigue en su plaza*: è sempre allo stesso posto **2** (con/en/por) proseguire, continuare • *~ por un camino*: proseguire lungo la strada ■ **seguir + ger** continuare a + inf • *~ trabajando*: continuare a lavorare.

según /seɣún/ [prep] **1** secondo • *~ yo*: secondo me **2** (conforme) man mano, via via.

segundo /seɣúndo/ [adj/sm] (tiempo) secondo.

seguridad /seɣuriðáð/ [sf] sicurezza LOC **cinturón de ~**: cintura di sicurezza | **~ social**: previdenza sociale.

seguro /seɣúro/ [adj] sicuro ◆ [sm] **1** assicurazione (f) • *su coche no tiene ~*: la loro macchina è senza assicurazione **2** (mecanismo) sicura (f), dispositivo di sicurezza.

selección /selekθjón/ [sf] (también dep) selezione.

selectivo /selektíβo/ [adj] selettivo.

sellar /seʎár/ [v tr] **1** bollare **2** (cerrar) sigillare.

sello /séʎo/ [sm] **1** (para correo) francobollo **2** timbro • *un documento con el ~ de la asociación*: un documento con il timbro dell'associazione.

selva /sélβa/ [sf] **1** foresta, selva **2** fig pey giungla.

semáforo /semáforo/ [sm] semaforo LOC **~ en rojo/ámbar/verde**: semaforo rosso/giallo/verde.

semana /semána/ [sf] settimana LOC **fin de ~**: fine settimana.

semanal /semanál/ [adj m,f] settimanale.

semanario /semanárjo/ [sm] (periódico) settimanale.

semblante /semblánte/ [sm] aspetto.

sembrar /sembrár/ [v tr] (también fig) seminare • *~ el terror*: seminare terrore.

semejante /semexánte/ [adj m,f/sm] simile.

semejarse /semexárse/ [v intr prnl] (a/en) somigliare, assomigliare.

semestral /semestrál/ [adj m,f] semestrale.

semestre /seméstre/ [sm] semestre.

semifinal /semifinál/ [sf] semifinale.

semilla /semíʎa/ [sf] seme (m).

seminario /seminárjo/ [sm] seminario.

senado /senáðo/ [sm] senato.

senador (-a) /senaðór/ [sm] senatore (f -trice).

sencillez /senθiʎéθ/ [sf] semplicità (inv).

sencillo /senθíʎo/ [adj] (también fig) semplice (m,f) • *viste de forma sencilla*: veste in modo semplice.

senda /sénda/ [sf] **1** sentiero (m), viottolo (m) **2** fig via, strada.

senderismo /senderísmo/ [sm] trekking (inv).

sendos /séndos/ [adj pl] proprio (sing), rispettivo (sing) • *llegaron* *en ~ coches*: arrivarono con le rispettive auto.

seno /séno/ [sm] **1** anat seno **2** insenatura (f).

sensación /sensaθjón/ [sf] sensazione.

sensacional /sensaθjonál/ [adj m,f] sensazionale.

sensato /sensáto/ [adj] sensato, di buon senso.

sensibilidad /sensiβiliðáð/ [sf] (también fig) sensibilità (inv) • *¡eres un bruto, no tienes ~!*: sei un bruto privo di sensibilità!

sensible /sensíβle/ [adj m,f] sensibile.

sensualidad /senswaliðáð/ [sf] sensualità (inv).

sentar /sentár/ [v tr] (en) far sedere ♦ [v intr/prnl] (en) sedersi LOC ~ **bien/mal**: fare bene/male; digerire/rimanere sullo stomaco (cibo); stare bene/male (abbigliamento) | ~ **las bases de algo**: porre le basi di qualcosa | **sentarse a la mesa**: sedersi a tavola.

sentencia /senténθja/ [sf] (también jur) sentenza.

sentido /sentíðo/ [sm] senso LOC **de un ~/dos sentidos**: a senso unico/a due sensi (via, circolazione) | **doble ~**: doppio senso (parola, frase) | **perder el ~**: svenire.

sentimental /sentimentál/ [sm,f] sentimentale.

sentimiento /sentimjénto/ [sm] sentimento.

sentir /sentír/ [v tr] **1** (también fig) sentire • ~ *frío*: sentire freddo **2** dispiacere • *siento que no vengas*: mi dispiace che tu non venga ♦ [v prnl]

sentirsi LOC **¡lo siento!**: mi dispiace!

seña /séna/ [sf] **1** gesto (m) **2** (en pl) indirizzo (m sing) • *¡déjame tus señas!*: dammi il tuo indirizzo! LOC **señas personales**: generalità.

señal /senál/ [sf] **1** segno (m) • *me hizo una ~*: mi fece un segno **2** (también letrero) segnale (m) LOC **~ de tráfico/circulación**: segnale/cartello stradale.

señalar /senalár/ [v tr] **1** segnare **2** (con señales) segnalare ♦ [v prnl] segnalarsi, distinguersi.

señor (-a) /senór/ [sm] (también cortesía) signore.

señorita /senoríta/ [sf] (cortesía) signorina.

separación /separaθjón/ [sf] (también jur) separazione.

separar (-se) /separár/ [v tr prnl] **1** allontanare (-rsi), scostare (-rsi) **2** (también jur) separare (-rsi).

sepia /sépja/ [sf] seppia.

septentrión /septentrjón/ [sm] settentrione, nord.

septiembre /septjémbre/ [sm] settembre.

sepultar /sepultár/ [v tr] seppellire, sotterrare.

sepultura /sepultúra/ [sf] sepoltura.

sequedad /sekeðáð/ [sf] secchezza.

sequía /sekía/ [sf] siccità (inv).

séquito /sékito/ [sm] seguito.

ser /sér/ [sm/v intr/imp] essere • *es abogado*: è avvocato | *aquí es donde vivo*: qui è dove abito | *yo no soy de aquí*: io non sono di qui | *es tarde*: è tardi LOC **a no ~ que**: a meno che | **es más**: anzi | **¡eso es!**: giusto! | **o sea**: cioè.

serenarse /serenárse/ [v prnl] rasserenarsi.

serenidad /sereniðáð/ [sf] serenità (inv), tranquillità (inv).

sereno /seréno/ [adj] sereno, limpido.

serial /serjál/ [sm] (de televisión) sceneggiato.

serie /sérje/ [sf] serie (inv).

seriedad /serjeðáð/ [sf] serietà (inv).

serio /sérjo/ [adj] serio LOC en ~: sul serio.

seropositivo /seroposití βo/ [adj] sieropositivo.

serpiente /serpjénte/ [sf] serpente (m).

serrano /serãno/ [sm] montanaro.

serrar /serãr/ [v tr] segare.

servicial /serβiθjál/ [adj m,f] sollecito (m), premuroso (m).

servicio /serβiθjo/ [sm] 1 (también de tenis) servizio 2 (aseo) servizi (pl), gabinetto LOC estación de ~: stazione di servizio | ~ de mesa: coperto | ~ militar: servizio militare

servidor /serβiðór/ [sm] inform server (inv).

servidumbre /serβiðúmbre/ [sf] servitù (inv).

servilleta /serβiʎéta/ [sf] tovagliolo (m).

servir (-se) /serβír/ [v tr/intr/prnl] servire (-rsi) LOC ~ de/para algo: servire a/per qualcosa.

servodirección /serβoðirekθjón/ [sf] servosterzo (m).

sesentón (-a) /sesentón/ [adj/sm] fam sessantenne (m,f).

sesión /sesjón/ [sf] 1 (de cine, teatro) spettacolo (m) 2 seduta ♦ *una ~ de masajes*: una seduta di massaggi LOC ~ continua: programma-

zione non-stop (cinema) | ~ parlamentaria: seduta parlamentare.

seso /séso/ [sm] 1 fam (también fig) cervello 2 coc cervella (f).

seta /séta/ [sf] fungo (m).

setentón (-a) /setentón/ [adj/sm] fam settantenne (m,f).

seto /séto/ [sm] siepe (f).

severidad /seβeriðáð/ [sf] severità (inv).

severo /seβéro/ [adj] severo.

Sevilla /seβíʎa/ [sf] Siviglia.

sevillano /seβiʎáno/ [adj/sm] sivigliano.

sexo /sékso/ [sm] sesso.

sexual /sekswál/ [adj m,f] sessuale LOC acto ~: rapporto sessuale.

si /si/ [conj] se LOC ~ no: altrimenti, se no.

si /sí/ [sm] mus si (inv).

sí /sí/ [adv/sm] sì LOC decir que ~: dire di sì ♦ [pron m,f inv] sé LOC de por ~: di per sé.

siciliano /siθiljáno/ [adj/sm] siciliano.

sida /síða/ [sm] aids (inv).

siderúrgico /siðerúrxiko/ [adj] siderurgico.

sidra /síðra/ [sf] sidro (m).

siempre /sjémpre/ [adv] sempre LOC ¡hasta ~!: addio! | por/para ~ (jamás): per sempre | ~ que: sempre che (condizione); ogni volta che (ripetizione).

sien /sjén/ [sf] tempia.

sierpe /sjérpe/ [sf] (también fig) serpe.

siervo /sjérβo/ [sm] servo.

sierra /sjéra/ [sf] 1 sega 2 geog serra LOC ~ circular/de mano: sega circolare/a mano.

siesta /sjésta/ [sf] pisolino (m), sonnellino (m) LOC **dormir/echar la ~**: fare la siesta.

sifón /sifón/ [sm] (agua) seltz (inv), soda (f).

sigilo /sixílo/ [sm] fig cautela (f).

sigla /síɣla/ [sf] sigla.

siglo /síɣlo/ [sm] secolo.

significado /siɣnifikáðo/ [sm] significato.

significar /siɣnifikár/ [v tr/intr] significare.

signo /síɣno/ [sm] segno LOC **~ de interrogación/admiración**: punto interrogativo/esclamativo | **~ zodiacal**: segno zodiacale.

siguiente /siɣjénte/ [adj m,f] seguente.

sílaba /sílaβa/ [sf] sillaba.

silbar /silβár/ [v tr/intr] fischiare.

silbato /silβáto/ [sm] fischietto.

silbido /silβíðo/ [sm] fischio.

silenciador /silenθjaðór/ [sm] (de arma de fuego) silenziatore.

silencio /silénθjo/ [sm] silenzio.

silencioso /silenθjóso/ [adj] silenzioso.

silla /síʎa/ [sf] **1** (asiento) sedia, seggiola **2** (de montar) sella LOC **~ eléctrica**: sedia elettrica | **~ de ruedas**: sedia a rotelle.

sillín /siʎín/ [sm] sellino.

sillón /siʎón/ [sm] poltrona (f).

silueta /silwéta/ [sf] silhouette (inv).

simbólico /simbóliko/ [adj] simbolico.

símbolo /símbolo/ [sm] simbolo.

simétrico /simétriko/ [adj] simmetrico.

simiente /simjénte/ [sf] seme (m), semente.

similar /similár/ [adj m,f] simile.

simio /símjo/ [sm] scimmia (f).

simpatía /simpatía/ [sf] simpatia.

simpático /simpátiko/ [adj] simpatico.

simple /símple/ [adj m,f] semplice.

simplicidad /simpliθiðáð/ [sf] semplicità (inv).

simplificar /simplifikár/ [v tr] semplificare.

simplón (-a) /simplón/ [adj/sm] sempliciotto.

simular /simulár/ [v tr] simulare, fingere.

simultanear /simultaneár/ [v tr] (**con**) conciliare.

simultáneo /simultáneo/ [adj] simultaneo, contemporaneo.

sin /sin/ [prep] senza.

sinagoga /sinaɣóɣa/ [sf] sinagoga.

sinceridad /sinθeriðáð/ [sf] sincerità (inv).

sincero /sinθéro/ [adj] sincero.

síncope /síŋkope/ [sm] sincope (f).

sincronizar /siŋkroniθár/ [v tr] (**con**) sincronizzare.

sindicato /sindikáto/ [sm] sindacato.

síndrome /síndrome/ [sm] sindrome (f).

sinfín /simfín/ [sm] infinità (f inv).

sinfonía /simfonía/ [sf] sinfonia.

singular /siŋgulár/ [adj m,f] (también fig) singolare • *tomaron una ~ resolución*: presero una singolare decisione.

siniestro /sinjéstro/ [adj/sm] sinistro.

sino /síno/ [conj] **1** ma, bensì • *no vino él, ~ el hermano*: non venne lui ma il fratello **2** (excepto) tranne, eccetto LOC ~ **también**: ma anche.

sinónimo /sinónimo/ [adj/sm] sinonimo.

síntesis /síntesis/ [sf inv] sintesi.

sintético /sintétiko/ [adj] sintetico.

síntoma /síntoma/ [sm] sintomo.

sintonía /sintonía/ [sf] **1** sigla musicale **2** (también fig) sintonia • *me encuentro en ~ con Pablo*: mi trovo in sintonia con Paolo.

sinusitis /sinusítis/ [sf inv] sinusite (sing).

sinvergüenza /simberywénθa/ [sm,f] **1** (delincuente) mascalzone (m), canaglia (f) **2** (descarado) sfacciato (m), insolente.

siquiera /sikjera/ [conj] **1** anche se/solo • *ven ~ por pocos días*: vieni anche se per pochi giorni **2** almeno • *podías haber llamado ~*: potevi almeno telefonare LOC **ni ~**: neanche.

sirena /siréna/ [sf] sirena.

siroco /siróko/ [sm] scirocco.

sirviente /sirβjénte/ [sm] domestico.

sismo /sísmo/ [sm] sisma, terremoto.

sistema /sistéma/ [sm] sistema.

sitio /sítjo/ [sm] posto, luogo LOC **hacer ~**: fare posto.

situación /sitwaθjón/ [sf] **1** situazione **2** (lugar) posizione, ubicazione **3** fig condizione, stato (m) • *no estás en ~ de pretender nada*: non sei nella condizione di pretendere nulla.

situar /sitwár/ [v tr] situare, collocare, piazzare.

smog /esmóy/ [sm inv] smog.

snorkel /esnórkel/ [sm inv] boccaglio (sing).

sobaco /soβáko/ [sm] ascella (f).

sobar /soβár/ [v tr] palpare, toccare.

soberano /soβeráno/ [adj/sm] sovrano, re.

soberbia /soβérβja/ [sf] superbia, presunzione.

soberbio /soβérβjo/ [adj] superbo, presuntuoso.

sobornar /soβornár/ [v tr] corrompere.

sobra /sóβra/ [sf] **1** eccesso (m) **2** (en pl) avanzi (m) LOC **de ~**: d'avanzo.

sobrar /soβrár/ [v intr] **1** (quedar) avanzare **2** (estar de más) essere di troppo/in più.

sobre /sóβre/ [prep] **1** (encima de) sopra, su **2** fig (argumento) su, di **3** (tiempo) verso, intorno • [sm] **1** busta (f) • *franquear un ~*: affrancare una busta **2** (envase) bustina (f).

sobrecarga /soβrekárγa/ [sf] sovraccarico (m).

sobrecargo /soβrekárγo/ [sm] (de avión) steward (inv), assistente di volo.

sobrecoger (-se) /soβrekoxér/ [v tr prnl] spaventare (-rsi).

sobredosis /soβreðósis/ [sf inv] overdose.

sobremesa /soβremésa/ [sf] conversazione alla fine del pranzo LOC **hacer ~**: restare seduti a tavola a chiacchierare.

sobrentender /soβrentendér/ [v tr] sottintendere.

sobrentendido /soβrentendíðo/ [adj/sm] sottinteso.

sobrepasar /soβrepasár/ [v intr] oltrepassare, superare.

S

sobrepeso /soβrepéso/ [sm] sovrappeso.

sobreponer /soβreponér/ [v tr] sovrapporre ♦ [v prnl] (a) fig (dificultades, pruebas) superare.

sobresalir /soβresalír/ [v intr] 1 sporgere 2 fig (entre/por) spiccare.

sobresaltar (-se) /soβresaltár/ [v tr prnl] spaventare (-rsi).

sobrevivir /soβreβiβír/ [v intr] sopravvivere.

sobrevolar /soβreβolár/ [v tr] sorvolare.

sobrino /soβríno/ [sm] nipote (m,f) (di zio).

sobrio /sóβrjo/ [adj] sobrio.

sociable /soθjáβle/ [adj m,f] socievole, affabile.

social /soθjál/ [adj m,f] sociale LOC **clase ~**: classe/ceto sociale.

socialismo /soθjalísmo/ [sm] socialismo.

socialista /soθjalísta/ [adj/sm,f] socialista.

sociedad /soθjeðáð/ [sf] società (inv).

socio /sóθjo/ [sm] socio.

socorrer /sokořér/ [v tr] soccorrere, aiutare.

socorrido /sokoříðo/ [adj] (recurso) comodo, pratico.

socorrismo /sokořísmo/ [sm] pronto soccorso.

socorrista /sokořísta/ [sm,f] soccorritore (f -trice).

socorro /sokóřo/ [sm] soccorso, aiuto LOC ¡~!: aiuto!

soda /sóða/ [sf] soda, seltz (m inv).

sodio /sóðjo/ [sm] sodio.

soez /soéθ/ [adj m,f] volgare, scurrile.

sofá /sofá/ [sm] divano, sofà (inv) ■ pl irr **sofás** LOC **~ cama**: divano letto.

sofisticado /sofistikáðo/ [adj] sofisticato.

sofisticar /sofistikár/ [v tr] sofisticare.

sofocar /sofokár/ [v tr] 1 (también fig) soffocare ● **~ el dolor**: soffocare il dolore 2 fig assillare ● *me sofoca con sus pretensiones*: mi assilla con le sue pretese ♦ [v prnl] fig 1 (enojarse) arrabbiarsi 2 (ruborizarse) arrossire.

sofoco /sofóko/ [sm] soffocamento.

sofreír /sofreír/ [v tr] soffriggere.

sofrito /sofríto/ [sm] soffritto.

soga /sóɣa/ [sf] corda, fune.

soja /sóxa/ [sf] soia.

sol /sól/ [sm] 1 sole 2 mus sol (inv) LOC **ser alguien un ~**: essere un tesoro/amore | **tomar el ~**: prendere il sole.

solapado /solapáðo/ [adj] subdolo, falso.

solar /solár/ [adj m,f] solare ♦ [sm] area (f)/terreno edificabile.

solárium /solárjum/ [sm] solarium (inv).

soldado /soldáðo/ [sm] soldato.

soldadura /soldaðúra/ [sf] saldatura.

soldar /soldár/ [v tr] saldare.

soledad /soleðáð/ [sf] solitudine.

solemne /solémne/ [adj m,f] (también iron) solenne.

soler /solér/ [v intr/imp] solere, essere solito.

solera /soléra/ [sf] fig tradizione.

solicitar /soliθitár/ [v tr] chiedere, richiedere.

solicitud /soliθitúð/ [sf] **1** sollecitudine, gentilezza **2** (petición) domanda, richiesta.

solidaridad /soliðariðáð/ [sf] solidarietà (inv), adesione.

solidario /soliðárjo/ [adj] solidale (m,f).

sólido /sóliðo/ [adj/sm] solido.

solista /solísta/ [sm,f] solista.

solitario /solitárjo/ [adj/sm] (también juego) solitario.

sollozar /soʎoθár/ [v intr] singhiozzare.

sollozo /soʎóθo/ [sm] singhiozzo, singulto.

solo /sólo/ [adj] **1** solo • *nos queda un ~ color*: ci rimane un solo colore | *está sola*: è sola **2** (bebida) liscio LOC **a solas**: da solo | **café ~**: caffè nero ◆ [sm] mus solo, assolo (inv).

sólo /sólo/ [adv] solo, soltanto.

solomillo /solomíʎo/ [sm] filetto, lombo.

solsticio /solstíθjo/ [sm] solstizio.

soltar /soltár/ [v tr] **1** slegare **2** (preso, rehén) lasciare andare **3** fig lasciarsi sfuggire • *~ un grito*: lasciarsi sfuggire un grido **4** mar sciogliere ◆ [v prnl] sciogliersi, slegarsi LOC **~ un bofetón**: mollare una sberla | **~ un taco**: dire una parolaccia.

soltera /soltéra/ [adj/sf] nubile.

soltero /soltéro/ [adj/sm] celibe, scapolo.

solterona /solteróna/ [adj/sf] zitella (sust).

soltura /soltúra/ [sf] scioltezza.

soluble /solúβle/ [adj m,f] solubile.

solución /soluθjón/ [sf] soluzione.

solucionar /soluθjonár/ [v tr] risolvere, chiarire.

solvente /solβénte/ [adj m,f/sm] solvente.

sombra /sómbra/ [sf] (también fig) ombra • *una ~ de tristeza*: un'ombra di tristezza LOC **a la ~**: all'ombra | **~ de ojos**: ombretto.

sombrero /sombréro/ [sm] cappello.

sombrío /sombrío/ [adj] cupo.

somero /soméro/ [adj] fig sommario.

someter (-se) /sometér/ [v tr prnl] **1** sottoporre (-rsi) • *someterse a un tratamiento*: sottoporsi a un trattamento **2** sottomettere (-rsi) • *me sometí a su voluntad*: mi sottomisi alla sua volontà.

somnífero /somnífero/ [sm] sonnifero.

sonar /sonár/ [v tr/intr] suonare ◆ [v prnl] soffiarsi il naso.

sonda /sónda/ [sf] (también med) sonda.

sondear /sondeár/ [v tr] (también fig) sondare.

sondeo /sondéo/ [sm] sondaggio.

sonido /soníðo/ [sm] suono LOC **~ estereofónico**: stereofonia.

sonoro /sonóro/ [adj] sonoro LOC **banda sonora**: colonna sonora.

sonreír /sonrreír/ [v intr] sorridere.

sonrisa /sonrrísa/ [sf] sorriso (m).

soñador (-a) /soɲaðór/ [adj/sm] sognatore (f -trice).

soñar /soɲár/ [v tr/intr] (**con**) (también fig) sognare • *sueño con una casa en la playa*: sogno una casa in riva al mare LOC **¡ni soñarlo!**: nemmeno/neppure/neanche per sogno!

S

sopa /sópa/ [sf] zuppa, minestra.

sopera /sopéra/ [sf] zuppiera.

soplar /soplár/ [v intr/tr] soffiare.

soplo /sóplo/ [sm] soffio.

soporífero /soporífero/ [adj] (también fig) soporifero.

soportal /soportál/ [sm] porticato.

soportar /soportár/ [v tr] (también fig) sopportare • ¡ya no la soporto!: non la sopporto più.

soporte /sopórte/ [sm] supporto, sostegno.

soprano /sopráno/ [sm,f] soprano.

sor /sór/ [sf] suor • ~ María: suor María.

sorber /sorβér/ [v tr] sorseggiare.

sorbete /sorβéte/ [sm] sorbetto.

sorbo /sórβo/ [sm] sorso.

sordera /sordéra/ [sf] sordità (inv).

sordo /sórðo/ [adj/sm] sordo.

sordomudo /sorðomúðo/ [adj/sm] sordomuto.

sorna /sórna/ [sf] sarcasmo (m).

sorprender (-se) /sorprendér/ [v tr prnl] (de) sorprendere (-rsi).

sorpresa /sorprésa/ [sf] sorpresa LOC coger de/por ~: cogliere di sorpresa.

sortear /sorteár/ [v tr] 1 sorteggiare, estrarre a sorte 2 (obstáculos, problemas) scansare, evitare.

sorteo /sortéo/ [sm] sorteggio, estrazione (f).

sosegar (-se) /soseγár/ [v tr prnl] calmare (-rsi).

sosia /sósja/ [sm,f] sosia (inv).

sosiego /sosjéγo/ [sm] calma (f), tranquillità (f inv).

soso /sóso/ [adj] 1 (alimento) insipido, sciapo 2 fig insulso.

sospecha /sospétʃa/ [sf] sospetto (m).

sospechar /sospetʃár/ [v tr/intr] (de) sospettare.

sospechoso /sospetʃóso/ [adj/sm] sospetto.

sostén /sostén/ [sm] 1 sostegno 2 (prenda interior) reggiseno.

sostener /sostenér/ [v tr] (también fig) sostenere • ~ una idea: sostenere un'idea ◆ [v prnl] reggersi in piedi.

sótano /sótano/ [sm] cantina (f).

soterrar /soterár/ [v tr] sotterrare.

soto /sóto/ [sm] (bosque) macchia (f).

sprint /esprín/ [sm inv] 1 sprint 2 (en el ciclismo) volata (f sing).

su /su/ [adj m,f] 1 (de él/ella) suo* (m) 2 (de ellos/ellas) loro (inv).

suave /swáβe/ [adj m,f] 1 morbido (m) 2 (sonido) soave, melodioso (m) 3 (color, olor) delicato (m).

suavidad /swaβiðáð/ [sf] morbidezza.

suavizante /swaβiθánte/ [sm] 1 ammorbidente 2 (cosmético) balsamo.

suavizar (-se) /swaβiθár/ [v tr prnl] ammorbidire (-rsi).

subasta /suβásta/ [sf] asta.

subdesarrollo /suβðesaróʎo/ [sm] sottosviluppo.

subdirector (-a) /suβðirekθtór/ [sm] vicedirettore (f -trice).

subestimar /suβestimár/ [v tr] sottovalutare.

súbdito /súβðito/ [sm] suddito.

subida /suβíða/ [sf] 1 salita • fue una ~ fatigosa: fu una salita faticosa 2 (de precios) rialzo (m), aumento (m).

subido /suβíðo/ [adj] **1** (color) acceso, vivo **2** (olor) forte (m,f), penetrante (m,f).

subir /suβír/ [v intr] (a) salire ◆ [v tr] **1** salire • ~ *una escalera*: salire una scala **2** tirare su • *subió la cortina y miró afuera*: tirò su la tenda e guardò fuori LOC **subírsele los humos a la cabeza**: montarsi la testa.

súbito /súβito/ [adj] repentino, brusco.

sublevación /suβleβaθjón/ [sf] sollevazione, rivolta.

sublime /suβlíme/ [adj m,f] sublime.

submarinista /suβmarinísta/ [sm,f] subacqueo (m).

submarino /suβmaríno/ [adj/sm] sottomarino.

subrayar /suβřajár/ [v tr] (también fig) sottolineare • *subrayó la importancia de nuestra intervención*: sottolineò l'importanza del nostro intervento.

subsidio /suβsíðjo/ [sm] (pensión) sussidio LOC ~ **de desempleo/paro**: sussidio di disoccupazione.

subsistir /suβsistír/ [v intr] **1** (conservarse) persistere, permanere **2** (vivir) resistere, sopportare.

subsuelo /suβsuélo/ [sm] sottosuolo.

subterráneo /suβ teřáneo/ [sm] **1** sottopasso, sottopassaggio **2** *Amer* metropolitana (f).

subtítulo /suβ título/ [sm] sottotitolo.

suburbano /suβ urβáno/ [adj] suburbano, periferico ◆ [sm] (tren) locale.

suburbio /suβ úrβjo/ [sm] sobborgo, periferia (f).

subvención /suβ βenθjón/ [sf] sovvenzione, finanziamento (m).

succionar /suk θjonár/ [v tr] succhiare.

suceder /suθeðér/ [v intr] succedere.

sucesión /suθesjón/ [sf] **1** (también en un cargo) successione **2** discendenza • *ha muerto sin tener* ~: è morto senza discendenza.

sucesivo /suθesíβo/ [adj] successivo, seguente (m,f) LOC **en lo** ~: d'ora in poi/avanti.

suceso /suθéso/ [sm] **1** fatto, avvenimento **2** (en pl, periodismo) cronaca (f sing) nera.

sucesor (-a) /suθesór/ [adj/sm] successore (f -ditrice), erede (sust m,f).

suciedad /suθjeðáð/ [sf] sporcizia.

sucio /súθjo/ [adj] (también fig) sporco • *un asunto* ~: una sporca faccenda.

sucumbir /sukumbír/ [v intr] soccombere.

sucursal /sukursál/ [adj/sf] succursale (sust), filiale (sust).

sudadera /suðaðéra/ [sf] indumento felpa.

sudar /suðár/ [v intr] sudare.

sudor /suðór/ [sm] **1** sudore **2** fig fatica (f), sforzo.

sudoroso /suðoróso/ [adj] sudato.

Suecia /swéθja/ [sf] Svezia.

sueco /swéko/ [adj/sm] svedese (m,f).

suegro /swéɣro/ [sm] suocero.

suela /swéla/ [sf] suola.

sueldo /swéldo/ [sm] stipendio, salario.

suelo /swélo/ [sm] **1** suolo, terreno **2** arq pavimento **3** terra (f) • *sentarse en el* ~: sedersi per terra.

suelto /swélto/ [adj] **1** sciolto **2** spaiato • *he encontrado un calcetín suelto*: ho trovato un calzino spaiato ◆ [sm] spiccioli (m pl)

sueño /swéɲo/ [sm] **1** sonno • *¿tienes ~ ?*: hai sonno? **2** (también fig) sogno • *su ~ es irse a vivir a Málaga*: il suo sogno è andare a vivere a Malaga LOC **ni en sueños**: nemmeno/neanche per sogno.

suero /swéro/ [sm] (también med) siero.

suerte /swérte/ [sf] **1** (casualidad) sorte, caso (m) **2** fortuna • *esta vez he tenido ~*: questa volta ho avuto fortuna LOC **echar a ~**: tirare a sorte | **por ~**: per fortuna.

suéter /swéter/ [sm] *Amer* maglia (f), maglione.

suficiencia /sufiθjénθja/ [sf] (también pey) sufficienza.

suficiente /sufiθjénte/ [adj m,f] sufficiente.

sufragio /sufráxjo/ [sm] **1** suffragio, voto **2** (auxilio) aiuto, soccorso.

sufrimiento /sufrimjénto/ [sm] sofferenza (f).

sufrir /sufrír/ [v tr] **1** (de) soffrire **2** (también intervención) subire • *~ una agresión*: subire un'aggressione ◆ [v intr] soffrire LOC **no poder ~ a alguien**: non poter soffrire qualcuno.

sugerencia /suxerénθja/ [sf] suggerimento (m), consiglio (m) LOC **bajo ~ de**: su consiglio di.

sugerir /suxerír/ [v tr] suggerire.

sugestión /suxestjón/ [sf] suggestione.

sugestivo /suxestíβo/ [adj] suggestivo.

suicidarse /swiθiðárse/ [v prnl] suicidarsi.

suicidio /swiθíðjo/ [sm] suicidio.

suite /swíte/ [sf] (de hotel) appartamento (m).

sujetador /suxetaðór/ [sm] reggiseno.

sujetar (-se) /suxetár/ [v tr prnl] **1** tenere (-rsi) • *la sujetaba por un brazo*: la teneva per un braccio **2** fermare (-rsi) , fissare (-rsi) • *~ el pelo*: fermare i capelli.

sujeto /suxéto/ [sm] soggetto.

sultán /sultán/ [sm] sultano.

suma /súma/ [sf] (también matemática) somma LOC **en ~**: in somma.

sumar /sumár/ [v tr] sommare ◆ [v prnl] **(a)** fig aggregarsi.

sumergible /sumerxíβle/ [sm] sommergibile.

sumergir (-se) /sumerxír/ [v tr prnl] **(en) 1** (también fig) immergere (-rsi) • *se sumergió en la lectura*: si immerse nella lettura **2** (hundir) sommergere, affondare.

suministrar /suministrár/ [v tr] somministrare, dare.

suministro /suminístro/ [sm] **1** somministrazione (f) **2** com fornitura (f), rifornimento.

sumir /sumír/ [v tr] **1** sommergere **2** fig far sprofondare • *la noticia nos sumió en la desesperación*: la notizia ci fece sprofondare nella disperazione ◆ [v prnl] **1** sommergersi **2** fig **(en)** sprofondare • *sumirse en la lectura*: sprofondare nella lettura.

sumisión /sumisjón/ [sf] sottomissione.

sumiso /sumíso/ [adj] sottomesso, docile (m,f).

sumo /súmo/ [adj] sommo LOC **a lo ~**: al massimo, tutt'al più.

suntuoso /suntwóso/ [adj] sontuoso, sfarzoso.

súper /súper/ [adj inv] super ◆ [sf inv] (gasolina) super (f) ◆ [sm inv] abr supermercato (sing).

superación /superaθjón/ [sf] superamento (m).

superar /superár/ [v tr] superare ◆ [v prnl] superare sé stesso.

superficial /superfiθjál/ [adj m,f] (también fig) superficiale.

superficie /superfíθje/ [sf] superficie LOC **grandes superficies**: centri commerciali.

superfluo /supérflwo/ [adj] superfluo.

superior /superjór/ [adj m,f/sm] (también fig) superiore ● *un chocolate de calidad ~*: un cioccolato di qualità superiore.

superioridad /superjoriðáð/ [sf] superiorità (inv).

supermercado /supermerkáðo/ [sm] supermercato.

superstición /superstiθjón/ [sf] superstizione.

supervisar /superβisár/ [v tr] soprintendere.

supervivencia /superβiβénθja/ [sf] sopravvivenza.

superviviente /superβiβjénte/ [adj/sm,f] superstite.

suplementario /suplementárjo/ [adj] supplementare (m,f).

suplemento /supleménto/ [sm] (también de periódico) supplemento.

suplente /suplénte/ [adj/sm,f] sostituto (sust m).

súplica /súplika/ [sf] supplica.

suplicar /suplikár/ [v tr] supplicare, pregare.

suplicio /suplíθjo/ [sm] (también fig) supplizio.

suplir /suplír/ [v tr] (**con/por**) **1** (remediar) supplire **2** (reemplazar) sostituire.

suponer /suponér/ [v tr] **1** supporre, credere, pensare ● *supongo que vendrá*: suppongo che verrà **2** comportare, implicare ● *esto supone muchos gastos*: questo comporta molte spese LOC **ser de ~**: essere logico.

suposición /suposiθjón/ [sf] supposizione, ipotesi (inv).

supositorio /supositórjo/ [sm] supposta (f).

supremacía /supremaθía/ [sf] supremazia, predominio (m).

supremo /suprémo/ [adj] supremo.

supresión /supresjón/ [sf] soppressione.

suprimir /suprimír/ [v tr] sopprimere.

supuesto /supwésto/ [adj] presunto LOC **dar por ~**: dare per scontato | **¡por ~!**: sì!, certo!, certamente! ◆ [sm] caso, ipotesi (f inv).

sur /súr/ [sm] sud, meridione.

surcar /surkár/ [v tr] (también fig) solcare ● *una arruga le surcaba la frente*: una ruga gli solcava la fronte.

surco /súrko/ [sm] solco.

sureño /suréno/ [adj] meridionale (m,f), del sud.

surgir /surxír/ [v intr] (también fig) sorgere ● *han surgido unas dificultades*: sono sorte delle difficoltà.

surtido /surtíðo/ [adj] assortito ◆ [sm] com assortimento.

surtidor /surtiðór/ [sm] 1 (de gasolina) pompa (f), distributore 2 (fuente, caño) fontanella (f).

surtir /surtír/ [v tr] fornire, rifornire LOC ~ efecto: avere effetto.

susceptible /susθeptíβle/ [adj m,f] suscettibile.

suscitar /susθitár/ [v tr] suscitare, provocare.

suscribirse /suskriβírse/ [v prnl] (a) (periódico, revista) abbonarsi.

suscripción /suskripθjón/ [sf] (a periódicos, revistas) abbonamento (m).

suspender /suspendér/ [v tr] 1 (de/en) (también interrumpir) sospendere 2 bocciare, respingere • la suspendieron en matemáticas: l'hanno bocciata in matematica 3 (persona) essere bocciato/respinto • suspendí el examen: sono stato bocciato all'esame.

suspensión /suspensjón/ [sf] sospensione.

suspenso /suspénso/ [sm] (calificación) insufficienza (f) LOC en ~: in sospeso.

suspirar /suspirár/ [v intr] (por) sospirare.

suspiro /suspíro/ [sm] sospiro.

sustancia /sustánθja/ [sf] sostanza.

sustentar /sustentár/ [v tr] 1 sostenere, reggere 2 (alimentar) sostentare, nutrire ◆ [v prnl] (con/de) sostentarsi, nutrirsi.

sustitución /sustituθjón/ [sf] sostituzione.

sustituir /sustitwír/ [v tr] (con/por) sostituire, cambiare.

sustituto /sustitúto/ [sm] sostituto.

susto /sústo/ [sm] 1 spavento • se sobresaltó por el susto: trasalì per lo spavento 2 fam paura (f) • ¡qué pasé!: che paura ho avuto! LOC llevarse un ~: prendersi uno spavento.

sustracción /sustrakθjón/ [sf] sottrazione.

sustraer (-se) /sustraér/ [v tr prnl] (a) sottrarre (-rsi).

susurrar /susuřár/ [v intr] sussurrare.

susurro /susúřo/ [sm] sussurro.

sutil /sutíl/ [adj m,f] (también fig) sottile • una ~ diferencia: una sottile differenza.

sutileza /sutiléθa/ [sf] sottigliezza.

sutura /sutúra/ [sf] sutura.

suyo /sújo/ [adj/pron] 1 (de él/ella) suo* 2 (de ellos/ellas) loro (m,f inv) LOC hacer de las suyas: combinarne una delle sue/loro | ir a lo ~: farsi gli affari propri | lo ~: ciò che è suo/loro, le sue/loro cose | los suyos: la sua/loro famiglia.

Tt

tabaco /taβáko/ [sm] tabacco LOC ¿tienes ~?: hai una sigaretta?

tábano /táβano/ [sm] tafano.

tabarra /taβáři̯a/ [sf] (sólo en la locución) LOC **dar la ~**: rompere le scatole.

taberna /taβérna/ [sf] taverna, osteria.

tabernero /taβernéro/ [sm] oste (f -essa).

tabla /táβla/ [sf] **1** (también pintura) tavola **2** com listino (m) prezzi **3** indum piega.

tablado /taβláðo/ [sm] palco.

tablao /taβláo/ [sm] locale di flamenco.

tablero /taβléro/ [sm] **1** tavola (f) **2** (también dep, juego) tabellone **3** (de damas, ajedrez) scacchiera (f) LOC **~ de mandos**: pannello di comando.

tableta /taβléta/ [sf] tavoletta.

tablón /taβlón/ [sm] asse (f) LOC **~ de anuncios**: bacheca.

taburete /taβuréte/ [sm] sgabello.

tacañería /takaɲería/ [sf] taccagneria, tirchieria.

tacaño /takáɲo/ [adj/sm] taccagno, tirchio.

tacha /tátʃa/ [sf] fig difetto (m).

tachar /tatʃár/ [v tr] **1** cancellare **2** (de) fig chiamare, dare del • **~ de cobarde**: dare del vigliacco.

tacita /taθíta/ [sf] tazzina.

taciturno /taθitúrno/ [adj] taciturno, silenzioso.

taco /táko/ [sm] **1** (de calendario, talonario) blocco, blocchetto **2** parolaccia (f) **3** coc boccone.

tacón /takón/ [sm] tacco LOC **~ de aguja**: tacco a spillo.

táctica /táktika/ [sf] tattica.

tacto /tákto/ [sm] (también fig) tatto • **hay que decírselo con ~**: bisogna dirglielo con tatto.

tahona /taóna/ [sf] panificio (m), forno (m).

taimado /taimáðo/ [adj] furbo.

tajada /taxáða/ [sf] (de carne) fetta.

tajadera /taxaðéra/ [sf] tagliere (m).

tajante /taxánte/ [adj m,f] perentorio (m), tassativo (m), categorico (m).

tajo /táxo/ [sm] taglio.

tal /tál/ [adj m,f] (persona, cosa) tale • **nunca se ha visto ~ descaro**: non si è mai vista una tale sfacciataggine LOC **a/hasta ~ punto que**: fino al punto che/di | **de ~ forma/manera/modo que**: di modo che | **~ cual**: tale e quale | **~ vez**: forse ♦ [adv] così, proprio • **~ como la había imaginado**: proprio come l'avevo immaginata LOC **con ~ de**: pur di | **con ~ que**: purché, sempre che | **¿qué ~?**: come va?

tala /tála/ [sf] disboscamento (m).

taladro /taláðro/ [sm] trapano.

talante /talánte/ [sm] atteggiamento LOC **estar de buen/mal ~**: essere di buon/cattivo umore.

talco /tálko/ [sm] (mineral) talco.

talento /talénto/ [sm] talento.

talla /táʎa/ [sf] **1** scultura lignea **2** indum taglia.

tallar /taʎár/ [v tr] intagliare.

tallarines /taʎarínes/ [sm pl] tagliatelle (f).

talle /táʎe/ [sm] (también indum) vita (f).

taller /taʎér/ [sm] **1** (también de artista) bottega (f), laboratorio **2** officina (f) • *me pasaré por el ~ a ver si está el coche*: passerò in officina per vedere se l'auto è pronta LOC **~ de reparaciones**: officina meccanica.

tallo /táʎo/ [sm] stelo, fusto.

talón /talón/ [sm] **1** tallone **2** (resguardo) tagliando, talloncino.

talonario /talonárjo/ [sm] blocco LOC **~ de cheques**: libretto degli assegni.

tamaño /tamáɲo/ [sm] dimensioni (f pl) LOC **de ~ natural**: a grandezza naturale.

tamarindo /tamaríndo/ [sm] tamarindo.

tambalear (-se) /tambaleár/ [v intr prnl] barcollare, traballare.

también /tambjén/ [adv] anche, pure LOC **yo ~**: anch'io | **sino ~**: ma anche.

tambor /tambór/ [sm] tamburo.

tampoco /tampóko/ [adv] neanche, nemmeno.

tampón /tampón/ [sm] assorbente interno.

tan /tán/ [adj m,f] **1** tanto • *no creí que fuera ~ tarde*: non immaginavo

che fosse tanto tardi **2** come, quanto • *es ~ alto como tú*: è alto come te LOC **~ pronto como**: appena, non appena | **~ sólo**: soltanto.

tanda /tánda/ [sf] **1** (de personas) gruppo (m) **2** (de cosas) serie, ciclo (m).

tango /táŋgo/ [sm] tango.

tanque /táŋke/ [sm] carro armato.

tantear /tanteár/ [v tr] fig tastare, sondare.

tanto /tánto/ [adj/adv] tanto • *no le des ~ dinero*: non dargli tanti soldi | *la quiere ~*: l'ama tanto LOC **entre/mientras ~**: nel frattempo, intanto | **estar/poner al ~ de algo**: essere/mettere al corrente di qualcosa | **~ es así que**: tant'è vero che • [sm] dep (también juego) punto LOC **¡y ~!**: eccome! | **y tantos**: e rotti.

tapa /tápa/ [sf] **1** coperchio (m) **2** (de cuaderno, libro) copertina **3** (aperitivo) stuzzichino (m) LOC **ir de tapas**: fare il giro dei locali.

tapadera /tapaðéra/ [sf] coperchio (m) LOC **servir de ~**: fare da paravento.

tapar /tapár/ [v tr] **1** coprire **2** (cerrar) tappare • [v prnl] (con) coprirsi.

tapia /tápja/ [sf] muro* (m) di cinta LOC **sordo como una ~**: sordo come una campana.

tapicería /tapiθería/ [sf] tappezzeria.

tapiz /tapíθ/ [sm] arazzo.

tapón /tapón/ [sm] tappo LOC **~ de corcho/rosca**: tappo di sughero/a vite.

taponar /taponár/ [v tr] tamponare • [v prnl] ostruirsi, otturarsi.

taquicardia /takikárðja/ [sf] tachicardia.

taquilla /takíʎa/ [sf] **1** biglietteria **2** fig (de espectáculo) incasso (m).

taquimecanógrafo /takimekanóyrafo/ [sm] stenodattilografo.

taracea /taraθéa/ [sf] (de mueble) intarsio (m), tarsia.

tararear /tarareár/ [v tr] canticchiare.

tardanza /tarðánθa/ [sf] ritardo (m).

tardar /tarðár/ [v intr] **1** (en) tardare • *está tardando en llegar*: tarda ad arrivare **2** (tiempo) impiegare, metterci • *¿cuánto se tarda hasta Madrid?*: quanto ci si impiega fino a Madrid? LOC **a más ~**: al più tardi.

tarde /tárðe/ [adv] tardi LOC **hacérsele ~**: farsi tardi | **más ~ o más temprano**: presto o tardi, prima o poi ◆ [sf] pomeriggio (m) LOC **buenas tardes**: buona sera | **por la ~**: nel pomeriggio.

tarea /taréa/ [sf] **1** lavoro (m) **2** (escolar) compiti (m pl).

tarifa /tarífa/ [sf] tariffa.

tarima /taríma/ [sf] pedana, predella.

tarjeta /tarxéta/ [sf] biglietto (m), cartoncino (m) LOC **~ de débito**: bancomat | **~ de crédito**: carta di credito | **~ de visita**: biglietto da visita | **~ postal**: cartolina | **~ telefónica**: scheda telefonica.

tarro /táρo/ [sm] barattolo, vasetto.

tarta /tárta/ [sf] crostata, torta LOC **~ helada**: semifreddo.

tartamudear /tartamuðeár/ [v intr] fam balbettare.

tartamudo /tartamúðo/ [sm] fam balbuziente (m,f).

tasa /tása/ [sf] **1** (impuesto) tassa **2** (proporción) tasso (m) LOC **~ de mortalidad/natalidad**: tasso di mortalità/natalità.

tasar /tasár/ [v tr] valutare.

tasca /táska/ [sf] osteria, taverna.

tatuaje /tatwáxe/ [sm] tatuaggio.

Tauro /táuro/ [sm] (zodíaco) Toro.

taxi /táksi/ [sm] taxi (inv), tassì (inv).

taxímetro /taksímetro/ [sm] tassametro.

taxista /taksísta/ [sm,f] tassista.

taza /táθa/ [sf] tazza.

tazón /taθón/ [sm] scodella (f).

te /te/ [pron] ti • ~ *vi*: ti vidi | *quiero darte un beso*: voglio darti un bacio.

té /té/ [sm] tè (inv) LOC **~ en bolsitas**: tè in bustine.

teatro /teátro/ [sm] teatro LOC **~ en prosa**: teatro di prosa | **~ lírico**: teatro lirico.

tebeo /teβéo/ [sm] fumetto.

techo /tétʃo/ [sm] **1** tetto **2** (interior) soffitto LOC **~ de nubes**: cappa/strato di nubi.

tecla /tékla/ [sf] tasto (m).

teclado /tekláðo/ [sm] tastiera (f).

técnica /téknika/ [sf] tecnica.

técnico /tékniko/ [adj/sm] tecnico.

tecnología /teknoloxía/ [sf] tecnologia.

teja /téxa/ [sf] tegola.

tejado /texáðo/ [sm] tetto.

tejanos /texános/ [sm pl] blue-jeans (inv).

tejer /texér/ [v tr] **1** tessere **2** (labores de punto) lavorare a maglia.

tejido /texíðo/ [sm] **1** tessuto, stoffa (f) **2** (labor de punto) lavoro a maglia.

tela /téla/ [sf] (también cuadro) tela LOC **poner en ~ de juicio**: mettere in discussione.

telaraña /telaráɲa/ [sf] ragnatela.

telebanco /teleβáŋko/ [sm] (expendedora) bancomat (inv).

telediario /teleðjárjo/ [sm] telegiornale.

teledirigir /teleðirixír/ [v tr] telecomandare.

teleférico /telefériko/ [sm] teleferica (f).

telefilme /telefílme/ [sm] telefilm (inv).

telefonear /telefoneár/ [v tr] telefonare.

telefonillo /telefoníʎo/ [sm] citofono.

teléfono /teléfono/ [sm] telefono LOC **~ inalámbrico**: telefono senza fili | **~ público**: telefono pubblico.

telegrama /teleɣráma/ [sm] telegramma.

telemando /telemándo/ [sm] telecomando.

teleobjetivo /teleoβxetíβo/ [sm] teleobiettivo.

telerruta /teleřúta/ [sf] servizio informazioni telefonico sullo stato delle strade.

telescopio /teleskópjo/ [sm] telescopio.

telesilla /telesíʎa/ [sm] seggiovia (f).

telespectador (-a) /telespektaðór/ [sm] telespettatore (f -trice), teleutente (m,f).

telesquí /teleskí/ [sm] ski-lift (inv).

televisión /teleβisjón/ [sf] televisione LOC **canal/cadena de ~**: rete televisiva | **~ autonómica**: rete regionale | **~ privada**: rete privata.

televisivo /teleβisíβo/ [adj] televisivo.

telina /telína/ [sf] tellina.

telón /telón/ [sm] sipario.

tema /téma/ [sm] **1** tema **2** fam argomento, questione (f).

temblar /temblár/ [v intr] tremare.

temblor /temblór/ [sm] tremore LOC **~ de tierra**: terremoto.

tembloroso /tembloróso/ [adj] tremante (m,f).

temer (-se) /temér/ [v tr prnl/intr] (también fig) temere • *me temo que no llegará a tiempo*: temo che non arriverà in tempo.

temeroso /temeróso/ [adj] timoroso.

temible /temíβle/ [adj m,f] temibile.

temor /temór/ [sm] paura (f).

temperamento /temperaménto/ [sm] temperamento.

temperatura /temperatúra/ [sf] temperatura.

tempestad /tempestáð/ [sf] **1** tempesta, bufera **2** mar uragano (m).

templado /templáðo/ [adj] **1** (clima, tiempo) temperato, mite (m,f) **2** tiepido.

templar /templár/ [v tr] **1** temperare, addolcire, mitigare **2** (vidrio, metal) temprare.

temple /témple/ [sm] **1** guazzo, tempera (f) **2** fig grinta (f), coraggio.

templo /témplo/ [sm] tempio*.

temporada /temporáða/ [sf] **1** stagione • *no vayas en la ~ de lluvias*: non andare nella stagione delle piogge **2** fig periodo • *esta ~ anda deprimido*: in questo periodo è depresso LOC **rebajas de ~**: saldi di fine stagione | **~ alta/baja**: alta/bassa stagione.

temporal /temporál/ [adj m,f] provisorio (m) ◆ [sm] tempesta (f).

temprano /tempráno/ [adj] precoce (m,f) ◆ [adv] presto, di buon'ora.

tenaz /tenáθ/ [adj m,f] tenace.

tenaza /tenáθa/ [sf] tenaglia.

tenca /teŋka/ [sf] ict tinca.

tendencia /tendénθja/ [sf] tendenza.

tender /tendér/ [v tr] stendere ◆ [v intr] (a) tendere ◆ [v prnl] sdraiarsi, distendersi LOC ~ **una trampa**: tendere una trappola.

tendero /tendéro/ [sm] negoziante (m,f), esercente (m,f).

tendón /tendón/ [sm] tendine.

tenebroso /teneβróso/ [adj] tenebroso, buio.

tenedor /teneðór/ [sm] **1** forchetta (f) **2** (calificación) stella (f) ◆ *restaurante de tres tenedores*: ristorante a tre stelle.

tenencia /tenénθja/ [sf] possesso (m), detenzione.

tener /tenér/ [v tr] **1** avere ◆ *tengo hambre*: ho fame **2** tenere ◆ *tenía una maleta en la mano*: teneva una valigia in mano ◆ [v prnl] reggersi, tenersi ■ **tener que** + **inf** dovere + inf ◆ *tiene que lavarse las manos*: deve lavarsi le mani ■ **tener** + **sust** (infinitivo con significado del sust) ◆ *tiene consulta los martes*: riceve i martedì | *le tiene envidia*: la invidia LOC **¡ahí tienes!**: ecco!

teniente /tenjénte/ [sm] tenente.

tenis /ténis/ [sm] tennis.

tenista /tenísta/ [sm,f] tennista.

tenor /tenór/ [sm] mus tenore.

tensión /tensjón/ [sf] (también fig) tensione ◆ *hay tensiones en la familia*: vi sono delle tensioni in famiglia.

tenso /ténso/ [adj] (también persona) teso.

tentación /tentaθjón/ [sf] tentazione.

tentar /tentár/ [v tr] **1** tastare **2** (también fig) tentare ◆ *me tentó con una oferta conveniente*: mi tentò con un'offerta conveniente.

tentativa /tentatíβa/ [sf] tentativo (m), prova.

tentempié /tentempjé/ [sm] fam spuntino.

tenue /ténwe/ [adj m,f] tenue.

teñir (-se) /teɲír/ [v tr prnl] (de) tingere (-rsi).

teoría /teoría/ [sf] teoria LOC **en ~**: in teoria.

terapia /terápja/ [sf] terapia.

terceto /terθéto/ [sm] mus trio.

terciar /terθjár/ [v intr] (en) intervenire.

tercio /térθjo/ [sm] **1** terzo ◆ *un ~ de las ganancias*: un terzo dei guadagni **2** (de lidia de toros) ognuna delle tre fasi in cui è divisa una corrida.

terciopelo /terθjopélo/ [sm] velluto.

terco /térko/ [adj] testardo, ostinato.

termal /termál/ [adj m,f] termale.

termas /térmas/ [sf pl] terme.

terminal /terminál/ [adj m,f] terminale ◆ [sf] (transportes) terminal (m inv).

terminar (-se) /terminár/ [v tr prnl/intr] finire, terminare ■ **terminar por** + **inf** finire per/con + inf ◆ *terminarán por marcharse*: finiranno con l'andare via.

termo /térmo/ [sm] termos (inv).

termómetro /termómetro/ [sm] termometro.

ternero /ternéro/ [sm] vitello.

terno /térno/ [sm] (traje masculino) completo.

ternura /ternúra/ [sf] tenerezza.

terracota /teṟakóta/ [sf] terracotta.

terrateniente /teṟatenjénte/ [sm,f] proprietario (m) terriero.

terraza /teṟáθa/ [sf] 1 terrazzo (m) 2 (de cafetería, bar) tavolini all'aperto.

terremoto /teṟemóto/ [sm] terremoto, sisma.

terreno /teṟéno/ [adj/sm] terreno.

terrestre /teṟéstre/ [adj m,f] terrestre.

terrible /teṟíβle/ [adj m,f] terribile.

territorio /teṟitórjo/ [sm] territorio.

terrón /teṟón/ [sm] 1 (de azúcar) zolletta (f) 2 (de tierra) zolla (f).

terror /teṟór/ [sm] terrore.

terrorífico /teṟorífiko/ [adj] terrificante (m,f), spaventoso.

terrorismo /teṟorísmo/ [sm] terrorismo.

terrorista /teṟorísta/ [adj m,f] terroristico (m) ◆ [sm,f] terrorista.

tertulia /tertúlja/ [sf] 1 incontri (m pl) ◆ ~ literaria: incontri letterari 2 (en una cafetería) ritrovo (m).

tesón /tesón/ [sm] impegno, costanza (f).

tesoro /tesóro/ [sm] (también fig fam) tesoro ◆ la niña es un ~: la bambina è un tesoro.

testamento /testaménto/ [sm] testamento.

testarudo /testarúðo/ [adj/sm] testardo, cocciuto.

testículo /testíkulo/ [sm] testicolo.

testificar /testifikár/ [v tr/intr] testimoniare.

testigo /testíɣo/ [sm,f] testimone LOC ~ presencial /ocular: testimone oculare.

testimoniar /testimonjár/ [v tr] testimoniare.

testimonio /testimónjo/ [sm] testimonianza (f).

teta /téta/ [sf] pop tetta, poppa LOC niño de ~: poppante, lattante.

tétanos /tétanos/ [sm inv] tetano (sing).

tetera /tetéra/ [sf] teiera.

tetilla /tetíʎa/ [sf] (de biberón) tettarella.

tétrico /tétriko/ [adj] tetro, cupo.

textil /tekstíl/ [adj m,f] tessile.

texto /téksto/ [sm] testo.

tez /téθ/ [sf] carnagione.

ti /tí/ [pron m,f sing] te ◆ es para ~: è per te.

tibia /tíβja/ [sf] tibia.

tibio /tíβjo/ [adj] tiepido.

tiburón /tiβurón/ [sm] squalo.

tic /tík/ [sm] tic (inv) ■ pl irr tics.

tiempo /tjémpo/ [sm] tempo LOC a ~: in tempo | del ~: di stagione (frutta); a temperatura ambiente (bevanda) | hacer buen/mal ~: fare bel/brutto tempo | ~ atrás: tempo fa | ~ libre: tempo libero.

tienda /tjénda/ [sf] negozio (m) LOC ~ de campaña: tenda da campeggio | ~ de comestibles: negozio di alimentari | ~ de confecciones/ropa: negozio d'abbigliamento | ~ de modas: boutique | ~ de regalos: negozio di oggettistica.

tienta /tjénta/ [sf] (sólo en la locución) LOC **a tientas**: a tentoni/tastoni, alla cieca.

tiento /tjénto/ [sm] tatto, prudenza (f).

tierno /tjérno/ [adj] (también fig) tenero.

tierra /tjéʀa/ [sf] (también planeta) terra LOC **~ adentro**: entroterra | **~ firme**: terra ferma | **toma de ~**: presa a terra.

tieso /tjéso/ [adj] **1** rigido **2** (erguido) teso, ritto **3** fig sostenuto • *es algo ~ y nunca es el primero en saludar*: è un po' sostenuto e non saluta mai per primo LOC **dejar/quedarse ~**: lasciare/rimanere di stucco.

tifus /tífus/ [sm inv] med tifo (sing).

tigre (-esa) /tíɣre/ [sm] **1** tigre (f) **2** *Amer* giaguaro.

tijera /tixéra/ [sf] (también pl) forbici (pl) LOC **mesa/silla de ~**: tavolino/sedia pieghevole.

tila /tíla/ [sf] (infusión) tiglio (m).

tilo /tílo/ [sm] (planta) tiglio.

timbre /tímbre/ [sm] **1** campanello **2** (sello) marca (f) da bollo.

timidez /timiðéθ/ [sf] timidezza.

tímido /tímiðo/ [adj] timido.

timo /tímo/ [sm] truffa (f).

timón /timón/ [sm] timone.

tímpano /tímpano/ [sm] timpano.

tina /tína/ [sf] giara, orcio (m).

tiniebla /tinjéβla/ [sf] tenebra.

tino /tíno/ [sm] **1** (prudencia) discrezione (f) **2** fig naso, fiuto • *tiene ~ en los negocios*: ha fiuto per gli affari.

tinta /tínta/ [sf] inchiostro (m).

tinte /tínte/ [sm] **1** tinta (f) • *un ~ para el cabello*: una tinta per i capelli **2** fam tintoria (f).

tinto /tínto/ [adj/sm] (vino) rosso.

tintorería /tintorería/ [sf] tintoria.

tintura /tintúra/ [sm] tintura (f) • **~ de yodo**: tintura di iodio.

tío /tío/ [sm] **1** zio **2** fam tipo, tizio • *lo vi con aquella tía*: lo vidi con quella tizia **3** jerg tu, amico • *¡oye, ~!*: ehi, tu!

tiovivo /tjoβíβo/ [sm] giostra (f).

típico /típiko/ [adj] tipico, caratteristico LOC **bailes típicos**: danze folcloristiche.

tipo /típo/ [sm] **1** tipo **2** (economía) tasso **3** fam personale, figura (f) LOC **~ de cambio/interés**: tasso di cambio/interesse.

tique /tíke/ [sm] **1** com scontrino **2** (de espectáculo, medio de transporte) biglietto.

tira /tíra/ [sf] (también viñeta) striscia.

tirabuzón /tiraβuθón/ [sm] cavatappi (inv).

tirado /tiráðo/ [adj] fig fam **1** facile (m,f), semplice (m,f) **2** (muy barato) a buon mercato.

tirador /tiraðór/ [sm] maniglia (f).

tirano /tiráno/ [sm] tiranno.

tirantes /tirántes/ [sm pl] bretelle (f).

tirar /tirár/ [v tr] **1** (a/hacia) tirare **2** (a) gettare, buttare • **~ a la basura**: gettare nella spazzatura **3** fig (derrochar) sperperare, sprecare ♦ [v intr] (de) tirare ♦ [v prnl] **1** lanciarsi, buttarsi **2** vulg farsi, scoparsi LOC **de usar y ~**: usa e getta | **~ adelante**: andare/tirare dritto.

tirita /tiríta/ [sf] cerotto (m).

tiritar /tiritár/ [v intr] (de) tremare.

tiro /tíro/ [sm] **1** tiro **2** (de arma de fuego) sparo, colpo LOC **de tiros largos**: in ghingheri | **pegarse un ~**: spararsi | **~ al blanco/plato**: tiro al bersaglio/piattello | **~ de gracia**: colpo di grazia.

tiroides /tiróiðes/ [sm inv] tiroide (f sing).

tiroteo /tirotéo/ [sm] sparatoria (f).

tirreno /tiřéno/ [adj] tirrenico.

tisana /tisána/ [sf] tisana, infuso (m).

títere /títere/ [sm] burattino, marionetta (f).

titubear /tituβeár/ [v intr] titubare.

titular /titulár/ [adj/sm,f] titolare ◆ [sm] (de periódico) titolo.

titular (-se) /titulár/ [v tr prnl] intitolare (-rsi).

título /título/ [sm] titolo LOC **~ académico**: diploma di laurea.

tiza /tíθa/ [sf] gessetto (m).

tiznar (-se) /tiθnár/ [v tr prnl] macchiare (-rsi), imbrattare (-rsi).

toalla /toáʎa/ [sf] **1** tex spugna **2** asciugamano (m) LOC **tirar la ~**: gettare la spugna.

toba /tóβa/ [sf] (mineral) tufo (m).

tobillo /toβíʎo/ [sm] caviglia (f).

tobogán /toβoɣán/ [sm] scivolo.

tocadiscos /tokaðískos/ [sm inv] giradischi.

tocador /tokaðór/ [sm] toilette (f inv).

tocar /tokár/ [v tr] **1** (también fig) toccare ● *¡no toques ese tema con él!*: non toccare quel tema con lui! **2** suonare ● *~ el timbre*: suonare il campanello ◆ [v intr] fig toccare, spettare ◆ [v prnl] toccarsi LOC **tocarle la lotería**: vincere un terno al lotto | **~ madera**: toccare ferro.

tocino /toθíno/ [sm] lardo LOC **~ entreverado**: pancetta magra.

todavía /toðaβía/ [adv] ancora LOC **~ más/menos/mejor/peor**: ancora più/meno/meglio/peggio.

todo /tóðo/ [adj/adv/pron/sm] tutto LOC **ante ~/por encima de ~**: innanzi tutto | **a ~ esto**: nel frattempo | **del ~**: completamente, del tutto | **de una vez por todas**: una volta per tutte | *sobre* **~**: soprattutto | **~ lo más**: al massimo, tutt'al più.

todoterreno /toðoteřéno/ [sm] fuoristrada (inv).

toga /tóɣa/ [sf] toga.

toldo /tóldo/ [sm] tendone.

tolerancia /toleránθja/ [sf] tolleranza.

tolerar /tolerár/ [v tr] tollerare.

toma /tóma/ [sf] **1** (también tecn) presa **2** (de cine, fotografía) ripresa LOC **~ de corriente**: presa di corrente elettrica.

tomar /tomár/ [v tr] **1** (también fig) prendere ● *~ una decisión*: prendere una decisione **2** (cine, fotografía) riprendere ◆ [v intr] **1** *Amer* (alcohol) bere **2** (camino) prendere, imboccare LOC **¡toma!**: to'!, tieni! | **~ asiento**: prendere posto, sedersi | **tomarla con uno**: prendersela con qualcuno | **~ por algo/alguien**: prendere/scambiare per qualcosa/qualcuno.

tomate /tomáte/ [sm] pomodoro.

tómbola /tómbola/ [sf] (juego) pesca.

tomillo /tomíʎo/ [sm] timo.

ton /tón/ [sm] (sólo en la locución) LOC **sin ~ ni son**: senza motivo alcuno.

tonalidad /tonaliðáð/ [sf] tonalità (inv).

tonel /tonél/ [sm] (también fig) botte (f), barile • *Mónica está hecha un ~*: Monica è diventata una botte.

tónica /tónika/ [sf] acqua tonica.

tónico /tóniko/ [sm] (también cosmético) tonico.

tono /tóno/ [sm] (también fig) tono • *no me gusta el ~ de esta conversación*: non mi piace il tono di questa conversazione LOC **darse ~**: darsi un tono.

tontería /tontería/ [sf] 1 (cualidad) stupidità (inv) 2 sciocchezza • *se enfada por cualquier ~*: si arrabbia per qualsiasi sciocchezza.

tonto /tónto/ [adj] tonto, sciocco LOC **a tontas y a locas**: a casaccio | **hacerse el ~**: fare il finto tonto | **ponerse ~**: fare lo stupido.

top /tóp/ [sm] indum top (inv), corpino ∎ pl irr **tops**.

topacio /topáθjo/ [sm] topazio.

topar /topár/ [v intr] (**con/contra**) urtare • [v prnl] (**con**) incontrare per caso.

tope /tópe/ [sm] fig limite LOC **estar hasta el ~**: essere pieno zeppo.

tópico /tópiko/ [sm] 1 luogo comune 2 tema, argomento • *un ~ de conversación*: un argomento di conversazione.

topo /tópo/ [sm] talpa (f).

toque /tóke/ [sm] (también fig) tocco • *un ~ de fantasía*: un tocco di fantasia.

torácico /toráθiko/ [adj] toracico.

tórax /tóraks/ [sm inv] torace (sing).

torbellino /torβeʎíno/ [sm] 1 vortice, turbine 2 fig (persona) terremoto.

torcedura /torθeðúra/ [sf] distorsione, slogatura.

torcer /torθér/ [v tr] torcere • [v intr] voltare, girare • [v prnl] 1 torcersi 2 (camino) piegarsi, curvarsi 3 med slogarsi.

torcido /torθíðo/ [adj] storto.

tordo /tórðo/ [sm] tordo.

toreo /toréo/ [sm] corrida (f).

tormenta /torménta/ [sf] 1 temporale (m) 2 mar burrasca.

tormento /torménto/ [sm] tormento.

torneo /tornéo/ [sm] torneo, gara (f).

tornillo /torníʎo/ [sm] vite (f) LOC **faltarle un ~**: mancare qualche rotella.

torno /tórno/ [sm] 1 (también tecn) tornio 2 (de dentista) trapano.

toro /tóro/ [sm] toro LOC **~ de lidia**: toro da combattimento.

toronja /toróŋxa/ [sf] (fruto) pompelmo (m).

toronjo /toróŋxo/ [sm] (planta) pompelmo.

toros /tóros/ [sm pl] fam corrida (f sing).

torpe /tórpe/ [adj m,f] 1 (gesto) goffo (m), impacciato (m) 2 (persona) maldestro (m), imbranato (m) 3 fig ottuso (m), tardo (m), lento (m).

torpeza /torpéθa/ [sf] goffaggine, lentezza.

torre /tóře/ [sf] torre LOC **~ de pisos/ apartamentos**: condominio.

torrente /tořénte/ [sm] 1 torrente 2 fig (de personas) fiumana (f), marea (f).

torrezno /tořéθno/ [sm] cicciolo.

tórrido /tóřiðo/ [adj] torrido.

torta /tórta/ [sf] **1** torta **2** *Amer* (bizcocho) torta farcita **3** *fam* sberla, ceffone (m).

tortícolis /tortíkolis/ [sf inv] torcicollo (m sing).

tortilla /tortíʎa/ [sf] frittata.

tortuga /tortúɣa/ [sf] tartaruga.

tortuoso /tortwóso/ [adj] tortuoso.

tortura /tortúra/ [sf] (también fig) tortura.

torturar (-se) /torturár/ [v tr prnl] torturare (-rsi).

tos /tós/ [sf] tosse LOC ~ ferina: pertosse.

toscano /toskáno/ [adj/sm] toscano.

tosco /tósko/ [adj] grezzo, rozzo.

toser /tosér/ [v intr] tossire.

tostada /tostáða/ [sf] **1** fetta di pane tostato **2** (biscote) fetta biscottata.

tostadero /tostaðéro/ [sm] com torrefazione (f).

tostador /tostaðór/ [sm] tostapane (inv).

tostar (-se) /tostár/ [v tr prnl] **1** tostare (-rsi), abbrustolire (-rsi) **2** fig abbronzarsi (-rsi).

tostón /tostón/ [sm] crostino.

total /totál/ [adv] **1** insomma • ~, *que me dejó sola*: insomma, mi ha lasciata sola **2** tanto • ¡~, *como el coche no es mío...!*: tanto, la macchina non è mia...! • [sm] totale.

tour /túr/ [sm inv] (de ciclistas, espectáculo) tour LOC ~ operador: operatore turistico.

tóxico /tóksiko/ [adj] tossico.

toxicómano /toksikómano/ [adj/sm] tossicomane (m,f).

tozudo /toθúðo/ [adj] ostinato, testardo.

traba /tráβa/ [sf] ostacolo (m), impedimento (m).

trabajador (-a) /traβaxáðor/ [sm] operaio, lavoratore (f -trice).

trabajar /traβaxár/ [v intr/tr] (como/de) lavorare.

trabajo /traβáxo/ [sm] **1** lavoro **2** (artístico, literario) lavoro, opera (f) LOC costar ~: fare fatica.

trabajoso /traβaxóso/ [adj] faticoso, pesante (m,f).

trabar /traβár/ [v tr] bloccare ♦ [v prnl] (en) impigliarsi LOC trabársele la lengua: balbettare.

tracción /trakθjón/ [sf] trazione LOC ~ delantera: trazione anteriore.

tractor /traktór/ [sm] trattore.

tradición /traðiθjón/ [sf] tradizione.

tradicional /traðiθjonál/ [adj m,f] tradizionale.

traducción /traðukθjón/ [sf] traduzione.

traducir /traðuθír/ [v tr] (a/de) tradurre.

traer /traér/ [v tr] portare • ¿*me trae un café?*: mi porta un caffè? LOC ~ a la memoria: far ricordare, far venire in mente | traerse entre manos: avere per le mani.

traficante /trafikánte/ [adj/sm,f] pey trafficante (sust).

traficar /trafikár/ [v intr] (con/en) pey **1** trafficare **2** (droga) spacciare.

tráfico /tráfiko/ [sm] traffico.

tragaluz /traɣalúθ/ [sm] lucernario.

tragar (-se) /traɣár/ [v tr prnl] **1** (también fig) inghiottire • *se tuvo que ~ las palabras*: dovette inghiottire le parole **2** fam tranguiare, divorare (-rsi) LOC no ~ a alguien: non sopportare qualcuno.

tragedia /traxéðja/ [sf] tragedia.

trágico /tráxiko/ [adj] tragico.

trago /tráɣo/ [sm] sorso LOC **mal ~**: boccone amaro.

traición /traiθjón/ [sf] tradimento (m).

traicionar /traiθjonár/ [v tr] (también fig) tradire • *traicionaron mi confianza*: tradirono la mia fiducia.

traidor (-a) /traiðór/ [adj/sm] traditore (f -trice).

traje /tráxe/ [sm] **1** vestito, abito **2** (folclor) costume LOC **~ de baño**: costume da bagno | **~ de ceremonia/etiqueta**: abito da cerimonia | **~ isotérmico**: muta subacquea | **~ de noche**: abito da sera | **~ sastre**: tailleur.

trajín /traxín/ [sm] viavai (inv), andirivieni (inv).

trajinar /traxinár/ [v intr] trafficare, darsi da fare.

trama /tráma/ [sf] trama.

tramitar /tramitár/ [v tr] (petición, solicitud) inoltrare.

trámite /trámite/ [sm] formalità (f inv), pratica (f) LOC **trámites de aduana**: formalità/obblighi doganali.

tramo /trámo/ [sm] **1** tratto, parte (f), pezzo **2** (de escalera) rampa (f).

tramontana /tramontána/ [sf] (viento) tramontana.

trampa /trámpa/ [sf] trappola LOC **hacer ~**: barare | **tender una ~**: tendere una trappola.

trampolín /trampolín/ [sm] trampolino.

trance /tránθe/ [sm] circostanza (f), frangente.

tranquilidad /traŋkiliðáð/ [sf] tranquillità (inv), serenità (inv).

tranquilizante /traŋkiliθánte/ [sm] tranquillante.

tranquilizar (-se) /traŋkiliθár/ [v tr prnl] tranquillizzare (-rsi).

tranquilo /traŋkílo/ [adj] tranquillo.

transatlántico /transatlántiko/ [sm] transatlantico.

transbordador /transβorðaðór/ [sm] traghetto LOC **~ espacial**: navetta spaziale.

transbordar /transβorðár/ [v tr] trasbordare.

transbordo /transβorðo/ [sm] trasbordo.

transcurrir /transkuřír/ [v intr] trascorrere, passare.

transcurso /transkúrso/ [sm] corso, decorso.

transeúnte /transeúnte/ [sm,f] passante.

transexual /transekswál/ [adj/sm,f] transessuale.

transferencia /transferénθja/ [sf] trasferimento (m) LOC **~ bancaria**: bonifico.

transferir /transferír/ [v tr] (también dinero) trasferire.

transformación /transformaθjón/ [sf] trasformazione.

transformador /transformaðór/ [sm] trasformatore.

transformar (-se) /transformár/ [v tr prnl] trasformare (-rsi).

tránsfuga /tránsfuɣa/ [sm,f] ricercato (m).

transfusión /transfusjón/ [sf] med trasfusione.

transgredir /transɣreðír/ [v tr] trasgredire.

transgresión /transɣresjón/ [sf] trasgressione.

transición /transiθjón/ [sf] transizione.

transitable /transitáβle/ [adj m,f] transitabile.

tránsito /tránsito/ [sm] transito LOC de ~: di passaggio.

transmisión /transmisjón/ [sf] trasmissione.

transmitir (-se) /transmitír/ [v tr prnl] (también med) trasmettere (-rsi).

transparencia /transparénθja/ [sf] trasparenza.

transparente /transparénte/ [adj m,f] trasparente.

transpiración /transpiraθjón/ [sf] traspirazione.

transpirar (-se) /transpirár/ [v intr prnl] traspirare.

transportar /transportár/ [v tr] trasportare.

transporte /transpórte/ [sm] trasporto.

transversal /transβersál/ [adj m,f] trasversale ♦ [sf] traversa, via laterale.

tranvía /trambía/ [sm] tram (inv).

trapo /trápo/ [sm] straccio LOC hecho un ~: ridotto uno straccio.

tráquea /trákea/ [sf] trachea.

tras /tras/ [prep] 1 (tiempo) dopo 2 (lugar) dietro.

trasero /traséro/ [adj/sm] posteriore (m,f).

trasladar /traslaðár/ [v tr] 1 (objeto) spostare 2 (persona) trasferire ♦ [v prnl] traslocare, cambiare casa.

traslado /traslάðo/ [sm] 1 (mudanza) trasloco 2 trasferimento, spostamento • *pidió el ~ a otra sucursal*:

chiese il trasferimento a un'altra filiale.

trasluz /traslúθ/ [sm] controluce (f inv) LOC al ~: in controluce.

trasnochar /trasnotʃár/ [v intr] fare le ore piccole.

traspasar /traspasár/ [v tr] 1 trapassare 2 (una ley, prohibición) trasgredire 3 com trasferire, cedere.

traspaso /traspáso/ [sm] 1 trasferimento 2 com trapasso, cessione (f).

traspié /traspjé/ [sm] scivolone LOC dar un ~: fare uno scivolone.

trasplante /trasplánte/ [sm] trapianto.

trasquilar /traskilár/ [v tr] tosare.

trastienda /trastjénda/ [sf] retrobottega (m,f).

trasto /trásto/ [sm] 1 cianfrusaglia (f) 2 (en pl) fam arnesi, attrezzi.

trastornar /trastornár/ [v tr] 1 sconvolgere 2 (también fig) fare impazzire • *aquella chica lo trastorna*: quella ragazza lo fa impazzire.

trastorno /trastórno/ [sm] 1 disordine, confusione (f) 2 med disturbo.

tratable /tratáβle/ [adj m,f] (también com) trattabile.

tratado /tratάðo/ [sm] trattato.

tratamiento /tratamjénto/ [sm] (también med) trattamento.

tratar /tratár/ [v tr] (también med) trattare ♦ [v intr] 1 trattare 2 (de) cercare, tentare ♦ [v prnl] frequentarsi LOC ~ de tú/usted: dare del tu/lei.

trato /tráto/ [sm] 1 maniere (f pl), modi (pl) 2 trattamento • *recibimos un buen ~ en aquel hostal*: ricevemmo un buon trattamento in quella pensione 3 fam accordo, affare • *¡vamos a hacer un buen ~!*: faremo un buon affare! LOC **malos tratos**: maltrattamenti | *¡~ hecho!*: affare fatto!

trauma /tráuma/ [sm] trauma.

traumatizar /traumatiθár/ [v tr] traumatizzare.

través /traβés/ [sm] (sólo en las locuciones) LOC **a ~ de algo**: attraverso qualcosa | **a ~ de alguien**: per mezzo di qualcuno, tramite qualcuno | **mirar de ~**: guardare di traverso.

travesía /traβesía/ [sf] **1** (calle) traversa **2** traversata • *una ~ en barco*: una traversata in nave.

travesti /traβésti/ [sm] travestito.

travieso /traβjéso/ [adj/sm] **1** monello, dispettoso **2** fig malizioso (adj) • *una mirada traviesa*: uno sguardo malizioso.

trayecto /trajék to/ [sm] tragitto, percorso.

trayectoria /trajek tórja/ [sf] traiettoria.

trazar /traθár/ [v tr] tracciare.

trazo /tráθo/ [sm] tratto.

trébol /tréβol/ [sm] **1** trifoglio **2** juego (en pl, naipes) fiori LOC **~ de cuatro hojas**: quadrifoglio.

trecho /trétʃo/ [sm] (distancia) tratto.

tregua /tréɣwa/ [sf] tregua.

treintañero /treintaɲéro/ [adj/sm] trentenne (m,f).

treintena /treinténa/ [sf] trentina.

tremendo /treméndo/ [adj] **1** tremendo **2** fig fam enorme (m,f).

tren /trén/ [sm] treno LOC **~ de vida**: tenore di vita | **~ directo**: treno diretto | **~ expreso**: treno espresso.

trenca /trénka/ [sf] montgomery (m inv).

Trentino-Alto Adigio /trentínoáltoaðíxjo/ [sm] Trentino-Alto Adige.

trenza /trénθa/ [sf] treccia.

trenzar /trenθár/ [v tr] intrecciare.

trepador /trepaðór/ [sm] rampicante.

trepanar /trepanár/ [v tr] med trapanare.

trepar /trepár/ [v intr/tr] arrampicarsi.

treta /tréta/ [sf] stratagemma (m), astuzia.

triangular /trjaŋgulár/ [adj m,f] triangolare.

triángulo /trjáŋgulo/ [sm] triangolo.

tribu /tríβu/ [sf] tribù (inv).

tribuna /triβúna/ [sf] tribuna.

tribunal /triβunál/ [sm] tribunale LOC **~ supremo**: corte suprema.

tributario /triβutárjo/ [sm] contribuente (m,f).

tributo /triβúto/ [sm] tributo.

tricotar /trikotár/ [v intr] lavorare a maglia.

tridentino /triðentíno/ [adj/sm] **1** (habitante de Trentino-Alto Adigio) trentino/alto atesino **2** (habitante de Trento) trentino.

triestino /trjestíno/ [adj/sm] triestino.

trifulca /trifúlka/ [sf] fam casino (m).

trigo /tríɣo/ [sm] grano, frumento LOC **~ candeal/sarraceno**: grano comune/saraceno.

trillar /triʎár/ [v tr] trebbiare.

trimestre /triméstre/ [sm] trimestre.

trinchar /trintʃár/ [v tr] trinciare.

trinchera /trintʃéra/ [sf] **1** trincea **2** indum trench (m inv).

trineo /trinéo/ [sm] slitta (f).

trinidad /triniðáð / [sf] trinità (inv).

trío /trío/ [sm] (también mus) trio.

tripa /trípa/ [sf] 1 intestino (m) 2 fam pancia LOC echar ~: mettere su pancia.

triple /tríple/ [sm] triplo.

triplicar (-rse) /triplikár/ [v tr prnl] triplicare (-rsi).

trípode /trípoðe/ [sm] treppiede.

tripulación /tripulaθjón/ [sf] equipaggio (m).

tripulante /tripulánte/ [sm,f] membro* del-l'equipaggio.

triste /tríste/ [adj m,f] triste.

tristeza /tristéθa/ [sf] tristezza.

triturar /triturár/ [v tr] triturare, tritare.

triunfar /trjumfár/ [v intr] trionfare.

triunfo /trjúmfo/ [sm] trionfo.

trivial /triβjál/ [adj m,f] banale, scontato (m).

triza /tríθa/ [sf] pezzo (m), frammento (m) LOC hacer trizas algo: fare a pezzi qualcosa.

trocar /trokár/ [v tr] 1 (por) barattare, scambiare 2 (en) cambiare, trasformare.

trocear /troθeár/ [v tr] fare a pezzi.

trofeo /troféo/ [sm] trofeo.

trola /tróla/ [sf] fam frottola, bugia.

trolebús /troleβús/ [sm] filobus (inv).

trombón /trombón/ [sm] trombone.

trombosis /trombósis/ [sf inv] trombosi.

trompa /trómpa/ [sf] 1 proboscide 2 fam sbronza LOC agarrarse una ~: prendersi una sbronza | ~ de Eustaquio/ Falopio: tromba/tuba di Eustachio/Fallopio.

trompeta /trompéta/ [sf] mus tromba.

trompo /trómpo/ [sm] trottola (f).

tronar /tronár/ [v intr/imp] tuonare.

tronchar (-se) /trontʃár/ [v tr prnl] troncare (-rsi) LOC troncharse de risa: sbellicarsi dalle risa.

tronco /trónko/ [sm] tronco LOC dormir como un ~: dormire come un ghiro.

trono /tróno/ [sm] trono.

tropa /trópa/ [sf] truppa.

tropel /tropél/ [sm] 1 (de personas) folla (f), ressa (f) 2 (de cosas) accozzaglia (f).

tropezar /tropeθár/ [v intr] (con) 1 (cosas) inciampare 2 (personas) scontrarsi ♦ [v prnl] (con) fig (personas) imbattersi.

tropical /tropikál/ [adj m,f] tropicale.

trópico /trópiko/ [sm] tropico.

tropiezo /tropjéθo/ [sm] 1 ostacolo, intoppo 2 fig sbaglio, errore ♦ un ~ de juventud: un errore di gioventù 3 fig difficoltà (f inv), contrattempo ♦ tuve un ~ y no llegué a tiempo: ho avuto una difficoltà e non sono arrivato in tempo.

trotar /trotár/ [v intr] trottare.

trote /tróte/ [sm] trotto LOC al ~: al trotto | no estar para trotes: non avere più l'età.

trozo /tróθo/ [sm] pezzo.

trucar /trukár/ [v intr] (vehículo) truccare, modificare.

trucha /trútʃa/ [sf] trota.

truco /trúko/ [sm] trucco.

trueno /trwéno/ [sm] tuono.

trueque /trwéke/ [sm] baratto, scambio.

trufa /trúfa/ [sf] tartufo (m).

truncar /truŋkár/ [v tr] (también fig) troncare • *Marisa ha truncado con Pablo*: Marisa ha troncato con Paolo.

tu /tu/ [adj m,f] tuo* (m) • ~ *libro*: il tuo libro.

tú /tú/ [pron m,f sing] tu.

tuba /túβa/ [sf] mus tuba.

tubérculo /tuβérkulo/ [sm] tubero.

tubería /tuβería/ [sf] tubatura.

tubo /túβo/ [sm] **1** tubo, tubetto **2** tecn (también anat) tubo LOC **por un ~**: in grande quantità | **~ de escape**: tubo di scappamento.

tucán /tukán/ [sm] tucano.

tuerca /twérka/ [sf] tecn dado (m).

tuerto /twérto/ [adj/sm] (persona) guercio.

tuétano /twétano/ [sm] midollo*.

tufo /túfo/ [sm] puzzo, fetore.

tumba /túmba/ [sf] tomba, sepolcro (m).

tumbar /tumbár/ [v tr] **1** abbattere **2** (tender) sdraiare, stendere ♦ [v prnl] (**a/en**) sdraiarsi, stendersi.

tumbo /túmbo/ [sm] scossone, scossa (f) LOC **dar tumbos**: procedere a sbalzi.

tumbona /tumbóna/ [sf] sedia a sdraio.

tumefacción /tumefakθjón/ [sf] tumefazione.

tumor /tumór/ [sm] tumore LOC **~ benigno/maligno**: tumore benigno/maligno.

tuna /tuná/ [sf] mus orchestra di studenti universitari in costume tradizionale.

túnel /túnel/ [sm] tunnel (inv), galleria (f).

túnica /túnika/ [sf] tunica.

tuno /túno/ [adj/sm] mus componente di una tuna.

tuntún (al) /tuntún/ [loc adv] **1** a caso • *eligió al ~*: scelse a caso **2** (mal) alla carlona.

tupido /tupíðo/ [adj] fitto.

turbación /turβaθjón/ [sf] turbamento (m).

turbar (-se) /turβár/ [v tr prnl] turbare (-rsi).

turbio /túrβjo/ [adj] torbido.

turbodiesel /turβoðjésel/ [sm] turbodiesel (inv).

turbulento /turβulénto/ [adj] turbolento.

Turín /turín/ [sm] Torino.

turinés (-a) /turinés/ [adj/sm] torinese (m,f).

turismo /turís mo/ [sm] **1** turismo **2** (vehículo) automobile privata LOC **agencia de ~**: agenzia turistica | **~ rural**: agriturismo.

turista /turísta/ [sm,f] turista.

turnarse /turnárse/ [v prnl] fare a turno.

turné /turné/ [sf] tournée (inv).

turno /túrno/ [sm] turno.

turquesa /turkésa/ [sf] turchese (m).

turrón /turrón/ [sm] torrone.

tute /túte/ [sm] fig sfacchinata (f) LOC **darse un ~**: fare una sfacchinata.

tutear (-se) /tuteár/ [v tr prnl] dare (-rsi) del tu.

tutela /tutéla/ [sf] tutela.

tutelar /tutelár/ [v tr] tutelare.

tutor (-a) /tutór/ [sm] tutore (f -trice).

tuyo /tújo/ [adj/pron] tuo* LOC **lo ~**: ciò che è tuo, le tue cose | **los tuyos**: i tuoi, la tua famiglia.

Uu

ubicación /uβikaθjón/ [sf] ubicazione.

ubicarse /uβikárse/ [v prnl] (lugar) essere situato/collocato, trovarsi.

ubre /úβre/ [sf] zool mammella.

ufanarse /ufanárse/ [v prnl] vantarsi, compiacersi.

ufano /ufáno/ [adj] **1** superbo, presuntuoso • *un trato ~ y mandón*: un modo di fare superbo e prepotente **2** orgoglioso, soddisfatto • *paseaba todo ~ un perro de raza*: portava a spasso tutto orgoglioso un cane di razza.

ujier /uxjér/ [sm] usciere.

úlcera /úlθera/ [sf] ulcera.

ulterior /ulterjór/ [adj m,f] ulteriore.

ultimar /ultimár/ [v tr] **1** ultimare, concludere, finire **2** *Amer* uccidere.

último /último/ [adj] ultimo ■ **a últimos de + tiempo** a(lla) fine (di) + tempo • *a últimos de enero*: a fine gennaio LOC **a la última**: all'ultima moda, all'ultimo grido | *por ~*: finalmente.

ultra /últra/ [adj/sm,f] ultrà (inv), estremista.

ultraligero /ultralixéro/ [adj/sm] ultraleggero.

ultramar /ultramár/ [adv] oltremare (inv).

ultramarinos /ultramarínos/ [sm pl] spezie (f) LOC **tienda de ~**: drogheria.

ultrarrojo /ultrar̄óxo/ [adj] infrarosso.

ultravioleta /ultraβjoléta/ [adj m,f] ultravioletto (m).

ulular /ululár/ [v intr] ululare.

umbral /umbrál/ [sm] soglia (f).

Umbría /umbría/ [sf] Umbria.

umbro /úmbro/ [adj/sm] umbro.

umbroso /umbróso/ [adj] ombroso.

un /un/ [art indet m sing] un, uno.

una /una/ [art indet f sing] una.

unánime /unánime/ [adj m,f] unanime.

unanimidad /unanimiðáð/ [sf] unanimità (inv) LOC **por ~**: all'unanimità.

ungir /uŋxír/ [v tr] ungere.

ungüento /uŋgwénto/ [sm] pomata (f).

único /úniko/ [adj] unico.

unidad /uniðáð/ [sf] unità (inv) LOC **~ de cuidados intensivos**: reparto di terapia intensiva | **~ de medida**: unità di misura | **~ de vigilancia intensiva**: reparto di rianimazione.

unificar (-se) /unifikár/ [v tr prnl] unificare (-rsi).

uniformar /uniformár/ [v tr] uniformare.

uniforme /unifórme/ [sm] uniforme (f), divisa (f).

unión /unjón/ [sf] unione.

unir (-se) /unír/ [v tr prnl] unire (-rsi).

unisex /unisék s/ [adj inv] unisex.

unísono /unísono/ [adj/sm] unisono LOC **al ~**: di comune accordo.

unitario /unitárjo/ [adj] unitario.

universal /uniβersál/ [adj m,f] universale LOC **grupo sanguíneo ~**: gruppo sanguigno universale.

universidad /uniβersiðáð/ [sf] università (inv).

universitario /uniβersitárjo/ [adj/sm] universitario.

universo /uniβérso/ [sm] universo.

uno /úno/ [adj] uno, un • *haga pasar una persona a la vez*: faccia entrare una persona alla volta ♦ [pron/sm] uno • *vino ~ preguntando por ti*: è venuto uno a chiedere di te LOC **una de dos**: l'una o l'altra | **~ que otro**: qualche, poco | **unos cuantos**: alcuni.

unos /unos/ [art indet m pl] alcuni, qualche ■ **unos + adj num** (aproximación) circa, più o meno • *unas cincuenta personas*: circa cinquanta persone.

untar /untár/ [v tr] **1** ungere • *~ una camisa*: ungere una camicia **2** spalmare • *~ una tostada con mantequilla*: spalmare una fetta di pane tostato di burro ♦ [v prnl] macchiarsi, sporcarsi.

unto /únto/ [sm] unto, grasso.

untuoso /untwóso/ [adj] untuoso.

uña /úɲa/ [sf] unghia LOC **comerse las uñas**: mangiarsi le unghie | *ser ~ y carne*: essere culo e camicia.

Urano /uráno/ [sm] Urano.

urbanístico /urβanístiko/ [adj] urbanistico.

urbanización /urβaniθaθjón/ [sf] quartiere (m) residenziale.

urbano /urβáno/ [adj] urbano.

urdimbre /urðímbre/ [sf] fig trama, intrigo (m).

urdir /urðír/ [v tr] fig tramare, complottare.

urgencia /urxénθja/ [sf] **1** urgenza **2** (en pl) pronto soccorso (m sing).

urgente /urxénte/ [adj m,f] urgente.

urgir /urxír/ [v intr] urgere.

urinario /urinárjo/ [adj] urinario.

urna /úrna/ [sf] **1** urna **2** (de cristal) vetrinetta.

urraca /uřáka/ [sf] gazza.

urticaria /urtikárja/ [sf] orticaria.

uruguayo /uruɣwájo/ [adj/sm] uruguaiano.

usado /usáðo/ [adj] usato.

usar /usár/ [v tr] usare ♦ [v prnl] essere di moda.

uso /úso/ [sm] uso LOC **de ~ externo**: per uso esterno | *en buen ~*: in buono stato | *hacer ~ de algo*: fare uso di qualcosa.

usted /ustéð/ [pron m,f sing] (cortesía) lei.

ustedes /ustéðes/ [pron m,f pl] (cortesía) loro, voi • *han sido ~ muy amables*: siete stati molto gentili.

usual /uswál/ [adj m,f] usuale, solito (m).

usuario /uswárjo/ [adj/sm] utente (m,f).

usura /usúra/ [sf] usura.

usurero /usuréro/ [adj/sm] usuraio.

usurpación /usurpaθjón/ [sf] usurpazione.

usurpar /usurpár/ [v tr] usurpare.

utensilio /utensíljo/ [sm] utensile, arnese.

útero /útero/ [sm] utero.

útil /útil/ [adj m,f] utile ♦ [sm] attrezzo, arnese.

utilidad /utiliðáð/ [sf] utilità (inv).

utilitario /utilitárjo/ [sm] (vehículo) utilitaria (f).

utilización /utiliθaθjón/ [sf] utilizzo (m).

utilizar /utiliθár/ [v tr] utilizzare, usare, servirsi.

utillaje /utiʎáxe/ [sm] attrezzi (pl).

utopía /utopía/ [sf] utopia.

uva /úβa/ [sf] uva LOC estar de mala ~: essere di cattivo umore | tener mala ~: avere un brutto carattere.

úvula /úβula/ [sf] ugola.

Vv

vaca /báka/ [sf] 1 mucca, vacca 2 (carne) manzo (m).

vacaciones /bakaθjónes/ [sf pl] vacanze, ferie LOC estar/ir de ~: essere/andare in vacanza.

vaciar (-se) /baθjár/ [v tr prnl] 1 vuotare (-rsi) 2 (volcar) versare (-rsi).

vacilación /baθilaθjón/ [sf] 1 oscillazione 2 fig titubanza, indecisione.

vacilar /baθilár/ [v intr] vacillare.

vacío /baθío/ [adj] vuoto ♦ [sm] 1 (también fig) vuoto • un ~ de poder: un vuoto di potere 2 (hueco) cavità (f inv), buco.

vacuna /bakúna/ [sf] 1 vaccino (m) 2 fam vaccinazione • fui a que me pusieran la ~: sono andato a farmi fare la vaccinazione.

vacunación /bakunaθjón/ [sf] vaccinazione.

vacunar (-se) /bakunár/ [v tr prnl] vaccinare (-rsi).

vacuno /bakúno/ [adj/sm] bovino.

vadear /baðeár/ [v tr] 1 guadare 2 fig (problema, dificultad) superare, risolvere.

vado /báðo/ [sm] guado LOC ~ permanente: passo carraio.

vagabundo /baɣaβúndo/ [adj/sm] vagabondo.

vagar /baɣár/ [v intr] vagare.

vagina /baxína/ [sf] vagina.

vago /báɣo/ [adj] fig vago, impreciso ♦ [sm] fannullone.

vagón /baɣón/ [sm] vagone, carrozza (f).

vaguada /baɣwáða/ [sf] fondovalle* (m).

vaho /báo/ [sm] vapore.

vaina /báina/ [sf] 1 (funda) fodero (m) 2 (cáscara) baccello (m).

vainilla /bainíʎa/ [sf] vaniglia.

vaivén /baiβén/ [sm] andirivieni (inv).

vajilla /baxíʎa/ [sf] stoviglie (pl).

vale /bále/ [interj] 1 bene!, d'accordo! • ¡~, lo haré así!: va bene, farò così! 2 basta! • ¡ya ~, gracias!: basta così, grazie! ♦ [sm] 1 buono 2 (de entrega) ricevuta (f) 3 (entrada) biglietto omaggio.

valedero /baleðéro/ [adj] valido, valevole (m,f).

Valencia /balénθja/ [sf] Valenza.

valenciano /balenθjáno/ [adj/sm] valenzano.

valer /balér/ [v tr] valere ◆ [v intr] **1** valere, essere di valore **2** (documento) essere valido **3** (para) servire ◆ [v prnl] servirsi di, utilizzare LOC **¿cuánto vale?**: quant'è?, quanto costa? | *más vale* **que**: è meglio che | ~ *la pena*: valere la pena.

valeriana /balerjána/ [sf] valeriana.

validar /baliðár/ [v tr] convalidare.

validez /baliðéθ/ [sf] validità (inv).

válido /báliðo/ [adj] valido.

valiente /baljénte/ [adj m,f] valoroso (m), coraggioso (m).

valija /balíxa/ [sf] *Amer* valigia.

valioso /baljóso/ [adj] prezioso.

valla /báʎa/ [sf] **1** steccato (m), palizzata **2** dep ostacolo (m) LOC ~ **publicitaria**: cartellone pubblicitario.

valle /báʎe/ [sm] valle (f).

Valle de Aosta /báʎeðeaósta/ [sm] Valle (f) d'Aosta.

vallisoletano /baʎisoletáno/ [adj/sm] abitante di Valladolid.

valor /balór/ [sm] **1** valore **2** fig coraggio **3** (en pl) titoli di borsa LOC ~ **de cambio**: quotazione al cambio.

valoración /baloraθjón/ [sf] valutazione.

valorar /balorár/ [v tr] **1** valutare **2** fig apprezzare.

vals /báls/ [sm] valzer (inv).

válvula /bálβula/ [sf] valvola.

vándalo /bándalo/ [adj/sm] vandalo.

vanguardia /baŋgwárðja/ [sf] avanguardia.

vanidad /baniðáð/ [sf] vanità (inv).

vanidoso /baniðóso/ [adj] vanitoso.

vano /báno/ [adj] vano, inutile (m,f) LOC **en** ~: invano, inutilmente ◆ [sm] arq vano.

vapor /bapór/ [sm] **1** vapore **2** (barco) vaporetto.

vaporizador /baporiθaðór/ [sm] vaporizzatore.

vaquero /bakéro/ [sm] (también pl) jeans LOC **pantalón** ~: blue jean | *película* **de vaqueros**: film western.

vara /bára/ [sf] **1** (rama) ramoscello (m) **2** (estaca) palo (m).

varar /barár/ [v intr] incagliarsi, arenarsi.

variable /barjáβle/ [adj m,f] **1** (también tiempo) variabile **2** fig mutevole, incostante.

variación /barjaθjón/ [sf] (también mus) variazione.

variado /barjáðo/ [adj] **1** vario, variato **2** (dulces, entremeses) assortito.

variante /barjánte/ [sf] (también de carretera) variante.

variar /barjár/ [v intr/tr] variare LOC **para** ~: tanto per cambiare.

varicela /bariθéla/ [sf] varicella.

variedad /barjeðáð/ [sf] varietà (inv).

vario /bárjo/ [adj] vario.

varón /barón/ [sm] (persona) maschio.

vasco /básko/ [adj/sm] basco.

vaselina /baselína/ [sf] vaselina.

vasija /basíxa/ [sf] **1** vaso (m), recipiente (m) **2** (conjunto) vasellame (m).

vaso /báso/ [sm] bicchiere.

vasto /básto/ [adj] vasto, ampio.

váter /báter/ [sm] **1** (sanitario) water (inv) **2** (cuarto) gabinetto, bagno.

¡vaya! /bája/ [interj] caspita!, però!

vecindad /beθindáð/ [sf] **1** vicinato (m) • *tenemos una buena relación de ~*: abbiamo dei buoni rapporti di vicinato **2** (cercanía) vicinanza LOC **casa de ~**: casa popolare.

vecindario /beθindárjo/ [sm] (también personas) vicinato.

vecino /beθíno/ [sm] **1** vicino • *el ~ de enfrente*: il vicino dirimpetto **2** residente (m,f) • *~ de Sevilla*: residente a Siviglia.

veda /béða/ [sf] divieto (m) di caccia/pesca.

vedar /beðár/ [v tr] vietare, proibire.

vega /béya/ [sf] pianura.

vegetación /bexetaθjón/ [sf] vegetazione.

vegetal /bexetál/ [adj m,f/sm] vegetale.

vegetariano /bexetarjáno/ [adj/sm] vegetariano.

vehículo /beíkulo/ [sm] veicolo.

veinteañero /beinteaɲéro/ [adj/sm] ventenne (m,f).

veintena /beinténa/ [sf] ventina.

vejez /bexéθ/ [sf] vecchiaia.

vejiga /bexíya/ [sf] (también anat) vescica.

vela /béla/ [sf] **1** (también dep) vela **2** candela • *encender una ~*: accendere una candela LOC **pasar la noche en ~**: passare una notte insonne/in bianco.

velada /beláða/ [sf] **1** (fiesta) veglione (m) **2** (reunión) serata.

velatorio /belatórjo/ [sm] camera (f) ardente.

vello /béʎo/ [sm] peluria (f).

velludo /beʎúðo/ [adj] peloso.

velo /bélo/ [sm] **1** velo **2** tex tulle (inv).

velocidad /beloθiðáð/ [sf] **1** velocità (inv), rapidità (inv) **2** (de vehículo) marcia LOC **a gran/pequeña ~**: a grande/bassa velocità.

veloz /belóθ/ [adj m,f] veloce, rapido (m).

vena /béna/ [sf] **1** vena **2** venatura • *un mármol con venas azules*: un marmo a venature azzurre LOC **estar en ~**: essere in vena.

vencedor (-a) /benθeðór/ [adj/sm] vincitore (f -trice).

vencer /benθér/ [v tr] **1** vincere • *~ el miedo*: vincere la paura **2** battere, superare • *~ al adversario*: battere l'avversario ◆ [v intr] **1** (plazo) scadere **2** vincere ◆ [v prnl] deformarsi.

vencimiento /benθimjénto/ [sm] (de plazo) scadenza (f).

venda /bénda/ [sf] benda, fascia.

vendaje /bendáxe/ [sf] fasciatura (f), bendaggio.

vendar /bendár/ [v tr] bendare.

vendedor (-a) /bendeðór/ [sm] venditore (f -trice).

vender /bendér/ [v tr] vendere LOC **se vende**: vendesi | *~ caro*: vendere caro.

vendimia /bendímja/ [sf] vendemmia.

vendimiar /bendimjár/ [v tr] vendemmiare.

Venecia /benéθja/ [sf] Venezia.

veneciano /beneθjáno/ [adj/sm] veneziano.

veneno /benéno/ [sm] veleno.

venéreo /benéreo/ [adj] venereo.

véneto /béneto/ [adj] veneto ◆ [sm] **1** (región) Veneto **2** (habitante) veneto.

venezolano /beneθoláno/ [adj/sm] venezuelano.

venganza /beŋgánθa/ [sf] vendetta.

vengar (-se) /beŋgár/ [v tr prnl] vendicare (-rsi).

venida /beníða/ [sf] venuta, arrivo (m).

venidero /beniðéro/ [adj] venturo, prossimo.

venir /benír/ [v intr] **1** venire **2** esserci, comparire ◆ *aquí no viene su nombre*: qui il suo nome non c'è ■ **venir + adv** andare/stare + avv ◆ *esta falda me viene ancha*: questa gonna mi sta grande LOC **¿a qué viene?**: perché?, a che scopo? | *que viene*: prossimo, venturo | *venirse abajo*: crollare.

venta /bénta/ [sf] vendita LOC **en ~**: in vendita.

ventaja /bentáxa/ [sf] vantaggio (m) LOC **llevar la ~**: essere in vantaggio.

ventana /bentána/ [sf] finestra LOC **~ de la nariz**: narice.

ventanilla /bentaníʎa/ [sf] **1** (de vehículo) finestrino (m) **2** (taquilla) sportello (m) **3** (de sobre) finestra.

ventilación /bentilaθjón/ [sf] ventilazione.

ventilador /bentilaðór/ [sm] ventilatore.

ventilar /bentilár/ [v tr] arieggiare.

ventisca /bentíska/ [sf] tormenta.

ventoso /bentóso/ [adj] ventoso.

Venus /bénus/ [sm] Venere.

ver /bér/ [v tr] **1** vedere **2** trovare, fare visita ◆ *¿cuándo vendrás a verme?*: quando verrai a trovarmi? ◆ [v

prnl] vedersi LOC **¡a ~!**: vediamo! | **de buen ~**: attraente | **¡hay que ~!**: caspita! | **tener que ~ con algo/alguien**: avere a che fare con qualcosa/qualcuno | **¡vamos a ~!**: vediamo un po'!

vera /béra/ [sf] sponda, riva.

veranear /beraneár/ [v intr] villeggiare.

veraneo /beranéo/ [sm] villeggiatura (f) LOC **ir/estar de ~**: andare/essere in villeggiatura | *lugar de ~*: luogo di villeggiatura.

veraniego /beranjéɣo/ [adj] estivo.

verano /beráno/ [sm] estate (f).

veras /béras/ [sf pl] (sólo en la locución) LOC **de ~**: veramente, davvero.

verbena /berβéna/ [sf] sagra, festa popolare.

verbo /bérβo/ [sm] verbo.

verdad /berðáð/ [sf] verità (inv) LOC **a decir ~**: a dire il vero | *decir cuatro **verdades***: dirne quattro | *de ~*: davvero | *es ~*: è vero.

verdadero /berðaðéro/ [adj] vero.

verde /bérðe/ [adj m,f] **1** verde **2** (fruta) acerbo (m) LOC **chiste/cuento ~**: barzelletta/storiella spinta | *zona ~*: zona verde ◆ [sm] verde LOC **poner ~ a alguien**: parlar male di qualcuno | **~ botella/esmeralda**: verde bottiglia/smeraldo.

verdulería /berðulería/ [sf] negozio di frutta e verdura.

verdura /berðúra/ [sf] verdura.

vereda /beréða/ [sf] **1** sentiero (m) **2** *Amer* marciapiede (m).

veredicto /bereðíkto/ [sm] sentenza (f).

vergonzoso /berɣonθóso/ [adj] vergognoso.

vergüenza /berɣwénθa/ [sf] vergogna LOC dar/tener ~: vergognarsi.

verificación /berifikaθjón/ [sf] verifica.

verificar (-se) /berifikár/ [v tr prnl] verificare (-rsi).

verja /bérxa/ [sf] cancellata.

vermú /bermú/ [sm] vermouth (inv).

verruga /beřúɣa/ [sf] verruca.

versátil /bersátil/ [adj m,f] versatile.

versión /bersjón/ [sf] versione.

verso /bérso/ [sm] (de poesía) verso.

vértebra /bérteβra/ [sf] vertebra.

vertebral /berteβrál/ [adj m,f] vertebrale.

vertedero /berteðéro/ [sm] discarica (f).

verter /bertér/ [v tr] versare ◆ [v prnl] rovesciarsi, spargersi, spandersi.

vertical /bertikál/ [adj m,f/sf] verticale.

vértice /bértiθe/ [sm] vertice.

vertiente /bertjénte/ [sf] versante (m), pendio (m).

vertiginoso /bertixinóso/ [adj] vertiginoso.

vértigo /bértiɣo/ [sm] vertigine (f) LOC dar ~: dare le vertigini.

vesícula /besíkula/ [sf] (sólo en la locución) LOC ~ biliar: cistifellea.

vestíbulo /bestíβulo/ [sm] ingresso.

vestido /bestíðo/ [sm] 1 vestito, indumento 2 (de mujer) abito LOC ~ de ceremonia/noche: abito da cerimonia/sera.

vestir (-se) /bestír/ [v tr/intr prnl] vestire (-rsi) LOC de ~: elegante (indumento) | ~ bien: vestire con gusto.

vestuario /bestwárjo/ [sm] 1 vestiario 2 dep spogliatoio 3 (de teatro) camerino.

veteado /beteáðo/ [adj] venato.

veterano /beteráno/ [adj/sm] 1 veterano 2 fig esperto.

veterinario /beterinárjo/ [sm] veterinario.

veto /béto/ [sm] veto.

vez /béθ/ [sf] 1 volta ◆ ¿te acuerdas a-quella ~?: ricordi quella volta? 2 turno (m) ◆ contesta cuando llegue tu ~: rispondi quando sarà il tuo turno LOC a la ~: simultaneamente | a veces: a volte | cada ~ que: ogni volta che | de una ~: in un sol colpo | de ~ en cuando: di tanto in tanto | en ~ de: invece di | tal ~: forse.

vía /bía/ [sf] 1 via 2 (del tren) binario (m) LOC en vías de: in via di | por ~ oral: via orale | ~ férrea: ferrovia | ~ láctea: via lattea | ~ libre: via libera.

viable /bjáβle/ [adj m,f] 1 fattibile 2 (camino) transitabile.

viajante /bjaxánte/ [sm] rappresentante (m,f).

viajar /bjaxár/ [v intr] viaggiare.

viaje /bjáxe/ [sm] 1 viaggio 2 (recorrido) tragitto, percorso LOC ¡buen ~!: buon viaggio! | ir/estar de ~: fare un viaggio/essere in viaggio | tienda de artículos de ~: valigeria | ~ de novios: viaggio di nozze.

viajero /bjaxéro/ [adj/sm] viaggiatore (f -trice).

viario /bjárjo/ [adj] stradale (m,f).

víbora /bíβora/ [sf] vipera.

vibración /biβraθjón/ [sf] vibrazione.

vibrar /biβrár/ [v intr] vibrare.

viceversa /biθeβérsa/ [adv] viceversa, al contrario.

vicio /bíθjo/ [sm] vizio.

víctima /bíktima/ [sf] vittima.

victoria /biktórja/ [sf] vittoria, trionfo (m).

vicuña /bikúɲa/ [sf] vigogna.

vid /bí(ð)/ [sf] bot vite.

vida /bíða/ [sf] vita LOC **de por ~**: per tutta la vita | **de toda la ~**: di sempre | **nivel de ~**: tenore di vita | **perder la ~**: perdere la vita | **¡~ mía!**: amore mio!.

vídeo /bíðeo/ [sm] video (inv).

videocámara /biðeokámara/ [sf] videocamera.

videocasete /biðeokaséte/ [sm] videocassetta (f).

videoclub /biðeoklúβ/ [sm] videonoleggio.

videojuego /biðeoxwéɣo/ [sm] videogioco.

vidriera /biðrjéra/ [sf] **1** vetrata **2** *Amer* (escaparate) vetrina.

vidrio /bíðrjo/ [sm] vetro.

viejo /bjéxo/ [adj/sm] vecchio LOC **de ~**: di seconda mano.

Viena /bjéna/ [sf] Vianna.

vienés (-a) /bjenés/ [adj/sm] viennese (m,f).

viento /bjénto/ [sm] vento LOC **ir ~ en popa**: andare a gonfie vele.

vientre /bjéntre/ [sm] ventre LOC **bajo ~**: basso ventre | *hacer de ~*: andare di corpo.

viernes /bjérnes/ [sm inv] venerdì.

viga /bíɣa/ [sf] trave.

vigencia /bixénθja/ [sf] validità (inv) LOC **tener ~**: essere in vigore.

vigente /bixénte/ [adj m,f] vigente.

vigilante /bixilánte/ [sm,f] vigilante.

vigilar /bixilár/ [v tr/intr] vigilare, sorvegliare.

vigilia /bixílja/ [sf] (también religiosa) vigilia.

vigor /biɣór/ [sm] vigore.

vil /bíl/ [adj/sm,f] vile.

vileza /biléθa/ [sf] viltà (inv), infamia.

villa /bíʎa/ [sf] villa.

vilo /bílo/ [adv] (sólo en la locución) LOC **en ~**: in bilico.

vinagre /bináɣre/ [sm] aceto.

vinagreras /binaɣréras/ [sf pl] oliera (sing).

vínculo /bíŋkulo/ [sm] vincolo.

vinícola /biníkola/ [adj m,f] vinicolo (m).

vino /bíno/ [sm] vino.

viña /bíɲa/ [sf] vigna, vigneto (m).

viñeta /biɲéta/ [sf] vignetta.

viola /bjóla/ [sf] mus viola.

violación /bjolaθjón/ [sf] **1** (también jur) violazione **2** (de persona) stupro (m).

violar /bjolár/ [v tr] **1** (también jur) violare **2** (persona) violentare, stuprare.

violencia /bjolénθja/ [sf] violenza.

violento /bjolénto/ [adj] **1** violento **2** imbarazzante (m,f) • *era una situación violenta y no sabía qué decir*: era una situazione imbarazzante e non sapevo cosa dire LOC **sentirse ~**: sentirsi a disagio.

violeta /bjoléta/ [adj m,f/sm] (color) viola (inv) ◆ [sf] violetta.

violín /bjolín/ [sm] violino.

violinista /bjolinísta/ [sm,f] violinista.

violón /bjolón/ [sm] contrabbasso.

violonchelo /bjolontʃélo/ [sm] violoncello.

viraje /biráxe/ [sm] 1 (de coche) sterzata (f) 2 (de barco, avión) virata (f).

virar /birár/ [v tr/intr] 1 (coche) sterzare, girare 2 (barco, avión) virare.

virgen /bírxen/ [adj m,f] vergine.

Virgo /bírɣo/ [sm] (zodíaco) Vergine (f).

virilidad /biriliðáð/ [sf] virilità (inv).

virtual /birtwál/ [adj m,f] virtuale.

virtud /birtúð/ [sf] virtù (inv).

virtuoso /birtwóso/ [adj/sm] virtuoso.

viruela /birwéla/ [sf] vaiolo (m).

virus /bírus/ [sm inv] (también inform) virus.

visado /bisáðo/ [sm] visto.

visar /bisár/ [v tr] vistare, mettere il visto.

víscera /bísθera/ [sf] viscere (m).

viscosilla /biskosíʎa/ [sf] viscosa.

visera /biséra/ [sf] visiera.

visibilidad /bisiβiliðáð/ [sf] visibilità (inv).

visible /bisíβle/ [adj m,f] visibile.

visillo /bisíʎo/ [sm] (de ventana) tendina (f).

visión /bisjón/ [sf] 1 visione 2 (panorama) vista LOC tener/ver visiones: avere le traveggole.

visita /bisíta/ [sf] visita LOC ~ cultural/turística: visita culturale/turistica | tener visitas: avere ospiti.

visitante /bisitánte/ [adj m,f] dep in trasferta ♦ [sm,f] visitatore (f -trice).

visitar /bisitár/ [v tr] visitare.

vislumbrar /bislumbrár/ [v tr] scorgere.

visón /bisón/ [sm] visone.

visor /bisór/ [sm] (de cámara) mirino.

víspera /bíspera/ [sf] vigilia LOC a la ~/en vísperas de algo: alla vigilia di qualcosa.

vista /bísta/ [sf] 1 vista 2 fig aspetto (m), apparenza 3 (imagen) veduta 4 jur udienza LOC a la ~: in vista | a primera/simple ~: a prima vista | hacer la ~ gorda: chiudere un occhio | ¡hasta la ~!: arrivederci! | perder(se) de ~: perder(si) di vista.

vistazo /bistáθo/ [sm] occhiata (f).

visto /bísto/ [adj/sm] visto LOC bien/mal ~: ben/mal visto | está ~: è chiaro | por lo ~: a quanto pare.

vital /bitál/ [adj m,f] vitale.

vitamina /bitamína/ [sf] vitamina.

viudo /bjúðo/ [adj/sm] vedovo.

¡viva! /bíβa/ [interj] evviva!

vivacidad /biβaθiðáð/ [sf] vivacità (inv).

víveres /bíβeres/ [sm pl] viveri.

vivero /biβéro/ [sm] 1 vivaio 2 (de animales) allevamento.

vivienda /biβjénda/ [sf] abitazione, alloggio (m).

vivir /biβír/ [v intr/tr] vivere.

vivo /bíβo/ [adj] 1 (con vida) vivo 2 vivace (m,f) ♦ [sm] vivo LOC en ~: dal vivo, in diretta.

vocabulario /bokaβulárjo/ [sm] vocabolario.

vocación /bokaθjón/ [sf] vocazione.

vocal /bokál/ [adj m,f/sf] vocale ♦ [sm,f] (de junta, consejo) consigliere (m).

vocear /boθeár/ [v tr] 1 gridare, urlare 2 fam (noticia) divulgare, diffondere.

volante /bolánte/ [sm] **1** (de vestido) volant (inv) **2** (de vehículo) volante **3** med impegnativa (f).

volar /bolár/ [v intr] **1** volare **2** fig sparire, volatilizzarsi ◆ [v tr] far esplodere.

volátil /bolátil/ [adj m,f/sm] volatile.

volatilizarse /bolatiliθárse/ [v prnl] volatilizzarsi.

volcán /bolkán/ [sm] vulcano.

volcar (-se) /bolkár/ [v tr prnl] rovesciare (-rsi).

voleibol /boleiβól/ [sm] pallavolo (f).

voltaje /boltáxe/ [sm] voltaggio LOC **de ~ universal**: a tensione universale.

voltear /bolteár/ [v tr] rovesciare, capovolgere ◆ [v intr] volteggiare.

voluble /bolúβle/ [adj m,f] volubile, incostante.

volumen /bolúmen/ [sm] volume.

voluntad /boluntáð/ [sf] **1** volontà (inv) ● *es un hombre sin ~*: è un uomo privo di volontà **2** proposito (m), intenzione ● *lo hizo con la ~ de ayudarte*: lo fece con l'intenzione di aiutarti LOC **a ~**: a volontà | *buena/mala ~*: buona/cattiva volontà.

voluntario /boluntárjo/ [adj/sm] volontario.

voluntarioso /boluntarjóso/ [adj] volenteroso.

volver /bolβér/ [v tr] **1** voltare, girare ● *~ una hoja*: girare una pagina **2** far diventare ● *el cansancio me vuelve nerviosa*: la stanchezza mi fa diventare nervosa ◆ [v intr] **1** ritornare, tornare **2** (a) (torcer) girare, voltare ◆ [v prnl] **1** diventare ● *volverse loco*: diventare pazzo **2**

(darse la vuelta) voltarsi, girarsi LOC **~ a/de**: tornare a/da | **~ la espalda**: girare le spalle | **volverse atrás**: tornare sui propri passi.

vomitar /bomitár/ [v tr] vomitare.

vómito /bómito/ [sm] vomito.

voraz /boráθ/ [adj m,f] vorace.

vos /bós/ [pron m,f] *Amer* tu.

vosotros (-as) /bosótros/ [pron m pl] voi (m,f).

votación /botaθjón/ [sf] votazione.

votar /botár/ [v tr/intr] votare.

voto /bóto/ [sm] voto LOC **~ de censura/confianza**: voto di sfiducia/fiducia.

voz /bóθ/ [sf] voce LOC **levantar la ~**: alzare la voce | **en ~ alta/baja**: a voce alta/bassa | **perder la ~**: perdere la voce.

vuelo /bwélo/ [sm] **1** volo **2** (de indumento) ampiezza (f) LOC **coger/entender al ~**: prendere/capire al volo | *levantar el ~*: alzarsi in volo.

vuelta /bwélta/ [sf] **1** (también dep) giro (m) **2** curva ● *las vueltas del camino*: le curve del sentiero **3** (regreso) ritorno (m) **4** (de dinero) resto (m) LOC **a la ~**: al ritorno | *a la ~ de la esquina*: girato l'angolo | **dar(se) una vuelta**: fare un giro | *darse la vuelta*: girarsi, voltarsi | **estar de ~**: essere di ritorno.

vuestro /bwéstro/ [adj/pron] vostro LOC **lo ~**: ciò che è vostro, le vostre cose.

vulgar /bulɣár/ [adj m,f] volgare.

vulgaridad /bulɣariðáð/ [sf] volgarità (inv).

vulva /búlβa/ [sf] vulva.

V

Ww

walkman /wólman/ [sm inv] walkman.

western /wéstern/ [adj/sm inv] (película) western.

whisky /gwíski/ [sm inv] whisky.

windsurf /wínsurf/ [sm inv] windsurf, tavola a vela.

windsurfista /winsurfísta/ [sm,f] windsurfista.

Xx

xenófobo /senófoβo/ [adj] xenofobo.

xilófono /silófono/ [sm] xilofono.

xilografía /siloɣrafía/ [sf] xilografia.

Yy

y /i/ [conj] e.

ya /já/ [adv] **1** già • ~ lo he visto: l'ho già visto **2** (ahora) ora, adesso **3** più • ~ *no trabajo ahí*: non lavoro più lì **4** (por fin) finalmente LOC ¡~ está!: ecco fatto!, finito!

ya /ja/ [conj] già LOC ~ **que**: poiché, dato che.

yacer /jaθér/ [v intr] giacere.

yacimiento /jaθimjénto/ [sm] **1** (mina) giacimento **2** zona (f) archeologica.

yapa /jápa/ [sf] (sólo en la locución) LOC de ~: in aggiunta, inoltre.

yate /játe/ [sm] yacht (inv), panfilo.

yedra /jéðra/ [sf] edera.

yegua /jéɣwa/ [sf] cavalla.

yelmo /jélmo/ [sm] elmo.

yema /jéma/ [sf] **1** bot gemma **2** (huevo) tuorlo (m) LOC ~ **del dedo**: polpastrello.

yerba /jérβa/ [sf] *Amer* erba.

yermo /jérmo/ [adj] **1** disabitato **2** (terreno) incolto ♦ [sm] luogo disabitato.

yerno /jérno/ [sm] genero.

yerro /jéřo/ [sm] errore.

yerto /jérno/ [adj] rigido, irrigidito.

yeso /jéso/ [sm] (también escultura) gesso.

yo /jó/ [pron m,f sing] io LOC **como ~**: come me | **más/menos que ~**: più/meno di me | **según ~**: secondo me.

yoga /jóɣa/ [sm] yoga (inv).

yogur /joɣúr/ [sm] yogurt (inv).

yugo /júɣo/ [sm] (también fig) giogo.

yugular /juɣulár/ [adj m,f/sf] giugulare.

yute /júte/ [sm] iuta (f).

Zz

zafarse /θafárse/ [v prnl] (**de**) schivare, sottrarsi.

zafio /θáfjo/ [adj] villano, rozzo.

zafiro /θafíro/ [sm] zaffiro.

zaga /θáɣa/ [sf] (sólo en las locuciones) LOC **a la ~**: di dietro, in coda | **no ir/quedar a la ~ de alguien**: non essere da meno di qualcuno.

zaguán /θaɣwán/ [sm] androne, atrio.

zalamería /θalamería/ [sf] lusinga.

zalamero /θalaméro/ [adj/sm] adulatore (f -trice).

zamarra /θamáRa/ [sf] giaccone di montone rovesciato.

zambullida /θambuʎíða/ [sf] tuffo (m).

zambullir (-se) /θambuʎír/ [v tr prnl] tuffare (-rsi).

zampar (-se) /θampár/ [v tr prnl] fam divorare (-rsi).

zampoña /θampóɲa/ [sf] zampogna.

zanahoria /θanaórja/ [sf] carota.

zancada /θaŋkáða/ [sf] (paso) falcata.

zancadilla /θaŋkaðíʎa/ [sf] **1** sgambetto (m) **2** fig fam impedimento (m) LOC **poner una ~**: fare lo sgambetto.

zancuda /θaŋkúða/ [sf] orn trampoliere (m).

zanja /θáɲxa/ [sf] **1** scavo (m) **2** agr fosso (m).

zanjar /θaŋxár/ [v tr] **1** scavare **2** fig (asunto, cuestión) risolvere.

zapa /θápa/ [sf] zappa.

zapallo /θapáʎo/ [sm] *Amer* zucca (f).

zapar /θapár/ [v tr] zappare.

zapatería /θapatería/ [sf] **1** (tienda) negozio (m) di calzature **2** (taller) calzoleria **3** (fábrica) calzaturificio (m).

zapatero /θapatéro/ [sm] calzolaio.

zapatilla /θapatíʎa/ [sf] pantofola LOC **zapatillas de baile/fútbol/tenis**: scarpe da ballo/calcio/tennis.

zapato /θapáto/ [sm] scarpa (f) LOC **~ plano/de tacón**: scarpa bassa/con il tacco.

zarabanda /θaraβánda/ [sf] (también fig) sarabanda.

z

Zaragoza /θaraɣóθa/ [sf] Saragozza.

zaragozano /θaraɣoθáno/ [adj/sm] saragozzano.

zarandear /θarandeár/ [v tr] scuotere.

zarpa /θárpa/ [sf] zool artiglio (m).

zarpar /θarpár/ [v intr] salpare.

zarza /θárθa/ [sf] rovo (m).

zarzamora /θarθamóra/ [sf] bot mora.

zarzarrosa /θarθaṝósa/ [sf] rosa canina.

zarzuela /θarθwéla/ [sf] mus operetta spagnola.

zigzag /θiɣθáɣ/ [sm] zigzag (inv) LOC en ~: a zigzag.

zócalo /θókalo/ [sm] zoccolo, battiscopa (inv).

zoco /θóko/ [sm] mercato arabo.

zodíaco /θoðíako/ [sm] zodiaco.

zombi /θómbi/ [sm] zombi (inv) LOC estar ~: essere uno zombi.

zona /θóna/ [sf] **1** zona **2** fig aspetto (m), lato (m) LOC ~ azul/peatonal: zona disco/pedonale | ~ de control de embarque: check-in (aeroporto) | ~ fronteriza: zona di confine.

zonzo /θónθo/ [adj/sm] sciocco.

zoológico /θoolóxiko/ [adj] zoologico ♦ [sm] giardino zoologico.

zoom /θúm/ [sm] zoom (inv).

zorra /θóṝa/ [sf] **1** volpe femmina **2** vulg zoccola, puttana.

zorrería /θoṝería/ [sf] astuzia, furbizia.

zorro /θóṝo/ [sm] **1** volpe (f) maschio **2** (piel) pelliccia di volpe **3** fig fam volpone.

zorzal /θorθál/ [sm] tordo.

zozobra /θoθóβra/ [sf] fig inquietudine.

zozobrar /θoθoβrár/ [intr] (también fig) colare a picco.

zueco /θwéko/ [sm] (calzado) zoccolo.

zumbar /θumbár/ [v intr] **1** ronzare **2** fig fam picchiare, menare LOC estar zumbado: essere suonato | zumbarle los oídos: fischiare le orecchie.

zumbido /θumbíðo/ [sm] ronzio.

zumo /θúmo/ [sm] succo LOC ~ de naranja/limón/piña/pomelo/tomate: succo di arancia/limone/ananas/pompelmo/pomodoro.

zurcir /θurθír/ [v tr] rammendare.

zurdo /θúrðo/ [adj/sm] mancino LOC no ser ~: essere furbo.

zurra /θúṝa/ [sf] fig fam zuffa LOC dar una ~: menare, picchiare.

zurrar /θuṝár/ [v tr] fig fam picchiare, menare LOC ~ la badana: conciare per le feste.

zurrón /θuṝón/ [sm] bisaccia (f).

zutano /θutáno/ [sm] tizio LOC Fulano, Mengano y ~: Tizio, Caio e Sempronio.

Tavole utili
Tablas útiles

Numeri/*Números*

Cardinali	Arabi/ *Árabes*	*Cardinales*
zero	0	cero
uno	1	uno
due	2	dos
tre	3	tres
quattro	4	cuatro
cinque	5	cinco
sei	6	seis
sette	7	siete
otto	8	ocho
nove	9	nueve
dieci	10	diez
undici	11	once
dodici	12	doce
tredici	13	trece
quattordici	14	catorce
quindici	15	quince
sedici	16	dieciséis
diciassette	17	diecisiete
diciotto	18	dieciocho
diciannove	19	diecinueve
venti	20	veinte
ventuno	21	veintiuno
ventidue	22	veintidós
ventitré	23	veintitrés
trenta	30	treinta
trentuno	31	treinta y uno
trentadue	32	treinta y dos
quaranta	40	cuarenta
quarantuno	41	cuarenta y uno
cinquanta	50	cincuenta
sessanta	60	sesenta
settanta	70	setenta
ottanta	80	ochenta
novanta	90	noventa
cento	100	ciento
cent(o)uno	101	ciento uno
centodieci	110	ciento diez

centosessantadue	162	ciento sesenta y dos
duecento	200	doscientos
trecento	300	trescientos
quattrocento	400	cuatrocientos
cinquecento	500	quinientos
seicento	600	seiscientos
settecento	700	setecientos
ottocento	800	ochocientos
novecento	900	novecientos
mille	1.000	mil
milletrecento	1.300	mil trescientos
duemila	2.000	dos mil
duemilacentosedici	2.116	dos mil ciento dieciséis
trentaquattromila- seicentododici	34.612	treinta y cuatro mil seiscientos doce
un milione	1.000.000	un millón
due milioni	2.000.000	dos millones
un miliardo	1.000.000.000	un millardo

Ordinali	Romani/ Romanos	*Ordinales*
primo	I	primero
secondo	II	segundo
terzo	III	tercero
quarto	IV	cuarto
quinto	V	quinto
sesto	VI	sexto
settimo	VII	séptimo
ottavo	VIII	octavo
nono	IX	noveno
decimo	X	décimo
undicesimo, decimoprimo	XI	undécimo
dodicesimo, decimosecondo	XII	duodécimo
tredicesimo, decimoterzo	XIII	decimotercero
quattordicesimo, decimoquarto	XIV	decimocuarto
quindicesimo, decimoquinto	XV	decimoquinto
sedicesimo, decimosesto	XVI	decimosexto
diciassettesimo, decimosettimo	XVII	decimoséptimo

diciottesimo, decim(o)ottavo	XVIII	decimoctavo
diciannovesimo, decimonono	XIX	decimonoveno
ventesimo	XX	vigésimo
ventunesimo, ventesimoprimo	XXI	vigésimo primero
ventiduesimo, ventesimosecondo	XXII	vigésimo segundo
ventitreesimo, ventesimoterzo	XXIII	vigésimo tercero
trentesimo	XXX	trigésimo
trentunesimo, trentesimoprimo	XXXI	trigésimo primero
trentaduesimo, trentesimosecondo	XXXII	trigésimo segundo
quarantesimo	XL	cuadragésimo
quarantunesimo	XLI	cuadragésimo primero
cinquantesimo	L	quincuagésimo
sessantesimo	LX	sexagésimo
settantesimo	LXX	septuagésimo
ottantesimo	LXXX	octogésimo
novantesimo	XC	nonagésimo
centesimo	C	centésimo
centunesimo, centesimoprimo	CI	centésimo primero
centodecimo	CX	centésimo décimo
centosessantaduesimo	CLXII	centésimo sexagésimo segundo
du(e)centesimo	CC	ducentésimo
trecentesimo	CCC	tricentésimo
quattrocentesimo	CD	cuadringentésimo
cinquecentesimo	D	quingentésimo
se(i)centesimo	DC	sexcentésimo
settecentesimo	DCC	septingentésimo
ottocentesimo	DCCC	octingentésimo
novecentesimo	CM	noningentésimo
millesimo	M	milésimo
milletrecentesimo	MCCC	milésimo tricentésimo
duemillesimo	MM	dos milésimo
duemilacentosedicesimo	MMCXVI	dos milésimo centésimo décimo sexto
trentaquattromilaseicento-dodicesimo	XXXIVDCXII	treinta y cuatro milésimo sexcentésimo duodécimo
milionesimo		millonésimo
duemilionesimo		dos millonésimo
miliardesimo		todavía no incorporado en el DRAE

Pesi e misure/*Pesos y medidas*

Pesi - *Pesos*

milligrammo	**mg**	miligramo
centigrammo	**cg**	centigramo
decigrammo	**dg**	decigramo
grammo	**g**	gramo
decagrammo	**dag**	decagramo
ettogrammo, etto	**hg**	hectogramo
kilogrammo, kilo	**kg**	kilogramo
quintale	**q**	quintal
tonnellata	**t**	tonelada

Misure di lunghezza - *Medidas de longuitud*

millimetro	**mm**	milímetro
centimetro	**cm**	centímetro
decimetro	**dm**	decímetro
metro	**m**	metro
decametro	**dam**	decámetro
ettometro	**hm**	hectómetro
kilometro	**km**	kilómetro
miglio nautico	**M**	milla marina
(= 1852,28 m)		(=1852,28 m)

Misure di superficie - *Medidas de superficie*

millimetro quadrato	**mm²**	milímetro cuadrado
centimetro quadrato	**cm²**	centímetro cuadrado
decimetro quadrato	**dm²**	decímetro cuadrado
metro quadrato	**m²**	metro cuadrado
decametro quadrato	**dam²**	decámetro cuadrado
ettometro quadrato	**hm²**	hectómetro cuadrado
kilometro quadrato	**km²**	kilómetro cuadrado

Misure di volume - *Medidas cúbicas*

millimetro cubo	**mm³**	milímetro cúbico
centimetro cubo	**cm³**	centímetro cúbico
decimetro cubo	**dm³**	decímetro cúbico
metro cubo	**m³**	metro cúbico
tonnellata di stazza	**TS**	tonelada de registro
(= 2,832 m³)		(= 2,832 m³)

Misure di capacità - *Medidas de capacidad*

millilitro	**ml**	mililitro
centilitro	**cl**	centilitro
decilitro	**dl**	decilitro
litro	**l**	litro
decalitro	**dal**	decalitro
ettolitro	**hl**	hectolitro

Misure di velocità - *Medidas de velocidad*

metro al secondo	**m/s**	metro/s
kilometro all'ora	**km/h**	kilómetro/h
kilometro al secondo	**km/s**	kilómetro/s

Taglie/*Tallas*

In Europa esiste un regime di taglie comune/
En Europa existe una normativa común de tallas

Abiti, pantaloni, gonne e giacche - *Vestidos, pantalones, faldas y chaquetas*

Europa	36	38	40	42	44	46	48	50	52	54
Gran Bretagna/Gran Bretaña	8	10	12	14	16	18	20	22	24	26
USA/EEUU	6	8	10	12	14	16	18	20	22	24

Camicette e maglie - *Blusas y jerseys*

Europa	38	40	42	44	46	48	50	52
Gran Bretagna/Gran Bretaña	32	34	34	38	40	42	44	46
USA/EEUU	10	12	14	16	18	20	22	24

Camicie da uomo - *Camisas*

Europa	36	37	38	39	40	41	42	43
Gran Bretagna/Gran Bretaña } USA/EEUU	14	$14^1/2$	15	$15^1/2$	16	$16^1/2$	17	$17^1/2$

Scarpe donna - *Zapatos señoras*

Europa	35	36	37	38	39	40
Gran Bretagna/Gran Bretaña	2-$2^1/2$	3-$3^1/2$	4-$4^1/2$	5-$5^1/2$	6-$6^1/2$	7
USA/EEUU	$3^1/2$-4	$4^1/2$-5	$5^1/2$-6	$6^1/2$-7	$7^1/2$-8	$8^1/2$

Scarpe uomo - *Zapatos caballeros*

Europa	40	41	42	43	44	45	46
Gran Bretagna/Gran Bretaña	$6^1/2$	7	$7^1/2$	$8^1/2$	$9^1/2$	$10^1/2$	11
USA/EEUU	$7^1/2$	8	$8^1/2$	$9^1/2$	$10^1/2$	$11^1/2$	12

Tempo/*Tiempo*

Misure di tempo - *Medidas de tiempo*

anno	**a**	año
giorno	**d**	día
ora	**h**	hora
minuto	**min**	minuto
secondo	**s**	segundo

Anni - *Años*

anno = 365 giorni	año = 365 días
anno bisestile = 366 giorni	año bisiesto = 366 días
biennio = due anni	bienio = dos años
triennio = tre anni	trienio = tres años
quadriennio = quattro anni	cuatrienio = cuatro años
quinquennio = cinque anni	quinquenio = cinco años
decennio = dieci anni	década = diez años
secolo/centuria = cento anni	centuria/siglo = cien años
millennio = mille anni	milenio = mil años

Mesi - *Meses*

mese = ciascuna delle 12 parti dell'anno	mes = cadauna de las 12 divisiones del año
bimestre = due mesi	bimestre = dos meses
trimestre = tre mesi	trimestre = tres meses
semestre = sei mesi	semestre = seis meses

1	gennaio	1	enero
2	febbraio	2	febrero
3	marzo	3	marzo
4	aprile	4	abril
5	maggio	5	mayo
6	giugno	6	junio
7	luglio	7	julio
8	agosto	8	agosto
9	settembre	9	septiembre
10	ottobre	10	octubre
11	novembre	11	noviembre
12	dicembre	12	diciembre

Stagioni - *Estaciones*

primavera	primavera
estate	verano
autunno	otoño
inverno	invierno

Giorni della settimana - *Días de la semana*

lunedì	lunes
martedì	martes
mercoledì	miércoles
giovedì	jueves
venerdì	viernes
sabato	sábado
domenica	domingo

Ore - *Horas*

sono le tre del pomeriggio	**15:00**	son las tres de la tarde
è l'una	**13:00**	es la una
sono le nove del mattino	**9:00**	son las nueve de la mañana
sono le nove di sera	**21:00**	son las nueve de la noche
sono le quattro e un quarto	**4:15**	son las cuatro y cuarto
sono le sei e venti	**6:20**	son las seis y veinte
sono le due e mezzo	**14:30**	son las dos y media
sono le cinque meno venticinque	**4:35**	son las cinco menos veinticinco
sono le nove meno venti	**8:40**	son las nueve menos veinte
è l'una meno cinque	**12:55**	es la una menos cinco

...meno...
...menos...

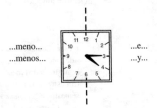

...e...
...y...

Data - *Fecha*

quattro novembre millenovecen- tocinquantaquattro	**4-11-54**	cuatro de noviembre de mil novecientos cincuenta y cuatro

Data lettera/documento - *Encabezamiento de cartas/documentos*

Milano, 23 settembre 2001   Barcelona, 23 de septiembre de 2001

Monete/*Monedas*

peso dominicano	peso dominicano
(Rep. Dominicana)	(Rep. Dominicana)
balboa (Panama)	balboa (Panamá)
bolívar (Venezuela)	bolívar (Venezuela)
boliviano (Bolivia)	boliviano (Bolivia)
colón (Costa Rica)	colón (Costa Rica)
córdoba (Nicaragua)	córdoba (Nicaragua)
corona ceca	corona checa
(Repubblica Ceca)	(República Checa)
corona danese	corona dinamarquesa
(Danimarca)	(Dinamarca)
corona norvegese	corona noruega
(Norvegia)	(Noruega)
corona svedese (Svezia)	corona sueca (Suecia)
dollaro (Stati Uniti)	dólar (Estados Unidos)
dollar australiano	dólar australiano
(Australia)	(Australia)
dollaro canadese (Canada)	dólar canadiense (Canadá)
dollaro del Belize (Belize)	dólar de Belice (Belice)
dollaro giamaicano (Giamaica)	dólar jamaicano (Jamaica)
euro (Austria)	euro (Austria)
euro (Belgio)	euro (Bélgica)
euro (Finlandia)	euro (Finlandia)
euro (Francia)	euro (Francia)
euro (Germania)	euro (Alemania)
euro (Grecia)	euro (Grecia)
euro (Irlanda)	euro (Irlanda)
euro (Italia)	euro (Italia)
euro (Lussemburgo)	euro (Luxemburgo)
euro (Olanda)	euro (Holanda)
euro (Portogallo)	euro (Portugal)
euro (Spagna)	euro (España)
gourde (Haiti)	gourde (Haití)
guaraní (Paraguay)	guaraní (Paraguay)

lempira (Honduras)

nuovo peso messicano
  (Messico)

nuovo peso uruguaiano
  (Uruguay)

nuovo sol (Perú)

peso argentino (Argentina)

peso cileno (Cile)

peso colombiano (Colombia)

peso cubano (Cuba)

quetzal (Guatemala)

real (Brasile)

rublo (Russia)

rupia indiana (India)

sterlina (Inghilterra)

yen (Giappone)

yuan (Cina)

zloty (Polonia)

lempira (Honduras)

nuevo peso mexicano
  (México)

nuevo peso uruguayo
  (Uruguay)

nuevo sol (Perú)

peso argentino (Argentina)

peso chileno (Chile)

peso colombiano (Colombia)

peso cubano (Cuba)

quetzal (Guatemala)

real (Brasil)

rublo (Rusia)

rupia india (India)

libra esterlina (Inglaterra)

yen (Japón)

yuan (China)

zloty (Polonia)

Morfologia italiana
Morfología italiana

Morfologia italiana
Morfología italiana

Formazione del plurale in italiano
Formación del plural en italiano

1) SINGOLARE MASCHILE IN:
   SINGULAR MASCULINO EN:
   - -o ⟶ -i
   bambin*o* bambin*i*
   - -a ⟶ -i
   problem*a* problem*i* pediatr*a* pediatr*i* suicid*a* suicid*i*

   SINGOLARE FEMMINILE IN:
   SINGULAR FEMENINO EN:
   - -a ⟶ -e
   cas*a* cas*e* artist*a* artist*e* atlet*a* atlet*e*
   - -o ⟶ -i
   man*o* man*i*

2) SINGOLARE MASCHILE, FEMMINILE O DI GENERE COMUNE IN:
   SINGULAR MASCULINO, FEMENINO O COMUNES EN:
   - -e ⟶ -i
   cantant*e* cantant*i* padr*e* padr*i* madr*e* madr*i*

3) SINGOLARE MASCHILE IN:
   SINGULAR MASCULINO EN:
   - -io ⟶ -ii zio zii • -io ⟶ -i viagg*io* viagg*i*
   (con i tonica) *(con i tónica)* (con i atona) *(con i átona)*

4) SINGOLARE MASCHILE IN:
   SINGULAR MASCULINO EN:
   - -ca ⟶ -chi patriar*ca* patriar*chi*
   - -ga ⟶ -ghi strate*ga* strate*ghi*

5) SINGOLARE FEMMINILE IN:
   SINGULAR FEMENINO EN:
   - -ca ⟶ -che ban*ca* ban*che*
   - -ga ⟶ -ghe botte*ga* botte*ghe*

6) SINGOLARE MASCHILE IN:
   SINGULAR MASCULINO EN:
   - -co ⟶ -chi/-ci • -go ⟶ -ghi/-gi
   vali*co* vali*chi* catalo*go* catalo*ghi*
   ami*co* ami*ci* asparago asparagi

7) SINGOLARE FEMMINILE IN:
   SINGULAR FEMENINO EN:

• -cia → -cie	(preceduta da vocale)		farmacia	farmacie
	(precedida por vocal)			
• -gia → -gie	(preceduta da vocale)		magia	magie
	(precedida por vocal)			
• -cia → -ce	(preceduta da consonante)		mancia	mance
	(precedida por consonante)			
• -gia → -ge	(preceduta da consonante)		spiaggia	spiagge
	(precedida por consonante)			

I casi particolari, le irregolarità e gli invariati sono riportati all'interno del dizionario.
Los casos particulares, las irregularidades y los sustantivos invariados se incluyen en el diccionario.

Formazione del femminile in italiano
Formación del femenino en italiano

1) SOSTANTIVI CHE FINISCONO PER:
   SUSTANTIVOS QUE TERMINAN POR:

• -o → -a		• -a/-e → -essa	
maestro	maestra	poeta	poetessa
amico	amica	duca	duchessa
figlio	figlia	presidente	presidentessa
gatto	gatta	studente	studentessa

• -e → -a		• -tore/-sore → -trice/-ditrice	
signore	signora	imperatore	imperatrice
infermiere	infermiera	lettore	lettrice
pastore	pastora	difensore	difenditrice
incisore	incisora		

2) SOSTANTIVI INDIPENDENTI:
   SUSTANTIVOS CON FORMA DISTINTA:

padre	madre	maschio	femmina	montone	pecora
marito	moglie	uomo	donna	abate	badessa
celibe	nubile	toro	vacca	frate	suora
genero	nuora				

3) SOSTANTIVI DI GENERE COMUNE:
   SUSTANTIVOS COMUNES:

il giornalista	la giornalista	un artista	un'artista
il nipote	la nipote	un atleta	un'atleta
il pediatra	la pediatra	un omicida	un'omicida

4) CASI PARTICOLARI:
   CASOS PARTICULARES:

dio	dea	eroe	eroina	zar	zarina
fante	fantesca	gallo	gallina	caprone	capra
doge	dogaressa	re	regina	stregone	strega
cane	cagna				

5) SOSTANTIVI CON DIVERSO SIGNIFICATO SECONDO IL GENERE:
   SUSTANTIVOS CON SIGNIFICADO DISTINTO SEGÚN EL GÉNERO:

   il pianeta (cuerpo celeste)   la pianeta (paramento sacerdotal)
   il fine (finalidad)   la fine (fin)
   il radio (elemento químico)   la radio (aparato)
   il fronte (guerra)   la fronte (parte anatómica)
   il capitale (patrimonio)   la capitale (ciudad principal)
   il fonte (pila bautismal)   la fonte (origen)
   il tema (argumento)   la tema (temor)
   il cenere (restos mortales)   la cenere (ceniza)
   un oste (mesonero)   un'oste (hueste)
   il finale (final)   la finale (competición)

Articolo/Artículo

	Determinativo Determinado		Indeterminativo Indeterminado	
	Maschile Masculino	Femminile Femenino	Maschile Masculino	Femminile Femenino
Singolare Singular	il, lo (l')	la (l')	un, uno	una (un')
Plurale Plural	i, gli	le	–	–

Il se emplea delante de palabras masculinas singulares que empiezan por *consonante*.
Lo se emplea delante de palabras masculinas singulares que empiezan por *s + consonante, z, x, pn, ps, gn*.
L' se emplea delante de palabras masculinas y femeninas singulares que empiezan por *vocal*.
I se emplea delante de palabras masculinas plurales que empiezan por *consonante*.
Gli se emplea delante de palabras masculinas plurales que empiezan por *vocal, s + consonante, z, x, pn, ps, gn*.
Un se emplea delante de palabras masculinas que empiezan por *consonante*.
Uno se emplea delante de palabras masculinas que empiezan por *s + consonante, z, x, pn, ps, gn*.
Un' se emplea delante de palabras femeninas que empiezan por *vocal*.

Coniugazione dei verbi regolari spagnoli
Conjugación de los verbos regulares italianos

Prima coniugazione: am-**are**

	INDICATIVO *INDICATIVO*					CONDIZIONALE *CONDICIONAL*

presente *presente*		**passato prossimo** *pretérito perfecto*			**presente** *presente*	
Io	am-**o**	Io	ho	amato	Io	am-**erei**
Tu	am-**i**	Tu	hai	amato	Tu	am-**eresti**
Lui/lei	am-**a**	Lui/lei	ha	amato	Lui/lei	am-**erebbe**
Noi	am-**iamo**	Noi	abbiamo	amato	Noi	am-**eremmo**
Voi	am-**ate**	Voi	avete	amato	Voi	am-**ereste**
Loro	am-**ano**	Loro	hanno	amato	Loro	am-**erebbero**

passato remoto *pretérito indefinido*		**futuro** *futuro imperfecto*		PARTICIPIO PASSATO *PARTICIPIO PASADO*
Io	am-**ai**	Io	am-**erò**	am-**ato**
Tu	am-**asti**	Tu	am-**erai**	
Lui/lei	am-**ò**	Lui/lei	am-**erà**	
Noi	am-**ammo**	Noi	am-**eremo**	
Voi	am-**aste**	Voi	am-**erete**	
Loro	am-**arono**	Loro	am-**eranno**	

Seconda coniugazione: tem-**ere**

	INDICATIVO *INDICATIVO*					CONDIZIONALE *CONDICIONAL*

presente *presente*		**passato prossimo** *pretérito perfecto*			**presente** *presente*	
Io	tem-**o**	Io	ho	temuto	Io	tem-**erei**
Tu	tem-**i**	Tu	hai	temuto	Tu	tem-**eresti**
Lui/lei	tem-**e**	Lui/lei	ha	temuto	Lui/lei	tem-**erebbe**
Noi	tem-**iamo**	Noi	abbiamo	temuto	Noi	tem-**eremmo**
Voi	tem-**ete**	Voi	avete	temuto	Voi	tem-**ereste**
Loro	tem-**ono**	Loro	hanno	temuto	Loro	tem-**erebbero**

passato remoto *pretérito indefinido*		**futuro** *futuro imperfecto*		PARTICIPIO PASSATO *PARTICIPIO PASADO*
Io	tem-**etti/-ei**	Io	tem-**erò**	tem-**uto**
Tu	tem-**esti**	Tu	tem-**erai**	
Lui/lei	tem-**è/-ette**	Lui/lei	tem-**erà**	
Noi	tem-**emmo**	Noi	tem-**eremo**	
Voi	tem-**este**	Voi	tem-**erete**	
Loro	tem-**erono/-ettero**	Loro	tem-**eranno**	

Terza coniugazione: serv-**ire**

INDICATIVO					CONDIZIONALE
INDICATIVO					*CONDICIONAL*

presente		**passato prossimo**			**presente**
presente		*pretérito perfecto*			*presente*
Io	serv-**o**	Io	ho	servito	Io	serv-**irei**
Tu	serv-**i**	Tu	hai	servito	Tu	serv-**iresti**
Lui/lei	serv-**e**	Lui/lei	ha	servito	Lui/lei	serv-**irebbe**
Noi	serv-**iamo**	Noi	abbiamo	servito	Noi	serv-**iremmo**
Voi	serv-**ite**	Voi	avete	servito	Voi	serv-**ireste**
Loro	serv-**ono**	Loro	hanno	servito	Loro	serv-**irebbero**

passato remoto		**futuro**		PARTICIPIO PASSATO
pretérito indefinido		*futuro imperfecto*		*PARTICIPIO PASADO*
Io	serv-**ii**	Io	serv-**irò**	serv-**ito**
Tu	serv-**isti**	Tu	serv-**irai**	
Lui/lei	serv-**ì**	Lui/lei	serv-**irà**	
Noi	serv-**immo**	Noi	serv-**iremo**	
Voi	serv-**iste**	Voi	serv-**irete**	
Loro	serv-**irono**	Loro	serv-**iranno**	

Principali verbi irregolari italiani
Principales verbos irregulares italianos

Essere

INDICATIVO				CONDIZIONALE
INDICATIVO				*CONDICIONAL*

presente		**passato prossimo**			**presente**
presente		*pretérito perfecto*			*presente*
Io	sono	Io	sono	stato/stata	Io	sarei
Tu	sei	Tu	sei	stato/stata	Tu	saresti
Lui/lei	è	Lui/lei	è	stato/stata	Lui/lei	sarebbe
Noi	siamo	Noi	siamo	stati/state	Noi	saremmo
Voi	siete	Voi	siete	stati/state	Voi	sareste
Loro	sono	Loro	sono	stati/state	Loro	sarebbero

passato remoto		**futuro**		PARTICIPIO PASSATO
pretérito indefinido		*futuro imperfecto*		*PARTICIPIO PASADO*
Io	fui	Io	sarò	stato
Tu	fosti	Tu	sarai	
Lui/lei	fu	Lui/lei	sarà	
Noi	fummo	Noi	saremo	
Voi	foste	Voi	sarete	
Loro	furono	Loro	saranno	

Avere

	INDICATIVO *INDICATIVO*					CONDIZIONALE *CONDICIONAL*	
presente *presente*		**passato prossimo** *pretérito perfecto*				**presente** *presente*	
Io	ho	Io	ho	avuto		Io	avrei
Tu	hai	Tu	hai	avuto		Tu	avresti
Lui/lei	ha	Lui/lei	ha	avuto		Lui/lei	avrebbe
Noi	abbiamo	Noi	abbiamo	avuto		Noi	avremmo
Voi	avete	Voi	avete	avuto		Voi	avreste
Loro	hanno	Loro	hanno	avuto		Loro	avrebbero

passato remoto *pretérito indefinido*		**futuro** *futuro imperfecto*		PARTICIPIO PASSATO *PARTICIPIO PASADO*
Io	ebbi	Io	avrò	avuto
Tu	avesti	Tu	avrai	
Lui/lei	ebbe	Lui/lei	avrà	
Noi	avemmo	Noi	avremo	
Voi	aveste	Voi	avrete	
Loro	ebbero	Loro	avranno	

Volere

	INDICATIVO *INDICATIVO*					CONDIZIONALE *CONDICIONAL*	
presente *presente*		**passato prossimo** *pretérito perfecto*				**presente** *presente*	
Io	voglio	Io	ho	voluto		Io	vorrei
Tu	vuoi	Tu	hai	voluto		Tu	vorresti
Lui/lei	vuole	Lui/lei	ha	voluto		Lui/lei	vorrebbe
Noi	vogliamo	Noi	abbiamo	voluto		Noi	vorremmo
Voi	volete	Voi	avete	voluto		Voi	vorreste
Loro	vogliono	Loro	hanno	voluto		Loro	vorrebbero

passato remoto *pretérito indefinido*		**futuro** *futuro imperfecto*		PARTICIPIO PASSATO *PARTICIPIO PASADO*
Io	volli	Io	vorrò	voluto
Tu	volesti	Tu	vorrai	
Lui/lei	volle	Lui/lei	vorrà	
Noi	volemmo	Noi	vorremo	
Voi	voleste	Voi	vorrete	
Loro	vollero	Loro	vorranno	

Potere

	INDICATIVO *INDICATIVO*				CONDIZIONALE *CONDICIONAL*	

presente
presente

			passato prossimo *pretérito perfecto*		presente *presente*	
Io	posso	Io	ho	potuto	Io	potrei
Tu	puoi	Tu	hai	potuto	Tu	potresti
Lui/lei	può	Lui/lei	ha	potuto	Lui/lei	potrebbe
Noi	possiamo	Noi	abbiamo	potuto	Noi	potremmo
Voi	potete	Voi	avete	potuto	Voi	potreste
Loro	possono	Loro	hanno	potuto	Loro	potrebbero

passato remoto *pretérito indefinido* — **futuro** *futuro imperfecto* — PARTICIPIO PASSATO *PARTICIPIO PASADO*

Io	potei	Io	potrò		potuto
Tu	potesti	Tu	potrai		
Lui/lei	potette	Lui/lei	potrà		
Noi	potemmo	Noi	potremo		
Voi	poteste	Voi	potrete		
Loro	potettero	Loro	potranno		

Dovere

	INDICATIVO *INDICATIVO*				CONDIZIONALE *CONDICIONAL*	

presente
presente

			passato prossimo *pretérito perfecto*		presente *presente*	
Io	devo	Io	ho	dovuto	Io	dovrei
Tu	devi	Tu	hai	dovuto	Tu	dovresti
Lui/lei	deve	Lui/lei	ha	dovuto	Lui/lei	dovrebbe
Noi	dobbiamo	Noi	abbiamo	dovuto	Noi	dovremmo
Voi	dovete	Voi	avete	dovuto	Voi	dovreste
Loro	devono	Loro	hanno	dovuto	Loro	dovrebbero

passato remoto *pretérito indefinido* — **futuro** *futuro imperfecto* — PARTICIPIO PASSATO *PARTICIPIO PASADO*

Io	dovetti	Io	dovrò		dovuto
Tu	dovesti	Tu	dovrai		
Lui/lei	dovette	Lui/lei	dovrà		
Noi	dovemmo	Noi	dovremo		
Voi	doveste	Voi	dovrete		
Loro	dovettero	Loro	dovranno		

Andare

INDICATIVO *INDICATIVO*		CONDIZIONALE *CONDICIONAL*

presente *presente*		**passato prossimo** *pretérito perfecto*		**presente** *presente*	
Io	vado	Io	sono andato/andata	Io	andrei
Tu	vai	Tu	sei andato/andata	Tu	andresti
Lui/lei	va	Lui/lei	è andato/andata	Lui/lei	andrebbe
Noi	andiamo	Noi	siamo andati/andate	Noi	andremmo
Voi	andate	Voi	siete andati/andate	Voi	andreste
Loro	vanno	Loro	sono andati/andate	Loro	andrebbero

passato remoto *pretérito indefinido*		**futuro** *futuro imperfecto*		PARTICIPIO PASSATO *PARTICIPIO PASADO*
Io	andai	Io	andrò	andato
Tu	andasti	Tu	andrai	
Lui/lei	andò	Lui/lei	andrà	
Noi	andammo	Noi	andremo	
Voi	andaste	Voi	andrete	
Loro	andarono	Loro	andranno	

Dire

INDICATIVO *INDICATIVO*		CONDIZIONALE *CONDICIONAL*

presente *presente*		**passato prossimo** *pretérito perfecto*		**presente** *presente*	
Io	dico	Io	ho detto	Io	direi
Tu	dici	Tu	hai detto	Tu	diresti
Lui/lei	dice	Lui/lei	ha detto	Lui/lei	direbbe
Noi	diciamo	Noi	abbiamo detto	Noi	diremmo
Voi	dite	Voi	avete detto	Voi	direste
Loro	dicono	Loro	hanno detto	Loro	direbbero

passato remoto *pretérito indefinido*		**futuro** *futuro imperfecto*		PARTICIPIO PASSATO *PARTICIPIO PASADO*
Io	dissi	Io	dirò	detto
Tu	dicesti	Tu	dirai	
Lui/lei	disse	Lui/lei	dirà	
Noi	dicemmo	Noi	diremo	
Voi	diceste	Voi	direte	
Loro	dissero	Loro	diranno	

Fare

	INDICATIVO *INDICATIVO*				CONDIZIONALE *CONDICIONAL*
presente *presente*		**passato prossimo** *pretérito perfecto*		**presente** *presente*	
Io	faccio	Io	ho fatto	Io	farei
Tu	fai	Tu	hai fatto	Tu	faresti
Lui/lei	fa	Lui/lei	ha fatto	Lui/lei	farebbe
Noi	facciamo	Noi	abbiamo fatto	Noi	faremmo
Voi	fate	Voi	avete fatto	Voi	fareste
Loro	fanno	Loro	hanno fatto	Loro	farebbero

passato remoto *pretérito indefinido*		**futuro** *futuro imperfecto*		PARTICIPIO PASSATO *PARTICIPIO PASADO*
Io	feci	Io	farò	fatto
Tu	facesti	Tu	farai	
Lui/lei	fece	Lui/lei	farà	
Noi	facemmo	Noi	faremo	
Voi	faceste	Voi	farete	
Loro	fecero	Loro	faranno	

Venire

	INDICATIVO *INDICATIVO*				CONDIZIONALE *CONDICIONAL*
presente *presente*		**passato prossimo** *pretérito perfecto*		**presente** *presente*	
Io	vengo	Io	sono venuto	Io	verrei
Tu	vieni	Tu	sei venuto	Tu	verresti
Lui/lei	viene	Lui/lei	è venuto/a	Lui/lei	verrebbe
Noi	veniamo	Noi	siamo venuti	Noi	verremmo
Voi	venite	Voi	siete venuti	Voi	verreste
Loro	vengono	Loro	sono venuti	Loro	verrebbero

passato remoto *pretérito indefinido*		**futuro** *futuro imperfecto*		PARTICIPIO PASSATO *PARTICIPIO PASADO*
Io	venn	Io	verrò	venuto
Tu	venisti	Tu	verrai	
Lui/lei	venne	Lui/lei	verrà	
Noi	venimmo	Noi	verremo	
Voi	veniste	Voi	verrete	
Loro	vennero	Loro	verranno	

Stare

	INDICATIVO *INDICATIVO*				CONDIZIONALE *CONDICIONAL*

presente
presente

Io	sto
Tu	stai
Lui/lei	sta
Noi	stiamo
Voi	state
Loro	stanno

passato prossimo
pretérito perfecto

Io	sono	stato
Tu	sei	stato
Lui/lei	è	stato/a
Noi	siamo	stati
Voi	siete	stati
Loro	sono	stati

presente
presente

Io	starei
Tu	staresti
Lui/lei	starebbe
Noi	staremmo
Voi	stareste
Loro	starebbero

passato remoto
pretérito indefinido

Io	stetti
Tu	stesti
Lui/lei	stette
Noi	stemmo
Voi	steste
Loro	stettero

futuro
futuro imperfecto

Io	starò
Tu	starai
Lui/lei	starà
Noi	staremo
Voi	starete
Loro	staranno

PARTICIPIO PASSATO
PARTICIPIO PASADO

stato

Fonetica italiana
Fonética italiana

Fonemi	**Esempi**
Fonemas	*Ejemplos*

/a/	ala /'ala/ cane /'kane/ acuto /a'kuto/
/b/	baco /'bako/ abito /'abito/ ebbro /'ɛbbro/
/d/	dado /'dado/ badia /ba'dia/ addio /ad'dio/
/dz/	zaino /* 'dzaino/ verza /'verdza/ pozzo /'poddzo/
/dʒ/	gelso /'dʒelso/ giorno /'dʒorno/
	soggetto /sod'dʒetto/ saggio /'saddʒo/ jeans /'dʒins/
/e/	bene /'bene/ negro /'negro/
/ɛ/	elica /'ɛlika/ testa /'tɛsta/ dieta /'djɛta/
/f/	faro /'faro/ afa /'afa/ ceffo /'tʃeffo/
/g/	gatto /'gatto/ aggravio /ag'gravjo/ ghinea /gi'nea/
	ghepardo /ge'pardo/
/i/	idolo /'idolo/ bile /'bile/
/j/	iarda /'jarda/ fionda /'fjonda/
/k/	capo /'kapo/ bruco /'bruko/ bocca /'bokka/
	quota /'kwɔta/ karma /'karma/
/ks/	perspex /'perspeks/ pixel /'piksel/
/l/	laccio /'lattʃo/ balsamo /'balsamo/ sella /'sella/
/ʎ/	gli /* 'ʎli/ soglia /'sɔʎʎa/
/m/	molo /'molo/ amico /a'miko/ mummia /'mummia/

Fonetica italiana
Fonética italiana

Fonemi *Fonemas*	Esempi *Ejemplos*
/n/	naso /'naso/ rana /'rana/ senno /'senno/
	manto /'manto/ fungo /'fungo/
/ɲ/	gnomo /'ɲɔmo/ ragno /'raɲɲo/
/ŋ/	jogging /'dʒɔggiŋ/ marketing /'marketiŋ/
/o/	olmo /'olmo/ bombola /'bombola/
/ɔ/	orco /'ɔrco/ ruota /'rwɔta/ bosco /'bɔsco/
/ø/	liseuse /'lizøz/ fohn /føn/
/p/	pera /'pera/ ripa /'ripa/ zuppa /'tsuppa/
/r/	rada /'rada/ barca /'barka/ serra /'serra/
/s/	sibilo /'sibilo/ rosso /'rosso/ spiga /'spiga/
/ʃ/	scena /'ʃɛna/ cuscino /kuʃ'ʃino/
/t/	tango /'tango/ carta /'karta/ tetto /'tetto/
/ts/	zio /'tsio/ sezione /set'tsjone/ vezzo /'vettso/
/tʃ/	cena /'tʃena/ pace /'patʃe/ coccio /'kɔttʃo/
/u/	uva /'uva/ tubo /'tubo/ tutù /tu'tu/
/v/	valico /'valiko/ bivio /'bivjo/ ovvio /'ɔvvio/
/w/	uovo /'wɔvo/ cuore /'kwɔre/
/y/	fuseaux /fy'zo/
/z/	smorfia /'zmɔrfja/ nausea /'nauzea/
/ʒ/	bricolage /briko'laʒ/

Italiano-Spagnolo

Aa

a /a*/ [prep] **1** a • *scrivere ~ un amico*: escribirle a un amigo | *andiamo ~ Roma*: vamos a Roma | *morì ~ trent'anni*: murió a los treinta años | *andare ~ piedi*: irse a pie | *gonna ~ quadri*: falda a cuadros **2** (stato in luogo) en • *abitare ~ Milano*: vivir en Milán **3** (fine, scopo) de • *andare ~ caccia*: ir de caza FRAS **~ poco prezzo**: por poco dinero | **davanti ~**: delante de | **di fianco ~**: al lado de | **di fronte ~**: enfrente de | **in mezzo ~**: en medio de | **intorno ~**: alrededor de | **oltre ~**: además de | **vicino ~**: cerca de.

abbacchio /ab'bakkjo/ [sm] FAM lechal, cordero lechal.

abbaglianti /abbaʎ'ʎanti/ [sm pl] (fari) luces largas.

abbagliare /abbaʎ'ʎare/ [v tr] deslumbrar ◆ [v intr] quedar deslumbrado.

abbaiare /abba'jare/ [v intr] ladrar.

abbandonare (-rsi) /abbando'nare/ [v tr prnl] abandonar (-se).

abbandonato /abbando'nato/ [agg] abandonado.

abbandono /abban'dono/ [sm] abandono.

abbassamento /abbassa'mento/ [sm] disminución (f).

abbassare /abbas'sare/ [v tr] bajar ◆ [v intr prnl] disminuir, bajar ◆ [v prnl] FIG (umiliarsi) rebajarse, humillarse FRAS **~ la cresta**: bajar los humos.

abbasso /ab'basso/ [inter] ¡abajo!, ¡fuera!

abbastanza /abbas'tantsa/ [avv] bastante FRAS **averne ~**: estar harto.

abbattere /ab'battere/ [v tr] abatir ◆ [v intr prnl] FIG abatirse, desanimarse.

abbattuto /abbat'tuto/ [agg] abatido, desanimado.

abbazia /abbat'tsia/ [sf] abadía.

abbigliamento /abbiʎʎa'mento/ [sm] **1** ropa (f), indumentaria (f) **2** (industria) confección (f) FRAS **capo di ~**: prenda de vestir | **negozio di ~**: tienda de ropa.

abbinamento /abbina'mento/ [sm] combinación (f).

abbinare /abbi'nare/ [v tr] combinar.

abboccare /abbok'kare/ [v intr] picar FRAS **~ all'amo**: picar/morder el anzuelo.

abbonamento /abbona'mento/ [sm] abono FRAS **~ dell'autobus**: bonobús | **~ ferroviario**: abono transportes.

abbonarsi /abbo'narsi/ [v prnl] subscribirse, abonarse.

abbonato /abbo'nato/ [agg/sm] subscriptor (f -a), abonado.

abbondante /abbon'dante/ [agg m,f] abundante.

abbondanza /abbon'dantsa/ [sf] abundancia FRAS **in ~**: en abundancia/cantidad.

abbottonare (-rsi) /abbotto'nare/ [v tr/intr prnl] abrochar (-se).

abbracciare (-rsi) /abbrat't∫are/ [v tr prnl] abrazar (-se).

abbraccio /ab'bratt∫o/ [sm] abrazo.

abbreviare /abbre'vjare/ [v tr] abreviar, acortar.

abbreviazione /abbrevjat'tsjone/ [sf] abreviatura.

abbronzante /abbron'dzante/ [agg m,f] bronceador (f -a) ◆ [sm] bronceador.

abbronzarsi /abbron'dzarsi/ [v prnl] broncearse.

abbronzato /abbron'dzato/ [agg] bronceado, moreno.

abbronzatura /abbrondza'tura/ [sf] bronceado (m).

abbrustolire /abbrusto'lire/ [v tr] tostar.

abete /a'bete/ [sm] abeto.

abile /'abile/ [agg m,f] hábil.

abilità /abili'ta*/ [sf inv] habilidad (sing).

abisso /a'bisso/ [sm] abismo.

abitabile /abi'tabile/ [agg m,f] habitable.

abitabilità /abitabili'ta*/ [sf inv] habitabilidad (sing).

abitacolo /abi'takolo/ [sm] (veicolo) habitáculo.

abitante /abi'tante/ [agg m,f/sm,f] habitante.

abitare /abi'tare/ [v intr] vivir.

abitato /abi'tato/ [agg m,f/sm] poblado.

abitazione /abitat'tsjone/ [sf] vivienda.

abito /'abito/ [sm] vestido, traje FRAS ~ da sera: traje de noche.

abituale /abitu'ale/ [agg m,f] habitual, acostumbrado (m) FRAS cliente ~: cliente aficionado.

abituare (-rsi) /abitu'are/ [v tr prnl] acostumbrar (-se), habituar (-se).

abituato /abitu'ato/ [agg] acostumbrado.

abitudine /abi'tudine/ [sf] costumbre, hábito (m) FRAS avere l'~ di: tener la costumbre de | prendere un'~: coger un hábito.

abolire /abo'lire/ [v tr] abolir.

abolizione /abolit'tsjone/ [sf] abolición.

aborigeno /abo'ridʒeno/ [agg/sm] aborigen (m,f).

abortire /abor'tire/ [v intr] abortar.

aborto /a'bɔrto/ [sm] aborto.

abrasione /abra'zjone/ [sf] abrasión.

abrogare /abro'gare/ [v tr] abrogar.

abruzzese /abrut'tsese/ [agg m,f/sm,f] abruzo (m).

Abruzzo /a'bruttso/ [sm] Abruzos.

abside /'abside/ [sf] ábside (m).

abusivo /abu'zivo/ [agg] no autorizado, ilegal (m,f).

abuso /a'buzo/ [sm] abuso FRAS ~ edilizio: construcción ilegal.

accademia /akka'dɛmja/ [sf] academia.

accadere /akka'dere/ [v intr/imp] suceder, acaecer, ocurrir.

accaldato /akkal'dato/ [agg] acalorado.

accampamento /akkampa'mento/ [sm] campamento.

accamparsi /akkam'parsi/ [v prnl] acampar.

accanto /ak'kanto/ [avv] cerca, al lado FRAS ~ a qualcuno/qualco-

sa: cerca/al lado de alguien/algo, junto a alguien/algo.

accappatoio /akkappa'tojo/ [sm] albornoz, *Amer* salida de baño.

accarezzare (-rsi) /akkaret'tsare/ [v tr prnl] acariciar (-se).

accavallare /akkaval'lare/ [v tr] cruzar ◆ [v intr prnl] agolparse.

accecante /attʃe'kante/ [agg m,f] cegador (f -a), deslumbrante.

accecare /attʃe'kare/ [v tr] cegar.

accedere /at'tʃɛdere/ [v intr] acceder.

accelerare /attʃele'rare/ [v tr/intr] acelerar.

accelerato /attʃele'rato/ [sm] (treno) tren de cercanías.

acceleratore /attʃelera'tore/ [sm] acelerador.

accendere /at'tʃɛndere/ [v tr] **1** (anche FIG) encender **2** (motore) poner en marcha ◆ [v intr prnl] (anche FIG) encenderse FRAS ~ la radio/televisione: encender/poner la radio/tele.

accendino /attʃen'dino/ [sm] FAM mechero.

accennare /attʃen'nare/ [v tr] señalar, indicar ◆ [v intr] FIG mencionar ● ~ a un argomento: mencionar un tema.

accensione /attʃen'sjone/ [sf] (veicolo) encendido (m).

accento /at'tʃɛnto/ [sm] acento.

accentuare (-rsi) /attʃentu'are/ [v tr/intr prnl] acentuar (-se).

accertare /attʃer'tare/ [v tr] comprobar ◆ [v prnl] cerciorarse, asegurarse.

acceso /at'tʃeso/ [agg] encendido.

accessibile /attʃes'sibile/ [agg m,f] **1** accesible **2** (prezzo) asequible.

accesso /at'tʃesso/ [sm] acceso.

accessoriato /attʃesso'rjato/ [agg] equipado.

accessorio /attʃes'sɔrjo/ [sm] **1** accesorio **2** (moda) complemento FRAS **accessori per la casa/da tavola**: menaje.

accetta /at'tʃetta/ [sf] hacha.

accettabile /attʃet'tabile/ [agg m,f] aceptable, admisible.

accettare /attʃet'tare/ [v tr] aceptar.

accettazione /attʃettat'tsjone/ [sf] **1** (ufficio) aceptación **2** (ospedale) recepción.

acciacco /at'tʃakko/ [sm] achaque.

acciaio /at'tʃajo/ [sm] (anche FIG) acero FRAS ~ **inossidabile**: acero inoxidable.

accidentale /attʃiden'tale/ [agg m,f] accidental.

accidentato /attʃiden'tato/ [agg] accidentado.

accidente /attʃi'dɛnte/ [sm] **1** accidente, evento **2** MED ataque FRAS **gli venisse un ~**: ¡mal rayo le parta! | **non capire un ~**: no entender ni jota | **non combinare un ~**: no dar un palo al agua | **non mi importa un ~**: me importa un rábano.

accidenti /attʃi'dɛnti/ [inter] ¡caray!, ¡ostras! FRAS **~ a te!**: ¡mal dolor te dé!

acciuga /at'tʃuga/ [sf] anchoa, boquerón (m).

accludere /ak'kludere/ [v tr] incluir.

accogliente /akkoʎ'ʎɛnte/ [agg m,f] acogedor (f -a), hospitalario (m).

accoglienza /akkoʎ'ʎɛntsa/ [sf] acogida.

accogliere /ak'kɔʎʎere/ [v tr] acoger, recibir.

accollato /akkol'lato/ [agg] de cuello alto.

accoltellare (-rsi) /akkoltel'lare/ [v tr prnl] acuchillar (-se).

accomodarsi /akkomo'darsi/ [v prnl] acomodarse FRAS **prego, si accomodi!**: por favor ¡tome asiento!

accompagnamento /akkompaɲɲa'mento/ [sm] (anche MUS) acompañamiento FRAS **bolla di ~**: hoja de ruta.

accompagnare (-rsi) /akkompaɲ'ɲare/ [v tr prnl] acompañar (-se).

accompagnatore (-trice) /akkompaɲɲa'tore/ [sm] acompañante (m,f) FRAS **~ turistico**: guía (turístico).

acconciatura /akkontʃa'tura/ [sf] peinado (m).

acconsentire /akkonsen'tire/ [v intr] consentir, acceder.

accontentare /akkonten'tare/ [v tr] contentar, complacer ◆ [v intr prnl] contentarse, conformarse.

acconto /ak'konto/ [sm] anticipo, adelanto.

accoppiarsi /akkop'pjarsi/ [v prnl] **1** emparejarse **2** (animali) aparearse.

accorciare (-rsi) /akkor'tʃare/ [v tr/intr prnl] acortar (-se).

accordare /akkor'dare/ [v tr] **1** MUS acordar, afinar **2** (concedere) conceder, otorgar ◆ [v prnl] acordarse, ponerse de acuerdo.

accordo /ak'kordo/ [sm] **1** acuerdo **2** MUS acorde FRAS **andare/non andare d'~**: llevarse bien/mal | **d'~!**: ¡de acuerdo!, ¡vale! | **mettersi d'~**: quedar en.

accorgersi /ak'kordʒersi/ [v intr prnl] darse cuenta, advertir FRAS **non ~ di qualcosa**: no fijarse en algo, pasársele por alto.

accorrere /ak'korrere/ [v intr] acudir.

accostamento /akkosta'mento/ [sm] **1** (colori) combinación (f) **2** (avvicinamento) acercamiento.

accostare /akkos'tare/ [v tr] **1** (avvicinare) acercar, arrimar **2** (porta, finestra) entornar ◆ [v intr] MAR acostar.

accovacciarsi /akkovat'tʃarsi/ [v prnl] agacharse, agazaparse.

accozzaglia /akkot'tsaʎʎa/ [sf] SPREG **1** (cose) revoltijo (m) **2** (persone) tropel (m).

accreditare /akkredi'tare/ [v tr] acreditar.

accredito /ak'kredito/ [sm] abono.

accucciarsi /akkut'tʃarsi/ [v prnl] **1** (animale) echarse **2** (persona) ovillarse.

accudire /akku'dire/ [v tr] atender, cuidar.

accumulare /akkumu'lare/ [v tr] acumular ◆ [v intr prnl] acumularse, juntarse.

accumulatore /akkumula'tore/ [sm] acumulador.

accumulazione /akkumulat'tsjone/ [sf] acumulación.

accuratezza /akkura'tettsa/ [sf] esmero (m).

accurato /akku'rato/ [agg] esmerado.

accusa /ak'kuza/ [sf] (anche GIUR) acusación FRAS **mettere sotto/in stato d'~**: empapelar.

accusare /akku'zare/ [v tr] (anche GIUR) acusar.

accusato /akku'zato/ [agg] acusado.

acerbo /a'tʃɛrbo/ [agg] inmaduro.

aceto /a'tʃeto/ [sm] vinagre FRAS ~ **balsamico**: vinagre aromático.

acetone /atʃe'tone/ [sm] **1** (solvente) acetona (f) **2** MED acetonemia (f).

acidità /atʃidi'ta*/ [sf inv] **1** acidez (sing) **2** FIG acritud (sing) FRAS ~ **di stomaco**: acidez de estómago.

acido /'atʃido/ [agg] (anche FIG) ácido ◆ [sm] **1** ácido **2** (sapore) rancio (agg).

acino /'atʃino/ [sm] grano de uva.

acne /'akne/ [sf] acné.

acqua /'akkwa/ [sf] agua FRAS ~ **del rubinetto**: agua del grifo | ~ **di colonia**: agua de colonia | ~ **distillata**: agua destilada | ~ **gassata**: agua con gas | ~ **minerale naturale**: agua mineral sin gas | ~ **ossigenata**: agua oxigenada | ~ **potabile**: agua potable.

acquaforte /akkwa'fɔrte/ [sf] aguafuerte.

acquario /ak'kwarjo/ [sm] (anche astronomia, astrologia) acuario.

acquazzone /akkwat'tsone/ [sm] aguacero, chaparrón.

acquedotto /akkwe'dotto/ [sm] acueducto.

acquerello /akkwe'rɛllo/ [sm] acuarela (f).

acquirente /akkwi'rente/ [agg m,f/sm,f] comprador (f -a).

acquistare /akkwis'tare/ [v tr] adquirir.

acquisto /ak'kwisto/ [sm] **1** adquisición (f) **2** SPORT fichaje FRAS **campagna acquisti**: campaña de ficha-

je (deportivo) | **potere d'~**: poder adquisitivo.

acquolina /akkwo'lina/ [sf] saliva FRAS **avere/far venire l'~ in bocca**: hacérsele la boca agua.

acrilico /a'kriliko/ [agg/sm] acrílico.

acrobata /a'krɔbata/ [sm,f] acróbata.

acrobazia /akrobat'tsja/ [sf] acrobacia.

acropoli /a'krɔpoli/ [sf inv] acrópolis.

aculeo /a'kuleo/ [sm] ZOOL aguijón.

acustica /a'kustika/ [sf] acústica.

acutizzarsi /akutid'dzarsi/ [v intr prnl] agravarse.

acuto /a'kuto/ [agg/sm] agudo.

adagiare /ada'dʒare/ [v tr] acomodar, colocar ◆ [v prnl] **1** (accomodarsi) acomodarse, arrellanarse **2** (stendersi) echarse, tenderse.

adagio /a'dadʒo/ [avv] **1** despacio, lentamente **2** (voce) en voz baja, *Amer* despacio ◆ [inter] ¡despacio!

adattabile /adat'tabile/ [agg m,f] adaptable.

adattamento /adatta'mento/ [sm] adaptación (f).

adattare (-rsi) /adat'tare/ [v tr prnl/intr prnl] adaptar (-se).

adatto /a'datto/ [agg] adecuado, apto.

addebitare /addebi'tare/ [v tr] COMM adeudar, cargar FRAS ~ **una responsabilità**: achar una responsabilidad.

addebito /ad'debito/ [sm] COMM adeudo.

addentare /adden'tare/ [v tr] hincar los dientes.

addentrarsi /adden'trarsi/ [v prnl] adentrarse.

addestrare /addes'trare/ [v tr] adiestrar, amaestrar.

addetto /ad'detto/ [agg/sm] encargado FRAS ~ ai lavori: perito.

addio /ad'dio/ [inter] adiós FRAS dire ~ a qualcosa: decir adiós a/despedirse de algo, renunciar | dire ~ a qualcuno: despedirse de alguien ◆ [sm] adiós, despedida (f).

addirittura /addirit'tura/ [avv] 1 (assolutamente) totalmente, en absoluto ● è ~ incredibile: es en absoluto increíble 2 (direttamente) mejor ● troviamoci ~ alla stazione: veámonos mejor en la estación.

addizione /addit'tsjone/ [sf] adición.

addolcire /addol'tʃire/ [v tr] endulzar ◆ [v intr prnl] dulcificarse.

addolorare /addolo'rare/ [v tr] entristecer, apenar ◆ [v intr prnl] dolerse, afligirse.

addome /ad'dome/ [sm] abdomen.

addomesticare /addomesti'kare/ [v tr] domesticar.

addominale /addomi'nale/ [agg m,f] abdominal.

addormentare /addormen'tare/ [v tr] 1 dormir 2 MED anestesiar, adormecer ◆ [v intr prnl] 1 dormirse 2 (formicolare) entumecerse.

addormentato /addormen'tato/ [agg] 1 dormido 2 FIG (tardo) torpe (m,f), tardo.

addosso /ad'dosso/ [avv] encima ◆ [inter] ¡a él! ◆ [prep] (a) 1 (sopra, contro) encima ● cadere ~ a qualcuno: caerse encima de alguien 2 (accanto) al lado de, junto a ● le case sono una ~ all'altra: las casas están una al lado de la otra FRAS mettere le mani ~ a qualcuno: poner la mano encima a alguien | stare ~ a qualcuno: echarse encima de alguien, acosar alguien.

adeguare /ade'gware/ [v tr] adecuar, ajustar ◆ [v prnl] adaptarse, amoldarse.

adeguato /ade'gwato/ [agg] apropiado.

aderente /ade'rente/ [agg m,f] ceñido (m), ajustado (m).

aderire /ade'rire/ [v intr] (anche FIG) adherir.

adesivo /ade'zivo/ [agg] adhesivo, adherente (m,f) ◆ [sm] 1 (colla) pegamento 2 (distintivo) pegatina (f).

adesso /a'desso/ [avv] ahora FRAS ~ che: ahora que | per ~: por ahora, de momento.

adiacente /adja'tʃente/ [agg m,f] adyacente FRAS essere ~: lindar.

adolescente /adoleʃ'ʃente/ [agg m,f/sm,f] adolescente.

adolescenza /adoleʃ'ʃentsa/ [sf] adolescencia.

adorabile /ado'rabile/ [agg m,f] adorable, encantador (f -a).

adorare /ado'rare/ [v tr] adorar.

adorazione /adorat'tsjone/ [sf] adoración.

adottare /adot'tare/ [v tr] adoptar.

adozione /adot'tsjone/ [sf] adopción.

adriatico /adri'atiko/ [agg/sm] adriático.

adulare /adu'lare/ [v tr] adular, halagar.

adulatore (-trice) /adula'tore/ [agg/sm] adulador (f -a), lisonjero.

adulterare /adulte'rare/ [v tr] adulterar.

adulterio /adul'terjo/ [sm] adulterio.

adulto /a'dulto/ [agg/sm] adulto.

aerazione /aerat'tsjone/ [sf] ventilación.

aereo /a'ɛreo/ [agg] aéreo FRAS **base aerea**: base aérea | **per via aerea**: por avión ♦ [sm] avión FRAS **~ da turismo**: avioneta.

aerobica /ae'rɔbika/ [sf] aerobic (m inv).

aeronautica /aero'nautika/ [sf] aeronáutica.

aeroplano /aero'plano/ [sm] aeroplano.

aeroporto /aero'pɔrto/ [sm] aeropuerto.

aerosol /aero'sɔl/ [sm inv] aerosol.

aerostazione /aerostat'tsjone/ [sf] estación terminal.

afa /'afa/ [sf] bochorno (m).

affabile /af'fabile/ [agg m,f] afable, amable.

affaccendato /affattʃen'dato/ [agg] atareado.

affacciarsi /affat'tʃarsi/ [v prnl] asomarse.

affamato /affa'mato/ [agg/sm] hambriento.

affannato /affan'nato/ [agg] **1** jadeante (m,f) **2** FIG afligido.

affare /af'fare/ [sm] **1** asunto ♦ *sbrigare un ~*: resolver un asunto **2** COMM negocio **3** (acquisto vantaggioso) ganga (f), chollo **4** FAM (cosa) chisme FRAS **concludere un ~**: llevar a cabo un negocio | **fare un buon ~**: hacer un buen negocio | **farsi gli affari propri**: ir a lo suyo | **ministero degli affari esteri**: ministerio de asuntos exteriores, *Amer* ministerio de relaciones exteriores |

uomo d'affari: hombre de negocios | **viaggio d'affari**: viaje de negocios.

affascinante /affaʃʃi'nante/ [agg m,f] fascinante.

affascinare /affaʃʃi'nare/ [v tr] fascinar.

affaticare (**-rsi**) /affati'kare/ [v tr prnl] cansar (-se), agotar (-se).

affatto /af'fatto/ [avv] en absoluto.

affermare /affer'mare/ [v tr] afirmar ♦ [v prnl] **1** (vincere) triunfar **2** (diffondersi) ganar terreno, difundirse.

affermazione /affermat'tsjone/ [sf] **1** afirmación, aserción **2** (vittoria) triunfo (m).

afferrare /affer'rare/ [v tr] **1** aferrar, agarrar **2** FIG (occasione) coger, aprovechar **3** FIG (capire) entender.

affettare /affet'tare/ [v tr] cortar en lonchas/rebanadas/tajadas/rodajas.

affettato /affet'tato/ [agg] cortado en rebanadas/tajadas ♦ [sm] fiambre.

affettivo /affet'tivo/ [agg] afectivo.

affetto /af'fetto/ [sm] cariño, afecto FRAS **avere ~ per qualcuno**: tener/sentir cariño por alguien.

affettuoso /affettu'oso/ [agg] afectuoso, cariñoso.

affezionarsi /affettsjo'narsi/ [v intr prnl] encariñarse.

affezionato /affettsjo'nato/ [agg] encariñado, apegado.

affiancare /affjan'kare/ [v tr] FIG (persona) sostener, ayudar.

affiatato /affja'tato/ [agg] unido.

affidabile /affi'dabile/ [agg m,f] fiable.

affidabilità /affidabili'ta*/ [sf inv] fiabilidad (sing).

affidamento /affida'mento/ [sm] confianza (f) FRAS fare ~ su qualcuno/qualcosa: contar con alguien/algo.

affidare /affi'dare/ [v tr] confiar, encargar ♦ [v prnl] encomendarse.

affilare /affi'lare/ [v tr] afilar, sacar filo.

affilato /affi'lato/ [agg] afilado.

affinità /affini'ta*/ [sf inv] afinidad (sing).

affittare /affit'tare/ [v tr] alquilar FRAS **affittasi**: se alquila.

affitto /af'fitto/ [sm] alquiler FRAS **dare/prendere in ~**: alquilar.

affliggere (-rsi) /af'flidd3ere/ [v tr prnl] afligir (-se), apenar (-se).

afflosciare /afflo∫'∫are/ [v tr] marchitar ♦ [v intr prnl] aflojarse.

affluente /afflu'ente/ [sm] GEOG afluente.

affluenza /afflu'entsa/ [sf] (persone) concurrencia, afluencia.

affluire /afflu'ire/ [v intr] afluir.

afflusso /af'flusso/ [sm] aflujo.

affogare /affo'gare/ [v tr] ahogar ♦ [v intr] morir ahogado.

affogato /affo'gato/ [agg] ahogado.

affollare /affol'lare/ [v tr] atestar, abarrotar ♦ [v prnl] agolparse.

affollato /affol'lato/ [agg] atestado, lleno.

affondare /affon'dare/ [v tr] hundir.

affrancare /affran'kare/ [v tr] (posta) franquear ♦ [v prnl] liberarse.

affrancatura /affranka'tura/ [sf] (postale) franqueo (m).

affresco /af'fresko/ [sm] fresco, pintura (f) al fresco.

affrettarsi /affret'tarsi/ [v intr prnl] apresurarse.

affrettato /affret'tato/ [agg] presuroso.

affrontare /affron'tare/ [v tr] **1** afrontar **2** (problema) discutir ♦ [v prnl] enfrentarse.

affronto /af'fronto/ [sm] afrenta (f), agravio.

affumicare /affumi'kare/ [v tr] ahumar.

affumicato /affumi'kato/ [agg] ahumado.

afoso /a'foso/ [agg] bochornoso, sofocante (m,f).

Africa /afri'ka/ [sf] África.

africano /afri'kano/ [agg/sm] africano.

agenda /a'dʒɛnda/ [sf] agenda FRAS **~ tascabile**: agenda de bolsillo.

agente /a'dʒɛnte/ [sm,f] agente FRAS **~ di polizia**: agente de policía.

agenzia /adʒen'tsia/ [sf] **1** agencia **2** (banca) sucursal, filial FRAS **~ di cambio**: casa de cambio | **~ immobiliare**: inmobiliaria.

agevolare /adʒevo'lare/ [v tr] (pagamento) facilitar.

agevolazione /adʒevolat'tsjone/ [sf] (pagamento) facilidad.

agevole /a'dʒevole/ [agg m,f] fácil, expedito (m).

agganciare /aggan'tʃare/ [v tr] enganchar.

aggettivo /addʒet'tivo/ [sm] adjetivo.

aggiornamento /addʒorna'mento/ [sm] actualización (f) FRAS **corso di ~**: curso de reciclaje.

aggiornare /addʒor'nare/ [v tr] **1** modernizar, actualizar **2** (rinviare) aplazar ◆ [v prnl] ponerse al día, modernizarse.

aggirare /addʒi'rare/ [v tr] rodear, cercar ◆ [v intr prnl] **1** vagar, merodear **2** FIG (approssimarsi) llegar, sumar FRAS ~ **un ostacolo**: sortear un obstáculo.

aggiungere /ad'dʒundʒere/ [v tr] añadir, agregar ◆ [v intr prnl] sumarse.

aggiunta /ad'dʒunta/ [sf] añadidura, añadido (m).

aggiustare /addʒus'tare/ [v tr] arreglar, componer ◆ [v prnl] **1** adaptarse **2** FAM (prezzo) arreglarse, ponerse de acuerdo **3** FAM (sistemarsi) componerse, arreglarse.

agglomerato /agglome'rato/ [sm] aglomeración (f).

aggrapparsi /aggrap'parsi/ [v prnl] asirse.

aggravarsi /aggra'varsi/ [v intr prnl] agravarse.

aggraziato /aggrat'tsjato/ [agg] agraciado.

aggredire /aggre'dire/ [v tr] **1** agredir, acometer **2** FIG (a parole) injuriar, insultar.

aggregarsi /aggre'garsi/ [v prnl] agregarse, sumarse.

aggressione /aggres'sjone/ [sf] agresión.

aggressività /aggressivi'ta*/ [sf inv] agresividad (sing).

aggrovigliare (-rsi)/aggroviʎ'ʎare/ [v tr/intr prnl] enredar (-se), enmarañar (-se).

aggrovigliato /aggroviʎ'ʎato/ [agg] enredado.

agguato /ag'gwato/ [sm] emboscada (f), celada (f).

agguerrito /aggwer'rito/ [agg] aguerrido.

agiato /a'dʒato/ [agg] acomodado.

agibile /a'dʒibile/ [agg m,f] habitable.

agibilità /adʒibili'ta*/ [sf inv] habitabilidad (sing).

agile /'adʒile/ [agg m,f] ágil.

agilità /adʒili'ta*/ [sf inv] agilidad.

agio /'adʒo/ [sm] comodidad (f) FRAS **essere/sentirsi a proprio ~**: estar/sentirse a gusto | **mettere a proprio ~**: hacer sentir a gusto.

agire /a'dʒire/ [v intr] actuar.

agitare /adʒi'tare/ [v tr] agitar ◆ [v intr prnl] **1** agitarse, revolverse **2** FIG (alterarsi) alterarse, excitarse.

agitato /adʒi'tato/ [agg] agitado.

agitazione /adʒitat'tsjone/ [sf] agitación, desasosiego (m).

agli /'aʎʎi/ [prep art m pl] a los.

aglio /'aʎʎo/ [sm] ajo FRAS **spicchio d'~**: diente de ajo.

agnello /aɲ'ɲello/ [sm] cordero.

agnolotto /aɲɲo'lɔtto/ [sm] tipo de ravioles de mayor tamaño.

ago /'ago/ [sm] (anche BOT) aguja (f) FRAS ~ **da maglia**: aguja de punto | **cercare un ~ in un pagliaio**: buscar una aguja en un pajar.

agonia /ago'nia/ [sf] (anche FIG) agonía.

agonistico /ago'nistiko/ [agg] agonístico.

agopuntura /agopun'tura/ [sf] acupuntura.

agosto /a'gosto/ [sm] agosto.

agricolo /a'grikolo/ [agg] agrícola (m,f).

agricoltore (-trice) /agrikol'tore/ [sm] agricultor (f -a).

agricoltura /agrikol'tura/ [sf] agricultura.

agriturismo /agritu'rizmo/ [sm] turismo rural, agroturismo.

agro /'agro/ [agg] agrio, ácido ◆ [sm] acidez (f), agrura (f).

agrodolce /agro'doltʃe/ [agg m,f] agridulce.

agrume /a'grume/ [sm] cítrico.

aguzzare /agut'tsare/ [v tr] FIG aguzar FRAS ~ la vista: aguzar la vista | ~ le orecchie: aguzar el oído.

aguzzo /a'guttso/ [agg] agudo, puntiagudo.

ah /'a*/ [inter] 1 ¡ay!, ¡ah! 2 (risata) ¡ja, ja, ja!

ahi /'ai/ [inter] ¡ay!

ai /'ai/ [prep art m pl] a los.

aia /'aja/ [sf] era.

Aids /'aids/ [sm] Sida.

airone /ai'rone/ [sm] garza real.

air terminal /ɛr'tɛrminal/ [sm inv] terminal (f sing) aérea.

aiuola /a'jwɔla/ [sf] macizo (m).

aiutante /aju'tante/ [sm,f] ayudante, asistente.

aiutare (-rsi) /aju'tare/ [v tr prnl] ayudar (-se).

aiuto /a'juto/ [sm] ayuda (f) FRAS ~!: ¡socorro! | dare ~: prestar ayuda | essere d'~: ser de ayuda.

al /'al/ [prep art m] al ● due volte ~ giorno: dos veces al día FRAS ~ di là di: allende, más allá de | ~ di qua di: más acá, de la parte de acá.

ala /'ala/ [sf] ala ■ pl irr **ali**.

alba /'alba/ [sf] alba, amanecer (m).

alberato /albe'rato/ [agg] arbolado.

albergatore (-trice) /alberga'tore/ [sm] hotelero.

albergo /al'bergo/ [sm] hotel FRAS casa ~: aparthotel | prenotare una camera d'~: reservar una habitación en un hotel.

albero /'albero/ [sm] árbol FRAS ~ da frutto: árbol frutal | ~ di trasmissione: árbol/eje de transmisión | ~ maestro: palo mayor | ~ motore: eje/árbol motor.

albicocca /albi'kɔkka/ [sf] albaricoque (m), *Amer* damasco (m).

albicocco /albi'kɔkko/ [sm] albaricoquero, *Amer* damasco.

album /'album/ [sm inv] 1 álbum 2 (disco) álbum musical, elepé (sing).

albume /al'bume/ [sm] clara de huevo.

alce /'altʃe/ [sm] alce.

alcol /'alkol/ [sm] alcohol FRAS ~ denaturato: alcohol desnaturalizado | darsi all'~: darse al alcohol.

alcolico /al'kɔliko/ [agg] alcohólico FRAS bevanda alcolica: bebida alcohólica ◆ [sm] alcohol.

alcolismo /alko'lizmo/ [sm] alcoholismo.

alcolizzato /alkolid'dzato/ [agg/sm] alcohólico.

alcuno /al'kuno/ [agg] 1 (al pl) algunos (f -as), unos (f -as) ● *alcuni anni fa*: algunos años atrás 2 (al sing) ninguno ● *senza alcun timore*: sin ningún temor ◆ [pron] (si usa al pl) alguno ● *alcuni verranno a piedi*: algunos vendrán a pie.

alfabetico /alfa'betiko/ [agg] alfabético.

alfabeto /alfa'beto/ [sm] alfabeto

alfiere /al'fjere/ [sm] (scacchi) alfil.

alga /'alga/ [sf] alga.

algebra /'aldʒebra/ [sf] álgebra.

aliante /ali'ante/ [sm] planeador.

alibi /'alibi/ [sm inv] coartada (f sing).

alice /a'litʃe/ [sf] anchoa, boquerón (m).

alienazione /aljenat'tsjone/ [sf] alienación (f), enajenación (f).

alimentare /alimen'tare/ [agg m,f] alimentario (m) FRAS **generi alimentari**: productos alimenticios ◆ [v tr] alimentar ◆ [v prnl] alimentarse, nutrirse.

alimentari /alimen'tari/ [sm pl] comestibles FRAS **negozio di ~**: tienda de comestibles.

alimentazione /alimentat'tsjone/ [sf] alimentación.

aliscafo /alis'kafo/ [sm] hidroala.

alitare /ali'tare/ [v intr] respirar FRAS **~ sul collo di qualcuno**: pegarse como una lapa.

alito /'alito/ [sm] **1** aliento **2** FIG soplo, hálito • *un ~ di vento*: un soplo de viento.

alla /'alla/ [prep art f] a la, al • *andare ~ stazione*: ir a la estación | *aggiungi un po' di vino all'acqua*: añade un poco de vino al agua.

allacciamento /allattʃa'mento/ [sm] conexión (f), enlace FRAS **~ telefonico**: enlace telefónico.

allacciare (**-rsi**) /allat'tʃare/ [v tr prnl] **1** (annodare) atar (-se) **2** (cintura) abrochar (-se).

allacciatura /allattʃa'tura/ [sf] abrochadura.

allagamento /allaga'mento/ [sm] inundación (f).

allagare /alla'gare/ [v tr] inundar ◆ [v intr prnl] inundarse, anegarse.

allargare /allar'gare/ [v tr] ensanchar, ampliar ◆ [v prnl/intr prnl] extenderse.

allarmare /allar'mare/ [v tr] alarmar ◆ [v intr prnl] alarmarse, inquietarse.

allarme /al'larme/ [sm] alarma (f) FRAS **~ antifurto**: alarma antirrobo/antiatraco | **falso ~**: falsa alarma.

allattamento /allatta'mento/ [sm] lactancia (f), amamantamiento.

allattare /allat'tare/ [v tr] amamantar.

alle /'alle/ [prep art f pl] a las • *~ otto*: a las ocho.

allearsi /alle'arsi/ [v prnl] aliarse.

alleato /alle'ato/ [agg/sm] aliado.

allegare /alle'gare/ [v tr] adjuntar, remitir.

allegato /alle'gato/ [agg] adjunto ◆ [sm] anexo.

alleggerire /alleddʒe'rire/ [v tr] aliviar.

allegria /alle'gria/ [sf] alegría, regocijo (m).

allegro /al'legro/ [agg] alegre (m,f).

allenamento /allena'mento/ [sm] entrenamiento FRAS **mantenersi/tenersi in ~**: estar en forma | **essere in ~**: estar entrenado.

allenare (**-rsi**) /alle'nare/ [v tr prnl] **1** ejercitar (-se), adiestrar (-se) **2** SPORT entrenar (-se).

allenatore (**-trice**) /allena'tore/ [sm] entrenador (f -a).

allergia /aller'dʒia/ [sf] alergia.

allergico /al'lerdʒiko/ [agg] alérgico.

allestimento /allesti'mento/ [sm] **1** instalación (f) **2** (teatrale) montaje.

allestire /alles'tire/ [v tr] **1** (mostra) preparar, montar **2** (spettacolo) poner en escena, escenificar.

allevamento /alleva'mento/ [sm] **1** (bambini) crianza (f) **2** (bestiame) ganadería FRAS ~ **in batteria**: cría en jaula.

allevare /alle'vare/ [v tr] criar.

allevatore (-**trice**) /alleva'tore/ [sm] criador (f -a) FRAS ~ **di bestiame**: ganadero.

allibito /alli'bito/ [agg] atónito, pasmado FRAS **rimanere** ~: quedarse pasmado.

allievo /al'ljɛvo/ [sm] alumno.

alligatore /alliga'tore/ [sm] caimán.

allineare (-**rsi**) /alline'are/ [v tr prnl] alinear (-se).

allo /'allo/ [prep art m] al.

allodola /al'lɔdola/ [sf] alondra FRAS **specchietto per le allodole**: señuelo.

alloggiare /allod'dʒare/ [v intr] (albergo) parar, alojarse.

alloggio /al'lɔddʒo/ [sm] vivienda (f).

allontanamento /allontana'mento/ [sm] alejamiento.

allontanare /allonta'nare/ [v tr] **1** echar **2** (lavoro) despedir ◆ [v intr prnl] alejarse.

allora /al'lora/ [avv] entonces FRAS **da** ~: desde entonces ◆ [cong] **1** entonces **2** (interrogativo, esclamativo) pues entonces, y qué ● *e* ~?: ¿y qué? | ~, *dimmelo!*: pues entonces, ¡dímelo!

alloro /al'lɔro/ [sm] (anche FIG) laurel.

alluce /'allutʃe/ [sm] dedo gordo.

allucinante /allutʃi'nante/ [agg m,f] **1** alucinante **2** FIG espantoso (m), terrible ● *una scena* ~: una escena espantosa.

allucinazione /allutʃinat'tsjone/ [sf] alucinación.

allucinogeno /allutʃi'nɔdʒeno/ [agg/sm] alucinógeno.

alluminio /allu'minjo/ [sm] aluminio.

allungare /allun'gare/ [v tr] **1** alargar **2** (liquido) aguar ◆ [v intr prnl] alargarse.

allusione /allu'zjone/ [sf] alusión.

alluvionale /alluvjo'nale/ [agg m,f] aluvial.

alluvione /allu'vjone/ [sf] aluvión (m).

almeno /al'meno/ [avv] al/por lo menos.

alogeno /a'lɔdʒeno/ [agg] halógeno FRAS **lampada** ~: halógeno.

alone /a'lone/ [sm] (macchia) halo.

alpaca /al'paka/ [sm inv] ZOOL (anche tessuto) alpaca (sing).

alpinismo /alpi'nizmo/ [sm] alpinismo.

alpinista /alpi'nista/ [sm,f] alpinista.

alpino /al'pino/ [agg] alpino.

alt /alt/ [sm] alto.

altalena /alta'lena/ [sf] columpio (m), *Amer* hamaca.

altare /al'tare/ [sm] altar FRAS ~ **della patria**: monumento al soldado desconocido.

alterare (-**rsi**) /alte'rare/ [v tr/intr prnl] alterar (-se).

alterato /alte'rato/ [agg] **1** alterado **2** (contraffatto) falsificado.

alterazione /alterat'tsjone/ [sf] alteración.

alternare /alter'nare/ [v tr] alternar ♦ [v prnl] alternarse, sucederse.

alternativa /alterna'tiva/ [sf] alternativa FRAS **non avere alternative**: no tener alternativas.

alternativo /alterna'tivo/ [agg] alternativo FRAS **medicina alternativa**: medicina alternativa.

altezza /al'tettsa/ [sf] **1** (anche FIG) altura **2** (tessuto) alto (m) FRAS **essere/non essere all'~ di**: estar/no estar a la altura de.

altitudine /alti'tudine/ [sf] altitud, altura.

alto /'alto/ [agg] alto FRAS **ad ~ livello**: de alto nivel | **alta marea**: pleamar | **alta moda**: alta moda | **alta stagione**: temporada alta | **~ mare**: alta mar ♦ [sm] alto, altura (f) FRAS **guardare dall'~ in basso**: mirar por encima del hombro, mirar de arriba abajo.

altoparlante /altopar'lante/ [sm] altavoz, *Amer* altoparlante.

altopiano /alto'pjano/ [sm] altiplano ∎ pl irr **altipiani**.

altorilievo /altori'ljevo/ [sm] altorrelieve.

altrettanto /altret'tanto/ [avv] igualmente ♦ [pron] (cortesía) igualmente ● *grazie, ~*: gracias, igualmente.

altrimenti /altri'menti/ [avv] (sennò) si no, de lo contrario ● *vai, ~ perdi il treno*: márchate, si no pierdes el tren.

altro /'altro/ [agg] otro FRAS **d'altra parte**: por otra parte ♦ [pron] **1** otro **2** (ancora) más ● *ne vuoi dell'~?*: ¿quieres más? FRAS **l'un l'~**: recíprocamente ♦ [sm] otra cosa (f)

FRAS **~ che**: ciertamente | **dell'~**: algo más | **se non ~**: al menos, por lo menos | **senz'~**: sin duda, ciertamente | **tra l'~**: entre otras cosas.

altrove /al'trove/ [avv] en otra parte, a otro lugar/sitio FRAS **avere la testa ~**: estar en las nubes.

altrui /al'trui/ [agg inv] ajeno (m sing) de los demás.

altruismo /altru'izmo/ [sm] altruismo.

altura /al'tura/ [sf] altura FRAS **navigazione d'~**: navegación en alta mar | **pesca d'~**: pesca de altura.

alunno /a'lunno/ [sm] alumno.

alveare /alve'are/ [sm] colmena (f).

alzare /al'tsare/ [v tr] alzar ♦ [v intr prnl] **1** (crescere) crecer, aumentar **2** (vento) levantarse **3** (temperatura) aumentar, elevarse ♦ [v prnl] levantarse ● *alzarsi presto*: levantarse temprano FRAS **~ il gomito**: empinar el codo | **~ i prezzi**: alzar los precios.

amabile /a'mabile/ [agg m,f] **1** amable, afable **2** (vino) abocado (m).

amaca /a'maka/ [sf] hamaca.

amante /a'mante/ [agg/sm,f] amante.

amare (-rsi) /a'mare/ [v tr prnl] amar(-se).

amarena /ama'rena/ [sf] **1** guinda **2** (sciroppo) jarabe de guindas.

amaretto /ama'retto/ [sm] (liquore) licor confeccionado con almendras amargas.

amarezza /ama'rettsa/ [sf] FIG amargura.

amaro /a'maro/ [agg] (anche FIG) amargo ♦ [sm] **1** (liquore) amaro, digestivo **2** FIG amargura (f).

amatore (-trice) /ama'tore/ [sm] amador (f -a).

ambasciata /ambaʃ'ʃa'ta/ [sf] embajada.

ambasciatore (-trice) /ambaʃʃa'tore/ [sm] embajador (f -a).

ambientale /ambjen'tale/ [agg m,f] medioambiental.

ambientalista /ambjenta'lista/ [agg m,f/sm,f] ambientalista.

ambientare /ambjen'tare/ [v tr] ambientar ◆ [v prnl] ambientarse, acostumbrarse.

ambiente /am'bjente/ [sm] **1** (anche FIG) ambiente **2** (ecologia) medio ambiente FRAS ~ **di lavoro**: lugar de trabajo | **a temperatura** ~: del tiempo | **tutela dell'**~: tutela del medio ambiente.

ambiguità /ambigui'ta*/ [sf inv] ambigüedad (sing).

ambiguo /am'biguo/ [agg] **1** ambiguo **2** (persona) equívoco, sospechoso.

ambizione /ambit'tsjone/ [sf] ambición.

ambizioso /ambit'tsjoso/ [agg/sm] ambicioso.

ambra /'ambra/ [sf] ámbar (m).

ambulante /ambu'lante/ [agg m,f/sm,f] ambulante.

ambulanza /ambu'lantsa/ [sf] ambulancia.

ambulatoriale /ambulato'rjale/ [agg m,f] del dispensario FRAS **visita** ~: consulta en el dispensario.

ambulatorio /ambula'tɔrjo/ [sm] **1** ambulatorio, dispensario **2** (privato) consultorio.

America /ameri'ka/ [sf] América.

America Latina /ameri'ka la'tina/ [sf] América latina.

americano /ameri'kano/ [agg/sm] norteamericano, estadounidense (m,f).

amianto /a'mjanto/ [sm] amianto.

amichevole /ami'kevole/ [agg m,f] **1** amistoso (m) **2** (persona) amigable, afable, cordial.

amicizia /ami't ʃittsja/ [sf] amistad FRAS **stringere un'**~: trabar amistad.

amico /a'miko/ [agg/sm] amigo.

ammaccare /ammak'kare/ [v tr] abollar, machacar ◆ [v intr prnl] **1** abollarse **2** (frutta) macarse.

ammalarsi /amma'larsi/ [v intr prnl] enfermar, enfermarse.

ammalato /amma'lato/ [agg/sm] enfermo.

ammasso /am'masso/ [sm] montón, cúmulo.

ammazzare (-rsi) /ammat'tsare/ [v tr prnl/intr prnl] (anche FIG) matar (-se).

ammenda /am'mɛnda/ [sf] multa.

ammesso /am'messo/ [agg/sm] admitido.

ammettere /am'mettere/ [v tr] **1** admitir **2** (supporre) suponer, dar por sentado.

amministrare /amminis'trare/ [v tr] administrar.

amministrativo /amministra'tivo/ [agg] administrativo.

amministratore (-trice) /amministra'tore/ [sm] **1** administrador (f -a) **2** (azienda) gestor (f -a) FRAS ~ **delegato**: gerente.

amministrazione /amministrat'tsjone/ [sf] **1** administración **2** (azienda) gerencia, dirección FRAS ~ **pubblica**: administración pública |

consiglio d'~: consejo de administración, junta directiva.

ammirare /ammi'rare/ [v tr] admirar.

ammiratore (-trice) /ammira'tore/ [sm] admirador (f -a).

ammirazione /ammirat'tsjone/ [sf] admiración.

ammissione /ammis'sjone/ [sf] admisión.

ammobiliato /ammobi'ljato/ [agg] amueblado.

ammoniaca /ammo'niaka/ [sf] amoníaco (m).

ammonire /ammo'nire/ [v tr] (anche SPORT) amonestar.

ammorbidire (-rsi) /ammorbi'dire/ [v tr/intr prnl] (anche FIG) ablandar (-se).

ammortizzatore /ammortiddza'tore/ [sm] amortiguador.

ammuffire /ammuf'fire/ [v intr] enmohecer.

ammuffito /ammuf'fito/ [agg] mohoso.

amnesia /amne'zia/ [sf] amnesia.

amnistia /amnis'tia/ [sf] amnistía.

amo /'amo/ [sm] anzuelo.

amore /a'more/ [sm] amor.

amorevole /amo'revole/ [agg m,f] amoroso (m).

ampiezza /am'pjettsa/ [sf] amplitud.

ampio /'ampjo/ [agg] amplio.

ampliamento /amplia'mento/ [sm] ampliación (f), ensanche.

ampliare /ampli'are/ [v tr] ampliar ◆ [v intr prnl] ensancharse, agrandarse.

amplificatore /amplifika'tore/ [sm] amplificador.

anabbaglianti /anabbaʎ'ʎanti/ [sm pl] (fari) luces (f) de cruce/cortas (f).

anagrafe /a'nagrafe/ [sf] registro civil.

anagrafico /ana'grafiko/ [agg] del registro civil FRAS **dati anagrafici**: señas personales.

analcolico /anal'kɔliko/ [agg] sin alcohol ◆ [sm] bebida sin alcohol.

analfabeta /analfa'beta/ [agg m,f/ sm,f] analfabeto (m).

analgesico /anal'dʒɛziko/ [agg/sm] analgésico.

analisi /a'nalizi/ [sf inv] análisis (m).

analista /ana'lista/ [sm,f] analista.

analizzare /analid'dzare/ [v tr] analizar.

analogo /a'nalogo/ [agg] análogo.

ananas /'ananas/ [sm inv] piña (f), ananás.

anarchia /anar'kia/ [sf] anarquía.

anatomia /anato'mia/ [sf] anatomía.

anatomico /ana'tɔmiko/ [agg] anatómico.

anatra /'anatra/ [sf] pato (m).

anca /'anka/ [sf] anca.

anche /'anke/ [cong] **1** también **2** (inoltre) hasta, incluso, *Amer* inclusive ● *e l'hai ~ trattato male*: e incluso lo has tratado mal **3** (in frasi negative) tampoco ● *~ oggi non potrà venire*: tampoco hoy puede venir.

anconetano /ankone'tano/ [agg/sm] anconitano.

ancora /an'kora/ [avv] **1** todavía, aún ● *sta ~ dormendo*: todavía está durmiendo **2** otra vez, una vez más ● *bisogna dirlo ~*: es necesario decirlo una vez más **3** más ● *vuoi ~ un po' di caffè?*: ¿quieres más café? ◆ [cong] aún, todavía.

ancora /'ankora/ [sf] MAR ancla FRAS **levare/salpare l'~**: levar anclas.

ancorare (-rsi) /anko'rare/ [v tr prnl] MAR anclar.

Andalusia /andalu'zia/ [sf] Andalucía.

andaluso /andalu'zo/ [agg/sm] andaluz (f -a).

andare /an'dare/ [v intr] **1** ir **2** FIG (stare) estar • *come va?*: ¿cómo estás? **3** FIG (fare piacere) gustar, apetecer • *ti va di andare al cinema?*: ¿te apetece ir al cine? FRAS ~ **a finire**: ir a parar | ~ **a prendere**: ir por | ~ **d'accordo**: entenderse, llevarse bien | ~ **pazzo/matto per qualcuno/qualcosa**: chiflarse/chalarse por alguien/algo | ~ **via**: marcharse | **andarsene**: irse.

andata /an'data/ [sf] **1** ida **2** SPORT primera vuelta FRAS ~ **e ritorno**: ida y vuelta.

andatura /anda'tura/ [sf] paso (m), andar (m).

andirivieni /andiri'vjeni/ [sm inv] vaivén (sing).

androne /an'drone/ [sm] portal.

aneddoto /a'nɛddoto/ [sm] anécdota (f).

anello /a'nɛllo/ [sm] **1** anillo **2** (catena) eslabón FRAS ~ **di fidanzamento**: anillo de compromiso | ~ **stradale**: enpalme de autopista.

anemia /ane'mia/ [sf] anemia.

anestesia /aneste'zia/ [sf] anestesia FRAS ~ **locale**: anestesia local | ~ **totale**: anestesia general.

anestetico /anes'tetiko/ [sm] anestésico.

anfibi /an'fibi/ [sm pl] **1** ZOOL anfibios **2** (calzature) botas todoterreno.

anfiteatro /anfite'atro/ [sm] anfiteatro.

anfora /'anfora/ [sf] cántaro (m), ánfora.

angelo /'andʒelo/ [sm] ángel.

angolo /'angolo/ [sm] **1** (strada) esquina (f) **2** (geometrico) ángulo FRAS **calcio d'~**: córner, saque de esquina | **girato l'~**: a la vuelta de la esquina.

angora /'angora/ [sf] (solo nella locuzione) FRAS **d'~**: de angora.

angoscia /an'gɔʃʃa/ [sf] angustia, congoja.

angosciare (-rsi) /angoʃ'ʃare/ [v tr/intr prnl] angustiar (-se).

anguilla /an'gwilla/ [sf] anguila.

anguria /an'gurja/ [sf] sandía.

anice /'anitʃe/ [sm] anís.

anidride /ani'dride/ [sf] anhídrido (m) FRAS ~ **carbonica**: anhídrido carbónico.

anima /'anima/ [sf] alma FRAS **non c'è ~ viva**: no hay alma/bicho viviente | **rompere l'~**: sacar de quicio.

animale /ani'male/ [agg m,f/sm] animal FRAS ~ **da cortile**: animal de corral.

animalista /anima'lista/ [agg m,f/sm,f] protector de animales.

animare (-rsi) /ani'mare/ [v tr/intr prnl] animar (-se).

animato /ani'mato/ [agg] animado FRAS **cartoni/disegni animati**: dibujos animados.

animatore (-trice) /anima'tore/ [sm] (turistico) animador (f -a).

animazione /animat'tsjone/ [sf] animación.

animo /'animo/ [sm] ánimo FRAS **mettersi l'~ in pace**: hacerse a la idea de | **perdersi d'~**: desanimarse, descorazonarse.

annacquato /annak'kwato/ [agg] aguado.

annaffiare /annaf'fjare/ [v tr] regar.

annaffiatoio /annaffja'tojo/ [sm] regadera (f).

annata /an'nata/ [sf] año (m) FRAS **vino d'~**: vino de añada.

annebbiare /anneb'bjare/ [v tr] nublar, anublar.

annegamento /annega'mento/ [sm] ahogamiento.

annegare (-rsi) /anne'gare/ [v tr/intr prnl] ahogar (-se).

annegato /anne'gato/ [agg/sm] ahogado.

annerire (-rsi) /anne'rire/ [v tr/intr prnl] ennegrecer (-se).

annidarsi /anni'darsi/ [v intr prnl] anidarse.

annientamento /annjenta'mento/ [sm] aniquilamiento.

anniversario /anniver'sarjo/ [sm] aniversario.

anno /'anno/ [sm] año FRAS **~ scolastico**: año escolar | **buon ~**: feliz año nuevo | **capodanno**: año nuevo, día de año nuevo | **l'ultimo dell'~**: año viejo, noche vieja.

annodare /anno'dare/ [v tr] anudar ◆ [v intr prnl] enredarse.

annoiare (-rsi) /anno'jare/ [v tr/intr prnl] aburrir (-se).

annoiato /anno'jato/ [agg] aburrido.

annotazione /annotat'tsjone/ [sf] anotación, nota.

annuale /annu'ale/ [agg m,f] anual.

annullamento /annulla'mento/ [sm] anulación (f).

annullare /annul'lare/ [v tr] anular.

annunciare /annun't∫are/ [v tr] anunciar.

annunciatore (-trice) /annunt∫a'tore/ [sm] locutor (f -a).

annuncio /an'nunt∫o/ [sm] anuncio.

annusare /annu'sare/ [v tr] oler.

annuvolarsi /annuvo'larsi/ [v intr prnl] nublarse.

ano /'ano/ [sm] ano.

anomalia /anoma'lia/ [sf] anomalía.

anomalo /a'nomalo/ [agg] anómalo.

anonimo /a'nonimo/ [agg/sm] anónimo.

anoressia /anores'sia/ [sf] anorexia.

anormale /anor'male/ [agg m,f/ sm,f] anormal.

ansa /'ansa/ [sf] **1** asa **2** (corso d'acqua) meandro (m).

ansia /'ansja/ [sf] ansia.

ansimare /ansi'mare/ [v intr] jadear.

ansioso /an'sjoso/ [agg/sm] ansioso.

anta /'anta/ [sf] **1** (mobile) puerta **2** (finestra) hoja.

antagonismo /antago'nizmo/ [sm] antagonismo.

antagonista /antago'nista/ [agg m,f/ sm,f] antagonista.

antartico /an'tartiko/ [agg/sm] antártico.

antenato /ante'nato/ [sm] antepasado.

antenna /an'tenna/ [sf] antena FRAS **~ parabolica**: (antena) parabólica.

anteprima /ante'prima/ [sf] (cinema) preestreno (m).

anteriore /ante'rjore/ [agg m,f] **1** (precedente) anterior, precedente ◆ *il giorno ~*: el día anterior **2** (davanti) delantero (m) ◆ *sedile ~*: asiento delantero.

antiallergico /antial'lerdʒiko/ [agg/ sm] antialérgico.

antibiotico /antibi'ɔtiko/ [agg/sm] antibiótico.

anticarie /anti'karje/ [agg inv/sm inv] anticariógeno (agg sing).

antichità /antiki'ta*/ [sf inv] antigüedad (sing).

anticipare /antitʃi'pare/ [v tr] anticipar.

anticipato /antitʃi'pato/ [agg] anticipado, temprano ◆ [avv] por anticipado/adelantado.

anticipazione /antitʃipat'tsjone/ [sf] previsión, anticipación.

anticipo /an'titʃipo/ [sm] **1** antelación (f), anticipación (f) **2** (denaro) adelanto, anticipo FRAS **essere in ~**: llegar con anticipación/antelación.

antico /an'tiko/ [agg] antiguo FRAS **~ Testamento**: Viejo Testamento ◆ [sm] lo antiguo/viejo.

anticoncezionale /antikontʃettsjo'nale/ [agg m,f/sm] anticonceptivo (m).

anticonformismo /antikonfor'mizmo/ [sm] inconformismo.

antidepressivo /antidepres'sivo/ [agg/sm] antidepresivo.

antidolorifico /antidolo'rifiko/ [agg/sm] analgésico.

antidoping /anti'dɔpiŋ/ [agg inv/sm inv] antidopaje.

antidoto /an'tidoto/ [sm] antídoto.

antidroga /anti'drɔga/ [agg inv] antidroga.

antiemorragico /antiemor'raddʒiko/ [agg/sm] antihemorrágico.

antiforfora /anti'forfora/ [agg inv] anticaspa.

antifurto /anti'furto/ [agg inv/sm inv] antirrobo.

antigelo /anti'dʒelo/ [agg inv/sm inv] anticongelante (m,f sing).

antilope /an'tilope/ [sf] antílope (m).

antincendio /antin'tʃendjo/ [agg inv] antiincendios.

antinebbia /anti'nebbja/ [agg inv/sm inv] (faro) antiniebla.

antineve /anti'neve/ [agg inv] antinieve FRAS **catene ~**: cadenas antideslizantes.

antinevralgico /antine'vraldʒiko/ [agg/sm] antineurálgico (agg).

antinfiammatorio /antinfjamma'tɔrjo/ [agg/sm] antiinflamatorio.

antinfluenzale /antinfluen'tsale/ [agg m,f] antigripal.

antipasto /anti'pasto/ [sm] entremés.

antipatia /antipa'tia/ [sf] antipatía.

antipatico /anti'patiko/ [agg/sm] antipático.

antiproiettile /antipro'jettile/ [agg inv] antibalas FRAS **giubbotto ~**: chaleco antibalas.

antiquariato /antikwa'rjato/ [sm] comercio de antigüedades.

antiquario /anti'kwarjo/ [sm] anticuario.

antiquato /anti'kwato/ [agg] anticuado.

antireumatico /antireu'matiko/ [agg/sm] antirreumático.

antisettico /anti'settiko/ [agg/sm] antiséptico.

antistaminico /antista'miniko/ [agg/sm] antihistamínico.

antiterrorismo /antiterro'rizmo/ [agg inv/sm inv] antiterrorismo.

antitetanico /antite'taniko/ [agg] antitetánico.

antiurto /anti'urto/ [agg inv/sm inv] antichoque.

antologia /antolo'dʒia/ [sf] antología.

antropologia /antropolo'dʒia/ [sf] antropología.

anulare /anu'lare/ [agg m,f] anular FRAS **raccordo ~**: circunvalación ◆ [sm] dedo anular.

anzi /'antsi/ [cong] **1** (invece) más bien/aún ● *non era arrabbiato, ~ era triste*: no estaba enfadado, más bien triste **2** (o meglio) mejor, más bien ● *ti chiamerò, ~ verrò a trovarti*: te llamaré, es más vendré a verte.

anzianità /antsjani'ta*/ [sf inv] **1** ancianidad (sing) **2** (periodo di tempo) antigüedad (sing).

anziano /an'tsjano/ [agg/sm] **1** (età) anciano **2** (con maggiore anzianità) antiguo.

anziché /antsi'ke*/ [cong] en vez de, en lugar de.

anzitutto /antsi'tutto/ [avv] antes que/de nada.

aorta /a'ɔrta/ [sf] aorta.

aostano /aos'tano/ [agg/sm] habitante (m,f) de Aosta.

ape /'ape/ [sf] abeja.

aperitivo /aperi'tivo/ [sm] aperitivo.

aperto /a'pɛrto/ [agg] (anche FIG) abierto FRAS **all'aria aperta**: al aire libre | **rimanere a bocca aperta**: quedarse boquiabierto ◆ [sm] lugar abierto FRAS **all'~**: al aire libre.

apertura /aper'tura/ [sf] **1** abertura **2** FIG apertura ● *~ mentale*: apertura mental.

apicoltura /apikol'tura/ [sf] apicultura.

apnea /ap'nɛa/ [sf] apnea.

apolide /a'pɔlide/ [agg m,f/sm,f] apátrida.

apoplettico /apo'plettiko/ [agg/sm] apopléctico, apopléjico FRAS **colpo ~**: ataque apoplético.

apostolo /a'pɔstolo/ [sm] apóstol.

apostrofo /a'pɔstrofo/ [sm] apóstrofo.

appagare /appa'gare/ [v tr] colmar, satisfacer.

appagato /appa'gato/ [agg] satisfecho.

appalto /ap'palto/ [sm] contrata (f).

appannare (-**rsi**) /appan'nare/ [v tr/intr prnl] **1** empañar (-se) **2** FIG ofuscar (-se).

apparato /appa'rato/ [sm] aparato FRAS **~ circolatorio**: aparato circulatorio | **~ muscolare**: sistema muscular.

apparecchiare /apparek'kjare/ [v tr] poner.

apparecchio /appa'rekkjo/ [sm] aparato.

apparente /appa'rɛnte/ [agg m,f] aparente.

apparenza /appa'rɛntsa/ [sf] apariencia FRAS **badare solo all'~**: guardar/mantener las apariencias | **l'~ inganna**: las apariencias engañan.

apparire /appa'rire/ [v intr] **1** aparecer **2** (sembrare) parecer.

appariscente /apparif'ʃɛnte/ [agg m,f] llamativo (m).

apparizione /apparit'tsjone/ [sf] aparición.

appartamento /apparta'mento/ [sm] apartamento, piso, *Amer* departamento.

appartarsi /appar'tarsi/ [v prnl] apartarse.

appartenenza /apparte'nɛntsa/ [sf] pertenencia.

appartenere /apparte'nere/ [v intr] pertenecer.

appassionante /appassjo'nante/ [agg m,f] apasionante.

appassionare /appassjo'nare/ [v tr] apasionar ◆ [v prnl] apasionarse, aficionarse.

appassionato /appassjo'nato/ [agg] apasionado ◆ [sm] aficionado.

appassire /appas'sire/ [v intr prnl] (anche FIG) marchitarse.

appello /ap'pello/ [sm] **1** lista (f), convocación (f) **2** (esame) convocatoria (f) FRAS **corte d'~**: tribunal de segunda instancia | **presentare/fare ~**: interponer apelación.

appena /ap'pena/ [avv] **1** (a malapena) apenas, casi no ● *ce la faccio ~*: casi no puedo **2** (soltanto) solamente, sólo ● *ho ~ mille euro*: sólo tengo mil euros **3** recién ● *pane ~ fatto*: pan recién hecho ■ **essere appena + pp** acabar de + inf ● *è ~ arrivato*: acaba de llegar ◆ [cong] en cuanto, tan pronto como ● *~ arriva ce ne andiamo*: en cuanto llegue nos vamos.

appendere /ap'pendere/ [v tr] colgar.

appendiabiti /appendi'abiti [sm inv] percha (f sing).

appendice /appen'ditʃe/ [sf] apéndice (m) FRAS **romanzo d'~**: folletín.

appendicite /appendi'tʃite/ [sf] apendicitis (inv).

appenninico /appen'niniko/ [agg] de los Apeninos.

appesantire /appesan'tire/ [v tr] **1** recargar **2** FIG (stomaco) cargar ◆ [v intr prnl] engordar.

appetito /appe'tito/ [sm] **1** apetito **2** FIG hambre (f), afán, anhelo FRAS **buon ~!**: ¡que aproveche!

appetitoso /appeti'toso/ [agg] apetitoso.

appiattire /appjat'tire/ [v tr] achatar, aplastar ◆ [v prnl/intr prnl] aplastarse.

appiccare /appik'kare/ [v tr] pegar FRAS **~ il fuoco**: pegar fuego.

appiccicoso /appittʃi'koso/ [agg] **1** FAM pegajoso **2** FIG (persona) pesado, pelma (m,f).

appiglio /ap'piʎʎo/ [sm] agarradero, asidero.

appisolarsi /appizo'larsi/ [v intr prnl] FAM adormecerse.

applaudire /applau'dire/ [v tr/intr] aplaudir.

applauso /ap'plauzo/ [sm] aplauso.

applicare /appli'kare/ [v tr] aplicar ◆ [v prnl] **1** aplicarse ● *applicarsi con impegno al lavoro*: aplicarse con empeño al trabajo **2** empeñarse ● *applicarsi poco*: empeñarse poco.

applicato /appli'kato/ [agg] aplicado.

applicazione /applikat'tsjone/ [sf] aplicación.

appoggiare /appod'dʒare/ [v tr] apoyar ◆ [v prnl] **1** apoyarse, sostenerse **2** FIG recurrir, acudir.

appoggiatesta /appodd ʒa'tɛsta/ [sm inv] reposacabezas.

appoggio /ap'pɔddʒo/ [sm] (anche FIG) apoyo.

appollaiarsi /appolla'jarsi/ [v prnl] **1** posarse **2** FIG (persona) encaramarse.

apporto /ap'pɔrto/ [sm] aportación (f).

apposito /ap'pɔzito/ [agg] adecuado, apropiado.

apposta /ap'pɔsta/ [agg inv] especial (m,f sing), apropiado (sing) ◆ [avv] **1** (di proposito) a/de propósito, adrede **2** (soltanto) exclusivamente, únicamente ● *sono qui ~ per te*: he venido únicamente por ti FRAS **farlo ~**: hacerlo de propósito/con intención.

appostarsi /appos'tarsi/ [v prnl] apostarse.

apprendere /ap'prɛndere/ [v tr] aprender.

apprendista /appren'dista/ [sm,f] aprendiz (f -a).

apprensivo /appren'sivo/ [agg] aprensivo.

apprezzamento /apprettsa'mento/ [sm] apreciación (f).

apprezzare /appret'tsare/ [v tr] apreciar.

approccio /ap'prɔttʃo/ [sm] **1** aproximación (f) **2** (incontro) encuentro, contacto.

approdare /appro'dare/ [v intr] MAR arribar.

approdo /ap'prɔdo/ [sm] MAR arribada (f).

approfittare /approfit'tare/ [v intr] aprovechar.

approfondimento /approfondi'mento/ [sm] profundización (f).

approfondire /approfon'dire/ [v tr] ahondar.

appropriato /appro'prjato/ [agg] apropiado, adecuado.

approssimativo /approssima'tivo/ [agg] aproximativo.

approvare /appro'vare/ [v tr] aprobar.

approvazione /approvat'tsjone/ [sf] aprobación.

approvvigionamenti /approvvidʒona'menti/ [sm pl] suministros.

approvvigionare (**-rsi**) /approvvidʒo'nare/ [v tr prnl] abastecer (-se), proveer (-se).

appuntamento /appunta'mento/ [sm] **1** (con conoscente) cita (f) **2** (con professionista) hora (f) FRAS **dare/fissare un ~**: dar/fijar una cita (con conocido); dar/pedir hora (con profesional).

appunto /ap'punto/ [avv] **1** (rafforzativo) justamente, precisamente ● *avevo per l'~ intenzione di dirtelo*: justamente tenía la intención de decírtelo **2** (affermativo) pues sí, cierto, claro ● *"È una nuova disposizione?" "~!"*: "¿Es una nueva disposición?" "¡Pues sí!" ◆ [sm] **1** apunte, nota (f) **2** FIG (sgridata) observación (f), reproche.

apribottiglie /apribot'tiʎʎe/ [sm inv] abrebotellas.

aprile /a'prile/ [sm] abril.

aprire /a'prire/ [v tr] (anche FIG) abrir ◆ [v intr] (anche FIG) abrirse ◆ [v prnl] FIG abrirse, franquearse FRAS **~ un conto**: abrir una cuenta corriente | **non ~ bocca**: no despegar los labios | **non ~ prima dell'arresto del treno**: no abrir antes de la parada del tren.

apriscatole /apris'katole/ [sm inv] abrelatas.

aquila /'akwila/ [sf] águila FRAS **essere un'~**: ser un lince | **non essere un'~**: ser algo corto.

aquilano /akwi'lano/ [agg/sm] habitante (m,f) de L'Áquila.

aquilone /akwi'lone/ [sm] cometa (f), *Amer* barrilete.

arachide /a'rakide/ [sf] cacahuete (m), *Amer* maní* (m).

Aragona /ara'gona/ [sf] Aragón (m).

aragonese /arago'nese/ [agg m,f/ sm,f] aragonés (f -a).

aragosta /ara'gosta/ [sf] langosta.

arancia /a'rantʃa/ [sf] naranja.

aranciata /aran'tʃata/ [sf] naranjada.

arancio /a'rantʃo/ [sm] 1 (albero) naranjo 2 (frutto) naranja (f) FRAS fiori d'~: azahar.

arancione /aran'tʃone/ [agg m,f/sm] anaranjado, naranja.

arare /a'rare/ [v tr] arar.

aratro /a'ratro/ [sm] arado.

arazzo /a'rattso/ [sm] tapiz.

arbitro /ar'bitro/ [sm] árbitro.

arbusto /ar'busto/ [sm] arbusto.

arcaico /ar'kaiko/ [agg] arcaico.

arcata /ar'kata/ [sf] 1 ARCH arcada 2 (dentale) arco (m).

archeologia /arkeolo'dʒia/ [sf] arqueología.

archeologo /arke'ɔlogo/ [sm] arqueólogo.

architetto /arki'tetto/ [sm] arquitecto.

architettura /arkitet'tura/ [sf] arquitectura.

architrave /arki'trave/ [sm] arquitrabe.

archiviare /arki'vjare/ [v tr] archivar.

archivio /ar'kivjo/ [sm] archivo.

arcipelago /artʃi'pelago/ [sm] archipiélago.

arcivescovo /artʃi'veskovo/ [sm] arzobispo.

arco /'arko/ [sm] arco.

arcobaleno /arkoba'leno/ [sm] arco iris.

arcuato /arku'ato/ [agg] arqueado.

ardente /ar'dɛnte/ [agg m,f] (anche FIG) ardiente.

ardere /'ardere/ [v tr] 1 quemar, abrasar, arder 2 FIG abrasar ♦ [v intr] (anche FIG) arder.

ardore /ar'dore/ [sm] (anche FIG) ardor.

area /'area/ [sf] 1 área 2 FIG (settore) sector (m), campo (m) FRAS ~ d parcheggio: aparcamiento, *Amer* playa de estacionamiento | ~ di servizio: área de servicio(s).

arena /a'rɛna/ [sf] 1 (corrida) arena 2 (archeologia) anfiteatro (m) 3 (cinema all'aperto) cine de verano ♦ SPORT pista, estadio (m).

argentato /ardʒen'tato/ [agg] plateado.

argenteria /ardʒente'ria/ [sf] (anch negozio) platería.

argentino /ardʒen'tino/ [agg/sm] argentino.

argento /ar'dʒɛnto/ [sm] plata (f)

argilla /ar'dʒilla/ [sf] arcilla.

arginare /ardʒi'nare/ [v tr] 1 encauzar 2 FIG atajar, detener.

argine /'ardʒine/ [sm] dique.

argomento /argo'mento/ [sm] 1 argumento 2 (pretesto) motivo, ocasión (f).

aria /'arja/ [sf] 1 (anche FIG) aire (m) 2 clima (m) ● *l'~ di montagna fa bene*: el clima de la montaña hace bien FRAS ~ aperta: aire libre | ~ condizionata: aire acondicionado | a mezz'~: a media altura | dar delle arie: darse aires/importancia | mandare tutto all'~: echar todo rodar | **prendere una boccata d'~**: tomar el aire.

aridità /aridi'ta*/ [sf inv] **1** aridez (sing) **2** FIG pobreza (sing), escasez (sing).

arido /'arido/ [agg] árido.

arieggiare /arjed'dʒare/ [v tr] airear, ventilar.

Ariete /a'rjɛte/ [sm] (astrologia, astronomia) Aries (inv).

aringa /a'ringa/ [sf] arenque (m).

aristocratico /aristo'kratiko/ [agg] aristocrático ◆ [sm] aristócrata (m,f).

aristocrazia /aristokrat'tsia/ [sf] aristocracia.

aritmetica /arit'mɛtika/ [sf] aritmética.

arlecchino /arlek'kino/ [sm] arlequín.

arma /'arma/ [sf] (anche FIG) arma ■ pl irr **armi** FRAS: **essere alle prime armi**: hacer sus pinitos, dar los primeros pasos | **essere sotto le armi**: estar sobre las armas | **porto d'armi**: licencia de armas.

armadillo /arma'dillo/ [sm] armadillo, *Amer* mulita (f).

armadio /ar'madjo/ [sm] armario, ropero FRAS **~ a muro**: armario empotrado, *Amer* clóset.

armamento /arma'mento/ [sm] armamento.

armare /ar'mare/ [v tr] **1** armar **2** (edilizia) encofrar ◆ [v prnl] (anche FIG) armarse.

armata /ar'mata/ [sf] armada.

armato /ar'mato/ [agg] armado FRAS **carro ~**: tanque.

armatura /arma'tura/ [sf] **1** armadura **2** (edilizia) armazón (m).

armeria /arme'ria/ [sf] (anche negozio) armería.

armistizio /armis'tittsjo/ [sm] armisticio.

armonia /armo'nia/ [sf] armonía.

armonica /ar'mɔnika/ [sf] armónica.

armonioso /armo'njoso/ [agg] armonioso.

arnese /ar'nese/ [sm] **1** (strumento) herramienta (f) **2** (utensile) utensilio.

arnica /'arnika/ [sf] árnica.

aroma /a'rɔma/ [sm] **1** aroma **2** (al pl) CUC hierbas aromáticas **3** (vino) buqué.

aromatico /aro'matiko/ [agg] aromático FRAS **vino ~**: vino aromático.

arpa /'arpa/ [sf] arpa.

arpionare /arpjo'nare/ [v tr] arponear.

arpione /ar'pjone/ [sm] (pesca) arpón.

arrabbiarsi /arrab'bjarsi/ [v intr prnl] enfadarse, enojarse.

arrabbiato /arrab'bjato/ [agg] **1** (animale) rabioso **2** FIG enfadado, enojado.

arrampicare /arrampi'kare/ [v intr] (alpinismo) escalar ◆ [v intr prnl] trepar.

arrampicata /arrampi'kata/ [sf] **1** trepa **2** (alpinismo) escalada, ascensión.

arrangiamento /arrandʒa'mento/ [sm] (anche MUS) arreglo.

arrangiare /arran'dʒare/ [v tr] MUS arreglar, adaptar ◆ [v intr prnl] arreglarse FRAS **sapersi ~**: ser muy apañado.

arredamento /arreda'mento/ [sm] mobiliario, muebles (pl) FRAS **negozio di ~**: tienda de muebles.

arredare /arre'dare/ [v tr] amueblar.

arrendersi /ar'rendersi/ [v intr prnl] rendirse.

arrendevole /arren'devole/ [agg m,f] condescendiente, complaciente.

arrestare /arres'tare/ [v tr] **1** (fermare) detener, parar **2** GIUR arrestar, detener.

arresto /ar'resto/ [sm] **1** (anche GIUR) arresto **2** MED paro FRAS **arresti domiciliari**: arresto domiciliar | **essere/mettere agli arresti**: estar/poner bajo arresto.

arretratezza /arretra'tettsa/ [sf] atraso (m).

arretrato /arre'trato/ [agg] (periodico) atrasado ♦ [sm] **1** (denaro) atrasos (pl) **2** FIG deuda (f), cuenta (f).

arricchimento /arrikki'mento/ [sm] enriquecimiento.

arricchire (-rsi) /arrik'kire/ [v tr/intr prnl] enriquecer (-se).

arricciare /arrit'tʃare/ [v tr] (capelli) rizar.

arrischiarsi /arris'kjarsi/ [v prnl] arriesgarse.

arrivare /arri'vare/ [v intr] **1** llegar **2** FIG (essere capace) ser capaz FRAS **~ al traguardo/alla meta**: llegar a la meta | **~ primo**: llegar primero.

arrivato /arri'vato/ [agg] **1** llegado **2** (di successo) acreditado (agg), de prestigio FRAS **ben ~!**: ¡bienvenido!

arrivederci /arrive'dertʃi/ [inter] ¡hasta luego!, ¡adiós! FRAS **~ e grazie!**: ¡está bien!

arrivo /ar'rivo/ [sm] **1** llegada (f) **2** SPORT meta (f) **3** (al pl, commerciale) novedades **4** (al pl, aeroporto,

stazione) tablero de llegadas FRAS **in ~**: llegando.

arrogante /arro'gante/ [agg m,f/ sm,f] arrogante (agg).

arroganza /arro'gantsa/ [sf] arrogancia.

arrossire /arros'sire/ [v intr] ruborizarse, enrojecer.

arrostire /arros'tire/ [v tr] asar FRAS **~ sulla brace**: brasear.

arrosto /ar'rosto/ [agg inv/sm] asado (sing).

arrotolare /arroto'lare/ [v tr] **1** enrollar **2** (sigaretta) liar.

arrotondare /arroton'dare/ [v tr] redondear ♦ [v intr prnl] **1** redondearse **2** FAM (ingrassare) engordar, echar carnes FRAS **~ lo stipendio**: redondear el sueldo con extras | **~ per difetto/eccesso**: redondea por defecto/exceso.

arrugginire (-rsi) /arruddʒi'nire/ [v tr prnl/intr prnl] **1** oxidar (-se) **2** FIG entorpecer (-se), debilitar (-se).

arruolare (-rsi) /arrwo'lare/ [v t prnl] enrolar (-se), alistar (-se).

arsenale /arse'nale/ [sm] arsenal.

arte /'arte/ [sf] arte* (m) FRAS **arti decorative**: artes decoratives | **arti figurative**: artes figurativas | **belle arti**: bellas artes.

arteria /ar'terja/ [sf] (anche FIG) arteria.

arteriosclerosi /arterjoskle'rɔzi/ [sf inv] arteriosclerosis.

artico /'artiko/ [agg/sm] ártico.

articolare /artiko'lare/ [v tr] articular.

articolato /artiko'lato/ [agg] **1** articulado **2** FIG fluido ♦ *discorso ~*: discurso fluido.

articolazione /artikolat'tsjone/ [sf] articulación.

articolo /ar'tikolo/ [sm] artículo FRAS **articoli di lusso**: bienes de lujo | **articoli di prima necessità**: artículos de primera necesidad.

artificiale /artifi'tʃale/ [agg m,f] artificial FRAS **fecondazione ~**: fecundación artificial | **fuochi artificiali**: fuegos artificiales.

artigianato /artidʒa'nato/ [sm] artesanía (f).

artigiano /arti'dʒano/ [agg/sm] artesano.

artiglieria /artiʎʎe'ria/ [sf] artillería.

artiglio /ar'tiʎʎo/ [sm] ORN garra (f).

artista /ar'tista/ [sm,f] artista.

artistico /ar'tistiko/ [agg] artístico FRAS **liceo ~**: instituto de enseñanza media de bellas artes.

arto /'arto/ [sm] miembro, extremidades (f pl).

artrite /ar'trite/ [sf] artritis (inv).

artrosi /ar'trɔzi/ [sf inv] artrosis.

arzillo /ar'dzillo/ [agg] vivo.

ascella /aʃ'ʃella/ [sf] axila.

ascendente /aʃʃen'dɛnte/ [sm] ascendiente.

ascensore /aʃʃen'sore/ [sm] ascensor.

ascesso /aʃ'ʃɛsso/ [sm] absceso FRAS **~ alla gengiva**: flemón.

ascia /'aʃʃa/ [sf] hacha.

asciugacapelli /aʃʃugaka'pelli/ [sm inv] secador de pelo.

asciugamano /aʃʃuga'mano/ [sm] toalla (f).

asciugare (-rsi) /aʃʃu'gare/ [v tr prnl/intr prnl] secar (-se).

asciutto /aʃ'ʃutto/ [agg] (anche FIG) seco FRAS **pasta asciutta**: fideos/

macarrones con salsa | **rimanere a bocca asciutta**: quedarse con las manos vacías.

ascoltare /askol'tare/ [v tr] escuchar.

ascoltatore (-trice) /askolta'tore/ [sm] (radio) radioyente (m,f), radioescucha (m,f).

ascolto /as'kolto/ [sm] escucha (f) FRAS **dare ~**: prestar atención.

asfalto /as'falto/ [sm] asfalto.

asfissia /asfis'sia/ [sf] asfixia.

asfissiare /asfis'sjare/ [v tr] **1** MED asfixiar **2** FIG FAM (scocciare) acosar, sofocar ◆ [v intr/prnl] asfixiarse.

asiatico /a'zjatiko/ [agg/sm] asiático.

asilo /a'zilo/ [sm] **1** asilo **2** (bambini) parvulario, *Amer* jardín de infantes FRAS **~ nido**: guardería infantil | **~ politico**: asilo político.

asino /'asino/ [sm] (anche FIG) asno, burro FRAS **lavorare come un ~**: trabajar como un burro.

asma /'azma/ [sf] asma (f).

asociale /aso'tʃale/ [agg m,f/sm,f] asocial (agg), antisocial.

asola /'azola/ [sf] ojal (m).

asparago /as'parago/ [sm] espárrago.

aspettare /aspet'tare/ [v tr] esperar FRAS **~ un bambino**: esperar un bebé | **farsi ~**: hacerse esperar | **quando uno meno se lo aspetta**: en el momento menos pensado.

aspettativa /aspetta'tiva/ [sf] **1** espera, expectativa **2** (lavoro) excedencia.

aspetto /as'petto/ [sm] aspecto FRAS **di bell'~**: de buen parecer/ver | **sala d'~**: sala de espera.

aspirante /aspi'rante/ [agg m,f/sm,f] aspirante.

aspirapolvere /aspira'polvere/ [sm inv] aspiradora (f sing).

aspirare /aspi'rare/ [v tr/intr] aspirar.

aspiratore /aspira'tore/ [sm] aspirador.

aspirina /aspi'rina/ [sf] aspirina.

asporto /as'pɔrto/ [sm] transporte FRAS **cibi/pizza da ~**: comida/pizza para llevar.

aspro /'aspro/ [agg] áspero.

assaggiare /assad'dʒare/ [v tr] probar.

assaggio /as'saddʒo/ [sm] cata (f).

assai /as'sai/ [avv] **1** mucho, demasiado • *ho bevuto ~*: he bebido mucho **2** muy • *era ~ contento*: estaba muy contento.

assalire /assa'lire/ [v tr] asaltar.

assalto /as'salto/ [sm] asalto FRAS **prendere d'~**: dar asalto.

assaporare /assapo'rare/ [v tr] saborear.

assassinare /assassi'nare/ [v tr] asesinar.

assassinio /assas'sinjo/ [sm] asesinato.

assassino /assas'sino/ [sm] asesino.

asse /'asse/ [sf] tabla ♦ [sm] eje.

assecondare /assekon'dare/ [v tr] acceder, complacer.

assegnare /asseɲ'ɲare/ [v tr] asignar.

assegno /as'seɲɲo/ [sm] (banca) cheque, talón FRAS **~ circolare**: cheque certificado | **~ non trasferibile**: cheque nominativo | **emettere/riscuotere un ~**: emitir/cobrar un cheque.

assemblea /assem'blɛa/ [sf] asamblea.

assembramento /assembra'mento/ [sm] muchedumbre (f).

assentarsi /assen'tarsi/ [v intr prnl] ausentarse.

assente /as'sɛnte/ [agg m,f/sm,f] ausente.

assenteismo /assente'izmo/ [sm] (lavoro) absentismo.

assenza /as'sɛntsa/ [sf] ausencia.

assessore (-a) /asses'sore/ [sm] concejal (m,f).

assestamento /assesta'mento/ [sm] (terreno) asentamiento.

assetto /as'setto/ [sm] orden FRAS **~ delle ruote**: alineación de las ruedas/los neumáticos | **~ stradale**: calzada.

assicurare (-**rsi**) /assiku'rare/ [v tr prnl] (anche FIG) asegurar (-se) FRAS **~ una lettera**: despachar una carta de valores declarados.

assicurato /assiku'rato/ [agg/sm] asegurado.

assicurazione /assikurat'tsjone/ [sf] seguro (m) FRAS **~ contro gli infortuni**: seguro contra accidente | **~ (sanitaria) privata**: iguala sanitaria | **polizza d'~**: póliza de seguros.

assideramento /assidera'mento/ [sm] congelación (f).

assillare /assil'lare/ [v tr] acosar, agobiar.

assimilare /assimi'lare/ [v tr] asimilar.

assistente /assis'tɛnte/ [sm,f] asistente, auxiliar FRAS **~ di bordo**: sobrecargo | **~ di volo**: auxiliar de vuelo | **~ sociale**: asistente social | **~ universitario**: profesor auxiliar.

assistenza /assis'tɛntsa/ [sf] asistencia FRAS ~ **legale**: asistencia jurídica | ~ **sanitaria**: asistencia sanitaria.

assistere /as'sistere/ [v intr/tr] asistir.

asso /'asso/ [sm] as FRAS **avere l'~ nella manica**: guardarse un as en la manga | **piantare in ~**: dejar plantado.

associare /asso'tʃare/ [v tr] asociar ◆ [v prnl] **1** asociarse **2** (farsi socio) inscribirse, hacerse socio.

associazione /assotʃat'tsjone/ [sf] asociación FRAS ~ **a/per delinquere**: monipodio.

assolato /asso'lato/ [agg] soleado.

assolo /as'solo/ [sm inv] MUS solo.

assolutamente /assoluta'mente/ [avv] absolutamente. FRAS ~ **no!**: ¡ni hablar!

assoluto /asso'luto/ [agg] absoluto.

assoluzione /assolut'tsjone/ [sf] absolución.

assolvere /as'sɔlvere/ [v tr] **1** absolver **2** (compiere) cumplir, llevar a cabo.

assomigliarsi /assomiʎ'ʎarsi/ [v intr prnl] parecerse, asemejarse.

assonnato /asson'nato/ [agg] adormilado, somnoliento.

assorbente /assor'bɛnte/ [sm] compresa FRAS ~ **interno**: tampón.

assorbire /assor'bire/ [v tr] absorber.

assordare /assor'dare/ [v tr] ensordecer.

assortimento /assorti'mento/ [sm] surtido.

assortito /assor'tito/ [agg] surtido.

assuefazione /assuefat'tsjone/ [sf] **1** acostumbramiento (m) **2** MED (dipendenza) adicción, dependencia.

assumere /as'sumere/ [v tr] **1** (responsabilità) asumir, cargar con **2** (lavoratore) contratar.

assurdità /assurdi'ta*/ [sf inv] absurdidad (sing).

assurdo /as'surdo/ [agg/sm] absurdo.

asta /'asta/ [sf] **1** (bastone) asta, palo (m) **2** (vendita) subasta, *Amer* remate (m) FRAS ~ **degli occhiali**: patilla de las gafas | **casa d'~**: martillo | **salto con l'~**: salto con pértiga | **vendita all'~**: venta en (pública) subasta.

astemio /as'tɛmjo/ [agg/sm] abstemio.

astenersi /aste'nersi/ [v prnl] abstenerse.

astice /'astitʃe/ [sm] bogavante.

astigmatismo /astigma'tizmo/ [sm] astigmatismo.

astinenza /asti'nɛntsa/ [sf] abstinencia.

astrale /as'trale/ [agg m,f] astral.

astratto /as'tratto/ [agg] abstracto.

astro /'astro/ [sm] astro.

astrologia /astrolo'dʒia/ [sf] astrología.

astrologo /as'trɔlogo/ [sm] astrólogo.

astronauta /astro'nauta/ [sm,f] astronauta.

astronave /astro'nave/ [sf] astronave, cosmonave.

astronomia /astrono'mia/ [sf] astronomía.

astronomico /astro'nɔmiko/ [agg] (anche FIG) astronómico.

astronomo /as'trɔnomo/ [sm] astrónomo.

astuccio /as'tuttʃo/ [sm] estuche.

Asturie /as'turje/ [sf pl] Asturias.

asturiano /astu'rjano/ [agg/sm] asturiano.

Atene /a'tene/ [sf] Atenas.

ateneo /ate'nɛo/ [sm] universidad (f).

ateniese /ate'njese/ [agg m,f/sm,f] ateniense.

ateo /'ateo/ [agg/sm] ateo.

atlante /a'tlante/ [sm] atlas (inv).

atlantico /a'tlantiko/ [agg] atlántico.

atleta /a'tlɛta/ [sm,f] atleta.

atletica /a'tlɛtika/ [sf] atletismo (m).

atmosfera /atmos'fɛra/ [sf] (anche FIG) atmósfera.

atollo /a'tɔllo/ [sm] atolón.

atomico /a'tɔmiko/ [agg] atómico FRAS bomba atomica: bomba atómica | centrale atomica: central nuclear.

atomo /'atomo/ [sm] átomo.

atrio /'atrjo/ [sm] 1 (chiesa) atrio 2 (abitazione) entrada (f).

atroce /a'trotʃe/ [agg m,f] atroz.

atrofizzare /atrofid'dzare/ [v tr] atrofiar.

attaccamento /attakka'mento/ [sm] FIG apego.

attaccante /attak'kante/ [agg m,f/sm,f] SPORT delantero (m).

attaccapanni /attakka'panni/ [sm inv] percha (f sing), perchero (sing).

attaccare /attak'kare/ [v tr] 1 (anche FIG) pegar • ~ un vizio: pegar un vicio 2 SPORT (anche militare) atacar ◆ [v intr] 1 pegar, adherir 2 (cominciare) empezar ◆ [v intr prnl] 1 pegarse 2 (persona) apegarse, encariñarse FRAS ~ briga: buscar camorra | ~ un bottone: dar la lata, Amer latear.

attaccato /attak'kato/ [agg] 1 FIG apegado • ~ al lavoro: apegado al trabajo 2 (incollato) pegado.

attacco /at'takko/ [sm] 1 (militare anche FIG) ataque 2 (punto di unione) juntura (f).

atteggiamento /atteddʒa'mento/ [sm] actitud (f).

attendere /at'tendere/ [v tr] esperar.

attentato /atten'tato/ [sm] atentado.

attento /at'tɛnto/ [agg] atento FRAS ~!: ¡cuidado!

attenuare /attenu'are/ [v tr] atenuar ◆ [v intr prnl] atenuarse, debilitarse.

attenzione /atten'tsjone/ [inter] ¡atención!, ¡cuidado! ◆ [sf] 1 atención 2 (cura) cuidado (m), esmero (m) • una lavoro fatto con ~: un trabajo hecho con esmero FRAS attirare l'~: llamar la atención | fare ~: poner atención, tener cuidado.

atterraggio /atter'raddʒo/ [sm] aterrizaje.

atterrare /atter'rare/ [v intr] aterrizar.

attesa /at'tesa/ [sf] espera FRAS lista d'~: lista de espera | sala d'~: sala de espera.

atteso /at'teso/ [agg] esperado.

attico /'attiko/ [sm] ático.

attillato /attil'lato/ [agg] ceñido, ajustado.

attimo /'attimo/ [sm] instante, momento.

attirare /atti'rare/ [v tr] atraer.

attitudine /atti'tudine/ [sf] aptitud.

attività /attivi'ta*/ [sf inv] 1 actividad (sing) 2 COMM sector (m sing).

attivo /at'tivo/ [agg/sm] activo.

atto /'atto/ [sm] **1** acto **2** (burocratico) acta (f), partida (f) FRAS ~ **unico**: paso.

attore (-trice) /at'tore/ [sm] actor (f -triz).

attraccare /attrak'kare/ [v tr/intr] atracar.

attracco /at'trakko/ [sm] atraque.

attraente /attra'ente/ [agg m,f] atrayente, atractivo (m).

attrarre /at'trarre/ [v tr] atraer.

attraversamento /attraversa'mento/ [sm] travesía (f) FRAS ~ **pedonale**: paso de peatones.

attraversare /attraver'sare/ [v tr] **1** (strada) cruzar **2** pasar.

attraverso /attra'verso/ [prep] a través de.

attrazione /attrat'tsjone/ [sf] atracción.

attrezzare /attret'tsare/ [v tr] equipar ◆ [v prnl] equiparse, proveerse.

attrezzatura /attrettsa'tura/ [sf] equipo (m).

attrezzo /at'trettso/ [sm] **1** (meccanico) herramienta (f) **2** (utensile) utensilio, enser **3** SPORT aparato de gimnasia FRAS **carro attrezzi**: grúa.

attribuire /attribu'ire/ [v tr] atribuir.

attrito /at'trito/ [sm] (anche FIG) roce.

attuale /attu'ale/ [agg m,f] actual.

attualità /attuali'ta*/ [sf inv] actualidad (sing) FRAS **essere d'~**: estar de actualidad.

attuare /attu'are/ [v tr] realizar.

attutire /attu'tire/ [v tr] **1** (dolore) atenuar, mitigar **2** (suono) amortiguar, atenuar.

audace /au'datʃe/ [agg m,f] **1** audaz **2** (provocante) provocativo (m), atrevido (m).

audio /'audjo/ [sm inv] audios.

audiocassetta /audjokas'setta/ [sf] cinta magnetofónica.

audiovisivo /audjovi'zivo/ [agg] audiovisual (m,f).

augurare /augu'rare/ [v tr] **1** desear **2** (sperare) esperar ◆ [v intr] augurar, pronosticar FRAS ~ **buon anno**: desear un feliz año nuevo | ~ **buon compleanno**: felicitar en el cumpleaños.

augurio /au'gurjo/ [sm] **1** augurio **2** (al pl) enhorabuena (f sing), felicidades (f) FRAS **essere di buon/cattivo ~**: ser de buen/mal agüero | **fare/porgere gli auguri**: dar la enhorabuena.

aula /'aula/ [sf] aula FRAS ~ **magna**: paraninfo.

aumentare /aumen'tare/ [v tr] aumentar ◆ [v intr] **1** aumentar **2** FAM (rincarare) subir, encarecerse.

aumento /au'mento/ [sm] **1** aumento **2** FAM (prezzi) alza (f), subida (f).

ausiliario /auzi'ljarjo/ [agg] **1** auxiliar (m,f) **2** MED coadyuvante (m,f).

austerità /austeri'ta*/ [sf inv] austeridad (sing).

austero /aus'tero/ [agg] austero.

australiano /austra'ljano/ [agg/sm] australiano.

austriaco /aus'triako/ [agg/sm] austriaco, austríaco.

autenticare /autenti'kare/ [v tr] autenticar.

autenticità /autentitʃi'ta*/ [sf inv] autenticidad (sing).

autentico /au'tɛntiko/ [agg] auténtico.

autista /au'tista/ [sm,f] chófer.

auto /'auto/ [sf inv] coche (m sing).

autoabbronzante /autoabbron'dzante/ [agg m,f/sm] autobronceador (f -a).

autoambulanza /autoambu'lantsa/ [sf] ambulancia.

autobiografia /autobiogra'fia/ [sf] autobiografía.

autobus /'autobus/ [sm inv] autobús (sing) FRAS ~ **di linea**: coche de línea | ~ **navetta**: autobús de enlace.

autocontrollo /autokon'trɔllo/ [sm] autocontrol.

autodifesa /autodi'fesa/ [sf] autodefensa.

autodromo /au'tɔdromo/ [sm] autódromo.

autofficina /autoffi'tʃina/ [sf] taller (m) mecánico.

autofocus /auto'fɔkus/ [agg inv] autofocus (sost).

autografo /au'tɔgrafo/ [sm] autógrafo.

autogrill /auto'gril/ [sm inv] autoservicio (sing).

autolavaggio /autola'vaddʒo/ [sm] autolavado.

autolinea /auto'linea/ [sf] línea/servicio de autobuses interurbano.

automa /au'tɔma/ [sm] (anche FIG) autómata (m,f).

automatico /auto'matiko/ [agg] automático FRAS **distributore ~ (di biglietti)**: máquina expendedora (de billetes).

automobile /auto'mobile/ [sf] automóvil (m).

automobilismo /automobi'lizmo/ [sm] automovilismo.

automobilista /automobi'lista/ [sm, f] automovilista.

autonoleggio /autono'leddʒo/ [sm] alquiler de coches.

autonomia /autono'mia/ [sf] autonomía.

autonomo /au'tɔnomo/ [agg] autónomo FRAS **azienda autonoma di soggiorno**: oficina de turismo.

autoradio /auto'radjo/ [sf inv] autorradio (m sing).

autore (-trice) /au'tore/ [sm] autor (f -a).

autorevole /auto'revole/ [agg m,f] acreditado (m).

autorimessa /autori'messa/ [sf] garaje (m).

autorità /autori'ta*/ [sf inv] autoridad (sing).

autoritario /autori'tarjo/ [agg] autoritario.

autoritratto /autori'tratto/ [sm] autorretrato.

autorizzare /autorid'dzare/ [v tr] autorizar.

autorizzazione /autoriddzat'tsjone/ [sf] autorización.

autoscatto /autos'katto/ [sm] disparador automático.

autosilo /auto'silo/ [sm] aparcamiento.

autostazione /autostat'tsjone/ [sf] **1** gasolinera, estación de servicio **2** terminal/estación de autobuses.

autostop /autos'tɔp/ [sm inv] autoestop (sing) FRAS **fare l'~**: hacer dedo.

autostrada /autos'trada/ [sf] autopista FRAS ~ **a pedaggio**: autopista de peaje, *Amer* carretera de cuota.

autostradale /autostra'dale/ [agg m,f] de autopista, *Amer* rutero (m).

autosufficiente /autosuffi't∫ente/ [agg m,f] autosuficiente.

autotrasportatore (**-trice**) /autotrasporta'tore/ [sm] transportista (m,f).

autotreno /auto'treno/ [sm] camión articulado.

autunnale /autun'nale/ [agg m,f] otoñal.

autunno /au'tunno/ [sm] otoño.

avambraccio /avam'bratt∫o/ [sm] antebrazo.

avanguardia /avan'gwardja/ [sf] vanguardia.

avanti /a'vanti/ [avv] adelante FRAS **essere ~ negli anni**: estar entrado en años | **mettere le mani ~**: ponerse a la defensiva ◆ [inter] ¡adelante! ◆ [prep] antes de ● **~ Cristo**: antes de Cristo.

avanzare /avan'tsare/ [v intr] **1** avanzar **2** (cibo) sobrar, quedar.

avanzo /a'vantso/ [sm] (cibo) sobra (f), resto.

avariato /ava'rjato/ [agg] averiado.

avarizia /ava'rittsja/ [sf] avaricia, codicia.

avaro /a'varo/ [agg/sm] avaro.

avena /a'vena/ [sf] avena.

avere /a'vere/ [v tr] **1** tener **2** (ottenere) obtener, conseguir, lograr **3** (indossare) llevar ■ **avere a/da + inf** tener que + inf ● **~ a che fare**: tener que ver | **~ da fare**: tener que hacer FRAS **avercela con qualcuno**: tenerla tomada con alguien | **~ bisogno**: tener necesidad | **~ torto**: estar equivocado.

avi /'avi/ [sm pl] antepasados.

aviazione /avjat'tsjone/ [sf] aviación.

avidità /avidi'ta*/ [sf inv] avidez (sing).

avido /'avido/ [agg] ávido, codicioso.

aviolinea /avjo'linea/ [sf] línea aérea comercial.

avocado /avo'kado/ [sm inv] aguacate (sing), *Amer* palta (f sing).

avorio /a'vorjo/ [sm] marfil.

avvantaggiarsi /avvantad'dʒarsi/ [v prnl] aventajarse, sacar provecho.

avvelenamento /avvelena'mento/ [sm] envenenamiento.

avvelenare (**-rsi**) /avvele'nare/ [v tr prnl] envenenar (-se).

avvelenato /avvele'nato/ [agg] envenenado FRAS **avere il dente ~ con qualcuno**: tenerle manía a alguien.

avvenimento /avveni'mento/ [sm] acontecimiento, suceso.

avvenire /avve'nire/ [sm inv] porvenir, futuro (sing) ◆ [v intr] ocurrir, acontecer.

avventarsi /avven'tarsi/ [v prnl] lanzarse, abalanzarse.

avventore (**-trice**) /avven'tore/ [sm] parroquiano, cliente.

avventura /avven'tura/ [sf] aventura.

avventurarsi /avventu'rarsi/ [v prnl] aventurarse.

avventuroso /avventu'roso/ [agg] aventuroso.

avverarsi /avve'rarsi/ [v intr prnl] cumplirse, realizarse.

avverbio /av'verbjo/ [sm] adverbio.

avversario /avver'sarjo/ [agg/sm] adversario, contrincante (m,f).

avversità /avversi'ta*/ [sf inv] adversidad (sing).

avvertenza /avver'tɛntsa/ [sf] advertencia, aviso (m) FRAS **leggere attentamente le avvertenze**: lea atentamente las instrucciones.

avvertimento /avverti'mento/ [sm] aviso, advertencia (f).

avvertire /avver'tire/ [v tr] advertir.

avviamento /avvia'mento/ [sm] (veicolo) puesta en marcha, arranque FRAS **codice di ~ postale**: código postal | **motorino d'~**: estárter.

avviare /avvi'are/ [v tr] (veicolo) poner en marcha ◆ [v intr prnl] encaminarse, dirigirse.

avvicinamento /avvitʃina'mento/ [sm] acercamiento.

avvicinare /avvitʃi'nare/ [v tr] **1** (cosa) acercar, arrimar **2** (persona) abordar, acercarse ◆ [v intr prnl] acercarse, aproximarse.

avvilire /avvi'lire/ [v tr] humillar, rebajar ◆ [v intr prnl] abatirse, desmoralizarse.

avvilito /avvi'lito/ [agg] abatido, desanimado.

avvincente /avvin'tʃɛnte/ [agg m,f] apasionante.

avvio /av'vio/ [sm] inicio, principio FRAS **dare l'~**: dar inicio.

avvisare /avvi'zare/ [v tr] avisar.

avviso /av'vizo/ [sm] aviso FRAS **mettere sull'~**: poner sobre aviso.

avvitare /avvi'tare/ [v tr] atornillar.

avvocato /avvo'kato/ [sm] abogado.

avvolgere (-rsi) /av'vɔldʒere/ [v tr prnl] envolver (-se).

avvoltoio /avvol'tojo/ [sm] (anche FIG) buitre.

azienda /ad'dzjenda/ [sf] empresa.

azione /at'tsjone/ [sf] acción.

azionista /attsjo'nista/ [sm,f] accionista.

azteco /as'tɛko/ [agg/sm] azteca (m,f).

azzardare (-rsi) /addzar'dare/ [v tr/intr prnl] arriesgar (-se).

azzurro /ad'dzurro/ [agg/sm] azul (m,f).

Bb

babbo /'babbo/ [sm] FAM papá*
FRAS ~ **Natale**: papá Noel.

babbuino /babbu'ino/ [sm] babuino.

bacca /'bakka/ [sf] baya.

baccalà /bakka'la*/ [sm inv] bacalao
(sing).

bacchetta /bak'ketta/ [sf] **1** varilla **2**
MUS batuta FRAS ~ **magica**: varita
mágica.

baciare (-rsi) /ba'tʃare/ [v tr prnl]
besar (-se) FRAS **la fortuna ti ha
baciato in fronte**: has tenido una
suerte loca.

bacino /ba'tʃino/ [sm] **1** ANAT pelvis
(f inv) **2** (diga) presa (f), represa (f)
3 (fluviale) cuenca (f).

bacio /'batʃo/ [sm] beso.

baco /'bako/ [sm] gusano FRAS ~
da seta: gusano de seda.

badare /ba'dare/ [v intr] **1** (prendersi cura) cuidar, dedicarse **2** (fare attenzione) poner atención, tener cuidado ◆ [v tr] (curare) vigilar, guardar FRAS ~ **ai fatti propri**: ir a lo
suyo | **non ~ a spese**: tirar la casa
por la ventana.

baffi /'baffi/ [sm pl] bigotes FRAS
leccarsi i ~: relamerse la boca.

bagagliaio /bagaʎ'ʎajo/ [sm] **1** (treno) furgón de equipajes **2** (auto)
maletero **3** (aereo) depósito de
equipaje.

bagaglio /ba'gaʎʎo/ [sm] **1** equipaje
2 FIG patrimonio ● ~ *culturale*: patrimonio cultural FRAS ~ **a mano**:

equipaje de mano | **consegna del
~**: recogida de equipaje | **deposito
bagagli**: consigna.

bagnante /baɲ'ɲante/ [agg m,f/
sm,f] bañista.

bagnare /baɲ'ɲare/ [v tr] **1** mojar **2**
(mare, fiume, lago) regar ◆ [v intr
prnl] mojarse.

bagnino /baɲ'ɲino/ [sm] bañista
(m,f).

bagno /'baɲɲo/ [sm] **1** baño **2** (locale pubblico) lavabo, aseo **3** (al pl,
stabilimento) casetas (f) FRAS ~
pubblico: casa de baños | **farsi il ~**:
darse un baño.

bagnomaria /baɲɲoma'ria/ [sm] a
baño (de) María.

bagnoschiuma /baɲɲo'skjuma/
[sm inv] gel (sing) de baño.

baia /'baja/ [sf] bahía.

baita /'baita/ [sf] refugio (m).

balbettare /balbet'tare/ [v intr] tartamudear, balbucear ◆ [v tr] farfu-
llar.

balconata /balko'nata/ [sf] (teatro)
anfiteatro (m).

balcone /bal'kone/ [sm] balcón.

balena /ba'lɛna/ [sf] ballena.

balera /ba'lɛra/ [sf] sala de fiestas.

balla /'balla/ [sf] **1** bala **2** FIG (bugia)
bola, trola.

ballare /bal'lare/ [v intr/tr] bailar
FRAS **andare a ~**: salir de pachan-
ga.

ballata /bal'lata/ [sf] balada.

ballerina /balle'rina/ [sf] **1** bailarina **2** (calzature) bailarina, manoletina.

ballerino /balle'rino/ [sm] bailarín.

balletto /bal'letto/ [sm] ballet*.

ballo /'ballo/ [sm] baile, danza (f) FRAS ~ liscio: baile figurado | **corpo di ~**: ballet | **essere in ~**: estar en juego.

balsamico /bal'samiko/ [agg] balsámico FRAS **aceto ~**: vinagre balsámico.

balsamo /'balsamo/ [sm] **1** bálsamo **2** (capelli) suavizante.

balzare /bal'tsare/ [v intr] saltar, brincar FRAS **~ agli occhi**: saltar a la vista.

bambino /bam'bino/ [sm] **1** niño, Amer nene (f -a) **2** (figlio) hijo FRAS **aspettare un ~**: esperar un niño.

bambola /'bambola/ [sf] muñeca.

bambù /bam'bu*/ [sm inv] bambú (sing).

banale /ba'nale/ [agg m,f] banal.

banalità /banali'ta*/ [sf inv] banalidad (sing).

banana /ba'nana/ [sf] plátano (m), Amer banana FRAS **scivolare su una buccia di ~**: dar un patinazo.

banano /ba'nano/ [sm] plátano, banano.

banca /'banka/ [sf] banco (m) FRAS **avere un conto in ~**: tener una cuenta en el banco | **depositare soldi in ~**: ingresar dinero en el banco.

bancarella /banka'rella/ [sf] tenderete (m), puesto (m).

bancario /ban'karjo/ [agg/sm] bancario.

bancarotta /banka'rotta/ [sf] bancarrota.

banchiere /ban'kjɛre/ [sm] banquero.

banchina /ban'kina/ [sf] **1** (porto) muelle (m), andén (m) **2** (stazione) andén (m).

banco /'banko/ [sm] **1** banco **2** (bar) barra (f) **3** (negozio) mostrador FRAS **~ di nebbia**: neblina | **prodotto da ~**: producto de mostrador | **sotto ~**: a escondidas.

bancomat /'bankomat/ [sm inv] **1** cajero automático **2** (tessera) tarjeta (f sing) de débito, telebanco.

bancone /ban'kone/ [sm] **1** (ufficio, esercizio pubblico) mostrador **2** (bar) barra (f).

banconota /banko'nɔta/ [sf] billete (m).

banda /'banda/ [sf] **1** MUS banda **2** SPREG banda, pandilla.

bandiera /ban'djɛra/ [sf] **1** bandera **2** FIG emblema (m).

bandito /ban'dito/ [agg/sm] bandido.

bando /'bando/ [sm] (avviso) bando, aviso FRAS **~ di concorso**: convocatoria | **~ di vendita/d'asta**: aviso de subasta | **mettere al ~**: desterrar, exiliar.

bar /'bar/ [sm inv] bar (sing).

bara /'bara/ [sf] ataúd (m).

baracca /ba'rakka/ [sf] **1** barraca caseta **2** SPREG (oggetto scassato) trasto (m), cacharro (m), cachivache (m) FRAS **mandare avanti la ~**: sacar adelante.

baraccone /barak'kone/ [sm] (circo, luna park, fiera) caseta (f), barraca (f) FRAS **essere un fenome**

no da ~: ser una visión/un esperpento/bicho raro.

barare /ba'rare/ [v intr] hacer trampa.

baratto /ba'ratto/ [sm] trueque, canje.

barattolo /ba'rattolo/ [sm] **1** (vetro) bote **2** (latta) lata (f), tarro.

barba /'barba/ [sf] barba FRAS **che ~!: ¡qué rollo/lata!** | **farsi la ~:** afeitarse, rasurarse.

barbabietola /barba'bjetola/ [sf] remolacha.

barbagianni /barba'dʒanni/ [sm inv] mochuelo (sing).

barbecue /barbe'kju*/ [sm inv] barbacoa (f sing).

barbiere /bar'bjere/ [sm] barbero.

barbone /bar'bone/ [sm] (vagabondo) vagabundo, vago.

barca /'barka/ [sf] barca, bote (m) FRAS ~ **a motore:** lancha motora | ~ **a vela:** velero | ~ **da pesca:** barco pesquero | ~ **di salvataggio:** bote salvavidas.

Barcellona /bartʃel'lona/ [sf] Barcelona.

barcellonese /bartʃello'nese/ [agg m,f/sm,f] barcelonés (f -a).

barella /ba'rella/ [sf] camilla, parihuela.

barese /ba'rese/ [agg m,f/sm,f] habitante de Bari.

barile /ba'rile/ [sm] **1** (vino, olio) tonel **2** (birra) barril.

barista /ba'rista/ [sm,f] barman* (m sing).

baritono /ba'ritono/ [sm] barítono.

barocco /ba'rɔkko/ [agg/sm] barroco.

barometro /ba'rɔmetro/ [sm] barómetro.

barone (-**essa**) /ba'rone/ [sm] barón (f -esa).

barra /'barra/ [sf] barra FRAS **codice a barre:** código de barras.

barriera /bar'rjera/ [sf] (anche FIG) barrera FRAS ~ **autostradale:** barrera de la autopista/estación de peaje | ~ **corallina:** arrecife coralino | ~ **stradale:** guardacamino.

barzelletta /bardzel'letta/ [sf] chiste (m) FRAS ~ **spinta/sporca:** chiste verde.

basamento /baza'mento/ [sm] ARCH (parte inferiore di edificio) basamento, pedesta (f).

basare (-**rsi**) /ba'zare/ [v tr prnl] basar (-se).

basco /'basko/ [agg/sm] vasco ♦ [sm] (copricapo) boina (sost f).

base /'baze/ [agg inv] básico (m sing), fundamental (sing) ♦ [sf] (anche FIG) base FRAS **a ~ di:** a base de | **di ~:** básico | **in ~ a:** en base a, conforme a.

basetta /ba'zetta/ [sf] patilla.

basilica /ba'zilika/ [sf] basílica.

basilico /ba'ziliko/ [sm] albahaca (f).

bassifondi /bassi'fondi/ [sm pl] bajos fondos.

basso /'basso/ [agg/avv/sm] (anche MUS) bajo FRAS **bassa montagna:** colina | **bassa stagione:** temporada baja | **di ~ livello:** de ínfima categoría | **guardare dall'alto in ~:** mirar por encima del hombro.

bassopiano /basso'pjano/ [sm] tierras bajas.

bassorilievo /bassori'ljevo/ [sm] bajorrelieve.

basta /'basta/ [cong] si, con tal de FRAS ~ **che**: con tal de que ◆ [inter] **1** vale ● ~, *grazie!*: ¡vale, gracias! **2** ¡basta!, ¡basta ya! ● ~, *smettila!*: ¡basta, acaba de una vez!

bastardo /bas'tardo/ [agg] bastardo ◆ [sm] **1** (animale) bastardo **2** VOLG cabrón (f -a), hijoputa (m,f).

bastare /bas'tare/ [v intr] **1** (essere sufficiente) bastar, alcanzar **2** (durare) durar, alcanzar ■ **bastare + inf** bastar con + inf ● *basta dire*: baste con decir ■ **bastare che + congv** con tal (de) que + subj ● *basta che tu lo faccia*: con tal de que lo hagas.

bastonare /basto'nare/ [v tr] apalear.

bastone /bas'tone/ [sm] **1** bastón **2** SPORT (golf) palo **3** (pane) barra (f), pistola (f) FRAS **essere il ~ della vecchiaia**: ser el báculo de la vejez, ser pies y manos | **mettere il ~ fra le ruote**: poner trabas.

battaglia /bat'taʎʎa/ [sf] (anche FIG) batalla.

battello /bat'tello/ [sm] MAR **1** bote **2** (fluviale) barco, lancha (f).

battere /'battere/ [v tr] **1** (anche FIG) batir **2** (percuotere) azotar, percutir ◆ [v intr] **1** batir, golpear **2** (cuore) pulsar, latir ◆ [v intr prnl] luchar, combatir ● *battersi per un'idea*: luchar por una idea FRAS ~ **bandiera**: llevar pabellón | ~ **in testa**: martillar de válvulas | ~ **un calcio di rigore**: tirar un penalti | **in un batter d'occhio**: en un abrir y cerrar de ojos.

batteria /batte'ria/ [sf] batería FRAS ~ **scarica**: batería descargada.

battesimo /bat'tezimo/ [sm] bautismo FRAS **nome di ~**: nombre de pila.

battezzare /batted'dzare/ [v tr] bautizar ◆ [v intr prnl] recibir el bautismo.

battistero /battis'tero/ [sm] baptisterio.

battito /'battito/ [sm] **1** (fisiologico) latido **2** (orologio) tic-tac **3** (pioggia) repiqueteo FRAS ~ **cardiaco**: impulso cardiaco.

battuta /bat'tuta/ [sf] **1** FIG (motto di spirito) salida, ocurrencia **2** (teatro) parte **3** MUS compás (m) **4** (caccia) batida **5** (tennis, ping pong) saque (m).

battuto /bat'tuto/ [agg] batido FRAS **ferro ~**: hierro forjado | **strada/ sentiero ~**: camino trillado ◆ [sm] CUC picadillo.

batuffolo /ba'tuffolo/ [sm] copo.

baule /ba'ule/ [sm] **1** baúl **2** (auto) maletero.

bavaglino /bavaʎ'ʎino/ [sm] babero.

beato /be'ato/ [agg] **1** FAM feliz (m,f), dichoso **2** (religione) bienaventurado, beato FRAS ~ **te/lui!**: ¡feliz de ti/él!

bebè /be'bɛ/ [sm inv] bebé (sing).

beccaccia /bek'kattʃa/ [sf] becada.

beccare /bek'kare/ [v tr] **1** picar **2** FIG (prendere) coger, agarrar ◆ [v prnl] **1** (colpirsi col becco) picotearse **2** FIG (litigare) pelearse.

beccata /bek'kata/ [sf] picotazo (m).

becchino /bek'kino/ [sm] sepulturero, enterrador.

becco /'bekko/ [sm] pico FRAS **chiudi il ~!**: ¡cierra el pico! | met-

b

tere il ~ in qualcosa: meter la cuchara en algo.

befana /be'fana/ [sf] (Epifania) Reyes (m pl).

beffa /'beffa/ [sf] burla.

beige /'beʒ/ [agg inv/sm inv] beis, beige.

belga /'belga/ [agg m,f/sm,f] belga ■ pl m **belgi**, pl f **belghe**.

Belgio /'beldʒo/ [sm] Bélgica.

bellezza /bel'lettsa/ [sf] belleza FRAS **che ~!**: ¡qué alegría! | **chiudere/finire in ~**: como broche de oro | **per ~**: de/como adorno.

bellico /'belliko/ [agg] bélico.

bello /'bello/ [agg] **1** (cosa, animale, film, libro, musica, spettacolo) hermoso, bonito, *Amer* lindo **2** (persona) guapo **3** (piacevole) placentero **4** (di buona qualità) bueno ■ [pl] **begli** ● *ha dei begli occhi*: tiene unos ojos hermosos ■ [pl] **bei** ● *i bei palazzi*: los hermosos edificios ● **bello + agg** (enfasi) bien, muy, todo + adj ● *prenderò un minestrone ~ caldo*: tomaré una sopa bien caliente FRAS **belle arti**: bellas artes | **costare una bella cifra**: costar un ojo de la cara | **è una gran bella ragazza**: es una chica preciosa ◆ [sm] belleza (f), hermosura (f) FRAS **il ~ è che**: lo bueno es que | **sul più ~**: en lo mejor.

belva /'belva/ [sf] **1** ZOOL fiera **2** FIG bruto (m), bestia.

benché /ben'ke*/ [cong] aunque.

benda /'benda/ [sf] venda FRAS **~ elastica**: vendaje elástico | **~ gessata**: vendaje enyesado.

bendare /ben'dare/ [v tr] vendar.

bene /'bene/ [agg inv/avv] bien ■ **essere bene che + cong** ser conveniente/mejor/oportuno que + subj ● *è ~ che tu parta*: es conveniente que tu marches ■ **essere bene + inf** ser conveniente/mejor/oportuno + inf ● *queste cose è ~ aggiustarle subito*: estas cosas es mejor arreglarlas de inmediato FRAS **spese ben 5 milioni**: gastó la friolera de 5 millones | **trovarsi ~**: hallarse bien | **va ~!**: ¡vale!, ¡muy bien! ◆ [inter] bueno, y bien FRAS **~, basta così**: bueno, ¡ya está bien! ◆ [sm] **1** bien ● **~ di consumo**: bien de consumo **2** (affetto) amor FRAS **beni culturali**: patrimonio artístico/nacional | **volere ~**: querer.

benedire /bene'dire/ [v tr] bendecir.

beneficenza /benefi'tʃentsa/ [sf] beneficencia.

beneficio /bene'fitʃo/ [sm] beneficio.

benessere /be'nessere/ [sm] bienestar.

benigno /be'niɲɲo/ [agg] benigno.

benvenuto /benve'nuto/ [inter] ¡bienvenido! ◆ [sm] bienvenida (f).

benzina /ben'dzina/ [sf] gasolina, *Amer* nafta ● *fare ~*: poner gasolina FRAS **~ senza piombo/verde**: gasolina sin plomo.

benzinaio /bendzi'najo/ [sm] **1** (luogo) gasolinera (f) **2** (persona) empleado de gasolinera.

bere /'bere/ [v tr] **1** beber, tomar **2** FIG creerse, tragarse **3** (consumare) gastar ● *questa macchina beve troppa benzina*: este coche gasta demasiada gasolina FRAS **~ a qualcuno/qualcosa**: mojar/brindar por alguien/algo | ~ **alla salute**: brindar a la salud | **offrire/pagare da** ~: invitar a una copa.

berlinese /berli'nese/ [agg m,f/sm,f] berlinés (f -a).

Berlino /ber'lino/ [sf] Berlín.

bermuda /ber'muda/ [sm pl] bermudas.

bersaglio /ber'saʎʎo/ [sm] blanco FRAS **centrare/colpire il** ~: dar en el blanco.

bestemmia /bes'temmja/ [sf] **1** blasfemia **2** (sproposito) ultraje (m).

bestia /'bestja/ [sf] **1** animal (m) **2** FIG (persona) bestia, bruto (m) FRAS ~ **feroce**: fiera.

bestiale /bes'tjale/ [agg m,f] **1** bestial **2** (comportamento) brutal, cruel **3** FAM tremendo (m), feroz • *freddo* ~: frío feroz.

bestiame /bes'tjame/ [sm] ganado.

bettola /'bettola/ [sf] ventorro (m).

betulla /be'tulla/ [sf] abedul (m).

bevanda /be'vanda/ [sf] bebida FRAS ~ **alcolica**: bebida alcohólica | ~ **gassata**: bebida gaseosa.

bevitore (-**trice**) /bevi'tore/ [sm] bebedor (f -a).

bevuta /be'vuta/ [sf] lingotazo (m).

biancheria /bjanke'ria/ [sf] **1** (personale) ropa interior **2** (uso domestico) lencería, ropa de casa.

bianco /'bjanko/ [agg/sm] blanco FRAS **capelli bianchi**: canas | **farina bianca**: harina de trigo | **il** ~ **dell'uovo**: la clara del huevo | **mangiare in** ~: estar de régimen | **settimana bianca**: semana de esquí.

bibbia /'bibbja/ [sf] biblia.

biberon /bibe'rɔn/ [sm inv] biberón (sing).

bibita /'bibita/ [sf] bebida.

biblioteca /bibljo'tɛka/ [sf] biblioteca.

bicarbonato /bikarbo'nato/ [sm] bicarbonato.

bicchiere /bik'kjɛre/ [sm] vaso FRAS ~ **a calice**: copa.

bicicletta /bitʃi'kletta/ [sf] bicicleta.

bicipite /bi'tʃipite/ [sm] bíceps (inv).

bidè /bi'dɛ*/ [sm inv] bidé (sing).

bidone /bi'done/ [sm] **1** lata (f) **2** FIG FAM (truffa, imbroglio) camelo, timo **3** FIG FAM (appuntamento andato a vuoto) plantón FRAS **dare/fare/prendere un** ~: dar plantón.

biennale /bien'nale/ [agg m,f/sf] biennal.

bietola /'bjetola/ [sf] **1** acelga **2** (barbabietola) remolacha.

bigiotteria /bidʒotte'ria/ [sf] bisutería.

bigliettaio /biʎʎet'tajo/ [sm] taquillero.

biglietteria /biʎʎette'ria/ [sf] taquilla.

biglietto /biʎ'ʎetto/ [sm] **1** (mezzo pubblico, treno) billete, *Amer* boleto **2** (aereo, nave) billete, *Amer* pasaje **3** (cinema, teatro) entrada (f), *Amer* localidad (f) **4** (foglietto) hoja (m) FRAS ~ **chilometrico**: billete kilométrico | ~ **cumulativo**: (billete) grupos | ~ **d'andata e ritorno**: billete de ida y vuelta | ~ **da visita**: tarjeta de visita | ~ **giornaliero**: abono diario/veinticuatrohoras | ~ **omaggio**: billete gratis, pase | ~ **ridotto**: medio billete.

bigodino /bigo'dino/ [sm] bigudí, papillote, rollo, *Amer* rulero.

bikini /bi'kini/ [sm inv] bikini (sing).

bilancia /bi'lantʃa/ [sf] **1** balanza **2** (astronomia, astrologia) Libra, Balanza FRAS **essere l'ago della ~**: ser el fiel de la balanza.

bilanciare /bilan'tʃare/ [v tr] **1** FIG sopesar, calcular • ~ *le proprie possibilità*: sopesar las posibilidades de uno **2** (mettere in equilibrio) balancear ◆ [v prnl] equilibrarse.

bilancio /bi'lantʃo/ [sm] balance.

bile /'bile/ [sf] bilis (inv).

biliardo /bi'ljardo/ [sm] billar FRAS **palla da ~**: bola de billar/marfil.

bilico /'biliko/ [sm] vilo FRAS **in ~**: en vilo/tanganillas.

bilingue /bi'lingwe/ [agg m,f,sm,f] bilingüe.

binario /bi'narjo/ [sm] **1** vía (f) **2** (banchina) andén.

binocolo /bi'nɔkolo/ [sm] gemelos (pl).

biografia /biogra'fia/ [sf] biografía.

biologia /biolo'dʒia/ [sf] biología.

biologico /bio'lɔdʒiko/ [agg] biológico.

biondo /'bjondo/ [agg/sm] rubio FRAS **~ cenere/chiaro/platino**: rubio ceniza/trigo/platinado | **~ scuro**: castaño claro.

birillo /bi'rillo/ [sm] **1** (bowling) bolo **2** (biliardo) palillo.

biro /'biro/ [sf inv] bolígrafo (m sing), boli (m sing), *Amer* birome (sing).

birra /'birra/ [sf] cerveza FRAS **~ alla spina**: caña | **lievito di ~**: levadura de cerveza.

birreria /birre'ria/ [sf] cervecería.

bis /'bis/ [agg inv/inter/sm inv] bis FRAS **fare un ~**: repetir, bisar.

bisca /'biska/ [sf] garito (m), *Amer* timba.

biscia /'biʃʃa/ [sf] culebra FRAS **~ d'acqua**: nátrix.

biscottato /biskot'tato/ [agg] bizcochado FRAS **fette biscottate**: biscote.

biscotto /bis'kɔtto/ [sm] galleta (f).

bisestile /bizes'tile/ [agg m,f] bisiesto (m).

bisnonno /biz'nɔnno/ [sm] bisabuelo.

bisognare /bizoɲ'ɲare/ [v imp] ser conveniente/necesario/preciso, haber que ■ **non bisognare** + inf no ser correcto + inf; no hacer falta + inf • *non bisogna disturbare i vicini*: no es correcto molestar a los vecinos FRAS **ha bisogno di qualcosa?**: ¿se le ofrece algo?

bisogno /bi'zoɲɲo/ [sm] necesidad (f) ■ **avere bisogno di** necesitar, precisar • *ho ~ del tuo aiuto*: necesito tu ayuda FRAS **in caso di ~**: en caso de necesidad.

bisonte /bi'zonte/ [sm] bisonte.

bistecca /bis'tekka/ [sf] bistec* (m).

bisturi /'bisturi/ [sm inv] bisturí (sing).

bivio /'bivjo/ [sm] **1** (stradale) cruce, encrucijada (f) **2** FIG encrucijada (f).

black-out /blɛk'kaut/ [sm inv] **1** (elettrico) apagón (sing) **2** FIG (informazione) falta de noticias **3** FIG (memoria) vacío (sing).

blindato /blin'dato/ [agg] blindado.

bloccare /blok'kare/ [v tr] **1** (interrompere) interrumpir **2** (fermare) detener, inmovilizar **3** SPORT blocar **4** (prezzi) bloquear, congelar ◆ [v intr prnl] **1** (meccanico) agarrotarse

2 (traffico) atascarse, colapsarse **3** (psicologico) inhibirse.

bloccasterzo /blokkas'tertso/ [sm] barra (f) antirrobo.

blocchista /blok'kista/ [sm,f] mayorista.

blocco /'blɔkko/ [sm] **1** (masso) bloque **2** (per appunti) bloc **3** MED (anche meccanico) bloqueo FRAS in ~: en bloque/conjunto.

blu /blu*/ [agg inv/sm inv] azul (sing).

blue-jeans /blu'dʒins/ [sm pl] blue-jeans, vaqueros.

boa /'bɔa/ [sf] MAR boya ◆ [sm inv] ZOOL boa (f sing).

boato /bo'ato/ [sm] estruendo.

bobina /bo'bina/ [sf] **1** (meccanica) bobina **2** (cinematografica) carrete (m).

bocca /'bokka/ [sf] ANAT (anche fiume) boca FRAS a ~ aperta: boquiabierto | far venire l'acquolina in ~: hacérsele la boca agua.

boccale /bok'kale/ [sm] **1** (oggetto) jarra (f) **2** (contenuto) caña (f):

boccata /bok'kata/ [sf] bocanada FRAS prendere una ~ d'aria: tomar el fresco.

boccetta /bot't'ʃetta/ [sf] **1** frasquito (m), ampolla **2** (biliardo) boliche (m).

boccia /'bɔtt'ʃa/ [sf] **1** jarra **2** (palla del gioco) bocha **3** (al pl) juego de las bochas.

bocciare /bot't'ʃare/ [v tr] **1** no aprobar **2** FAM (scuola) suspender ◆ [v intr] (bocce) hacer un bochazo.

bocciolo /bot't'ʃɔlo/ [sm] **1** capullo **2** (rosa) pimpollo.

boccone /bok'kone/ [sm] bocado.

boia /'bɔja/ [sm inv] verdugo (sing).

boiata /bo'jata/ [sf] FAM porquería.

bolero /bo'lero/ [sm] bolero.

boliviano /boli'vjano/ [agg/sm] boliviano.

bolla /'bolla/ [sf] **1** burbuja **2** (pustola) ampolla FRAS ~ d'accompagnamento: hoja de ruta | ~ d'aria: borbolla | ~ di consegna: albarán | ~ di sapone: pompa de jabón | ~ di spedizione: tornaguía.

bollente /bol'lɛnte/ [agg m,f] hirviendo.

bolletta /bol'letta/ [sf] recibo (m), *Amer* boleta FRAS essere in ~: estar seco, estar sin blanca.

bollettino /bollet'tino/ [sm] **1** COMM recibo, resguardo **2** (giornale) boletín FRAS ~ di versamento: imposición | ~ meteorologico: informe meteorológico.

bollire /bol'lire/ [v intr] **1** hervir **2** FIG (essere accaldati) asarse ◆ [v tr] hervir FRAS ~ d'ira/di rabbia/impazienza: estar negro.

bollito /bol'lito/ [sm] cocido, *Amer* puchero.

bollitore /bolli'tore/ [sm] hervidor, *Amer* pava (f).

bollo /'bollo/ [sm] **1** (burocratico) sello, timbre **2** FAM (postale) sello postal, *Amer* estampilla (f) FRAS ~ di circolazione: impuesto de circulación | in ~: en papel sellado.

Bologna /bo'loɲɲa/ [sf] Bolonia.

bolognese /boloɲ'ɲese/ [agg m,f/sm,f] boloñés (f -a), bononiense.

bomba /'bomba/ [sf] (anche FIG) bomba FRAS a prova di ~: a prueba de bomba.

bombardamento /bombarda'mento/ [sm] **1** bombardeo **2** FIG lluvia (f.)

bombardare /bombar'dare/ [v tr] **1** bombardear **2** FIG acosar.

bombola /'bombola/ [sf] bombona, *Amer* garrafa FRAS **~ aerosol/spray**: aerosol | **~ d'ossigeno**: balón de oxígeno.

bomboniera /bombo'njera/ [sf] bombonera, confitera.

bonaerense /bonae'rɛnse/ [agg m,f/sm,f] bonaerense.

bonifico /bo'nifiko/ [sm] giro bancario.

bontà /bon'ta*/ [sf inv] **1** bondad (sing) **2** (gentilezza) benevolencia (sing), amabilidad (sing) **3** (cibo) exquisitez (sing) FRAS **che ~!**: ¡está riquísimo!

bora /'bora/ [sf] bóreas (m inv).

borchia /'borkja/ [sf] tacha, herrete (m).

bordeaux /bor'do*/ [agg inv/sm inv] burdeos.

bordello /bor'dɛllo/ [sm] **1** burdel, *Amer* quilombo **2** FIG FAM (caos) follón, lío FRAS **fare ~**: armar un follón.

bordo /'bordo/ [sm] borde FRAS **a ~!**: ¡a bordo! | **andare/salire a ~**: ir/subir a bordo.

boreale /bore'ale/ [agg m,f] boreal.

borghese /bor'gese/ [agg m,f/sm,f] burgués (f -a) FRAS **in ~**: de paisano.

borghesia /borge'zia/ [sf] burguesía.

borgo /'borgo/ [sm] burgo.

borotalco /boro'talko/ [sm] talco.

borraccia /bor'rattʃa/ [sf] cantimplora.

borragine /bor'radʒine/ [sf] borraja.

borsa /'borsa/ [sf] **1** bolso (m) **2** (economia) bolsa FRAS **agente di ~**: agente de bolsa | **~ a tracolla**: bolso en bandolera | **~ da viaggio**: bolso de mano, maletín | **~ di studio**: beca | **~ nera**: mercado negro, estraperlo.

borsaiolo /borsa'jolo/ [sm] carterista (m,f).

borsellino /borsel'lino/ [sm] monedero.

borsetta /bor'setta/ [sf] bolso (m), *Amer* cartera.

borsista /bor'sista/ [sm,f] **1** (istruzione) becario (m) **2** (economia) bolsista.

bosco /'bosko/ [sm] bosque FRAS **diventare/essere uccel di ~**: echarse al monte.

botanico /bo'taniko/ [agg/sm] botánico.

botola /'botola/ [sf] trampa, trampilla.

botta /'botta/ [sf] (anche FIG) golpe (m) FRAS **~ e risposta**: dares y tomares | **fare a botte**: pegarse.

botte /'botte/ [sf] **1** (birra, liquori) barril (m) **2** (vino, olio) tonel (m), cuba FRAS **volta a ~**: bóveda de cañón.

bottega /bot'tega/ [sf] **1** (negozio) tienda, *Amer* negocio (m) **2** (laboratorio) taller (m).

botteghino /botte'gino/ [sm] **1** (cinema, teatro) taquilla (f), *Amer* boletería (f) **2** (lotto) lotería (f).

bottiglia /bot'tiʎʎa/ [sf] botella.

botto /'botto/ [sm] golpe FRAS **di ~**: de golpe/repente.

bottone /bot'tone/ [sm] botón.

bovino /bo'vino/ [agg/sm] bovino.

box 382

box /'bɔks/ [sm inv] **1** (anche equitazione, automobilismo) box **2** (autorimessa) garaje (sing) **3** (bebè) parque (sing).

boxer /'bɔkser/ [sm inv] ABB calzoncillos (pl).

braccetto /brat'tʃetto/ [sm] bracete FRAS a ~: del brazo.

bracciale /brat'tʃale/ [sm] pulsera (f), brazalete.

braccialetto /brattʃa'letto/ [sm] pulsera (f).

bracciata /brat'tʃata/ [sf] (nuoto) braceada.

braccio /'brattʃo/ [sm] **1** (anche FIG) brazo **2** (edificio) ala (f), pabellón ■ pl irr f **braccia** (nel sign 1) FRAS **a braccia aperte**: con los brazos abiertos | ~ **della morte**: pasadizo de la muerte | **essere il ~ destro di qualcuno**: ser el brazo derecho de alguien.

bracciolo /brat'tʃɔlo/ [sm] brazo.

bracco /'brakko/ [sm] braco.

brace /'bratʃe/ [sf] ascua, brasa.

braciola /bra'tʃɔla/ [sf] chuleta.

branca /'branka/ [sf] FIG ramo (m), sector (m) • ~ **del commercio**: sector del comercio.

branchia /'brankja/ [sf] agalla, branquia.

branco /'branko/ [sm] **1** ZOOL manada (f) **2** FIG SPREG (persone) enjambre, tropel, hatajo FRAS ~ **di cani da caccia**: jauría, perrería | ~ **di capre/pecore**: rebaño de cabras/ovejas.

branda /'branda/ [sf] catre (m).

brano /'brano/ [sm] pasaje.

branzino /bran'tsino/ [sm] lubina (f).

brasare /bra'zare/ [v tr] estofar.

Brasile /bra'zile/ [agg/sm] Brasil.

brasiliano /brazi'ljano/ [agg/sm] brasileño.

bravo /'bravo/ [agg] **1** bueno **2** (onesto) correcto, honesto ◆ [inter] **1** ¡muy bien! **2** (a teatro) ¡bravo!

bravura /bra'vura/ [sf] habilidad.

bresaola /bre'zaola/ [sf] cecina de carne de vaca.

bretella /bre'tɛlla/ [sf] **1** ABB tirante (m), *Amer* tirador (m) **2** (stradale) enlace (m), empalme (m).

breve /'brɛve/ [agg m,f] breve FRAS **a ~ scadenza**: a corto plazo | **a farla/dirla ~**: en dos palabras | **in ~**: resumiendo.

brevetto /bre'vetto/ [sm] **1** patente (f) **2** (attestato) título.

brevità /brevi'ta/ [sf inv] brevedad (sing).

briciola /'britʃola/ [sf] **1** miga, migaja **2** FIG migaja FRAS **andare in briciole**: hacerse añicos | **ridurre in briciole**: hacer añicos.

bricolage /briko'laʒ/ [sm inv] bricolaje (sing).

briglia /'briʎʎa/ [sf] brida, rienda FRAS **a ~ sciolta**: a rienda suelta.

brillante /bril'lante/ [agg m,f] **1** (scintillante) brillante, resplandeciente **2** (lucido) lustroso (m), reluciente **3** (colore) fuerte, intenso (m) **4** (persona) brillante, destacado (m) ◆ [sm] brillante.

brillare /bril'lare/ [v intr] **1** brillar, relucir **2** FIG destacarse, sobresalir.

brina /'brina/ [sf] escarcha.

brindare /brin'dare/ [v intr] brindar, mojar.

brindisi /'brindizi/ [sm inv] brindis.

brio /'brio/ [sm] brío, empuje FRAS **con ~**: con brío.

brioche /bri'ɔʃ/ [sf inv] bollo (m sing).

brivido /'brivido/ [sm] (anche FIG) escalofrío.

brizzolato /brittso'lato/ [agg] entrecano.

brocca /'brɔkka/ [sf] jarra, cántaro (m).

broccolo /'brɔkkolo/ [sm] brécol.

brodo /'brɔdo/ [sm] caldo FRAS ~ di dado: caldo de avecrem | stare nel proprio ~: meterse en su concha.

bronchite /bron'kite/ [sf] bronquitis (inv).

broncio /'brontʃo/ [sm] ceño, morro FRAS mettere il ~: torcer el morro | tenere il ~: estar de morros, *Amer* sacar trompa.

bronco /'bronko/ [sm] bronquio.

broncopolmonite /bronkopolmo'nite/ [sf] bronconeumonía.

bronzo /'brondzo/ [sm] bronce.

brucare /bru'kare/ [v tr] pastar.

bruciapelo /brutʃa'pelo/ [avv] (solo nella locuzione) FRAS a ~: a bocajarro/quemarropa.

bruciare /bru'tʃare/ [v tr] (anche FIG) quemar ◆ [v intr] **1** arder ● *il bosco brucia*: se arde el bosque **2** (scottare) quemar, *Amer* pelar **3** (dolore fisico) arder, picar ● *mi brucia lo stomaco*: me arde el estómago **4** FIG (stato d'animo) abrasar, arder ◆ [v intr prnl] quemarse.

bruciato /bru'tʃato/ [agg] quemado ◆ [sm] chamusquina (f), quemado.

bruciatura /brutʃa'tura/ [sf] quemadura.

bruciore /bru'tʃore/ [sm] ardor, picor.

bruco /'bruko/ [sm] oruga (f).

brufolo /'brufolo/ [sm] grano, espinilla (f).

brughiera /bru'gjera/ [sf] páramo (m).

bruno /'bruno/ [agg] **1** pardo **2** (persona) moreno.

bruscamente /bruska'mente/ [avv] bruscamente.

brusco /'brusko/ [agg] **1** (modi, persona) arisco, hosco **2** (repentino) repentino, súbito.

brusio /bru'zio/ [sm] zumbido.

brutale /bru'tale/ [agg m,f] brutal, bestial, feroz.

brutalità /brutali'ta*/ [sf inv] brutalidad (sing).

bruto /'bruto/ [agg] bruto ◆ [sm] bruto, violento.

bruttezza /brut'tettsa/ [sf] fealdad.

brutto /'brutto/ [agg] **1** feo **2** (cattivo, di cattiva qualità) malo ■ brutto + agg grandísimo/muy/pedazo de + adj ● *è un ~ bugiardo*: es muy mentiroso FRAS brutta copia: borrador | ~ tempo: mal tiempo | fare una brutta figura: hacer un papelón ◆ [sm] feo.

buca /'buka/ [sf] **1** hoyo (m), foso (m) **2** (strada) bache (m) FRAS ~ delle lettere: buzón.

bucare /bu'kare/ [v tr] **1** agujerear **2** (pneumatico) pinchar, picar ◆ [v intr prnl] pincharse.

bucato /bu'kato/ [sm] colada (f).

buccia /'buttʃa/ [sf] **1** cáscara **2** (arancia, melone, zucca) corteza.

buco /'buko/ [sm] **1** agujero, hoyo **2** FIG (luogo angusto) cuchitril FRAS ~ della serratura: bocallave.

buddismo /bud'dizmo/ [sm] budismo.

budget /'baddʒet/ [sm inv] presupuesto (sing).

budino /bu'dino/ [sm] flan.

bue /'bue/ [sm] buey ∎ pl irr **buoi**.

bufalo /'bufalo/ [sm] búfalo.

bufera /bu'fɛra/ [sf] **1** tormenta **2** FIG vendaval (m), trastorno (m).

buffet /buf'fɛ/ [sm inv] bufé (sing), aparador (sing).

buffo /'buffo/ [agg] **1** ridículo **2** (divertente) alegre (m,f), gracioso.

buffone /buf'fone/ [sm] **1** bufón **2** FIG payaso, mamarracho.

bugia /bu'dʒia/ [sf] mentira.

bugiardo /bu'dʒardo/ [agg/sm] mentiroso.

buio /'bujo/ [agg] **1** obscuro **2** FIG (poco chiaro) confuso ◆ [sm] oscuridad (f), tinieblas (f pl) FRAS **~ pesto**: oscuro como la boca de un lobo | **essere al ~**: estar a oscuras.

bulbo /'bulbo/ [sm] bulbo.

bullone /bul'lone/ [sm] perno.

buonanotte /bwona'nɔtte/ [sf inv/inter] buenas noches.

buonasera /bwona'sera/ [sf inv/inter] buenas tardes.

buongiorno /bwon'dʒorno/ [sm inv/inter] buenos días.

buongustaio /bwongus'tajo/ [sm] gastrónomo.

buono /'bwɔno/ [agg] bueno FRAS **a buon mercato**: barato | **buona fortuna!**: ¡buena suerte! | **buon anno!**: ¡feliz año nuevo! | **buon compleanno!**: ¡feliz cumpleaños! | **buon divertimento!**: ¡que lo paséis bien! | **buon Natale!**: ¡felices Navidades! | **buon viaggio!**: ¡buen viaje! | **di buon'ora**: muy temprano | **di buon passo**: con paso rápido | **momento ~**: momento oportuno ◆ [sm] **1** bueno **2** (titolo di borsa) bono **3** COMM (tagliando) cupón, vale FRAS **~ omaggio/sconto**: vale.

buonumore /bwonu'more/ [sm] buen humor.

burattino /burat'tino/ [sm] títere.

burocratico /buro'kratiko/ [agg] burocrático.

burocrazia /burokrat'tsia/ [sf] burocracia.

burrasca /bur'raska/ [sf] **1** borrasca, tempestad **2** FIG tormenta.

burrascoso /burras'koso/ [agg] **1** borrascoso, tempestuoso **2** FIG turbolento, borrascoso.

burro /'burro/ [sm] mantequilla (f), *Amer* manteca (f) ● *una confezione di ~*: un pan de mantequilla FRAS **~ di cacao**: manteca de cacao.

burrone /bur'rone/ [sm] barranco, despeñadero.

bussare /bus'sare/ [v intr] llamar.

bussola /'bussola/ [sf] brújula FRAS **perdere la ~**: perder la chaveta.

busta /'busta/ [sf] **1** (lettera) sobre (m) **2** (custodia, borsetta) estuche (m) FRAS **~ paga**: nómina.

bustina /bus'tina/ [sf] sobre.

busto /'busto/ [sm] **1** ANAT busto **2** ABB corsé.

buttafuori /butta'fwɔri/ [sm inv] gorila (sing).

buttare /but'tare/ [v tr] **1** arrojar, echar, tirar **2** (via) desperdiciar, tirar ◆ [v prnl] **1** tirarse **2** FIG (dedicarsi) entregarse, dedicarse FRAS **~ fuori**: poner de patitas en la calle | **buttarsi a capofitto in qualcosa**: meterse de cabeza en algo | **buttarsi giù**: desanimarse.

cabaret /kaba'rɛ/ [sm inv] cabaré (sing).

cabina /ka'bina/ [sf] **1** MAR (passeggeri) camarote (m) **2** (aeroplano) cabina FRAS ~ **telefonica**: cabina telefónica.

cabinato /kabi'nato/ [sm] tintorera (f) FRAS ~ **a vela**: yate.

cabinovia /kabino'via/ [sf] telecabina.

cabriolet /kabrjo'lɛ/ [sm inv] descapotable (sing).

cacao /ka'kao/ [sm] cacao.

cacca /'kakka/ [sf] **1** caca **2** FIG mierda, porquería.

cacchio /'kakkjo/ [inter] VOLG ¡coño!, ¡concho!

caccia /'kattʃa/ [sf] caza FRAS ~ **al tesoro**: juego del tesoro escondido | ~ **grossa**: caza mayor | **divieto di** ~: prohibición de caza | **permesso di** ~: licencia de caza | **riserva di** ~: coto de caza.

cacciagione /kattʃa'dʒone/ [sf] caza.

cacciare /kat'tʃare/ [v tr] **1** cazar **2** (espellere) expulsar ♦ [v intr] ir de caza FRAS **cacciarsi nei guai**: meterse en líos.

cacciatore (-trice) /kattʃa'tore/ [sm] cazador (f -a).

cacciavite /kattʃa'vite/ [sm inv] destornillador (sing).

cachemire /'kaʃmir/ [sm inv] cachemir (sing).

cachi /'kaki/ [sm inv] caqui (sing).

cacio /'katʃo/ [sm] queso.

cactus /'kaktus/ [sm inv] cacto (sing).

cadavere /ka'davere/ [sm] cadáver, muerto, difunto.

cadaverico /kada'veriko/ [agg] cadavérico.

cadente /ka'dɛnte/ [agg m,f] **1** (costruzione) ruinoso (m) **2** (persona) chocho (m) FRAS **stella** ~: estrella fugaz.

cadere /ka'dere/ [v intr] **1** (anche FIG) caer **2** (denti, capelli) caerse **3** (edificio) derrumbarse, desplomarse FRAS ~ **dal sonno**: caerse de sueño | ~ **per terra**: caerse al suelo | **è caduta la linea**: se cortó/interrumpió la comunicación.

caduta /ka'duta/ [sf] caída.

caffè /kaf'fɛ*/ [sm inv] **1** BOT cafeto (sing) **2** (bevanda) café (sing) **3** (locale) cafetería (f sing) FRAS ~ **americano**: café americano | ~ **corretto**: carajillo | ~ **decaffeinato**: café descafeinado | ~ **espresso**: café exprés | ~ **macchiato**: cortado | ~ **ristretto**: café corto.

caffeina /kaffe'ina/ [sf] cafeína.

caffellatte /kaffel'latte/ [sm inv] café (sing) con leche.

caffetteria /kaffette'ria/ [sf] cafetería.

caffettiera /kaffet'tjɛra/ [sf] cafetera.

cafone /ka'fone/ [sm] SPREG ordinario, paleto.

cagare /ka'gare/ [v intr/tr] VOLG cagar.

Cagliari /ka'ʎʎari/ [sf] Cáller.

cagliaritano /kaʎʎari'tano/ [agg/ sm] habitante (m,f) de Cagliari.

cala /'kala/ [sf] cala, ensenada.

calabrese /kala'brese/ [agg m,f/ sm,f] calabrés (f -a).

calabrone /kala'brone/ [sm] abejorro.

calamaro /kala'maro/ [sm] calamar.

calamita /kala'mita/ [sf] imán (m).

calamità /kalami'ta*/ [sf inv] calamidad (sing).

calare /ka'lare/ [v intr] **1** bajar **2** (sole, luna) ponerse ♦ [v prnl] descolgarse, descender.

calcagno /kal'kaɲɲo/ [sm] calcáneo, calcañar ■ pl irr **calcagna** (f) (anche pl r **calcagni**) FRAS **avere qualcuno alle calcagna**: tener a alguien pisando los talones.

calcareo /kal'kareo/ [agg] calcáreo.

calce /'kaltʃe/ [sf] cal.

calcestruzzo /kaltʃes'truttso/ [sm] hormigón, *Amer* concreto.

calcetto /kal'tʃetto/ [sm] futbolín.

calciatore (-trice) /kaltʃa'tore/ [sm] futbolista (m,f).

calcio /'kaltʃo/ [sm] **1** patada (f) **2** SPORT fútbol **3** CHIM calcio FRAS ~ **d'angolo**: saque de esquina | ~ **di punizione**: saque de falta | ~ **di rigore**: penalti | **campionato di** ~: liga.

calcolare /kalko'lare/ [v tr] calcular.

calcolatore (-trice) /kalkola'tore/ [agg] calculador (f -a) ♦ [sm] calculadora (f).

calcolatrice /kalkola'tritʃe/ [sf] calculadora.

calcolo /'kalkolo/ [sm] cálculo.

caldaia /kal'daja/ [sf] calentador (m).

caldarrosta /kaldar'rɔsta/ [sf] castaña asada.

caldo /'kaldo/ [agg] **1** caliente (m,f) **2** (indumento) abrigado **3** (temperatura) caluroso **4** FIG cálido FRAS **piatto** ~: plato caliente | **tavola calda**: cafetería ♦ [sm] calor FRAS **avere** ~: tener calor | **non fare né** ~ **né freddo**: no hacer ni fu ni fa.

calendario /kalen'darjo/ [sm] calendario.

calendula /ka'lendula/ [sf] caléndula.

calice /'kalitʃe/ [sm] **1** (bicchiere) copa (f) **2** ANAT BOT cáliz.

callifugo /kal'lifugo/ [sm] callicida.

calligrafia /kalligra'fia/ [sf] caligrafía, letra.

callo /'kallo/ [sm] callo.

calma /'kalma/ [sf] calma.

calmante /kal'mante/ [sm] calmante.

calmare (-rsi) /kal'mare/ [v tr/intr prnl] calmar (-se).

calmo /'kalmo/ [agg] calmo FRAS **stai** ~!: ¡tranquilo!

calo /'kalo/ [sm] **1** disminución (f), mengua (f) **2** FIG pérdida (f) ♦ ~ **di peso**: pérdida de peso FRAS ~ **della borsa**: baja en la bolsa.

calore /ka'lore/ [sm] **1** calor **2** ZOOL celo.

caloria /kalo'ria/ [sf] caloría.

calorifero /kalo'rifero/ [sm] radiador.

caloroso /kalo'roso/ [agg] caluroso.

calpestare /kalpes'tare/ [v tr] pisotear.

calvizie /kal'vittsje/ [sf inv] calvicie (sing).

calvo /'kalvo/ [agg] calvo.

calza /'kaltsa/ [sf] media FRAS **calze velate**: medias de cristal.

calzamaglia /kaltsa'maʎʎa/ [sf] leotardos (m pl).

calzare /kal'tsare/ [v tr] **1** llevar **2** (infilarsi) ponerse ◆ [v intr] (scarpe) quedar.

calzatura /kaltsa'tura/ [sf] calzado (m).

calzettone /kaltset'tone/ [sm] media (f) de montaña.

calzino /kal'tsino/ [sm] calcetín.

calzolaio /kaltso'lajo/ [sm] zapatero.

calzoleria /kaltsole'ria/ [sf] zapatería.

calzoncini /kaltson'tʃini/ [sm pl] pantalones cortos.

calzoni /kal'tsone/ [sm pl] pantalones.

cambiale /kam'bjale/ [sf] letra de cambio.

cambiamento /kambja'mento/ [sm] cambio.

cambiare /kam'bjare/ [v tr/intr] cambiar ◆ [v prnl] (abito) cambiarse, mudarse de ropa ■ **cambiare di** cambiar de ◆ ~ *di posto*: cambiar de lugar FRAS ~ **indirizzo**: mudarse | ~ **strada**: cambiar rumbo | **non avere da ~**: no tener cambio.

cambio /'kambjo/ [sm] cambio FRAS ~ **automatico**: cambio automático | **in ~ di**: a cambio de | **leva del ~**: palanca del cambio | **listino dei cambi**: listín/boletín de cambios.

camera /'kamera/ [sf] **1** (albergo) habitación ● *prenotare una ~*: reservar una habitación **2** (appartamento) dormitorio (m) **3** TECN (anche politico) cámara FRAS ~ **ammobiliata**: habitación amueblada | ~ **d'aria**: cámara | ~ **matrimoniale**: habitación matrimonial | ~ **singola**: habitación individual.

camerata /kame'rata/ [sf] **1** (esercito, collegio) dormitorio (m) **2** (ospedale) sala.

cameriere /kame'rjere/ [sm] **1** (locale pubblico) camarero **2** (casa) criado.

camerino /kame'rino/ [sm] camerino.

camice /'kamitʃe/ [sm] bata (f).

camicia /ka'mitʃa/ [sf] **1** (uomo) camisa **2** (donna) blusa FRAS ~ **da notte**: camisón.

camino /ka'mino/ [sm] chimenea (f) FRAS **cappa del ~**: campana.

camion /'kamjon/ [sm inv] camión (sing).

camioncino /kamjon'tʃino/ [sm] furgón.

camionista /kamjo'nista/ [sm,f] camionero (m).

cammello /kam'mello/ [sm] camello.

camminare /kammi'nare/ [v intr] caminar, andar.

camminata /kammi'nata/ [sf] paseo (m).

cammino /kam'mino/ [sm] camino FRAS **mettersi in ~**: ponerse en camino.

camomilla /kamo'milla/ [sf] manzanilla.

camoscio /ka'mɔʃʃo/ [sm] **1** ZOOL gamuza (f) **2** (pelle conciata) ante.

campagna /kam'paɲɲa/ [sf] campo (m) FRAS ~ elettorale: campaña electoral | ~ pubblicitaria: campaña publicitaria.

campana /kam'pana/ [sf] campana.

campanello /kampa'nello/ [sm] timbre FRAS ~ di allarme: alarma.

campanile /kampa'nile/ [sm] campanario.

campano /kam'pano/ [agg/sm] habitante (m,f) de Campania.

campeggiare /kampedd'dʒare/ [v intr] acampar.

campeggiatore (-trice) /kampeddʒa'tore/ [sm] campista (m,f).

campeggio /kam'peddʒo/ [sm] camping.

camper /'kamper/ [sm inv] autocaravana (f sing).

campionario /kampjo'narjo/ [agg] de muestras FRAS fiera campionaria: feria de muestras ♦ [sm] muestrario.

campionato /kampjo'nato/ [sm] 1 campeonato 2 (calcio) liga (f).

campione (-essa) /kam'pjone/ [sm] 1 SPORT campeón (f -a) 2 COMM muestra (f).

campo /'kampo/ [sm] campo FRAS ~ da tennis: pista/cancha de tenis.

campobassano /kampobas'sano/ [agg/sm] habitante (m,f) de Campobasso.

canaglia /ka'naʎʎa/ [sf] canalla (m).

canale /ka'nale/ [sm] canal.

canapa /'kanapa/ [sf] cáñamo (m).

canarino /kana'rino/ [sm] canario.

cancellare /kantʃel'lare/ [v tr] 1 borrar 2 FIG (annullare) cancelar, anular.

cancellata /kantʃel'lata/ [sf] verja.

cancellazione /kantʃellat'tsjone/ [sf] cancelación.

cancelleria /kantʃelle'ria/ [sf] 1 (politico) cancillería 2 (articoli di cartoleria) papelería.

cancelliere /kantʃel'ljere/ [sm] canciller.

cancello /kan'tʃello/ [sm] cancela (f), verja (f).

cancerogeno /kantʃe'rɔdʒeno/ [agg] cancerígeno (agg).

cancrena /kan'krena/ [sf] gangrena.

cancro /'kankro/ [sm] MED (anche astronomia, astrologia) cáncer.

candeggina /kanded'dʒina/ [sf] lejía.

candela /kan'dela/ [sf] 1 vela 2 (meccanico) bujía FRAS a lume di ~: a la luz de la vela.

candelabro /kande'labro/ [sm] candelabro.

candidare (-rsi) /kandi'dare/ [v tr prnl] presentar (-se) como candidato.

candidato /kandi'dato/ [sm] candidato.

candito /kan'dito/ [agg/sm] confitado.

cane /'kane/ [agg inv] POP de perros, de mil demonios ♦ [sm] (anche FIG) perro FRAS attenti al ~!: ¡cuidado con el perro! | cani al guinzaglio: proibido llevar perros sueltos | porco ~ !: ¡mierda! | stare da cani: pasarlas canutas.

canestro /ka'nestro/ [sm] canasta (f).

canfora /'kanfora/ [sf] alcanfor (m).

canguro /kan'guro/ [sm] canguro.

canino /ka'nino/ [agg] canino FRAS dente ~: colmillo, diente canino | tosse canina: tos ferina.

canna /'kanna/ [sf] **1** BOT caña **2** (arma da fuoco) cañón (m) **3** (bicicletta) barra FRAS **bere a ~**: beber a gollete | **~ da pesca**: caña de pescar.

cannella /kan'nɛlla/ [sf] canelo (m).

cannelloni /kannel'loni/ [sm pl] CUC canelones.

cannibale /kan'nibale/ [sm,f] caníbal.

cannocchiale /kannok'kjale/ [sm] catalejo.

cannone /kan'none/ [sm] cañón.

cannuccia /kan'nuttʃa/ [sf] pajita.

canoa /ka'nɔa/ [sf] canoa.

canonica /ka'nɔnika/ [sf] casa parroquial.

canottaggio /kanot'taddʒo/ [sm] piragüismo.

canottiera /kanot'tjera/ [sf] camiseta de tirantes.

canotto /ka'nɔtto/ [sm] bote.

cantante /kan'tante/ [sm,f] cantante.

cantare /kan'tare/ [v intr/tr] cantar.

cantautore (**-trice**) /kantau'tore/ [sm] cantautor (f -a).

cantiere /kan'tjere/ [sm] **1** MAR astillero **2** (edilizio) obra (f).

cantina /kan'tina/ [sf] **1** (seminterrato) sótano (m) **2** (per vino) bodega **3** (osteria) tasca, taberna.

canto /'kanto/ [sm] canto.

canzone /kan'tsone/ [sf] canción.

caos /'kaos/ [sm inv] caos.

caotico /ka'ɔtiko/ [agg] caótico.

capace /ka'patʃe/ [agg m,f] **1** capaz **2** (dotato) espabilado (m).

capacità /kapatʃi'ta*/ [sf inv] capacidad (sing).

capanna /ka'panna/ [sf] cabaña, choza.

capannello /kapan'nɛllo/ [sm] corro, corrillo.

capannone /kapan'none/ [sm] (industriale) nave (f).

caparra /ka'parra/ [sf] anticipo (m).

capello /ka'pello/ [sm] pelo FRAS **capelli mossi/lisci/ricci**: pelo ondulado/liso/rizado | **mettersi le mani nei capelli**: llevarse las manos a la cabeza.

capezzolo /ka'pettsolo/ [sm] **1** (donna) pezón **2** (uomo) tetilla (f).

capiente /ka'pjente/ [agg m,f] capaz, grande.

capigliatura /kapiʎʎa'tura/ [sf] melena, pelo (m).

capillare /kapil'lare/ [agg m,f] **1** ANAT capilar **2** FIG minucioso (m).

capire (**-rsi**) /ka'pire/ [v tr prnl] entender (-se), comprender (-se) ♦ [v intr] comprender, ser inteligente FRAS **~ al volo**: cogerlas al vuelo.

capitale /kapi'tale/ [agg m,f/sf/sm] capital.

capitalismo /kapita'lizmo/ [sm] capitalismo.

capitano /kapi'tano/ [sm] capitán.

capitare /kapi'tare/ [v imp] ocurrir, suceder, pasar ♦ [v intr] **1** (passare da un luogo) pasar **2** (occasione) encontrar FRAS **~ per le mani**: caer entre las manos | **mi è capitata una buona occasione**: se me ha presentado una buena ocasión | **sono cose che capitano**: son cosas que pasan.

capitello /kapi'tello/ [sm] capitel.

capitolo /ka'pitolo/ [sm] capítulo FRAS **avere voce in ~**: tener derecho a opinar.

capitone /kapi'tone/ [sm] anguila (f).

capo /'kapo/ [agg inv] jefe ◆ [sm] **1** cabeza (f) **2** (lavoro) jefe, principal (m,f) **3** (bestiame) ejemplar **4** ABB prenda (f) **5** GEOG cabo FRAS **capitare tra ~ e collo**: pasar de repente | **da ~ a piedi**: de pies a cabeza | **mettersi a ~ di qualcuno/qualcosa**: ponerse al frente de algo/alguien | **ricominciare da ~**: volver a empezar desde el principio.

capodanno /kapo'danno/ [sm] nochevieja (f).

capofitto /kapo'fitto/ [agg] cabeza abajo FRAS **a ~**: de cabeza.

capogiro /kapo'dʒiro/ [sm] mareo.

capolavoro /kapola'voro/ [sm] obra (f) maestra.

capolinea /kapo'linea/ [sm] terminal ■ pl irr **capilinea**.

capoluogo /kapo'lwɔgo/ [sm] capital (f).

caporale /kapo'rale/ [sm] cabo.

capotreno /kapo'trɛno/ [sm,f] jefe (m) de tren ■ pl f **capotreno**.

capoufficio /kapouf'fitʃo/ [sm,f] jefe (m), principal ■ pl m **capiufficio**, pl f **capoufficio**.

capovolgere (-**rsi**) /kapo'vɔldʒere/ [v tr/intr prnl] **1** volcar (-se) **2** FIG (situazione) invertir (-se).

cappella /kap'pella/ [sf] **1** ARCH capilla **2** (fungo) sombrero (m).

cappelletti /kappel'letti/ [sm pl] CUC raviolis redondos.

cappello /kap'pɛllo/ [sm] sombrero.

cappero /'kappero/ [sm] alcaparra (f).

cappone /kap'pone/ [sm] capón.

cappotto /kap'pɔtto/ [sm] abrigo, *Amer* tapado.

cappuccino /kapput'tʃino/ [sm] café con leche.

capra /'kapra/ [sf] cabra.

capriccio /ka'pritt'ʃo/ [sm] **1** capricho **2** (bambini) berrinche.

capriccioso /kaprit'tʃoso/ [agg] caprichoso, antojadizo.

Capricorno /kapri'kɔrno/ [sm] (astrologia, astronomia) Capricornio.

capriola /kapri'ɔla/ [sf] voltereta.

capriolo /kapri'ɔlo/ [sm] corzo.

capsula /'kapsula/ [sf] cápsula.

carabina /kara'bina/ [sf] carabina.

carabiniere /karabi'njɛre/ [sm] guardia civil, *Amer* carabinero.

caraffa /ka'raffa/ [sf] garrafa.

caramella /kara'mɛlla/ [sf] caramelo (m).

carato /ka'rato/ [sm] quilate.

carattere /ka'rattere/ [sm] carácter*.

caratteristica /karatte'ristika/ [sf] característica.

caratteristico /karatte'ristiko/ [agg] característico.

carbone /kar'bone/ [sm] carbón.

carbonella /karbo'nɛlla/ [sf] carbonilla.

carburante /karbu'rante/ [sm] carburante.

carburatore /karbura'tore/ [sm] carburador.

carcassa /kar'kassa/ [sf] **1** (animale) osamenta **2** (macchina, apparecchio) carcasa.

carcerato /kartʃe'rato/ [agg/sm] preso, presidiario (sost).

carcere /'kartʃere/ [sm] cárcel (f) FRAS **~ a vita**: cadena perpetua.

carciofo /kar'tʃɔfo/ [sm] alcachofa (f).

cardellino /kardel'lino/ [sm] colorín, pintacilgo.

cardiaco /kar'diako/ [agg/sm] cardiaco FRAS **arresto ~**: paro cardiaco.

cardinale /kardi'nale/ [agg m,f] cardinal FRAS **punti cardinali**: puntos cardinales ♦ [sm] (religioso) cardenal.

cardine /'kardine/ [sm] bisagra (f), gozne.

cardiologia /kardjolo'dʒia/ [sf] cardiología.

cardiologo /kar'djɔlogo/ [sm] cardiólogo.

cardiopatico /kardjo'patiko/ [agg/sm] enfermo del corazón.

cardiotonico /kardjo'tɔniko/ [agg/sm] cardiotónico.

cardo /'kardo/ [sm] cardo.

carente /ka'rɛnte/ [agg m,f] carente, falto (m).

carenza /ka'rɛntsa/ [sf] carencia.

carestia /kares'tia/ [sf] carestía.

carezza /ka'rettsa/ [sf] caricia.

carezzare /karet'tsare/ [v tr] acariciar.

cariare (-rsi) /ka'rjare/ [v tr/intr prnl] cariar (-se).

cariato /ka'rjɑrto/ [agg] cariado.

carica /'karika/ [sf] **1** (incarico) cargo (m) **2** (orologio) cuerda FRAS **~ esplosiva**: carga explosiva.

caricare /kari'kare/ [v tr] cargar.

caricatura /karika'tura/ [sf] caricatura.

carico /'kariko/ [agg] cargado ♦ [sm] **1** carga (f) **2** (nave) cargamento FRAS **farsi ~ di**: hacerse cargo de.

carie /'karje/ [sf inv] caries.

carino /ka'rino/ [agg] FAM mono, Amer lindo.

carissimo /ka'rissimo/ [sup] **1** queridísimo **2** (molto costoso) carísimo.

carità /kari'ta*/ [sf inv] caridad (sing) FRAS **per ~!**: ¡por amor de Dios!

carnagione /karna'dʒone/ [sf] tez.

carnale /kar'nale/ [agg m,f] carnal.

carne /'karne/ [sf] carne FRAS **brodo di ~**: caldo de carne |**~ in scatola**: carne enlatada | **~ macinata**: carne picada | **in ~ e ossa**: en carne y hueso.

carneficina /karnefi'tʃina/ [sf] carnicería, matanza.

carnet /kar'ne/ [sm inv] carné (sing) FRAS **~ di biglietti**: bonobús (autobus); bonometro (metropolitana).

carnevale /karne'vale/ [sm] carnaval.

carnivoro /kar'nivoro/ [agg/sm] carnívoro.

caro /'karo/ [agg] **1** (persona) querido, amado **2** (cosa) precioso, valioso **3** (prezzo) caro, costoso FRAS **cari saluti**: muchos recuerdos.

carogna /ka'roɲɲa/ [sf] **1** carroña **2** FIG SPREG canalla (m,f), sinvergüenza (m,f).

carota /ka'rɔta/ [sf] zanahoria.

carovana /karo'vana/ [sf] caravana.

carpa /'karpa/ [sf] carpa.

carponi /kar'poni/ [avv] a gatas.

carrabile /kar'rabile/ [agg m,f] transitable FRAS **passo ~**: vado permanente.

carré /kar're*/ [agg inv] (solo nella locuzione) FRAS **pan ~**: pan de molde.

carreggiata /karred'dʒata/ [sf] calzada, carril (m) FRAS **rimettersi in ~**: encarrilarse.

carrello /kar'rɛllo/ [sm] **1** (meccanico) vagoneta (f) **2** (aereo) tren **2** (supermercato) carro, carrito.

carriera /kar'rjɛra/ [sf] carrera FRAS **fare ~**: hacer carrera.

carro /'karro/ [sm] carro FRAS **~ armato**: tanque | **~ attrezzi**: grúa | **~ funebre**: coche fúnebre.

carrozza /kar'rɔttsa/ [sf] **1** carroza **2** (treno) vagón (m), coche (m) FRAS **~ letto**: coche cama | **~ ristorante**: coche restaurante.

carrozzeria /karrottse'ria/ [sf] (veicolo) carrocería.

carrozziere /karrot'tsjere/ [sm] carrocero.

carrozzina /karrot'tsina/ [sf] cochecito (m).

carruba /kar'ruba/ [sf] algarroba, garruba.

carta /'karta/ [sf] **1** (anche documento) papel (m) **2** (ristorante) carta, lista **3** (geografica) mapa (m) **4** (da gioco) naipe (m), carta FRAS **~ bollata**: papel sellado/timbrado | **~ di credito**: tarjeta de crédito | **~ d'identità**: carné de identidad | **~ igienica**: papel higiénico | **~ pesta**: cartón piedra | **~ verde**: carta verde | **~ vetrata**: papel de lija.

cartella /kar'tɛlla/ [sf] **1** (borsa) portafolio (m), cartera **2** (borsa scolastica) cartera FRAS **~ clinica**: historial clínico/médico.

cartellino /kartel'lino/ [sm] (prezzo) etiqueta (f).

cartello /kar'tɛllo/ [sm] cartel.

cartellone /kartel'lone/ [sm] (pubblicitario) valla (f).

carter /'karter/ [sm inv] cárter.

cartilagine /karti'ladʒine/ [sf] cartílago (m).

cartina /kar'tina/ [sf] **1** (sigarette) papel (m) de fumar **2** (geografica) mapa (m).

cartoleria /kartole'ria/ [sf] papelería.

cartolina /karto'lina/ [sf] postal.

cartone /kar'tone/ [sm] cartón FRAS **cartoni animati**: dibujos animados.

cartuccia /kar'tuttʃa/ [sf] cartucho (m).

casa /'kasa/ [sf] casa FRAS **cambiare ~**: mudarse | **~ da gioco**: casa de juego, garito | **~ di cura**: clínica | **~ editrice**: editorial | **fatto in ~**: casero.

casacca /ka'zakka/ [sf] chaqueta (f).

casale /ka'sale/ [sm] casa (f) de campo.

casalinga /kasa'linga/ [sf] ama de casa.

casalinghi /kasa'lingi/ [sm pl] (negozio) tienda de artículos para el hogar.

casalingo /kasa'lingo/ [agg] casero • *cucina casalinga*: comida casera.

casba /'kazba/ [sf] alcazaba.

cascare /kas'kare/ [v intr] caerse.

cascata /kas'kata/ [sf] cascada.

cascina /kaʃ'ʃina/ [sf] granja.

casco /'kasko/ [sm] **1** casco **2** (parrucchiere) secador de pelo.

caseggiato /kased'dʒato/ [sm] edificio de apartamentos.

caseificio /kazei'fitʃo/ [sm] quesería (f).

casello /ka'sɛllo/ [sm] estación (f) de peaje.

casereccio /kase'rettʃo/ [agg] casero.

caserma /ka'sɛrma/ [sf] cuartel (m).

casino /ka'sino/ [sm] POP **1** (bordello) burdel, prostíbulo **2** FIG (confusione, rumore) follón.

casinò /kazi'nɔ*/ [sm inv] casino (sing).

caso /'kazo/ [sm] **1** caso **2** (destino) destino, sino FRAS **a ~**: al azar | **in ogni ~**: en todo caso | **nel ~ che**: en caso de que | **non farci ~**: no hacer caso | **per ~**: por casualidad.

cassa /'kassa/ [sf] **1** caja **2** (mobile) baúl (m), arcón (m) FRAS **~ continua**: cajero automático.

cassazione /kassat'tsjone/ [sf] casación.

casseruola /kasse'rwɔla/ [sf] cacerola.

cassetta /kas'setta/ [sf] **1** caja **2** MUS casete (m,f) FRAS **~ delle lettere**: buzón | **~ di sicurezza**: caja de caudales.

cassettiera /kasset'tjera/ [sf] cómoda.

cassetto /kas'setto/ [sm] cajón.

cassiere /kas'sjere/ [sm] cajero.

cassonetto /kasso'netto/ [sm] (spazzatura) contenedor.

castagna /kas'taɲɲa/ [sf] castaña.

castagno /kas'taɲɲo/ [sm] castaño.

castano /kas'tano/ [agg] castaño.

castello /kas'tɛllo/ [sm] castillo FRAS **letti a ~**: literas.

castigare /kasti'gare/ [v tr] castigar.

Castiglia e León /kas'tiʎʎa ele'on/ [sf] Castilla y León.

Castiglia-La Mancha /kas'tiʎʎa la'mantʃa/ [sf] Castilla-La Mancha.

castigliano /kasti'ʎʎano/ [agg/sm] castellano-leonés (f -a).

castigo /kas'tigo/ [sm] castigo.

castità /kasti'ta*/ [sf inv] castidad (sing).

castoro /kas'tɔro/ [sm] castor.

castrare /kas'trare/ [v tr] castrar.

castrato /kas'trato/ [sm] **1** castrado, capado **2** (agnello) carnero.

casual /'kɛʒual/ [agg inv/avv/sm inv] deportivo (m sing).

casuale /kazu'ale/ [agg m,f] casual.

catacomba /kata'komba/ [sf] catacumba.

catalano /kata'lano/ [adj/sm] catalán (f -a).

catalitico /kata'litiko/ [agg] catalítico.

catalogare /katalo'gare/ [v tr] catalogar.

Catalogna /kata'loɲɲa/ [sf] Cataluña.

catalogo /ka'talogo/ [sm] catálogo.

catarifrangente /katarifran'dʒente/ [agg m,f/sm] faro piloto (sost).

catarro /ka'tarro/ [sm] catarro.

catastrofe /ka'tastrofe/ [sf] catástrofe.

catastrofico /katas'trɔfiko/ [agg] **1** catastrófico **2** FIG catastrofista (m,f) ● *previsioni catastrofiche*: pronósticos catastrofistas.

categoria /katego'ria/ [sf] (anche SPORT) categoría.

catena /ka'tena/ [sf] cadena FRAS **~ da traino**: cadena de arrastre.

catino /ka'tino/ [sm] palangana (f).

catrame /ka'trame/ [sm] alquitrán.

cattedra /'kattedra/ [sf] cátedra.

cattedrale /katte'drale/ [sf] catedral.

cattiveria /katti'vɛrja/ [sf] maldad.

cattività /kattivi'ta*/ [sf inv] cautiverio (m sing).

cattivo /kat'tivo/ [agg] **1** malo **2** (sguardo) hostil (m,f) **3** (persona) revoltoso, travieso FRAS **essere di ~ gusto**: ser de mal gusto | **essere di ~ umore**: estar de mal humor ◆ [sm] malo, malvado.

cattolicesimo /kattoli'tʃezimo/ [sm] catolicismo.

cattolico /kat'tɔliko/ [agg/sm] católico.

cattura /kat'tura/ [sf] captura.

catturare /kattu'rare/ [v tr] **1** capturar **2** FIG captar.

causa /'kauza/ [sf] causa FRAS **a/per ~ di qualcuno/qualcosa**: a/por causa de alguien/algo | **fare ~**: llevar a juicio.

causare /kau'zare/ [v tr] causar, provocar.

cautela /kau'tela/ [sf] cautela.

cauto /'kauto/ [agg] cauteloso.

cauzione /kaut'tsjone/ [sf] caución, fianza.

cava /'kava/ [sf] cantera.

cavalcare /kaval'kare/ [v tr] cabalgar.

cavalcavia /kavalka'via/ [sm inv] paso (sing) elevado.

cavalleria /kavalle'ria/ [sf] **1** caballería **2** FIG caballerosidad.

cavallerizzo /kavalle'rittso/ [sm] jinete.

cavalletta /kaval'letta/ [sf] saltamontes (m inv).

cavalletto /kaval'letto/ [sm] **1** caballete **2** (macchina fotografica) trípode.

cavallo /ka'vallo/ [sm] **1** ZOOL caballo **2** (pantaloni) entrepierna (f) FRAS **andare a ~**: cabalgar.

cavare /ka'vare/ [v tr] sacar FRAS **cavarsela**: salir del paso.

cavatappi /kava'tappi/ [sm inv] sacacorchos.

caverna /ka'vɛrna/ [sf] caverna.

cavia /'kavja/ [sf] (anche FIG) conejillo (m) de Indias.

caviale /ka'vjale/ [sm] caviar.

caviglia /ka'viʎʎa/ [sf] tobillo (m).

cavità /kavi'ta*/ [sf inv] cavidad (sing).

cavo /'kavo/ [sm] cable.

cavolfiore /kavol'fjore/ [sm] coliflor (f).

cavolo /'kavolo/ [sm] **1** BOT col (f) **2** FIG POP pepino, nada (f) FRAS **~ cappuccio**: repollo | **~ di Bruxelles**: col de Bruselas | **~ nero**: lombarda | **~ verza/verzotto**: berza | **col ~!**: ¡y un cuerno!

cazzata /kat'tsata/ [sf] VOLG gilipollez, *Amer* huevada.

cazzo /'kattso/ [inter] VOLG ¡coño!, ¡joder!, ¡leche! ◆ [sm] VOLG polla (f), picha (f).

ce /tʃe/ [avv] **1** (qui) aquí ● **~ ne sono molti**: aquí hay muchos **2** (lì) allí ● **~ l'ho messo io**: lo puse yo allí ◆ [pron] (di questo) sobre eso ● **~ n'è ancora da dire**: hay más que decir sobre eso ◆ [pron pl] (personale) nos ■ **ce** + **lo/la/li/le** + **verbo** nos lo/la/los/las + verbo ● **~ le fece vedere**: nos lo mostró.

cece /'tʃetʃe/ [sm] garbanzo.

cecità /tʃetʃi'ta*/ [sf inv] ceguera (sing).

cedere /'tʃedere/ [v intr/tr] ceder.

cedro /'tʃedro/ [sm] **1** (conifera) cedro **2** (pianta da frutto) cidro **3** (frutto) cidra (f).

cefalo /'tʃefalo/ [sm] mújol.

celebrare /tʃele'brare/ [v tr] celebrar.

celebrazione /tʃelebrat'tsjone/ [sf] celebración.

celebre /'tʃelebre/ [agg m,f] célebre.

celebrità /tʃelebri'ta*/ [sf inv] celebridad (sing).

celeste /tʃe'leste/ [agg/sm] celeste, azul celeste.

celibe /'tʃelibe/ [agg/sm] célibe, soltero.

cella /'tʃella/ [sf] celda.

cellofan /'tʃellofan/ [sm inv] celofán.

cellula /'tʃellula/ [sf] célula.

cellulare /tʃellu'lare/ [sm] (telefono) móvil.

cellulite /tʃellu'lite/ [sf] celulitis (inv).

cementare /tʃemen'tare/ [v tr] cementar.

cemento /tʃe'mento/ [sm] cemento.

cena /'tʃena/ [sf] cena.

cenare /tʃe'nare/ [v intr] cenar.

cenere /'tʃenere/ [sf] ceniza.

cenno /'tʃenno/ [sm] ademán, seña (f).

cenone /tʃe'none/ [sm] (Natale, Capodanno) banquete.

censimento /tʃensi'mento/ [sm] censo.

censura /tʃen'sura/ [sf] censura.

centenario /tʃente'narjo/ [sm] centenario.

centigrado /tʃen'tigrado/ [agg] centígrado.

centinaio /tʃenti'najo/ [sm] centenar ■ pl irr **centinaia** (f).

cento /'tʃento/ [agg num inv] **1** cien **2** (grande quantità) miles (pl) de, millón (sing) de • *gliel'ho detto ~ volte*: se lo he dicho millones de veces FRAS *~ per ~*: cien por cien | **una volta su ~**: muy de vez en cuando.

centrale /tʃen'trale/ [agg m,f/sf] central.

centralinista /tʃentrali'nista/ [sm,f] operador (f -a).

centralino /tʃentra'lino/ [sm] centralita (f).

centrare /tʃen'trare/ [v tr] **1** (bersaglio) dar en **2** FIG comprender, captar.

centro /'tʃentro/ [sm] centro FRAS *~ commerciale*: centro comercial | *~ storico*: casco antiguo/viejo.

cera /'tʃera/ [sf] cera FRAS **museo delle cere**: museo de cera.

ceramica /tʃe'ramika/ [sf] cerámica.

cerbiatto /tʃer'bjatto/ [sm] cervato, cervatillo.

cercare /tʃer'kare/ [v tr] buscar ♦ [v intr] intentar, tratar de, procurar.

cerchia /'tʃerkja/ [sf] círculo (m).

cerchietto /tʃer'kjetto/ [sm] (per capelli) diadema.

cerchio /'tʃerkjo/ [sm] círculo.

cerchione /tʃer'kjone/ [sm] llanta (f).

cereale /tʃere'ale/ [sm] cereal.

cerebrale /tʃere'brale/ [agg m,f] cerebral FRAS **ictus ~**: apoplejía.

ceretta /tʃe'retta/ [sf] cera.

cerimonia /tʃeri'mɔnja/ [sf] ceremonia.

cerino /tʃe'rino/ [sm] cerilla (f), *Amer* fósforo.

cernia /'tʃɛrnja/ [sf] mero (m).

cerniera /tʃer'njɛra/ [sf] **1** (meccanico) bisagra **2** (pantaloni) cremallera, *Amer* cierre relámpago.

cerotto /tʃe'rɔtto/ [sm] **1** tirita (f), *Amer* curita (f) **2** (rotolo) esparadrapo.

certezza /tʃer'tettsa/ [sf] certeza, certidumbre, seguridad.

certificato /tʃertifi'kato/ [sm] certificado, certificación (f) FRAS ~ **di residenza**: certificado de empadronamiento | ~ **elettorale**: tarjeta censual | ~ **medico**: parte de baja.

certo /'tʃɛrto/ [agg] **1** (sicuro) cierto, seguro **2** (alcuno) alguno ● *certe volte*: algunas veces FRAS **dopo un ~ tempo**: al cabo de un tiempo ◆ [avv] cierto, claro FRAS **ma ~!**: ¡claro que sí! ◆ [pron] alguno ● *certi dicono che farà strada*: algunos dicen que llegará lejos.

certosa /tʃer'toza/ [sf] (edificio religioso) cartuja.

cerume /tʃe'rume/ [sm] cerumen.

cervello /tʃer'vɛllo/ [sm] cerebro.

cervicale /tʃervi'kale/ [agg m,f] cervical.

cervo /'tʃɛrvo/ [sm] ciervo.

cesareo /tʃe'zareo/ [agg] cesáreo FRAS **taglio ~**: cesárea.

cesellare /tʃezel'lare/ [v tr] cincelar.

cespuglio /tʃes'puʎʎo/ [sm] mata (f).

cessare /tʃes'sare/ [v intr] cesar ◆ [v tr] poner fin, interrumpir FRAS **cessate il fuoco**: alto el fuego.

cessione /tʃes'sjone/ [sf] cesión.

cesso /'tʃesso/ [sm] POP retrete, excusado.

cesta /'tʃesta/ [sf] cesta, canasta.

cestino /tʃes'tino/ [sm] papelera (f).

cesto /'tʃesto/ [sm] SPORT cesto, canasta (f).

cetaceo /tʃe'tatʃeo/ [sm] cetáceo.

ceto /'tʃɛto/ [sm] clase (f).

cetriolo /tʃetri'ɔlo/ [sm] pepino FRAS ~ **sottaceto**: pepinillo.

champagne /*ʃam'paɲ/ [sm inv] champán (sing).

charter /'tʃarter/ [agg inv/sm inv] charter FRAS **volo ~**: vuelo charter.

che /ke*/ [agg inv] qué FRAS ~ **bello!**: ¡qué bueno! (aprobación); ¡qué bonito! (cosa, persona) | ~ **buono!**: ¡qué rico! ◆ [cong] **1** que **2** (esclamativo) qué ● ~ *nessuno si muova!*: ¡qué nadie se mueva! ■ **così... che** tan... que ● *era così stanco ~ pareva più vecchio*: estaba tan cansado que parecía más viejo ■ **meglio... che** mejor... que ● *è meglio farlo adesso ~ domani*: mejor lo hagamos ahora que mañana ■ **meno... che** menos... que ● *Milano è meno antica ~ Roma*: Milán es menos antigua que Roma ■ **più... che** más... que ● *studia più volentieri di notte ~ di giorno*: estudia con más ganas de noche que de día FRAS **a meno ~**: a menos que, a no ser que | **dal momento ~**: desde el momento en que | **dopo ~**: después de que | **fino a ~**: hasta que | **ogni volta ~**: cada vez que ◆ [pron inv] **1** (relativo) que ● *il cappotto ~ sta sulla sedia*: el abrigo que está encima de la silla **2** (interrogativo, esclamativo) qué ● *a ~ pensi?*: ¿en qué estás pensando? | ~ *fai?*: ¿qué haces? ■ **quello/quella + che** (persona) el/la +

que • *quella ~ parla adesso è mia sorella*: la que habla ahora es mi hermana ■ **quello/ciò + che** (cosa) lo + que • *fa quello ~ vuole*: hace lo que quiere FRAS **~ cosa?**: ¿qué? | **la prima volta ~**: la primera vez que | **ma ~!**: ¡qué va! | **ma ~ dici!**: ¡qué dices!

check-in /tʃɛˈkin/ [sm inv] embarque (sing).

check-up /tʃɛˈkap/ [sm inv] chequeo (sing).

chemioterapia /kemjoteraˈpia/ [sf] quimioterapia.

cheque /ˈtʃɛk/ [sm inv] cheque (sing) FRAS **traveller's ~**: cheque de viaje.

chi /ki*/ [pron m,f] **1** (relativo) quien, el que • *~ pensa male di te sbaglia*: quien piensa mal de ti está equivocado **2** (interrogativo) quién • **~ è?**: ¿quién es? FRAS **~ se ne frega!**: ¡qué más da!

chiacchiere /ˈkjakkjere/ [sf pl] cháchara (sing), charla (sing) FRAS **fare due/quattro ~**: charlar un rato.

chiacchierare /kjakkjeˈrare/ [v intr] charlar.

chiamare (-rsi) /kjaˈmare/ [v tr/intr prnl] llamar (-se) FRAS **~ al telefono**: llamar al/por teléfono | **~ in teleselezione**: poner una conferencia.

chiamata /kjaˈmata/ [sf] llamada FRAS **~ a carico del destinatario**: llamada a cobro revertido | **~ internazionale**: conferencia internacional | **~ interurbana**: conferencia interurbana.

chiappe /ˈkjappe/ [sf pl] POP nalgas, culo (m sing), posaderas.

chiarezza /kjaˈrettsa/ [sf] (anche FIG) claridad.

chiarimento /kjariˈmento/ [sm] aclaración (f).

chiarire /kjaˈrire/ [v tr] FIG aclarar ◆ [v intr prnl] aclararse, esclarecerse.

chiaro /ˈkjaro/ [agg/avv] (anche FIG) claro ◆ [sm] (colore) color claro FRAS **~ d'uovo**: clara de huevo | **mettere in ~**: aclarar.

chiasso /ˈkjasso/ [sm] ruido.

chiatta /ˈkjatta/ [sf] barcaza.

chiave /ˈkjave/ [sf] **1** (anche MUS) llave **2** FIG clave FRAS **~ d'accensione**: llave de contacto | **~ inglese**: llave inglesa | **chiudere a ~**: cerrar con/bajo llave.

chicco /ˈkikko/ [sm] grano.

chiedere /ˈkjedere/ [v tr] **1** (per sapere) preguntar • *chiedi il prezzo*: pregunta el precio **2** (per avere) pedir • *gli ha chiesto la macchina*: le pidió el auto ◆ [v intr] preguntar por FRAS **~ aiuto**: pedir ayuda | **~ scusa**: pedir perdón.

chiesa /ˈkjeza/ [sf] iglesia.

chiglia /ˈkiʎʎa/ [sf] quilla.

chilometrico /kiloˈmetriko/ [agg] kilométrico FRAS **biglietto ~**: kilométrico.

chimica /ˈkimika/ [sf] química.

chinare (-rsi) /kiˈnare/ [v tr prnl] inclinar (-se), bajar (-se).

chinotto /kiˈnɔtto/ [sm] (bibita) quina (f).

chiocciola /ˈkjɔttʃola/ [sf] caracol (m) FRAS **scala a ~**: escalera de caracol.

chiodo /ˈkjɔdo/ [sm] **1** clavo **2** FIG idea fija, obsesión (f) **3** (alpinismo) clavija (f) FRAS **~ di garofano**: clavo.

chioma /'kjɔma/ [sf] cabellera, melena.

chiosco /'kjɔsko/ [sm] quiosco.

chiostro /'kjɔstro/ [sm] claustro.

chiromante /kiro'mante/ [sm,f] quiromántico.

chirurgia /kirur'dʒia/ [sf] cirugía.

chirurgo /ki'rurgo/ [sm] cirujano.

chissà /kis'sa*/ [avv] quién sabe.

chitarra /ki'tarra/ [sf] guitarra.

chitarrista /kitar'rista/ [sm,f] guitarrista.

chiudere /'kjudere/ [v tr] **1** cerrar **2** (custodire) guardar • **~ il denaro in cassaforte**: guardar el dinero en la caja fuerte ♦ [v intr] **1** cerrarse **2** (cessare un'attività) cerrar, cesar ♦ [v intr prnl] cerrarse • **la ferita si è chiusa**: la herida se cerró ♦ [v prnl] encerrarse • **chiudersi in convento**: encerrarse en un monasterio FRAS **~ la caccia**: vedar la caza | **~ un occhio**: hacer el tonto | **non ~ occhio**: no pegar ojo.

chiunque /ki'unkwe/ [pron m,f] quienquiera.

chiusa /'kjusa/ [sf] (fiume) compuerta.

chiuso /'kjuso/ [agg/sm] (anche FIG) cerrado.

chiusura /kju'sura/ [sf] **1** cierre (m) **2** (indumento) botonadura FRAS **~ mentale**: cerrazón mental.

ci /tʃi/ [avv] aquí, ahí, allá • **~ vado**: voy para allá FRAS **eccoci qui**: henos aquí | **non c'è nessuno**: no hay nadie | **non ~ vedo/sento**: no veo/oigo ♦ [pron pl] (noi, a noi) nos ♦ [pron] (a questo, a quello) en esto, en ello • **non ~ penso mai**: jamás pienso en esto.

ciabatta /tʃa'batta/ [sf] **1** zapatilla, chancla **2** (pane) chapata.

ciambella /tʃam'bella/ [sf] CUC rosca.

cianfrusaglia /tʃanfru'zaʎʎa/ [sf] cachivache (m).

ciao /'tʃao/ [inter] **1** (quando ci si incontra) hola **2** (quando ci si lascia) adiós, chao, *Amer* chau.

ciascuno /tʃas'kuno/ [agg] **1** (tutti) todo **2** (distributivo) cada (m,f) • **ciascuna amica avrà un regalo per Natale**: cada amiga tendrá un regalo para Navidades ♦ [pron] (per uno) cada uno • **un panino ~**: un bocadillo para cada uno.

cibo /'tʃibo/ [sm] alimento, comida (f).

cicala /tʃi'kala/ [sf] cigarra.

cicatrice /tʃika'tritʃe/ [sf] cicatriz.

cicatrizzare (-rsi) /tʃikatrid'dzare/ [v tr/intr prnl] cicatrizar (-se).

cicca /'tʃikka/ [sf] POP chicle (m).

ciccia /'tʃittʃa/ [sf] FAM chicha.

ciccione /tʃit'tʃone/ [sm] FAM gordinflón (f -a).

ciclabile /tʃi'klabile/ [agg m,f] apto al tránsito de bicicletas FRAS **pista ~**: arcén para bicicletas.

ciclismo /tʃi'klizmo/ [sm] ciclismo.

ciclista /tʃi'klista/ [sm,f] ciclista.

ciclo /'tʃiklo/ [sm] ciclo.

ciclomotore /tʃiklomo'tore/ [sm] ciclomotor.

ciclone /tʃi'klone/ [sm] (anche FIG) ciclón.

cicogna /tʃi'koɲɲa/ [sf] cigüeña.

cicoria /tʃi'kɔrja/ [sf] achicoria.

cieco /'tʃɛko/ [agg/sm] ciego FRAS **vicolo ~**: callejón sin salida.

cielo /'tʃelo/ [sm] cielo.

cifra /'tʃifra/ [sf] cifra.

ciglio /'tʃiʎʎo/ [sm] **1** ANAT pestaña (f) **2** (strada) arcén, orilla (f) ■ pl irr f **ciglia** (nel sign 1) FRAS **non batter ~**: no inmutarse.

cigno /'tʃiɲɲo/ [sm] cisne.

Cile /'tʃile/ [sm] Chile.

cileno /tʃi'lɛno/ [agg/sm] **chileno**.

ciliegia /tʃi'ljedʒa/ [sf] cereza.

ciliegio /tʃi'ljedʒo/ [sm] cerezo.

cilindrata /tʃilin'drata/ [sf] cilindrada.

cilindro /tʃi'lindro/ [sm] cilindro.

cima /'tʃima/ [sf] **1** cima **2** (estremità) extremidad, cabo (m) FRAS **~ da bompresso**: mostacho | **~ d'ormeggio**: codera | **cime di rapa**: nabizas | **in ~**: encima, sobre.

cimice /'tʃimitʃe/ [sf] **1** ZOOL chinche **2** GERG escucha telefónica.

ciminiera /tʃimi'njera/ [sf] chimenea.

cimitero /tʃimi'tɛro/ [sm] cementerio.

cincin /tʃin'tʃin/ [inter] ¡salud!, ¡chinchín!

cinema /'tʃinema/ [sm inv] cine (sing).

cinematografico /tʃinemato'grafiko/ [agg] cinematográfico.

cinepresa /tʃine'presa/ [sf] cámara.

cineteca /tʃine'tɛka/ [sf] filmoteca, cinemateca.

cingere /'tʃindʒere/ [v tr] ceñir.

cinghia /'tʃingja/ [sf] **1** cinturón (m), correa **2** MECC correa FRAS **~ di trasmissione**: correa de transmisión | **stringere/tirare la ~**: apretarse el cinturón.

cinghiale /tʃin'gjale/ [sm] jabalí.

cinico /'tʃiniko/ [agg/sm] cínico.

ciniglia /tʃi'niʎʎa/ [sf] felpa.

cinismo /tʃi'nizmo/ [sm] cinismo.

cinquantina /tʃinkwan'tina/ [sf] **1** (età) los cincuenta **2** (approssimazione) unos cincuenta.

cinquecento /tʃinkwe'tʃɛnto/ [sm inv] (secolo) siglo XVI.

cintura /tʃin'tura/ [sf] cinturón (m), correa FRAS **~ di sicurezza**: cinturón de seguridad.

cinturino /tʃintu'rino/ [sm] pulsera (f).

ciò /tʃɔ'/ [pron] esto, eso, aquello FRAS **per ~**: por esto/eso.

ciocca /'tʃɔkka/ [sf] mecha.

cioccolata /tʃokko'lata/ [agg inv/sf] chocolate (m).

cioccolatino /tʃokkola'tino/ [sm] bombón.

cioccolato /tʃokko'lato/ [sm] chocolate FRAS **~ al latte**: chocolate con leche | **~ fondente**: chocolate puro.

cioè /tʃo'ɛ'/ [avv] o sea ● "*Non è giusto*" "*~?*": "No es justo" "¿O sea?" ◆ [cong] es decir, esto es ● *se ne andrà tra qualche giorno*, *~ la settimana prossima*: se irá dentro de algunos días, es decir, la próxima semana.

ciotola /'tʃɔtola/ [sf] bol (m), cuenco (m).

ciottolo /'tʃɔttolo/ [sm] guijarro.

cipolla /tʃi'polla/ [sf] cebolla.

cipresso /tʃi'presso/ [sm] ciprés.

circa /'tʃirka/ [avv] alrededor de.

circo /'tʃirko/ [sm] circo.

circolare /tʃirko'lare/ [agg m,f] circular FRAS **assegno ~**: cheque circular ◆ [sf] **1** (documento) circular

2 (strada) línea de circunvalación ◆ [v intr] circular.

circolazione /tʃirkolat'tsjone/ [sf] (anche veicoli) circulación FRAS **carta/libretto di ~**: permiso de circulación.

circolo /'tʃirkolo/ [sm] círculo FRAS **~ di amici**: grupo de amigos.

circondare /tʃirkon'dare/ [v tr] cercar, rodear.

circonferenza /tʃirkonfe'rentsa/ [sf] circunferencia.

circonvallazione /tʃirkonvallat'tsjone/ [sf] (strada) cinturón (m).

circoscrizione /tʃirkoskrit'tsjone/ [sf] circunscripción, distrito (m).

circostante /tʃirkos'tante/ [agg m,f] circunstante.

circostanza /tʃirkos'tantsa/ [sf] circunstancia.

circuito /tʃir'kuito/ [sm] circuito FRAS **~ chiuso**: circuito cerrado | **corto ~**: cortocircuito.

circumnavigare /tʃirkumnavi'gare/ [v tr] circunnavegar.

cirrosi /tʃir'rɔzi/ [sf inv] cirrosis.

cisposo /tʃis'poso/ [agg] legañoso.

cisterna /tʃis'terna/ [agg/sf] cisterna.

cisti /'tʃisti/ [sf inv] quiste (m sing).

cistifellea /tʃisti'fellea/ [sf] vesícula biliar.

cistite /tʃis'tite/ [sf] cistitis (inv).

citare /tʃi'tare/ [v tr] (anche GIUR) citar.

citazione /tʃitat'tsjone/ [sf] **1** GIUR citación **2** cita, nota.

citofono /tʃi'tɔfono/ [sm] telefonillo.

citronella /tʃitro'nella/ [sf] toronjil (m).

città /tʃit'ta*/ [sf inv] ciudad (sing) FRAS **~ vecchia**: casco viejo.

cittadinanza /tʃittadi'nantsa/ [sf] ciudadanía.

cittadino /tʃitta'dino/ [agg/sm] ciudadano.

ciucca /'tʃukka/ [sf] FAM trompa, borrachera.

ciucciare /tʃut'tʃare/ [v tr/intr] FAM chupar.

ciuccio /'tʃuttʃo/ [sm] FAM (bebè) chupete.

ciucco /'tʃukko/ [agg] FAM borracho.

ciuffo /'tʃuffo/ [sm] mechón.

civetta /tʃi'vetta/ [sf] **1** ORN lechuza **2** FIG coqueta.

civetteria /tʃivette'ria/ [sf] coquetería.

civico /'tʃiviko/ [agg] municipal (m,f) FRAS **numero ~**: número de casa.

civile /tʃi'vile/ [agg m,f/sm] civil.

civiltà /tʃivil'ta*/ [sf inv] **1** civilización (sing) **2** (cortesia) urbanidad (sing), civismo (m sing).

clacson /'klakson/ [sm inv] bocina (f sing).

clamoroso /klamo'roso/ [agg] clamoroso.

clandestino /klandes'tino/ [agg] clandestino ◆ [sm] polizón.

clarino /kla'rino/ [sm] clarín.

classe /'klasse/ [sf] clase.

classico /'klassiko/ [agg] **1** clásico **2** (tipico) típico, característico FRAS **liceo ~**: Bachillerato unificado polivalente ◆ [sm] clásico.

classifica /klas'sifika/ [sf] clasificación.

classificare (-rsi) /klassifi'kare/ [v tr/intr prnl] clasificar (-se).

classificazione /klassifikat'tsjone/ [sf] clasificación.

clausola /'klauzola/ [sf] cláusula.

claustrofobia /klaustrofo'bia/ [sf] claustrofobia.

clavicola /kla'vikola/ [sf] clavícula.

clementina /klemen'tina/ [sf] clementina.

clemenza /kle'mentsa/ [sf] clemencia.

clero /'klero/ [sm] clero.

cliente /kli'ente/ [sm,f] cliente.

clima /'klima/ [sm] clima.

climatizzare /klimatid'dzare/ [v tr] climatizar.

clinica /'klinika/ [sf] clínica.

clinico /'kliniko/ [agg] clínico.

clistere /klis'tere/ [sm] clister, lavativa (f).

clonazione /klonat'tsjone/ [sf] clonalidad.

cloro /'kloro/ [sm] cloro.

clorofilla /kloro'filla/ [sf] clorofila.

coagulare (-rsi) /koagu'lare/ [v tr/intr prnl] coagular (-se).

coagulazione /koagulat'tsjone/ [sf] coagulación.

coalizione /koalit'tsjone/ [sf] coalición.

cobra /'kobra/ [sm inv] cobra (f sing).

cocaina /koka'ina/ [sf] cocaína.

coccige /kot'tʃidʒe/ [sm] coxis (inv).

coccinella /kottʃi'nella/ [sf] mariquita.

coccio /'kottʃo/ [sm] loza (f).

cocco /'kokko/ [sm] coco.

coccodrillo /kokko'drillo/ [sm] cocodrilo.

coccolare /kokko'lare/ [v tr] FAM mimar, consentir.

cocktail /'koktel/ [sm inv] cóctel (sing).

cocomero /ko'komero/ [sm] sandía (f).

coda /'koda/ [sf] cola FRAS avere la ~ di paglia: estar a la defensiva.

codardo /ko'dardo/ [agg/sm] cobarde (m,f).

codice /'koditʃe/ [sm] código FRAS ~ a barre: código de barras | ~ di avviamento postale: código postal | numero di ~: combinación.

coerente /koe'rente/ [agg m,f] coherente.

coerenza /koe'rentsa/ [sf] coherencia.

coetaneo /koe'taneo/ [agg/sm] coetáneo.

cofanetto /kofa'netto/ [sm] 1 (gioielli) cofre, joyero 2 (dolciumi, cosmetici) caja (f).

cofano /'kofano/ [sm] capó.

cogli /'koʎʎi/ [prep art m pl] con los.

cogliere /'koʎʎere/ [v tr] (anche FIG) coger FRAS ~ la palla al balzo: asir la ocasión por el copete.

coglione /koʎ'ʎone/ [sm] VOLG 1 cojón, pelota (f) 2 FIG SPREG (imbecille) gilipollas (inv).

cognac /koɲ'ɲak/ [sm inv] coñac (sing).

cognato /koɲ'ɲato/ [sm] cuñado.

cognome /koɲ'ɲome/ [sm] apellido.

coi /'koi/ [prep art m pl] con los.

coincidenza /kointʃi'dentsa/ [sf] 1 coincidencia 2 (trasporti) enlace (m) FRAS prendere la ~: hacer transbordo.

coincidere /koin'tʃidere/ [v intr] coincidir.

coinvolgere /koin'vɔldʒere/ [v tr] **1** (compromettere) comprometer, implicar **2** (far partecipare) hacer participar, interesar.

coito /'kɔito/ [sm] coito, cópula (f).

col /'kol/ [prep art m] con el.

colapasta /kola'pasta/ [sm inv] colador (sing).

colare /ko'lare/ [v intr] chorrear.

colazione /kolat'tsjone/ [sf] **1** desayuno (m) **2** (pranzo) almuerzo (m).

colera /ko'lera/ [sm inv] cólera (sing).

colesterolo /koleste'rɔlo/ [sm] colesterol.

colibrì /koli'bri*/ [sm pl] colibrí (sing), picaflor (sing).

colica /'kɔlika/ [sf] cólico (m).

colino /ko'lino/ [sm] colador.

colite /ko'lite/ [sf] colitis (inv).

colla /'kɔlla/ [sf] cola, pegamento (m).

collaborare /kollabo'rare/ [v intr] colaborar.

collaboratore (-trice) /kollabora'tore/ [sm] colaborador (f -a).

collaborazione /kollaborat'tsjone/ [sf] colaboración.

collana /kol'lana/ [sf] **1** collar (m) **2** FIG (libri) colección.

collant /kol'lan/ [sm inv] pantis (m).

collare /kol'lare/ [sm] collar.

collasso /kol'lasso/ [sm] colapso.

collaterale /kollate'rale/ [agg m,f] secundario (m).

collaudare /kollau'dare/ [v tr] probar, ensayar.

colle /'kɔlle/ [sm] **1** colina (f) **2** (valico) paso.

collega /kol'lega/ [sm,f] compañero (m), colega.

collegamento /kollega'mento/ [sm] **1** (trasporti) comunicación (f), transporte **2** (radio, elettricità, anche FIG) conexión (f).

collegare /kolle'gare/ [v tr] conectar ◆ [v prnl] ponerse en contacto.

collegiale /kolle'dʒale/ [sm,f] colegial (f -a).

collegio /kol'lɛdʒo/ [sm] **1** colegio **2** (politico) circunscripción (f), distrito.

collera /'kɔllera/ [sf] cólera.

colletta /kol'letta/ [sf] colecta.

collettività /kollettivi'ta*/ [sf inv] colectividad (sing).

collettivo /kollet'tivo/ [agg] colectivo.

colletto /kol'letto/ [sm] cuello.

collettore /kollet'tore/ [sm] colector FRAS ~ di scarico: colector de escape.

collezionare /kollettsjo'nare/ [v tr] coleccionar.

collezione /kollet'tsjone/ [sf] colección.

collezionista /kollettsjo'nista/ [sm,f] coleccionista.

collier /kol'lje/ [sm inv] gargantilla (f sing).

collina /kol'lina/ [sf] colina, collado (m).

collirio /kol'lirjo/ [sm] colirio.

collisione /kolli'zjone/ [sf] colisión.

collo /'kɔllo/ [sm] **1** cuello **2** (bottiglia) gollete, cuello FRAS ~ a V: cuello en V | ~ dolcevita: cuello cisne | rompersi l'osso del ~: romperse la crisma.

collocamento /kolloka'mento/ [sm] colocación (f) FRAS ufficio di ~: oficina de empleo.

collocare /kollo'kare/ [v tr] colocar.

colloquio /kol'lɔkwjo/ [sm] **1** coloquio **2** (lavoro) entrevista (f).

collutorio /kollu'tɔrjo/ [sm] colutorio.

colmare /kol'mare/ [v tr] colmar, llenar.

colmo /'kolmo/ [sm] FIG colmo, ápice FRAS **è il ~!**: ¡es el colmo!

colombiano /kolom'bjano/ [agg/sm] colombiano.

colombo /ko'lombo/ [sm] palomo.

colon /'kɔlon/ [sm inv] colon.

colonia /ko'lɔnja/ [sf] colonia.

colonialismo /kolonja'lizmo/ [sm] colonialismo.

colonizzare /kolonid'dzare/ [v tr] colonizar.

colonna /ko'lonna/ [sf] columna FRAS **~ di ormeggio**: noray, amarradero | **~ sonora**: banda sonora | **~ vertebrale**: columna vertebral.

colonnato /kolon'nato/ [sm] columnata (f).

colonnello /kolon'nɛllo/ [sm] coronel.

colorante /kolo'rante/ [agg m,f/sm] colorante.

colorare /kolo'rare/ [v tr] pintar, colorear.

colore /ko'lore/ [sm] color FRAS **a colori**: a todo color | **dirne di tutti i colori**: poner de vuelta y media.

colorificio /kolori'fitʃo/ [sm] tienda (f) de pinturas.

colorito /kolo'rito/ [agg] **1** saludable (m,f) **2** FIG expresivo.

colossale /kolos'sale/ [agg m,f] colosal.

colpa /'kolpa/ [sf] culpa FRAS **dare la ~ a qualcosa/qualcuno**: echar la culpa a algo/alguien | **essere in ~**: tener (la) culpa.

colpevole /kol'pevole/ [agg m,f/sm,f] culpable.

colpevolizzare /kolpevolid'dzare/ [v tr] culpabilizar ◆ [v prnl] culparse.

colpire /kol'pire/ [v tr] **1** golpear **2** FIG (impressionare) impresionar, conmover.

colpo /'kolpo/ [sm] **1** (anche FIG) golpe **2** (arma da fuoco) tiro, disparo FRAS **al primo ~**: al primer intento | **~ d'aria**: golpe de aire | **~ della strega**: lumbago | **~ di sole**: insolación | **~ di fortuna**: golpe de suerte | **~ di frusta**: latigazo | **~ di telefono**: telefonazo | **di ~**: de golpe | **sul ~**: en el acto.

coltellata /koltel'lata/ [sf] cuchillada.

coltelleria /koltelle'ria/ [sf] cuchillería.

coltello /kol'tɛllo/ [sm] cuchillo FRAS **~ a serramanico**: navaja.

coltivare /kolti'vare/ [v tr] (anche FIG) cultivar

coltivatore (-**trice**) /koltiva'tore/ [sm] cultivador (f -a).

coltivazione /koltivat'tsjone/ [sf] cultivación, cultivo (m).

colto /'kolto/ [agg] culto.

coma /'kɔma/ [sm] coma.

comandamento /komanda'mento/ [sm] mandamiento.

comandante /koman'dante/ [sm,f] comandante.

comandare /koman'dare/ [v intr/tr] mandar.

comando /ko'mando/ [sm] **1** SPORT (primo posto) primer lugar **2** (militare) mando.

combattere /kom'battere/ [v intr/tr] combatir.

combattimento /kombatti'mento/ [sm] combate FRAS **fuori ~**: fuera de combate.

combinare /kombi'nare/ [v tr] **1** (colori) combinar **2** (concertare) concertar, acordar **3** (affare) concluir FRAS **~ guai**: armar líos.

combinazione /kombinat'tsjone/ [sf] combinación FRAS **per ~**: por casualidad.

combustibile /kombus'tibile/ [agg m,f/sm] combustible.

come /'kome/ [avv] **1** como **2** (quanto, anche interrogativo) cómo • **~ piove!**: ¡cómo llueve! | **non so ~ ringraziarla**: no sé cómo agradecerle FRAS **~ stai?**: ¿qué tal estás? ◆ [cong] como FRAS **~ se niente fosse**: como si tal cosa | **~ se non bastasse**: para más inri.

cometa /ko'meta/ [sf] cometa (m).

comfort /'kɔnfort/ [sm inv] comodidad (f sing).

comico /'kɔmiko/ [agg/sm] cómico.

comignolo /ko'miɲɲolo/ [sm] chimenea (f).

cominciare /komin'tʃare/ [v tr/intr] empezar, comenzar FRAS **non sapere da dove ~**: no saber por dónde empezar.

comitato /komi'tato/ [sm] comité.

comitiva /komi'tiva/ [sf] grupo (m).

comizio /ko'mittsjo/ [sm] mitin.

commedia /kom'mɛdja/ [sf] comedia.

commediografo /komme'djɔgrafo/ [sm] comediógrafo.

commemorare /kommemo'rare/ [v tr] conmemorar.

commemorazione /kommemorat'tsjone/ [sf] conmemoración.

commentare /kommen'tare/ [v tr] comentar.

commento /kom'mento/ [sm] comentario.

commerciale /kommer'tʃale/ [agg m,f] comercial.

commercialista /kommertʃa'lista/ [sm,f] asesor (m) fiscal.

commerciante /kommer'tʃante/ [sm,f] comerciante FRAS **~ al dettaglio**: minorista | **~ all'ingrosso**: mayorista.

commerciare /kommer'tʃare/ [v intr] comerciar, tratar.

commercio /kom'mertʃo/ [sm] comercio, negocio FRAS **~ al dettaglio/minuto**: comercio al por menor | **~ all'ingrosso**: comercio al por mayor | **essere fuori/in ~**: no estar/estar en venta.

commesso /kom'messo/ [sm] dependiente (m,f).

commestibile /kommes'tibile/ [agg m,f] comestible.

commettere /kom'mettere/ [v tr] cometer.

commissariato /kommissa'rjato/ [sm] (polizia) comisaría (f).

commissario /kommis'sarjo/ [sm] (polizia) comisario FRAS **~ tecnico**: director técnico.

commissione /kommis'sjone/ [sf] **1** (incarico) encargo (m), cometido (m) **2** (comitato) comisión, comité (m) **3** (al pl, faccende) diligencia (sing), recado (m sing) **4** (al pl, acquisti) compras FRAS **su ~**: por encargo.

commosso /kom'mɔsso/ [agg] emocionado, conmovido.

commovente /kommo'vente/ [agg m,f] conmovedor (f -a), emocionante.

commozione /kommot'tsjone/ [sf] 1 (turbamento) conmoción, turbación 2 (emozione) emoción FRAS ~ **cerebrale**: conmoción cerebral.

commuovere (-rsi) /kom'mwɔvere/ [v tr/intr prnl] conmover (-se).

comodino /komo'dino/ [sm] mesilla, *Amer* velador.

comodità /komodi'ta*/ [sf inv] comodidad (sing).

comodo /'kɔmodo/ [agg] 1 cómodo 2 (indumento) holgado ◆ [sm] interés, conveniencia (f) FRAS **con ~**: sin prisa | **fare ~**: venir bien | **fare il proprio ~**: ir a lo suyo.

compaesano /kompae'zano/ [sm] paisano.

compagnia /kompaɲ'ɲia/ [sf] 1 compañía 2 (amici) panda, pandilla FRAS ~ **di bandiera**: compañía nacional.

compagno /kom'paɲɲo/ [sm] 1 compañero 2 (convivente) pareja (f).

comparare /kompa'rare/ [v tr] comparar, cotejar.

comparire /kompa'rire/ [v intr] aparecer.

comparsa /kom'parsa/ [sf] (cinema, teatro) figurante (m,f), extra (m,f).

compassione /kompas'sjone/ [sf] compasión.

compasso /kom'passo/ [sm] compás.

compatibile /kompa'tibile/ [agg m,f] compatible.

compatire /kompa'tire/ [v tr] compadecer FRAS **farsi ~**: hacer el ridículo.

compatto /kom'patto/ [agg] 1 compacto 2 FIG unánime (m,f).

compensare /kompen'sare/ [v tr] compensar.

compenso /kom'penso/ [sm] remuneración (f).

competente /kompe'tɛnte/ [agg m,f] competente.

competenza /kompe'tɛntsa/ [sf] competencia.

competere /kom'pɛtere/ [v intr] competir.

competitivo /kompeti'tivo/ [agg] competitivo.

competizione /kompetit'tsjone/ [sf] SPORT competición.

compiacente /kompja'tʃɛnte/ [agg m,f] complaciente.

compiangere /kom'pjandʒere/ [v tr] compadecerse.

compiere /'kompjere/ [v tr] cumplir, ejecutar, realizar ◆ [v intr prnl] cumplirse FRAS ~ **gli anni**: cumplir años.

compilare /kompi'lare/ [v tr] (modulo) rellenar.

compito /'kompito/ [sm] 1 tarea (f), cometido 2 (scuola) deberes (pl).

compiuto /kom'pjuto/ [agg] acabado.

compleanno /komple'anno/ [sm] cumpleaños (inv).

complementare /komplemen'tare/ [agg m,f] complementario (m).

complessato /komples'sato/ [agg/sm] acomplejado.

complessivo /komples'sivo/ [agg] total (m,f).

complesso /kom'plesso/ [sm] 1 (anche MUS) conjunto 2 (psicologico) complejo FRAS **in/nel ~**: en general.

completare /komple'tare/ [v tr] completar.

completo /kom'plɛto/ [agg] completo ◆ [sm] **1** lleno **2** ABB (maschile) traje, terno **3** ABB (femminile) conjunto **4** ABB SPORT equipo FRAS **al ~**: completo.

complicare (-rsi) /kompli'kare/ [v tr/intr prnl] complicar (-se).

complicato /kompli'kato/ [agg] complicado.

complicazione /komplikat'tsjone/ [sf] complicación.

complice /'komplitʃe/ [agg m,f/sm,f] cómplice.

complimentarsi /komplimen'tarsi/ [v intr prnl] congratularse.

complimenti /kompli'menti/ [sm pl] felicitaciones (f) FRAS **fare ~**: hacer cumplidos | **non fare ~**: déjate de cumplidos.

complotto /kom'plɔtto/ [sm] complot*.

componente /kompo'nɛnte/ [sm/sm,f] componente.

componimento /komponi'mento/ [sm] composición (f).

comporre /kom'porre/ [v tr] componer FRAS **~ un numero telefonico**: marcar un número telefónico, *Amer* discar un número telefónico.

comportamento /komporta'mento/ [sm] comportamiento.

comportarsi /kompor'tarsi/ [v intr prnl] comportarse, portarse.

compositore (-trice) /kompozi'tore/ [sm] compositor (f -a).

composizione /kompozit'tsjone/ [sf] composición.

composta /kom'posta/ [sf] CUC compota.

composto /kom'posto/ [agg] compuesto.

comprare /kom'prare/ [v tr] comprar.

comprendere /kom'prendere/ [v tr] comprender.

comprensibile /kompren'sibile/ [agg m,f] comprensible.

comprensione /kompren'sjone/ [sf] comprensión.

comprensivo /kompren'sivo/ [agg] **1** (persona) comprensivo **2** (che include) comprensor (f -a).

compreso /kom'preso/ [agg] incluido.

compressa /kom'pressa/ [sf] **1** (pastiglia) comprimido (m) **2** (garza) compresa.

compresso /kom'presso/ [agg] comprimido.

comprimere /kom'primere/ [v tr] comprimir.

compromesso /kompro'messo/ [sm] compromiso.

compromettere (-rsi) /kompro'mettere/ [v tr prnl] comprometer (-se).

comproprietà /kompropr:je'ta*/ [sf inv] copropiedad (sing).

computer /kom'pjuter/ [sm inv] ordenador (sing).

comunale /komu'nale/ [agg m,f] municipal, *Amer* comunal.

comune /ko'mune/ [agg m,f] común FRAS **di ~ accordo**: de común acuerdo ◆ [sm] **1** común **2** (municipalità) ayuntamiento, *Amer* municipalidad (f) FRAS **fuori dal ~**: fuera de lo común | **in ~**: en común.

comunicare /komuni'kare/ [v tr/intr] comunicar ◆ [v intr prnl] comunicarse, extenderse.

comunicato /komuni'kato/ [sm] comunicado.

comunicazione /komunikat'tsjone/ [sf] **1** comunicación **2** (al pl, trasporti) comunicaciones.

comunione /komu'njone/ [sf] (anche religiosa) comunión.

comunismo /komu'nizmo/ [sm] comunismo.

comunità /komuni'ta*/ [sf inv] comunidad (sing).

comunitario /komuni'tarjo/ [agg] comunitario.

comunque /ko'munkwe/ [avv] sea como sea, de todas maneras ◆ [cong] como quiera que • ~ sia: como quiera que sea.

con /'kon/ [prep] con.

conca /'konka/ [sf] GEOG cuenca.

concavo /'konkavo/ [agg] cóncavo.

concedere /kon'tʃedere/ [v tr] conceder.

concentramento /kontʃentra'mento/ [sm] concentración (f).

concentrare /kontʃen'trare/ [v tr] concentrar ◆ [v prnl] **1** concentrarse **2** FIG (mentalmente) reconcentrarse.

concentrato /kontʃen'trato/ [agg/sm] concentrado.

concentrazione /kontʃentrat'tsjone/ [sf] concentración.

concepire /kontʃe'pire/ [v tr] concebir.

conceria /kontʃe'ria/ [sf] curtiduría.

concertista /kontʃer'tista/ [sm,f] concertista.

concerto /kon'tʃerto/ [sm] concierto.

concessionario /kontʃessjo'narjo/ [agg/sm] concesionario.

concessione /kontʃes'sjone/ [sf] concesión FRAS ~ edilizia: permiso municipal.

concetto /kon'tʃetto/ [sm] concepto.

concezione /kontʃet'tsjone/ [sf] concepción.

conchiglia /kon'kiʎʎa/ [sf] concha.

conciare /kon'tʃare/ [v tr] **1** curtir, curar, adobar **2** (rovinare) destrozar, estropear.

conciliare /kontʃi'ljare/ [v tr] conciliar.

concimare /kontʃi'mare/ [v tr] abonar.

concime /kon'tʃime/ [sm] abono.

conciso /kon'tʃizo/ [agg] conciso.

concittadino /kontʃitta'dino/ [sm] conciudadano.

concludere /kon'kludere/ [v tr] concluir ◆ [v intr prnl] concluirse, finalizar.

conclusione /konklu'zjone/ [sf] conclusión.

concordare /konkor'dare/ [v tr/intr] concordar.

concorrente /konkor'rente/ [sm,f] **1** (concorso a premi) concursante **2** SPORT competidor (f -a).

concorrenza /konkor'rentsa/ [sf] competencia.

concorso /kon'korso/ [sm] concurso.

concreto /kon'kreto/ [agg] concreto.

condanna /kon'danna/ [sf] condena.

condannare /kondan'nare/ [v tr] condenar.

condannato /kondan'nato/ [agg/sm] condenado.

condensare /konden'sare/ [v tr] condensar.

condensato /konden'sato/ [agg] condensado.

condimento /kondi'mento/ [sm] aliño, aderezo.

condire /kon'dire/ [v tr] aliñar, aderezar.

condiscendente /kondiʃʃen'dɛnte/ [agg m,f] condescendiente.

condividere /kondi'videre/ [v tr] FIG compartir.

condizionamento /kondittsjona'-mento/ [sm] **1** condicionamiento **2** (impianto) aire acondicionado.

condizionare /kondittsjo'nare/ [v tr] **1** condicionar **2** (aria) acondicionar.

condizionatore /kondittsjona'tore/ [sm] acondicionador.

condizione /kondit'tsjone/ [sf] condición FRAS **a ~ che**: a condición de (que).

condoglianze /kondoʎ'ʎantse/ [sf pl] condolencia (sing), pésame (m sing) FRAS **fare le ~**: dar el pésame.

condominio /kondo'minjo/ [sm] bloque.

condono /kon'dono/ [sm] condonación (f) FRAS **~ edilizio**: condonación de abuso constructivo | **~ fiscale**: condonación de deudas tributarias.

condor /'kɔndor/ [sm inv] cóndor (sing).

condotta /kon'dotta/ [sf] conducta.

condotto /kon'dotto/ [sm] conducto.

conducente /kondu'tʃɛnte/ [sm,f] conductor (f -a).

condurre /kon'durre/ [v tr] conducir FRAS **~ in porto**: finalizar con éxito.

conduttore (-trice) /kondut'tore/ [sm] (anche televisivo, radiofonico) conductor (f -a).

conduttura /kondut'tura/ [sf] conducción, cañería.

confederazione /konfederat'tsjone/ [sf] confederación.

conferenza /konfe'rɛntsa/ [sf] conferencia FRAS **~ stampa**: conferencia de prensa.

conferma /kon'ferma/ [sf] confirmación.

confermare /konfer'mare/ [v tr] confirmar.

confessare (-rsi) /konfes'sare/ [v tr prnl] confesar (-se).

confessionale /konfessjo'nale/ [sm] confesonario (m).

confessione /konfes'sjone/ [sf] confesión.

confetto /kon'fetto/ [sm] confite, peladilla (f).

confettura /konfet'tura/ [sf] confitura.

confezionare /konfettsjo'nare/ [v tr] **1** (impacchettare) empaquetar, envolver **2** (capi di abbigliamento) confeccionar.

confezione /konfet'tsjone/ [sf] **1** (pacchetto) paquete (m) **2** (cassetta) caja.

conficcare (-rsi) /konfik'kare/ [v tr prnl] clavar (-se).

confidare (-rsi) /konfi'dare/ [v tr/intr prnl] confiar (-se) FRAS **~ in qualcuno/qualcosa**: confiar en alguien/algo.

confidenza /konfi'dɛntsa/ [sf] confianza.

confidenziale /konfiden'tsjale/ [agg m,f] **1** (riservato) confidencial **2** (amichevole) amigable, cordial.

confinante /konfi'nante/ [agg m,f/sm,f] lindante, colindante.

confinare /konfi'nare/ [v intr/tr] confinar.

confine /kon'fine/ [sm] frontera (f).

confiscare /konfis'kare/ [v tr] confiscar.

conflitto /kon'flitto/ [sm] conflicto.

conflittuale /konflittu'ale/ [agg m,f] conflictivo (m).

confluire /konflu'ire/ [v intr] confluir.

confondere (-rsi) /kon'fondere/ [v tr/intr prnl] confundir (-se).

conformismo /konfor'mizmo/ [sm] conformismo.

confortare /konfor'tare/ [v tr] confortar.

confortevole /konfor'tevole/ [agg m,f] confortable, cómodo (m).

conforto /kon'fɔrto/ [sm] consuelo, consolación (f) FRAS **generi di ~**: géneros de confort.

confrontare /konfron'tare/ [v tr] confrontar ◆ [v prnl] enfrentarse, medirse.

confronto /kon'fronto/ [sm] confrontación (f) FRAS **a/in ~ di**: en comparación con | **nei confronti di qualcuno**: con respecto a alguien, respecto a alguien.

confusione /konfu'zjone/ [sf] **1** confusión **2** (chiasso) bulla, jaleo (m).

confuso /kon'fuzo/ [agg] **1** confuso **2** (disordinato) mezclado, revuelto.

congedo /kon'dʒɛdo/ [sm] (militare) licencia (f).

congegno /kon'dʒeɲɲo/ [sm] mecanismo.

congelamento /kondʒela'mento/ [sm] congelación (f).

congelare (-rsi) /kondʒe'lare/ [v tr/intr prnl] congelar (-se).

congelatore /kondʒela'tore/ [sm] congelador.

congestione /kondʒes'tjone/ [sf] (anche FIG) congestión.

congiungere /kon'dʒundʒere/ [v tr] **1** (unire) juntar **2** (collegare) comunicar, unir ◆ [v intr prnl] **1** unirse **2** (fiumi, strade) confluir.

congiuntivite /kondʒunti'vite/ [sf] conjuntivitis (inv).

congiuntura /kondʒun'tura/ [sf] coyuntura.

congiunzione /kondʒun'tsjone/ [sf] conexión.

congiura /kon'dʒura/ [sf] conjura.

congratularsi /kongratu'larsi/ [v intr prnl] congratularse.

congratulazioni /kongratulat'tsjoni/ [inter] ¡felicitaciones!, ¡felicidades!

congresso /kon'gresso/ [sm] congreso.

conguaglio /kon'gwaʎʎo/ [sm] igualación (f).

coniare /ko'njare/ [v tr] acuñar.

conifera /ko'nifera/ [sf] conífera.

coniglio /ko'niʎʎo/ [sm] conejo.

coniugale /konju'gale/ [agg m,f] conyugal.

coniugare /konju'gare/ [v tr] FIG conjugar.

coniuge /'kɔnjudʒe/ [sm,f] cónyuge.

connazionale /konnattsjo'nale/ [sm, f] connacional.

connessione /konnes'sjone/ [sf] conexión.

connettere /kon'nettere/ [v tr] conectar FRAS **non riuscire a ~**: írsele la cabeza.

connotazione /konnotat'tsjone/ [sf] connotación.

cono /'kɔno/ [sm] cono FRAS ~ **gelato**: cucurucho de helado.

conoscente /konoʃ'ʃɛnte/ [sm,f] conocido (m).

conoscenza /konoʃ'ʃɛntsa/ [sf] conocimiento (m).

conoscere (-rsi) /ko'noʃʃere/ [v tr prnl] conocer (-se).

conosciuto /konoʃ'ʃuto/ [agg] conocido.

conquista /kon'kwista/ [sf] conquista.

conquistare /konkwis'tare/ [v tr] conquistar.

conquistatore (-trice) /konkwista'tore/ [agg/sm] conquistador (f -a).

consacrare /konsa'krare/ [v tr] consagrar.

consanguineo /konsan'gwineo/ [agg/sm] consanguíneo.

consapevole /konsa'pevole/ [agg m,f] consciente.

consapevolezza /konsapevo'lettsa/ [sf] conciencia.

conscio /'kɔnʃo/ [agg] consciente (m,f).

consecutivo /konseku'tivo/ [agg] consecutivo, seguido.

consegna /kon'seɲɲa/ [sf] entrega FRAS **avere in ~**: tener en custodia.

consegnare /konseɲ'ɲare/ [v tr] entregar.

conseguente /konse'gwɛnte/ [agg m,f] consecuente.

conseguenza /konse'gwɛntsa/ [sf] consecuencia FRAS **di ~**: en consecuencia.

consenso /kon'senso/ [sm] consenso.

consentire /konsen'tire/ [v intr] acceder, consentir ♦ [v tr] consentir, admitir.

conserva /kon'sɛrva/ [sf] conserva FRAS **~ di pomodori**: salsa de tomates.

conservante /konser'vante/ [agg m,f/sm] conservante.

conservare (-rsi) /konser'vare/ [v tr/intr prnl] conservar (-se) FRAS **~ sotto aceto**: encurtir.

conservatore (-trice) /konserva'tore/ [agg/sm] conservador (f -a).

conservatorio /konserva'tɔrjo/ [sm] conservatorio.

conservazione /konservat'tsjone/ [sf] conservación.

considerare /konside'rare/ [v tr] considerar ♦ [v prnl] creerse.

considerazione /konsiderat'tsjone/ [sf] consideración.

consigliare /konsiʎ'ʎare/ [v tr] aconsejar.

consigliere /konsiʎ'ʎɛre/ [sm] consejero FRAS **~ comunale**: concejal | **~ d'amministrazione**: consejero de administración.

consiglio /kon'siʎʎo/ [sm] consejo FRAS **~ comunale**: concejo | **~ dei ministri**: consejo de ministros.

consistente /konsis'tɛnte/ [agg m,f] **1** consistente, sólido (m) **2** FIG considerable.

consistenza /konsis'tɛntsa/ [sf] consistencia.

consistere /kon'sistere/ [v intr] consistir, estribar.

consolante /konso'lante/ [agg m,f] consolador (f -a).

consolare /konso'lare/ [v tr] **1** (confortare) consolar, confortar **2** (rallegrare) alegrar ♦ [v intr prnl] consolarse.

consolato /konso'lato/ [sm] consulado.

consolazione /konsolat'tsjone/ [sf] consuelo (m).

console /'kɔnsole/ [sm] cónsul.

consolidamento /konsolida'mento/ [sm] consolidación (f).

consolidare (-rsi) /konsoli'dare/ [v tr/intr prnl] (anche FIG) consolidar (-se).

consorzio /kon'sɔrtsjo/ [sm] consorcio.

constatare /konsta'tare/ [v tr] constatar, comprobar.

consulente /konsu'lɛnte/ [sm,f] asesor (f -a), consultor (f -a).

consulenza /konsu'lɛntsa/ [sf] asesoramiento (m).

consultare (-rsi) /konsul'tare/ [v tr/intr prnl] consultar (-se).

consultorio /konsul'tɔrjo/ [sm] consultorio.

consumare (-rsi) /konsu'mare/ [v tr/intr prnl] consumir (-se).

consumatore (-trice) /konsuma'tore/ [sm] consumidor (f -a).

consumazione /konsumat'tsjone/ [sf] consumición.

consumismo /konsu'mizmo/ [sm] consumismo.

consumo /kon'sumo/ [sm] consumo
FRAS **a uso e ~**: para uso exclusivo | **beni di ~**: bienes de consumo.

contabile /kon'tabile/ [sm,f] contable, *Amer* contador (f -a).

contabilità /kontabili'ta*/ [sf inv] contabilidad (sing).

contachilometri /kontaki'lɔmetri/ [sm inv] cuentakilómetros.

contadino /konta'dino/ [agg/sm] campesino.

contagiare /konta'dʒare/ [v tr] contagiar.

contagioso /konta'dʒoso/ [agg] contagioso.

contagocce /konta'gottʃe/ [sm inv] cuentagotas.

contaminare /kontami'nare/ [v tr] contaminar.

contante /kon'tante/ [sm] efectivo
FRAS **pagare in/per contanti**: pagar al contado/en efectivo.

contare /kon'tare/ [v tr/intr] contar.

contatore /konta'tore/ [sm] contador, *Amer* medidor.

contattare /kontat'tare/ [v tr] contactar.

contatto /kon'tatto/ [sm] contacto
FRAS **lenti a ~**: lentes de contacto, lentillas.

conte (-essa) /'konte/ [sm] conde (f -esa).

contemplare /kontem'plare/ [v tr] contemplar.

contemporaneo /kontempo'raneo/ [agg/sm] contemporáneo.

contendere /kon'tɛndere/ [v tr/intr] contender.

contenere /konte'nere/ [v tr] contener.

contenitore /konteni'tore/ [sm] envase.

contentezza /konten'tettsa/ [sf] contento (m).

contento /kon'tɛnto/ [agg] contento.

contenuto /konte'nuto/ [sm] contenido.

contestare /kontes'tare/ [v intr] contestar.

contestazione /kontestat'tsjone/ [sf] contestación.

contesto /kon'testo/ [sm] contexto.

continentale /kontinen'tale/ [agg m,f] continental.

continente /konti'nɛnte/ [sm] continente.

continuare /kontinu'are/ [v tr/intr] continuar.

continuato /kontinu'ato/ [agg] continuado.

continuazione /kontinuat'tsjone/ [sf] continuación.

continuo /kon'tinuo/ [agg] continuo.

conto /'konto/ [sm] cuenta (f) FRAS **~ corrente**: cuenta corriente | **rendersi ~ di**: darse cuenta de, caer en la cuenta.

contorno /kon'torno/ [sm] **1** contorno **2** CUC guarnición (f), acompañamiento.

contorsione /kontor'sjone/ [sf] contorsión.

contorto /kon'tɔrto/ [agg] FIG retorcido.

contrabbandiere /kontrabban'djere/ [agg/sm] contrabandista (m,f).

contrabbando /kontrab'bando/ [sm] contrabando, matute FRAS **di ~**: de contrabando.

contrabbasso /kontrab'basso/ [sm] contrabajo.

contraccettivo /kontrattʃet'tivo/ [sm] anticonceptivo.

contraddire (-rsi) /kontrad'dire/ [v tr prnl/intr] contradecir (-se).

contraddizione /kontraddit'tsjone/ [sf] contradicción.

contraffazione /kontraffat'tsjone/ [sf] falsificación.

contralto /kon'tralto/ [agg inv/sm] contralto (m,f sing).

contrapporre /kontrap'porre/ [v tr] contraponer ♦ [v prnl] oponerse.

contrapposto /kontrap'posto/ [agg] contrapuesto, opuesto.

contrariare /kontra'rjare/ [v tr] contrariar.

contrario /kon'trarjo/ [agg/sm] contrario FRAS **in caso ~**: de lo contrario | **non avere nulla in ~**: no tener nada en contra.

contrarre (-rsi) /kon'trarre/ [v tr/intr prnl] contraer (-se).

contrassegno /kontras'seɲɲo/ [loc avv] contra reembolso.

contrastante /kontras'tante/ [agg m,f] contrapuesto (m), opuesto (m).

contrasto /kon'trasto/ [sm] contraste.

contrattare /kontrat'tare/ [v tr] contratar, pactar.

contrattempo /kontrat'tempo/ [sm] contratiempo.

contratto /kon'tratto/ [sm] contrato.

contravvenzione /kontravven'tsjone/ [sf] multa.

contrazione /kontrat'tsjone/ [sf] contracción.

contribuire /kontribu'ire/ [v intr] contribuir.

contributo /kontri'buto/ [sm] contribución (f).

contro /'kontro/ [avv] en contra ♦ *votare ~*: votar en contra ♦ [prep] contra ♦ *combattere ~ il nemico*: combatir contra los enemigos FRAS **~ assegno**: contra reembolso ♦ [sm inv] contra (sing).

controcorrente /kontrokor'rɛnte/ [avv/sf] contracorriente.

controfigura /kontrofi'gura/ [sf] doble (m,f), contrafigura.

controindicazione /kontroindikat'tsjone/ [sf] contraindicación.

controllare /kontrol'lare/ [v tr] controlar ♦ [v prnl] FIG controlarse, dominarse.

controllo /kon'trɔllo/ [sm] control.

controllore /kontrol'lore/ [sm] (trasporti pubblici) revisor (f -a) FRAS ~ **di volo**: controlador aéreo | ~ **ferroviario**: revisor, interventor.

controluce /kontro'lutʃe/ [avv] contraluz.

contromano /kontro'mano/ [avv] a contramano.

contromarca /kontro'marka/ [sf] contraseña.

contropiede /kontro'pjede/ [sm] contragolpe FRAS **prendere in ~**: pillar a contrapié.

controproducente /kontroprodu'tʃente/ [agg m,f] contraproducente.

controsenso /kontro'senso/ [sm] contrasentido.

controvento /kontro'vento/ [avv] contra el viento.

controvoglia /kontro'vɔʎʎa/ [avv] de mala gana/mal talante.

contusione /kontu'zjone/ [sf] contusión.

convalescenza /konvaleʃ'ʃentsa/ [sf] convalecencia.

convalida /kon'valida/ [sf] convalidación.

convalidare /konvali'dare/ [v tr] convalidar.

convegno /kon'veɲɲo/ [sm] congreso, simposio.

conveniente /konve'njente/ [agg m,f] conveniente.

convenienza /konve'njentsa/ [sf] conveniencia.

convenire /konve'nire/ [v intr/imp] convenir.

convento /kon'vento/ [sm] convento.

convenzionale /konventsjo'nale/ [agg m,f] convencional.

convenzionato /konventsjo'nato/ [agg] convencionado.

convenzione /konven'tsjone/ [sf] **1** (patto) convenio (m) **2** convención.

convergenza /konver'dʒentsa/ [sf] convergencia.

convergere /kon'verdʒere/ [v intr] converger.

conversazione /konversat'tsjone/ [sf] **1** conversación **2** (telefonica) conferencia.

conversione /konver'sjone/ [sf] conversión.

convertire (-rsi) /konver'tire/ [v tr prnl] convertir (-se).

convincente /konvin'tʃente/ [agg m,f] convincente, persuasivo (m).

convincere (-rsi) /kon'vintʃere/ [v tr prnl] convencer (-se).

convinzione /konvin'tsjone/ [sf] convicción, convencimiento (m).

convivenza /konvi'ventsa/ [sf] convivencia.

convivere /kon'vivere/ [v intr] **1** convivir, vivir **2** (coppia) cohabitar.

convocare /konvo'kare/ [v tr] convocar.

convoglio /kon'vɔʎʎo/ [sm] (anche ferroviario) convoy.

convulsione /konvul'sjone/ [sf] convulsión.

cooperativa /koopera'tiva/ [sf] sociedad cooperativa.

coordinamento /koordina'mento/ [sm] coordinación (f).

coordinare /koordi'nare/ [v tr] coordinar.

coordinatore (-trice) /koordina'tore/ [agg/sm] coordinador (f -a).

coordinazione /koordinat'tsjone/ [sf] coordinación.

coperchio /ko'perkjo/ [sm] tapa (f).

coperta /ko'perta/ [sf] **1** manta, cobertor (m) **2** MAR cubierta FRAS **sotto ~**: bajo cubierta.

copertina /koper'tina/ [sf] cubierta.

coperto /ko'perto/ [agg/sm] cubierto.

copertone /koper'tone/ [sm] (pneumatico) cubierta (f).

copertura /koper'tura/ [sf] cobertura.

copia /'kɔpja/ [sf] copia.

copiare /ko'pjare/ [v tr] copiar.

copione /ko'pjone/ [sm] guión.

coppa /'kɔppa/ [sf] (anche SPORT) copa FRAS **~ dell'olio**: cárter.

coppia /'kɔppja/ [sf] pareja FRAS **di/in ~**: en pareja.

copricostume /koprikos'tume/ [sm inv] vestido (sing) playero.

copriletto /kopri'letto/ [sm inv] colcha (f sing).

coprire (-rsi) /ko'prire/ [v tr prnl/intr prnl] cubrir (-se).

coraggio /ko'raddʒo/ [inter] (esortazione) ánimo ◆ [sm] valor FRAS **farsi ~**: darse ánimo.

coraggioso /korad'dʒoso/ [agg] valiente (m,f).

corallo /ko'rallo/ [sm] coral.

corazza /ko'rattsa/ [sf] coraza.

corda /'kɔrda/ [sf] cuerda FRAS **corde vocali**: cuerdas vocales | **taglia-** re la ~: ahuecar el ala | **tenere sulla ~**: tener en/sobre ascuas.

cordata /kor'data/ [sf] (alpinismo) cordada.

cordiale /kor'djale/ [agg m,f] cordial.

cordoglio /kor'dɔʎʎo/ [sm] duelo, pesar.

cordone /kor'done/ [sm] cordón.

coreografia /koreogra'fia/ [sf] coreografía.

coriandolo /ko'rjandolo/ [sm] **1** BOT cilantro **2** (carnevale) confeti, *Amer* papel picado.

corinzio /ko'rintsjo/ [agg/sm] corintio.

corista /ko'rista/ [sm,f] corista.

cornea /'kɔrnea/ [sf] córnea.

cornetta /kor'netta/ [sf] auricular (m).

cornetto /kor'netto/ [sm] CUC cruasán.

cornice /kor'nitʃe/ [sf] (anche FIG) marco (m).

cornicione /korni'tʃone/ [sm] cornisa (f).

corno /'kɔrno/ [sm] ZOOL cuerno ■ pl irr **corna** (f) FRAS **fare le corna**: poner los cuernos | **un ~!**: ¡un cuerno!

coro /'kɔro/ [sm] coro.

corolla /ko'rɔlla/ [sf] corola.

corona /ko'rona/ [sf] corona FRAS **tappo a ~**: tapón corona.

corpetto /kor'petto/ [sm] corpiño, top*.

corpo /'kɔrpo/ [sm] cuerpo FRAS **a ~ a ~**: cuerpo a cuerpo | **~ elettorale**: censo electoral | **guardia del ~**: guardaespaldas, gorila.

corporativo /korpora'tivo/ [agg] corporativo, gremial (m,f).

corporatura /korpora'tura/ [sf] complexión.

corposo /kor'poso/ [agg] (vino) espeso.

corredo /kor'redo/ [sm] **1** (sposa) ajuar **2** (bebè) canastilla (f).

correggere /kor'reddʒere/ [v tr] corregir.

corrente /kor'rɛnte/ [agg m,f/sf] corriente FRAS **andare contro ~**: ir contra corriente | **essere al ~**: estar al corriente/tanto | **moneta ~**: moneda corriente.

correre /'korrere/ [v intr/tr] correr FRAS **~ ai ripari**: poner remedio | **~ un pericolo**: correr un peligro.

correttezza /korret'tettsa/ [sf] corrección.

corretto /kor'rɛtto/ [agg] correcto FRAS **caffè ~**: carajillo.

correzione /korret'tsjone/ [sf] corrección.

corridoio /korri'dojo/ [sm] pasillo, corredor.

corridore (-trice) /korri'dore/ [agg/sm] corredor (f -a).

corriera /kor'rjera/ [sf] coche (m) de línea, *Amer* guagua.

corriere /kor'rjere/ [sm] (postale) mensajería (f).

corrimano /korri'mano/ [sm] pasamanos (inv), barandilla (f).

corrispondente /korrispon'dɛnte/ [sm,f] corresponsal.

corrispondenza /korrispon'dɛntsa/ [sf] correspondencia.

corrispondere /korris'pondere/ [v intr] **1** corresponder **2** (lettere) cartearse.

corrodere (-rsi) /kor'rodere/ [v tr/intr prnl] corroer (-se).

corrompere (-rsi) /kor'rompere/ [v tr/intr prnl] corromper (-se).

corrosivo /korro'zivo/ [agg/sm] corrosivo.

corrotto /kor'rotto/ [agg] corrupto.

corruzione /korrut'tsjone/ [sf] corru-pción.

corsa /'korsa/ [sf] **1** carrera **2** (mezzo pubblico) recorrido (m), trayecto (m) FRAS **andare di ~**: ir a la carrera.

corsia /kor'sia/ [sf] **1** (cinema, teatro) pasillo (m) **2** (ospedale) sala **3** (strada) carril (m), lateral (m) **4** SPORT calle FRAS **~ di emergenza**: arcén | **~ di sorpasso**: carril de adelantamiento | **~ preferenziale**: carril bus/taxi.

corso /'korso/ [sm] **1** (anche libro) curso **2** (strada) avenida (f), paseo FRAS **in ~**: en curso | **lavori in ~**: en obras | **nel ~ di**: en el curso de, durante.

corte /'korte/ [sf] corte FRAS **~ d'appello**: tribunal de segunda instancia, *Amer* corte de apelación | **~ di cassazione**: tribunal supremo.

corteccia /kor'tettʃa/ [sf] corteza.

corteo /kor'tɛo/ [sm] **1** cortejo **2** (dimostrazione) desfile.

cortese /kor'teze/ [agg m,f] cortés.

cortesia /korte'zia/ [sf] **1** (gentilezza) cortesía, amabilidad **2** (piacere) favor (m) FRAS **per ~**: por favor.

cortile /kor'tile/ [sm] **1** (edificio) patio **2** (aia) corral.

cortisone /korti'zone/ [sm] cortisona (f).

corto /'korto/ [agg] corto FRAS **tagliare ~**: ir al grano.

cortocircuito /kortotʃir'kuito/ [sm] cortocircuito.

cortometraggio /kortome'traddʒo/ [sm] cortometraje, corto.

corvo /'kɔrvo/ [sm] cuervo.

cosa /'kɔsa/ [sf] 1 cosa 2 (interrogativo, esclamativo) qué FRAS **sono cose** che **capitano**: son cosas que suceden/ocurren.

coscia /'kɔʃʃa/ [sf] 1 ANAT ZOOL muslo (m) 2 (pantaloni) pernera.

cosciente /koʃ'ʃente/ [agg m,f] consciente.

coscienza /koʃ'ʃentsa/ [sf] conciencia FRAS **perdita di ~**: lipotimia.

così /ko'si*/ [agg inv] así ◆ [avv] 1 así • *non parlare ~*: no hables así 2 tan • *Maria abita ~ lontano*: María vive tan lejos FRAS **basta ~!**: ¡basta ya! | ~ ~: así así | e ~ **via/dicendo**: y así por el estilo ◆ [cong] 1 (seguito da che, come, da) tan • *ero ~ stanco che mi si chiusero gli occhi*: estaba tan cansado que se me cerraron los ojos 2 (conclusivo) así, por lo cual, por lo tanto • *mi addormentai e ~ non sentii il telefono*: me dormí, por lo tanto no sentí el teléfono FRAS **~ che**: así que.

cosiddetto /kosid'detto/ [agg] llamado.

cosmesi /koz'mɛzi/ [sf inv] cosmética (sing).

cosmetico /koz'metiko/ [agg/sm] cosmético.

cosmo /'kɔzmo/ [sm] cosmos (inv), universo.

cosmopolita /kozmopo'lita/ [agg m,f/sm,f] cosmopolita.

cospargere /kos'pardʒere/ [v tr] 1 esparcir 2 CUC espolvorear.

cospirare /kospi'rare/ [v intr] conspirar.

costa /'kɔsta/ [sf] 1 ANAT costilla 2 GEOG (mare) costa 3 GEOG (montagna) ladera, cuesta 4 BOT acelga FRAS **velluto a coste**: pana.

costante /kos'tante/ [agg m,f/sf] constante.

costanza /kos'tantsa/ [sf] constancia, perseverancia.

costare /kos'tare/ [v intr] (anche FIG) costar FRAS **~ un capitale/un occhio della testa**: costar un ojo de la cara.

costaricano /kostari'kano/ [agg/sm] costarriqueño, costarricense (m,f).

costata /kos'tata/ [sf] chuleta.

costato /kos'tato/ [sm] costado.

costeggiare /kosted'dʒare/ [v tr] costear.

costellazione /kostellat'tsjone/ [sf] constelación.

costiera /kos'tjera/ [sf] costa.

costiero /kos'tjero/ [agg] costero.

costina /kos'tina/ [sf] CUC costilla.

costipazione /kostipat'tsjone/ [sf] 1 (intestino) estreñimiento (m) 2 (raffreddore) constipado (m), resfriado (m).

costituire (-rsi) /kostitu'ire/ [v tr prnl] (anche GIUR) constituir (-se).

costituzione /kostitut'tsjone/ [sf] constitución.

costo /'kɔsto/ [sm] costo FRAS **a ~ di**: a costa de | **a ogni ~**: a toda costa | **~ del lavoro**: coste laboral.

costola /'kɔstola/ [sf] costilla FRAS **mettersi/stare alle costole**: no dejar ni a sol ni a sombra.

costoso /kos'toso/ [agg] costoso.

costringere /kos'trindʒere/ [v tr] obligar, compeler.

costrizione /kostrit'tsjone/ [sf] constricción.

costruire /kostru'ire/ [v tr] (anche FIG) construir.

costruttore (-trice) /kostrut'tore/ [agg/sm] constructor (f -a).

costruzione /kostrut'tsjone/ [sf] construcción.

costume /kos'tume/ [sm] **1** costumbre (f) **2** ABB traje FRAS ~ a due **pezzi**: dos piezas, bikini | ~ **da bagno** (**intero**): bañador, *Amer* malla | ~ **di carnevale**: disfraz de carnaval.

cotenna /ko'tenna/ [sf] hoja de tocino.

cotogna /ko'toɲɲa/ [sf] membrillo (m).

cotone /ko'tone/ [sm] algodón.

cotta /'kɔtta/ [sf] FIG FAM (innamoramento) enamoramiento (m) FRAS **prendersi una ~ per qualcuno**: estar chalado/colado por alguien.

cottimo /'kɔttimo/ [sm] destajo.

cotto /'kɔtto/ [agg] **1** CUC cocido **2** FIG quemado **3** FIG FAM (innamorato) chalado, colado ◆ [sm] (pavimento) cerámica (f).

cotton fioc /'kɔtton fjɔk/ [sm inv] bastoncillos.

cottura /kot'tura/ [sf] cocción, cocimiento (m).

coupon /ku'pɔn/ [sm inv] cupón (sing).

covare /ko'vare/ [v tr] empollar.

covo /'kovo/ [sm] FIG cueva (f), escondite.

coyote /ko'jote/ [sm inv] coyote (sing).

cozza /'kɔttsa/ [sf] POP ITT mejillón (m).

crac /'krak/ [inter/sm inv] crac.

cracker /'kreker/ [sm inv] galleta (f sing) salada.

crampo /'krampo/ [sm] calambre.

cranico /'kraniko/ [agg] craneal (m,f) FRAS **trauma ~**: trauma craneal.

cranio /'kranjo/ [sm] cráneo.

cratere /kra'tere/ [sm] cráter.

cravatta /kra'vatta/ [sf] corbata FRAS ~ **a farfalla**: pajarita.

creare /kre'are/ [v tr] **1** crear **2** (causare) dar, causar.

creativo /krea'tivo/ [agg/sm] creativo.

creatura /krea'tura/ [sf] criatura.

creazione /kreat'tsjone/ [sf] creación.

credenza /kre'dentsa/ [sf] **1** (religiosa) creencia **2** (opinione) convicción, opinión **3** (mobile) aparador (m).

credere (-rsi) /'kredere/ [v tr prnl/intr] creer (-se) FRAS **ci credo!**: ¡ya lo creo! | **non riuscire a ~**: no poder creerlo.

credito /'kredito/ [sm] crédito FRAS **carta di ~**: tarjeta de crédito | **dare ~**: dar confianza.

creditore (-trice) /kredi'tore/ [agg/sm] acreedor (f -a).

crema /'krema/ [agg inv/sf] crema FRAS ~ **da barba**: crema de afeitar | ~ **pasticcera**: crema pastelera.

cremazione /kremat'tsjone/ [sf] cremación.

cremeria /kreme'ria/ [sf] heladería.

cremoso /kre'moso/ [agg] cremoso.

crepa /'krɛpa/ [sf] grieta, raja.

crepaccio /kre'pattʃo/ [sm] 1 (terreno, roccia) barranco, hendidura (f) 2 (ghiacciaio) grieta (f), hendidura (f).

crepare /kre'pare/ [v intr] FIG FAM reventar ♦ [v intr prnl] agrietarse, resquebrajarse FRAS ~ dalle risa/dal ridere: desternillarse de risa.

crepuscolo /kre'puskolo/ [sm] crepúsculo.

crescere /'kreʃʃere/ [v intr] crecer.

crescita /'kreʃʃita/ [sf] crecimiento (m).

cresima /'krezima/ [sf] confirmación.

crespo /'krespo/ [agg] crespo.

cresta /'kresta/ [sf] cresta FRAS abbassare la ~: bajar/doblar la cerviz | alzare la ~: alzar/levantar la cresta.

creta /'kreta/ [sf] creta.

cretinata /kreti'nata/ [sf] tontería.

cretino /kre'tino/ [agg/sm] cretino, necio.

cric /'krik/ [sm inv] gato (sing), cric.

criceto /kri'tʃeto/ [sm] hámster.

criminale /krimi'nale/ [agg m,f/sm,f] criminal.

criminalità /kriminali'ta*/ [sf inv] criminalidad (sing) FRAS la ~ organizzata: la mafia.

crimine /'krimine/ [sm] crimen.

crinale /kri'nale/ [sm] cima (f).

criniera /kri'njera/ [sf] 1 (leone) melena 2 (cavallo) crines (pl).

cripta /'kripta/ [sf] cripta.

crisi /'krizi/ [sf inv] crisis FRAS ~ d'astinenza: crisis de abstinencia | ~ di governo: crisis de gobierno | ~ di nervi: ataque de nervios | ~ di

pianto: ataque de llanto | ~ di rigetto: rechazo.

cristalleria /kristalle'ria/ [sf] cristalería.

cristallo /kris'tallo/ [sm] cristal.

cristianesimo /kristja'nezimo/ [sm] cristianismo.

cristiano /kris'tjano/ [agg/sm] cristiano.

criterio /kri'terjo/ [sm] criterio.

critica /'kritika/ [sf] crítica.

criticare /kriti'kare/ [v tr] criticar.

critico /'kritiko/ [agg/sm] crítico.

croccante /krok'kante/ [agg m,f] crujiente.

croce /'krotʃe/ [sf] (anche FIG) cruz FRAS a occhio e ~: a ojo (de buen cubero) | ~ rossa: cruz roja.

crocevia /krotʃe'via/ [sm inv] cruce (sing).

crociato /kro'tʃato/ [agg] cruzado FRAS parole crociate: crucigrama.

crociera /kro'tʃera/ [sf] crucero (m).

crocifisso /krotʃi'fisso/ [sm] crucifijo.

crollare /krol'lare/ [v intr] (anche FIG) derrumbarse, desplomarse.

crollo /'krollo/ [sm] 1 (anche FIG) derrumbe, desplome 2 (economico) bajón.

cronaca /'kronaka/ [sf] crónica FRAS ~ nera: sucesos.

cronico /'kroniko/ [agg] crónico.

cronista /kro'nista/ [sm,f] cronista.

cronologia /kronolo'dʒia/ [sf] cronología.

cronometro /kro'nometro/ [sm] cronómetro.

cross /'kros/ [sm inv] 1 (moto) cross 2 (calcio) centro (sing).

crosta /'krɔsta/ [sf] **1** (anche FIG) corteza **2** MED costra.

crostaceo /kros'tatʃeo/ [sm] crustáceo.

crostata /kros'tata/ [sf] tarta.

crostino /kros'tino/ [sm] tostada.

croupier /kru'pje/ [sm inv] crupier (sing).

cruciale /kru'tʃale/ [agg m,f] crucial.

cruciverba /krutʃi'verba/ [sm inv] crucigrama (sing).

crudele /kru'dεle/ [agg m,f] cruel.

crudeltà /krudel'ta*/ [sf inv] crueldad (sing).

crudo /'krudo/ [agg] (anche FIG) crudo FRAS **farne di cotte e di crude**: hacer locuras.

crusca /'kruska/ [sf] salvado (m).

cruscotto /krus'kɔtto/ [sm] salpicadero.

cubano /ku'bano/ [agg/sm] cubano.

cubetto /ku'betto/ [sm] cubito.

cubo /'kubo/ [sm] cubo.

cuccetta /kut'tʃetta/ [sf] litera.

cucchiaino /kukkja'ino/ [sm] cucharilla (f).

cucchiaio /kuk'kjajo/ [sm] cuchara (f).

cuccia /'kuttʃa/ [sf] cesto (m).

cucciolo /'kuttʃolo/ [sm] (animale) cachorro.

cucina /ku'tʃina/ [sf] cocina.

cucinare /kutʃi'nare/ [v tr] cocinar, guisar.

cucire /ku'tʃire/ [v tr] **1** coser **2** MED suturar FRAS **macchina per ~**: máquina de coser.

cucito /ku'tʃito/ [agg] cosido ♦ [sm] costura (f).

cucitrice /kutʃi'tritʃe/ [sf] grapadora.

cucitura /kutʃi'tura/ [sf] costura.

cuffia /'kuffja/ [sf] **1** cofia, gorro (m) **2** (ricevitore acustico) cascos (m pl).

cugino /ku'dʒino/ [sm] primo.

cui /'kui/ [pron inv] **1** el/la cual, los/las cuales, (el/la) que • *questo è il libro a ~ mi riferivo*: éste es el libro al cual me refería **2** (luogo) que, donde • *il quartiere in ~ abito*: el barrio en que vivo FRAS **per ~**: por lo cual/tanto.

culla /'kulla/ [sf] cuna.

cullare /kul'lare/ [v tr] **1** mecer, acunar **2** FIG abrigar.

culminare /kulmi'nare/ [v intr] culminar.

culmine /'kulmine/ [sm] cumbre (f).

culo /'kulo/ [sm] POP **1** culo **2** VOLG (omosessuale) maricón FRAS **avere (del) ~**: tener suerte/potra | **che ~!**: ¡qué suerte/potra/chorra! | **mandare a fare in ~**: mandar a tomar por culo/hacer puñetas, *Amer* mandar al carajo.

culto /'kulto/ [sm] culto.

cultura /kul'tura/ [sf] cultura.

culturale /kultu'rale/ [agg m,f] cultural.

culturismo /kultu'rizmo/ [sm] culturismo.

cumulativo /kumula'tivo/ [agg] acumulativo FRAS **biglietto ~**: (billete) grupos.

cumulo /'kumulo/ [sm] cúmulo.

cunetta /ku'netta/ [sf] cuneta.

cunicolo /ku'nikolo/ [sm] galería (f).

cuocere /'kwɔtʃere/ [v tr/intr] cocer FRAS **~ a bagno maria/al for-**

no/allo spiedo/in padella: cocinar a baño (de) María/al horno/al ast/en la sartén.

cuoco /'kwɔko/ [sm] cocinero.

cuoio /'kwɔjo/ [sm] **1** cuero **2** FIG SCHERZ piel (f), pellejo ■ pl irr f **cuoia** (nel sign 2) FRAS ~ **capelluto**: cuero cabelludo | **lasciarci/rimetterci/tirare le cuoia**: dejar/perder el pellejo.

cuore /'kwɔre/ [sm] **1** (anche FIG) corazón **2** (carte, al pl) corazones FRAS **avere/non avere ~**: tener/no tener corazón | **~ di carciofo**: cogollo de alcachofa | **malattie di ~**: cardiopatías | **prendersi a ~ qualcosa/qualcuno**: tomarse a pecho algo/alguien.

cupo /'kupo/ [agg] **1** (colore) oscuro **2** (voce) cavernoso **3** (sguardo) siniestro.

cupola /'kupola/ [sf] cúpula FRAS **volta a ~**: bóveda sobre pechinas.

cura /'kura/ [sf] **1** cuidado (m) **2** MED cura, tratamiento (m) FRAS **a ~ di**: bajo la dirección de | **casa di ~**: clínica | **essere in ~**: estar en cura.

curare /ku'rare/ [v tr] **1** MED curar **2** cuidar ◆ [v prnl] MED curarse.

curia /'kurja/ [sf] curia.

curiosare /kurjo'sare/ [v intr] curiosear.

curiosità /kurjosi'ta*/ [sf inv] curiosidad (sing).

curioso /ku'rjoso/ [agg/sm] curioso.

curriculum /kur'rikulum/ [sm inv] curriculum.

curry /'karri/ [sm inv] curry (sing).

curva /'kurva/ [sf] curva.

curvare /kur'vare/ [v tr] arquear, combar ◆ [v intr] doblar, torcer ● ~ *a destra*: torcer a la derecha.

curvo /'kurvo/ [agg] curvo.

cuscinetto /kuʃʃi'netto/ [sm] **1** (meccanico) cojinete **2** FAM (di grasso) michelín.

cuscino /kuʃ'ʃino/ [sm] almohada (f).

cuscus /kus'kus/ [sm inv] cuscús (sing).

custode /kus'tɔde/ [sm,f] **1** (museo) guardián (f -a) **2** (edificio) portero (m).

custodia /kus'tɔdja/ [sf] **1** custodia **2** (contenitore) estuche (m), funda FRAS **agente di ~**: alguacil.

cutaneo /ku'taneo/ [agg] cutáneo.

cute /'kute/ [sf] cutis (m inv).

cyclette /si'klɛt/ [sf inv] bicicleta (sing) estática.

Dd

da /da*/ [prep] **1** (causa, moto attraverso luogo, mezzo) por • *Cesare fu assassinato ~ Bruto*: César fue asesinado por Bruto | *quel treno passa ~ Firenze*: ese tren pasa por Florencia **2** (stato in luogo, presso) en • *sono dall'avvocato*: estoy en el bufete del abogado | *studia dai gesuiti*: se educa en los jesuitas **3** (moto da luogo, origine, scopo, fine, qualità, prezzo) de • *mi allontanai ~ lui*: me alejé de él | *biglietto ~ visita*: tarjeta de visita | *cavallo ~ corsa*: caballo de carreras | *sala ~ ballo*: salón de baile | *un quaderno ~ quattro euro*: un cuaderno de cuatro euros | *~ bambino*: de niño **4** (provenienza) de, desde • *arriva ~ Roma*: llega de Roma | *telefonò ~ Parigi*: llamó desde París **5** (moto a luogo) a, adonde • *~ che parte sei diretto?*: ¿adónde te diriges? **6** (tempo) desde hace • *abita in quella casa ~ dieci anni*: vive en esa casa desde hace diez años **7** (modo, maniera) como • *comportarsi ~ amico*: portarse como un amigo ■ **da... a** de... a, desde... hasta • *andrà ~ Genova a Torino*: irá desde Génova hasta Turín ■ **da me/te/sé** por mi/tu/su cuenta • *lo fa tutto ~ sé*: lo hace todo por su cuenta ■ **da + pron pers** a mi/tu/su casa • *vengo ~ te stasera*: esta noche voy a tu casa FRAS **abito ~ sera**: traje de gala |

~ allora: desde entonces | **~ lontano**: desde/de lejos | **~ sempre**: de/desde siempre | **~ solo**: solo | **~ vicino**: de cerca | **d'ora innanzi/in poi**: (de ahora) en adelante | **fin ~**: desde.

dado /'dado/ [sm] **1** dado **2** (da brodo) avecrem (inv).

dagli /'daʎʎi/ [prep art m pl] de los.

dai /'dai/ [inter] ¡dale!, ¡hala! ◆ [prep art m pl] de los ◆ *apprendere ~ giornali*: enterarse por los diarios.

daino /'daino/ [sm] gamo.

dal /'dal/ [prep art m sing] del ◆ *tremava ~ freddo*: tiritaba por el frío FRAS **~ basso**: desde abajo.

dalla /'dalla/ [prep art f sing] de la, del.

dalle /'dalle/ [prep art f pl] de las.

dallo /'dallo/ [prep art m sing] del.

d'altronde /dal'tronde/ [avv] por otro lado, por otra parte.

dama /'dama/ [sf] (gioco) damas (pl).

damigiana /dami'dʒana/ [sf] damajuana.

danese /da'nese/ [agg m,f/sm,f] danés (f -a), dinamarqués (f -a).

Danimarca /dani'marka/ [sf] Dinamarca.

dannare /dan'nare/ [v tr] FIG exasperar ◆ [v prnl] FIG afligirse, afanarse.

danneggiare /danned'dʒare/ [v tr] **1** (nuocere alla salute) dañar, perjudicar **2** (guastare) deteriorar, estropear **3** FIG (reputazione) perjudicar.

danno /'danno/ [sm] **1** daño, perjuicio **2** (veicolo) avería (f) FRAS **chiedere i danni**: pedir daños y perjuicios.

dannoso /dan'noso/ [agg] dañino, perjudicial (m,f).

danza /'dantsa/ [sf] danza, baile (m) FRAS ~ **classica**: ballet.

danzare /dan'tsare/ [v intr/tr] bailar, danzar.

dappertutto /dapper'tutto/ [avv] por todas partes, por todos lados.

dapprima /dap'prima/ [avv] antes, en un primer momento.

dare (-rsi) /'dare/ [v tr prnl/intr] dar (-se) FRAS ~ **ai/sui nervi**: crispar los nervios | ~ **del cretino**: llamarlo cretino | ~ **del lei**: tratar de usted | ~ **del tu**: tutear | ~ **il resto**: dar la vuelta | ~ **le dimissioni**: dimitir | ~ **l'ergastolo**: condenar a cadena perpetua | ~ **noia**: causar molestia | ~ **una festa**: dar una fiesta | ~ **una mancia**: dar una propina | ~ **una mano**: echar una mano | ~ **un appuntamento**: dar una cita (conocido); dar hora (médico, oficina) | ~ **un concerto**: dar un concierto | ~ **un esame**: examinarse | **darsi delle arie**: darse aires, presumir | **può darsi**: puede ser, quizás.

data /'data/ [sf] fecha FRAS ~ **di scadenza**: fecha de caducidad.

dato /'dato/ [sm] dato.

dattero /'dattero/ [sm] dátil.

davanti /da'vanti/ [agg inv] anterior (sing), delantero (m sing) ♦ [avv] **1** delante ● *si mise* ~: se puso delante **2** por delante ● *si scende* ~: se baja

por delante ♦ [prep] **(a) 1** (cosa) delante de (algo) **2** (persona) en presencia de (alguien), ante (alguien).

davanzale /davan'tsale/ [sm] alféizar.

davvero /dav'vero/ [avv] de verdad.

day hospital /dei'ɔspital/ [sm inv] centro de día.

dazio /'dattsjo/ [sm] arancel FRAS ~ **doganale**: aduana.

dea /'dɛa/ [sf] diosa.

debilitare (-rsi) /debili'tare/ [v tr/intr prnl] debilitar (-se).

debito /'debito/ [sm] deuda (f).

debitore (-trice) /debi'tore/ [sm] deudor (f -a).

debole /'debole/ [agg m,f/sm,f] débil FRAS **il lato/punto** ~: el punto flaco/débil ♦ [sm] **1** punto flaco, flaqueza (f) **2** (simpatia particolare) debilidad (f).

debolezza /debo'lettsa/ [sf] debilidad.

debutto /de'butto/ [sm] debut*.

decadere /deka'dere/ [v intr] decaer, declinar.

decaffeinato /dekaffei'nato/ [agg/sm] descafeinado.

decappottabile /dekappot'tabile/ [agg m,f] descapotable.

deceduto /detʃe'duto/ [agg/sm] fallecido.

decente /de'tʃɛnte/ [agg m,f] decente.

decidere (-rsi) /de'tʃidere/ [v tr/intr intr prnl] decidir (-se).

decina /de'tʃina/ [sf] decena.

decisamente /detʃiza'mente/ [avv] **1** (con decisione) con decisión **2** (senza dubbio) indudablemente.

decisione /detʃi'zjone/ [sf] decisión

decisivo /det'ʃi'zivo/ [agg] decisivo.

deciso /de'tʃizo/ [agg] decidido.

declino /de'klino/ [sm] FIG decadencia (f), ocaso.

decollare /dekol'lare/ [v intr] (aereo) despegar.

décolleté /dekol'te*/ [agg inv] **1** (abito) escotado (m sing) **2** (scarpa) estilo salón.

decongestionante /dekondʒestjo'nante/ [agg m,f/sm] descongestionante.

decorare /deko'rare/ [v tr] decorar.

decorazione /dekorat'tsjone/ [sf] decoración.

decoroso /deko'roso/ [agg] decoroso.

decorrenza /dekor'rentsa/ [sf] efecto (m) FRAS **con ~ da**: con efecto a partir de.

decorso /de'korso/ [sm] curso.

decrepito /de'krepito/ [agg] decrépito.

decreto /de'kreto/ [sm] decreto FRAS **~ legge**: decreto ley.

dedica /'dedika/ [sf] dedicatoria.

dedicare (-rsi) /dedi'kare/ [v tr prnl] dedicar (-se).

dedurre /de'durre/ [v tr] deducir.

deficiente /defi'tʃente/ [sm,f] SPREG imbécil, tarado (m).

defilarsi /defi'larsi/ [v prnl] FIG esfumarse.

definire /defi'nire/ [v tr] definir.

definizione /definit'tsjone/ [sf] definición FRAS **alta ~**: alta definición.

definitivo /defini'tivo/ [agg] definitivo.

definito /defi'nito/ [agg] definido.

deflettore /deflet'tore/ [sm] deflector.

deformare (-rsi) /defor'mare/ [v tr /intr prnl] deformar (-se).

deformazione /deformat'tsjone/ [sf] deformación.

degenerare /dedʒene'rare/ [v intr] degenerar.

degente /de'dʒente/ [agg m,f/sm,f] hospitalizado (m).

degenza /de'dʒentsa/ [sf] hospitalización.

degli /'deʎʎi/ [prep art m pl] de los.

deglutire /deglu'tire/ [v tr] deglutir.

degnare (-rsi) /deɲ'ɲare/ [v tr/intr prnl] dignarse FRAS **non ~ di uno sguardo**: ni considerar.

degno /'deɲɲo/ [agg] digno.

degrado /de'grado/ [sm] deterioro.

degustare /degus'tare/ [v tr] degustar, catar.

degustazione /degustat'tsjone/ [sf] degustación, catadura, paladeo (m).

dei /'dei/ [prep art m pl] de los.

del /del/ [prep art m sing] del.

delegare /dele'gare/ [v tr] delegar.

delegato /dele'gato/ [agg/sm] delegado.

delfino /del'fino/ [sm] **1** ITT delfín **2** SPORT (nuoto) estilo delfín.

delicatezza /delika'tettsa/ [sf] delicadeza.

delicato /deli'kato/ [agg] **1** (anche FIG) delicado **2** (cibo) ligero **3** (persona) enclenque (m,f).

delinquente /delin'kwɛnte/ [agg m,f/sm,f] **1** delincuente **2** FAM sinvergüenza, tunante.

delinquenza /delin'kwɛntsa/ [sf] delincuencia.

delirante /deli'rante/ [agg m,f] **1** MED delirante **2** irracional, exaltado

(m) • *parole deliranti*: palabras exaltadas.

delirare /deli'rare/ [v intr] **1** MED delirar **2** FIG (entusiasmarsi) exaltarse, entusiasmarse.

delirio /de'lirjo/ [sm] **1** MED delirio **2** FIG (entusiasmo) frenesí, entusiasmo.

delitto /de'litto/ [sm] (anche FIG) delito.

delizia /de'littsja/ [sf] delicia.

delizioso /delit'tsjoso/ [agg] delicioso.

della /'della/ [prep art f sing] de la, del.

delle /'delle/ [prep art f pl] de las.

dello /'dello/ [prep art m sing] del.

delta /'dɛlta/ [sm inv] GEOG delta (sing).

deltaplano /delta'plano/ [sm] ala delta (f).

deludente /delu'dɛnte/ [agg m,f] decepcionante.

deludere /de'ludere/ [v tr] decepcionar, defraudar.

delusione /delu'zjone/ [sf] decepción, desilusión.

demente /de'mɛnte/ [agg m,f/sm,f] FAM estúpido (m), imbécil.

demenziale /demen'tsjale/ [agg m,f] demencial.

democratico /demo'kratiko/ [agg/sm] democrático.

democrazia /demokrat'tsia/ [sf] democracia.

demografico /demo'grafiko/ [agg] demográfico.

demolire /demo'lire/ [v tr] demoler.

demolizione /demolit'tsjone/ [sf] **1** demolición, derribo (m) **2** (automobile) desguace (m).

demonio /de'mɔnjo/ [sm] demonio.

demoralizzare /demoralid'dzare/ [v tr] desalentar, desanimar ♦ [v intr prnl] desanimarse.

demordere /de'mɔrdere/ [v intr] ceder.

denaro /de'naro/ [sm] dinero FRAS ~ **contante**: dinero en efectivo/metálico.

denominazione /denominat'tsjone/ [sf] denominación FRAS ~ **d'origine controllata**: denominación de origen.

densità /densi'ta*/ [sf inv] densidad (sing).

denso /'dɛnso/ [agg] denso.

dentario /den'tarjo/ [agg] dental (m,f) FRAS **protesi dentaria**: prótesis dental.

dente /'dɛnte/ [sm] diente FRAS **al ~**: al dente | ~ **del giudizio**: muela cordal/del juicio.

dentice /'dɛntitʃe/ [sm] dentón.

dentiera /den'tjera/ [sf] dentadura postiza.

dentifricio /denti'fritʃo/ [agg/sm] dentífrico.

dentista /den'tista/ [sm,f] dentista.

dentro /'dentro/ [avv] dentro, adentro FRAS **da**/**di ~**: desde dentro | **in ~**: hacia adentro ♦ [prep] dentro de FRAS ~ **a**/**di**/**in**: dentro de.

denuclearizzato /denuklearid'dzato/ [agg] desnuclearizado.

denuncia /de'nuntʃa/ [sf] **1** GIUR denuncia **2** (dichiarazione) parte (m).

denunciare /denun'tʃare/ [v tr] (anche GIUR) denunciar.

denutrizione /denutrit'tsjone/ [sf] desnutrición.

deodorante /deodo'rante/ [agg m,f/sm] desodorante FRAS **~ per ambienti**: ambientador | **stick ~**: desodorante en barra.

deodorare /deodo'rare/ [v tr] desodorizar.

depenalizzare /depenalid'dzare/ [v tr] despenalizar.

deperibile /depe'ribile/ [agg m,f] deteriorable.

deperire /depe'rire/ [v intr] **1** (persona) agotar **2** (merce, cibo) deteriorarse.

depilare /depi'lare/ [v tr] depilar.

depilazione /depilat'tsjone/ [sf] depilación.

dépliant /depli'an/ [sm inv] folleto (sing).

deporre /de'porre/ [v tr] FIG (destituire) cesar, destituir ◆ [v intr] deponer.

deportazione /deportat'tsjone/ [sf] deportación.

depositare /depozi'tare/ [v tr] **1** depositar **2** (banca, borsa) imponer ◆ [v intr prnl] depositarse.

deposito /de'pozito/ [sm] depósito FRAS **~ bagagli**: consigna | **~ bancario**: depósito bancario.

deposizione /depozit'tsjone/ [sf] GIUR declaración.

depressione /depres'sjone/ [sf] depresión.

depresso /de'presso/ [agg/sm] deprimido.

deprimere (**-rsi**) /de'primere/ [v tr/intr prnl] deprimir (-se), desanimar (-se).

depurare /depu'rare/ [v tr] depurar.

depuratore /depura'tore/ [sm] depurador.

deputato /depu'tato/ [sm] diputado.

deragliare /deraʎ'ʎare/ [v intr] descarrilar, *Amer* desrielar.

deridere /de'ridere/ [v tr] mofarse.

deriva /de'riva/ [sf] deriva FRAS **andare alla ~**: ir a la deriva.

derivare /deri'vare/ [v intr] derivar.

dermatite /derma'tite/ [sf] dermatitis (inv).

dermatologo /derma'tɔlogo/ [sm] dermatólogo.

derubare /deru'bare/ [v tr] robar.

descrivere /des'krivere/ [v tr] describir.

descrizione /deskrit'tsjone/ [sf] descripción.

desertico /de'zɛrtiko/ [agg] desértico.

deserto /de'zɛrto/ [agg/sm] desierto.

desiderabile /deside'rabile/ [agg m,f] deseable, apetecible.

desiderare /deside'rare/ [v tr] desear FRAS **farsi ~**: hacerse esperar | **lasciare a ~**: dejar mucho que desear.

desiderio /desi'dɛrjo/ [sm] deseo.

desideroso /deside'rozo/ [agg] deseoso.

design /de'zain/ [sm inv] diseño.

designer /de'zainer/ [sm,f inv] diseñador (sing, f -a).

desistere /de'sistere/ [v intr] desistir.

desolante /dezo'lante/ [agg m,f] desolador (f -a).

desolato /dezo'lato/ [agg] **1** (paesaggio) desolado, yermo **2** (persona) afligido.

desolazione /dezolat'tsjone/ [sf] desolación.

dessert /des'sɛr/ [sm inv] postre (sing).

destare /des'tare/ [v tr] FIG despertar, estimular.

destinare /desti'nare/ [v tr] **1** destinar **2** dirigir • *la merce è destinata a Napoli*: la mercancía está dirigida a Nápoles.

destinatario /destina'tarjo/ [sm] destinatario.

destinazione /destinat'tsjone/ [sf] destino (m).

destino /des'tino/ [sm] destino.

destituire /destitu'ire/ [v tr] destituir.

destra /'destra/ [sf] derecha FRAS **alla mia/tua/sua ~**: a mi/tu/su derecha | **sulla ~**: a la derecha | **tenere la ~**: ceñirse a la derecha.

destro /'destro/ [agg] derecho.

detenere /dete'nere/ [v tr] **1** tener **2** (prigione) detener.

detenuto /dete'nuto/ [sm] preso.

detenzione /deten'tsjone/ [sf] **1** (anche GIUR) tenencia **2** (prigione) arresto (m), detención.

detergente /deter'dʒente/ [agg m,f] detergente FRAS **crema/latte ~**: crema detergente/limpiadora.

deterioramento /deterjora'mento/ [sm] deterioro, desgaste.

deteriorare /deterjo'rare/ [v tr] deteriorar, desgastar • [v intr prnl] deteriorarse, empeorar.

determinante /determi'nante/ [agg/sm,f] determinante.

determinare /determi'nare/ [v tr] determinar.

determinato /determi'nato/ [agg] **1** determinado, establecido **2** (persona) decidido, resuelto.

determinazione /determinat'tsjone/ [sf] determinación.

detersivo /deter'sivo/ [agg/sm] detergente.

detestare (-rsi) /detes'tare/ [v tr prnl] detestar (-se), aborrecer (-se).

detonazione /detonat'tsjone/ [sf] detonación, estallido (m).

detrarre /de'trarre/ [v tr] deducir, desgravar.

detrazione /detrat'tsjone/ [sf] desgravación.

detrito /de'trito/ [sm] detrito.

dettagliato /dettaʎ'ʎato/ [agg] detallado, pormenorizado.

dettaglio /det'taʎʎo/ [sm] detalle FRAS **vendere/vendita al ~**: vender/venta al por menor.

dettare /det'tare/ [v tr] **1** dictar **2** (imporre) imponer.

dettato /det'tato/ [sm] dictado.

detto /'detto/ [sm] dicho.

deturpare /detur'pare/ [v tr] afear.

devastare /devas'tare/ [v tr] devastar.

devastato /devas'tato/ [agg] devastado.

devastazione /devastat'tsjone/ [sf] devastación.

deviare /devi'are/ [v intr] desviarse • [v tr] desviar.

deviazione /deviat'tsjone/ [sf] desviación.

devoto /de'voto/ [agg] devoto.

devozione /devot'tsjone/ [sf] devoción.

di /di/ [prep] de ■ **di + inf** que + cong • *capita ~ sbagliare*: puede pasar que uno se equivoque ■ **di + inf** in • *tentare ~ capire*: intentar entender ■ **di + inf** de + inf • *degno ~ essere creduto*: digno de ser creído FRAS **dire ~ si/no**: decir que sí/no.

diabete /dia'bɛte/ [sm] diabetes (inv).

diabetico /dia'bɛtiko/ [agg/sm] diabético.

diabolico /dja'bɔliko/ [agg] diabólico.

diaframma /dia'framma/ [sm] diafragma.

diagnosi /di'aɲɲozi/ [sf inv] diagnóstico (m sing).

diagonale /diago'nale/ [agg m,f/sf] diagonal.

diagramma /dia'gramma/ [sm] diagrama.

dialetto /dia'lɛtto/ [sm] dialecto.

dialisi /di'alizi/ [sf inv] diálisis.

dialogo /di'alogo/ [sm] diálogo.

diamante /dia'mante/ [sm] diamante.

diametro /di'ametro/ [sm] diámetro.

diapositiva /diapozi'tiva/ [sf] diapositiva.

diario /di'arjo/ [sm] diario.

diarrea /diar'rɛa/ [sf] diarrea.

diavolo /'djavolo/ [inter] ¡demonios!, ¡diablos! ◆ [sm] diablo, demonio FRAS **abitare a casa del ~**: vivir en el quinto pino | **avere un ~ per capello**: estar hecho un basilisco | **mandare al ~**: mandar al diablo/a la porra.

dibattere (-rsi) /di'battere/ [v tr] debatir (-se).

dibattito /di'battito/ [sm] debate.

diboscamento /diboska'mento/ [sm] tala (f), desmonte.

dicembre /di'tʃɛmbre/ [sm] diciembre.

dichiarare (-rsi) /dikja'rare/ [v tr prnl] declarar (-se) FRAS **~ guerra**: declarar la guerra.

dichiarazione /dikjarat'tsjone/ [sf] declaración.

diciannovenne /ditʃanno'venne/ [agg m,f/sm,f] de diecinueve años.

diciassettenne /ditʃasset'tenne/ [agg m,f/sm,f] de diecisiete años.

diciottenne /ditʃot'tenne/ [agg m,f/sm,f] de dieciocho años.

dicitura /ditʃi'tura/ [sf] etiqueta, marbete (m), indicación.

didietro /di'djetro/ [agg inv/sm inv] trasero (m sing).

diecina /dje'tʃina/ [sf] decena.

diesel /'dizel/ [agg inv/sm inv] diesel.

dieta /'djeta/ [sf] dieta, régimen (m).

dietetico /die'tetiko/ [agg] dietético.

dietologo /dje'tɔlogo/ [sm] dietista (m,f).

dietro /'djetro/ [agg inv] posterior (sing), trasero (m sing) ◆ [avv] atrás, detrás ● **sali ~**: sube detrás FRAS **di ~**: (por) detrás ◆ [prep] **1** tras, detrás de ● **~ la scala**: detrás de la escalera **2** FIG a sus espaldas ● **gli ridono ~**: se ríen a sus espaldas FRAS **~ a/di**: en pos de.

difatti /di'fatti/ [cong] en efecto, en realidad.

difendere (-rsi) /di'fɛndere/ [v tr prnl] defender (-se).

difensore (-ditrice) /difen'sore/ [agg] defensor (f -a) ◆ [sm] defensa (m,f).

difesa /di'fesa/ [sf] defensa FRAS **legittima ~**: legítima defensa | **ministero della ~**: ministerio de defensa.

difetto /di'fɛtto/ [sm] defecto.

difettoso /difet'toso/ [agg] defectuoso.

differente /diffe'rɛnte/ [agg m,f] diferente, distinto (m).

differenza /diffe'rɛntsa/ [sf] diferencia FRAS **a ~ di**: a diferencia de.

differenziare (-rsi) /differen'tsjare/ [v tr/intr prnl] diferenciar (-se).

difficile /dif'fitʃile/ [agg m,f] 1 difícil 2 (poco probabile) improbable ◆ [sm,f] difícil.

difficoltà /diffikol'ta*/ [sf inv] 1 dificultad (sing) 2 (al pl, problemi economici) dificultades FRAS **trovarsi in ~**: estar en un aprieto.

difficoltoso /diffikol'toso/ [agg] dificultoso, difícil (m,f).

diffidare /diffi'dare/ [v intr] desconfiar, recelar ◆ [v tr] intimar.

diffidente /diffi'dɛnte/ [agg m,f] desconfiado (m), receloso (m).

diffidenza /diffi'dɛntsa/ [sf] desconfianza, recelo (m).

diffondere /dif'fondere/ [v tr] 1 difundir 2 (odore) desprender, emanar ◆ [v intr prnl] difundirse.

diffusione /diffu'zjone/ [sf] difusión.

diffuso /dif'fuzo/ [agg] difuso, difundido.

difronte /di'fronte/ [agg inv/avv] enfrente.

diga /'diga/ [sf] dique (m).

digeribile /didʒe'ribile/ [agg m,f] digestible.

digerire /didʒe'rire/ [v tr] digerir.

digestione /didʒes'tjone/ [sf] digestión.

digestivo /didʒes'tivo/ [agg] digestivo ◆ [sm] licor digestivo.

digitale /didʒi'tale/ [agg m,f] (anche INFORM) digital FRAS **impronte digitali**: huellas dactilares.

digitare /didʒi'tare/ [v tr] 1 MUS digitar 2 INFORM digitear.

digiunare /didʒu'nare/ [v intr] ayunar.

digiuno /di'dʒuno/ [agg] en ayunas FRAS **essere ~ di qualcosa**: no saber/entender nada de algo ◆ [sm] ayuno FRAS **a ~**: en ayunas.

dignità /diɲɲi'ta*/ [sf inv] dignidad (sing).

dignitoso /diɲɲi'toso/ [agg] digno, decente (m,f).

dilagare /dila'gare/ [v intr] 1 (acque) anegar, inundar 2 FIG cundir, extenderse.

dilatare (-rsi) /dila'tare/ [v tr/intr prnl] dilatar (-se).

dilazione /dilat'tsjone/ [sf] dilación.

dileguarsi /dile'gwarsi/ [v intr prnl] desaparecer.

dilettante /dilet'tante/ [agg m,f sm,f] aficionado (m), amateur (inv).

diligente /dili'dʒɛnte/ [agg m,f] diligente.

dilungarsi /dilun'garsi/ [v intr prnl] explayarse.

diluviare /dilu'vjare/ [v imp] diluviar.

diluvio /di'luvjo/ [sm] 1 diluvio 2 FIG lluvia (f), torrente.

dimagrire /dima'grire/ [v intr] adelgazar.

dimenarsi /dime'narsi/ [v prnl] agitarse.

dimensione /dimen'sjone/ [sf] dimensión.

dimenticanza /dimenti'kantsa/ [sf] descuido (m), despiste (m).

dimenticare /dimenti'kare/ [v tr/intr prnl] olvidar.

dimestichezza /dimesti'kettsa/ [sf] familiaridad FRAS **avere ~ con qualcosa**: tener familiaridad con algo.

dimettere /di'mettere/ [v tr] **1** (ospedale) dar de alta **2** (posto di lavoro) cesar ◆ [v prnl] (posto di lavoro) dimitir.

dimezzare /dimed'dzare/ [v tr] reducir a la mitad.

diminuire /diminu'ire/ [v tr/intr] disminuir.

diminuzione /diminut'tsjone/ [sf] **1** disminución **2** (temperatura) descenso (m).

dimissioni /dimis'sjoni/ [sf pl] dimisión (sing).

dimostrare /dimos'trare/ [v tr] **1** demostrar **2** (andare a una dimostrazione) manifestar **3** (età) aparentar, representar ◆ [v prnl] manifestar, demostrar.

dimostrazione /dimostrat'tsjone/ [sf] **1** demostración **2** (politica) manifestación.

dinamica /di'namika/ [sf] dinámica.

dinamico /di'namiko/ [agg] dinámico.

dinamo /'dinamo/ [sf inv] dinamo (sing).

dinamite /dina'mite/ [sf] dinamita.

dinanzi /di'nantsi/ [prep] **1** (a qualcosa) delante de, frente a **2** (a qualcuno) ante, en presencia.

dinastia /dinas'tia/ [sf] dinastía.

dinosauro /dino'sauro/ [sm] dinosaurio.

dintorni /din'torni/ [sm pl] alrededores, cercanías (f).

dio /'dio/ [sm] dios ▪ pl irr **dei** FRAS **~ ce la mandi buona!**: ¡Dios nos

valga! | **per l'amor di ~!**: ¡en nombre/por el amor de Dios!

diocesi /di'ɔtʃezi/ [sf inv] diócesis.

dipartimento /diparti'mento/ [sm] departamento.

dipendente /dipen'dɛnte/ [sm,f] dependiente FRAS **~ pubblico**: funcionario público.

dipendenza /dipen'dɛntsa/ [sf] dependencia.

dipendere /di'pendere/ [v intr] depender FRAS **dipende**: depende, veremos.

dipingere /di'pindʒere/ [v tr] pintar.

dipinto /di'pinto/ [agg] pintado ◆ [sm] pintura (f) FRAS **~ a olio**: lienzo.

diploma /di'plɔma/ [sm] diploma, título.

diplomarsi /diplo'marsi/ [v intr prnl] diplomarse.

diplomatico /diplo'matiko/ [agg/ sm] diplomático.

diplomato /diplo'mato/ [sm] diplomado.

diplomazia /diplomat'tsia/ [sf] diplomacia.

dire /'dire/ [v tr/imp] decir FRAS **a ~ il vero**: a decir verdad | **~ di sì/no**: decir que sí/no | **per sentito ~**: de oídas.

diretta /di'retta/ [sf] transmisión en directo.

direttivo /diret'tivo/ [agg] directivo ◆ [sm] directiva (f).

diretto /di'retto/ [agg] directo FRAS **treno ~ a Roma**: tren con destino a Roma | **coltivatore ~**: cultivador ◆ [sm] (treno) tren directo.

direttore (**-trice**) /diret'tore/ [sm] **1** director (f -a) **2** (commerciale) jefe

FRAS ~ **di corsa/gara**: juez árbitro.

direzione /diret'tsjone/ [sf] dirección FRAS **in ~ di**: hacia, en dirección a | **in ~ nord/sud**: hacia el norte/sur.

dirigente /diri'dʒente/ [agg m,f] dirigente ◆ [sm,f] ejecutivo.

dirigere (**-rsi**) /di'ridʒere/ [v tr prnl] dirigir (-se).

dirimpetto /dirim'petto/ [avv/prep] enfrente.

diritto /di'ritto/ [agg] recto ◆ [avv] **1** enfrente • **là ~**: allá enfrente **2** recto, directo • **~ verso Roma**: recto hacia Roma ◆ [sm] derecho.

dirottamento /dirotta'mento/ [sm] (aereo) secuestro.

dirottare /dirot'tare/ [v tr] **1** (rotta) desviar **2** (aereo) secuestrar.

disabile /di'zabile/ [agg m,f/sm,f] minusválido (m).

disabitato /dizabi'tato/ [agg] deshabitado.

disabituare (**-rsi**) /dizabitu'are/ [v tr/intr prnl] desacostumbrar (-se).

disaccordo /dizak'kɔrdo/ [sm] desacuerdo.

disagio /di'zadʒo/ [sm] incomodidad (f), molestia (f) FRAS **sentirsi a ~**: sentirse a disgusto.

disapprovare /dizappro'vare/ [v tr] desaprobar.

disapprovazione /dizapprovat'tsjone/ [sf] desaprobación.

disappunto /dizap'punto/ [sm] contrariedad (f).

disarmare /dizar'mare/ [v tr] desarmar.

disarmato /dizar'mato/ [agg] **1** desarmado **2** FIG inerme (m,f), indefenso.

disarmo /di'zarmo/ [sm] (militare) desarme.

disastro /di'zastro/ [sm] desastre FRAS **essere un ~**: ser un desastre.

disastroso /dizas'troso/ [agg] desastroso.

disattento /dizat'tento/ [agg] descuidado, negligente (m,f).

disattenzione /dizatten'tsjone/ [sf] desatención.

disavventura /dizavven'tura/ [sf] percance (m).

discapito /dis'kapito/ [sm] detrimento, perjuicio FRAS **tornare a ~ di qualcuno**: ir en detrimento de alguien.

discarica /dis'karika/ [sf] vertedero (m).

discendere /diʃʃendere/ [v intr] descender.

discesa /diʃʃesa/ [sf] **1** declive (m), bajada **2** (sci) descenso (m).

dischetto /dis'ketto/ [sm] **1** (calcio) punto de penalti **2** INFORM disquete.

disciplina /diʃʃi'plina/ [sf] disciplina.

disciplinare /diʃʃipli'nare/ [agg m,f] disciplinar, disciplinario (m) ◆ [v tr] reglamentar, ordenar, organizar.

disciplinato /diʃʃipli'nato/ [agg] disciplinado.

disc-jockey /disk'dʒɔkei/ [sm,f inv] pinchadiscos (m).

disco /'disko/ [sm] disco FRAS **~ rigido**: disco duro/rígido | **~ orario**: estacionamiento limitado | **ernia del ~**: hernia de disco ◆ [sf inv] ABBR disco (sing).

discolpare (**-rsi**) /diskol'pare/ [v tr prnl] disculpar (-se).

discontinuo /diskon'tinuo/ [agg] discontinuo.

discordante /diskor'dante/ [agg m,f] discordante.

discorsivo /diskor'sivo/ [agg] discursivo.

discorso /dis'korso/ [sm] discurso **FRAS cambiare ~**: doblar/volver la hoja.

discoteca /disko'tɛka/ [sf] discoteca.

discreto /dis'kreto/ [agg] **1** discreto **2** (certo) mesurado, moderado.

discrezione /diskret'tsjone/ [sf] discreción.

discriminazione /diskriminat'tsjone/ [sf] discriminación.

discussione /diskus'sjone/ [sf] discusión **FRAS mettere/rimettere in ~**: poner en tela de juicio.

discutere /dis'kutere/ [v tr/intr] discutir.

discutibile /disku'tibile/ [agg m,f] discutible.

disdire /diz'dire/ [v tr] cancelar, anular.

disegnare /disep'pare/ [v tr] dibujar.

disegnatore (**-trice**) /diseppa'tore/ [sm] **1** (stilista, designer) diseñador (f -a) **2** (illustratore, architetto) dibujante (m,f).

disegno /di'seppo/ [sm] **1** dibujo **2** (moda, industria) diseño.

disfare /dis'fare/ [v tr] deshacer ◆ [v intr prnl] **1** (andare a male) echarse a perder **2** (sciogliersi) deshacerse.

disfatto /dis'fatto/ [agg] deshecho.

disfunzione /disfun'tsjone/ [sf] **1** MED disfunción **2** mal funcionamiento (m).

disgelare (**-rsi**) /dizdʒe'lare/ [v tr/intr prnl] deshelar (-se).

disgelo /diz'dʒɛlo/ [sm] deshielo.

disgrazia /diz'grattsja/ [sf] desgracia.

disgraziato /dizgrat'tsjato/ [agg/sm] desgraciado.

disgregazione /dizgregat'tsjone/ [sf] disgregación, desintegración.

disguido /diz'gwido/ [sm] percance, imprevisto.

disgustare /dizgus'tare/ [v tr] disgustar ◆ [v intr prnl] hartarse.

disgusto /diz'gusto/ [sm] asco, repulsión (f).

disgustoso /dizgus'toso/ [agg] **1** desagradable (m,f) **2** FIG enojoso ◆ *uno spettacolo* ~: un espectáculo enojoso.

disidratare (**-rsi**) /dizidra'tare/ [v tr/intr prnl] deshidratar (-se).

disilludere (**-rsi**) /dizil'ludere/ [v tr/intr prnl] desilusionar (-se).

disinfestare /dizinfes'tare/ [v tr] desinfestar.

disinfestazione /dizinfestat'tsjone/ [sf] desinfestación.

disinfettante /dizinfet'tante/ [agg m,f/sm] desinfectante.

disinfettare /dizinfet'tare/ [v tr] desinfectar.

disinfezione /dizinfet'tsjone/ [sf] desinfección.

disinibito /dizini'bito/ [agg] desinhibido.

disinnescare /dizinnes'kare/ [v tr] desactivar.

disintegrare (**-rsi**) /dizinte'grare/ [v tr/intr prnl] **1** desintegrar (-se) **2** FIG disgregar (-se).

disinteressarsi /dizinteres'sarsi/ [v intr prnl] desinteresarse, desentenderse.

disinteressato /dizinteres'sato/ [agg] desinteresado, desprendido.

disinteresse /dizinte'resse/ [sm] desinterés.

disintossicare /dizintossi'kare/ [v tr] desintoxicar ◆ [v prnl] 1 (alcol, fumo) desintoxicarse 2 (droga) desengancharse.

disinvolto /dizin'vɔlto/ [agg] desenvuelto.

disinvoltura /dizinvol'tura/ [sf] desenvoltura.

dislivello /dizli'vello/ [sm] desnivel.

disoccupato /dizokku'pato/ [agg/sm] parado, Amer cesante (m,f).

disoccupazione /dizokkupat'tsjone/ [sf] paro (m), Amer desocupación FRAS sussidio di ~: subsidio de paro.

disonestà /dizones'ta*/ [sf inv] deshonestidad (sing).

disonesto /dizo'nesto/ [agg] deshonesto ◆ [sm] persona (f) deshonesta.

disonorare /dizono'rare/ [v tr] deshonrar.

disonore /dizo'nore/ [sm] deshonor.

disopra /di'sopra/ [agg inv] superior (sing) • il piano ~: el piso superior ◆ [avv] arriba • salire ~: subir arriba.

disordinato /dizordi'nato/ [agg] desordenado.

disordine /di'zordine/ [sm] desorden.

disorganizzato /dizorganid'dzato/ [agg] desorganizado.

disorganizzazione /dizorganiddzat'tsjone/ [sf] desorganización.

disorientare (-rsi) /dizorjen'tare/ [v tr/intr prnl] desorientar (-se).

disorientato /dizorjen'tato/ [agg] desorientado.

disotto /di'sotto/ [agg inv] de abajo • il piano ~: el piso de abajo ◆ [avv] abajo, bajo • andare ~: ir abajo.

dispari /'dispari/ [agg inv] (numero) dis-par (sing).

disparte /dis'parte/ [avv] aparte FRAS tenersi/starsene in ~: apartarse.

dispendio /dis'pendjo/ [sm] derroche.

dispensa /dis'pensa/ [sf] 1 (anche mobile) despensa 2 fascículo (m), entrega.

dispensare /dispen'sare/ [v tr] eximir.

disperare (-rsi) /dispe'rare/ [v tr/v intr/intr prnl] desesperar (-se).

disperato /dispe'rato/ [agg] desesperado ◆ [sm] FAM infeliz (m,f) desgraciado.

disperazione /disperat'tsjone/ [sf] desesperación.

disperdere (-rsi) /dis'perdere/ [v tr/intr prnl] dispersar (-se).

disperso /dis'perso/ [sm] disperso desaparecido.

dispetto /dis'petto/ [sm] desaire desprecio.

dispiacere /dispja't ʃere/ [sm] 1 pen (f) • piangere dal ~: llorar de pen 2 disgusto • suo figlio le ha dat molti dispiaceri: su hijo le ha dad muchos disgustos ◆ [v intr] 1 dis gustar, desagradar • la mia presen za dispiacerà a qualcuno: mi pre sencia desagradará a alguien **2** sentir, lamentar • *mi dispiace che te ne vada così presto*: siento que te vayas tan temprano **3** (in formule di cortesia) molestar, importar • *le dispiacerebbe se fumassi?*: ¿le molestaría que fumara? FRAS **mi/ci dispiace**: lo siento/sentimos.

dispiaciuto /dispja't∫uto/ [agg] disgustado.

disponibile /dispo'nibile/ [agg m,f] disponible.

disponibilità /disponibili'ta*/ [sf inv] disponibilidad (sing).

disporre (-rsi) /dis'porre/ [v tr prnl/ intr] disponer (-se).

dispositivo /dispozi'tivo/ [sm] dispositivo.

disposizione /dispozit'tsjone/ [sf] disposición FRAS **essere a ~ di qualcuno**: estar a disposición de alguien.

disposto /dis'posto/ [agg] dispuesto.

disprezzare /dispret'tsare/ [v tr] despreciar.

disprezzo /dis'prettso/ [sm] desprecio.

disputare /dispu'tare/ [v intr/tr] disputar.

dissanguare (-rsi) /dissan'gware/ [v tr/intr prnl] (anche FIG) desangrar (-se).

disseminare /dissemi'nare/ [v tr] diseminar, esparcir.

dissenso /dis'senso/ [sm] **1** disensión (f) **2** (disapprovazione) desaprobación (f).

dissenteria /dissente'ria/ [sf] disentería.

dissestato /disses'tato/ [agg] (strada) en mal estado.

dissetante /disse'tante/ [agg m,f/ sm] refrescante.

dissetare (-rsi) /disse'tare/ [v tr prnl] quitar (-se) la sed.

dissidente /dissi'dente/ [agg m,f/ sm,f] disidente.

dissoluzione /dissolut'tsjone/ [sf] disolución.

dissuadere /dissua'dere/ [v tr] disuadir.

distaccato /distak'kato/ [agg] FIG indiferente (m,f).

distacco /dis'takko/ [sm] FIG **1** (allontanamento) separación (f) **2** (indifferenza) desamor, despego FRAS **~ della retina**: desprendimiento de la retina.

distante /dis'tante/ [agg m,f] (anche FIG) distante ♦ [avv] lejos • *abitiamo ~*: vivimos lejos.

distanza /dis'tantsa/ [sf] (anche FIG) distancia FRAS **prendere le distanze**: disociarse.

distanziare /distan'tsjare/ [v tr] **1** distanciar **2** SPORT aventajar.

distendere (-rsi) /dis'tendere/ [v tr prnl] **1** relajar (-se) **2** (sdraiare) tender (-se).

distesa /dis'tesa/ [sf] **1** extensión • *la ~ del mare*: la extensión del mar **2** fila, hilera • *una ~ di panni*: una fila de ropa.

disteso /dis'teso/ [agg] **1** (sdraiato) acostado **2** FIG relajado.

distillare /distil'lare/ [v tr] destilar.

distillato /distil'lato/ [sm] destilado.

distinguere (-rsi) /dis'tingwere/ [v tr/intr prnl] distinguir (-se).

distinta /dis'tinta/ [sf] lista, nota FRAS **~ di versamento**: impreso de depósito.

distintivo /distin'tivo/ [sm] distintivo.

distinto /dis'tinto/ [agg] **1** (diverso) distinto, diferente (m,f) **2** (raffinato) distinguido FRAS **distinti saluti**: atentamente.

distinzione /distin'tsjone/ [sf] distinción.

distorsione /distor'sjone/ [sf] distorsión.

distrarre (-rsi) /dis'trarre/ [v tr prnl] distraer (-se).

distratto /dis'tratto/ [agg] distraído.

distrazione /distrat'tsjone/ [sf] distracción.

distretto /dis'tretto/ [sm] distrito.

distribuire /distribu'ire/ [v tr] distribuir.

distributore /distribu'tore/ [sm] distribuidor (f -a) FRAS **~ automatico**: expendedor automático | **~ di benzina**: gasolinera.

distribuzione /distribut'tsjone/ [sf] distribución FRAS **grande ~**: gran distribución.

distruggere (-rsi) /dis'truddʒere/ [v tr] (anche FIG) destruir (-se).

distrutto /dis'trutto/ [agg] (anche FIG) destruido FRAS **essere ~ dalla stanchezza**: estar hecho polvo.

distruzione /distrut'tsjone/ [sf] destrucción.

disturbare (-rsi) /distur'bare/ [v tr prnl] molestar (-se) FRAS **disturbo?**: ¿puedo?

disturbo /dis'turbo/ [sm] **1** molestia (f), fastidio **2** MED trastorno.

disubbidiente /dizubbi'djɛnte/ [agg m,f/sm,f] desobediente.

disubbidire /dizubbi'dire/ [v intr] desobedecer.

disuguaglianza /dizugwaʎ'ʎantsa/ [sf] desigualdad.

disumano /dizu'mano/ [agg] inhumano.

dito /'dito/ [sm] dedo ■ pl irr **dita** (f) FRAS **non muovere un ~**: no mover un dedo.

ditta /'ditta/ [sf] firma.

dittatore (-trice) /ditta'tore/ [sm] dictador (f -a).

dittatura /ditta'tura/ [sf] dictadura.

diuretico /diu'rɛtiko/ [agg/sm] diurético.

diurno /di'urno/ [agg] diurno.

divano /di'vano/ [sm] sofá*.

divenire /dive'nire/ [v intr] volverse, devenir.

diventare /diven'tare/ [v intr] **1** ponerse • **~ grasso**: ponerse gordo **2** volverse • **~ ricco**: volverse rico **3** llegar a ser, convertirse • **è diventato un avvocato famoso**: ha llegado a ser un abogado famoso.

diversificare /diversifi'kare/ [v tr] diversificar ◆ [v intr prnl] diferenciarse.

diversità /diversi'ta*/ [sf inv] diversidad (sing).

diverso /di'vɛrso/ [agg] diverso.

divertente /diver'tɛnte/ [agg m,f] divertido (m).

divertimento /diverti'mento/ [sm] diversión (f) FRAS **buon ~!**: ¡que lo paséis bien!

divertire (-rsi) /diver'tire/ [v tr prnl] divertir (-se), entretener (-se) FRAS **andare a divertirsi**: salir a divertirse.

dividere /di'videre/ [v tr] dividir ◆ [v prnl] **1** dividirse **2** (coppia) separarse ◆ [v intr prnl] dividirse.

divieto /di'vjɛto/ [sm] **1** prohibición (f) **2** (caccia, pesca) veda (f) FRAS ~ di balneazione: prohibido bañarse | ~ di sorpasso: prohibido adelantar | ~ di sosta: prohibido aparcar.

divinità /divini'ta*/ [sf inv] divinidad (sing).

divino /di'vino/ [agg] divino.

divisa /di'viza/ [sf] **1** (militare, anche SPORT) uniforme (m) **2** (cameriere, autista) librea **3** (denaro) divisa.

divisione /divi'zjone/ [sf] división.

diviso /di'vizo/ [agg] dividido, partido.

divo /'divo/ [sm] divo, estrella (f), as.

divorare /divo'rare/ [v tr] devorar.

divorziare /divor'tsjare/ [v intr] divorciar.

divorzio /divor'tsjo/ [sm] divorcio.

dizionario /dittsjo'narjo/ [sm] diccionario.

do /dɔ*/ [sm inv] MUS do (sing).

doccia /'dottʃa/ [sf] ducha.

docente /do'tʃɛnte/ [agg m,f/sm,f] docente.

docile /'dɔtʃile/ [agg m,f] **1** dócil **2** (animale) manso (m).

documentarsi /dokumen'tarsi/ [v prnl] documentarse.

documentario /dokumen'tarjo/ [sm] documental.

documento /doku'mento/ [sm] documento.

dodicenne /dodi'tʃɛnne/ [agg m,f/sm,f] de doce años, doceañero (m).

dogana /do'gana/ [sf] aduana.

doganale /doga'nale/ [agg m,f] aduanero (m).

doganiere /doga'njɛre/ [sm] aduanero.

doglie /'dɔʎʎe/ [sf pl] dolores (de parto).

dolce /'doltʃe/ [agg m,f/sm] dulce FRAS clima ~: clima templado | formaggio ~: queso delicado.

dolcevita /doltʃe'vita/ [sm inv] jersey de cuello de cisne.

dolcezza /dol'tʃettsa/ [sf] (anche FIG) dulzura.

dolcificante /doltʃifi'kante/ [agg m,f/sm] dulcificante.

dolorante /dolo'rante/ [agg m,f] dolorido (m).

dolore /do'lore/ [sm] dolor.

doloroso /dolo'roso/ [agg] doloroso.

domanda /do'manda/ [sf] **1** pregunta **2** (richiesta) petición, solicitud ◆ ~ di lavoro: petición de trabajo.

domandare /doman'dare/ [v tr] **1** (per sapere) preguntar **2** (per ottenere) pedir ◆ [v intr] preguntar.

domani /do'mani/ [avv/sm] mañana FRAS a ~!: ¡hasta mañana!

domare /do'mare/ [v tr] domar.

domattina /domat'tina/ [avv] mañana por la mañana.

domenica /do'menika/ [sf] domingo (m).

domestica /do'mestika/ [sf] asistenta.

domestico /do'mestiko/ [agg] doméstico ◆ [sm] criado.

domicilio /domi'tʃiljo/ [sm] domicilio FRAS ~ fiscale: domicilio/residencia fiscal.

dominare /domi'nare/ [v tr/intr] dominar.

dominicano /domini'kano/ [agg/sm] dominicano.

dominio /do'minjo/ [sm] dominio.

domino /'dɔmino/ [sm inv] dominó (sing).

don /'dɔn/ [sm] padre.

donare /do'nare/ [v tr] donar.

donatore (-trice) /dona'tore/ [sm] donante (m,f) FRAS ~ universale: donante universal.

donazione /donat'tsjone/ [sf] donación.

dondolare /dondo'lare/ [v intr] balancearse FRAS dondolarsi sull'altalena: columpiarse.

dondolo /'dondolo/ [sm] balanceo FRAS cavallo a ~: caballo de balancín | sedia a ~: mecedora.

donna /'dɔnna/ [sf] mujer.

dono /'dono/ [sm] don.

dopo /'dopo/ [avv/cong] después FRAS a ~: hasta luego | ci vediamo ~: nos vemos después | ~ mangiato: después de comer | il giorno ~: el día siguiente ♦ [prep] 1 (tempo, luogo) después de ● ~ Natale: después de Navidad 2 tras ● giorno ~ giorno: día tras día.

dopobarba /dopo'barba/ [agg inv/sm inv] after shave.

dopodomani /dopodo'mani/ [avv/sm] pasado mañana.

dopoguerra /dopo'gwɛrra/ [sm inv] posguerra (f).

dopopranzo /dopo'prandzo/ [sm inv] sobremesa (f sing).

doposci /dopoʃ'ʃi*/ [agg inv/sm inv] botas de après-ski.

doposole /dopo'sole/ [agg inv/sm inv] aftersun.

dopotutto /dopo'tutto/ [avv] después de todo.

doppiaggio /dop'pjaddʒo/ [sm] doblaje.

doppio /'doppjo/ [agg] doble (m,f) FRAS ~ senso: doble sentido ♦ [avv] doble FRAS vederci ~: ver doble ♦ [sm] doble.

doppiopetto /doppjo'petto/ [agg inv] cruzado (sing) ♦ [sm inv] traje cruzado.

dorato /do'rato/ [agg] 1 dorado 2 CUC rebozado.

dorico /'dɔriko/ [agg/sm] dórico.

dormire /dor'mire/ [v intr] dormir FRAS cercare/trovare da ~: buscar/encontrar alojamiento.

dormiveglia /dormi'veʎʎa/ [sm inv] duermevela (m,f sing).

dorsale /dor'sale/ [agg m,f] dorsal ♦ [sf] GEOG cordillera.

dorso /'dɔrso/ [sm] 1 dorso 2 (nuoto) espalda (f).

dosare /do'zare/ [v tr] dosificar.

dose /'dɔze/ [sf] dosis (inv).

dosso /'dɔsso/ [sm] (fondo stradale) cambio de rasante.

dotare /do'tare/ [v tr] dotar.

dote /'dɔte/ [sf] dote.

dottore (-essa) /dot'tore/ [sm] 1 FAM doctor (f -a) 2 (laureato) licenciado.

double-face /'dubl fas/ [agg inv/sm inv] reversible (sing).

dove /'dove/ [avv] 1 (interrogativo) dónde, adónde ● ~ vai?: ¿adónde vas? 2 donde ● resta ~ sei: quédate donde estás FRAS da/di ~: de donde | fin ~: hasta donde | per ~: por donde.

dovere /do'vere/ [sm] deber ♦ [v tr] 1 deber 2 (è probabile) deber de ●

deve essere mezzogiorno: debe de ser mediodía.

dovunque /do'vunkwe/ [avv] dondequiera.

dovuto /do'vuto/ [agg] debido.

down /'daun/ [sm,f inv] mongólico (m sing).

drago /'drago/ [sm] dragón.

dragoncello /dragon'tʃello/ [sm] dragoncillo, estragón.

dramma /'dramma/ [sm] drama.

drammatico /dram'matiko/ [agg] dramático.

dritto /'dritto/ [agg] derecho ♦ [avv] **1** enfrente ● *là ~*: allá enfrente **2** directo, recto ● *~ verso Roma*: recto hacia Roma ♦ [sm] **1** (abito, stoffa, lavoro a maglia) derecho **2** (moneta, medaglia) anverso.

droga /'drɔga/ [sf] **1** (spezia) especia **2** (anche FIG) droga FRAS **droghe leggere/pesanti**: drogas blandas/duras | **spacciatore di ~**: camello.

drogare (-rsi) /dro'gare/ [v tr prnl] drogar (-se).

drogato /dro'gato/ [agg] drogado ♦ [sm] drogadicto.

drogheria /droge'ria/ [sf] tienda de ultramarinos.

dubbio /'dubbjo/ [sm] duda (f) FRAS **senza ~**: sin duda.

dubitare /dubi'tare/ [v intr] dudar.

dublinese /dubli'nese/ [agg m,f sm,f] dublinés (f -a).

Dublino /du'blino/ [sf] Dublín.

duca /'duka/ (-**chessa**) [sm] duque.

duce /'dutʃe/ [sm] duce.

due /'due/ [agg num inv] **1** dos **2** cuatro ● *la farmacia si trova a ~ passi*: la farmacia está a cuatro pasos FRAS **fare ~ chiacchiere**: charlar | **fare ~ passi**: dar un paseo.

duecento /due'tʃento/ [sm inv] (secolo) siglo XIII.

duepezzi /due'pettsi/ [sm inv] **1** (costume da bagno) dos piezas **2** (abito) tailleur.

duna /'duna/ [sf] duna.

dunque /'dunkwe/ [cong] **1** pues **2** (per concludere un discorso) entonces ♦ [sm inv] quid, meollo (sing) FRAS **venire al ~**: ir al grano.

duo /'duo/ [sm inv] MUS dúo, dueto.

duomo /'dwɔmo/ [sm] catedral (f).

duplicare /dupli'kare/ [v tr] duplicar.

duplicato /dupli'kato/ [sm] duplicado.

durante /du'rante/ [prep] durante.

durare /du'rare/ [v intr] durar.

durata /du'rata/ [sf] duración.

durezza /du'rettsa/ [sf] **1** dureza **2** (clima) inclemencia.

duro /'duro/ [agg/avv] (anche FIG) duro FRAS **tenere ~**: no dar su brazo a torcer ♦ [sm] **1** superficie dura **2** FIG gamberro, matón ● *fare il ~*: tener actitudes de matón.

durone /du'rone/ [sm] **1** ANAT dureza (f) **2** BOT cereza (f) garrafal.

duttile /'duttile/ [agg m,f] dúctil.

Ee

e /e*/ [cong] **1** y **2** (rafforzativo) los • *tutti ~ due*: los dos FRAS **bell'~ fatto!**: ¡listo!

ebbene /eb'bene/ [cong] pues bien.

ebollizione /ebollit'tsjone/ [sf] (anche FIG) ebullición.

ebraismo /ebra'izmo/ [sm] hebraísmo.

ebreo /e'brɛo/ [agg/sm] hebreo.

eccedere /et'tʃedere/ [v intr] excederse, propasarse.

eccellente /ettʃel'lɛnte/ [agg m,f] excelente.

eccellenza /ettʃel'lɛntsa/ [sf] excelencia FRAS **per ~**: por excelencia.

eccentrico /et'tʃentriko/ [agg] excéntrico ♦ [sm] excéntrico.

eccessivo /ettʃes'sivo/ [agg] excesivo.

eccesso /et'tʃɛsso/ [sm] exceso.

eccetera /et'tʃetera/ [avv] etcétera.

eccezionale /ettʃettsjo'nale/ [agg m,f] excepcional FRAS **in via (del tutto) ~**: excepcionalmente.

eccezione /ettʃet'tsjone/ [sf] excepción FRAS **a ~ di**: a/con excepción de | **fare ~**: representar una excepción.

eccitare (-rsi) /ettʃi'tare/ [v tr/intr prnl] excitar (-se).

eccitazione /ettʃitat'tsjone/ [sf] excitación.

ecclesiastico /ekkle'zjastiko/ [agg/sm] eclesiástico.

ecco /'ɛkko/ [avv] **1** he aquí, aquí está, aquí tienes • **~ qui il tuo libro**: he aquí tu libro **2** (conclusivo) por eso/esto • **ecco perché non ha più scritto**: es por eso que no ha vuelto a escribir ■ **ecco + pron pers** he + pron pers + aquí • **eccomi!**: ¡heme aquí! FRAS **~ fatto!**: ¡ya está!

eclissi /e'klissi/ [sf inv] eclipse (m sing).

eco /'ɛko/ [sm,f] (anche FIG) eco (m) ■ pl irr **echi** (m).

ecografia /ekogra'fia/ [sf] ecografía.

ecologia /ekolo'dʒia/ [sf] ecología.

ecologico /eko'lɔdʒiko/ [agg] ecológico.

economia /ekono'mia/ [sf] economía.

economico /eko'nɔmiko/ [agg] económico.

ecuadoriano /ekwado'rjano/ [agg/sm] ecuatoriano.

eczema /ek'dzɛma/ [sm] eccema.

edera /'edera/ [sf] hiedra, yedra.

edicola /e'dikola/ [sf] quiosco (m).

edificio /edi'fitʃo/ [sm] edificio.

edilizia /edi'littsja/ [sf] construcción.

editore (-trice) /edi'tore/ [agg/sm] editor (f -a) FRAS **casa editrice**: editorial.

editoriale /edito'rjale/ [sm] editorial.

edizione /edit'tsjone/ [sf] edición FRAS **~ tascabile**: edición de bolsillo.

educare /edu'kare/ [v tr] educar.

educazione /edukat'tsjone/ [sf] educación.

effettivo /effet'tivo/ [agg] efectivo.

effetto /ef'fetto/ [sm] efecto FRAS **effetti personali**: efectos personales | **~ serra**: efecto invernadero | **in effetti**: de hecho, en efecto.

effettuare /effettu'are/ [v tr] efectuar, ejecutar.

efficace /effi'katʃe/ [agg m,f] eficaz.

efficiente /effi'tʃente/ [agg m,f] eficiente.

efficienza /effi'tʃentsa/ [sf] **1** eficiencia **2** (forma fisica) forma.

effusione /effu'zjone/ [sf] efusión.

egemonia /edʒemo'nia/ [sf] hegemonía.

egizio /e'dʒittsjo/ [agg/sm] egipcio.

egoismo /ego'izmo/ [sm] egoísmo.

egoista /ego'ista/ [agg m,f/sm,f] egoísta.

eh /'ɛ*/ [inter] **1** ¡eh! **2** (approvazione) ¿no?, ¡ah! • *bella ragazza, ~?*: ¿qué chica tan guapa, no?

ehi /'ei/ [inter] (per richiamare l'attenzione) ¡eh!, ¡oye!

eiaculazione /ejakulat'tsjone/ [sf] eyaculación.

elaborare /elabo'rare/ [v tr] **1** elaborar **2** INFORM procesar, tratar.

elaborato /elabo'rato/ [agg] elaborado.

elaborazione /elaborat'tsjone/ [sf] **1** elaboración **2** INFORM procesamiento (m).

elasticità /elastitʃi'ta*/ [sf inv] (anche FIG) elasticidad (sing).

elastico /e'lastiko/ [agg] (anche FIG) elástico ◆ [sm] goma (f), elástico FRAS **~ per capelli**: coletero.

elefante /ele'fante/ [sm] elefante.

elegante /ele'gante/ [agg m,f] elegante.

eleganza /ele'gantsa/ [sf] elegancia.

eleggere /e'leddʒere/ [v tr] elegir.

elementare /elemen'tare/ [agg m,f] elemental FRAS **scuola ~**: escuela de primera enseñanza italiana.

elemento /ele'mento/ [sm] elemento.

elemosina /ele'mɔzina/ [sf] limosna.

elenco /e'lenko/ [sm] lista (f).

elettorale /eletto'rale/ [agg m,f] electoral FRAS **campagna ~**: campaña electoral.

elettore (-trice) /elet'tore/ [sm] elector (f -a).

elettrauto /elet'trauto/ [sm inv] taller de reparaciones electro-mecánicas.

elettricista /elettri'tʃista/ [sm,f] electricista.

elettricità /elettritʃi'ta*/ [sf inv] electricidad (sing).

elettrico /e'lettriko/ [agg] **1** eléctrico **2** FIG tenso, nervioso • *atmosfera elettrica*: atmósfera tensa FRAS **energia elettrica**: energía eléctrica.

elettrocardiogramma /elettrokardjo'gramma/ [sm] electrocardiograma.

elettrodomestico /elettrodo'mestiko/ [agg/sm] electrodoméstico FRAS **negozio di elettrodomestici**: tienda de electrodomésticos.

elettroencefalogramma /elettroentʃefalo'gramma/ [sm] electroencefalograma.

elettronica /elet'trɔnika/ [sf] electrónica.

elettronico /elet'trɔniko/ [agg] electrónico.

elevare /ele'vare/ [v tr] elevar ◆ [v intr prnl] **1** elevarse **2** FIG mejorar, subir ● ~ *il tenore di vita*: mejorar el nivel de vida.

elezione /elet'tsjone/ [sf] elección FRAS **elezioni amministrative**: elecciones municipales | **elezioni politiche**: elecciones generales.

elica /'ɛlika/ [sf] hélice.

elicottero /eli'kɔttero/ [sm] helicóptero.

eliminare /elimi'nare/ [v tr] eliminar.

eliminazione /eliminat'tsjone/ [sf] eliminación.

ellepì /elle'pi*/ [sm inv] elepé (sing).

elmetto /el'metto/ [sm] casco.

elogiare /elo'dʒare/ [v tr] elogiar, alabar.

emancipato /emantʃi'pato/ [agg] emancipado, independizado.

emancipazione /emantʃipat'tsjone/ [sf] emancipación.

emarginare /emardʒi'nare/ [v tr] marginar.

emarginato /emardʒi'nato/ [agg/sm] mar-ginado.

emarginazione /emardʒinat'tsjone/ [sf] marginación.

ematoma /ema'tɔma/ [sm] hematoma.

embargo /em'bargo/ [sm] embargo, bloqueo.

embolia /embo'lia/ [sf] embolia.

embolo /'ɛmbolo/ [sm] émbolo.

embrionale /embrio'nale/ [agg m,f] embrionario (m).

embrione /embri'one/ [sm] embrión.

emergenza /emer'dʒentsa/ [sf] emergencia.

emergere /e'mɛrdʒere/ [v intr] **1** emerger **2** FIG (fatti) surgir, presentarse **3** FIG (persona) sobresalir, destacarse.

emerso /e'mɛrso/ [agg] emergido.

emettere /e'mettere/ [v tr] emitir FRAS ~ **un assegno**: librar un cheque.

emicrania /emi'kranja/ [sf] jaqueca.

emigrare /emi'grare/ [v intr] emigrar.

emigrato /emi'grato/ [agg/sm] emigrado.

emigrazione /emigrat'tsjone/ [sf] emigración.

emiliano /emi'ljano/ [agg/sm] habitante (m,f) de Emilia.

Emilia-Romagna /emi'lja roma'ɲɲa/ [sf] Emilia-Romaña.

emisfero /emis'fɛro/ [sm] hemisferio.

emittente /emit'tɛnte/ [agg m,f] emisor (f -a) FRAS **stazione radio** ~: radioemisora ◆ [sf] emisora.

emorragia /emorra'dʒia/ [sf] hemorragia FRAS ~ **cerebrale**: derrame cerebral.

emorroide /emor'rɔide/ [sf] hemorroide, almorrana.

emotività /emotivi'ta*/ [sf inv] emotividad (sing).

emotivo /emo'tivo/ [agg/sm] emotivo.

emozionante /emottsjo'nante/ [agg m,f] emocionante.

emozionare (-rsi) /emottsjo'nare/ [v tr/intr prnl] emocionar (-se).

emozione /emot'tsjone/ [sf] emoción.

emporio /em'pɔrjo/ [sm] (grande magazzino) gran almacén, *Amer* emporio.

enciclopedia /entʃiklope'dia/ [sf] enciclopedia.

endovenosa /endove'nosa/ [sf] inyección intravenosa.

energetico /ener'dʒɛtiko/ [agg/sm] energético.

energia /ener'dʒia/ [sf] energía.

energico /e'nɛrdʒiko/ [agg] enérgico.

enigma /e'nigma/ [sm] enigma.

enigmistico /enig'mistiko/ [agg] de pasatiempos.

ennesimo /en'nɛzimo/ [agg num] enésimo.

enologo /e'nɔlogo/ [sm] enólogo.

enorme /e'norme/ [agg m,f] enorme.

enormità /enormi'ta*/ [sf inv] enormidad (sing) FRAS **costare un'~**: costar una exageración.

enoteca /eno'tɛka/ [sf] tienda de vinos.

ente /'ɛnte/ [sm] ente FRAS **~ per il turismo**: oficina de turismo | **~ previdenziale**: instituto de previsión.

entità /enti'ta*/ [sf inv] entidad (sing).

entrambi /en'trambi/ [agg num pl/pron pl] ambos, los dos.

entrare /en'trare/ [v intr] entrar FRAS **entra!**: ¡adelante!, ¡pasa! | **entrarci/non entrarci**: tener/no tener nada que ver | **~ in possesso**: tomar posesión.

entrata /en'trata/ [sf] entrada FRAS **~ della metro**: boca de metro.

entro /'entro/ [prep] dentro de, en.

entusiasmare (**-rsi**) /entuzjaz'mare/ [v tr/intr prnl] entusiasmar (-se).

entusiasmo /entu'zjazmo/ [sm] entusias-mo.

entusiasta /entu'zjasta/ [agg m,f/sm,f] entusiasta.

epatite /epa'tite/ [sf] hepatitis (inv).

epidemia /epide'mia/ [sf] epidemia.

Epifania /epifa'nia/ [sf] día de Reyes.

epilessia /epiles'sia/ [sf] epilepsia.

episodio /epi'zɔdjo/ [sm] **1** episodio **2** (brano letterario) pasaje.

epoca /'ɛpoka/ [sf] época FRAS **costume/vestito d'~**: traje antiguo.

eppure /ep'pure/ [cong] **1** (nonostante) sin embargo, no obstante • *l'avevo avvertito*, **~** *non mi ha dato ascolto*: lo había advertido, sin embargo no me ha escuchado **2** (rafforzativo) y eso que • **~** *gliel'avevo detto!*: ¡y eso que se lo había dicho!

equatore /ekwa'tore/ [sm] ecuador.

equatoriale /ekwato'rjale/ [agg m,f] ecuatorial.

equestre /e'kwɛstre/ [agg m,f] ecuestre.

equilibrare /ekwili'brare/ [v tr] equilibrar.

equilibrio /ekwi'librjo/ [sm] equilibrio.

equilibrista /ekwili'brista/ [sm,f] (circo) equilibrista, volatinero (m).

equino /e'kwino/ [agg/sm] equino.

equinozio /ekwi'nɔttsjo/ [sm] equinoccio.

equipaggiamento /ekwipaddʒa'mento/ [sm] equipo.

equipaggiare (-rsi) /ekwipad'dʒare/ [v tr prnl] equipar (-se), proveer (-se).

equipaggio /ekwi'paddʒo/ [sm] tripulación (f).

équipe /e'kip/ [sf inv] equipo (m sing).

equità /ekwi'ta*/ [sf inv] equidad (sing).

equitazione /ekwitat'tsjone/ [sf] equitación.

equivalente /ekwiva'lɛnte/ [agg m,f/ sm] equivalente.

equivalere /ekwiva'lere/ [v intr] equivaler, valer.

equivoco /e'kwivoko/ [agg/sm] equívoco.

equo /'ɛkwo/ [agg] **1** (imparziale) ecuánime (m,f) **2** (prezzo) razonable (m,f), moderado.

era /'ɛra/ [sf] era.

erario /e'rarjo/ [sm] Hacienda (f).

erba /'ɛrba/ [sf] hierba FRAS ~ **cipollina**: cebollino francés.

erborista /erbo'rista/ [sm,f] herbolario (m).

erboristeria /erboriste'ria/ [sf] herbolario (m), herboristería.

erede /e'rede/ [sm,f] heredero (m).

eredità /eredi'ta*/ [sf inv] herencia (sing).

ereditare /eredi'tare/ [v tr] heredar.

eremita /ere'mita/ [sm,f] ermitaño (m).

eresia /ere'zia/ [sf] **1** herejía **2** FIG disparate (m) • *non dire eresie*: no digas disparates.

erezione /eret'tsjone/ [sf] erección.

ergastolo /er'gastolo/ [sm] cadena (f) perpetua.

erigere (-rsi) /e'ridʒere/ [v tr prnl] erigir (-se).

eritema /eri'tema/ [sm] eritema.

ermetico /er'mɛtiko/ [agg] hermético.

ernia /'ɛrnja/ [sf] hernia.

eroe /e'rɔe/ [sm] héroe.

erogazione /erogat'tsjone/ [sf] **1** (somma) erogación **2** (gas) suministro (m).

eroico /e'rɔiko/ [agg] heroico.

eroina /ero'ina/ [sf] (anche droga) heroína.

erosione /ero'zjone/ [sf] erosión.

erotico /e'rɔtiko/ [agg] erótico.

errore /er'rore/ [sm] error.

eruzione /erut'tsjone/ [sf] (anche MED) erupción.

esagerare /ezadʒe'rare/ [v tr] exagerar ♦ [v intr] pasarse.

esagerato /ezadʒe'rato/ [agg/sm] exagerado.

esagerazione /ezadʒerat'tsjone/ [sf] exageración FRAS **costare un'~**: costar un ojo de la cara | **senza ~**: sin exagerar.

esagono /e'zagono/ [sm] hexágono.

esalazione /ezalat'tsjone/ [sf] exhalación.

esaltare /ezal'tare/ [v tr] **1** exaltar **2** (mettere in evidenza) acentuar ♦ [v intr prnl] ensalzarse.

esaltato /ezal'tato/ [agg/sm] exaltado.

esame /e'zame/ [sm] examen.

esaminare /ezami'nare/ [v tr] examinar.

esasperante /ezaspe'rante/ [agg m,f] exasperante.

esasperare /ezaspe'rare/ [v tr] **1** exasperar, irritar **2** (acuire) agudi-

zar, avivar ◆ [v intr prnl] exasperarse.

esattezza /ezat'tettsa/ [sf] exactitud.

esatto /e'zatto/ [agg] exacto FRAS ~!: ¡precisamente!, ¡eso es!

esattoria /ezatto'ria/ [sf] tesorería.

esaudire /ezau'dire/ [v tr] acceder.

esaurimento /ezauri'mento/ [sm] (anche psicologico) agotamiento.

esaurire (**-rsi**) /ezau'rire/ [v tr/intr prnl] (anche psicologico) agotar (-se).

esaurito /ezau'rito/ [agg] **1** (anche psicologico) agotado **2** (locale pubblico) completo.

esausto /e'zausto/ [agg] exhausto.

esca /'eska/ [sf] **1** cebo (m) **2** FIG anzuelo (m), señuelo (m) FRAS ~ **artificiale**: engaño.

esclamare /eskla'mare/ [v intr] exclamar.

esclamativo /esklama'tivo/ [agg] exclamativo FRAS **punto** ~: punto de admiración.

esclamazione /esklamat'tsjone/ [sf] exclamación.

escludere /es'kludere/ [v tr] excluir.

esclusione /esklu'zjone/ [sf] exclusión FRAS **a** ~ **di**: a/con excepción/exclusión de.

esclusiva /esklu'ziva/ [sf] exclusiva.

esclusivo /esklu'zivo/ [agg] exclusivo.

escluso /es'kluzo/ [agg/sm] excluido FRAS **è** ~ **che**: es imposible que, queda excluido que | **non è** ~ **che**: es probable que.

escoriazione /eskorjat'tsjone/ [sf] excoriación.

escremento /eskre'mento/ [sm] excremento.

escursione /eskur'sjone/ [sf] excursión FRAS ~ **termica**: oscilación climatológica.

esecutivo /ezeku'tivo/ [agg] ejecutivo.

esecutore (**-trice**) /ezeku'tore/ [sm] **1** ejecutor (f -a) **2** MUS ejecutante (m,f).

esecuzione /ezekut'tsjone/ [sf] ejecución FRAS ~ **capitale**: pena capital.

eseguire /eze'gwire/ [v tr] ejecutar.

esempio /e'zempjo/ [sm] ejemplo FRAS **per/ad** ~: por ejemplo.

esemplare /ezem'plare/ [agg m,f/ sm] ejemplar.

esenzione /ezen'tsjone/ [sf] exención, exoneración.

esercitare /ezertʃi'tare/ [v tr] **1** ejercitar, entrenar **2** (professione, attività) ejercer, practicar ◆ [v prnl] **1** ejercitarse, entrenarse **2** (ginnastica) hacer ejercicio/gimnasia.

esercitazione /ezertʃitat'tsjone/ [sf] ejercicio (m).

esercito /e'zertʃito/ [sm] (anche FIG) ejército.

esercizio /ezer'tʃittsjo/ [sm] **1** ejercicio **2** (funzionamento) funcionamiento **3** (negozio) establecimiento FRAS ~ **pubblico**: local público | **essere/non essere in** ~: estar/no estar en forma.

esibirsi /ezi'birsi/ [v prnl] exhibirse.

esibizione /ezibit'tsjone/ [sf] exhibición.

esigente /ezi'dʒente/ [agg m,f] exigente.

esigenza /ezi'dʒentsa/ [sf] exigencia.

esigere /e'zidʒere/ [v tr] exigir.

esile /'ɛzile/ [agg m,f] grácil.

esiliare /ezi'ljare/ [v tr] exiliar, desterrar.

esiliato /ezi'ljato/ [agg/sm] exiliado.

esilio /e'ziljo/ [sm] exilio, destierro.

esistenza /ezis'tɛntsa/ [sf] existencia.

esistere /e'zistere/ [v intr] existir.

esitare /ezi'tare/ [v intr] vacilar, dudar FRAS senza ~: sin vacilar.

esitazione /ezitat'tsjone/ [sf] vacilación, indecisión.

esodo /'ɛzodo/ [sm] éxodo.

esofago /e'zɔfago/ [sm] esófago ∎ pl esofagi, esofaghi.

esonerare /ezone'rare/ [v tr] exonerar.

esotico /e'zɔtiko/ [agg] exótico.

espandersi /es'pandersi/ [v intr prnl] expandirse, expansionarse.

espansione /espan'sjone/ [sf] expansión.

espansivo /espan'sivo/ [agg] expansivo.

espatriare /espa'trjare/ [v intr] expatriarse.

espatrio /es'patrjo/ [sm] expatriación (f).

espediente /espe'djente/ [sm] expediente, recurso.

espellere /es'pellere/ [v tr] expulsar.

esperienza /espe'rjentsa/ [sf] experiencia.

esperimento /esperi'mento/ [sm] experimento.

esperto /es'perto/ [agg/sm] experto.

espirare /espi'rare/ [v tr/intr] espirar.

esplicito /es'plitʃito/ [agg] explícito.

esplodere /es'plɔdere/ [v intr] 1 explotar, estallar, explosionar 2 FIG estallar ◆ [v tr] disparar.

esplorare /esplo'rare/ [v tr] explorar.

esploratore (-trice) /esplora'tore/ [agg/sm] explorador (f -a).

esplorazione /esplorat'tsjone/ [sf] exploración.

esplosione /esplo'zjone/ [sf] (anche FIG) explosión.

esplosivo /esplo'zivo/ [agg/sm] (anche FIG) explosivo.

esporre (-rsi) /es'porre/ [v tr prnl] exponer (-se).

esportare /espor'tare/ [v tr] exportar.

esportazione /esportat'tsjone/ [sf] exportación.

esposizione /espozit'tsjone/ [sf] exposición.

espressione /espres'sjone/ [sf] expresión.

espresso /es'presso/ [agg/sm] expreso, exprés (inv) FRAS caffè ~: café exprés | treno/lettera ~: expreso | francobollo ~: sello de correo extraordinario.

esprimere (-rsi) /es'primere/ [v tr/intr prnl] expresar (-se).

esproprio /es'prɔprjo/ [sm] expropiación (f), requisa (f).

espulsione /espul'sjone/ [sf] expulsión.

essenza /es'sɛntsa/ [sf] esencia.

essenziale /essen'tsjale/ [agg m,f] esencial.

essere /'ɛssere/ [v intr] 1 (anche succedere, ora, giorno, spazio, condizione permanente) ser ◆ che ore sono?: ¿qué hora es? | la rosa è un fiore: la rosa es una flor | quanto è un caffè e un gelato?: ¿cuánto es un café y un helado? 2 (anche stato in luogo, stagione, mese, condizione provvisoria) estar • *fra due ore saremo in città*: dentro de dos horas estaremos en la ciudad | ~ *al lavoro*: estar en el trabajo | *siamo in estate*: estamos en verano | ~ *triste*: estar triste ◆ [v aus] haber • *sono andato a casa*: he ido a casa | *mi sono lavato le mani*: me he lavado las manos ◆ [v imp] ser • *è tardi*: es tarde ■ *ci* + **essere** haber • *ci sono molte specie di alberi*: hay muchas especies de árboles | *non c'è dubbio*: no hay dudas FRAS **ci siamo!**: ¡al fin!, ¡ya estamos! | **cosa c'è?**: ¿qué pasa?, ¿qué hay? | ~ **di ritorno**: estar de vuelta | ~ **nei guai**: estar metido en líos | **non è nulla**: no es nada | **può** ~: puede ser, es posible ◆ [sm] ser.

esso /ˈesso/ [pron sing] éste.

est /ˈest/ [sm] este.

estate /esˈtate/ [sf] verano (m).

estendere (-rsi) /esˈtɛndere/ [v tr/intr prnl] extender (-se).

estensione /estenˈsjone/ [sf] extensión.

esteriore /esteˈrjore/ [agg m,f/sm] exterior.

esterno /esˈtɛrno/ [agg] externo, exterior (m,f) FRAS **per uso** ~: de uso tópico ◆ [sm] exterior.

estero /ˈestero/ [agg] **1** (straniero) extranjero **2** (commercio, politica) exterior FRAS **ministero degli affari esteri**: ministerio de asuntos exteriores ◆ [sm] extranjero FRAS **all'**~: al/en el extranjero.

esteso /esˈteso/ [agg] extenso, vasto.

estetica /esˈtetika/ [sf] estética.

estetista /esteˈtista/ [sm,f] esteticista.

estinguere (-rsi) /esˈtingwere/ [v tr/intr prnl] (anche FIG) extinguir (-se).

estintore /estinˈtore/ [sm] extintor.

estivo /esˈtivo/ [agg] veraniego.

estorsione /estorˈsjone/ [sf] extorsión.

estradizione /estraditˈtsjone/ [sf] extradición.

estraibile /estraˈibile/ [agg m,f] extraíble.

estraneo /esˈtraneo/ [agg/sm] extraño.

estrarre /esˈtrarre/ [v tr] extraer.

estratto /esˈtratto/ [sm] extracto FRAS ~ **conto**: extracto de cuenta.

estrazione /estratˈtsjone/ [sf] extracción.

Estremadura /estremaˈdura/ [sf] Extremadura.

estremità /estremiˈta*/ [sf inv] extremidad (sing), cabo (m sing).

estremo /esˈtremo/ [agg/sm] extremo FRAS **all'**~: al final | **passare da un** ~ **all'altro**: ir/pasar de un extremo a otro.

estroso /esˈtroso/ [agg] caprichoso, extravagante (m,f).

estroverso /estroˈverso/ [agg/sm] extrovertido (agg).

estuario /estuˈarjo/ [sm] estuario.

esuberante /ezubeˈrante/ [agg m,f] **1** exuberante **2** FIG extrovertido (m), vivaracho (m) • *carattere* ~: carácter vivaracho.

esule /ˈezule/ [sm,f] exiliado (m), desterrado (m).

esultare /ezulˈtare/ [v intr] exultar, regocijarse.

età /e'ta*/ [sf inv] edad (sing) FRAS **la mezza ~**: mediana edad | **la tenera ~**: la infancia | **la terza ~**: la tercera edad.

eternità /eterni'ta*/ [sf inv] eternidad (sing).

eterno /e'tɛrno/ [agg] eterno FRAS **in ~**: eternamente.

eterosessuale /eterosessu'ale/ [agg m,f/sm,f] heterosexual.

etica /'ɛtika/ [sf] ética.

etichetta /eti'ketta/ [sf] (anche FIG) etiqueta.

etico /'ɛtiko/ [agg] ético.

etnia /et'nia/ [sf] etnia.

etnico /'ɛtniko/ [agg] étnico FRAS **gruppo ~**: grupo étnico.

eucalipto /euka'lipto/ [sm] eucalipto.

euro /'euro/ [sm inv] euro (sing).

europeo /euro'pɛo/ [agg/sm] europeo.

eutanasia /eutana'zia/ [sf] eutanasia.

evadere /e'vadere/ [v intr] evadirse, huir, escapar ◆ [v tr] (tasse) defraudar.

evaporare /evapo'rare/ [v intr] evaporarse, volatilizarse.

evaporazione /evaporat'tsjone/ [sf] evaporación.

evasione /eva'zjone/ [sf] evasión FRAS **~ fiscale**: fraude fiscal.

evasivo /eva'zivo/ [agg] evasivo.

evaso /e'vazo/ [agg/sm] fugitivo.

evento /e'vɛnto/ [sm] acontecimiento, evento FRAS **lieto ~**: el nacimiento de un niño.

eventuale /eventu'ale/ [agg m,f] eventual.

evidente /evi'dɛnte/ [agg m,f] evidente.

evidenza /evi'dɛntsa/ [sf] evidencia FRAS **mettere in ~**: poner en evidencia | **mettersi in ~**: llamar la atención.

evitare (-rsi) /evi'tare/ [v tr prnl] evitar (-se).

evoluzione /evolut'tsjone/ [sf] evolución.

evviva /ev'viva/ [inter] ¡viva!, ¡arriba!

ex /'ɛks/ [prep/sm,f inv] ex.

expo /eks'po/ [sf inv] feria (sing), exposición (sing).

extra /'ɛkstra/ [agg inv/prep/sm] extra (sing).

extracomunitario /ekstrakomuni'tarjo/ [agg/sm] extracomunitario.

extraconiugale /ekstrakonju'gale/ [agg m,f] extramarital.

extraparlamentare /ekstraparla men'tare/ [agg m,f/sm,f] extraparlamentario (m).

extraterrestre /ekstrater'rɛstre/ [agg/sm,f] extraterrestre.

extravergine /ekstra'verdʒine/ [agg inv] extravirgen.

Ff

fa /'fa*/ [avv] (solo nella fraseologia) FRAS **un'ora ~**: hace una hora | **vent'anni ~**: hace veinte años ◆ [sm inv] MUS fa.

fabbrica /'fabbrika/ [sf] FRAS **marchio di ~**: marca de fábrica.

fabbricare /fabbri'kare/ [v tr] **1** (edilizia) construir, fabricar **2** producir.

fabbricazione /fabbrikat'tsjone/ [sf] fabricación, producción FRAS **difetto di ~**: defecto de fabricación.

fabbro /'fabbro/ [sm] herrero.

faccenda [sf] /fat'tʃɛnda/asunto (m) FRAS **faccende domestiche**: faenas domésticas.

facchino /fak'kino/ [sm] mozo de estación.

faccia /'fattʃa/ [sf] (anche FIG) cara FRAS **di ~**: cara a | **~ a ~**: cara a cara | **~ tosta**: caradura | **perdere la ~**: desprestigiarse.

facciata /fat'tʃata/ [sf] ARCH fachada.

facile /'fatʃile/ [agg m,f] fácil.

facilità /fatʃili'ta*/ [sf inv] facilidad (sing).

facilitare /fatʃili'tare/ [v tr] facilitar.

facilitazione /fatʃilitat'tsjone/ [sf] facilidad.

facoltà /fakol'ta*/ [sf inv] (anche universitaria) facultad (sing).

facoltativo /fakolta'tivo/ [agg] facultativo, optativo FRAS **fermata facoltativa**: parada discrecional.

faggio /'faddʒo/ [sm] haya (f).

fagiano /fa'dʒano/ [sm] faisán.

fagiolino /fadʒo'lino/ [sm] judía (f) verde.

fagiolo /fa'dʒɔlo/ [sm] alubia (f), judía (f).

fagotto /fa'gotto/ [sm] lío, hato.

fai da te /'fai dat'te*/ [sm inv] bricolaje (sing).

falange /fa'landʒe/ [sf] falange.

falce /'faltʃe/ [sf] hoz, guadaña.

falco /'falko/ [sm] halcón.

falda /'falda/ [sf] **1** capa **3** GEOG falda, ladera.

falegname /faleɲ'ɲame/ [sm] carpintero.

fallimento /falli'mento/ [sm] **1** fracaso **2** (economico) quiebra.

fallire /fal'lire/ [v intr] **1** fracasar **2** (economicamente) quebrar ◆ [v tr] (sbagliare) fallar.

fallo /'fallo/ [sm] **1** error **2** SPORT falta (f).

falò /fa'lɔ*/ [sm inv] fogata (f sing), hoguera (f sing).

falsificare /falsifi'kare/ [v tr] falsificar, contrahacer.

falsità /falsi'ta*/ [sf inv] **1** falsedad (sing) **2** (bugia) mentira (sing).

falso /'falso/ [agg/sm] falso FRAS **~ allarme**: falsa alarma.

fama /'fama/ [sf] fama.

fame /'fame/ [sf] **1** hambre **2** FIG sed ◆ **~ di giustizia**: sed de justicia.

famiglia /fa'miʎʎa/ [sf] familia FRAS **confezione/formato ~**: tamaño familiar.

familiare /fami'ljare/ [agg m,f/sm,f] familiar ♦ [sf] (automobile) coche familiar.

familiarità /familjari'ta*/ [sf inv] **1** (confidenza) familiaridad (sing) **2** (esperienza) práctica (sing), experiencia (sing).

famoso /fa'moso/ [agg] famoso.

fanale /fa'nale/ [sm] fanal, farol.

fanatico /fa'natiko/ [agg/sm] fanático.

fango /'fango/ [sm] barro.

fannullone /fannul'lone/ [sm] holgazán (f -a), vago.

fantascienza /fantaʃʃentsa/ [sf] ciencia ficción.

fantasia /fanta'zia/ [agg inv] de fantasía ♦ [sf] fantasía.

fantasma /fan'tazma/ [sm] fantasma.

fantasticare /fantasti'kare/ [v tr/intr] fantasear.

fantastico /fan'tastiko/ [agg] fantástico ♦ [inter] ¡estupendo!, ¡genial!

fante /'fante/ [sm] (carte) sota (f).

fantino /fan'tino/ [sm] jinete.

fantoccio /fan'tottʃo/ [sm] **1** (pupazzo) muñeco, fantoche **2** FIG títere.

farabutto /fara'butto/ [sm] bribón (f -a), canalla (m,f).

faraona /fara'ona/ [sf] gallina de guinea.

farcire /far'tʃire/ [v tr] **1** CUC rellenar **2** FIG atestar, llenar.

fard /'fard/ [sm inv] colorete (sing).

fare /'fare/ [v tr] **1** hacer **2** (procreare) engendrar **3** (professione) ser **4** (comportarsi) comportarse como, portarse ♦ [v intr] **1** ser • *questo lavoro non fa per me*: este trabajo no es para mí **2** sentar • *l'aria di mon-*

tagna ti fa bene: el aire de la montaña te sienta bien ♦ [v imp] hacer • *fa caldo*: hace calor ■ **fare a +** **sost** infinito, dar + sust • **~ a gara**: competir | **~ a calci**: dar puntapiés FRAS **avere da ~**: tener que hacer | **darsi da ~**: esmerarse, darse maña | **farcela/non farcela**: poder/no poder (con) | **~ a meno di qualcosa/qualcuno**: prescindir de algo/alguien | **~ benzina**: poner gasolina | **~ il biglietto**: sacar el billete/ticket/la entrada | **~ paura**: dar miedo.

faretto /fa'retto/ [sm] foco.

farfalla /far'falla/ [sf] mariposa.

farina /fa'rina/ [sf] harina FRAS **~ bianca**: harina de trigo | **~ gialla**: frangollo de maíz, *Amer* chuchoca | **~ lattea**: harina lacteada.

faringe /fa'rindʒe/ [sf] faringe.

faringite /farin'dʒite/ [sf] faringitis (inv).

farmacia /farma'tʃia/ [sf] farmacia.

farmaco /'farmako/ [sm] fármaco, medicamento ■ pl **farmaci, farmachi** FRAS **~ da banco**: medicamento de libre venta.

faro /'faro/ [sm] **1** (anche FIG) faro **2** (illuminazione stradale) foco FRAS **~ abbagliante**: luz de carretera/larga | **~ anabbagliante**: luz de cruce/corta | **~ antinebbia**: faro antiniebla.

fascia /'faʃʃa/ [sf] **1** faja **2** (benda) venda.

fasciare /faʃʃare/ [v tr] vendar ♦ [v prnl] envolverse.

fasciatoio /faʃʃa'tojo/ [sm] envolvedor.

fasciatura /faʃʃa'tura/ [sf] vendaje (m).

fascicolo /faʃʃikolo/ [sm] entrega (f).

fascina /faʃʃina/ [sf] fajina, cinta.

fascino /faʃʃino/ [sm] atractivo.

fascio /faʃʃo/ [sm] haz.

fascismo /faʃʃizmo/ [sm] fascismo.

fase /ˈfaze/ [sf] fase.

fastidio /fasˈtidjo/ [sm] fastidio, molestia (f) FRAS dare ~: molestar.

fastidioso /fastiˈdjoso/ [agg] fastidioso, molesto.

fata /ˈfata/ [sf] hada.

fatale /faˈtale/ [agg m,f] fatal.

fatalità /fataliˈta*/ [sf inv] fatalidad (sing).

fatica /faˈtika/ [sf] fatiga FRAS a ~: a duras penas.

faticare /fatiˈkare/ [v intr] 1 afanarse, bregar 2 FIG (stentare) costar.

faticoso /fatiˈkoso/ [agg] fatigoso, agobiante (m,f).

fatiscente /fatiʃˈʃente/ [agg m,f] ruinoso (m), derruido (m).

fatto /ˈfatto/ [agg] 1 hecho • ~ a mano: hecho a mano 2 (idoneo) apto • questo lavoro non è ~ per me: este trabajo no es apto para mí FRAS è fatta!/è presto ~: ¡ya está! ◆ [sm] 1 hecho 2 asunto, cosa (f) • non impicciarsi dei fatti altrui: no meter el hocico en las cosas ajenas.

fattore /fatˈtore/ [sm] factor.

fattoria /fattoˈria/ [sf] granja, Amer estancia.

fattorino /fattoˈrino/ [sm] recadero.

fattura /fatˈtura/ [sf] COMM factura, cuenta.

fatturare /fattuˈrare/ [v tr] facturar.

fauna /ˈfauna/ [sf] fauna.

fava /ˈfava/ [sf] haba.

favola /ˈfavola/ [sf] cuento (m).

favoloso /favoˈloso/ [agg] fabuloso.

favore /faˈvore/ [sm] favor FRAS a ~ di qualcuno: a favor de alguien, en pro de alguien | di ~: de favor | per ~: por favor.

favorevole /favoˈrevole/ [agg m,f] favorable.

favorire /favoˈrire/ [v tr] 1 (aiutare) favorecer 2 (sostenere) facilitar, sostener, promover.

fax /ˈfaks/ [sm inv] fax.

faxare /fakˈsare/ [v tr] faxear.

fazzoletto /fattsoˈletto/ [sm] pañuelo.

febbraio /febˈbrajo/ [sm] febrero.

febbre /ˈfebbre/ [sf] 1 (anche FIG) fiebre 2 FAM (herpes) boquera, calentura.

feci /ˈfetʃi/ [sf pl] heces.

fecondazione /fekondatˈtsjone/ [sf] fecundación FRAS ~ artificiale: fecundación artificial.

fede /ˈfede/ [sf] 1 fe 2 (anello) alianza FRAS agire in buona/mala ~: actuar de buena/mala fe.

fedele /feˈdele/ [agg m,f/sm,f] fiel.

fedeltà /fedelˈta*/ [sf inv] fidelidad (sing) FRAS alta ~: alta fidelidad.

federa /ˈfedera/ [sf] funda.

federalismo /federaˈlizmo/ [sm] federalismo.

federazione /federatˈtsjone/ [sf] federación.

fegato /ˈfegato/ [sm] hígado FRAS avere il ~ di: tener el valor de.

felce /ˈfeltʃe/ [sf] helecho (m).

felice /feˈlitʃe/ [agg m,f] feliz.

felicità /felitʃiˈta*/ [sf inv] felicidad (sing).

felino /feˈlino/ [agg/sm] felino.

felpa /'felpa/ [sf] sudadera.

feltro /'feltro/ [sm] fieltro.

femmina /'femmina/ [agg] hembra ◆ [sf] **1** hembra **2** (figlia) niña.

femminile /femmi'nile/ [agg m,f] femenino (m).

femminista /femmi'nista/ [agg m,f/sm,f] feminista.

femore /'fεmore/ [sm] fémur.

fenicottero /feni'kɔttero/ [sm] flamenco.

fenomeno /fe'nɔmeno/ [agg inv/sm] fenómeno (sing).

feriale /fe'rjale/ [agg m,f] hábil, laborable.

ferie /'fεrje/ [sf pl] vacaciones.

ferire (-rsi) /fe'rire/ [v tr prnl] (anche FIG) herir (-se).

ferita /fe'rita/ [sf] (anche FIG) herida.

ferito /fe'rito/ [agg/sm] herido.

fermacapelli /fermaka'pelli/ [sm inv] pasador (sing).

fermare /fer'mare/ [v tr] **1** parar, detener ◆ ~ *il motore*: parar el motor **2** (mettere agli arresti) detener, arrestar ◆ [v intr] parar, detenerse ◆ *il treno ferma in tutte le stazioni*: el tren para en todas las estaciones ◆ [v intr prnl] **1** (veicolo) pararse, detenerse **2** (persona) quedarse, permanecer.

fermata /fer'mata/ [sf] parada FRAS ~ **facoltativa/obbligatoria**: parada discrecional/obligatoria | ~ **sussidiaria**: parada suplementaria.

fermentazione /fermentat'tsjone/ [sf] fermentación.

fermento /fer'mento/ [sm] (anche FIG) fermento FRAS **fermenti lattici**: fermentos lácticos.

fermezza /fer'mettsa/ [sf] firmeza.

fermo /'fermo/ [agg] **1** parado ◆ *il treno è ~ in stazione*: el tren está parado en la estación **2** FIG firme (m,f) FRAS **terra ferma**: tierra firme ◆ [sm] detención (f).

feroce /fe'rotʃe/ [agg m,f] feroz.

ferragosto /ferra'gosto/ [sm] fiesta del 15 de agosto.

ferramenta /ferra'menta/ [sf pl] ferretería (sing).

ferro /'ferro/ [sm] **1** hierro, *Amer* fierro **2** (attrezzo) herramienta (f) **3** (strumento chirurgico) instrumento **4** (lavoro a maglia) aguja (f) FRAS ~ **battuto**: hierro forjado | ~ **da stiro** (**a vapore**): plancha (a vapor) | **toccare** ~: tocar madera.

ferrovia /ferro'via/ [sf] ferrocarril (m).

ferroviario /ferro'vjarjo/ [agg] ferroviario, *Amer* ferrocarrilero FRAS **orario** ~: horario de ferrocarriles.

ferroviere /ferro'vjεre/ [sm] ferroviario, *Amer* ferrocarrilero.

fertile /'fertile/ [agg m,f] fértil.

fesseria /fesse'ria/ [sf] tontería.

fesso /'fesso/ [agg/sm] tonto, bobo.

fessura /fes'sura/ [sf] **1** (fenditura) hendidura, grieta **2** (finestra, porta) rendija **3** (apparecchio, salvadanaio) ranura.

festa /'fεsta/ [sf] **1** fiesta **2** (al pl, Natale, Pasqua) fiestas, vacaciones FRAS **buone feste**: felices fiestas | **dare una** ~: dar una fiesta | **fare le feste**: agasajar | ~ **della mamma/del papà**: día de la madre/padre.

festeggiare /fested'dʒare/ [v tr] festejar.

festival /'fεstival, festi'val/ [sm inv] festival (sing).

festività /festivi'ta*/ [sf inv] festividad (sing), fiesta (sing).

festivo /fes'tivo/ [agg] festivo.

festoso /fes'toso/ [agg] alegre (m,f), jovial (m,f).

feto /'feto/ [sm] feto.

fetore /fe'tore/ [sm] hedor.

fetta /'fetta/ [sf] **1** (carne) tajada **2** (pane) rebanada **2** (formaggio, prosciutto) lonja **2** (frutta) raja **3** FIG parte, porción FRAS **~ biscottata**: biscote.

fettuccine /fettut'tʃine/ [sf pl] fettuccini (m).

fiaba /'fjaba/ [sf] cuento (m).

fiaccola /'fjakkola/ [sf] antorcha.

fiala /'fjala/ [sf] (medicinale) ampolla.

fiamma /'fjamma/ [sf] llama.

fiammifero /fjam'mifero/ [sm] fósforo.

fianco /'fjanko/ [sm] **1** costado **2** (lato) flanco, costado, lado FRAS **di ~ a qualcosa/qualcuno**: al lado de algo/alguien | **stare a ~ di qualcuno**: estar al lado de alguien.

fiasco /'fjasko/ [sm] garrafa (f), botella (f) FRAS **fare ~**: fracasar.

fiato /'fjato/ [sm] aliento, respiración (f) FRAS **mozzare il ~**: dejar pasmado | **prendere/riprendere ~**: tomar aliento | **restare senza ~**: quedarse de una pieza.

fibbia /'fibbja/ [sf] hebilla.

fibra /'fibra/ [sf] fibra.

fibroma /fi'brɔma/ [sm] fibroma.

ficcare /fik'kare/ [v tr] hincar, clavar
 ◆ [v prnl] meterse FRAS **~ il naso**: meter baza | **ficcarsi in un guaio**: meterse en un lío.

fiche /'fiʃ/ [sf inv] ficha (sing).

fico /'fiko/ [sm] **1** (albero) higuera (f) **2** (frutto) higo.

ficodindia /fikod'indja/ [sm] **1** (albero) chumbera (f) **2** (frutto) higo chumbo.

fidanzamento /fidantsa'mento/ [sm] noviazgo.

fidanzarsi /fidan'tsarsi/ [v prnl] prometerse, hacerse novios.

fidanzato /fidan'tsato/ [sm] novio.

fidarsi /fi'darsi/ [v intr prnl] **1** fiarse, confiar **2** FAM atreverse, arriesgarse
 ● *non mi fido a uscire di notte*: no me atrevo a salir de noche.

fido /'fido/ [sm] (banca) crédito.

fiducia /fi'dutʃa/ [sf] confianza FRAS **dare ~**: dar confianza | **di ~**: de confianza.

fienile /fje'nile/ [sm] henil.

fieno /'fjɛno/ [sm] heno FRAS **febbre da ~**: fiebre del heno | **raffreddore da ~**: rinitis alérgica.

fiera /'fjɛra/ [sf] feria.

fifa /'fifa/ [sf] FAM miedits (inv).

figata /fi'gata/ [sf] VOLG chulada, monada.

figlio /'fiʎʎo/ [sm] hijo.

figura /fi'gura/ [sf] (anche FIG) figura FRAS **fare brutta/bella ~**: quedar mal/bien.

figuraccia /figu'rattʃa/ [sf] FIG plancha, papelón (m) FRAS **fare una ~**: tirarse una plancha.

figurare /figu'rare/ [v intr] figurar FRAS **figurati!**: ¡qué va! | **si figuri!** ¡de ninguna manera!

figurativo /figura'tivo/ [agg] figurativo FRAS **arti figurative**: artes figurativas.

fila /'fila/ [sf] fila, hilera FRAS **fare la ~**: hacer cola | **in ~**: en fila.

filare /fi'lare/ [v tr] (lana) hilar ◆ [v intr] FAM (andare veloce) correr, ir deprisa FRAS **discorso/ragionamento che fila**: razonamiento ineccepible | **filarsela**: largarse, *Amer* mandarse mudar, picárselas.

filarmonica /filar'mɔnika/ [sf] filarmónica.

filastrocca /filas'trɔkka/ [sf] cantinela.

filatelia /filate'lia/ [sf] filatelia.

filato /fi'lato/ [agg/sm] hilado FRAS **di ~**: de carrerilla | **zucchero ~**: algodón dulce.

file /'fail/ [sm inv] INFORM fichero (sing).

filetto /fi'letto/ [sm] filete.

filiale /fi'ljale/ [sf] agencia, sucursal.

filigrana /fili'grana/ [sf] filigrana.

film /'film/ [sm inv] película (f sing), film FRAS **~ d'animazione**: película de dibujos animados | **~ giallo**: película policiaca | **~ western**: película del oeste.

filo /'filo/ [sm] **1** hilo **2** (per cucire) bramante **3** FIG pelo • *non c'è un ~ d'aria*: no hay un pelo de aire FRAS **~ interdentale**: seda dental | **~ spinato**: alambre de púas | **perdere il ~ del discorso**: perder la hebra.

filobus /'filobus/ [sm inv] trolebús (sing).

filone /fi'lone/ [sm] (pane) barra (f).

filosofia /filozo'fia/ [sf] filosofía.

filtrare /fil'trare/ [v tr] filtrar, colar ◆ [v intr] **1** filtrarse, pasar **2** FIG filtrar, difundirse • *la notizia è filtrata*: la noticia se difundió.

filtro /'filtro/ [sm] filtro FRAS **~ della sigaretta**: boquilla del cigarro.

finale /fi'nale/ [agg m,f/sf/sm] final.

finalista /fina'lista/ [agg m,f/sm,f] SPORT finalista.

finalmente /fi'nalmente/ [avv] por fin.

finanza /fi'nantsa/ [sf] finanzas (pl) FRAS **guardia di ~**: policía fiscal | **ministero delle finanze**: ministerio de hacienda.

finanziamento /finantsja'mento/ [sm] financiación (f).

finanziare /finan'tsjare/ [v tr] financiar.

finanziaria /finan'tsjarja/ [sf] **1** sociedad financiera **2** (legge) ley presupuestaria.

finanziario /finan'tsjarjo/ [agg] financiero.

finché /fin'ke*/ [cong] hasta que.

fine /'fine/ [agg m,f] **1** (anche FIG) fino (m) **2** FIG (raffinato) refinado (m) ◆ [sf] **1** fin (m), final (m) **2** (morte) muerte FRAS **alla ~**: al final | **~ settimana**: fin de semana ◆ [sm] (scopo) finalidad (f), fin FRAS **a fin di bene**: con buenas intenciones | **lieto ~**: desenlace feliz | **secondo ~**: segunda intención.

finestra /fi'nɛstra/ [sf] ventana.

finestrino /fines'trino/ [sm] ventanilla (f) FRAS **~ anteriore/posteriore**: ventanilla anterior/posterior.

fingere (-rsi) /'findʒere/ [v tr prnl] fingir (-se).

finire /fi'nire/ [v tr] acabar ◆ [v intr] **1** (terminare) terminar, acabarse **2** (cessare) parar, cesar • *è finito di piovere*: ha parado de llover **3** FIG ir a parar, acabar • *dove andremo a ~?*: ¿adónde iremos a parar? **4** (cadere) caer ■ **finire per + inf** terminar (con) + ger • *se continui così finirai per ammalarti*: si sigues así terminarás enfermándote FRAS **finiscila!/finiamola**: ¡basta ya! | ~ **bene/male**: salir bien/mal.

finlandese /finlan'dese/ [agg m,f/ sm,f] finlandés (f -a).

fino /'fino/ [avv/prep] hasta ■ **fino a** + **inf** hasta + inf • *urlare ~ a restare senza voce*: gritar hasta quedarse sin voz ■ **da ... fino a** de/desde ... a/hasta • *dalle quattro ~ alle otto*: de cuatro a ocho FRAS **fin d'ora**: desde ya | ~ **al collo**: hasta las cachas.

finocchio /fi'nɔkkjo/ [sm] hinojo.

finora /fi'nora/ [avv] hasta ahora.

finta /'finta/ [sf] simulación, fingimiento (m).

finto /'finto/ [agg] **1** falso, fingido **2** imitación de • *finta pelle*: imitación de piel **3** postizo • *dente ~*: diente postizo.

finzione /fin'tsjone/ [sf] ficción.

fiocco /'fjɔkko/ [sm] **1** (nodo) lazo **2** (neve) copo.

fiocina /'fjɔtʃina/ [sf] fisga.

fioraio /fjo'rajo/ [sm] florista (m,f).

fiordo /'fjɔrdo/ [sm] fiordo.

fiore /'fjore/ [sm] **1** (anche FIG) flor (f) **2** (al pl, carte) tréboles.

fiorentino /fjoren'tino/ [agg/sm] florentino.

fioretto /fjo'retto/ [sm] SPORT florete.

fiorire /fjo'rire/ [v intr] **1** BOT florecer, brotar **2** FIG florecer, prosperar.

fiorito /fjo'rito/ [agg] florido.

Firenze /fi'rɛntse/ [sf] Florencia.

firma /'firma/ [sf] firma.

firmare /fir'mare/ [v tr] **1** firmar **2** (accordo, trattato) ratificar.

fisarmonica /fizar'mɔnika/ [sf] acordeón (m).

fiscale /fis'kale/ [agg m,f] tributario (m), fiscal FRAS **codice ~**: identificación fiscal | **evasione ~**: evasión impositiva | **ricevuta/scontrino ~**: recibo/boleta.

fischiare /fis'kjare/ [v intr/tr] silbar.

fischietto /fis'kjetto/ [sm] silbato.

fischio /'fiskjo/ [sm] **1** silbido **2** (disapprovazione) rechifla (f), abucheo.

fisco /'fisko/ [sm] hacienda (f), fisco.

fisica /'fizika/ [sf] física.

fisico /'fiziko/ [agg/sm] físico.

fisioterapia /fizjotera'pia/ [sf] fisioterapia.

fissa /'fissa/ [sf] FAM obsesión.

fissare /fis'sare/ [v tr] **1** fijar **2** (guardare) mirar fijo ♦ [v intr prnl] FIG antojársele.

fisso /'fisso/ [agg/avv] fijo.

fitta /'fitta/ [sf] punzada.

fitto /'fitto/ [agg] tupido, espeso FRAS **buttarsi a capo ~**: trabajar con ahínco.

fiume /'fiume/ [sm] **1** GEOG (anche FIG) río **2** FIG (persone) riada (f).

fiutare /fju'tare/ [v tr] **1** oler, husmear **2** aspirar • ~ *il tabacco*: aspirar el tabaco.

fiuto /'fjuto/ [sm] **1** olfateo **2** (animali, anche FIG) olfato.

flaccido /'flattʃido/ [agg] flácido, fofo.

flacone /fla'kone/ [sm] frasco, tarro.

flanella /fla'nella/ [sf] franela.

flash /flɛʃ/ [sm inv] flas (sing).

flauto /'flauto/ [sm] flauta (f).

flebite /fle'bite/ [sf] flebitis (inv).

fleboclisi /flebo'klizi/ [sf inv] gota a gota.

flessibile /fles'sibile/ [agg m,f/sm] (anche FIG) flexible.

flessione /fles'sjone/ [sf] **1** flexión **2** COMM disminución, baja.

flettere (-rsi) /'flɛttere/ [v tr/intr prnl] doblar (-se).

flora /'flɔra/ [sf] flora.

florido /'flɔrido/ [agg] **1** floreciente (m,f), próspero **2** fresco, lozano ◆ *aspetto ~*: aspecto lozano.

flotta /'flɔtta/ [sf] flota.

fluido /'fluido/ [agg/sm] fluido.

fluorescente /fluoreʃ'ʃente/ [agg m,f] fluorescente.

flusso /'flusso/ [sm] flujo.

flûte /flyt/ [sm inv] cáliz (sing).

fluviale /flu'vjale/ [agg m,f] fluvial.

foca /'fɔka/ [sf] foca.

focaccia /fo'kattʃa/ [sf] torta.

foce /'fotʃe/ [sf] desembocadura.

focolaio /foko'lajo/ [sm] foco.

fodera /'fɔdera/ [sf] forro (m).

foglia /'fɔʎʎa/ [sf] hoja.

foglio /'fɔʎʎo/ [sm] hoja (f).

fogna /'foɲɲa/ [sf] alcantarilla.

folata /fo'lata/ [sf] racha, ráfaga.

folclore /fol'klore/ [sm] folclore.

folcloristico /folklo'ristiko/ [agg] folclórico.

folla /'folla/ [sf] muchedumbre.

folle /'fɔlle/ [agg m,f] **1** loco (m) **2** FIG (sconsiderato) disparatado (m), descabellado (m) FRAS **mettere in ~**: poner en punto muerto ◆ [sm,f] loco (m).

follia /fol'lia/ [sf] (anche FIG) locura.

folto /'folto/ [agg] **1** espeso, denso **2** FIG numeroso, abundante (m,f).

fondale /fon'dale/ [sm] bajo, fondo.

fondamentale /fondamen'tale/ [agg m,f] fundamental.

fondamentalismo /fondamenta'lizmo/ [sm] fundamentalismo.

fondamento /fonda'mento/ [sm] (edilizia) cimiento ◼ pl irr f **fondamenta** FRAS **privo di/senza ~**: sin fundamento.

fondare /fon'dare/ [v tr] fundar ◆ [v intr prnl] basarse, fundarse.

fondatore (-trice) /fonda'tore/ [agg/sm] fundador (f -a).

fondazione /fondat'tsjone/ [sf] fundación.

fondente /fon'dente/ [sm] CUC fondant (inv).

fondere /'fondere/ [v tr] (anche FIG) fundir ◆ [v prnl] FIG fusionarse.

fondo /'fondo/ [agg] profundo, hondo FRAS **piatto ~**: plato hondo ◆ [sm] **1** (anche FIG) fondo **2** (caffè) asientoposo **3** FIG lo más hondo, profundidad (f) ◆ *il ~ dell'animo*: la profundidad del alma **4** (al pl) COMM restos, saldos **5** (al pl, economia) fondos FRAS **in ~**: en el fondo | **sci di ~**: esquí de fondo | **toccare il ~**: tocar fondo.

fondotinta /fondo'tinta/ [sm inv] maquillaje (sing).

fondovalle /fondo'valle/ [sm] vaguada (f) ◼ pl irr **fondivalle**.

fontana /fon'tana/ [sf] fuente.

fonte /'fonte/ [sf] fuente ◆ [sm] pila (f) FRAS **~ battesimale**: pila bautismal.

foraggio /fo'raddʒo/ [sm] forraje.

forare (-rsi) /fo'rare/ [v tr/intr prnl] agujerear (-se) FRAS **~ una ruota/gomma**: pinchar un neumático.

forbice /'fɔrbitʃe/ [sf] tijeras (pl).

forca /'forka/ [sf] horca.

forchetta /for'ketta/ [sf] tenedor (m).

forcina /for'tʃina/ [sf] horquilla.

foresta /fo'resta/ [sf] selva FRAS **~ pluviale**: pluvisilva.

forestale /fores'tale/ [agg m,f] forestal FRAS **guardia ~**: guardabosques.

forfora /'forfora/ [sf] caspa.

forma /'forma/ [sf] **1** forma **2** FIG (apparenze) apariencia FRAS **~ di formaggio**: queso entero.

formaggio /for'maddʒo/ [sm] queso FRAS **~ grasso/magro**: queso mantecoso/descremado.

formale /for'male/ [agg m,f] formal.

formalità /formali'ta*/ [sf inv] formalidad (sing), trámite (m sing).

formalizzare (-rsi) /formalid'dzare/ [v tr/intr prnl] formalizar (-se).

formare (-rsi) /for'mare/ [v tr/intr prnl] formar (-se).

formattare /format'tare/ [v tr] formatear.

formazione /format'tsjone/ [sf] **1** formación **2** SPORT alineación.

formica /for'mika/ [sf] hormiga.

formicaio /formi'kajo/ [sm] (anche FIG) hormiguero.

formicolio /formiko'lio/ [sm] **1** hormigueo **2** FIG (persone) hervidero.

formidabile /formi'dabile/ [agg m,f] formidable.

formula /'formula/ [sf] (anche FIG) fórmula.

fornaio /for'najo/ [sm] panadero.

fornello /for'nello/ [sm] hornillo FRAS **~ da campeggio**: cocinilla.

fornire (-rsi) /for'nire/ [v tr prnl] proveer (-se).

fornitore (-trice) /forni'tore/ [sm] proveedor (f -a).

forno /'forno/ [sm] **1** (anche FIG) horno **2** (panetteria) horno, bollería (f) FRAS **~ a microonde**: horno de microondas.

foro /'foro/ [sm] **1** hoyo **2** GIUR foro.

forse /'forse/ [avv] **1** quizás **2** (circa) casi, cerca de • *saranno ~ le sei*: serán casi las seis ♦ [sm inv] incertidumbre (f sing), duda (f sing) FRAS **essere in ~**: ser dudoso (cosa); estar entre dos aguas (persona).

forte /'forte/ [agg m,f] **1** fuerte **2** grande • *una ~ nevicata*: una gran nevada FRAS **caffè ~**: café cargado | **taglie forti**: tallas grandes ♦ [avv] **1** fuerte **2** en voz alta • *parlare ~*: hablar en voz alta ♦ [sm] fuerte.

fortezza /for'tettsa/ [sf] fortaleza.

fortuna /for'tuna/ [sf] **1** fortuna **2** suerte • *avere ~ nel gioco*: tener suerte en el juego FRAS **colpo di ~**: golpe de fortuna | **di ~**: de emergencia | **per ~**: por suerte/fortuna | **portare ~**: traer suerte.

fortunato /fortu'nato/ [agg] afortunado.

foruncolo /fo'runkolo/ [sm] furúnculo, barro.

forza /'fortsa/ [inter] ¡ánimo!, ¡hala! ♦ [sf] fuerza FRAS **a/per ~**: a la fuerza | **~ fisica**: vigor físico.

forzare /for'tsare/ [v tr] **1** (costringere) forzar, obligar, coaccionar **2** (spingere) hacer fuerza ♦ [v prnl] esforzarse.

foschia /fos'kia/ [sf] neblina.

fosforescente /fosforeʃ'ʃente/ [agg m,f] fosforescente.

fosforo /'fosforo/ [sm] fósforo.

fossa /'fɔssa/ [sf] fosa.

fossile /'fɔssile/ [agg m,f/sm] fósil.

fosso /'fɔsso/ [sm] acequia (f).

fotocopia /foto'kɔpja/ [sf] fotocopia.

fotografare /fotogra'fare/ [v tr] fotografiar.

fotografia /fotogra'fia/ [sf] fotografía.

fotografico /foto'grafiko/ [agg] fotográfico FRAS **macchina fotografica**: cámara fotográfica.

fotografo /fo'tɔgrafo/ [sm] fotógrafo.

fototessera /foto'tessera/ [sf] foto de carné.

fottere /'fottere/ [v tr] VOLG **1** follar, joder **2** FIG (rubare) mangar FRAS **fottersene**: traerla floja.

foulard /fu'lar/ [sm inv] fular (sing).

foyer /fwa'je/ [sm inv] vestíbulo (sing).

fra /fra*/ [prep] **1** (stato in luogo, moto attraverso luogo, moto da luogo, relazione) entre • *stringeva un fazzoletto ~ le mani*: apretaba un pañuelo entre las manos | *passò ~ due ali di folla*: pasó entre dos alas de muchedumbre | *~ Roma e Milano ci sono 600 chilometri*: entre Roma y Milán hay 600 kilómetros | *~ loro si aiutano*: entre ellos se ayudan | *~ una cosa e l'altra ho perso tutta la mattina*: entre una y otra cosa he perdido toda la mañana **2** (tempo) dentro de, en • *ci vedremo ~ una settimana*: nos veremos dentro de una semana **3** (attraverso) a través • *la luce filtrava ~ le tende*: la luz se filtraba a través de la cortinas **4** (distanza) a • *~ venti metri c'è un*

distributore di benzina: a veinte metros de aquí hay una gasolinera FRAS **~ l'altro**: entre otras cosas | **~ poco/non molto**: dentro de poco/un rato.

fradicio /'fraditʃo/ [agg] empapado FRAS **bagnato/sudato ~**: calado/empapado hasta los huesos | **ubriaco ~**: hecho una cuba.

fragile /'fradʒile/ [agg m,f] (anche FIG) frágil.

fragola /'fragola/ [sf] fresa FRAS **uva ~**: labrusca.

fragrante /fra'grante/ [agg m,f] fragante.

fraintendere /frain'tɛndere/ [v tr] malinterpretar.

frammento /fram'mento/ [sm] fragmento, trozo.

frana /'frana/ [sf] desprendimiento (m) de rocas/tierra FRAS **essere una ~**: ser un chapuzas.

francese /fran'tʃeze/ [agg m,f/sm,f] francés (f -a).

franchezza /fran'kettsa/ [sf] franqueza.

franco /'franko/ [agg] **1** (anche FIG) franco • *una persona franca*: una persona llana **2** COMM franco, exento FRAS **farla franca**: salir libre de polvo y paja | **porto ~**: puerto franco.

francobollo /franko'bollo/ [sm] sello, *Amer* estampilla (f).

frangia /'frandʒa/ [sf] **1** franja **2** (capelli) flequillo (m).

frantoio /fran'tojo/ [sm] (luogo) almazara (f).

frappé /frap'pe*/ [sm inv] batido (sing).

frase /'fraze/ [sf] frase.

frate /'frate/ [sm] fraile.

fratello /fra'tɛllo/ [agg/sm] hermano.

frattanto /frat'tanto/ [avv] entretanto, mientras tanto.

frattempo /frat'tɛmpo/ [sm] (solo nella locuzione) FRAS **nel ~**: mientras tanto.

frattura /frat'tura/ [sf] **1** fractura **2** FIG ruptura, desavenencia.

fratturare (-rsi) /frattu'rare/ [v tr/intr prnl] fracturar (-se).

frazione /frat'tsjone/ [sf] **1** fracción **2** (centro urbano) aldea, barrio (m), pueblo (m).

freccia /'frettʃa/ [sf] flecha.

frecciata /fret'tʃata/ [sf] FIG puyazo (m), indirecta.

freddezza /fred'dettsa/ [sf] FIG frialdad.

freddo /'freddo/ [agg/sm] (anche FIG) frío FRAS **piatti freddi**: fiambres | **tavola fredda**: bar/restaurante de comida rápida.

freddoloso /freddo'loso/ [agg] friolero.

freezer /'frizer/ [sm inv] congelador (sing).

fregare /fre'gare/ [v tr] **1** (passare con uno straccio) fregar **2** POP (rubare, imbrogliare) joder, cargar FRAS **chi se ne frega**: me importa un bledo, ¿y (a mí) que? | **fregarsene**: importar un comino/bledo.

frenare (-rsi) /fre'nare/ [v tr prnl] frenar (-se).

frenata /fre'nata/ [sf] frenazo (m).

freno /'freno/ [sm] freno FRAS **~ a disco/tamburo**: freno a disco/tambor | **~ a mano**: freno de mano.

frequentare /frekwen'tare/ [v tr] **1** (scuola, università) frecuentar **2**

(persone) tratarse ◆ [v prnl] verse, encontrarse.

frequente /fre'kwente/ [agg m,f] frecuente FRAS **di ~**: a menudo.

frequenza /fre'kwɛntsa/ [sf] frecuencia.

freschezza /fres'kettsa/ [sf] frescura.

fresco /'fresko/ [agg/sm] fresco.

fretta /'fretta/ [sf] prisa, urgencia FRAS **avere ~**: llevar prisa | **in ~ e furia**: de prisa y corriendo.

friabile /fri'abile/ [agg m,f] crujiente.

friggere /'friddʒere/ [v tr] freír.

frigido /'fridʒido/ [agg] frígido.

frigobar /frigo'bar/ [sm inv] bar-nevera (sing).

frigorifero /frigo'rifero/ [agg] frigorífico ◆ [sm] nevera (f), refrigerador, *Amer* frigorífico.

fritto /'fritto/ [agg/sm] frito.

friulano /friu'lano/ [agg/sm] friulano.

Friuli-Venezia-Giulia /fri'uli ve'nettsja dʒu'lia/ [sm] Friul-Venecia Julia.

frizione /frit'tsjone/ [sf] **1** (massaggio) friega, masaje (m) **2** (veicolo) embrague (m).

frizzante /frid'dzante/ [agg m,f] **1** (acqua) efervescente **2** (vino) espumoso (m).

frizzantino /friddzan'tino/ [sm] vino blanco espumoso.

frode /'frɔde/ [sf] fraude (m).

frollino /frol'lino/ [sm] CUC bizcocho de pastaflora.

frontalino /fronta'lino/ [sm] (autoradio) carátula (extraíble).

fronte /'fronte/ [sf] (anche FIG) frente FRAS **di ~**: frente, enfrente.

fronteggiare /fronted'dʒare/ [v tr] (anche FIG) afrontar, enfrentar ◆ [v prnl] enfrentarse.

frontiera /fron'tjɛra/ [sf] frontera.

frugare /fru'gare/ [v intr] rebuscar, hurgar.

frullato /frul'lato/ [sm] batido.

frullatore /frulla'tore/ [sm] licuadora (f).

frumento /fru'mento/ [sm] trigo.

frusta /'frusta/ [sf] látigo (m) FRAS **colpo di ~**: latigazo.

frustata /frus'tata/ [sf] latigazo (m).

frustrazione /frustrat'tsjone/ [sf] frustración.

frutta /'frutta/ [sf] fruta FRAS **~ di stagione**: fruta del tiempo | **~ secca**: fruta seca.

fruttare /frut'tare/ [v tr] **1** producir **2** (denaro) producir, rentar.

frutteto /frut'teto/ [sm] huerto.

fruttivendolo /frutti'vendolo/ [sm] frutero.

frutto /'frutto/ [sm] **1** BOT fruto **2** FIG provecho FRAS **frutti di mare**: mariscos.

fucilare /futʃi'lare/ [v tr] fusilar.

fucile /fu'tʃile/ [sm] fusil FRAS **~ subacqueo**: fusil submarino.

fuga /'fuga/ [sf] fuga.

fuggire /fud'dʒire/ [v intr] huir.

fulminare /fulmi'nare/ [v tr] **1** (anche FIG) fulminar **2** (scarica elettrica) electrocutar ◆ [v intr prnl] (lampadina) fundirse.

fulmine /'fulmine/ [sm] rayo FRAS **colpo di ~**: flechazo.

fumare /fu'mare/ [v intr] humear ◆ [v tr] fumar FRAS **~ la pipa**: fumar en pipa | **vietato ~**: prohibido fumar.

fumatore (-trice) /fuma'tore/ [sm] fumador (f -a) FRAS **area fumatori/non fumatori**: área fumadores/no fumadores | **scompartimento per fumatori**: vagón de fumadores.

fumetto /fu'metto/ [sm] comic*, historieta (f).

fumo /'fumo/ [sm] (anche FIG) humo.

fune /'fune/ [sf] soga, cable (m) FRAS **tiro alla ~**: tiro de la cuerda.

funebre /'funebre/ [agg m,f] (anche FIG) fúnebre FRAS **onoranze funebri**: honras fúnebres.

funerale /fune'rale/ [sm] entierro, funeral.

fungo /'fungo/ [sm] **1** BOT hongo, seta (f) **2** MED fungosidad (f).

funicolare /funiko'lare/ [agg m,f] funicular.

funivia /funi'via/ [sf] teleférico (m).

funzionamento /funtsjona'mento/ [sm] funcionamiento, marcha (f).

funzionare /funtsjo'nare/ [v intr] funcionar.

funzionario /funtsjo'narjo/ [sm] funcionario, empleado.

funzione /fun'tsjone/ [sf] función FRAS **essere in ~**: funcionar.

fuoco /'fwɔko/ [sm] (anche FIG) fuego FRAS **al ~!**: ¡incendio! | **andare a ~**: quemarse, incendiarse | **arma da ~**: arma de fuego | **fuochi artificiali/d'artificio**: fuegos artificiales | **vigili del ~**: bomberos.

fuorché /fwor'ke*/ [cong/prep] excepto, salvo.

fuori /'fwɔri/ [avv] fuera FRAS **in ~**: hacia afuera ◆ [prep] fuera de

FRAS abitare/essere ~ mano: vivir lejos | essere ~ di testa: estar chiflado/chalado | ~ di/da: fuera de | ~ uso: fuera de uso.

fuoricorso /fwori'korso/ [agg inv/sm,f inv] **1** (università) repetidor (sing, f -a) **2** (moneta, francobollo) fuera de circulación.

fuorigioco /fwori'dʒɔko/ [sm inv] (calcio) fuera de juego.

fuoristrada /fwori'strada/ [agg inv/sm inv] todoterreno (sing).

furbizia /fur'bittsja/ [sf] astucia.

furbo /'furbo/ [agg] listo FRAS farsi ~: apearse del burro ◆ [sm] lagarto, zorro FRAS fare il ~: pasarse de listo.

furgone /fur'gone/ [sm] furgoneta (f).

furia /'furja/ [sf] furia FRAS a ~ di: a fuerza de | andare su tutte le furie: estar hecho un basilisco.

furioso /fu'rjoso/ [agg] furioso.

furto /'furto/ [sm] robo, hurto.

fusa /'fusa/ [sf pl] (solo nella locuzione) FRAS fare le ~: ronronear.

fuseaux /fy'zo/ [sm pl] mallas (f).

fusibile /fu'zibile/ [sm] fusible.

fusilli /fu'silli/ [sm pl] pasta (f) de forma helicoidal.

fusione /fu'zjone/ [sf] **1** fusión **2** (metallo) fundición.

fustagno /fus'taɲɲo/ [sm] fustán.

fusto /'fusto/ [sm] BOT tronco, fuste.

futuro /fu'turo/ [agg/sm] futuro.

Gg

gabbia /'gabbja/ [sf] (anche prigione) jaula.

gabbiano /gab'bjano/ [sm] gaviota (f).

gabinetto /gabi'netto/ [sm] **1** (bagno) aseo, servicio **2** gabinete.

gaffe /'gaf/ [sf inv] patinazo (m sing), metedura de pata FRAS fare una ~: meter la pata.

gala /'gala/ [sf] pompa, lujo (m) FRAS gran ~: gran empavesado | pranzo di ~: cena de gala.

galantuomo /galan'twɔmo/ [agg/sm] caballero, hombre de bien ■ pl irr galantuomini.

galassia /ga'lassja/ [sf] galaxia.

galera /ga'lera/ [sf] **1** cárcel, prisión **2** FIG infierno (m).

Galizia /ga'littsja/ [sf] Galicia.

galla /'galla/ [sf] (solo nella locuzione) FRAS stare a ~: sobrenadar, flotar.

galleggiante /galled'dʒante/ [agg m,f] flotante ◆ [sm] flotador.

galleggiare /galled'dʒare/ [v intr] flotar.

gallego /gal'lego/ [agg/sm] gallego.

galleria /galle'ria/ [sf] galería.

gallina /gal'lina/ [sf] gallina FRAS andare a letto con le galline:

acostarse con las gallinas | **cervello di ~**: cabeza de chorlito.

gallo /'gallo/ [sm] gallo FRAS **fare il ~**: ser/ponerse gallito.

galoppare /galop'pare/ [v intr] galopar.

galoppo /ga'lɔppo/ [sm] galope FRAS **al ~**: al galope.

gamba /'gamba/ [sf] **1** ANAT pierna **2** ZOOL (anche tavolo, sedia) pata FRAS **essere in ~**: ser cojonudo (extraordinariamente bueno); estar en forma (salud) | **fare il passo più lungo della ~**: meterse en camisa de once varas.

gamberetto /gambe'retto/ [sm] cangrejo.

gambero /'gambero/ [sm] cámbaro FRAS **~ di fiume**: cangrejo de río.

gamberone /gambe'rone/ [sm] langostino.

gambo /'gambo/ [sm] tallo.

ganascia /ga'naʃʃa/ [sf] **1** (mandibola) mandíbula, quijada **2** MECC tenaza, eclisa.

gancio /'gantʃo/ [sm] gancho.

gangrena /gan'grɛna/ [sf] gangrena.

gara /'gara/ [sf] **1** SPORT competición **2** concurso (m) FRAS **fare a ~**: competir | **~ d'appalto**: licitación.

garage /ga'raʒ/ [sm inv] garaje (sing).

garantire /garan'tire/ [v tr] **1** garantizar **2** FIG (assicurare) asegurar.

garantito /garan'tito/ [agg] **1** garantizado **2** FIG (assicurato) asegurado.

garanzia /garan'tsia/ [sf] (anche FIG) garantía FRAS **avviso di ~**: aviso de inculpación | **certificato di ~**: certificado de garantía.

garbato /gar'bato/ [agg] atento, amable (m,f).

gareggiare /gared'dʒare/ [v intr] competir.

gargarismo /garga'rizmo/ [sm] gargarismo.

garofano /ga'rɔfano/ [sm] clavel.

garza /'gardza/ [sf] gasa FRAS **~ sterilizzata/idrofila**: gasa esterilizada/hidrófila.

garzone /gar'dzone/ [sm] aprendiz, mozo.

gas /'gas/ [sm inv] gas (sing) FRAS **fuga di ~**: escape de gas | **~ di scarico**: gas del tubo de escape | **~ lacrimogeno**: gas mostaza.

gasare /ga'zare/ [v tr] **1** gasear **2** FIG GERG chiflar ◆ [v prnl] FIG GERG chiflarse.

gasolio /ga'zɔljo/ [sm] gasóleo.

gassosa /gas'sosa/ [sf] gaseosa.

gastrico /'gastriko/ [agg] gástrico FRAS **lavanda gastrica**: lavado intestinal/de estómago.

gastrite /gas'trite/ [sf] gastritis (inv).

gastronomia /gastrono'mia/ [sf] gastronomía.

gastronomo /gas'trɔnomo/ [sm] gastrónomo.

gatto /'gatto/ [sm] gato FRAS **c'era no quattro gatti**: había cuatro gatos.

gattoni /gat'toni/ [avv] a gatas FRAS **camminare ~**: andar a gatas.

gattopardo /gatto'pardo/ [sm] gatopardo.

gay /'gɛi/ [agg inv/sm,f inv] gay.

gazebo /gad'dzɛbo/ [sm inv] templete (sing), quiosco (sing).

gazzetta /gad'dzetta/ [sf] gaceta, boletín (m).

gel /'dʒɛl/ [sm inv] gel (sing) FRAS ~ **per capelli**: fijador de pelo.

gelare (-rsi) /dʒe'lare/ [v tr/imp/intr prnl] helar (-se).

gelata /dʒe'lata/ [sf] helada.

gelataio /dʒela'tajo/ [sm] heladero.

gelateria /dʒelate'ria/ [sf] heladería.

gelatina /dʒela'tina/ [sf] gelatina FRAS ~ **di frutta**: jalea de fruta.

gelato /dʒe'lato/ [agg/sm] helado FRAS CONO ~: cucurucho, barquillo | ~ **confezionato**: helado en confección.

gelido /'dʒelido/ [agg] **1** gélido, helado **2** FIG glacial (m,f), desabrido.

gelo /'dʒelo/ [sm] **1** (freddo) frío **2** (anche FIG) hielo.

gelosia /dʒelo'sia/ [sf] **1** celos (m pl) **2** (invidia) envidia.

geloso /dʒe'loso/ [agg] **1** celoso **2** (invidioso) envidioso, receloso.

gemello /dʒe'mello/ [agg] gemelo (inv) FRAS **anime gemelle**: almas gemelas ♦ [sm] **1** gemelo **2** (al pl, astrologia, astronomia) Géminis.

gemito /'dʒemito/ [sm] gemido, quejido.

gemma /'dʒemma/ [sf] **1** BOT yema, botón (m) **2** MIN gema.

gene /'dʒene/ [sm] gen.

genealogico /dʒenea'lɔdʒiko/ [agg] genealógico FRAS **albero** ~: árbol genealógico.

generale /dʒene'rale/ [agg m,f/sm] general.

generalità /dʒenerali'ta*/ [sf pl] filiación (sing), señas de identidad.

generare /dʒene'rare/ [v tr] generar.

generatore /dʒenera'tore/ [sm] generador.

generazione /dʒenerat'tsjone/ [sf] generación.

genere /'dʒɛnere/ [sm] género FRAS **in** ~: en general, por lo general.

generico /dʒe'nɛriko/ [agg] **1** genérico **2** general (m,f) ● *medicina generica*: medicina general.

genero /'dʒenero/ [sm] yerno.

generosità /dʒenerosi'ta*/ [sf inv] generosidad (sing).

generoso /dʒene'roso/ [agg] generoso.

genetica /dʒe'nɛtika/ [sf] genética.

gengiva /dʒen'dʒiva/ [sf] encía.

gengivite /dʒendʒi'vite/ [sf] gingivitis (inv).

geniale /dʒe'njale/ [agg m,f] genial.

genio /'dʒenjo/ [sm] genio FRAS **andare a** ~: caer bien | ~ **navale/militare**: ingenieros navales/militares.

genitali /dʒeni'tali/ [sm pl] genitales.

genitori /dʒeni'tori/ [sm pl] padres.

gennaio /dʒen'najo/ [sm] enero.

genocidio /dʒeno'tʃidjo/ [sm] genocidio.

Genova /'dʒenova/ [sf] Génova.

genovese /dʒeno'vese/ [agg m,f/sm,f] genovés (f -a).

gente /'dʒɛnte/ [sf] gente.

gentile /dʒen'tile/ [agg m,f] amable, cortés.

gentilezza /dʒenti'lettsa/ [sf] gentileza, amabilidad FRAS **fare la ~ di**: hacer el favor de.

genuino /dʒenu'ino/ [agg] **1** genuino, auténtico **2** (alimento) natural (m,f), puro.

geografia /dʒeogra'fia/ [sf] geografía.

geografico /dʒeoˈgrafiko/ [agg] geográfico FRAS **carta geografica**: mapa geográfico.

geologia /dʒeoloˈdʒia/ [sf] geología.

geometra /dʒeˈɔmetra/ [sm,f] aparejador (f -a).

geometria /dʒeomeˈtria/ [sf] geometría.

geometrico /dʒeoˈmetriko/ [agg] geométrico.

geranio /dʒeˈranjo/ [sm] geranio.

gerarchia /dʒerarˈkia/ [sf] jerarquía.

gergale /dʒerˈgale/ [agg m,f] jergal.

gergo /ˈdʒergo/ [sm] jerga (f).

geriatrico /dʒeˈrjatriko/ [agg] geriátrico.

Germania /dʒerˈmanja/ [sf] Alemania.

germanico /dʒerˈmaniko/ [agg] germánico.

germe /ˈdʒerme/ [sm] germen.

germogliare /dʒermoʎˈʎare/ [v intr] brotar, nacer.

germoglio /dʒerˈmoʎʎo/ [sm] brote, vástago.

geroglifico /dʒeroˈglifiko/ [agg/sm] jeroglífico.

gesso /ˈdʒesso/ [sm] yeso.

gesticolare /dʒestikoˈlare/ [v intr] gesticular.

gestione /dʒesˈtjone/ [sf] gestión.

gestire /dʒesˈtire/ [v tr] **1** (dirigere) administrar, dirigir **2** (portare avanti) conducir, gestionar.

gesto /ˈdʒesto/ [sm] gesto.

gestore (**-trice**) /dʒesˈtore/ [sm] administrador (f -a), director (f -a).

gettare /dʒetˈtare/ [v tr] tirar, arrojar, echar ◆ [v prnl] **1** arrojarse **2** (fiume) desembocar FRAS **~ l'ancora**: echar el ancla | **~ via**: deshacerse de algo | non **~ oggetti dal finestrino**: no arrojar objectos por la ventanilla.

getto /ˈdʒetto/ [sm] **1** lanzamiento, tiro **2** (liquido) chorro FRAS **a ~ continuo**: sin interrupción.

gettone /dʒetˈtone/ [sm] ficha (f).

ghetto /ˈgetto/ [sm] gueto.

ghiacciaio /gjatˈtʃajo/ [sm] glaciar.

ghiacciare (**-rsi**) /gjatˈtʃare/ [v tr/intr prnl] congelar (-se), helar (-se).

ghiaccio /ˈgjattʃo/ [sm] hielo FRAS **rompere il ~**: romper el hielo.

ghiacciolo /gjatˈtʃɔlo/ [sm] polo.

ghiaia /ˈgjaja/ [sf] grava.

ghiandola /ˈgjandola/ [sf] glándula.

ghiotto /ˈgjotto/ [agg] glotón (f -a).

ghiottoneria /gjottoneˈria/ [sf] **1** (golosità) glotonería, gula **2** (cibo ghiotto) manjar (m).

ghiro /ˈgiro/ [sm] lirón FRAS **dormire come un ~**: dormir como un lirón.

già /ˈdʒa*/ [avv] ya FRAS **di ~!**: ¡tan pronto! | **~ che ci siamo**: de paso, ya que estamos.

giacca /ˈdʒakka/ [sf] chaqueta, Amer saco (m) FRAS **~ a vento**: anorak.

giacché /dʒakˈke*/ [cong] ya que, como, puesto que.

giaccone /dʒakˈkone/ [sm] chaquetón.

giacere /dʒaˈtʃere/ [v intr] (essere sdraiato) yacer, estar acostado/tendido.

giacimento /dʒatʃiˈmento/ [sm] yacimiento.

giada /ˈdʒada/ [sf] jade (m).

giaguaro /dʒa'gwaro/ [sm] jaguar.

giallo /'dʒallo/ [agg/sm] amarillo FRAS **film/romanzo** ~: película/novela policíaca.

Giamaica /dʒa'maika/ [sf] Jamaica.

giamaicano /dʒamai'kano/ [agg/sm] jamaicano, jamaiquino.

giardiniere /dʒardi'njere/ [sm] jardinero.

giardino /dʒar'dino/ [sm] jardín FRAS ~ **botanico**: jardín botánico | ~ **pubblico**: parque | ~ **zoologico**: zoológico.

giavellotto /dʒavel'lɔtto/ [sm] jabalina (f) FRAS **lancio del** ~: lanzamiento de jabalina.

gigante /dʒi'gante/ [agg m,f/sm] gigante FRAS **slalom** ~: (eslalon) gigante.

gigantesco /dʒigan'tesko/ [agg] gigantesco.

giglio /'dʒiʎʎo/ [sm] lirio blanco, azucena (f).

gilet /dʒi'lɛ*/ [sm inv] chaleco (sing).

gin /'dʒin/ [sm inv] ginebra (f sing).

ginecologia /dʒinekolo'dʒia/ [sf] ginecología.

ginecologo /dʒine'kɔlogo/ [sm] ginecólogo.

ginnasio /dʒin'nazjo/ [sm] instituto clásico de segunda enseñanza.

ginnasta /dʒin'nasta/ [sm,f] gimnasta.

ginnastica /dʒin'nastika/ [sf] (anche FIG) gimnasia.

ginocchiera /dʒinok'kjera/ [sf] rodillera.

ginocchio /dʒi'nɔkkjo/ [sm] rodilla (f) ■ pl irr **ginocchia** (f) (anche pl r **ginocchi**) FRAS **mettere in** ~: poner de rodillas.

giocare /dʒo'kare/ [v intr/tr] jugar FRAS ~ **d'azzardo**: jugar de azar | ~ **il tutto per tutto**: jugarse el todo por el todo.

giocata /dʒo'kata/ [sf] apuesta.

giocatore (-trice) /dʒoka'tore/ [sm] jugador (f -a).

giocattolo /dʒo'kattolo/ [sm] juguete.

gioco /'dʒɔko/ [sm] **1** juego **2** (puntata) envite, apuesta (f) **3** (in borsa) especulación (f) **4** FIG (scherzo) broma (f), burla (f) FRAS **far buon viso a cattivo** ~: a mal tiempo buena cara | ~ **di prestigio**: juego de manos | **per** ~: en broma | **stare al** ~: seguir el juego.

giocoliere /dʒoko'ljere/ [sm] malabarista (m,f).

gioia /'dʒɔja/ [sf] alegría, gozo (m) FRAS **darsi alla pazza** ~: darse a la gran vida.

gioielleria /dʒojelle'ria/ [sf] joyería.

gioiello /dʒo'jello/ [sm] joya (f).

gioioso /dʒo'joso/ [agg] alegre (m,f), contento.

gioire /dʒo'ire/ [v intr] regocijarse.

giornalaio /dʒorna'lajo/ [sm] vendedor de periódicos, Amer diarero.

giornale /dʒor'nale/ [sm] **1** (quotidiano) periódico, diario **2** (periodico) revista (f) FRAS ~ **radio**: noticiario, informativo de radio.

giornaletto /dʒorna'letto/ [sm] tebeo.

giornaliero /dʒorna'ljero/ [agg] diario, cotidiano ◆ [sm] **1** (lavoratore) jornalero **2** (sci) forfait*.

giornalismo /dʒorna'lizmo/ [sm] periodismo.

giornalista /dʒorna'lista/ [sm,f] periodista.

giornata /dʒor'nata/ [sf] **1** día (m) **2** SPORT jornada FRAS **alla ~**: al día | **di ~**: del día | **~ lavorativa**: día laborable.

giorno /'dʒorno/ [sm] día FRAS **al/ogni ~**: por/al día | **da un ~ all'altro**: de la noche a la mañana | **~ feriale**: día hábil.

giostra /'dʒɔstra/ [sf] tiovivo (m).

giovane /'dʒovane/ [agg m,f/sm,f] joven FRAS **da ~**: en su juventud.

giovanile /dʒova'nile/ [agg m,f] juvenil.

giovanotto /dʒova'nɔtto/ [sm] mocetón (f -a).

giovare /dʒo'vare/ [v intr] beneficiar, aprovechar, favorecer ♦ [v imp] dar provecho, ser oportuno, servir ● *a chi giova questo?*: ¿a quién le sirve esto?

Giove /'dʒɔve/ [sm] (astrologia, astronomia) Júpiter.

giovedì /dʒove'di*/ [sm inv] jueves.

gioventù /dʒoven'tu*/ [sf inv] juventud (sing).

giovinezza /dʒovi'nettsa/ [sf] juventud.

giraffa /dʒi'raffa/ [sf] jirafa.

girare /dʒi'rare/ [v tr] **1** girar, rodar **2** (visitare) recorrer, visitar ♦ [v intr] **1** girar **2** (passeggiare) caminar, pasear ♦ [v prnl] volverse FRAS **~ il mondo**: correr mundo | **~ un assegno**: endosar un cheque | **~ un film**: rodar una película | **girato l'angolo**: a la vuelta de la esquina | **mi gira la testa**: me da vueltas la cabeza, estoy mareado.

girarrosto /dʒirar'rɔsto/ [sm] asador.

girasole /dʒira'sole/ [sm] girasol.

girello /dʒi'rɛllo/ [sm] (bebè) andaderas (f pl).

giretto /dʒi'retto/ [sm] vuelta (f), paseo FRAS **fare un ~**: estirar las piernas.

girevole /dʒi'revole/ [agg m,f] giratorio (m).

giro /'dʒiro/ [sm] **1** vuelta (f) **2** FAM (al bar) ronda (f) **3** FIG (ambiente) ambiente, medio, grupo FRAS **andare in ~**: pasear, dar vueltas | **~ d'affari**: volumen de ventas, *Amer* giro de negocios | **~ di parole**: rodeo | **nel ~ di**: cosa de | **prendere in ~**: tomar el pelo.

girocollo /dʒiro'kɔllo/ [sm] medida del cuello FRAS **a ~**: de cuello redondo.

gironzolare /dʒirondzo'lare/ [v intr] callejear.

girotondo /dʒiro'tondo/ [sm] corro.

gita /'dʒita/ [sf] excursión.

gitano /dʒi'tano/ [agg/sm] gitano.

gitante /dʒi'tante/ [sm,f] excursionista.

giù /'dʒu*/ [avv] **1** abajo, bajo **2** (esclamativo di comando) ¡fuera!, ¡quita! ● **~ le mani!**: ¡fuera esas manos! FRAS **essere ~**: estar abatido/alicaído | **in ~**: hacia abajo.

giubbotto /dʒub'bɔtto/ [sm] cazadora (f) FRAS **~ antiproiettile/corazzato**: chaleco antibala | **~ di pelle**: chupa | **~ di salvataggio**: chaleco salvavidas.

giubileo /dʒubi'lɛo/ [sm] jubileo FRAS **l'anno del ~**: el año del jubileo.

giudicare /dʒudi'kare/ [v tr/intr] juzgar.

giudice /'dʒuditʃe/ [sm,f] juez FRAS ~ **di gara**: árbitro | ~ **di pace**: juez de paz.

giudiziario /dʒudit'tsjarjo/ [agg] judicial (m,f).

giudizio /dʒu'dittsjo/ [sm] juicio FRAS **a mio/suo/tuo** ~: a mi/su/tu juicio | **dente del** ~: muela del juicio.

giudizioso /dʒudit'tsjoso/ [agg] juicioso, sensato.

giugno /'dʒuɲɲo/ [sm] junio.

giungere /'dʒundʒere/ [v intr] llegar, alcanzar.

giungla /'dʒungla/ [sf] jungla, selva.

giunta /'dʒunta/ [sf] **1** (giuntura) añadido (m), complemento (m) **2** (politica) junta FRAS **per** ~: por si fuera poco.

giuntura /dʒun'tura/ [sf] **1** juntura, empalme (m) **2** ANAT articulación, juntura.

giuramento /dʒura'mento/ [sm] juramento.

giurare /dʒu'rare/ [v tr] jurar ♦ [v intr] prestar juramento.

giuria /dʒu'ria/ [sf] jurado (m).

giuridico /dʒu'ridiko/ [agg] jurídico.

giurisdizione /dʒurizdit'tsjone/ [sf] jurisdicción.

giurisprudenza /dʒurispru'dentsa/ [sf] jurisprudencia.

giustificare /dʒustifi'kare/ [v tr] justificar ♦ [v prnl] justificarse, disculparse.

giustificazione /dʒustifikat'tsjone/ [sf] justificación.

giustizia /dʒus'tittsja/ [sf] justicia FRAS **fare** ~: hacer justicia | **ministero di grazia e** ~: ministerio de justicia | **palazzo di** ~: juzgado.

giustiziare /dʒustit'tsjare/ [v tr] ejecutar.

giusto /'dʒusto/ [agg/sm/avv] justo FRAS ~ **in tempo**: al punto.

glaciale /gla'tʃale/ [agg m,f] glacial.

glaciazione /glatʃat'tsjone/ [sf] glaciación.

glassa /'glassa/ [sf] glaseado (m).

glassare /glas'sare/ [v tr] glasear, bañar.

gli /*ʎi/ [art det m pl] los ♦ [pron m sing] le ♦ ~ **ho detto di venire subito**: le he dicho que venga inmediatamente ♦ [pron m,f pl] les ♦ **digli che vengano**: diles que vengan.

glicerina /glitʃe'rina/ [sf] glicerina.

gliela /*ʎela/ [pron f sing] se la ♦ **mandagliela**: mándasela.

gliele /*ʎele/ [pron f pl] se las ♦ ~ **spedirò subito**: se las enviaré inmediatamente.

glieli /*ʎeli/ [pron m pl] se los ♦ ~ **darò io stesso**: se los entregaré yo mismo.

glielo /*ʎelo/ [pron m sing] se lo ♦ ~ **dirò**: se lo diré.

gliene /*ʎene/ [pron sing] le (de ello) ♦ ~ **parlerò appena potrò**: le hablaré (de ello) en cuanto pueda.

globale /glo'bale/ [agg m,f] global FRAS **mercato** ~: mercado mundial.

globo /'glɔbo/ [sm] globo.

globulo /'glɔbulo/ [sm] glóbulo.

gloria /'glɔrja/ [sf] gloria.

glorioso /glo'rjoso/ [agg] glorioso.

glucosio /glu'kɔzjo/ [sm] glucosa (f).

gluteo /'gluteo/ [sm] glúteo.

gnocco /*'ɲɔkko/ [sm] CUC ñoqui.

gnomo /*'ɲɔmo/ [sm] gnomo.

goal /'gɔl/ [sm inv] gol (sing).

gobba /'gɔbba/ [sf] **1** joroba **2** (protuberanza) protuberancia, prominencia.

gobbo /'gɔbbo/ [agg/sm] jorobado FRAS **avere sul ~**: tener atravesado, *Amer* no tragar | **colpo ~**: golpe de suerte (fortuna); mala jugada (faena).

goccia /'gɔttʃa/ [sf] gota FRAS **a ~ a ~**: gota a gota | **fino all'ultima ~**: hasta el fondo.

gocciolare /gottʃo'lare/ [v tr/intr] gotear.

godere /go'dere/ [v intr/tr] gozar.

godibile /go'dibile/ [agg m,f] placentero (m), agradable.

godimento /godi'mento/ [sm] **1** gozo, placer, deleite **2** GIUR usufructo.

goffo /'gɔffo/ [agg] **1** (persona) torpe (m,f), desmañado **2** (cosa) sin gracia, tosco.

gola /'gola/ [sf] **1** ANAT garganta **2** GEOG garganta, desfiladero (m) FRAS **avere il cuore in ~**: estar con/tener el corazón en un puño | **avere l'acqua alla ~**: estar con el agua al cuello | **avere un nodo/ groppo alla ~**: tener un nudo en la garganta | **fare ~**: hacer ilusión.

golf /'gɔlf/ [sm inv] **1** ABB jersey (sing), suéter (sing) **2** SPORT golf.

golfo /'golfo/ [sm] golfo.

golosità /golosi'ta*/ [sf inv] glotonería (sing), gula (sing).

goloso /go'loso/ [agg/sm] goloso.

gomitata /gomi'tata/ [sf] codazo (m).

gomito /'gomito/ [sm] codo FRAS **curva a ~**: codo.

gomitolo /go'mitolo/ [sm] ovillo.

gomma /'gomma/ [sf] **1** goma **2** (per cancellare) goma de borrar, borrador (m) **3** (veicolo) neumático (m) FRAS **~ a terra**: neumático pinchado.

gommapiuma /gomma'pjuma/ [sf] gomaespuma.

gommina /gom'mina/ [sf] gomina.

gommista /gom'mista/ [sm] (officina) taller de recauchutado.

gommone /gom'mone/ [sm] zodiac (f).

gommoso /gom'moso/ [agg] gomoso.

gondola /'gondola/ [sf] góndola.

gonfiabile /gon'fjabile/ [agg m,f] inflable.

gonfiare (-rsi) /gon'fjare/ [v tr/intr prnl] hinchar (-se).

gonfio /'gonfjo/ [agg] hinchado, inflado FRAS **andare a gonfie vele**: navegar viento en popa | **stomaco ~**: estómago dilatado.

gonfiore /gon'fjore/ [sm] hinchazón (f).

gonna /'gonna/ [sf] falda.

gorgo /'gorgo/ [sm] remolino.

gorilla /go'rilla/ [sm inv] **1** ZOOL gorila (sing) **2** FIG (guardaspalle) gorila (sing), guardaespaldas.

gotico /'gɔtiko/ [agg/sm] gótico.

gourmet /gur'mε*/ [sm inv] (buongustaio) gourmet.

governare /gover'nare/ [v tr] (anche MAR) gobernar.

governante /gover'nante/ [sm,f] gobernante.

governativo /governa'tivo/ [agg] gubernamental (m,f).

governatore (-trice) /governa'tore/ [sm] gobernador (f -a).

governo /go'vɛrno/ [sm] gobierno.

gozzo /'gottso/ [sm] FAM buche
FRAS **avere sul ~**: guardar rencor.

gozzovigliare /gottsoviʎ'ʎare/ [v
intr] ir de juerga.

gracile /'gratʃile/ [agg m,f] **1** (esile)
esbelto (m), grácil **2** (debole) débil,
enclenque.

gracilità /gratʃili'ta*/ [sf inv] **1** (esilità) gracilidad (sing) **2** (debolezza)
debilidad (sing), fragilidad (sing).

gradasso /gra'dasso/ [sm] fanfarrón, bravucón.

gradazione /gradat'tsjone/ [sf] gradación FRAS **~ alcolica**: graduación alcohólica.

gradevole /gra'devole/ [agg m,f]
agradable.

gradimento /gradi'mento/ [sm]
agrado, gusto.

gradinata /gradi'nata/ [sf] **1** escalinata **2** (stadio, anfiteatro) grada.

gradino /gra'dino/ [sm] peldaño, escalón.

gradire /gra'dire/ [v tr] **1** agradar,
agradecer **2** (cibo, bevanda) apetecer, gustar.

gradito /gra'dito/ [agg] grato.

grado /'grado/ [sm] **1** grado **2** FIG nivel FRAS **suo mal ~**: de mal grado,
a pesar suyo | **di buon ~**: de buen
grado, con gusto.

graduale /gradu'ale/ [agg m,f] gradual, paulatino (m).

graduatoria /gradua'tɔrja/ [sf] (gara, concorso) clasificación.

graffetta /graf'fetta/ [sf] clip
(m).

graffiare /graf'fjare/ [v tr] arañar ◆
[v prnl] arañarse, rasguñarse.

graffio /'graffjo/ [sm] rasguño, arañazo.

graffito /graf'fito/ [sm] **1** grafito **2**
(al pl) graffiti (inv).

grafica /'grafika/ [sf] grafismo (m).

grafico /'grafiko/ [agg] gráfico ◆
[sm] **1** gráfico, gráfica (f) **2** (persona) grafista (m,f).

grammatica /gram'matika/ [sf] gramática.

grana /'grana/ [sf] **1** grano (m) **2** FAM
(seccatura) lío (m), apuro (m)
FRAS **avere delle grane**: tener
problemas.

Granada /gra'nada/ [sf] Grenada.

granadino /grana'dino/ [agg/sm]
grenadino.

granaio /gra'najo/ [sm] granero.

granatina /grana'tina/ [sf] **1** (sciroppo) granadina **2** (granita) granizado
(m).

grancevola /gran'tʃɛvola/ [sf] centollo.

granché /gran'ke*/ [avv] nada ● *non
vale ~*: no vale nada ◆ [pron] gran
cosa, nada del otro mundo ● *il film
non è stato un ~*: la película no ha
sido gran cosa.

granchio /'grankjo/ [sm] cangrejo
FRAS **prendere un ~**: pifiarla.

grande /'grande/ [agg m,f] **1** grande
2 (tanto) mucho (m) ● *avere una
gran fame*: tener mucha hambre
FRAS **grandi magazzini**: grandes
almacenes ◆ [sm,f] grande.

grandezza /gran'dettsa/ [sf] **1** tamaño (m), grandeza **2** FIG grandeza.

grandinare /grandi'nare/ [v imp]
granizar.

grandine /'grandine/ [sf] **1** (meteo)
granizo (m) **2** FIG lluvia, granizada.

grandioso /gran'djoso/ [agg] grandioso.

granello /gra'nello/ [sm] grano.

granita /gra'nita/ [sf] granizado (m).

granito /gra'nito/ [sm] granito.

grano /'grano/ [sm] **1** BOT trigo **2** grano ♦ ~ *di pepe*: grano de pimienta FRAS ~ *duro*: trigo durillo.

granturco /gran'turko/ [sm] maíz.

granuloma /granu'lɔma/ [sm] granuloma.

grappa /'grappa/ [sf] aguardiente (m).

grappolo /'grappolo/ [sm] racimo.

grasso /'grasso/ [agg] **1** gordo **2** BOT suculento **3** (unto) grasoso, grasiento, untuoso ♦ [sm] grasa (f).

grassone /gras'sone/ [sm] gordinflón (f -a).

grata /'grata/ [sf] rejilla.

gratificante /gratifi'kante/ [agg m,f] gratificante.

gratificare /gratifi'kare/ [v tr] gratificar.

gratinare /grati'nare/ [v tr] gratinar.

gratis /'gratis/ [avv] gratis.

gratitudine /grati'tudine/ [sf] gratitud.

grato /'grato/ [agg] agradecido.

grattacielo /gratta'tʃɛlo/ [sm] rascacielos (inv).

grattare /grat'tare/ [v tr] rascar ♦ [v prnl] rascarse, refregarse.

grattugia /grat'tudʒa/ [sf] rallador (m).

grattugiare /grattu'dʒare/ [v tr] rallar.

gratuito /gra'tuito/ [agg] gratuito.

gravare /gra'vare/ [v tr] cargar.

grave /'grave/ [agg m,f] grave.

gravidanza /gravi'dantsa/ [sf] embarazo (m).

gravità /gravi'ta*/ [sf inv] gravedad (sing).

gravitare /gravi'tare/ [v intr] **1** gravitar **2** FIG moverse en el ámbito/la órbita.

gravoso /gra'voso/ [agg] gravoso.

grazia /'grattsja/ [sf] gracia FRAS **dare il colpo di ~**: dar el golpe de gracia.

graziare /grat'tsjare/ [v tr] indultar.

grazie /'grattsje/ [inter/sm inv] gracias FRAS ~ **altrettanto**: gracias igualmente | **molte ~!**: ¡muchas gracias!

grazioso /grat'tsjoso/ [agg/sm] gracioso.

greco /'grɛko/ [agg/sm] griego.

gregge /'greddʒe/ [sm] rebaño, grey (f).

greggio /'greddʒo/ [agg] bruto, crudo FRAS **petrolio ~**: petróleo crudo | **seta greggia**: seda cruda.

grembiule /grem'bjule/ [sm] delantal, mandil.

grembo /'grembo/ [sm] **1** regazo, seno **2** (ventre) seno, vientre materno.

gremire /gre'mire/ [v tr] atestar, abarrotar.

greto /'grɛto/ [sm] (fiume) pedregal.

gretto /'gretto/ [agg] **1** (avaro) cicatero **2** FIG estrecho, limitado ♦ *mentalità gretta*: mentalidad estrecha.

grezzo /'greddzo/ [agg] **1** bruto, basto **2** FIG tosco, grosero.

gridare /gri'dare/ [v intr] gritar ♦ [v tr] pedir FRAS ~ **a squarciagola**: gritar a voz en grito.

grido /'grido/ [sm] **1** grito **2** FIG prestigio, renombre ♦ *un avvocato di ~*:

un abogado de renombre ■ pl irr f **grida** (nel sign 1).

grigio /'gridʒo/ [agg/sm] (anche FIG) gris (m,f) FRAS **capelli grigi**: canas.

griglia /'griʎʎa/ [sf] **1** parrilla **2** (grata) enrejado (m), reja.

grigliata /griʎ'ʎata/ [sf] parrillada.

grill /'gril/ [sm inv] **1** grill, parrilla (f sing) **2** (ristorante) parrilla (f sing).

grilletto /gril'letto/ [sm] gatillo.

grillo /'grillo/ [sm] grillo FRAS **avere dei grilli per la testa**: tener la cabeza a pájaros.

grinza /'grintsa/ [sf] arruga.

grissino /gris'sino/ [sm] colín.

grondaia /gron'daja/ [sf] canalón (m).

grondare /gron'dare/ [v intr/tr] chorrear.

grongo /'grongo/ [sm] congrio.

groppa /'grɔppa/ [sf] **1** ZOOL grupa, alcafar (m) **2** FAM SCHERZ espinazo (m), lomo (m).

grossista /gros'sista/ [sm,f] mayorista.

grosso /'grɔsso/ [agg] **1** grueso **2** FIG grave (m,f), gordo • *guaio ~*: lío gordo FRAS **caccia grossa**: caza mayor | **~ modo**: grosso modo ◆ [sm] grueso.

grossolano /grosso'lano/ [agg] basto, tosco.

grotta /'grɔtta/ [sf] gruta, cueva.

grottesco /grot'tesko/ [agg] grotesco.

groviglio /gro'viʎʎo/ [sm] enredo FRAS **~ di capelli**: mata de pelo.

gru /'gru*/ [sf inv] **1** ORN grulla (sing) **2** TECN grúa (sing), *Amer* guinche (m sing).

gruccia /'gruttʃa/ [sf] **1** (stampella) muleta **2** (appendiabiti) percha.

grumo /'grumo/ [sm] grumo.

gruppo /'gruppo/ [sm] grupo FRAS **~ sanguigno**: grupo sanguíneo.

guadagnare /gwadaɲ'ɲare/ [v tr] ganar.

guadagno /gwa'daɲɲo/ [sm] ganancia (f).

guadare /gwa'dare/ [v tr] vadear.

guai /'gwai/ [inter] ¡ay de! ■ **guai a** + *inf* es un peligro + inf • **~** *a lasciarlo solo*: es un peligro dejarlo solo.

guaio /'gwajo/ [sm] apuro, aprieto FRAS **cacciarsi nei guai**: meterse en líos.

guancia /'gwantʃa/ [sf] mejilla.

guanciale /gwan'tʃale/ [sm] **1** almohada (f) **2** CUC tocino de la carrillada de cerdo.

guanto /'gwanto/ [sm] guante.

guardaboschi /gwarda'bɔski/ [sm,f inv] guardabosques.

guardacaccia /gwarda'kattʃa/ [sm,f inv] guardabosques.

guardacoste /gwarda'kɔste/ [sm,f inv] guardacostas.

guardalinee /gwarda'linee/ [sm,f inv] juez de línea.

guardare (-rsi) /gwar'dare/ [v tr prnl/intr] mirar (-se) FRAS **~ storto**: mirar de través | **non ~ in faccia a nessuno**: no casarse con nadie.

guardaroba /gwarda'rɔba/ [sm inv] guardarropa (sing).

guardia /'gwardja/ [sf] guardia FRAS **~ del corpo**: guardaespaldas | **~ di finanza**: policía fiscal | **~ medica**: urgencias | **~ notturna**: guardián nocturno | ~ **svizzera**: esguízaro.

guardiano /gwar'djano/ [sm] guardián (f -a).

guardrail /gard'reil/ [sm inv] guardarraíl (sing).

guarire /gwa'rire/ [v tr] curar, sanar ♦ [v intr] **1** (malato) sanar, reponerse **2** (malattia) desaparecer.

guarnire /gwar'nire/ [v tr] **1** adornar, decorar **2** CUC guarnecer, acompañar.

guarnizione /gwarnit'tsjone/ [sf] TECN herraje (m) FRAS ~ **della testata**: guarnición del émbolo.

guastare /gwas'tare/ [v tr] **1** estropear **2** FIG aguar, estropear ♦ ~ **la festa**: aguar la fiesta ♦ [v intr prnl] **1** descomponerse **2** FIG (tempo meteorologico) malograrse.

guasto /'gwasto/ [agg] dañado ♦ [sm] avería (f).

guatemalteco /gwatemal'teko/ [agg/sm] guatemalteco.

guerra /'gwɛrra/ [sf] guerra.

guerriero /gwer'rjero/ [agg/sm] guerrero.

guerriglia /gwer'riʎʎa/ [sf] guerrilla.

gufo /'gufo/ [sm] búho.

guglia /'guʎʎa/ [sf] ARCH aguja, pináculo (m).

guida /'gwida/ [sf] **1** (anche FIG) guía **2** (automobile) conducción, *Amer* manejo (m) FRAS **patente di** ~: carné de conducir.

guidare /gwi'dare/ [v tr] **1** (anche FIG) guiar **2** (automobile) conducir, *Amer* manejar.

guidatore (-**trice**) /gwida'tore/ [sm] conductor (f -a).

guinzaglio /gwin'tsaʎʎo/ [sm] correa (f).

guizzo /'gwittso/ [sm] esguince.

guscio /'guʃʃo/ [sm] (uovo) cáscara (f) FRAS **chiudersi nel proprio** ~: meterse en su concha.

gustare /gus'tare/ [v tr] **1** gustar, paladear **2** FIG deleitarse, saborear.

gusto /'gusto/ [sm] gusto FRAS **di pessimo** ~: cursi, de muy mal gusto | **mangiare di** ~: comer con ganas.

gustoso /gus'toso/ [agg] gustoso.

Hh

habitat /'abitat/ [sm inv] hábitat.

habitué /abitu'e*/ [sm,f inv] habitué.

Haiti /a'iti/ [sf] Haití.

haitiano /ai'tjano/ [agg/sm] haitiano.

hall /'ɔl/ [sf inv] hall (m), vestíbulo
(m sing).

hamburger /am'burger/ [sm inv]
hamburguesa (f sing).

handicap /'ɛndikap/ [sm inv] 1 hán-
dicap (sing) 2 MED minusvalidez (f
sing).

handicappato   /ɛndikap'pato/
[agg/sm] minusválido.

hard disk /ard'disk/ [sm inv] disco
duro/rígido.

hard rock /ard'rɔk/ [sm inv] rock
duro.

hardware /'ardwɛr/ [sm inv] hardware.

harem /a'rɛm/ [sm inv] harem, harén
(sing).

hascisc /aʃ'ʃiʃ/ [sm inv] hachís,
quif.

hei /'ei/ [inter] ¡oye!

henné /en'ne*/ [sm inv] henné.

herpes /'ɛrpes/ [sm inv] herpes.

hi-fi /ai'fai/ [sm inv] hi-fi.

hinterland /'interland/ [sm inv] hinterland.

hobby /'ɔbbi/ [sm inv] hobby, afición
(f sing).

hockey /'ɔkei/ [sm inv] hockey.

honduregno /'ɔndureŋŋo/ [agg/sm]
hondureño.

horror /'ɔrror/ [sm inv] película/no-
vela de terror/miedo.

hostess /'ɔstes/ [sf inv] azafata
(sing), _Amer_ aeromoza (sing).

hot dog /ɔt'dɔg/ [sm inv] perrito
(sing) caliente, _Amer_ pancho
(sing).

hotel /o'tɛl/ [sm inv] hotel (sing).

humour /'jumor/ [sm inv] humor
(sing).

li

i /i*/[art det m pl] los.

ictus /'iktus/ [sm inv] ictus.

idea /i'dɛa/ [sf] **1** idea **2** (ideale) ideal (m), ideología FRAS **neanche per ~**: ni hablar | **non averne la minima ~**: no tener ni idea.

ideale /ide'ale/ [agg m,f/sm] ideal.

ideare /ide'are/ [v tr] idear.

identico /i'dɛntico/ [agg] idéntico.

identificare (-**rsi**) /identifi'kare/ [v tr prnl/intr prnl] identificar (-se).

identità /identi'ta*/ [sf inv] identidad (sing) FRAS **carta d'~**: carnet de identidad, *Amer* cédula de identidad.

idiota /i'djɔta/ [agg m,f/sm,f] idiota.

idolo /'idolo/ [sm] ídolo.

idoneità /idonei'ta*/ [sf inv] idoneidad (sing).

idoneo /i'dɔneo/ [agg] idóneo.

idratante /idra'tante/ [agg m,f/sm] hidratante.

idratare /idra'tare/ [v tr] hidratar.

idraulico /i'drauliko/ [sm] fontanero, *Amer* plomero.

idrocarburo /idrokar'buro/ [sm] hidrocarburo.

idroelettrico /idroe'lettriko/ [agg] hidroeléctrico.

idrofilo /i'drɔfilo/ [agg] hidrófilo FRAS **cotone ~**: algodón hidrófilo.

idrogeno /i'drɔdʒeno/ [sm] hidrógeno.

ieri /'jeri/ [avv/sm] ayer FRAS **l'altro ~**: anteayer | **~ mattina**: ayer por la mañana | **~ sera**: anoche, ayer por la noche.

igiene /i'dʒɛne/ [sf] higiene.

igienico /i'dʒɛniko/ [agg] higiénico FRAS **assorbente ~**: compresa higiénica | **carta igienica**: papel higiénico/de váter.

ignobile /iɲ'nɔbile/ [agg m,f] innoble.

ignorante /iɲɲo'rante/ [agg m,f/sm,f] ignorante.

ignoranza /iɲɲo'rantsa/ [sf] ignorancia.

ignorare (-**rsi**) /iɲɲo'rare/ [v tr prnl] ignorar (-se).

ignoto /iɲ'nɔto/ [agg] ignoto ◆ [sm] lo ignoto, lo desconocido.

iguana /i'gwana/ [sf] iguana.

il /il/ [art det m sing] **1** el **2** (tutti i) los ◆ *la maestra riceve ~ martedì*: la maestra atiende los martes.

illecito /il'letʃito/ [agg] ilícito ◆ [sm] acción ilícita.

illegale /ille'gale/ [agg m,f] ilegal.

illegittimo /ille'dʒittimo/ [agg] ilegítimo FRAS **figlio ~**: hijo ilegítimo.

illeso /il'lezo/ [agg] ileso.

illimitato /illimi'tato/ [agg] ilimitado.

illudere (-**rsi**) /il'ludere/ [v tr prnl] ilusionar (-se).

illuminare (-**rsi**) /illumi'nare/ [v tr/intr prnl] iluminar (-se).

illuminazione /illuminat'tsjone/ [sf] **1** iluminación **2** FIG idea, ocurrencia.

illusione /illu'zjone/ [sf] ilusión FRAS **farsi delle illusioni**: hacerse ilusiones.

illustrare /illus'trare/ [v tr] ilustrar.

illustrato /illus'trato/ [agg] ilustrado.

illustrazione /illustrat'tsjone/ [sf] ilustración.

illustre /il'lustre/ [agg m,f] ilustre.

imballaggio /imbal'laddʒo/ [sm] embalaje.

imballare /imbal'lare/ [v tr] embalar.

imbarazzante /imbarat'tsante/ [agg m,f] embarazoso (m).

imbarazzare /imbarat'tsare/ [v tr] FIG avergonzar ◆ [v intr prnl] cohibirse, embarazarse.

imbarazzo /imba'rattso/ [sm] FIG azoramiento, embarazo FRAS **essere in ~**: sentirse violento | **mettere in ~**: poner en un apuro.

imbarcadero /imbarka'dɛro/ [sm] embarcadero.

imbarcare (-rsi) /imbar'kare/ [v tr prnl] embarcar (-se).

imbarcazione /imbarkat'tsjone/ [sf] embarcación, barco (m).

imbarco /im'barko/ [sm] embarque.

imbattersi /im'battersi/ [v intr prnl] encontrarse, toparse.

imbecille /imbe'tʃille/ [agg m,f/sm,f] imbécil.

imbevibile /imbe'vibile/ [agg m,f] imbebible.

imbiancare /imbjan'kare/ [v tr] (muro) blanquear, encalar.

imbianchino /imbjan'kino/ [sm] pintor (f -a).

imboccare /imbok'kare/ [v tr] **1** dar de comer **2** (immettersi) embocar, meterse por.

imbocco /im'bokko/ [sm] boca (f), entrada (f).

imboscata /imbos'kata/ [sf] emboscada.

imbottigliare /imbottiʎ'ʎare/ [v tr] (liquido) embotellar ◆ [v intr prnl] (traffico) atascarse, embotellarse.

imbottire /imbot'tire/ [v tr] rellenar, embutir.

imbottitura /imbotti'tura/ [sf] mullido (m).

imbrattare /imbrat'tare/ [v tr] ensuciar ◆ [v prnl] embadurnarse.

imbrogliare /imbroʎ'ʎare/ [v tr] **1** (aggrovigliare) enredar **2** FIG (ingannare) engañar, estafar.

imbroglio /im'broʎʎo/ [sm] **1** (groviglio) enredo **2** (inganno) estafa (f).

imbucare /imbu'kare/ [v tr] (posta) echar al buzón.

imburrare /imbur'rare/ [v tr] **1** untar con mantequilla **2** (teglia) engrasar.

imbuto /im'buto/ [sm] embudo.

imitare /imi'tare/ [v tr] imitar.

imitazione /imitat'tsjone/ [sf] imitación.

immaginare /immadʒi'nare/ [v tr] imaginar FRAS **s'immagini!**: ¡por favor!, ¡faltaría más!

immaginario /immadʒi'narjo/ [agg] imaginario.

immaginazione /immadʒinat'tsjone/ [sf] imaginación.

immagine /im'madʒine/ [sf] imagen.

immancabile /imman'kabile/ [agg m,f] indefectible.

immangiabile /imman'dʒabile/ [agg m,f] incomible.

immatricolare /immatriko'lare/ [v tr] **1** matricular **2** (barca, nave) abanderar.

immatricolazione /immatrikolat'
tsjone/ [sf] matriculación.

immaturo /imma'turo/ [agg] inmaduro.

immediatamente /immedjata'mente/ [avv] en seguida, de inmediato.

immediato /imme'djato/ [agg] inmediato FRAS nell'~: de momento.

immensità /immensi'ta*/ [sf inv] 1 inmensidad (sing) 2 FIG mar (m sing), infinidad (sing).

immenso /im'menso/ [agg] inmenso.

immergere /im'mɛrdʒere/ [v tr] sumergir, hundir ♦ [v prnl] 1 sumergirse, hundirse 2 FIG sumirse FRAS immergersi tra la folla: perderse entre la muchedumbre.

immersione /immer'sjone/ [sf] inmersión.

immigrare /immi'grare/ [v intr] inmigrar.

immigrato /immi'grato/ [agg/sm] inmigrado.

immigrazione /immigrat'tsjone/ [sf] inmigración.

immobile /im'mɔbile/ [agg m,f] inmóvil FRAS beni immobili: bienes inmuebles ♦ [sm] inmueble FRAS ~ libero/sfitto: inmueble desocupado.

immobiliare /immobi'ljare/ [agg m,f] inmobiliario (m) ♦ [sf] inmobiliaria.

immobilità /immobili'ta*/ [sf inv] inmovilidad (sing).

immondizia /immon'dittsja/ [sf] basura, inmundicia.

immorale /immo'rale/ [agg m,f] inmoral.

immortale /immor'tale/ [agg m,f] inmortal.

immune /im'mune/ [agg m,f] inmune.

immunità /immuni'ta*/ [sf inv] inmunidad (sing).

immunitario /immuni'tarjo/ [agg] inmunitario.

immutato /immu'tato/ [agg] inmutable (m,f), invariado.

impacciato /impat'tʃato/ [agg] torpe (m,f).

impacco /im'pakko/ [sm] compresa (f).

impadronirsi /impadro'nirsi/ [v intr prnl] apoderarse.

impagabile /impa'gabile/ [agg m,f] 1 impagable 2 (bellissimo) extraordinario (m), excepcional.

impalcatura /impalka'tura/ [sf] andamio (m).

impallidire /impalli'dire/ [v intr] 1 palidecer 2 FIG (turbarsi) demudarse.

impanare /impa'nare/ [v tr] CUC empanar, rebozar.

impantanarsi /impanta'narsi/ [v intr prnl] atascarse.

imparare /impa'rare/ [v tr] aprender FRAS imparare a memoria: aprender de memoria.

imparziale /impar'tsjale/ [agg m,f] imparcial.

impassibile /impas'sibile/ [agg m,f] impasible FRAS rimanere ~: no demudarse.

impastare (-rsi) /impas'tare/ [v tr/intr prnl] amasar (-se).

impasto /im'pasto/ [sm] amasijo.

impatto /im'patto/ [sm] impacto.

impaurire (-rsi) /impau'rire/ [v tr/intr prnl] asustar (-se), espantar (-se).

impaziente /impat'tsjɛnte/ [agg m,f] impaciente.

impazienza /impat'tsjentsa/ [sf] impaciencia.

impazzire /impat'tsire/ [v intr] enloquecer, volverse loco.

impeccabile /impek'kabile/ [agg m,f] impecable.

impedimento /impedi'mento/ [sm] impedimento.

impedire /impe'dire/ [v tr] impedir.

impegnare /impeɲ'ɲare/ [v tr] 1 (dare in pegno) empeñar 2 (promettere) comprometer 3 (occupare tempo) absorber, ocupar ◆ [v prnl] comprometerse.

impegnativa /impeɲɲa'tiva/ [sf] volante (m).

impegnativo /impeɲɲa'tivo/ [agg] laborioso.

impegnato /impeɲ'ɲato/ [agg] (occupato) ocupado, atareado.

impegno /im'peɲɲo/ [sm] compromiso FRAS mettersi d'~: esmerarse | senza ~: sin compromiso.

impensabile /impen'sabile/ [agg m,f] impensable.

imperativo /impera'tivo/ [agg/sm] imperativo.

imperatore (-trice) /impera'tore/ [sm] emperador (f -triz).

impercettibile /impertʃet'tibile/ [agg m,f] imperceptible.

imperdonabile /imperdo'nabile/ [agg m,f] imperdonable, injustificable.

imperfetto /imper'fetto/ [agg/sm] imperfecto.

imperfezione /imperfet'tsjone/ [sf] 1 imperfección 2 (oggetto) falla.

imperiale /impe'rjale/ [agg m,f] imperial.

imperialismo /imperja'lizmo/ [sm] imperialismo.

impermeabile /imperme'abile/ [agg m,f/sm] impermeable.

impero /im'pero/ [sm] (anche FIG) imperio.

impersonale /imperso'nale/ [agg m,f] impersonal.

impeto /'impeto/ [sm] 1 ímpetu 2 FIG arrebato, arranque.

impetuoso /impetu'oso/ [agg] impetuoso.

impianto /im'pjanto/ [sm] instalación (f) FRAS impianti di risalita: remontes automáticos de esquí | ~ elettrico: instalación eléctrica | ~ hi-fi/stereo: cadena de música.

impiccare (-rsi) /impik'kare/ [v tr prnl] ahorcar (-se).

impicciarsi /impit'tʃarsi/ [v intr prnl] entremeterse, entrometerse.

impiccio /im'pittʃo/ [sm] 1 (disturbo) estorbo 2 (guaio) lío, enredo.

impiegare /impje'gare/ [v tr] 1 (dare impiego) emplear 2 (metterci) tardar ◆ [v prnl] (trovare un impiego) emplearse.

impiegato /impje'gato/ [agg/sm] empleado.

impiego /im'pjego/ [sm] empleo.

impietosire (-rsi) /impjeto'sire/ [v tr/intr prnl] conmover (-se), apiadar (-se).

impigliarsi /impiʎ'ʎarsi/ [v intr prnl] engancharse.

impigrire /impi'grire/ [v tr] entorpecer ◆ [v intr prnl] apoltronarse.

implacabile /impla'kabile/ [agg m,f] implacable.

implicito /im'plitʃito/ [agg] implícito.

impolverare (-rsi) /impolve'rare/ [v tr/intr prnl] empolvar (-se).

imponente /impo'nɛnte/ [agg m,f]
importante.

imporre (**-rsi**) /im'porre/ [v tr prnl/
intr prnl] imponer (-se).

importante /impor'tante/ [agg m,f]
importante ◆ [sm] lo importante, lo
esencial.

importanza /impor'tantsa/ [sf] importancia FRAS **non ha ~**: no importa, da igual.

importare /impor'tare/ [v tr/int/imp]
importar FRAS **non importa**: no
importa | **non me ne importa nu-
lla**: ni me va ni me viene.

importatore (**-trice**) /importa'tore/
[agg/sm] importador (f -a).

importazione /importat'tsjone/ [sf]
importación.

importo /im'porto/ [sm] importe.

importunare /importu'nare/ [v tr]
importunar.

imposizione /impozit'tsjone/ [sf]
imposición.

impossessarsi /imposses'sarsi/ [v
intr prnl] apoderarse, apropiarse.

impossibile /impos'sibile/ [agg m,f]
imposible ◆ [sm] lo imposible.

impossibilità /impossibili'ta*/ [sf
inv] imposibilidad (sing).

imposta /im'posta/ [sf] **1** (finestra)
postigo (m) **2** (tassa) impuesto (m)
FRAS **~ sul valore aggiunto (IVA)**:
impuesto sobre el valor añadido.

impostare /impos'tare/ [v tr] **1** (organizzare) programar, organizar **2**
(posta) echar al buzón.

impotente /impo'tente/ [agg m,f/
sm] impotente.

impotenza /impo'tentsa/ [sf] impotencia.

impoverire (**-rsi**) /impove'rire/ [v tr/
intr prnl] empobrecer (-se).

impraticabile /imprati'kabile/ [agg
m,f] impracticable FRAS **strada ~**:
calle intransitable.

impreciso /impre't∫izo/ [agg] **1** impreciso **2** (strumento) defectuoso.

impregnare (**-rsi**) /impreɲ'nare/ [v
tr/intr prnl] impregnar (-se).

imprenditore (**-trice**) /imprendi'to-
re/ [sm] empresario (m,f).

impresa /im'presa/ [sf] empresa.

impressionabile /impressjo'nabile/
[agg m,f] impresionable.

impressionante /impressjo'nante/
[agg m,f] impresionante.

impressionare (**-rsi**) /impressjo'
nare/ [v tr/intr prnl] impresionar
(-se).

impressione /impres'sjone/ [sf] impresión FRAS **fare buona/cattiva
~**: causar buena/mala impresión |
fare ~: impresionar (buena impresión); dar repelús (dar asco).

impressionismo /impressjo'nizmo/
[sm] impresionismo.

imprestare /impres'tare/ [v tr] prestar.

imprevedibile /impreve'dibile/ [agg
m,f] imprevisible.

imprevisto /impre'visto/ [agg] imprevisto ◆ [sm] inconveniente.

imprigionare /impridʒo'nare/ [v tr]
encarcelar, aprisionar.

imprimere /im'primere/ [v tr] (anche
FIG) imprimir ◆ [v intr prnl] grabarse.

improbabile /impro'babile/ [agg
m,f] improbable.

impronta /im'pronta/ [sf] **1** huella,
marca, señal **2** FIG marca FRAS **~
digitale**: huella dactilar/digital.

improprio /im'prɔprjo/ [agg] impropio.

improrogabile /improro'gabile/ [agg m,f] improrrogable.

improvvisare /improvvi'zare/ [v tr] improvisar ♦ [v prnl] meterse a.

improvviso /improv'vizo/ [agg] **1** (imprevisto) inesperado **2** repentino, inopinado • *cambiamento d'umore ~*: cambio de humor repentino FRAS **all'/d'~**: de repente/improviso.

imprudente /impru'dɛnte/ [agg m,f/sm,f] imprudente.

imprudenza /impru'dɛntsa/ [sf] imprudencia.

impugnatura /impuɲɲa'tura/ [sf] empuñadura, puño (m).

impulsivo /impul'sivo/ [agg/sm] impulsivo.

impulso /im'pulso/ [sm] impulso.

impuro /im'puro/ [agg] impuro.

imputato /impu'tato/ [agg/sm] imputado.

imputridire /imputri'dire/ [v intr] pudrirse, podrirse.

in /in/ [prep] **1** (stato in luogo, modo, scopo, mezzo) en • *abita ~ città*: vive en la ciudad | *oggi resto ~ casa*: hoy me quedo en casa | *verrà ~ primavera*: vendrá en primavera | *restò ~ silenzio*: se quedó en silencio | *dare ~ prestito*: dar en préstamo | *vado ~ autobus*: voy en autobús **2** (moto a luogo) a • *saliamo ~ treno*: subimos al tren | *vanno ~ montagna*: van a la montaña **3** (modo, materia) de | *stare ~ piedi*: estar de pie | *un bassorilievo ~ marmo*: un bajorrelieve de mármol ■ **in + numero** in spagnolo non si traduce • *erano*

~ quindici: eran quince FRAS **di volta ~ volta**: cada vez | **~ alto**: arriba | **~ avanti**: hacia adelante | **~ basso**: abajo, debajo | **~ cima a qualcosa**: en lo alto de algo (cosa); en la cumbre de (ránking, carrera) | **~ contanti**: al contado | **~ fondo a qualcosa**: en el fondo de algo (cosa); al fondo de (asunto).

inabile /i'nabile/ [agg m,f] inhábil, incapacitado (m).

inabitabile /inabi'tabile/ [agg m,f] inhabitable.

inaccessibile /inattʃes'sibile/ [agg m,f] inaccesible.

inaccettabile /inattʃet'tabile/ [agg m,f] inaceptable.

inaffidabile /inaffi'dabile/ [agg m,f] informal, de poco fiar.

inagibile /ina'dʒibile/ [agg m,f] inhabitable.

inalazione /inalat'tsjone/ [sf] inhalación.

inammissibile /inammis'sibile/ [agg m,f] inadmisible.

inappetenza /inappe'tɛntsa/ [sf] inapetencia.

inaridire /inari'dire/ [v tr] **1** (terra) secar **2** FIG endurecer ♦ [v intr prnl] **1** (terra) secarse **2** FIG agotarse.

inaspettato /inaspet'tato/ [agg] inesperado.

inattività /inattivi'ta*/ [sf inv] inactividad (sing).

inaugurare /inaugu'rare/ [v tr] inaugurar.

inaugurazione /inaugurat'tsjone/ [sf] **1** inauguración **2** (locale) estreno (m).

incagliarsi /inkaʎ'ʎarsi/ [v intr prnl] MAR encallarse.

incalcolabile /inkalkoˈlabile/ [agg m,f] incalculable.

incalzare /inkalˈtsare/ [v tr] **1** acosar **2** FIG cernerse, ser iminente • *il pericolo incalza*: el peligro se cierne.

incamminarsi /inkammiˈnarsi/ [v intr prnl] encaminarse.

incandescente /inkandeʃˈʃente/ [agg m,f] candente.

incantare /inkanˈtare/ [v tr] encantar • [v intr prnl] **1** encantarse **2** (distrarsi) distraerse, abstraerse **3** (meccanismo) detenerse, pararse.

incantesimo /inkanˈtezimo/ [sm] encantamiento, hechizo.

incantevole /inkanˈtevole/ [agg m,f] encantador (f -a).

incapace /inkaˈpatʃe/ [agg m,f/sm,f] incapaz.

incapacità /inkapatʃiˈta*/ [sf inv] incapacidad (sing).

incarcerare /inkartʃeˈrare/ [v tr] encarcelar.

incaricare (-rsi) /inkariˈkare/ [v tr/intr prnl] encargar (-se).

incarico /inˈkariko/ [sm] **1** (posto di lavoro) cargo **2** (commissione) encargo, cometido.

incartare /inkarˈtare/ [v tr] envolver en papel.

incasinare /inkasiˈnare/ [v tr] POP **1** (mettere in disordine) desordenar **2** (complicare) complicar FRAS **incasinarsi**: hacerse un lío.

incassare /inkasˈsare/ [v tr] **1** (denaro) cobrar **2** FIG (sopportare) tragar, aguantar.

incasso /inˈkasso/ [sm] **1** (cinema, teatro) taquilla (f) **2** (negozio) recaudación.

incastrare /inkasˈtrare/ [v tr] **1** encajar **2** FIG FAM enredar • [v intr prnl] (bloccarsi) atascarse.

incatenare (-rsi) /inkateˈnare/ [v tr prnl] encadenar (-se).

incendiare /intʃenˈdjare/ [v tr] **1** incendiar **2** FIG encender, enardecer • [v intr prnl] incendiarse.

incendio /inˈtʃendjo/ [sm] incendio.

inceneritore /intʃeneriˈtore/ [sm] incinerador.

incensurato /intʃensuˈrato/ [agg] sin antecedentes penales.

incentivo /intʃenˈtivo/ [sm] incentivo.

incepparsi /intʃepˈparsi/ [v intr prnl] encasquillarse.

incertezza /intʃerˈtettsa/ [sf] **1** (insicurezza) incertidumbre **2** (indecisione) indecisión, irresolución.

incerto /inˈtʃerto/ [agg] **1** dudoso **2** (tempo) inestable (m,f).

inchiesta /inˈkjesta/ [sf] encuesta.

inchinarsi /inkiˈnare/ [v intr prnl] inclinarse.

inchiodare /inkjoˈdare/ [v tr] **1** clavar **2** FIG (bloccare) retener.

inchiostro /inˈkjostro/ [sm] tinta (f).

inciampare /intʃamˈpare/ [v intr] tropezar.

incidente /intʃiˈdɛnte/ [sm] (automobilistico) accidente.

incidere /inˈtʃidere/ [v intr] incidir • [v tr] **1** incidir **2** MUS (anche FIG) grabar.

incinta /inˈtʃinta/ [agg f] embarazada.

incisione /intʃiˈzjone/ [sf] **1** incisión **2** MUS grabación **3** (arte) grabado (m).

incisivo /intʃiˈzivo/ [agg] incisivo.

incitare /intʃiˈtare/ [v tr] incitar.

incivile /int∫i'vile/ [agg m,f] incivil ◆ [sm,f] maleducado (m), grosero (m).

inclinare /inkli'nare/ [v tr] inclinar ◆ [v intr] **1** inclinarse **2** MAR escorar.

inclinazione /inklinat'tsjone/ [sf] inclinación.

includere /in'kludere/ [v tr] incluir.

incognito /in'kɔɲɲito/ [agg/sm] incógnito FRAS in ~: de incógnito.

incollare /inkol'lare/ [v tr] encolar, pegar ◆ [v prnl] FIG estar colgado/pendiente.

incollato /inkol'lato/ [agg] **1** pegado, encolado **2** FIG colgado, pendiente (m,f).

incolonnamento /inkolonna'mento/ [sm] (veicoli) caravana (f).

incolpare /inkol'pare/ [v tr] culpar ◆ [v prnl] acusarse, echarse la culpa.

incolto /in'kolto/ [agg] **1** (non coltivato) inculto, yermo **2** FIG (barba) descuidado.

incolume /in'kɔlume/ [agg m,f] incólume.

incominciare /inkomin'tʃare/ [v tr/intr] comenzar, empezar.

incompatibile /inkompa'tibile/ [agg m,f] incompatible.

incompatibilità /inkompatibili'ta*/ [sf inv] incompatibilidad (sing).

incompetente /inkompe'tɛnte/ [agg m,f/sm,f] incompetente.

incompiuto /inkom'pjuto/ [agg] inacabado, inconcluso.

incompleto /inkom'plɛto/ [agg] incompleto.

incomprensibile /inkompren'sibile/ [agg m,f] incomprensible.

incomprensione /inkompren'sjone/ [sf] incomprensión.

inconcepibile /inkontʃe'pibile/ [agg m,f] inconcebible.

inconcludente /inkonklu'dɛnte/ [agg m,f/sm,f] inútil.

inconfondibile /inkonfon'dibile/ [agg m,f] inconfundible.

inconsapevole /inkonsa'pevole/ [agg m,f] **1** (persona) desconocedor (f -a) **2** (azione) involuntario.

inconscio /in'kɔnʃo/ [agg/sm] inconsciente (m,f).

inconsistente /inkonsis'tɛnte/ [agg m,f] inconsistente.

incontaminato /inkontami'nato/ [agg] incontaminado.

incontentabile /inkonten'tabile/ [agg m,f] descontentadizo (m).

incontinente /inkonti'nɛnte/ [agg m,f/sm,f] incontinente (agg).

incontrare /inkon'trare/ [v tr] **1** encontrar **2** SPORT enfrentarse ◆ [v intr prnl/prnl] encontrarse.

incontro /in'kontro/ [avv/prep] hacia FRAS andare/venire ~ a qualcuno: echar un cable a alguien ◆ [sm] (anche SPORT) encuentro.

incontrollabile /inkontrol'labile/ [agg m,f] incontrolable.

inconveniente /inkonve'njɛnte/ [sm] inconveniente.

incoraggiare /inkorad'dʒare/ [v tr] animar, alentar.

incorniciare /inkorni'tʃare/ [v tr] enmarcar.

incorreggibile /inkorred'dʒibile/ [agg m,f] incorregible.

incosciente /inkoʃ'ʃɛnte/ [agg m,f/sm,f] inconsciente.

incoscienza /inkoʃ'ʃɛntsa/ [sf] **1** pérdida de conocimiento **2** (imprudenza) inconsciencia.

incostante /inkos'tante/ [agg m,f] (persona) inconstante, voluble.

incredibile /inkre'dibile/ [agg m,f] increíble.

incremento /inkre'mento/ [sm] incremento.

incriminare /inkrimi'nare/ [v tr] incriminar.

incrinare /inkri'nare/ [v tr] **1** rajar, agrietar **2** FIG enfriar ◆ [v intr prnl] **1** agrietarse, rajarse **2** FIG comprometer, perjudicar.

incrociare /inkro't∫are/ [v tr/intr] cruzar ◆ [v prnl] **1** cruzarse, juntarse **2** (persone) encontrarse, coincidir.

incrociato /inkro't∫ato/ [agg] cruzado FRAS **parole incrociate**: crucigrama.

incrocio /in'krot∫o/ [sm] cruce.

incrostare (-rsi) /inkros'tare/ [v tr/intr prnl] incrustar (-se).

incrostazione /inkrostat'tsjone/ [sf] incrustación.

incubo /'inkubo/ [sm] pesadilla (f).

incudine /in'kudine/ [sf] yunque (m).

incurabile /inku'rabile/ [agg m,f] incurable.

incuriosire /inkurjo'sire/ [v tr] despertar la curiosidad, llamar la atención ◆ [v intr prnl] llamarle la atención.

incurvarsi /inkur'varsi/ [v intr prnl] **1** (persona) encorvarse, doblarse **2** (cosa) combarse.

incustodito /inkusto'dito/ [agg] sin custodia, abandonado.

indaffarato /indaffa'rato/ [agg] atareado, ajetreado.

indagare /inda'gare/ [v tr/intr] indagar.

indagine /in'dadʒine/ [sf] investigación.

indebitarsi /indebi'tarsi/ [v prnl] endeudarse.

indebolire (-rsi) /indebo'lire/ [v tr/intr prnl] debilitar (-se).

indebolito /indebo'lito/ [agg] debilitado.

indecente /inde't∫ente/ [agg m,f] indecente.

indecenza /inde't∫entsa/ [sf] indecencia.

indecifrabile /indet∫i'frabile/ [agg m,f] indescifrable.

indecisione /indet∫i'zjone/ [sf] indecisión.

indeciso /inde't∫izo/ [agg] indeciso.

indefinibile /indefi'nibile/ [agg m,f] indefinible.

indefinito /indefi'nito/ [agg] indefinido.

indegno /in'deɲɲo/ [agg] indigno.

indennità /indenni'ta*/ [sf inv] indemnización (sing) FRAS **~ di disoccupazione**: subsidio de desempleo | **~ di trasferta**: dieta.

indescrivibile /indeskri'vibile/ [agg m,f] indescriptible.

indeterminato /indetermi'nato/ [agg] indeterminado FRAS **a tempo ~**: por tiempo indeterminado.

indicare /indi'kare/ [v tr] indicar.

indicativo /indika'tivo/ [agg] **1** indicativo, significativo **2** (approssimativo) aproximado.

indicazione /indikat'tsjone/ [sf] indicación.

indice /'indit∫e/ [sm] índice.

indietreggiare /indjetred'dʒare/ [v intr] retroceder.

indietro /in'djetro/ [avv] atrás FRAS **avere l'orologio ~**: tener el reloj atrasado | **dare/rimandare ~**: devolver | **domandare/volere ~**: pedir que se devuelva | **fare marcia ~**: dar marcha atrás.

indifeso /indi'feso/ [agg] indefenso.

indifferente /indiffe'rente/ [agg m,f] indiferente.

indifferenza /indiffe'rentsa/ [sf] indiferencia.

indigeno /in'didʒeno/ [agg/sm] indígena (m,f).

indigestione /indidʒes'tjone/ [sf] indigestión, empacho (m) FRAS **fare un'~**: indigestarse, empacharse.

indignare (**-rsi**) /indiɲ'ɲare/ [v tr/intr prnl] indignar (-se), irritar (-se).

indimenticabile /indimenti'kabile/ [agg m,f] inolvidable.

indipendente /indipen'dente/ [agg m,f/sm,f] independiente.

indipendenza /indipen'dentsa/ [sf] independencia.

indiretto /indi'retto/ [agg] indirecto.

indirizzare /indirit'tsare/ [v tr] **1** enviar, mandar **2** FIG (orientare) encaminar.

indirizzo /indi'rittso/ [sm] **1** dirección (f), señas (f pl) **2** FIG (orientamento) orientación (f), rumbo.

indisciplinato /indiʃʃipli'nato/ [agg] indisciplinado.

indiscreto /indis'kreto/ [agg] indiscreto.

indispensabile /indispen'sabile/ [agg m,f] indispensable.

indisposto /indis'posto/ [agg] indispuesto.

indistruttibile /indistrut'tibile/ [agg m,f] indestructible.

indivia /in'divja/ [sf] endibia.

individuale /individu'ale/ [agg m,f] individual.

individuare /individu'are/ [v tr] **1** (luogo) localizar **2** (persona) identificar.

individuo /indi'viduo/ [sm] individuo.

indivisibile /indivi'zibile/ [agg m,f] indivisible.

indizio /in'dittsjo/ [sm] indicio.

indole /'indole/ [sf] índole.

indolenzito /indolen'tsito/ [agg] entumecido.

indolore /indo'lore/ [agg m,f] indoloro (m).

indomani /indo'mani/ [sm] el día siguiente.

indossare /indos'sare/ [v tr] **1** (mettere) ponerse **2** (portare) llevar.

indossatore (**-trice**) /indossa'tore/ [sm] modelo (m,f).

indovinare /indovi'nare/ [v tr] adivinar.

indugiare /indu'dʒare/ [v intr] tardar, hesitar.

indumento /indu'mento/ [sm] prenda (f) FRAS **indumenti intimi**: ropa interior.

indurimento /induri'mento/ [sm] endurecimiento.

indurire (**-rsi**) /indu'rire/ [v tr/intr prnl] (anche FIG) endurecer (-se).

indurre /in'durre/ [v tr] inducir.

industria /in'dustrja/ [sf] industria.

industriale /indus'trjale/ [agg m,f/sm,f] industrial.

inedito /i'nedito/ [agg/sm] inédito.

inefficienza /ineffi'tʃentsa/ [sf] ineficiencia.

inerente /ine'rente/ [agg m,f] inherente.

inerme /i'nɛrme/ [agg m,f] inerme.

inerte /i'nɛrte/ [agg m,f] inerte.

inerzia /i'nɛrtsja/ [sf] inercia FRAS forza d'~: fuerza de inercia.

inesattezza /inezat'tettsa/ [sf] inexactitud.

inesatto /ine'zatto/ [agg] inexacto.

inesauribile /inezau'ribile/ [agg m,f] inagotable.

inesistente /inezis'tente/ [agg m,f] 1 inexistente 2 (inconsistente) infundado (m).

inesperto /ines'perto/ [agg] inexperto.

inespressivo /inespres'sivo/ [agg] inexpresivo.

inestimabile /inesti'mabile/ [agg m,f] inestimable.

inetto /i'netto/ [agg/sm] incapaz (agg m,f).

inevitabile /inevi'tabile/ [agg m,f] inevitable.

infallibile /infal'libile/ [agg m,f] infalible.

infangare (-rsi) /infan'gare/ [v tr/intr prnl] (anche FIG) enlodar (-se).

infantile /infan'tile/ [agg m,f] infantil FRAS asilo ~: guardería.

infanzia /in'fantsja/ [sf] infancia.

infarinare /infari'nare/ [v tr] CUC enharinar.

infarto /in'farto/ [sm] infarto.

infastidire /infasti'dire/ [v tr] fastidiar, molestar ◆ [v intr prnl] irritarse.

infaticabile /infati'kabile/ [agg m,f] infatigable.

infatti /in'fatti/ [cong] en efecto, de hecho.

infedele /infe'dele/ [agg m,f/sm,f] infiel.

infelice /infe'litʃe/ [agg m,f/sm,f] infeliz.

infelicità /infelitʃi'ta/ [sf inv] infelicidad (sing).

inferiore /infe'rjore/ [agg m,f/sm,f] inferior FRAS scuola media ~: los últimos tres años de EGB.

inferiorità /inferjori'ta/ [sf inv] inferioridad (sing).

infermiere /infer'mjere/ [sm] enfermero FRAS ~ professionale: auxiliar técnico sanitario.

infermità /infermi'ta/ [sf inv] enfermedad (sing).

infermo /in'fermo/ [agg/sm] enfermo.

infernale /infer'nale/ [agg m,f] infernal.

inferno /in'ferno/ [sm] (anche FIG) infierno FRAS va' all'~!: ¡vete al demonio!

infestare /infes'tare/ [v tr] infestar.

infettare (-rsi) /infet'tare/ [v tr/intr prnl] infectar (-se).

infettivo /infet'tivo/ [agg] infeccioso.

infezione /infet'tsjone/ [sf] infección.

infiammabile /infjam'mabile/ [agg m,f] inflamable.

infiammare (-rsi) /infjam'mare/ [v tr/intr prnl] (anche FIG) inflamar (-se).

infiammazione /infjammat'tsjone/ [sf] inflamación.

infilare /infi'lare/ [v tr] 1 (ago) enhebrar, enhilar 2 (mettere dentro) meter 3 (abiti) poner ◆ [v prnl] meterse.

infiltrazione /infiltrat'tsjone/ [sf] (liquido) filtración, infiltración.

infimo /'infimo/ [sup] ínfimo.

infine /in'fine/ [avv] al fin.

infinità /infini'ta*/ [sf inv] infinidad (sing).

infinito /infi'nito/ [agg/sm] infinito.

infisso /in'fisso/ [sm] (serramenti) ventanaje.

inflazione /inflat'tsjone/ [sf] inflación.

inflessibile /infles'sibile/ [agg m,f] FIG inflexible.

influente /influ'ente/ [agg m,f] influyente.

influenza /influ'entsa/ [sf] **1** influencia **2** MED gripe, influenza.

influenzare /influen'tsare/ [v tr] influir, influenciar FRAS **lasciarsi/ farsi ~**: dejarse llevar.

influire /influ'ire/ [v intr] influir.

influsso /in'flusso/ [sm] influjo.

infondere /in'fondere/ [v tr] infundir.

informale /infor'male/ [agg m,f sm,f] informal.

informare /infor'mare/ [v tr] informar, enterar ◆ [v intr prnl] informarse.

informatica /infor'matika/ [sf] informática.

informatizzare /informatid'dzare/ [v tr] informatizar.

informato /infor'mato/ [agg] informado, enterado.

informazione /informat'tsjone/ [sf] información FRAS **ufficio informazioni**: oficina de información.

infornare /infor'nare/ [v tr] enhornar.

infortunio /infor'tunjo/ [sm] accidente.

infradito /infra'dito/ [sm,f inv] (calzature) chancleta (sing).

infrangibile /infran'dʒibile/ [agg m,f] infrangible FRAS **vetro ~**: cristal inastillable.

infrarosso /infra'rosso/ [agg/sm] infrarrojo (agg).

infrazione /infrat'tsjone/ [sf] infracción.

infuori /in'fwɔri/ [avv] hacia afuera FRAS **all'~ di**: excepto.

infuriarsi /infu'rjarsi/ [v intr prnl] enfurecerse.

infuriato /infu'rjato/ [agg] enfurecido, furioso.

infusione /infu'zjone/ [sf] infusión.

ingannare /ingan'nare/ [v tr] engañar FRAS **~ il tempo**: matar el tiempo.

inganno /in'ganno/ [sm] engaño.

ingegnere /indʒeɲ'ɲere/ [sm,f] ingeniero.

ingegno /in'dʒeɲɲo/ [sm] ingenio.

ingegnoso /indʒeɲ'ɲoso/ [agg] ingenioso.

ingelosire /indʒelo'sire/ [v tr] dar celos ◆ [v intr prnl] ponerse/volverse envidioso.

ingenuità /indʒenui'ta*/ [sf inv] ingenuidad (sing).

ingenuo /in'dʒɛnuo/ [agg/sm] ingenuo.

ingessare /indʒes'sare/ [v tr] enyesar, escayolar.

ingessatura /indʒessa'tura/ [sf] MED escayola.

Inghilterra /ingil'terra/ [sf] Inglaterra.

inghiottire /ingjot'tire/ [v tr] **1** tragar **2** FIG tragarse.

inginocchiarsi /indʒinok'kjarsi/ [v intr prnl] arrodillarse.

ingiustizia /indʒus'tittsja/ [sf] injusticia.

ingiusto /in'dʒusto/ [agg] injusto.

inglese /in'glese/ [agg m,f/sm,f] inglés (f -a).

ingoiare /ingo'jare/ [v tr] tragar.

ingolfare /ingol'fare/ [v tr] (veicolo) ahogar.

ingombrante /ingom'brante/ [agg m,f] abultado (m).

ingombrare /ingom'brare/ [v tr] estorbar, impedir.

ingordo /in'gordo/ [agg/sm] goloso, glotón.

ingorgare (-rsi) /ingor'gare/ [v tr/intr prnl] atascar (-se).

ingorgo /in'gorgo/ [sm] atasco.

ingranaggio /ingra'naddʒo/ [sm] **1** engranaje **2** FIG mecanismo.

ingrandimento /ingrandi'mento/ [sm] engrandecimiento FRAS ~ **fotografico**: ampliación | **lente d'~**: lente de aumento.

ingrandire /ingran'dire/ [v tr] **1** ensanchar, ampliar **2** (foto) ampliar ◆ [v intr prnl] agrandarse, ampliarse.

ingrassare /ingras'sare/ [v tr] **1** engordar **2** (un ingranaggio) engrasar, lubricar ◆ [v intr prnl] engordar, echar carnes.

ingrato /in'grato/ [agg/sm] ingrato.

ingrediente /ingre'djɛnte/ [sm] ingrediente.

ingresso /in'grɛsso/ [sm] **1** entrada (f) **2** (abitazione) vestíbulo, recibidor FRAS **biglietto d'~**: entrada.

ingrossare /ingros'sare/ [v tr/intr prnl] engrosar.

ingrosso /in'grɔsso/ [avv] (solo nella locuzione) FRAS **all'~**: al por mayor.

inguaribile /ingwa'ribile/ [agg m,f] **1** (malattia) incurable **2** FIG incorregible, empedernido (m).

inguine /'ingwine/ [sm] ingle (f).

inibire /ini'bire/ [v tr] inhibir ◆ [v intr prnl] cohibirse.

inibizione /inibit'tsjone/ [sf] inhibición.

iniettare (-rsi) /injet'tare/ [v tr/intr prnl] inyectar (-se).

iniezione /injet'tsjone/ [sf] inyección.

iniquo /i'nikwo/ [agg] inicuo.

iniziale /init'tsjale/ [agg m,f/sf] inicial.

iniziare /init'tsjare/ [v tr/intr prnl] iniciar.

iniziativa /inittsja'tiva/ [sf] iniciativa.

inizio /i'nittsjo/ [sm] inicio, comienzo FRAS **all'~**: al comienzo.

innalzare /innal'tsare/ [v tr] **1** levantar **2** (far salire) aumentar, hacer subir ◆ [v intr prnl] elevarse, subir.

innamorarsi /innamo'rarsi/ [v intr prnl/prnl] enamorarse.

innamorato /innamo'rato/ [agg] enamorado FRAS ~ **cotto/pazzo**: locamente enamorado.

innanzi /in'nantsi/ [prep] delante de FRAS ~ **tutto**: ante todo.

innegabile /inne'gabile/ [agg m,f] innegable.

innervosire (-rsi) /innervo'sire/ [v tr/intr prnl] poner (-se) nervioso.

innevato /inne'vato/ [agg] nevado.

inno /'inno/ [sm] himno.

innocente /inno'tʃɛnte/ [agg m,f/sm,f] inocente.

innocenza /inno'tʃɛntsa/ [sf] inocencia.

innocuo /in'nɔkuo/ [agg] inocuo.

innovazione /innovat'tsjone/ [sf] novedad.

innumerevole /innume'revole/ [agg m,f] innumerable, incalculable.

inoffensivo /inoffen'sivo/ [agg] inofensivo.

inoltrare /inol'trare/ [v tr] despachar, enviar • ~ *la corrispondenza*: despachar la correspondencia ♦ [v intr prnl] (anche FIG) internarse, penetrar • *inoltrarsi in un bosco*: internarse en un bosque.

inoltre /i'noltre/ [avv] además.

inondazione /inondat'tsjone/ [sf] inundación.

inopportuno /inoppor'tuno/ [agg] inoportuno.

inorridire (-rsi) /inorri'dire/ [v tr/intr] horrorizar (-se).

inospitale /inospi'tale/ [agg m,f] inhospitalario (m).

inossidabile /inossi'dabile/ [agg m,f] 1 inoxidable 2 FIG SCHERZ indestructible, indoblegable.

inquadratura /inkwadra'tura/ [sf] enfoque (m).

in quanto /in'kwanto/ [avv] en calidad de, en cuanto • ~ *proprietario*: en calidad de dueño ♦ [cong] ya que, puesto que • *non ho potuto parlargli* = *non l'ho più visto*: no he podido hablarle, ya que no lo he visto más.

inquietante /inkwje'tante/ [agg m,f] inquietante.

inquietare /inkwje'tare/ [v tr] inquietar, intranquilizar ♦ [v intr prnl] irritarse, enfadarse.

inquietudine /inkwje'tudine/ [sf] inquietud, desasosiego (m).

inquilino /inkwi'lino/ [sm] inquilino.

inquinamento /inkwina'mento/ [sm] contaminación (f).

inquinare /inkwi'nare/ [v tr] contaminar.

inquisire /inkwi'zire/ [v tr] empapelar.

insaccato /insak'kato/ [sm] CUC embutido.

insalata /insa'lata/ [sf] ensalada.

insanguinare (-rsi) /insangwi'nare/ [v tr prnl] ensangrentar (-se).

insaponare (-rsi) /insapo'nare/ [v tr prnl] enjabonar (-se).

insaporire /insapo'rire/ [v tr] sazonar.

insediamento /insedja'mento/ [sm] asentamiento.

insegna /in'seɲɲa/ [sf] 1 enseña 2 (negozio) letrero (m), rótulo (m) FRAS **insegne stradali**: señales de tráfico.

insegnamento /inseɲɲa'mento/ [sm] enseñanza (f).

insegnante /inseɲ'ɲante/ [sm,f] profesor (f -a).

insegnare /inseɲ'ɲare/ [v tr/intr] enseñar.

inseguimento /insegwi'mento/ [sm] persecución (f).

inseguire /inse'gwire/ [v tr] perseguir.

insenatura /insena'tura/ [sf] ensenada.

insensato /insen'sato/ [agg] insensato.

insensibile /insen'sibile/ [agg m,f/ sm,f] insensible.

inseparabile /insepa'rabile/ [agg m,f] inseparable.

inserire /inse'rire/ [v tr] introducir, meter ♦ [v intr prnl] FIG introducirse.

inserviente /inser'vjɛnte/ [sm,f] machaca (m), sirviente.

inserzione /inser'tsjone/ [sf] (giornale) anuncio (m), *Amer* aviso (m).

insetticida /insetti'tʃida/ [agg m,f/ sm] insecticida.

insetto /in'setto/ [sm] insecto.

insicurezza /insiku'rettsa/ [sf] inseguridad.

insicuro /insi'kuro/ [agg] inseguro.

insidiare /insi'djare/ [v tr/intr] insidiar, asechar.

insieme /in'sjeme/ [avv] junto FRAS ~ con/a qualcuno: junto con/a alguien ◆ [sm] conjunto FRAS nell'~: en conjunto.

insignificante /insiɲɲifi'kante/ [agg m,f] insignificante.

insinuare /insinu'are/ [v tr] FIG insinuar ● *vorresti ~ che sono un bugiardo?*: ¿quieres insinuar que soy mentiroso? ◆ [v intr prnl] introducirse, colarse.

insipido /in'sipido/ [agg] insípido.

insistente /insis'tɛnte/ [agg m,f] insistente.

insistere /in'sistere/ [v intr] insistir, porfiar.

insoddisfacente /insoddisfa'tʃɛnte/ [agg m,f] insatisfactorio (m).

insoddisfatto /insoddis'fatto/ [agg] insatisfecho.

insofferente /insoffe'rɛnte/ [agg m,f] intolerante.

insofferenza /insoffe'rɛntsa/ [sf] intolerancia.

insolazione /insolat'tsjone/ [sf] insolación.

insolente /inso'lɛnte/ [agg m,f] insolente, desvergonzado (m).

insolito /in'sɔlito/ [agg] insólito.

insomma /in'somma/ [avv] **1** en conclusión **2** (così così) así así, *Amer* así nomás.

insonnia /in'sɔnnja/ [sf] insomnio (m).

insopportabile /insoppor'tabile/ [agg m,f] insoportable.

insorgere /in'sordʒere/ [v intr] insurreccionarse, sublevarse, rebelarse.

insospettire /insospet'tire/ [v tr] infundir/levantar sospechas ◆ [v intr prnl] desconfiar, sospechar.

inspiegabile /inspje'gabile/ [agg m,f] inexplicable.

inspirare /inspi'rare/ [v tr] inspirar.

instabile /in'stabile/ [agg m,f] inestable.

instabilità /instabili'ta*/ [sf inv] inestabilidad (sing).

installare (-rsi) /instal'lare/ [v tr prnl] instalar (-se).

installazione /installat'tsjone/ [sf] instalación.

instancabile /instan'kabile/ [agg m,f] infatigable, incansable.

insù /in'su*/ [avv] arriba FRAS all'~: hacia arriba.

insuccesso /insut'tʃɛsso/ [sm] **1** fracaso **2** (lavoro teatrale, cinematografico) chasco.

insufficiente /insuffi'tʃɛnte/ [agg m,f] insuficiente.

insufficienza /insuffi'tʃɛntsa/ [sf] **1** insuficiencia **2** (voto scolastico) suspenso (m).

insulare /insu'lare/ [agg m,f/sm,f] insular.

insulso /in'sulso/ [agg] FIG insulso.

insultare /insul'tare/ [v tr] insultar.

insulto /in'sulto/ [sm] insulto.

insuperabile /insupe'rabile/ [agg m,f] insuperable.

intagliare /inta'ʎʎare/ [v tr] **1** (legno) tallar **2** (marmo) labrar.

intaglio /in'taʎʎo/ [sm] tallado.

intanto /in'tanto/ [avv] mientras, mientras tanto FRAS ~ che: mientras que | per ~: por el momento, por ahora.

intasare (-rsi) /inta'zare/ [v tr/intr prnl] atascar (-se).

intascare /intas'kare/ [v tr] **1** (mettere in tasca) guardar/meter en el bolsillo **2** (guadagnare) ganar, cobrar.

intatto /in'tatto/ [agg] intacto.

integrale /inte'grale/ [agg m,f] integral.

integralismo /integra'lizmo/ [sm] integrismo.

integrare (-rsi) /inte'grare/ [v tr prnl] integrar (-se).

integrazione /integrat'tsjone/ [sf] integración FRAS **cassa ~**: subsidio de paro.

integro /'integro/ [agg] íntegro.

intelletto /intel'letto/ [sm] intelecto.

intellettuale /intellettu'ale/ [agg m,f/ sm,f] intelectual.

intelligente /intelli'dʒente/ [agg m,f] inteligente.

intelligenza /intelli'dʒentsa/ [sf] inteligencia.

intendersi /in'tendersi/ [v prnl] entenderse FRAS **dare a intendere**: dar a entender.

intenditore (-trice) /intendi'tore/ [sm] entendido.

intensità /intensi'ta*/ [sf inv] intensidad (sing).

intenso /in'tenso/ [agg] intenso.

intenzionato /intentsjo'nato/ [agg] decidido, resuelto FRAS **bene/male ~**: bien/mal intencionado.

intenzione /inten'tsjone/ [sf] intención FRAS **con ~**: de intento, de propósito.

intercity /inter'siti/ [sm inv] (treno) intercity.

intercontinentale /interkontinen'tale/ [agg m,f] intercontinental.

interdire /inter'dire/ [v tr] **1** (proibire) prohibir, vedar **2** GIUR incapacitar.

interessante /interes'sante/ [agg m,f] interesante.

interessare /interes'sare/ [v tr/intr] interesar ◆ [v intr prnl] **1** interesarse **2** (incaricarsi) encargarse, ocuparse.

interessato /interes'sato/ [agg/sm] interesado.

interesse /inte'resse/ [sm] **1** interés **2** (beneficio) bien, provecho.

interferenza /interfe'rentsa/ [sf] interferencia.

interiora /inte'rjora/ [sf pl] **1** ZOOL entrañas **2** CUC asadura (sing).

interiore /inte'rjore/ [agg m,f] interior.

interlocutore (-trice) /interloku'tore/ [sm] interlocutor (f -a).

intermediario /interme'djarjo/ [agg/ sm] intermediario.

intermedio /inter'medjo/ [agg] intermedio, mediano.

intermezzo /inter'meddzo/ [sm] **1** (teatro) entreacto, intermedio **2** MUS interludio, intermezzo.

interminabile /intermi'nabile/ [agg m,f] interminable.

internare /inter'nare/ [v tr] internar.

internazionale /internattsjo'nale/ [agg m,f] internacional.

internet /'inernet/ [sm inv] internet (f).

interno /in'terno/ [agg] **1** interior (m,f) **2** GEOG interno ◆ [sm] interior FRAS **architettura d'interni**: interiorismo | **ministero degli interni**: ministerio de asuntos interiores.

intero /in'tero/ [agg] entero FRAS **latte ~**: leche entera | **pagare il biglietto ~**: pagar el precio lleno.

interpellare /interpel'lare/ [v tr] interpelar.

interpretare /interpre'tare/ [v tr] interpretar.

interpretazione /interpretat'tsjone/ [sf] interpretación.

interprete /in'terprete/ [sm,f] intérprete.

interrogare /interro'gare/ [v tr] **1** (anche GIUR) interrogar **2** (scuola) hacer salir a la pizarra.

interrogativo /interroga'tivo/ [agg] interrogativo FRAS **punto ~**: interrogación ◆ [sm] interrogante.

interrogatorio /interroga'tɔrjo/ [sm] interrogatorio.

interrompere /inter'rompere/ [v tr] interrumpir.

interrotto /inter'rotto/ [agg] **1** (discorso, comunicazione) interrumpido, cortado **2** (strada) bloqueado.

interruttore /interrut'tore/ [sm] interruptor.

interruzione /interrut'tsjone/ [sf] interrupción.

interurbana /interur'bana/ [sf] conferencia telefónica interurbana.

interurbano /interur'bano/ [agg] interurbano.

intervallo /inter'vallo/ [sm] **1** (anche MUS) intervalo **2** (pausa) descanso.

intervenire /interve'nire/ [v intr] **1** (anche GIUR MED) intervenir **2** (prendere parte) participar, tomar parte FRAS **~ nel discorso**: terciar en la conversación.

intervento /inter'vento/ [sm] (anche MED) intervención (f).

intervista /inter'vista/ [sf] entrevista.

intervistare /intervis'tare/ [v tr] entrevistar.

intesa /in'tesa/ [sf] acuerdo (m), entente.

intestare /intes'tare/ [v tr] **1** encabezar **2** (bene immobile) registrar a nombre de.

intestinale /intesti'nale/ [agg m,f] intestinal.

intestino /intes'tino/ [sm] intestino.

intimidire (-rsi) /intimi'dire/ [v tr/intr prnl] cohibir (-se).

intimità /intimi'ta*/ [sf inv] intimidad (sing).

intimo /'intimo/ [agg/sm] (anche FIG) íntimo FRAS **negozio di ~**: (tienda de) lencería.

intingere /in'tindʒere/ [v tr] mojar.

intingolo /in'tingolo/ [sm] **1** (salsa) guiso, salsa (f) **2** (vivanda) guisado.

intitolare (-rsi) /intito'lare/ [v tr/intr prnl] titular (-se).

intollerabile /intolle'rabile/ [agg m,f] intolerable.

intollerante /intolle'rante/ [agg m,f/sm,f] intolerante.

intolleranza /intolle'rantsa/ [sf] intolerancia.

intonaco /in'tɔnako/ [sm] enlucido ■ pl **intonaci, intonachi**.

intonare /into'nare/ [v tr] **1** MUS afinar, templar **2** (canto) entonar.

intonato /into'nato/ [agg] **1** (voce, strumento musicale) entonado **2** FIG a juego.

intontire /inton'tire/ [v tr] aturdir, abrumar.

intorno /in'torno/ [avv] alrededor, en torno FRAS **tutt'~**: todo alrededor ◆ [prep] (a) **1** alrededor de **2** (circa) aproximadamente, más o menos **3** (tempo) hacia, cerca de ■ **intorno a + agg num + sost** unos/as + adj num + sust ● *ci saranno state intorno alle mille persone*: habría unas mil personas.

intossicare (**-rsi**) /intossi'kare/ [v tr prnl] intoxicar (-se).

intossicazione /intossikat'tsjone/ [sf] intoxicación.

intralciare /intral'tʃare/ [v tr] obstaculizar, estorbar.

intramuscolare /intramusko'lare/ [agg m,f] intramuscular.

intransigente /intransi'dʒɛnte/ [agg m,f/sm,f] intransigente.

intraprendente /intrapren'dɛnte/ [agg m,f] emprendedor (f -a).

intrattabile /intrat'tabile/ [agg m,f] intratable.

intrattenere (**-rsi**) /intratte'nere/ [v tr/intr prnl] entretener (-se).

intrattenimento /intratteni'mento/ [sm] entretenimiento.

intravedere /intrave'dere/ [v tr] **1** entrever, divisar **2** FIG intuir, adivinar.

intrecciare /intret'tʃare/ [v tr] **1** (dita) entrelazar **2** (giunco, vimini) entretejer **3** FIG (relazioni) estrechar, entablar, trabar ◆ [v prnl] enredarse, enmarañarse.

intreccio /in'trettʃo/ [sm] **1** trenzado **2** FIG (romanzo, film) trama (f), enredo.

intrigo /in'trigo/ [sm] intriga (f).

introdurre (**-rsi**) /intro'durre/ [v tr/intr prnl] introducir (-se) FRAS **~ il discorso**: introducir el discurso.

introduzione /introdut'tsjone/ [sf] (anche MUS) introducción.

intromettersi /intro'mettersi/ [v prnl] entrometerse, inmiscuirse.

introvabile /intro'vabile/ [agg m,f] imposible de hallar.

introverso /intro'vɛrso/ [agg/sm] introvertido.

intruso /in'truzo/ [agg/sm] intruso.

intuire /intu'ire/ [v tr] intuir, presentir.

intuito /in'tuito/ [sm] intuición (f).

inumano /inu'mano/ [agg] inhumano, deshumano.

inumidire (**-rsi**) /inumi'dire/ [v tr/intr prnl] humedecer (-se).

inutile /i'nutile/ [agg m,f] inútil.

inutilizzabile /inutilid'dzabile/ [agg m,f] inutilizable.

invadente /inva'dɛnte/ [agg m,f/sm,f] entrometido (m).

invadere /in'vadere/ [v tr] invadir.

invalicabile /invali'kabile/ [agg m,f] **1** impracticable **2** FIG insuperable, insormontable.

invalidità /invalidi'ta*/ [sf inv] invalidez (sing).

invalido /in'valido/ [agg/sm] inválido.

invano /in'vano/ [avv] en vano, inútilmente, en balde.

invariabile /inva'rjabile/ [agg m,f] invariable.

invasione /inva'zjone/ [sf] invasión.

invasore (-ditrice) /inva'zore/ [agg/ sm] invasor (f -a).

invecchiamento /invekkja'mento/ [sm] envejecimiento.

invecchiare /invek'kjare/ [v intr] **1** envejecer, avejentar **2** FIG perder el brillo ◆ [v tr] envejecer.

invece /in'vetʃe/ [avv] en cambio FRAS ~ di: en vez/lugar de.

inventare /inven'tare/ [v tr] inventar.

inventario /inven'tarjo/ [sm] inventario.

inventore (-trice) /inven'tore/ [agg/ sm] inventor (f -a).

invenzione /inven'tsjone/ [sf] invención.

invernale /inver'nale/ [agg m,f] invernal.

inverno /in'vɛrno/ [sm] invierno.

inverosimile /invero'simile/ [agg m,f] inverosímil.

inversione /inver'sjone/ [sf] inversión.

inverso /in'vɛrso/ [agg] inverso, contrario ◆ [sm] lo contrario.

invertire /inver'tire/ [v tr] invertir.

investigare /investi'gare/ [v intr] investigar.

investigatore (-trice) /investiga'tore/ [agg/sm] investigador (f -a).

investimento /investi'mento/ [sm] (denaro) inversión (f).

investire /inves'tire/ [v tr] **1** (denaro) invertir **2** (incidente stradale) atropellar.

inviare /invi'are/ [v tr] enviar, mandar.

inviato /invi'ato/ [sm] enviado.

invidia /in'vidja/ [sf] envidia.

invidiare /invi'djare/ [v tr] envidiar FRAS non avere nulla da ~: no tener nada que envidiar.

invidioso /invi'djoso/ [agg] envidioso.

invio /in'vio/ [sm] envío.

invisibile /invi'zibile/ [agg m,f] invisible.

invitante /invi'tante/ [agg m,f] sugestivo (m) FRAS poco ~: desagradable.

invitare /invi'tare/ [v tr] invitar.

invitato /invi'tato/ [agg/sm] invitado.

invito /in'vito/ [sm] **1** invitación (f) **2** (ordine) intimación (f).

invivibile /invi'vibile/ [agg m,f] insoportable, intolerable.

invocare /invo'kare/ [v tr] invocar.

invogliare /invoʎ'ʎare/ [v tr] **1** (stimolare) inducir **2** (fare gola) tentar, atraer.

involontario /involon'tarjo/ [agg] involuntario.

involucro /in'vɔlukro/ [sm] envoltorio.

inzuppare /intsup'pare/ [v tr] **1** ensopar, mojar **2** empapar, calar ● *la pioggia inzuppò i loro vestiti*: la lluvia empapó sus trajes ◆ [v intr prnl] empaparse.

io /'io/ [pron m,f sing] yo.

iodio /'jɔdjo/ [sm] yodo.

ionico /'jɔniko/ [agg/sm] jónico.

ipermercato /ipermer'kato/ [sm] hipermercado.

ipertensione /iperten'sjone/ [sf] hipertensión.

ipnosi /ip'nɔzi/ [sf inv] hipnosis.

ipnotizzare /ipnotid'dzare/ [v tr] hipnotizar.

ipocalorico /ipoka'lɔriko/ [agg] hipocalórico.

ipocrisia /ipokri'zia/ [sf] hipocresía.

ipocrita /i'pɔkrita/ [agg m,f/sm,f] hipócrita.

ipoteca /ipo'teka/ [sf] hipoteca.

ipotecare /ipote'kare/ [v tr] hipotecar.

ipotesi /i'pɔtezi/ [sf inv] hipótesis FRAS **nella migliore/peggiore delle ~**: en el mejor/peor de los casos.

ippica /'ippika/ [sf] hípica.

ippodromo /ip'pɔdromo/ [sm] hipódromo.

ippopotamo /ippo'pɔtamo/ [sm] hipopótamo.

ira /'ira/ [sf] ira.

irascibile /iraʃ'ʃibile/ [agg m,f] irascible.

iride /'iride/ [sf] iris (m inv).

irlandese /irlan'dese/ [agg m,f/sm,f] irlandés (f -a).

ironia /iro'nia/ [sf] ironía.

ironico /i'rɔniko/ [agg] irónico, socarrón (f -a).

irraggiungibile /irraddʒun'dʒibile/ [agg m,f] inalcanzable, inaccesible.

irrazionale /irrattsjo'nale/ [agg m,f] irracional.

irreale /irre'ale/ [agg m,f] irreal.

irrealizzabile /irrealid'dzabile/ [agg m,f] irrealizable.

irregolare /irrego'lare/ [agg m,f] irregular.

irregolarità /irregolari'ta*/ [sf inv] irregularidad (sing).

irreparabile /irrepa'rabile/ [agg m,f] irreparable.

irreperibile /irrepe'ribile/ [agg m,f] que no se encuentra.

irrequieto /irre'kwjeto/ [agg] inquieto.

irresistibile /irresis'tibile/ [agg m,f] irresistible.

irrespirabile /irrespi'rabile/ [agg m,f] irrespirable.

irresponsabile /irrespon'sabile/ [agg m,f/sm,f] irresponsable.

irrestringibile /irrestrin'dʒibile/ [agg m,f] inencogible.

irrevocabile /irrevo'kabile/ [agg m,f] irrevocable.

irriconoscibile /irrikonoʃ'ʃibile/ [agg m,f] irreconocible.

irrigazione /irrigat'tsjone/ [sf] irrigación FRAS **canale d'~**: reguero.

irrigidire /irridʒi'dire/ [v tr] **1** envarar **2** FIG endurecer ♦ [v intr prnl] **1** (clima) ponerse rígido **2** FIG aferrarse.

irrilevante /irrile'vante/ [agg m,f] irrelevante.

irrimediabile /irrime'djabile/ [agg m,f] irremediable.

irripetibile /irripe'tibile/ [agg m,f] irrepetible.

irritante /irri'tante/ [agg m,f] irritante.

irritare (-rsi) /irri'tare/ [v tr/intr prnl] irritar (-se).

iscritto /is'kritto/ [agg/sm] inscrito.

iscrivere /is'krivere/ [v tr] inscribir ♦ [v prnl] **1** inscribirse, apuntarse **2** (scuola, università) matricularse.

iscrizione /iskrit'tsjone/ [sf] **1** inscripción **2** (scuola, università) matrícula.

islam /iz'lam/ [sm] islám.

islamismo /izla'mizmo/ [sm] islamismo.

isola /ˈizola/ [sf] isla FRAS ~ **pedonale**: isla de peatones.

isolamento /izolaˈmento/ [sm] aislamiento.

isolano /izoˈlano/ [sm] isleño.

isolante /izoˈlante/ [agg m,f/sm] aislante FRAS **nastro** ~: cinta aislante.

isolare (-rsi) /ˈizolare/ [v tr prnl] aislar (-se).

isolato /izoˈlato/ [agg] aislado ♦ [sm] manzana (f), *Amer* cuadra (f).

Isole Baleari /ˈizole baleˈari/ [sf pl] Islas Baleares.

Isole Canarie /ˈizole kaˈnarje/ [sf pl] Islas Canarias.

ispettorato /ispettoˈrato/ [sm] inspección (f).

ispettore (-trice) /ispetˈtore/ [sm] inspector (f -a).

ispezionare /ispettsjoˈnare/ [v tr] inspeccionar.

ispezione /ispetˈtsjone/ [sf] inspección.

ispido /ˈispido/ [agg] erizado, hirsuto.

ispirare (-rsi) /ispiˈrare/ [v tr/intr prnl] inspirar (-se).

ispirazione /ispiratˈtsjone/ [sf] inspiración.

istantaneo /istanˈtaneo/ [agg] instantáneo.

istante /isˈtante/ [sm] instante, momento FRAS **all'/sull'**~: al instante, en el acto | **nell'**~ **che**: en el momento que.

isterico /isˈteriko/ [agg/sm] histérico.

istigare /istiˈgare/ [v tr] instigar, inducir.

istintivo /istinˈtivo/ [agg/sm] instintivo.

istinto /isˈtinto/ [sm] instinto FRAS **d'**~: por instinto.

istituire /istituˈire/ [v tr] **1** instituir ♦ ~ *una borsa di studio*: instituir una beca **2** establecer, implantar ♦ ~ *controlli alla frontiera*: establecer controles junto a la frontera.

istituto /istiˈtuto/ [sm] **1** instituto **2** (università) departamento FRAS ~ **di bellezza**: salón/instituto de belleza | ~ **di credito**: banco.

istituzionale /istituttsjoˈnale/ [agg m,f] institucional.

istituzione /istitutˈtsjone/ [sf] institución.

istrice /ˈistritʃe/ [sm] puerco espín.

istruire (-rsi) /istruˈire/ [v tr prnl] instruir (-se).

istruttore (-trice) /istrutˈtore/ [sm] instructor (f -a).

istruzione /istrutˈtsjone/ [sf] instrucción FRAS ~ **primaria/elementare**: instrucción primaria | ~ **secondaria/media**: segunda enseñanza | ~ **superiore/universitaria**: enseñanza superior/universitaria | **istruzioni per l'uso**: istrucciones de uso | **ministero della pubblica** ~: ministerio de educación y ciencia.

italiano /itaˈljano/ [agg/sm] italiano.

itinerario /itineˈrarjo/ [sm] itinerario.

ittico /ˈittiko/ [agg] pesquero.

Jj

jabot /ʒa'bo/ [sm inv] chorrera (f sing).

jack /'dʒɛk/ [sm inv] **1** (elettricità) clavija (f sing). **2** (carte) jota (f sing).

jazz /'dʒɛz/ [sm inv] yaz.

jazzista /dʒaďdzista/ [sm,f] músico (m) de yaz.

jeans /'dʒins/ [sm pl] vaqueros.

jeep /'dʒip/ [sf inv] todoterreno (m sing).

jersey /'dʒɛrsi/ [sm inv] jersey (sing).

jet /'dʒet/ [sm inv] jet (sing).

jolly /'dʒɔlli/ [sm inv] (carte) comodín (sing).

joystick /'dʒɔistik/ [sm inv] mando de juegos.

judo /dʒu'do/ [sm inv] judo.

juke-box /dʒub'bɔks/ [sm inv] juke-box, gramola (f sing).

jumbo /'dʒambo/ [sm inv] jumbo (sing).

junior /'junjor/ [agg inv] junior (sing).

k

Kk

kajal /ka'dʒal/ [sm inv] kajal.

kamikaze /kami'kaze/ [agg inv/sm inv] (anche FIG) kamikaze.

karaoke /kara'ɔke/ [sm inv] karaoke.

karate /kara'tɛ*/ [sm inv] kárate.

kayak /ka'jak/ [sm inv] kayak.

kermesse /ker'mɛs/ [sf inv] kermés.

ketchup /'kɛtʃap/ [sm inv] catchup.

kibbutz /kib'buts/ [sm inv] kibutz.

kilim /ki'lim/ [sm inv] kilim.

killer /'killer/ [agg inv/sm,f inv] matón (m sing).

kit /'kit/ [sm inv] kit FRAS ~ degli attrezzi: caja de herramientas | ~ di montaggio: caja de montaje/construcción.

kitsch /'kitʃ/ [agg inv/sm inv] kitsch.

kiwi /'kivi/ [sm inv] kiwi.

kleenex /'klineks/ [sm inv] kleenex.

kolossal /ko'lossal/ [sm inv] superproducción (sing)

krapfen /'krapfən/ [sm inv] bollo (sing) con crema o mermelada.

k-way /kei'wei/ [sm inv] anorak.

LI

la /la/ [art det f sing] la, el • ~ *casa*: la casa | *l'onestà*: la honradez | *l'acqua fredda*: el agua fría ◆ [pron f sing] la • ~ *vidi arrivare*: la vi llegar | ~ *compro*: la compro.

la /la/ [sm inv] MUS la FRAS **dare il ~**: dar la entonación.

là /la*/ [avv] allí, allá FRAS **di ~**: de allí | **essere in ~ con gli anni**: estar entrado en años | **in ~**: allí, allá | **ma va ~!**: ¡pero, hombre/mujer! | **per di ~**: por allá | **più in ~**: más allá (de lado); más adelante (más lejos) | **vai di ~**: vete para allá.

labbro /'labbro/ [sm] labio ■ pl irr **labbra** (f).

labirinto /labi'rinto/ [sm] laberinto.

laboratorio /labora'tɔrjo/ [sm] **1** laboratorio **2** (artigianale) taller.

laborioso /labo'rjoso/ [agg] **1** (cosa) complicado, difícil (m,f) **2** (persona) laborioso, trabajador (f -a).

laburismo /labu'rizmo/ [sm] laborismo.

lacca /'lakka/ [sf] laca.

laccio /'lattʃo/ [sm] **1** (calzature) cordón **2** lazo FRAS **~ emostatico**: torniquete.

lacrima /'lakrima/ [sf] lágrima FRAS **avere le lacrime agli occhi**: saltársele las lágrimas.

lacrimogeno /lakri'mɔdʒeno/ [agg] lacrimógeno FRAS **gas ~**: gas lacrimógeno.

lacuna /la'kuna/ [sf] laguna FRAS **colmare una ~**: enmendar un error.

ladro /'ladro/ [agg/sm] ladrón (f -a) FRAS **al ~!**: ¡al ladrón!

lager /'lager/ [sm inv] campo de concentración.

laggiù /lad'dʒu*/ [avv] allá abajo.

lago /'lago/ [sm] lago FRAS **~ artificiale**: embalse | **~ di sangue**: charco de sangre.

laguna /la'guna/ [sf] **1** laguna **2** (acqua salata) albufera.

laico /'laiko/ [sm] lego.

lama /'lama/ [sf] cuchilla ◆ [sm inv] ZOOL llama (f sing).

lamentarsi /lamen'tarsi/ [v intr prnl] quejarse, protestar.

lamentela /lamen'tɛla/ [sf] queja, reclamo (m).

lamento /la'mento/ [sm] lamento.

lametta /la'metta/ [sf] hoja, cuchilla FRAS **~ da barba**: hoja de afeitar.

lamiera /la'mjɛra/ [sf] chapa, plancha, placa.

lamina /'lamina/ [sf] lámina, hoja.

lampada /'lampada/ [sf] lámpara FRAS **farsi la ~**: darse un lamparazo | **~ al quarzo**: lámpara de cuarzo.

lampadario /lampa'darjo/ [sm] araña (f).

lampadina /lampa'dina/ [sf] bombilla, *Amer* foco (m).

lampeggiare /lamped'dʒare/ [v intr] (veicolo) hacer señales con luces.

lampeggiatore /lampedd$ʒ$a'tore/ [v intr] **1** (veicolo) intermitente **2** (polizia, ambulanza) bombilla (f) de aviso.

lampione /lam'pjone/ [sm] farola (f), *Amer* farol.

lampo /'lampo/ [agg inv/sm] relámpago FRAS **cerniera ~**: cremallera | **in un ~**: en un abrir y cerrar de ojos.

lampone /lam'pone/ [sm] frambuesa (f).

lana /'lana/ [sf] lana FRAS **pura ~ vergine**: pura lana.

lancetta /lan't$ʃ$etta/ [sf] (orologio) manecilla, aguja FRAS **~ dei minuti**: minutero.

lancia /'lant$ʃ$a/ [sf] **1** lanza **2** MAR lancha FRAS **~ di salvataggio**: bote salvavidas.

lanciare (-rsi) /lan't$ʃ$are/ [v tr prnl] lanzar (-se).

lancio /'lant$ʃ$o/ [sm] **1** lanzamiento **2** SPORT pase.

languore /lan'gwore/ [sm] languidez (f), debilidad (f).

lanterna /lan'terna/ [sf] (a petrolio) quinqué (m).

lapide /'lapide/ [sf] lápida.

lapillo /la'pillo/ [sm] lapilli (pl).

L'Aquila /'lakwila/ [sf] Áquila.

lardo /'lardo/ [sm] tocino.

larghezza /lar'gettsa/ [sf] anchura, ancho (m) FRAS **~ di vedute**: amplitud de miras.

largo /'largo/ [agg] **1** ancho **2** FIG abundante (m,f), vasto • *una larga partecipazione di pubblico*: una vasta participación de público FRAS **fate ~!**: ¡abran paso!, ¡largo ◆ [sm] (piazza) plaza (f) FRAS **al ~**: mar adentro.

laringe /la'rind$ʒ$e/ [sf] laringe.

laringite /larin'd$ʒ$ite/ [sf] laringitis (inv).

laringoiatra /laringo'jatra/ [sm,f] laringólogo (m).

lasagna /la'za$ɲ$$ɲ$a/ [sf] lasaña.

lasciare (-rsi) /la$ʃ$'$ʃ$are/ [v tr prnl] dejar (-se) ■ **lasciar + inf** permitir/dejar + inf/que se + subj • *lasciar fare*: permitir que se haga FRAS **lasciarci la pelle**: perder el pellejo | **~ libero il passaggio**: dejar libre el paso | **~ stare qualcuno**: dejar en paz | **lasciarsi andare**: descuidarse.

laser /'lazer/ [agg inv/sm inv] láser FRAS **raggio ~**: rayo láser | **stampante ~**: impresora láser.

Las Palmas di Gran Canaria /laz palmas di'gran ka'narja/ [sf pl] Las Palmas de Gran Canaria.

lassativo /lassa'tivo/ [sm] laxante FRAS **~ leggero**: minorativo.

lassù /las'su*/ [avv] allá arriba.

lastra /'lastra/ [sf] **1** (spessa) losa **2** (sottile) hoja, lámina FRAS **farsi le lastre**: hacerse radiografías | **~ di ghiaccio**: témpano.

laterale /late'rale/ [agg m,f] lateral FRAS **fallo ~**: fuera de banda.

latino /la'tino/ [agg/sm] latino FRAS **America latina**: América latina | **quartiere ~**: barrio latino ◆ [sm] (lingua) latín.

latino-americano /la'tino ameri'kano/ [agg/sm] latinoamericano.

latitante /lati'tante/ [agg m,f] bajo orden de captura ◆ [sm,f] tránsfuga.

latitudine /lati'tudine/ [sf] latitud.

lato /'lato/ [sm] **1** lado **2** (parte) parte (f), banda (f) FRAS **a ~ di**: al lado de | **di** ~: de lado/perfil | **scoprire il ~ debole**: asomar la oreja.

latta /'latta/ [sf] hojalata.

lattante /lat'tante/ [sm,f] lactante.

latte /'latte/ [sm] leche (f) FRAS **da ~**: lechal | **~ a lunga conservazione**: leche de larga conservación | **~ detergente**: leche limpiadora | **~ in polvere**: leche en polvo | **~ macchiato**: leche con algo de café | **~ scremato/parzialmente scremato**: leche desnatada/semidesnatada.

latteria /latte'ria/ [sf] (negozio) lechería.

latticini /latti'tʃini/ [sm pl] lácteos.

lattina /lat'tina/ [sf] bote (m), lata.

lattuga /lat'tuga/ [sf] lechuga.

laurea /'laurea/ [sf] licenciatura FRAS **~ breve**: diploma universitario | **tesi di ~**: tesina de licenciatura.

laurearsi /laure'arsi/ [v intr prnl] licenciarse, *Amer* egresar.

laureato /laure'ato/ [sm] licenciado, *Amer* egresado.

lava /'lava/ [sf] lava.

lavabile /la'vabile/ [agg m,f] lavable.

lavaggio /la'vaddʒo/ [sm] lavado, *Amer* lavaje FRAS **~ a secco**: lavado en seco | **~ e messa in piega**: lavado y marcado.

lavagna /la'vaɲɲa/ [sf] pizarra, encerado (m).

lavanda /la'vanda/ [sf] **1** BOT espliego (m), lavanda **2** lavado (m) FRAS **~ gastrica**: lavado gástrico | **~ vaginale**: ducha vaginal.

lavanderia /lavande'ria/ [sf] lavandería FRAS **~ a secco**: limpieza en seco.

lavandino /lavan'dino/ [sm] **1** (bagno) lavabo, pila (f) **2** (cucina) fregadero.

lavare (-rsi) /la'vare/ [v tr prnl] lavar (-se) FRAS **~ a secco**: lavar en seco.

lavasecco /lava'sekko/ [sm,f inv] (negozio) tintorería (f sing), tinte (m sing).

lavastoviglie /lavasto'viʎʎe/ [sf inv] lavavajillas (m), lavaplatos (m).

lavatrice /lava'tritʃe/ [sf] lavadora FRAS **lavare in ~**: lavar a máquina.

lavavetri /lava'vetri/ [sm,f inv] (persona) limpiacoches.

lavorare /lavo'rare/ [v intr] trabajar ♦ [v tr] (agricoltura) labrar FRAS **~ a maglia**: tricotar | **~ in proprio**: trabajar por cuenta propia | **~ la pasta**: amasar.

lavoratore (-trice) /lavora'tore/ [agg/sm] trabajador (f -a) FRAS **~ autonomo**: trabajador autónomo | **~ domestico**: empleado de hogar | **~ in mobilità**: trabajador en paro forzoso.

lavorazione /lavorat'tsjone/ [sf] **1** (industria) elaboración **2** (agricoltura) labranza, labrado (m) **3** (legno, metallo) labrado (m) **4** (cinema, TV) rodaje (m).

lavoro /la'voro/ [sm] **1** trabajo **2** (impiego) empleo **3** (opera) labor (f), obra (f) FRAS **contratto di ~**: contrato de trabajo | **datore di ~**: patrón | **giorno di ~**: día laborable **lavori in corso**: en obras | **~ dipendente**: trabajo dependiente | **~ in proprio**: trabajo autónomo | **~ nero**: trabajo negro | **~ part-time**: trabajo a tiempo parcial | **orario di ~**: horario laboral.

laziale /lat'tsjale/ [agg m,f/sm,f] habitante de Lazio.

le /le/ [art det f pl] las • ~ *due ragazze*: las dos chicas ◆ [pron f sing] le • ~ *disse di andarsene*: le dijo que se fuese ◆ [pron f pl] las • ~ *ho viste oggi*: las he visto hoy ◆ [pron m,f sing] (di cortesia) le • ~ *invierò un assegno circolare*: le enviaré un cheque circular.

leader /'lider/ [agg inv/sm,f inv] líder.

leale /le'ale/ [agg m,f] leal.

lealtà /leal'ta*/ [sf inv] lealtad (sing).

lecca lecca /lekka'lekka/ [sm inv] chupa-chups, pirulí (sing).

leccapiedi /lekka'pjedi/ [sm,f inv] SPREG pelotillero (sing).

leccare /lek'kare/ [v tr] **1** lamer **2** FIG adular, sobar ◆ [v prnl] (animali) chuparse, lamerse FRAS **leccarsi i baffi**: chuparse los dedos.

lecito /le'tʃito/ [agg] lícito.

lega /'lega/ [sf] **1** (politica) liga **2** (metalli) aleación **3** SPORT federación FRAS **argento/oro di bassa ~**: plata/oro bajos de ley | **gente di bassa ~**: gente de baja ralea.

legale /le'gale/ [agg m,f] legal FRAS **ora ~**: hora legal | **studio ~**: bufete/despacho de abogado ◆ [sm] abogado.

legalità /legali'ta*/ [sf inv] legalidad (sing).

legalizzare /legalid'dzare/ [v tr] legalizar.

legame /le'game/ [sm] FIG **1** (persone) vínculo, lazo **2** (fatti) relación (f), conexión (f).

legamento /lega'mento/ [sm] ligamento.

legare /le'gare/ [v tr] **1** atar **2** FIG vincular, unir ◆ [v prnl] vincularse, unirse FRAS **legarsela al dito**: jurársela a alguien | **pazzo da ~**: loco de remate.

legge /'leddʒe/ [sf] ley FRAS **a norma di ~**: según la ley | **facoltà di ~**: facultad de derecho.

leggere /'leddʒere/ [v tr] leer FRAS **~ nel pensiero**: leer el pensamiento.

leggerezza /leddʒe'rettsa/ [sf] **1** levedad **2** FIG (anche azione) ligereza • *comportarsi con ~*: actuar con ligereza.

leggero /led'dʒero/ [agg] **1** ligero, liviano **2** FIG (persona) voluble (m,f), frívolo FRAS **atletica leggera**: atletismo | **droghe leggere**: drogas blandas | **musica leggera**: música ligera.

legislativo /ledʒizla'tivo/ [agg] legislativo.

legislatura /ledʒizla'tura/ [sf] legislatura.

legittimo /le'dʒittimo/ [agg] (anche GIUR) legítimo FRAS **figlio ~**: hijo legítimo | **legittima difesa**: legítima defensa.

legna /'leɲɲa/ [sf] leña.

legname /leɲ'ɲame/ [sf] madera (f), maderaje.

legno /'leɲɲo/ [sm] madera (f).

legume /le'gume/ [sm] legumbre (f) FRAS **legumi secchi**: menestras.

lei /'lei/ [pron f sing] ella • *l'ha detto ~*: lo dijo ella ◆ [pron m,f sing] (di cortesia) Usted, Ud • ~ *è molto gentile*: Usted es muy amable ◆ [sm] Usted • *dare del ~*: tratar de Usted.

lente /ˈlɛnte/ [sf] lente FRAS ~ **a contatto**: lente de contacto, lentilla | ~ **di ingrandimento**: lupa.

lentezza /lenˈtettsa/ [sf] lentitud.

lenticchia /lenˈtikkja/ [sf] lenteja.

lentiggine /lenˈtiddʒine/ [sf] peca.

lento /ˈlɛnto/ [agg] **1** lento **2** (nodo) flojo, suelto FRAS **a fuoco** ~: a fuego lento ◆ [sm] (danza) agarrado.

lenza /ˈlɛntsa/ [sf] sedal (m).

lenzuolo /lenˈtswɔlo/ [sm] sábana (f) ∎ pl irr **lenzuola** (f) (anche pl r **lenzuoli**).

leone (**-essa**) /leˈone/ [sm] **1** león (f -a) **2** (astronomia, astrologia) Leo.

leopardo /leoˈpardo/ [sm] leopardo.

lepre /ˈlɛpre/ [sf] liebre.

lesbica /ˈlɛzbika/ [sf] lesbiana.

lesione /leˈzjone/ [sf] **1** lesión **2** (edificio) grieta, fisura.

lessare /lesˈsare/ [v tr] salcochar, hervir.

lesso /ˈlɛsso/ [agg] hervido, salcohado ◆ [sm] cocido, puchero.

letale /leˈtale/ [agg m,f] letal, mortífero (m).

letame /leˈtame/ [sm] estiércol.

letargo /leˈtargo/ [sm] letargo FRAS **andare/cadere in** ~: aletargarse.

lettera /ˈlɛttera/ [sf] **1** letra **2** (posta) carta FRAS **alla** ~: a la letra | **buca delle lettere**: buzón | **facoltà di lettere**: facultad de letras | ~ **assicurata**: carta de valores declarados | ~ **raccomandata**: carta certificada.

letterario /letteˈrarjo/ [agg] literario.

letterato /letteˈrato/ [agg/sm] literato.

letteratura /letteraˈtura/ [sf] literatura.

lettiga /letˈtiga/ [sf] camilla.

letto /ˈlɛtto/ [sm] **1** cama (f) **2** (fiume) lecho, madre (f) FRAS **andare a** ~: irse a la cama | **divano** ~: sofá cama | ~ **a castello**: literas | ~ **a una piazza e mezza**: cama camera | ~ **matrimoniale/a due piazze**: cama matrimonial/de matrimonio | ~ **singolo/a una piazza**: cama individual/de una plaza.

lettore (**-trice**) /letˈtore/ [sm] lector (f -a) FRAS ~ **di compact disc**: lector de compactos.

lettura /letˈtura/ [sf] lectura.

leucemia /leutʃeˈmia/ [sf] leucemia.

leva /ˈlɛva/ [sf] **1** (meccanica) palanca, barra **2** (militare) quinta, reclutamiento (m) FRAS **essere di** ~: hacer la mili | **fare** ~ **su qualcosa**: hacer palanca | **fare** ~ **su qualcuno**: hacer presión sobre alguien | ~ **del cambio**: palanca del cambio.

levante /leˈvante/ [sm] levante.

levare /leˈvare/ [v tr] **1** (alzare) levantar **2** (togliere) quitar **3** MED (dente) sacar, extraer ◆ [v prnl] (togliersi) quitarse FRAS ~ **l'ancora**: levar anclas | **levarsi di mezzo/dai piedi**: ahuecar el ala | **levarsi il pensiero**: sacarse una espina.

levataccia /levaˈtattʃa/ [sf] madrugón (m) FRAS **fare una** ~: dar un madrugón.

lezione /letˈtsjone/ [sf] **1** lección **2** (insegnamento) clase **3** FIG (rimprovero) sermón (m), rapapolvo (m).

li /li/ [pron m pl] los ◆ ~ *vedo sempre*: los veo siempre.

lì /li'/ [avv] ahí, allí FRAS **da/di ~**: desde allí | **eccolo ~**: allí lo tienes | **fino ~**: hasta allí | **giù di ~**: ¡baja de ahí!

libeccio /li'bettʃo/ [sm] lebeche.

libellula /li'bellula/ [sf] libélula.

liberale /libe'rale/ [agg m,f/sm,f] liberal.

liberalizzare /liberalid'dzare/ [v tr] liberalizar.

liberare (**-rsi**) /libe'rare/ [v tr prnl] liberar (-se) ♦ [v intr prnl] estar libre.

liberazione /liberat'tsjone/ [sf] **1** liberación **2** FIG (sollievo) alivio (m).

libero /'libero/ [agg] libre (m,f) FRAS **a ruota libera**: a rienda suelta | **ingresso ~**: entrada libre/gratis | **~ professionista**: profesional | **posto ~**: sitio/plaza/asiento libre | **tempo ~**: tiempo libre.

libertà /liber'ta'/ [sf inv] libertad (sing) FRAS **~ condizionale**: libertad condicional | **~ di stampa**: libertad de prensa.

libraio /li'brajo/ [sm] librero.

libreria /libre'ria/ [sf] **1** (negozio) librería **2** (mobile) biblioteca, librero (m).

libretto /li'bretto/ [sm] **1** libreta (f), cuaderno **2** MUS libreto FRAS **~ degli assegni**: talonario, *Amer* chequera | **~ di circolazione**: permiso de circulación.

libro /'libro/ [sm] libro FRAS **~ tascabile**: libro de bolsillo.

liceale /litʃe'ale/ [agg m,f] del instituto, de bachillerato ♦ [sm,f] estudiante de bachillerato.

licenza /li'tʃentsa/ [sf] **1** (commerciale, militare) autorización, licencia **2** (istruzione) título (m), diploma (m) FRAS **~ di caccia/pesca**: licencia de caza/pesca | **~ d'importazione**: licencia de importación.

licenziamento /litʃentsja'mento/ [sm] despido.

licenziare /litʃen'tsjare/ [v tr] despedir, licenciar ♦ [v prnl] **1** darse de baja **2** (istruzione) diplomarse.

liceo /li'tʃeo/ [sm] bachillerato.

lido /'lido/ [sm] (litorale) lido, litoral FRAS **~ di Venezia**: playa de Venecia.

lieto /'ljeto/ [agg] **1** (persona) contento, alegre (m,f) **2** (avvenimento) feliz (m,f), dichoso FRAS **~ evento**: evento feliz | **~ fine**: final feliz.

lieve /'ljeve/ [agg m,f] leve, tenue.

lievitare /ljevi'tare/ [v intr] fermentar.

lievito /'ljevito/ [sm] levadura (f) FRAS **~ di birra**: levadura de cerveza.

ligure /'ligure/ [agg m,f/sm,f] ligur.

lilla /'lilla/ [sm inv] lila (sing).

lima /'lima/ [sf] lima FRAS **~ per unghie**: lima de uñas.

limare /li'mare/ [v tr] limar, pulir.

limitare (**-rsi**) /limi'tare/ [v tr prnl] limitar (-se) FRAS **~ le spese**: reducir los gastos.

limitato /limi'tato/ [agg] **1** limitado **2** FIG (persona) corto.

limitazione /limitat'tsjone/ [sf] limitación.

limite /'limite/ [sm] límite FRAS **al ~**: en última instancia | **~ di velocità**: limitación de velocidad | **senza ~**: sin límites.

limonata /limo'nata/ [sf] limonada, zumo de limón.

limone /li'mone/ [sm] **1** (albero) limonero **2** (frutto) limón FRAS **succo/spremuta di ~**: zumo de limón.

limpido /'limpido/ [agg] límpido, transparente (m,f) FRAS **cielo ~**: cielo despejado.

lince /'lintʃe/ [sf] lince (m) FRAS **occhio di ~**: vista de lince.

linciare /lin'tʃare/ [v tr] linchar.

linea /'linea/ [sf] **1** línea **2** (febbre) décima FRAS **autobus/aereo di ~**: autobús/avión de línea | **è caduta la ~**: se ha cortado la comunicación | **~ di confine**: línea de linde | **~ elettrica**: línea eléctrica | **~ ferroviaria**: línea férrea | **~ telefonica**: línea telefónica | **linee aeree**: aerolíneas, líneas aéreas | **mantenere la ~**: guardar la línea | **volo di ~**: vuelo de línea.

lineamenti /linea'menti/ [sm pl] facciones (f), rasgos.

linfa /'linfa/ [sf] **1** BOT savia **2** (fisiologico) linfa.

lingotto /lin'gɔtto/ [sm] lingote, barra (f).

lingua /'lingwa/ [sf] lengua FRAS **avere la ~ lunga**: tener la lengua larga | **~ madre**: lengua madre | **non avere peli sulla ~**: no tener pelos en la lengua.

linguaggio /lin'gwaddʒo/ [sm] lenguaje.

lino /'lino/ [sm] hilo FRAS **misto ~**: semihilo.

liofilizzato /liofilid'dzato/ [agg] liofilizado.

lipide /'lipide/ [sm] lípido.

liquidare /likwi'dare/ [v tr] (debito) saldar, pagar.

liquidazione /likwidat'tsjone/ [sf] liquidación FRAS **~ di abbigliamento**: rebajas.

liquidità /likwidi'ta*/ [sf inv] liquidez (sing).

liquido /'likwido/ [agg/sm] líquido FRAS **disporre di molti liquidi**: disponer de mucha liquidez | **~ per freni**: líquido para frenos.

liquirizia /likwi'rittsja/ [sf] regaliz (m).

liquore /li'kwore/ [sm] licor.

lirica /'lirika/ [sf] lírica.

lirico /'liriko/ [agg] lírico FRAS **opera lirica**: ópera lírica | **teatro ~**: teatro lírico.

lisca /'liska/ [sf] espina.

lisciare /liʃ'ʃare/ [v tr] alisar, pulir.

liscio /'liʃʃo/ [agg] **1** liso **2** (capelli) lacio **3** (bevanda) sin hielo/agua FRAS **ballo ~**: baile figurado | **caffè ~**: café solo | **passarla liscia**: salir bien parado ◆ [sm] (danza) baile de salón.

lista /'lista/ [sf] lista FRAS **~ d'attesa**: lista de espera | **~ del ristorante**: carta, menú | **~ elettorale**: candidatura.

listino /lis'tino/ [sm] listín, boletín FRAS **~ dei cambi**: boletín de cambios | **~ dei prezzi**: listín de precios.

lite /'lite/ [sf] pelea, riña.

litigare /liti'gare/ [v intr] reñir, pelear.

litigio /li'tidʒo/ [sm] disputa (f), altercado.

litografia /litogra'fia/ [sf] litografía.

litorale /lito'rale/ [agg m,f/sm] litoral.

livello /li'vɛllo/ [sm] nivel FRAS **ad alto ~**: de alto nivel | **~ di vita**: nivel/tren de vida | **passaggio a ~**: paso a nivel.

livido /'livido/ [sm] cardenal, moradura (f).

lo /lo/ [art det m sing] el • **~ spettacolo**: el espectáculo | **l'errore**: el error FRAS **per ~ più/meno**: al más/menos ◆ [pron m sing] **1** (personale) lo • **daglielo**: dáselo | **vi- di arrivare**: lo vi llegar **2** (demostrativo) lo • **~ compro**: lo compro.

lobo /'lɔbo/ [sm] lóbulo.

locale /lo'kale/ [agg m,f] local FRAS **anestesia ~**: anestesia local | **per uso ~**: de uso tópico ◆ [sm] **1** (stanza) habitación (f), cuarto **2** (luogo pubblico) sala (f), local **3** (treno) tren de cercanías FRAS **~ notturno**: local nocturno.

località /lokali'ta*/ [sf inv] localidad (sing).

locandina /lokan'dina/ [sf] cartelera.

locomotiva /lokomo'tiva/ [sf] locomotora.

loculo /'lɔkulo/ [sm] nicho.

lodare /lo'dare/ [v tr] elogiar, alabar.

lode /'lɔde/ [sf] **1** elogio (m), alabanza **2** (voto scolastico) matrícula de honor.

lodevole /lo'devole/ [agg m,f] encomiable.

loggia /'lɔddʒa/ [sf] ARCH logia.

loggione /lod'dʒone/ [sm] (teatro) gallinero.

logica /'lɔdʒica/ [sf] lógica.

logico /'lɔdʒico/ [agg] lógico.

logo /'lɔgo/ [sm inv] logotipo (sing).

logorante /logo'rante/ [agg m,f] extenuante.

logorare /logo'rare/ [v tr] (anche FIG) gastar, consumir ◆ [v intr prnl] (anche FIG) deteriorarse.

lombaggine /lom'baddʒine/ [sf] lumbago (m).

Lombardia /lombar'dia/ [sf] Lombardía.

lombardo /lom'bardo/ [agg/sm] lombardo.

lombo /'lombo/ [sm] ANAT lomo.

londinese /londi'nese/ [agg m,f/ sm,f] londinense.

Londra /'londra/ [sf] Londres.

longevo /lon'dʒɛvo/ [agg] longevo.

longilineo /londʒi'lineo/ [agg] esbelto.

longitudine /londʒi'tudine/ [sf] longitud, largo (m).

lontananza /lonta'nantsa/ [sf] **1** (distanza) lejanía **2** (assenza) ausencia FRAS **in ~**: a lo lejos.

lontano /lon'tano/ [agg] **1** (distante) lejano, distante (m,f) **2** (assente) ausente (m,f) ◆ [avv] lejos • **anda- re ~**: llegar lejos FRAS **da ~**: de/desde lejos ◆ [prep] (**da**) lejos de.

lordo /'lordo/ [agg] bruto FRAS **pe- so ~**: peso bruto | **prezzo ~**: precio bruto.

loro /'loro/ [agg inv] su (sing), sus (pl) • **questi sono i ~ figli**: éstos son sus hijos ◆ [pron m,f pl] **1** (soggetto) ellos (m), ellas (f) • **~ vanno a teatro**: ellos van al teatro **2** (complemento) los (m), las (f), les • **mandai ~ l'invito**: les envié la invitación | **telefonai ~**: los/las llamé ◆ [pron inv] suyo (m sing), suya (f sing), suyos (m pl), suyas (f pl) • **le nostre matite sono migliori delle ~**:

nuestros lápices son mejores que los suyos FRAS **i** ~: los padres.

lotta /'lɔtta/ [sf] (anche FIG) lucha, combate (m).

lottare /lot'tare/ [v intr] luchar, combatir.

lotteria /lotte'ria/ [sf] lotería, rifa FRAS ~ **di beneficenza**: lotería benéfica | **vincere alla** ~: tocarle la lotería.

lotto /'lɔtto/ [sm] **1** lotería primitiva **2** COMM partida (f) FRAS **ricevitoria del** ~: despacho de billetes de loto | **vincere un terno al** ~: tocarle la lotería.

lozione /lot'tsjone/ [sf] loción FRAS ~ **per capelli**: loción capilar.

lubrificante /lubrifi'kante/ [agg m,f/sm] lubricante.

lucchetto /luk'ketto/ [sm] candado.

lucano /lu'kano/ [agg/sm] habitante (m,f) de Basilicata.

luccicare /luttʃi'kare/ [v intr] centellear, resplandecer.

luccio /'luttʃo/ [sm] lucio.

lucciola /'luttʃola/ [sf] **1** ZOOL luciérnaga **2** FIG POP (prostituta) puta.

luce /'lutʃe/ [sf] luz FRAS **è andata via la** ~: se fue la luz | ~ **della targa**: luz de matrícula | ~ **elettrica**: luz eléctrica | ~ **al neon**: luz de neón | **luci d'arresto**: luces de freno | **luci di posizione**: luces de posición.

lucentezza /lutʃen'tettsa/ [sf] brillo (m), esplendor (m).

lucernario /lutʃer'narjo/ [sm] tragaluz, claraboya (f).

lucertola /lu'tʃertola/ [sf] **1** ZOOL lagartija **2** (pelle) lagarto (m).

lucidalabbra /lutʃida'labbra/ [sm inv] brillo (sing) de labios.

lucidare /lutʃi'dare/ [v tr] lustrar.

lucidità /lutʃidi'ta*/ [sf inv] lucidez (sing).

lucido /'lutʃido/ [agg] **1** lustroso, brillante (m,f) **2** FIG lúcido ♦ [sm] (calzature) betún, crema (f).

lucro /'lukro/ [sm] lucro, ganancia (f) FRAS **a scopo di** ~: a fin de lucro.

luglio /'luʎʎo/ [sm] julio.

lui /'lui/ [pron m sing] él.

lumaca /lu'maka/ [sf] **1** babosa **2** (chiocciola) caracol (m) **3** FIG FAM (persona) cachazudo (m).

lume /'lume/ [sm] lámpara (f).

luminoso /lumi'noso/ [agg] luminoso.

luna /'luna/ [sf] luna FRAS **avere la** ~: estar de mala uva | **chiaro di** ~: claro de luna | ~ **calante**: luna menguante | ~ **di miele**: luna de miel | **volere/chiedere la** ~: pedir la luna.

luna park /luna'park/ [sm inv] parque de atracciones.

lunatico /lu'natiko/ [agg/sm] lunático.

lunedì /lune'di*/ [sm inv] lunes.

lunghezza /lun'gettsa/ [sf] **1** largo (m), longitud **2** (durata) duración FRAS ~ **d'onda**: longitud de onda.

lungo /'lungo/ [agg] **1** largo **2** (bevanda) aguado **3** FIG (persona) lento, lerdo FRAS **abito** ~: traje/vestido de gala | **a** ~: largo y tendido (hablar); largo rato (esperar) | **caffè** ~: café alto ♦ [prep] **1** a lo largo de ● *camminare* ~ *il ponte*: caminar a lo largo del puente **2** durante ● ~ *il* *viaggio incontrai molti amici*: durante el viaje encontré a varios amigos ♦ [sm] largo, longitud (f) FRAS **in ~ e in largo**: a lo largo y a lo ancho.

lungolago /lungo'lago/ [sm] paseo (del lago).

lungomare /lungo'mare/ [sm] paseo (marítimo).

lunotto /lu'nɔtto/ [sm] luneta (f).

luogo /'lwɔgo/ [sm] lugar, sitio FRAS **avere ~**: celebrarse, tener lugar | **del ~**: lugareño | **fuori ~**: a destiempo | **~ comune**: lugar común | **~ di nascita**: lugar de nacimiento | **~ di residenza**: lugar de residencia.

lupo /'lupo/ [sm] lobo FRAS **in bocca al ~!**: ¡buena suerte!

lurido /'lurido/ [agg] mugriento, asqueroso.

lussazione /lussat'tsjone/ [sf] luxación, dislocación.

lussemburghese /lussembur'gese/ [agg m,f/sm,f] luxemburgués (f -a).

Lussemburgo /lussem'burgo/ [sm] Luxemburgo.

lusso /'lusso/ [sm] **1** lujo **2** (ricchezza) riqueza (f), abundancia (f).

lussuoso /lussu'oso/ [agg] lujoso.

lussureggiante /lussured'dʒante/ [agg m,f] exuberante.

lutto /'lutto/ [sm] luto FRAS **essere in ~**: estar de luto.

m

Mm

ma /ma*/ [cong] pero FRAS **~ certo!**: ¡seguramente! | **~ come!**: ¡vaya! | **~ no!**: ¡no me digas!

macabro /'makabro/ [agg] macabro.

macché /mak'ke*/ [inter] ¡qué va!, ¡anda!

maccherone /makke'rone/ [sm] macarrón.

macchia /'makkja/ [sf] **1** mancha **2** BOT matorral (m) FRAS **espandersi a ~ d'olio**: cundir como mancha de aceite | **~ mediterranea**: vegetación mediterránea.

macchiare (**-rsi**) /mak'kjare/ [v tr/intr prnl] manchar (-se).

macchina /'makkina/ [sf] **1** (anche FIG) máquina **2** (automobile) auto-

móvil (m), coche (m) FRAS **~ fotografica**: cámara.

macchinista /makki'nista/ [sm,f] maquinista.

macellaio /matʃel'lajo/ [sm] **1** matarife **2** (negoziante) carnicero.

macelleria /matʃelle'ria/ [sf] (negozio) carnicería.

macerie /ma'tʃɛrje/ [sf pl] escombros (m).

macigno /ma'tʃiɲɲo/ [sm] peñasco.

macinapepe /matʃina'pepe/ [sm inv] molinillo (sing) de pimienta.

macinare /matʃi'nare/ [v tr] moler.

macrobiotico /makrobi'ɔtiko/ [agg] macrobiótico.

madonna /ma'dɔnna/ [inter] FAM ¡madre mía!, ¡por Dios! ◆ [sf] Virgen, Nuestra Señora FRAS **della ~**: del demonio | **tirare madonne**: blasfemar.

madre /'madre/ [agg inv/sf] madre.

madrelingua /madre'lingwa/ [sf] lengua nativa.

madreperla /madre'perla/ [sf] nácar (m).

madrileno /madri'leno/ [agg/sm] madrileño.

maestà /maes'ta*/ [sf inv] majestad (sing).

maestoso /maes'toso/ [agg] majestuoso.

maestra /ma'estra/ [sf] **1** maestra **2** mar vela maestra.

maestrale /maes'trale/ [sm] mistral.

maestro /ma'estro/ [agg] maestro ◆ [sm] maestro FRAS **~ di sci**: instructor.

mafia /'mafja/ [sf] mafia.

mafioso /ma'fjoso/ [agg/sm] mafioso.

magari /ma'gari/ [avv] (forse) tal vez, a lo mejor ◆ [cong] (desiderio) ojalá • **~ fosse vero!**: ¡ojalá fuera verdad! ◆ [inter] ¡ojalá pudiera!

magazzino /magad'dzino/ [sm] almacén FRAS **grandi magazzini**: grandes almacenes.

maggio /'maddʒo/ [sm] mayo.

maggioranza /maddʒo'rantsa/ [sf] mayoría.

maggiorazione /maddʒorat'tsjone/ [sf] aumento (m).

maggiore /mad'dʒore/ [agg m,f/ sm,f] mayor FRAS **andare per la ~**: tener éxito | **la ~ età**: la mayoría de edad | **la ~ parte**: la mayor parte.

maggiorenne /maddʒo'rɛnne/ [agg m,f/sm,f] mayor de edad.

maggioritario /maddʒori'tarjo/ [agg] mayoritario.

magia /ma'dʒia/ [sf] magia.

magico /'madʒiko/ [agg] mágico.

magistrale /madʒis'trale/ [agg m,f] magistral FRAS **istituto ~**: enseñanza secundaria para maestros.

magistrato /madʒis'trato/ [sm] magistrado.

magistratura /madʒistra'tura/ [sf] magistratura FRAS **consiglio superiore della ~**: consejo general del poder judicial.

maglia /'maʎʎa/ [sf] **1** (lavoro a maglia) punto (m) **2** (rete) malla **3** abb (biancheria intima) camiseta **4** abb (golf) jersey (m), Amer suéter (m) FRAS **lavorare a ~**: hacer (labor de) punto, tejer | **~ azzurra**: camiseta del seleccionado italiano.

maglieria /maʎʎe'ria/ [sf] **1** (industria) tricotaje (m) **2** géneros de punto FRAS **negozio di ~**: tienda de géneros de punto.

maglietta /maʎ'ʎetta/ [sf] camiseta.

maglione /maʎ'ʎone/ [sm] jersey, Amer suéter.

magnate /maɲ'ɲate/ [sm] magnate.

magnetico /maɲ'ɲetiko/ [agg] (anche FIG) magnético.

magnifico /maɲ'ɲifiko/ [agg] magnífico.

mago /'mago/ [sm] mago.

magro /'magro/ [agg] **1** (persona) delgado, flaco **2** (alimento) magro **3** FIG miserable (m,f).

mah /ma/ [inter] **1** (dubbio, incertezza) ¡bah! **2** (rassegnazione, disapprovazione) ¡pero!, ¡vaya!

mai /'mai/ [avv] **1** jamás **2** (interrogativo) antes, alguna vez • *hai ~ visto questo film?*: ¿has visto antes esta película? ■ **mai più** nunca jamás/más • *non accadrà ~ più*: no sucederá nunca más FRAS **caso/se ~**: en caso que | **come ~?**: ¿por qué?

maiale /ma'jale/ [sm] (anche FIG) cerdo FRAS **~ di latte**: lechón | **mangiare come un ~**: comer como un cochino.

maiolica /ma'jɔlika/ [sf] mayólica.

maionese /majo'nese/ [sf] mayonesa.

mais /'mais/ [sm] maíz.

maiuscolo /ma'juskolo/ [agg] mayúsculo.

make-up /mei'kap/ [sm inv] maquillaje (sing).

malafede /mala'fede/ [sf] mala fe.

Malaga /'malaga/ [sf] Málaga.

malandato /malan'dato/ [agg] **1** (cosa) estropeado **2** (salute, aspetto) maltrecho **3** (vestiario, biancheria) gastado.

malanno /ma'lanno/ [sm] (acciacco) achaque.

malapena /mala'pena/ [avv] (solo nella locuzione) FRAS **a ~**: a duras penas, apenas.

malaria /ma'larja/ [sf] malaria.

malato /ma'lato/ [agg/sm] enfermo FRAS **~ terminale**: enfermo terminal.

malattia /malat'tia/ [sf] (anche FIG) enfermedad FRAS **essere in ~**: estar de baja | **fare una ~ per qualcosa**: estar chalado/chiflado por algo.

malavita /mala'vita/ [sf] hampa.

malavoglia /mala'voʎʎa/ [sf] desgana, mala gana ■ pl irr **malevoglie**.

malconcio /mal'kontʃo/ [agg] maltrecho.

malcontento /malkon'tento/ [sm] malestar, descontento.

malcostume /malkos'tume/ [sm] corrupción (f).

maldestro /mal'destro/ [agg] torpe (m,f), desmañado.

male /'male/ [avv] **1** mal • *dormire ~*: dormir mal **2** de mala manera • *risposi ~*: respondí de mala manera FRAS **finire ~**: acabar mal | **parlare ~ di qualcuno/qualcosa**: hablar pestes del alguien/algo | **rispondere/trattare ~**: responder/tratar mal | **sentirsi ~**: sentirse mal ♦ [sm] mal FRAS **andare a ~**: echarse a perder | **fare/farsi ~**: lastimar(se), hacerse daño | **mal d'auto/d'aria/di mare**: mareo | **mal di testa/capo**: dolor de cabeza | **non c'è ~**: bastante bien.

maledetto /male'detto/ [agg/sm] maldito.

maledire /male'dire/ [v tr] maldecir.

maledizione /maledit'tsjone/ [inter] ¡maldita sea! ♦ [sf] maldición.

maleducato /maledu'kato/ [agg/sm] maleducado.

maleducazione /maledukat'tsjone/ [sf] mala educación, malas maneras (pl).

malessere /ma'lessere/ [sm] malestar.

malfamato /malfa'mato/ [agg] **1** (luogo) de mala fama **2** (persona) de mala ralea/calaña FRAS **quartiere ~**: barrio chino.

m

malfermo /mal'fermo/ [agg] tambaleante (m,f).

malformazione /malformat'tsjone/ [sf] malformación.

malga /'malga/ [sf] cabaña alpina.

malgrado /mal'grado/ [cong/prep] a pesar de.

malignità /maliɲɲi'ta*/ [sf inv] malignidad (sing).

maligno /ma'liɲɲo/ [agg] maligno.

malinconia /malinko'nia/ [sf] melancolía.

malinconico /malin'kɔniko/ [agg] melancólico.

malinteso /malin'teso/ [sm] malentendido.

malizia /ma'littsja/ [sf] malicia.

malizioso /malit'tsjoso/ [agg] malicioso.

malleabile /malle'abile/ [agg m,f] maleable.

malloppo /mal'lɔppo/ [sm] GERG botín.

malnutrizione /malnutrit'tsjone/ [sf] malnutrición.

malo /'malo/ [agg] malo FRAS a **mala pena**: a duras penas | **in ~ modo**: de mala manera. | **mala fede**: mala fe.

malora /ma'lora/ [sf] ruina FRAS **alla ~!**: ¡al diablo!

malore /ma'lore/ [sm] desmayo.

malridotto /malri'dotto/ [agg] maltrecho.

malsano /mal'sano/ [agg] (clima) malsano.

maltempo /mal'tempo/ [sm] mal tiempo.

maltrattamento /maltratta'mento/ [sm] malos tratos (pl).

maltrattare /maltrat'tare/ [v tr] maltratar.

malumore /malu'more/ [sm] **1** mal humor **2** (scontento) descontento.

malva /'malva/ [sf] malva.

malvagio /mal'vadʒo/ [agg/sm] malvado.

malvivente /malvi'vente/ [sm,f] maleante.

malvolentieri /malvolen'tjeri/ [avv] de mala gana, a regañadientes.

mamma /'mamma/ [inter] ¡madre! ◆ [sf] mamá*.

mammella /mam'mella/ [sf] mama.

mammifero /mam'mifero/ [agg/sm] mamífero.

mammografia /mammogra'fia/ [sf] mamografía.

manager /'manadʒer/ [sm,f inv] ejecutivo (sing).

mancamento /manka'mento/ [sm] desmayo.

mancante /man'kante/ [agg m,f] que falta.

mancanza /man'kantsa/ [sf] falta FRAS **in ~ di qualcosa/qualcuno**: a falta de algo/alguien | **sentire la ~ di qualcuno**: echar de menos a alguien, extrañar a alguien.

mancare /man'kare/ [v intr] **1** faltar **2** (morire) fallecer **3** (sentire la mancanza) echar de menos, extrañar FRAS **ci mancherebbe altro!**: ¡faltaba/faltaría más! | **ci manca poco che**: falta poco para que.

mancia /'mantʃa/ [sf] propina.

manciata /man'tʃata/ [sf] puñado (m).

mancino /man'tʃino/ [agg/sm] zurdo.

manco /'manko/ [avv] POP ni siquiera, ni FRAS ~ **per idea/sogno**: ni en sueños | ~ **per scherzo**: ni por broma.

mandante /man'dante/ [sm,f] mandante.

mandarancio /manda'rantʃo/ [sm] mandarina (f).

mandare /man'dare/ [v tr] **1** mandar **2** (spedire) enviar, mandar FRAS ~ **all'inferno/a quel paese**: mandar a paseo/hacer puñetas/la porra/al diablo | ~ **all'aria/a monte**: echar a rodar/perder | ~ **in onda**: transmitir.

mandarino /manda'rino/ [sm] **1** (albero) mandarino **2** (frutto) mandarina (f).

mandato /man'dato/ [sm] mandato, encargo FRAS ~ **d'arresto/cattura**: orden de detención/prisión | ~ **di pagamento**: orden de pago.

mandibola /man'dibola/ [sf] mandíbula.

mandolino /mando'lino/ [sm] mandolina (f).

mandorla /'mandorla/ [sf] almendra.

mandorlato /mandor'lato/ [sm] almendrado.

mandorlo /'mandorlo/ [sm] almendro.

mandria /'mandrja/ [sf] manada.

maneggevole /maned'dʒevole/ [agg m,f] manejable.

maneggiare /maned'dʒare/ [v tr] (anche FIG) manejar.

maneggio /ma'neddʒo/ [sm] picadero.

manesco /ma'nesko/ [agg] violento.

manette /ma'nette/ [sf pl] esposas.

manganello /manga'nello/ [sm] porra (f).

mangiabile /man'dʒabile/ [agg m,f] comestible.

mangiare /man'dʒare/ [sm] comida (f) ♦ [v tr] (anche FIG) comer FRAS ~ **alla carta/a prezzo fisso**: comer a la carta/a precio fijo.

mangiata /man'dʒata/ [sf] atracón (m).

mangime /man'dʒime/ [sm] pienso.

mango /'mango/ [sm] mango.

mania /ma'nia/ [sf] manía.

maniaco /ma'niako/ [agg/sm] maníaco.

manica /'manika/ [sf] manga FRAS **mezza ~**: media manga.

manichino /mani'kino/ [sm] maniquí.

manico /'maniko/ [sm] **1** mango **2** (tazza, pentola) asa (f), asidero ■ pl **manici, manichi**.

manicomio /mani'kɔmjo/ [sm] **1** manicomio **2** fig scherz casa de locos.

manicure /mani'kur/ [sf] manicura.

maniera /ma'njɛra/ [sf] manera.

manifattura /manifat'tura/ [sf] manufactura.

manifestare (-rsi) /manifes'tare/ [v tr/intr/intr prnl] manifestar (-se).

manifestazione /manifestat'tsjone/ [sf] manifestación.

manifesto /mani'festo/ [sm] **1** póster* **2** (pubblicitario) cartel, anuncio.

maniglia /ma'niʎʎa/ [sf] **1** (porta, finestra) manija, tirador (m) **2** (valigia) asa.

mannaggia /man'naddʒa/ [inter] POP ¡maldita sea!

mano /'mano/ [sf] mano ■ pl irr **mani** FRAS **alla ~**: sencillo, campechano | **avere sotto ~**: tener a mano | **battere le mani**: aplaudir | **di seconda ~**: de segunda mano | **essere nelle mani di qualcuno**: caer/estar en manos de alguien | **lavoro fatto a ~**: trabajo hecho a mano.

manodopera /mano'dɔpera/ [sf] mano de obra.

manopola /ma'nɔpola/ [sf] (bicicletta, motocicletta) puño (del manillar).

manovale /mano'vale/ [sm] peón.

manovra /ma'nɔvra/ [sf] (anche FIG) maniobra.

manovrare /mano'vrare/ [v tr/intr] (anche FIG) maniobrar.

mansarda /man'sarda/ [sf] mansarda.

mansueto /mansu'ɛto/ [agg] manso.

mantecato /mante'kato/ [sm] (gelato) mantecado.

mantello /man'tɛllo/ [sm] **1** abb (anche FIG) capa (f) **2** ZOOL manto, pelaje.

mantenere (-**rsi**) /mante'nere/ [v tr prnl/intr prnl] mantener (-se).

mantenimento /manteni'mento/ [sm] mantenimiento.

manto /'manto/ [sm] **1** abb zool manto **2** fig capa (f).

manuale /manu'ale/ [agg m,f/sm] manual.

manubrio /ma'nubrjo/ [sm] manillar.

manufatto /manu'fatto/ [sm] manufactura (f).

manutenzione /manuten'tsjone/ [sf] mantenimiento (m).

manzo /'mandzo/ [sm] buey.

mappa /'mappa/ [sf] mapa (m).

maraschino /maras'kino/ [sm] marrasquino.

maratona /mara'tona/ [sf] maratón (m).

marca /'marka/ [sf] **1** marca **2** (contrassegno) resguardo (m) FRAS **~ da bollo**: timbre móvil, sello fiscal.

marcare /mar'kare/ [v tr] marcar.

marchigiano /marki'dʒano/ [agg/sm] habitante (m,f) de Marche.

marchio /'markjo/ [sm] marca (f).

marcia /'martʃa/ [sf] marcha.

marciapiede /martʃa'pjede/ [sm inv] **1** (strada) acera (f sing), *Amer* vereda (f sing) **2** (stazione) andén (sing).

marciare /mar'tʃare/ [v intr] marchar.

marcio /'martʃo/ [agg] (anche FIG) podrido ♦ [sm] (anche FIG) podredumbre (f).

marcire /mar'tʃire/ [v intr] pudrirse.

mare /'mare/ [sm] (anche FIG) mar (m,f) FRAS **alto ~**: alta mar | **andare al ~**: ir a la playa | **frutti di ~**: mariscos | **mal di ~**: mareo | **~ mosso**: mar bravo.

marea /ma'rɛa/ [sf] **1** geog marea **2** fig (cose) masa, alud (m) **3** FIG (persone) mar (m,f).

mareggiata /mared'dʒata/ [sf] marejada.

maremma /ma'remma/ [sf] marisma.

maresciallo /mareʃ'ʃallo/ [sm] subteniente.

margarina /marga'rina/ [sf] margarina.

margherita /marge'rita/ [sf] margarita.

margine /'mardʒine/ [sm] **1** (bordo) orilla (f), borde **2** fig margen.

marijuana /mari'wana/ [sf inv] marihuana.

marina /ma'rina/ [sf] marina.

marinaio /mari'najo/ [sm] marinero.

marino /ma'rino/ [agg] marino.

marionetta /marjo'netta/ [sf] marioneta, títere (m).

marito /ma'rito/ [sm] marido.

marittimo /ma'rittimo/ [agg] marítimo.

marketing /'marketiŋ/ [sm inv] marketing.

marmellata /marmel'lata/ [sf] mermelada.

marmitta /mar'mitta/ [sf] (veicolo) silenciador (m) FRAS ~ catalitica: tubo de escape con catalizador.

marmo /'marmo/ [sm] mármol.

marmotta /mar'mɔtta/ [sf] marmota.

marrone /mar'rone/ [sm] **1** bot castaña (f) **2** (colore) marrón.

marsupiale /marsu'pjale/ [sm] marsupial.

marsupio /mar'supjo/ [sm] **1** zool marsupio **2** (bebè) portabebés (inv).

Marte /'marte/ [sm] (astronomia astrologia) Marte.

martedì /marte'di*/ [sm inv] martes.

martello /mar'tɛllo/ [sm] martillo.

martire /'martire/ [sm,f] mártir.

martirio /mar'tirjo/ [sm] martirio.

marzapane /martsa'pane/ [sm] mazapán.

marziale /mar'tsjale/ [agg m,f] marcial FRAS **corte** ~: consejo de guerra.

marzo /'martso/ [sm] marzo.

mascalzone /maskal'tsone/ [sm] canalla (m,f).

mascara /mas'kara/ [sm inv] (cosmesi) rímel.

mascella /maʃ'ʃella/ [sf] mandíbula.

maschera /'maskera/ [sf] **1** (anche fig) máscara **2** (calco, cosmesi)

mascarilla **3** (teatro, cinema) acomodador (f -a) FRAS ~ **subacquea**: gafas submarinas.

mascherare /maske'rare/ [v tr] **1** (travestire) disfrazar **2** fig (sentimenti) enmascarar ♦ [v prnl] (travestirsi) disfrazarse.

mascherato /maske'rato/ [agg] disfrazado.

maschile /mas'kile/ [agg m,f] masculino (m).

maschilista /maski'lista/ [agg m,f] sm,f] machista.

maschio /'maskjo/ [agg] **1** varón **2** (animali) macho ♦ [sm] **1** macho **2** fam (figlio) varón.

masochista /mazo'kista/ [sm,f] masoquista.

massa /'massa/ [sf] **1** masa **2** (grande quantità) montón (m).

massacrante /massa'krante/ [agg m,f] extenuante.

massacrare /massa'krare/ [v tr] **1** masacrar **2** FIG (di fatica) extenuar.

massacro /mas'sakro/ [sm] masacre (f).

massaggiatore (-trice) /massaddʒa'tore/ [sm] masajista (m,f).

massaggio /mas'saddʒo/ [sm] masaje.

massaia /mas'saja/ [sf] ama de casa.

massiccio /mas'sittʃo/ [agg/sm] macizo.

massima /'massima/ [sf] máxima FRAS **in linea di** ~: en/por lo general.

massimo /'massimo/ [sup/sm] máximo FRAS **al** ~: como mucho.

mass media /mas'midja/ [sm pl] medios de comunicación de masa.

masso /'masso/ [sm] macizo.

massoneria /massone'ria/ [sf] masonería.

masticare /masti'kare/ [v tr] mascar, masticar.

masturbazione /masturbat'tsjone/ [sf] masturbación.

matassa /ma'tassa/ [sf] (lana) madeja.

matematica /mate'matika/ [sf] matemáticas (pl).

matematico /mate'matiko/ [agg] matemático.

materassino /materas'sino/ [sm] colchoneta (f).

materasso /mate'rasso/ [sm] colchón.

materia /ma'tɛrja/ [sf] materia.

materiale /mate'rjale/ [agg m,f/sm] material.

maternità /materni'ta*/ [sf inv] maternidad (sing).

materno /ma'terno/ [agg] materno FRAS **scuola materna**: jardín de infancia.

matita /ma'tita/ [sf] lápiz (m) FRAS **~ per gli occhi/le labbra**: lápiz de ojos/labios.

matricola /ma'trikola/ [sf] **1** número (m) de matrícula **2** (facoltà universitaria) novato (m).

matrigna /ma'triɲɲa/ [sf] madrastra.

matrimoniale /matrimo'njale/ [agg m,f] matrimonial FRAS **letto ~**: cama de matrimonio.

matrimonio /matri'mɔnjo/ [sm] matrimonio, boda (f).

mattatoio /matta'tojo/ [sm] matadero.

mattina /mat'tina/ [sf] mañana FRAS **da ~ a sera**: todo el día | **domani ~**: mañana por la mañana.

mattiniero /matti'njero/ [agg/sm] madrugador (f -a).

mattino /mat'tino/ [sm] mañana (f) FRAS **di buon/primo ~**: muy de mañana, de madrugada.

matto /'matto/ [agg/sm] loco FRAS **andare ~ per qualcosa**: gustar con locura algo | **cose da matti**: cosas de locos | **essere ~ da legare**: estar loco de remate.

mattone /mat'tone/ [sm] (anche FIG) ladrillo.

mattonella /matto'nɛlla/ [sf] baldosa.

maturare /matu'rare/ [v intr] **1** madurar **2** (interessi) devengar ◆ [v tr] madurar.

maturazione /maturat'tsjone/ [sf] maduración.

maturità /maturi'ta*/ [sf inv] madurez (sing) FRAS **esame di ~**: examen de selectividad.

maturo /ma'turo/ [agg] maduro.

mausoleo /mauzo'lɛo/ [sm] mausoleo.

mazza /'mattsa/ [sf] **1** porra **2** (baseball) bate (m) **3** (golf) palo (m).

mazzo /'mattso/ [sm] **1** (fiori) ramo **2** (chiavi) manojo **3** (carte) baraja (f).

me /me*/ [pron m,f sing] **1** mí ● *tutti parlavano di ~*: todos hablaban de mí **2** (nei pronomi combinati) me ● *dammelo subito*: dámelo enseguida **3** (comparativo) yo ● *lavora quanto ~*: trabaja tanto como yo ■ **con me** conmigo ● *vieni subito con ~*: ven enseguida conmigo ■ **tra/fra me + pron** entre + pron sujeto + yo ● *tra ~ e lei non c'è più amicizia*: entre ella y yo ya no hay amistad FRAS **secondo ~**: a mi parecer, para mí.

meccanica /mek'kanika/ [sf] mecánica.

meccanico /mek'kaniko/ [agg/sm] mecánico.

meccanismo /mekka'nizmo/ [sm] mecanismo.

mecenate /metʃe'nate/ [sm,f] mecenas (inv).

medaglia /me'daʎʎa/ [sf] medalla.

medesimo /me'dezimo/ [agg] mismo.

media /'mɛdja/ [sf] media.

mediante /me'djante/ [prep] mediante, por medio de.

mediare /me'djare/ [v tr] mediar.

mediatore (-**trice**) /medja'tore/ [sm] mediador (f -a).

medicare /medi'kare/ [v tr] curar.

medicazione /medikat'tsjone/ [sf] medicación.

medicina /medi'tʃina/ [sf] medicina.

medicinale /meditʃi'nale/ [sm] medicamento, fármaco.

medico /'mɛdiko/ [agg] médico ♦ [sm] médico (m,f) FRAS **~ chirurgo**: cirujano.

medievale /medje'vale/ [agg m,f] medieval.

medio /'mɛdjo/ [agg] medio FRAS **scuola media inferiore**: sexto, séptimo y octavo de EGB | **scuola media superiore**: enseñanza secundaria ♦ [sm] ANAT dedo medio/cordial/del corazón.

mediocre /me'djɔkre/ [agg m,f/sm,f] mediocre.

mediocrità /medjokri'ta*/ [sf inv] mediocridad (sing).

medioevo /medjo'ɛvo/ [sm] edad (f) media.

meditare /medi'tare/ [v tr/intr] meditar.

meditazione /meditat'tsjone/ [sf] meditación.

mediterraneo /mediter'raneo/ [agg] mediterráneo.

medusa /me'duza/ [sf] medusa.

meeting /'mitiŋ/ [sm inv] mitin (sing).

megalomane /mega'lɔmane/ [agg m,f/sm,f] megalómano (m).

meglio /'mɛʎʎo/ [agg inv] mejor FRAS **tanto ~**: tanto mejor ♦ [avv] **1** mejor **2** (comparativo) más ● **è ~ informato di te**: está más informado que tú ♦ [sm inv] lo mejor FRAS **al ~**: de la mejor manera | **per il ~**: de la mejor manera posible.

mela /'mela/ [sf] manzana FRAS **~ cotogna**: membrillo.

melagrana /mela'grana/ [sf] granada.

melanzana /melan'dzana/ [sf] berenjena.

melma /'melma/ [sf] cieno (m).

melo /'melo/ [sm] manzano.

melodia /melo'dia/ [sf] melodía.

melodico /me'lɔdiko/ [agg] melódico.

melodramma /melo'dramma/ [sm] melodrama.

melograno /melo'grano/ [sm] granado.

melone /me'lone/ [sm] melón.

membrana /mem'brana/ [sf] membrana.

membro /'mɛmbro/ [sm] ANAT (anche persona) miembro ■ pl irr f **membra** (anche pl r **membri**, nel sign di persona).

memoria /me'mɔrja/ [sf] memoria.

memoriale /memo'rjale/ [sm] monumento conmemorativo.

memorizzare /memorid'dzare/ [v tr] memorizar.

menata /me'nata/ [sf] FIG FAM (seccatura) lata.

mendicante /mendi'kante/ [agg m,f/ sm,f] mendigo (sost m).

mendicare /mendi'kare/ [v tr] mendigar ◆ [v intr] pedir (limosna).

meno /'meno/ [agg inv] **1** (comparativo) menos ● ~ *di te*: menos que tú **2** menor (sing) ● *anni fa le pretese erano* ~: hace unos años las pretensiones eran menores ◆ [avv] **1** menos **2** (temperatura) bajo cero FRAS a ~ **che/di**: a menos que, a no ser que | **fare a ~ di qualcosa/qualcuno**: prescindir de algo/alguien | ~ **male**: menos mal | **più o** ~: más o menos ◆ [prep] (a eccezione di) menos, excepto ● *alla cerimonia erano tutti presenti ~ lui*: a la ceremonia estaban todos presentes menos él ◆ [sm inv] **1** lo menos **2** (segno matematico) menos.

menomazione /menomat'tsjone/ [sf] (invalidità) minusvalidez.

menopausa /meno'pauza/ [sf] menopausia.

mensa /'mɛnsa/ [sf] comedor (m).

mensile /men'sile/ [agg m,f] mensual ◆ [sm] **1** (stipendio) mensualidad (f) **2** (pubblicazione) revista (f)/publicación (f) mensual.

mensola /'mɛnsola/ [sf] repisa.

menta /'menta/ [sf] menta.

mentale /men'tale/ [agg m,f] mental.

mentalità /mentali'ta*/ [sf inv] mentalidad (sing).

mente /'mente/ [sf] mente FRAS **far venire in** ~: traer a la memoria | **uscire/passare di** ~: pasarse, olvidarse.

mentire /men'tire/ [v intr] mentir.

mento /'mento/ [sm] mentón, barbilla (f).

mentre /'mentre/ [cong] mientras ◆ [sm] (solo nella locuzione) FRAS **in quel** ~: en aquel instante.

menu /me'nu*/ [sm inv] menú* (sing).

menzogna /men'tsoɲɲa/ [sf] mentira, embuste (m).

meraviglia /mera'viʎʎa/ [sf] maravilla.

meravigliare /meraviʎ'ʎare/ [v tr] maravillar, asombrar ◆ [v intr prnl] asombrarse, sorprender, *Amer* extrañar.

meraviglioso /meraviʎ'ʎoso/ [agg] maravilloso.

mercatino /merka'tino/ [sm] rastro.

mercato /mer'kato/ [sm] mercado FRAS **a buon** ~: barato | ~ **delle pulci**: mercadillo.

merce /'mertʃe/ [sf] mercancía FRAS **treno merci**: tren de mercancías.

mercenario /mertʃe'narjo/ [sm] mercenario.

merceria /mertʃe'ria/ [sf] mercería.

mercoledì /merkole'di*/ [sm inv] miércoles.

mercurio /mer'kurjo/ [sm] (anche astronomia, astrologia) mercurio.

merda /'mɛrda/ [inter] VOLG mierda! ◆ [sf] volg (anche FIG) mierda FRAS **essere nella** ~ **fino al collo**: estar en jodido | **restare di** ~: quedarse helado.

merenda /me'rɛnda/ [sf] merienda.

meridiano /meri'djano/ [sm] meridiano.

meridionale /meridjo'nale/ [agg m,f/sm,f] meridional.

meridione /meri'djone/ [sm] sur.

meritare /meri'tare/ [v tr] merecer.

merito /'mɛrito/ [sm] mérito FRAS **per ~ nostro/vostro**: gracias a nosotros/vosotros.

merlato /mer'lato/ [agg] almenado.

merlo /'mɛrlo/ [sm] mirlo.

merluzzo /mer'luttso/ [sm] merluza (f).

meschino /mes'kino/ [agg] mezquino.

mescolare /mesko'lare/ [v tr] **1** mezclar **2** (carte) barajar ◆ [v intr prnl] mezclarse.

mese /'mese/ [sm] mes.

messa /'messa/ [sf] (religiosa) misa FRAS **~ a fuoco**: enfoque | **~ in opera**: puesta en obra | **~ in piega**: marcado del pelo | **~ in scena**: puesta en escena.

messaggero /messad'dʒero/ [sm] mensajero.

messaggio /mes'saddʒo/ [sm] mensaje.

messicano /messi'kano/ [agg/sm] mejicano, mexicano.

Messico /'messiko/ [sm] Mexico.

mestiere /mes'tjere/ [sm] oficio, profesión (f).

mestolo /'mestolo/ [sm] **1** (di legno) cuchara (f) de madera/palo **2** cucharón.

mestruazione /mestruat'tsjone/ [sf] menstruación, regla.

meta /'mɛta/ [sf] **1** destinación **2** fig (obiettivo) meta, objetivo (m).

metà /me'ta*/ [sf] mitad.

metabolismo /metabo'lizmo/ [sm] metabolismo.

metaforico /meta'fɔriko/ [agg] metafórico.

metallico /me'talliko/ [agg] metálico.

metallo /me'tallo/ [sm] metal.

metalmeccanico /metalmek'kaniko/ [sm] obrero mecánico.

metamorfosi /meta'mɔrfozi/ [sf inv] metamorfosis.

metano /me'tano/ [sm] metano.

metastasi /me'tastazi/ [sf inv] metástasis.

meteorologico /meteoro'lɔdʒiko/ [agg] meteorológico.

meticcio /me'tittʃo/ [sm] mestizo.

meticoloso /metiko'loso/ [agg] meticuloso.

metodico /me'tɔdiko/ [agg] metódico.

metodo /'mɛtodo/ [sm] método.

metro /'mɛtro/ [sm] **1** (strumento) metro **2** FIG criterio.

metronotte /metro'nɔtte/ [sm,f inv] guarda (m sing) nocturno.

metropoli /me'trɔpoli/ [sf inv] metrópoli (sing).

metropolitana /metropoli'tana/ [sf] metro (m).

mettere /'mettere/ [v tr] **1** (anche FIG) poner **2** (anche infilare) meter **3** (indumento) ponerse ◆ [v prnl] ponerse ■ **mettersi a + inf** ponerse/empezar a + inf ● *mettersi a scrivere*: empezar a escribir ■ **mettercì** tardar ● *ci mise tre ore da Milano a Bologna*: tardó tres horas de Milán a Bolonia FRAS **mettercela tutta**: hacer todo lo posible | **~ alla**

m

prova: poner a prueba | **~ il naso/becco in qualcosa**: meter el hocico en algo.

mezzaluna /meddza'luna/ [sf] media luna ■ pl irr **mezzelune**.

mezzanotte /meddza'nɔtte/ [sf] medianoche ■ pl irr **mezzenotti**.

mezzo /'mɛddzo/ [agg/sm] medio FRAS **mezzi pubblici**: medios de transporte | **via di ~**: algo entre (los dos).

mezzogiorno /meddzo'dʒorno/ [sm] mediodía.

mezzora /med'dzora/ [sf] media hora.

mi /mi/ [pron m,f sing] me.

mi /mi*/ [sm inv] MUS mi (sing).

miagolare /mjago'lare/ [v intr] maullar.

mica /'mika/ [avv] FAM en absoluto.

microbo /'mikrobo/ [sm] microbio.

microfono /mi'krɔfono/ [sm] micrófono.

microscopico /mikros'kɔpiko/ [agg] microscópico.

microscopio /mikros'kɔpjo/ [sm] microscopio.

midollo /mi'dollo/ [sm] médula (f) ■ pl irr **midolla** (f) FRAS **~ spinale**: médula espinal.

miele /'mjɛle/ [sm] miel (f) FRAS **luna di ~**: luna de miel.

mietitura /mjeti'tura/ [sf] **1** siega **2** (tempo) segazón.

migliaio /miʎ'ʎajo/ [sm] millar ■ pl irr **migliaia** (f) FRAS **a migliaia**: a millares.

miglio /'miʎʎo/ [sm] BOT mijo, millo.

miglioramento /miʎʎora'mento/ [sm] **1** mejora (f) **2** (salute) mejoría (f).

migliorare /miʎʎo'rare/ [v tr/intr] mejorar.

migliore /miʎ'ʎore/ [agg m,f/sm,f] mejor.

mignolo /'miɲɲolo/ [sm] meñique.

migrare /mi'grare/ [v intr] emigrar.

migrazione /migrat'tsjone/ [sf] migración.

milanese /mila'nese/ [agg m,f/sm,f] milanés (f -a).

Milano /mi'lano/ [sf] Milán.

miliardario /miljar'darjo/ [agg/sm] millonario.

militare /mili'tare/ [agg m,f/sm] militar ◆ [v intr] militar.

milite /'milite/ [sm] mílite FRAS **~ ignoto**: soldado desconocido.

mille /'mille/ [sm inv] (secolo) siglo XI.

millennio /mil'lennjo/ [sm] milenio.

millepiedi /mille'pjedi/ [sm inv] ciempiés.

milza /'miltsa/ [sf] bazo (m).

mimare /mi'mare/ [v tr] imitar.

mimetizzarsi /mimetid'dzarsi/ [v prnl] camuflarse.

mimo /'mimo/ [sm] mimo.

mina /'mina/ [sf] mina.

minaccia /mi'nattʃa/ [sf] **1** amenaza **2** fig (rischio) peligro (m), riesgo (m).

minacciare /minat'tʃare/ [v tr] amenazar.

minaccioso /minat'tʃoso/ [agg] amenazador (f -a).

minare /mi'nare/ [v tr] minar.

minatore /mina'tore/ [sm] minero.

minerale /mine'rale/ [agg m,f/sm] mineral FRAS **acqua ~**: agua mineral.

minestra /mi'nɛstra/ [sf] sopa.

minestrone /mines'trone/ [sm] **1** CUC potaje **2** fig mezcolanza (f).

miniatura /minja'tura/ [sf] miniatura.

minibus /'minibus/ [sm inv] microbús (sing).

miniera /mi'njɛra/ [sf] mina.

minigonna /mini'gonna/ [sf] minifalda.

minima /'minima/ [sf] (temperatura) mínima.

minimo /'minimo/ [sup/sm] mínimo.

ministeriale /ministe'rjale/ [agg m,f] ministerial.

ministero /minis'tero/ [sm] ministerio.

ministro /mi'nistro/ [sm] ministro FRAS **presidente del consiglio dei ministri/primo ~**: presidente del consejo de ministros/primer ministro.

minoranza /mino'rantsa/ [sf] minoría.

minore /mi'nore/ [agg m,f/sm,f] menor.

minorenne /mino'rɛnne/ [agg m,f/sm,f] menor.

minorile /mino'rile/ [agg m,f] de menores FRAS **carcere ~**: reformatorio.

minuscolo /mi'nuskolo/ [agg] minúsculo.

minuto /mi'nuto/ [agg] menudo ♦ [sm] minuto FRAS **in un ~**: al instante, en un santiamén.

minuzioso /minut'tsjoso/ [agg] minucioso, meticuloso, escrupuloso.

mio /'mio/ [agg] mi (m,f) ♦ [pron] mío ■ pl irr **miei** FRAS **i miei**: mis padres, los mios.

miope /'miope/ [agg m,f/sm,f] miope.

mira /'mira/ [sf] puntería FRAS **prendere di ~ qualcuno**: tenerla tomada con alguien.

miracolo /mi'rakolo/ [sm] milagro FRAS **per ~**: de milagro.

miracoloso /mirako'loso/ [agg] milagroso.

miraggio /mi'raddʒo/ [sm] espejismo.

mirare /mi'rare/ [v intr] **1** apuntar **2** fig (ambire) aspirar.

mirino /mi'rino/ [sm] **1** (arma da fuoco) mira (f) **2** (macchina fotografica) visor.

mirtillo /mir'tillo/ [sm] arándano.

mirto /'mirto/ [sm] mirto.

miscela /miʃ'ʃɛla/ [sf] (mescolanza) mezcla FRAS **~ carburante**: carburante.

miscuglio /mis'kuʎʎo/ [sm] mezcla (f).

miserabile /mize'rabile/ [agg m,f] miserable.

miseria /mi'zɛrja/ [sf] miseria FRAS **per la ~!/porca ~!**: ¡mecachis!

misericordia /mizeri'kɔrdja/ [sf] misericordia.

misero /'mizero/ [agg] miserable (m,f), mísero.

missile /'missile/ [sm] misil.

missionario /missjo'narjo/ [sm] misionero.

missione /mis'sjone/ [sf] misión.

misterioso /miste'rjoso/ [agg] misterioso.

mistero /mis'tero/ [sm] misterio.

mistico /'mistiko/ [agg/sm] místico.

misto /'misto/ [agg] mixto.

mistura /mis'tura/ [sf] mezcla, mixtura.

misura /mi'zura/ [sf] **1** medida **2** (taglia) talla FRAS **avere il senso della ~**: tener el sentido del límite | **su ~**: a (la) medida.

misurare /mizu'rare/ [v tr] **1** medir **2** (indumento) probar ◆ [v intr] medir ◆ [v prnl] medirse.

mite /'mite/ [agg m,f] **1** (persona) apacible **2** (animale) manso (m) **3** (clima) templado (m).

mitico /'mitiko/ [agg] mítico.

mitilo /'mitilo/ [sm] mejillón, mítulo.

mito /'mito/ [sm] mito.

mitra /'mitra/ [sm inv] metralleta (f sing).

mittente /mit'tɛnte/ [sm,f] remite.

mobile /'mɔbile/ [agg m,f] móvil, movible FRAS **scala ~**: escalera mecánica ◆ [sm] mueble.

mobilificio /mobili'fitʃo/ [sm] mueblería (f).

moca /'mɔka/ [sf] cafetera.

mocassino /mokas'sino/ [sm] mocasín.

moda /'mɔda/ [sf] moda FRAS **alla ~**: a la moda | **alta ~**: alta costura | **andare/essere di ~**: estar de moda.

modella /mo'dɛlla/ [sf] modelo (m,f), maniquí (m,f).

modellare /model'lare/ [v tr] modelar.

modello /mo'dɛllo/ [sm] modelo.

modem /'mɔdem/ [sm inv] modem.

moderare (-rsi) /mode'rare/ [v tr prnl] moderar (-se), contener (-se).

moderato /mode'rato/ [agg/sm] moderado.

moderazione /moderat'tsjone/ [sf] moderación.

moderno /mo'dɛrno/ [agg] moderno.

modestia /mo'dɛstja/ [sf] modestia.

modesto /mo'dɛsto/ [agg] modesto.

modifica /mo'difika/ [sf] modificación, cambio (m).

modificare (-rsi) /modifi'kare/ [v tr/intr prnl] modificar (-se).

modo /'mɔdo/ [sm] **1** modo **2** (al pl, maniere) modales, maneras (f) FRAS **avere dei bei modi**: tener buenos modales | **in malo ~**: de mal modo | **in/ad ogni ~**: de todas maneras.

modulo /'mɔdulo/ [sm] formulario, impreso.

moglie /'mɔʎʎe/ [sf] mujer, esposa ■ pl irr **mogli**.

mole /'mɔle/ [sf] FIG cantidad, montón (m) ● *una gran ~ di lavoro*: una gran cantidad de trabajo.

molecola /mo'lɛkola/ [sf] molécula.

molestare /moles'tare/ [v tr] molestar.

molisano /moli'zano/ [agg/sm] habitante (m,f) de Molise.

molla /'mɔlla/ [sf] muelle (m).

mollare /mol'lare/ [v tr] dejar FRAS **~ una sberla**: largar un bofetón.

molle /'mɔlle/ [agg m,f] **1** blando (m) **2** FIG (carattere) débil, flojo (m).

molletta /mol'letta/ [sf] pinza.

mollica /mol'lika/ [sf] miga.

mollusco /mol'lusko/ [sm] molusco.

molo /'mɔlo/ [sm] malecón, muelle.

moltiplicare (-rsi) /moltipli'kare/ [v tr/intr prnl] multiplicar (-se).

moltiplicazione /moltiplikat'tsjone/ [sf] multiplicación.

moltitudine /molti'tudine/ [sf] multitud.

molto /'molto/ [agg/pron] mucho ◆ [avv] **1** mucho **2** (superlativo) muy ● ~ *buono*: muy bueno FRAS **non** ~: poco.

momento /mo'mento/ [sm] momento FRAS **da un** ~ **all'altro**: de un momento a otro | **per il** ~: por el momento, de momento.

monaco /'mɔnako/ [sm] monje.

monarchia /monar'kia/ [sf] monarquía.

monastero /monas'tɛro/ [sm] monasterio.

mondano /mon'dano/ [agg] mundano.

mondiale /mon'djale/ [agg m,f] mundial FRAS **campionato** ~: (campeonato) mundial.

mondo /'mondo/ [sm] mundo.

moneta /mo'neta/ [sf] moneda.

mongolfiera /mongol'fjera/ [sf] globo (m) aerostático.

mongoloide /mongo'lɔide/ [agg m,f/ sm,f] mongólico (m).

monitor /'mɔnitor/ [sm inv] monitor (sing).

monocolo /mo'nɔkolo/ [sm] monóculo.

monodose /mono'dɔze/ [agg inv] monodosis.

monofamiliare /monofami'ljare/ [agg m,f] unifamiliar.

monolocale /monolo'kale/ [sm] estudio.

monologo /mo'nɔlogo/ [sm] monólogo.

monopolio /mono'pɔljo/ [sm] monopolio.

monotono /mo'nɔtono/ [agg] monótono, uniforme (m,f).

monouso /mono'uzo/ [agg inv] desechable (m sing).

monsone /mon'sone/ [sm] monzón.

montacarichi /monta'kariki/ [sm inv] montacargas.

montaggio /mon'taddʒo/ [sm] montaje.

montagna /mon'taɲɲa/ [sf] (anche FIG) montaña FRAS **montagne russe**: montaña rusa.

montano /mon'tano/ [agg] montañés (f -a).

montare /mon'tare/ [v intr] montar ◆ [v tr] **1** (salire) subir **2** montar FRAS ~ **a neve**: batir a punto de nieve | **montarsi la testa**: subírsele los humos a la cabeza.

montatura /monta'tura/ [sf] **1** (anche FIG) montaje (m) **2** (occhiali, anello) montura.

monte /'monte/ [sm] monte FRAS **andare a** ~: fracasar | **mandare a** ~: echarlo todo a rodar | ~ **premi**: suma/cantidad total de los premios.

montone /mon'tone/ [sm] carnero.

montuoso /montu'oso/ [agg] montuoso.

monumento /monu'mento/ [sm] monumento.

moquette /mo'ket/ [sf inv] moqueta (sing).

mora /'mɔra/ [sf] BOT mora.

morale /mo'rale/ [agg m,f/sf] moral.

morbido /'mɔrbido/ [agg] blando.

morbillo /mor'billo/ [sm] sarampión.

m

morbo /'morbo/ [sm] morbo.

morboso /mor'boso/ [agg] morboso.

mordere /'mordere/ [v tr] morder.

moribondo /mori'bondo/ [agg/sm] moribundo.

morire /mo'rire/ [v intr] (anche FIG) morir FRAS ~ **dalla voglia**: morirse de ganas | ~ **dalle risa**: desternillarse de risa.

mormorare /mormo'rare/ [v intr/tr] murmurar.

moro /'moro/ [sm] (persona) moreno.

morso /'morso/ [sm] **1** mordisco **2** (di insetto) picadura (f).

mortadella /morta'della/ [sf] mortadela.

mortale /mor'tale/ [agg m,f/sm,f] mortal.

mortalità /mortali'ta*/ [sf inv] mortalidad (sing).

morte /'morte/ [sf] (anche FIG) muerte FRAS **condanna a ~**: pena capital/de muerte.

mortificare /mortifi'kare/ [v tr] mortificar.

mortificazione /mortifikat'tsjone/ [sf] mortificación.

morto /'morto/ [agg/sm] (anche FIG) muerto FRAS **stanco ~**: muerto de cansancio.

mosaico /mo'zaiko/ [sm] mosaico.

mosca /'moska/ [sf] mosca.

moscardino /moskar'dino/ [sm] ITT chipirón.

moscerino /moʃʃe'rino/ [sm] mosquito.

moschea /mos'kɛa/ [sf] mezquita.

moschicida /moski'tʃida/ [agg m,f] insecticida.

moscio /'moʃʃo/ [agg] **1** flojo **2** fig deprimido FRAS **avere la erre moscia**: tener la erre francesa.

mossa /'mossa/ [sf] **1** movimiento (m) **2** fig paso (m) **3** (scacchi, dama) jugada FRAS **darsi una ~**: espabilar.

mosto /'mosto/ [sm] mosto.

mostra /'mostra/ [sf] exposición FRAS **mettersi in ~**: lucirse.

mostrare (-rsi) /mos'trare/ [v tr/prnl] mostrar (-se).

mostro /'mostro/ [sm] monstruo.

mostruoso /mostru'oso/ [agg] monstruoso.

motel /mo'tɛl/ [sm inv] motel.

motivo /mo'tivo/ [sm] motivo FRAS **per nessun ~**: por nada del mundo | **senza ~**: sin motivo.

moto /'moto/ [sm] **1** movimiento **2** (esercizio fisico) ejercicio FRAS **mettere in ~**: poner en marcha ◆ [sf inv] ABBR moto (sing).

motocicletta /mototʃi'kletta/ [sf] motocicleta.

motociclismo /mototʃi'klizmo/ [sm] motociclismo.

motore (-trice) /mo'tore/ [agg] motor (f -a/-triz) FRAS **albero ~**: árbol cigüeñal ◆ [sm] motor.

motorino /moto'rino/ [sm] FAM ciclomotor.

motoscafo /motos'kafo/ [sm] lancha (f) motora.

motto /'motto/ [sm] **1** salida (f), ocurrencia (f) **2** lema ● *il suo ~ era "vivi e lascia vivere"*: su lema era "vive y deja vivir".

mountain bike /mauntem'baik/ [sf inv] bici de montaña.

mouse /'maus/ [sm inv] ratón (sing).

movimento /movi'mento/ [sm] movimiento.

mozzicone /mottsi'kone/ [sm] colilla (f).

mucca /'mukka/ [sf] vaca (lechera).

mucchio /'mukkjo/ [sm] (anche FIG FAM) montón.

muco /'muko/ [sm] moco.

mucosa /mu'kosa/ [sf] mucosa.

muffa /'muffa/ [sf] moho (m).

mulatto /mu'latto/ [agg/sm] mulato.

mulino /mu'lino/ [sm] molino.

mulo /'mulo/ [sm] mulo FRAS **essere testardo come un ~**: ser más terco que una mula.

multa /'multa/ [sf] multa.

multicolore /multiko'lore/ [agg m,f] multicolor.

multietnico /multi'etniko/ [agg] multirracial (m,f).

multimediale /multime'djale/ [agg m,f] multimedia (inv).

multiproprietà /multipropɾje'ta*/ [sf inv] multipropiedad (sing).

multirazziale /multirat'tsjale/ [agg m,f] multirracial.

multisala /multi'sala/ [agg inv/sf] multicine (m sing).

mummia /'mummja/ [sf] momia.

mungere /'mundʒere/ [v tr] ordeñar.

municipio /muni't ʃipjo/ [sm] ayuntamiento, municipio.

munizione /munit'tsjone/ [sf] (arma da fuoco) munición.

muovere (**-rsi**) /'mwɔvere/ [v tr prnl/intr prnl] mover (-se).

mura /'mura/ [sf pl] muralla (sing).

murale /mu'rale/ [agg m,f] mural.

muratore /mura'tore/ [sm] albañil.

muratura /mura'tura/ [sf] albañilería.

muro /'muro/ [sm] **1** pared (f), muro **2** fig barrera (f).

Mursia /mur'sia/ [sf] Murcia.

muschio /'muskjo/ [sm] musgo.

muscolo /'muskolo/ [sm] músculo.

muscoloso /musko'loso/ [agg] musculoso.

museo /mu'zɛo/ [sm] museo.

museruola /muze'rwɔla/ [sf] bozal (m).

musica /'muzika/ [sf] música.

musicale /muzi'kale/ [agg m,f] musical.

musicassetta /muzikas'setta/ [sf] casete (m,f).

musicista /muzi't ʃista/ [sm,f] músico (m).

muso /'muzo/ [sm] **1** zool hocico, morro **2** fam (faccia) cara (f), jeta (f).

musulmano /musul'mano/ [agg/sm] musulmán (f -a).

muta /'muta/ [sf] (da sommozzatore) chaqué (m), traje (m) isotérmico.

mutamento /muta'mento/ [sm] cambio.

mutande /mu'tande/ [sf pl] **1** (uomo) calzoncillos (m) **2** (donna) bragas.

mutare /mu'tare/ [v tr] **1** mudar **2** (alterare) cambiar ◆ **~** *aspetto*: cambiar aspecto ◆ [v intr prnl] mudarse.

mutilare /muti'lare/ [v tr] mutilar.

muto /'muto/ [agg/sm] mudo.

mutua /'mutua/ [sf] (assistenza sanitaria) mutua.

mutuo /'mutuo/ [sm] préstamo.

Nn

nacchere /'nakkere/ [sf pl] castañuelas.

nano /'nano/ [agg/sm] enano.

napoletano /napole'tano/ [agg/sm] napolitano.

Napoli /'napoli/ [sf] Nápoles.

narice /na'ritʃe/ [sf] narina, fosa nasal.

narrare /nar'rare/ [v tr] narrar, contar.

narrativa /narra'tiva/ [sf] narrativa.

nasale /na'sale/ [agg m,f] nasal.

nascere /'naʃʃere/ [v intr] nacer.

nascita /'naʃʃita/ [sf] **1** nacimiento (m) **2** FIG origen (m), principio (m).

nascondere /nas'kondere/ [v tr] esconder ◆ [v prnl] esconderse, ocultarse.

nascosto /nas'kosto/ [agg] escondido, oculto FRAS **di ~**: a escondidas/hurtadillas.

nasello /na'sello/ [sm] pescadilla (f).

naso /'naso/ [sm] nariz (f) FRAS **avere buon ~ per qualcosa**: tener olfato por algo.

nastro /'nastro/ [sm] cinta (f) FRAS **~ adesivo**: cinta adhesiva.

natale /na'tale/ [agg m,f] natal, nativo (m) FRAS **babbo ~**: papá Noel ◆ [sm] Navidad (f) FRAS **buon ~**: ¡Feliz Navidad!

natalizio /nata'littsjo/ [agg] navideño.

natica /'natika/ [sf] nalga.

nativo /na'tivo/ [sm] nativo, natural (m,f).

nato /'nato/ [agg] nato ◆ [sm] nacido.

natura /na'tura/ [sf] naturaleza FRAS **in ~**: en la naturaleza.

naturale /natu'rale/ [agg m,f] natural FRAS **al ~**: al natural.

naturalezza /natura'lettsa/ [sf] naturalidad.

naufragare /naufra'gare/ [v intr] naufragar.

naufragio /nau'fradʒo/ [sm] **1** naufragio **2** FIG desastre, fracaso.

nausea /'nauzea/ [sf] **1** náusea **2** FIG asco (m), repugnancia FRAS **avere la ~**: estar mareado.

nauseante /nauze'ante/ [agg m,f] asqueroso (m), nauseabundo (m).

nauseare /nauze'are/ [v tr] **1** marear **2** (fare schifo) dar asco.

nautica /'nautika/ [sf] náutica.

navale /na'vale/ [agg m,f] naval FRAS **cantiere ~**: astillero.

navarrese /navar'rese/ [agg m,f/sm,f] navarro (m).

navata /na'vata/ [sf] nave FRAS **~ centrale**: nave principal.

nave /'nave/ [sf] nave, buque (m) FRAS **~ passeggeri**: buque mercante | **~ traghetto**: transbordador.

navetta /na'vetta/ [sf] tren (m) de enlace FRAS **~ spaziale**: lanzadera espacial.

navigabile /navi'gabile/ [agg m,f] navegable.

navigare /navi'gare/ [v tr] surcar ◆ [v intr] **1** MAR navegar **2** AER volar.

navigazione /navigat'tsjone/ [sf] navegación FRAS ~ **costiera**: navegación de cabotaje | ~ **d'alto mare/oceanica**: navegación de altura.

naviglio /na'viʎʎo/ [sm] canal navegable.

nazionale /nattsjo'nale/ [agg m,f] nacional.

nazionalità /nattsjonali'ta*/ [sf inv] nacionalidad (sing).

nazionalizzare /nattsjonalid'dzare/ [v tr] nacionalizar.

nazione /nat'tsjone/ [sf] nación.

nazismo /nat'tsizmo/ [sm] nazismo.

ne /ne/ [avv] de aquí, de allá ◆ *come hai fatto a uscirne?*: ¿cómo hiciste para salir de allá? FRAS **andarsene**: largarse, marcharse, irse ◆ [pron m,f inv] **1** (di lui, di lei, di loro) su, suyo, suya, sus, suyos, suyas, de él, de ella, de ellos, de ellas ◆ *appena lo conobbe ~ divenne amico*: en cuanto lo conoció, se hizo amigo suyo **2** (di questo/quello, da questo/quello: in spagnolo generalmente non si traduce) de ello, de esto, de aquello ◆ *che ~ dici?*: ¿qué dices acerca de esto? | *non ~ so niente*: no sé nada | ~ *voglio ancora*: quiero más FRAS **non ~ vale la pena**: no merece/vale la pena | **per piacere, ~ vorrei ancora**: por favor quisiera un poco más.

né /ne*/ [cong] ni FRAS ~ **più ~ meno**: precisamente.

neanche /ne'anke/ [avv] **1** tampoco ◆ *non viene ~ stasera*: esta noche tampoco viene **2** (rafforzativo) ni ◆ *non ho ~ un euro*: no tengo ni un

euro **3** (persino ... non) ni siquiera ◆ ~ *un bambino lo farebbe*: ni siquiera un niño lo haría ◆ [cong] ni siquiera ◆ *non verrebbe ~ a pagarlo*: no vendría ni siquiera si lo pagaras.

nebbia /'nebbja/ [sf] niebla.

necessario /netʃes'sarjo/ [agg/sm] necesario.

necessità /netʃessi'ta*/ [sf inv] necesidad (sing) FRAS **generi di prima** ~: géneros de primera necesidad | **in caso di** ~: de ser necesario, en caso de necesidad.

necrologio /nekro'lɔdʒo/ [sm] esquela (f) necrológica.

necropoli /ne'krɔpoli/ [sf inv] necrópolis.

negare /ne'gare/ [v tr] negar.

negativo /nega'tivo/ [agg/sm] negativo.

negato /ne'gato/ [agg] negado FRAS **essere ~ per qualcosa**: ser incapaz para algo.

negli /'neʎʎi/ [prep art m pl] en los.

negoziante /negot'tsjante/ [sm,f] comerciante.

negoziato /negot'tsjato/ [sm] negociación (f).

negozio /ne'gɔttsjo/ [sm] tienda (f) FRAS ~ **di alimentari**: tienda de comestibles | ~ **di oggettistica**: tienda de regalos | ~ **di scarpe**: zapatería.

nei /'nei/ [prep art m pl] en los.

nel /nel/ [prep art m] en el FRAS ~ **caso che**: en el caso de que | ~ **momento in cui**: en el momento en que.

nella /'nella/ [prep art f] en la.

nelle /'nelle/ [prep art f pl] en las.

nello /'nello/ [prep art m] en el.

nemico /neˈmiko/ [agg] **1** enemigo **2** FIG dañino, perjudicial (m,f) ◆ [sm] enemigo.

nemmeno /nemˈmeno/ [avv] **1** tampoco • *non viene ~ stasera*: esta noche tampoco viene **2** (rafforzativo) ni • *non ho ~ un euro*: no tengo ni un euro **3** (persino ... non) ni siquiera • *~ un bambino lo farebbe*: ni siquiera un niño lo haría ◆ [cong] ni siquiera • *non verrebbe ~ a pagarlo*: no vendría ni siquiera si lo pagaras.

neo /ˈnɛo/ [sm] **1** lunar, nevo **2** FIG pero.

neon /ˈnɛon/ [sm inv] neón (sing).

neonato /neoˈnato/ [agg/sm] recién nacido.

neppure /nepˈpure/ [avv] **1** tampoco • *non viene ~ stasera*: esta noche tampoco viene **2** (rafforzativo) ni • *non ho ~ un euro*: no tengo ni un euro **3** (persino ... non) ni siquiera • *~ un bambino lo farebbe*: ni siquiera un niño lo haría ◆ [cong] ni siquiera • *non verrebbe ~ a pagarlo*: no vendría ni siquiera si lo pagaras.

nero /ˈnero/ [agg/sm] negro FRAS **borsa nera**: mercado negro | **cronaca nera**: sucesos | **lavoro ~**: trabajo sumergido.

nervo /ˈnɛrvo/ [sm] nervio FRAS **attacco/crisi di nervi**: ataque de nervios | **far venire i nervi**: poner los nervios de punta.

nervosismo /nervoˈsizmo/ [sm] nerviosismo.

nervoso /nerˈvoso/ [agg] nervioso FRAS **essere ~**: ser/estar nervioso.

nessuno /nesˈsuno/ [agg] ningún ◆ [pron] **1** (nemmeno uno) nadie

(inv), ninguno **2** (qualcuno) alguien (inv) • *hai visto ~?*: ¿has visto a alguien?

netto /ˈnetto/ [agg] **1** (pulito) aseado, limpio **2** (anche FIG) neto FRAS **peso ~**: peso neto.

Nettuno /netˈtuno/ [sm] (astronomia, astrologia) Neptuno.

neurologo /neuˈrɔlogo/ [sm] neurólogo.

neutrale /neuˈtrale/ [agg m,f] neutral.

neutro /ˈnɛutro/ [agg] **1** (persona) neutral (m,f), imparcial (m,f) **2** (cosa) neutro.

neve /ˈneve/ [sf] nieve.

nevicare /neviˈkare/ [v imp] nevar.

nevicata /neviˈkata/ [sf] nevada.

nevoso /neˈvoso/ [agg] nevado.

nevralgia /nevralˈdʒia/ [sf] neuralgia.

nevrosi /neˈvrɔzi/ [sf inv] neurosis.

nevrotico /neˈvrɔtiko/ [agg/sm] neurótico.

nicaraguense /nikaraˈgwense/ [agg m,f/sm,f] nicaragüense, nicaragüeño.

nicotina /nikoˈtina/ [sf] nicotina.

nidiata /niˈdjata/ [sf] **1** ORN nidada **2** ZOOL camada.

nido /ˈnido/ [sm] **1** ORN (anche FIG) nido **2** (pollame) nidal, ponedero **3** (animali selvatici) madriguera (f).

niente /ˈnjɛnte/ [avv] nada FRAS **non costa ~**: es muy barato (precio); no cuesta nada (acción) | **per ~!**: ¡en absoluto! ◆ [pron inv] nada ■ **niente di + agg** nada + adj • *non ha trovato ~ di meglio*: no ha encontrado nada mejor ■ **niente da + inf** nada que + inf • *non c'è ~ da fa-*

re: no hay nada que hacer FRAS **meglio di ~**: algo es algo, menos da una piedra | **non avere ~ a che fare**: no tener nada que ver ◆ [sm inv] nada (f).

ninnananna /ninna'nanna/ [sf] canción de cuna.

nipote /ni'pote/ [sm,f] **1** (di nonni) nieto (m) **2** (di zii) sobrino (m).

nitido /'nitido/ [agg] nítido.

no /nɔ*/ [avv/sm inv] ■ **di no** que no • *disse di ~*: dijo que no FRAS **anzi che ~**: más bien | **come ~!**: ¡cómo no! | **se ~**: en caso contrario.

nobile /'nɔbile/ [agg m,f/sm,f] noble.

nobiltà /nobil'ta*/ [sf inv] nobleza (sing).

nocciola /not'tʃɔla/ [sf] (frutto) avellana.

nocciolo /'nɔttʃolo/ [sm] **1** BOT hueso, *Amer* carozo **2** FIG meollo.

noce /'notʃe/ [sf] (frutto) nuez FRAS **~ moscata**: nuez noscada ◆ [sm] (pianta) nogal.

nocivo /no'tʃivo/ [agg] malo, perjudicial (m,f).

nodo /'nɔdo/ [sm] (anche FIG) nudo FRAS **avere un ~ alla gola**: tener un nudo en la garganta.

nodulo /'nɔdulo/ [sm] nódulo.

noi /'noi/ [pron m,f pl] nosotros (f -as) FRAS **da ~**: a/en nuestra casa; aquí (en este lugar).

noia /'nɔja/ [sf] aburrimiento (m) FRAS **che ~!**: ¡qué lata!

noioso /no'joso/ [agg] aburrido ◆ [sm] plomazo, *Amer* cargoso FRAS **essere un ~**: tener el muermo.

noleggiare /noled'dʒare/ [v tr] alquilar.

noleggio /no'leddʒo/ [sm] alquiler FRAS **~ auto**: alquiler de coches.

nomade /'nɔmade/ [agg m,f/sm,f] nómada.

nome /'nome/ [sm] nombre FRAS **a ~ di**: en nombre de.

nominare /nomi'nare/ [v tr] nombrar.

non /non/ [avv] no FRAS **~ ancora**: todavía no | **~ appena**: en cuanto | **~ proprio**: no exactamente.

nonché /non'ke*/ [cong] asimismo, y además.

nonno /'nɔnno/ [sm] abuelo.

nonostante /nonos'tante/ [cong] aunque, si bien FRAS **ciò ~**: sin embargo, no obstante ◆ [prep] a pesar de • *~ la stanchezza, andò avanti*: a pesar del cansancio, siguió adelante FRAS **~ tutto**: a pesar de los pesares.

non stop /nons'tɔp/ [agg inv/avv] ininterrumpido (agg m sing) FRAS **volo ~**: vuelo directo.

non trasferibile /nontrasfe'ribile/ [agg m,f] nominativo (m).

non udente /nonu'dɛnte/ [agg m,f/sm,f] sordo (m).

non vedente /nonve'dɛnte/ [agg m,f/sm,f] invidente.

nord /nɔrd/ [sm] norte.

norma /'nɔrma/ [sf] norma FRAS **a ~ di legge**: en conformidad con la legislación vigente.

normale /nor'male/ [agg m,f] normal.

normalità /normali'ta*/ [sf inv] normalidad (sing).

nostalgia /nostal'dʒia/ [sf] nostalgia FRAS **avere/sentire ~**: echar de menos, *Amer* extrañar.

nostrano /nos'trano/ [agg] del país, de la comarca.

nostro /'nɔstro/ [agg/pron] nuestro.

nota /'nɔta/ [sf] **1** (anche FIG) nota **2** COMM cuenta, factura.

notaio /no'tajo/ [sm] notario, *Amer* escribano.

notare /no'tare/ [v tr] notar, advertir.

notevole /no'tevole/ [agg m,f] notable, considerable.

notizia /no'tittsja/ [sf] noticia.

notiziario /notit'tsjarjo/ [sm] noticiario, *Amer* noticioso.

noto /'nɔto/ [agg/sm] famoso, renombrado.

nottata /not'tata/ [sf] noche.

notte /'nɔtte/ [sf] **1** noche **2** madrugada • *sono le due di ~*: son las dos de la madrugada FRAS **buona ~**: buenas noches | **camicia da ~**: camisón | **ieri ~**: anoche.

notturno /not'turno/ [agg/sm] nocturno.

novantenne /novan'tɛnne/ [agg m,f/ sm,f] noventón (f -a), nonagenario (m).

novantina /novan'tina/ [sf] **1** (età) los noventa **2** (approssimazione) unos noventa.

novecento /nove'tʃɛnto/ [sm inv] (secolo) siglo XX.

novello /no'vello/ [agg/sm] novel (m,f) FRAS **vino ~**: vino novel.

novembre /no'vɛmbre/ [sm] noviembre.

novità /novi'ta*/ [sf inv] **1** novedad (sing) **2** noticia (sing) • *le ~ del giorno*: las noticias del día.

nozze /'nɔttse/ [sf pl] boda (sing), bodas FRAS **viaggio di ~**: viaje de novios.

nube /'nube/ [sf] **1** nube **2** FIG velo (m).

nubifragio /nubi'fradʒo/ [sm] temporal, tempestad (f).

nubile /'nubile/ [agg/sf] soltera.

nuca /'nuka/ [sf] nuca.

nucleare /nukle'are/ [agg m,f] nuclear ♦ [sm] lo nuclear.

nucleo /'nukleo/ [sm] núcleo.

nudismo /nu'dizmo/ [sm] nudismo.

nudo /'nudo/ [agg] desnudo, *Amer* calato FRAS **a occhio ~**: a ojos vista | **a piedi nudi**: descalzo.

nulla /'nulla/ [avv/pron inv] nada FRAS **è una cosa da ~**: no es nada | **per ~**: para nada ■ **nulla di** + **agg** nada + adj • *non ha trovato ~ di meglio*: no ha encontrado nada mejor ■ **nulla da** + **inf** nada que + inf • *non c'è ~ da dire*: no hay nada que decir ♦ [sm inv] nada (f).

nullaosta /nulla'ɔsta/ [sm inv] visto (sing) bueno.

nullità /nulli'ta*/ [sf inv] nulidad (sing).

numerare /nume'rare/ [v tr] numerar FRAS **posto numerato**: plaza numerada/billete numerado.

numerazione /numerat'tsjone/ [sf] numeración.

numero /'numero/ [sm] número FRAS **dare i numeri**: armar una escandalera | **~ verde**: número de información.

numeroso /nume'roso/ [agg] numeroso.

numismatica /numiz'matika/ [sf] numismática.

nuocere /'nwɔtʃere/ [v intr] perjudicar.

nuora /'nwɔra/ [sf] nuera.

nuotare /nwo'tare/ [v intr/tr] nadar.

nuotata /nwo'tata/ [sf] el nadar, chapuzón (m) FRAS **fare una ~**: nadar, darse un chapuzón.

nuotatore (-trice) /nwota'tore/ [sm] nadador (f -a).

nuoto /'nwɔto/ [sm] natación (f).

nuovo /'nwɔvo/ [agg] nuevo FRAS **~ fiammante**: flamante ◆ [sm] lo nuevo, novedad (f).

nutriente /nutri'ɛnte/ [agg m,f] nutritivo (m).

nutrimento /nutri'mento/ [sm] nutrimento.

nutrire (-rsi) /nu'trire/ [v tr prnl] nutrir (-se).

nuvola /'nuvola/ [sf] nube FRAS **avere la testa fra le nuvole**: estar en babia, andar por las nubes.

nuvolosità /nuvolosi'ta*/ [sf inv] nubosidad (sing).

nuvoloso /nuvo'loso/ [agg] nublado.

nuziale /nut'tsjale/ [agg m,f] nupcial.

nylon /'nailon/ [sm inv] nailon.

o /o*/ [cong] **1** o **2** (se la parola spagnola inizia per o, ho) u.

oasi /'ɔazi/ [sf inv] oasis (m).

obbligare /obbli'gare/ [v tr] obligar.

obbligatorio /obbliga'tɔrjo/ [agg] obligatorio.

obbligo /'ɔbbligo/ [sm] obligación (f), deber FRAS **scuola dell'~**: educación general básica.

obelisco /obe'lisko/ [sm] obelisco.

obeso /o'bezo/ [agg] obeso.

obiettivo /objet'tivo/ [agg] objetivo, imparcial (m,f) ◆ [sm] objetivo.

obiettore (-trice) /objet'tore/ [agg/sm] objetor (f -a).

obitorio /obi'tɔrjo/ [sm] depósito de cadáveres.

obliterare /oblite'rare/ [v tr] picar, validar.

oblò /o'blɔ*/ [sm inv] ojo de buey, portilla (f sing).

oboe /'ɔboe/ [sm] oboe.

oca /'ɔka/ [sf] **1** oca, ganso (m) **2** FIG FAM tonta, boba FRAS **far venire la pelle d'~**: poner la piel de gallina.

occasionale /okkazjo'nale/ [agg m,f] ocasional.

occasione /okka'zjone/ [sf] **1** ocasión **2** (motivo) causa, motivo (m) FRAS **d'~**: de ocasión | **in ~ di**: con ocasión/motivo de | **una buona ~**: una buena oportunidad.

occhiaia /ok'kjaja/ [sf] ojera.

occhiali /ok'kjali/ [sm pl] gafas (f), *Amer* anteojos FRAS **mettersi gli ~**: calarse las gafas | **~ da vista**: lentes.

occhiata /ok'kjata/ [sf] **1** mirada **2** ITT oblada FRAS **dare un'~**: echar un vistazo, dar una ojeada.

occhiello /ok'kjɛllo/ [sm] ojal.

occhio /'ɔkkjo/ [sm] ojo FRAS **a quattr'occhi**: a solas | **avere buon ~**: tener mucha vista | **chiudere un**

~: hacer la vista gorda | **costare un ~ della testa**: costar/valer un ojo de la cara | **dare nell'~**: llamar la atención | **non credere ai propri occhi**: no poder creérselo | **non chiudere ~**: no pegar ojo | **~!**: ¡ojo!, ¡cuidado! | **strizzare l'~**: guiñar el ojo.

occidentale /ottʃiden'tale/ [agg m,f] occidental.

occidente /ottʃi'dɛnte/ [sm] occidente.

occorrente /okkor'rɛnte/ [agg m,f] necesario (m), preciso (m) ◆ [sm] lo necesario.

occorrere /ok'korrere/ [v intr] ser preciso, necesitarse.

occupare /okku'pare/ [v tr] ocupar ◆ [v intr prnl] **1** ocuparse, interesarse **2** (lavorare) trabajar.

occupato /okku'pato/ [agg] **1** ocupado **2** (affaccendato) atareado, ajetreado FRAS **il telefono è ~**: el teléfono está comunicando.

occupazione /okkupat'tsjone/ [sf] ocupación.

oceano /o'tʃɛano/ [sm] océano.

ocra /'ɔkra/ [agg inv/sm] ocre ◆ [sf] ocre (m).

oculare /oku'lare/ [agg m,f] ocular FRAS **testimone ~**: testigo presencial.

oculista /oku'lista/ [sm,f] oculista.

odiare /o'djare/ [v tr prnl] odiar.

odierno /o'djerno/ [agg] **1** del día, de hoy **2** (attuale) actual (m,f).

odio /'ɔdjo/ [sm] odio, aborrecimiento.

odioso /o'djoso/ [agg] odioso.

odissea /odis'sɛa/ [sf] odisea.

odontoiatra /odonto'jatra/ [sm,f] odontólogo (m).

odontotecnico /odonto'tɛkniko/ [sm] mecánico dentista protésico.

odorare /odo'rare/ [v tr/intr] oler.

odorato /odo'rato/ [sm] olfato.

odore /o'dore/ [sm] **1** olor **2** FIG asomo, indicio **3** (al pl) CUC hierbas aromáticas FRAS **esserci ~ di**: oler a.

offendere /of'fɛndere/ [v tr] ofender ◆ [v intr prnl] **1** ofenderse **2** (insultarsi) injuriarse, insultarse.

offensivo /offen'sivo/ [agg] ofensivo, ultrajoso.

offerta /of'fɛrta/ [sf] **1** oferta **2** (asta) postura FRAS **~ speciale**: oferta, ocasión.

offesa /of'fesa/ [sf] ofensa, agravio (m).

offeso /of'feso/ [agg/sm] ofendido FRAS **fare l'~**: estar de morros.

officina /offi'tʃina/ [sf] (anche FIG) taller (m) FRAS **~ di riparazione**: taller mecánico.

offrire /of'frire/ [v tr] **1** ofrecer **2** convidar ◆ **~ una cena**: convidar a una cena ◆ [v intr prnl] ofrecerse.

oftalmico /of'talmiko/ [agg] oftálmico.

oggettistica /oddʒet'tistika/ [sf] producción de objetos de regalo y para el hogar FRAS **negozio di ~**: tienda de regalos.

oggettivo /oddʒet'tivo/ [agg] objetivo.

oggetto /od'dʒetto/ [sm] objeto.

oggi /'ɔddʒi/ [avv/sm] hoy FRAS **al giorno d'~**: hoy (en) día | **da ~ in avanti/poi**: de hoy en adelante.

ogni /'oɲɲi/ [agg m,f sing] **1** (tutti, qualsiasi) todo (m) **2** cada (inv) ◆

viene ~ tre giorni: viene cada tres días FRAS **a ~ costo**: a toda costa | **in ~ caso**: en todo caso | **in/a ~ modo**: de todos modos | **~ tanto**: de vez en cuando.

ognuno /oɲˈɲuno/ [pron] **1** (chiunque) quienquiera, cualquiera* • *può parlare*: cualquiera puede hablar **2** (ciascuno) cada uno/cual • *di voi avrà il suo posto*: cada uno de vosotros tendrá su plaza.

oh /'o*/ [inter] ¡oh!

ohimè /oiˈmɛ*/ [inter] ¡ay de mí!, ¡pobre de mí!

Olanda /oˈlanda/ [sf] Países Bajos.

olandese /olanˈdese/ [agg m,f/sm,f] holandés (f -a).

oleandro /oleˈandro/ [sm] adelfa (f).

oleificio /oleiˈfitʃo/ [sm] aceitería (f).

oleodotto /oleoˈdotto/ [sm] oleoducto.

olfatto /olˈfatto/ [sm] olfato.

oliare /oˈljare/ [v tr] aceitar, untar con aceite.

oliato /oˈljato/ [agg] **1** aceitado **2** (meccanico) lubrificado.

oliera /oˈljɛra/ [sf] aceitera.

olimpiade /olimˈpiade/ [sf] olimpiada.

olimpionico /olimˈpjɔniko/ [agg] olímpico FRAS **campione ~**: campeón olímpico.

olio /'ɔljo/ [sm] aceite FRAS **~ dei freni**: líquido de los frenos | **~ di oliva**: aceite de oliva | **~ lubrificante**: aceite lubricante | **~ solare**: aceite solar | **pittura a ~**: pintura al óleo | **sott'~**: en aceite.

oliva /oˈliva/ [sf] aceituna, oliva.

olivo /oˈlivo/ [sm] olivo.

olmo /'olmo/ [sm] olmo.

olocausto /oloˈkausto/ [sm] holocausto.

oltraggio /olˈtraddʒo/ [sm] ultraje.

oltralpe /olˈtralpe/ [avv] allende los Alpes FRAS **paese d'~**: país transalpino.

oltre /'oltre/ [avv] **1** (luogo) más allá • *deve andare ~*: tiene que ir más allá **2** (tempo) más • *un anno e ~*: más de un año ♦ [prep] **1** (luogo) más allá de, al otro lado de • *~ il muro*: más allá de la pared **2** (tempo) más de • *~ un mese*: más de un mes **3** (eccetto) fuera de • *~ a lui non c'era nessuno*: fuera de él, no había nadie FRAS **~ a/che**: además de, amén de | **~ tutto**: (por) encima.

oltrepassare /oltrepasˈsare/ [v tr] **1** rebasar, sobrepasar **2** FIG pasar FRAS **~ ogni limite**: pasarse de la raya.

omaggio /oˈmaddʒo/ [agg inv] gratuito (m sing) ♦ [sm] COMM obsequio, regalo FRAS **in ~**: de regalo.

ombelico /ombeˈliko/ [sm] ombligo.

ombra /'ombra/ [sf] sombra FRAS **senza ~ di dubbio**: sin lugar a dudas.

ombrello /omˈbrello/ [sm] paraguas (inv).

ombrellone /ombrelˈlone/ [sm] sombrilla (f), parasol.

ombretto /omˈbretto/ [sm] sombra de ojos.

ombroso /omˈbroso/ [agg] **1** sombrío **2** FIG (persona) quisquilloso, susceptible (m,f).

omelette /oməˈlɛt/ [sf inv] tortilla (sing) francesa.

omeopata /omeoˈpata/ [sm,f] homeópata.

omeopatico /omeo'patiko/ [agg] homeopático.

omero /'ɔmero/ [sm] húmero.

omertà /omer'ta*/ [sf inv] ley del silencio.

ometto /o'metto/ [sm] POP (abiti) percha (f).

omicida /omi'tʃida/ [agg m,f/sm,f] homicida.

omicidio /omi'tʃidjo/ [sm] homicidio.

omissione /omis'sjone/ [sf] omisión FRAS ~ di soccorso: omisión del deber de socorro.

omogeneizzato /omodʒeneid'dzato/ [agg/sm] homogeneizado FRAS omogeneizzati per bambini: potitos.

omogeneo /omo'dʒeneo/ [agg] homogéneo.

omologato /omolo'gato/ [agg] homologado FRAS casco ~: casco homologado.

omonimo /o'mɔnimo/ [agg] homónimo.

omosessuale /omosessu'ale/ [agg m,f/sm,f] homosexual.

oncologo /on'kɔlogo/ [sm] oncólogo.

onda /'onda/ [sf] 1 ola, onda 2 (fisica) onda FRAS essere in ~: estar en el aire | mettere/mandare in ~: transmitir, poner en antena.

ondata /on'data/ [sf] (anche FIG) oleada.

ondeggiare /onded'dʒare/ [v intr] 1 MAR ondear 2 FIG (bandiera) flamear, flotar.

onere /'ɔnere/ [sm] 1 gravamen, carga (f) 2 FIG peso, carga (f).

onestà /ones'ta*/ [sf inv] honestidad (sing), honradez (sing).

onesto /o'nɛsto/ [agg] 1 honesto, honrado 2 (prezzo) correcto, justo.

onnivoro /on'nivoro/ [agg] omnívoro.

onomastico /ono'mastiko/ [sm] onomástico.

onoranze /ono'rantse/ [sf pl] festejos (m) FRAS ~ funebri: exequias, honras fúnebres.

onorare /ono'rare/ [v tr] honrar.

onorario /ono'rarjo/ [agg/sm] honorario.

onore /o'nore/ [sm] honor, honra (f) FRAS farsi ~ in qualcosa: lucirse en algo | palco d'~: palco de autoridades | parola d'~: palabra de honor.

opaco /o'pako/ [agg] 1 (anche FIG) opaco 2 (privo di lucentezza) mate (inv).

opera /'ɔpera/ [sf] 1 obra 2 (azione) labor, trabajo (m) 3 MUS ópera FRAS libretto d'~: libreto | mano d'~: mano de obra | teatro dell'~: (teatro de la) ópera.

operaio /ope'rajo/ [agg/sm] obrero.

operare /ope'rare/ [v tr] 1 obrar 2 MED operar ♦ [v intr] 1 actuar, obrar 2 COMM operar.

operativo /opera'tivo/ [agg] operativo (m,f).

operatore (-trice) /opera'tore/ [agg/sm] operador (f -a) FRAS ~ di borsa: agente de bolsa | ~ turistico: tour operador.

operatorio /opera'tɔrjo/ [agg] operatorio FRAS sala operatoria: quirófano.

operazione /operat'tsjone/ [sf] operación.

operetta /ope'retta/ [sf] opereta.

opinione /opi'njone/ [sf] opinión FRAS **avere buona/cattiva ~ di qualcuno/qualcosa**: tener buena/mala opinión de alguien/algo | **cambiare ~**: cambiar de opinión/parecer | **~ pubblica**: opinión pública.

opporre (-rsi) /op'porre/ [v tr/intr prnl] oponer (-se).

opportunismo /opportu'nizmo/ [sm] oportunismo.

opportunità /opportuni'ta*/ [sf inv] oportunidad (sing).

opportuno /oppor'tuno/ [agg] oportuno, conveniente (m,f).

opposizione /oppozit'tsjone/ [sf] oposición.

opposto /op'posto/ [agg] opuesto, contrario ◆ [sm] contrario.

oppressione /oppres'sjone/ [sf] opresión.

oppresso /op'presso/ [agg] oprimido.

opprimente /oppri'mente/ [agg m,f] **1** agobiante, agobiador (f -a) **2** FIG insoportable, inaguantable.

opprimere /op'primere/ [v tr] **1** oprimir **2** FIG agobiar.

oppure /op'pure/ [cong] **1** o, o bien **2** (diversamente) si no ● *ti decidi ~ sarà troppo tardi*: decídete si no va a ser demasiado tarde.

optare /op'tare/ [v intr] optar, elegir.

opuscolo /o'puskolo/ [sm] folleto.

opzione /op'tsjone/ [sf] opción.

ora /'ora/ [avv/cong] ahora FRAS **d'~ in avanti/poi**: (de ahora) en adelante, desde ahora | **fin d'~**: desde ahora, a partir de este momento | **per ~**: por el momento, por ahora | **prima d'~**: antes de ahora ◆ [sf]

hora FRAS **alzarsi di buon'~**: madrugar | **lancetta delle ore**: horario | **non vedere l'~ di**: no ver la hora de | **~ di punta**: hora punta | **~ legale estiva**: hora de verano | **~ solare**: hora solar.

orafo /'orafo/ [sm] orfebre (m,f).

orale /o'rale/ [agg m,f] **1** oral **2** MED bucal FRAS **igiene ~**: higiene bucal | **per via ~**: por vía oral.

orango /o'rango/ [sm] orangután.

orario /o'rarjo/ [agg/sm] horario FRAS **fuso ~**: huso horario | **~ d'apertura/chiusura**: horario de apertura/cierre | **~ ferroviario**: horario de trenes.

orata /o'rata/ [sf] dorada.

oratore (-trice) /ora'tore/ [sm] orador (f -a).

oratorio /ora'torjo/ [sm] (cappella) oratorio.

orbita /'orbita/ [sf] órbita FRAS **avere gli occhi fuori dalle orbite**: tener los ojos fuera de las órbitas.

orchestra /or'kestra/ [sf] orquesta FRAS **~ da camera**: orquesta de cámara | **~ sinfonica**: orquesta sinfónica.

orchidea /orki'dea/ [sf] orquídea.

orda /'orda/ [sf] horda.

ordigno /or'diɲɲo/ [sm] artefacto.

ordinale /ordi'nale/ [agg m,f/sm] ordinal.

ordinamento /ordina'mento/ [sm] ordenamiento.

ordinare /ordi'nare/ [v tr] **1** ordenar **2** (merce) pedir, encargar **3** (prescrivere) prescribir, recetar.

ordinario /ordi'narjo/ [agg] ordinario FRAS **cose di ordinaria amministrazione**: cosas normales y co-

rrientes ♦ [sm] lo ordinario, normalidad (f) FRAS **uscire dall'~**: salir-
se de lo acostumbrado.

ordinato /ordi'nato/ [agg] ordenado,
Amer prolijo.

ordinazione /ordinat'tsjone/ [sf] pedido (m).

ordine /'ordine/ [sm] (in spagnolo
anche f) **1** (anche FIG) orden **2**
(merce) orden (f), pedido **3** (comando) orden (f), mando **4** (categoria professionale) colegio **5** (religioso) orden (f) FRAS **dare un ~**:
dar una orden, mandar | **di prim'~**:
de primera categoría | **~ di paga-
mento**: libramiento, orden de pago
| **parola d'~**: contraseña.

orecchiabile /orek'kjabile/ [agg
m,f] marchoso (m), pegadizo (m).

orecchino /orek'kino/ [sm] pendiente.

orecchio /o'rekkjo/ [sm] **1** (anche
oggetto) oreja (f) **2** FIG oído ● *debole d'~*: débil de oído ■ pl irr **orecchie** (f) (anche pl r **orecchi**) FRAS
a ~: de oído | **aprire bene le orec-
chie**: abrir los oídos | **avere ~**: te-
ner oído | **fischiare le orecchie**:
zumbar los oídos | **mettere una
pulce nell'~**: despertar dudas | **non
poter credere alle proprie orec-
chie**: no poder créerselo | **orecchie
a sventola**: orejas de soplillo.

orecchioni /orek'kjoni/ [sm pl] paperas (f).

oreficeria /orefitʃe'ria/ [sf] **1** (arte)
orfebrería **2** (negozio) joyería.

orfano /'orfano/ [agg/sm] huérfano,
Amer guacho.

orfanotrofio /orfano'trɔfjo/ [sm] orfanato.

organico /or'ganiko/ [agg] orgánico.

organismo /orga'nizmo/ [sm] organismo.

organizzare /organid'dzare/ [v tr
prnl] organizar.

organizzato /organid'dzato/ [agg]
organizado.

organizzazione /organiddzat'tsjo-
ne/ [sf] organización.

organo /'ɔrgano/ [sm] órgano.

orgasmo /or'gazmo/ [sm] orgasmo.

orgia /'ɔrdʒa/ [sf] orgía.

orgoglio /or'goʎʎo/ [sm] orgullo.

orgoglioso /orgoʎ'ʎoso/ [agg] orgulloso.

orientale /orjen'tale/ [agg m,f/sm,f]
oriental.

orientamento /orjenta'mento/ [sm]
orientación (f).

orientare /orjen'tare/ [v tr prnl]
orientar.

oriente /o'rjente/ [sm] oriente.

origano /o'rigano/ [sm] orégano.

originale /oridʒi'nale/ [agg m,f/sm]
original.

originare /oridʒi'nare/ [v tr] originar,
causar.

originario /oridʒi'narjo/ [agg] **1** originario, procedente (m,f) **2** (nativo)
natural (m,f).

origine /o'ridʒine/ [sf] origen (m)
FRAS **denominazione di ~ controllata**: denominación de origen.

orina /o'rina/ [sf] orina.

orizzontale /oriddzon'tale/ [agg
m,f] horizontal.

orizzonte /orid'dzonte/ [sm] (anche
FIG) horizonte.

orlo /'orlo/ [sm] (abito) dobladillo
FRAS **essere sull'~ della pazzia**:
estar volviéndose loco.

orma /'orma/ [sf] huella.

ormai /or'mai/ [avv] **1** (enfatico) ya, ahora **2** (a questo punto) a estas alturas FRAS ~ **è fatta**: ya está hecho.

ormeggio /or'medd͡ʒo/ [sm] amarre FRAS **cavo d'~**: amarra | **imposta d'~**: amarraje | **levare/mollare gli ormeggi**: soltar amarras.

ormonale /ormo'nale/ [agg m,f] hormonal.

ormone /or'mone/ [sm] hormona (f).

ornamento /orna'mento/ [sm] adorno, ornamento.

ornare /or'nare/ [v tr] ornar, adornar ♦ [v prnl] adornarse.

ornato /or'nato/ [sm] ARCH ornato, adorno.

oro /'ɔro/ [sm] (anche FIG) oro FRAS **affare d'~**: buen negocio, ganga | **a peso d'~**: a caro precio | **in/d'~**: de oro.

orologeria /orolod͡ʒe'ria/ [sf] relojería.

orologiaio /orolo'd͡ʒajo/ [sm] relojero.

orologio /oro'lɔd͡ʒo/ [sm] reloj FRAS ~ **da polso**: reloj de pulsera.

oroscopo /o'rɔskopo/ [sm] horóscopo.

orrendo /or'rendo/ [agg] horrendo, horroroso.

orribile /or'ribile/ [agg m,f] horrible.

orrore /or'rore/ [sm] **1** horror **2** FIG bodrio FRAS **film/romanzo dell'~**: película/novela del horror.

orsa /'orsa/ [sf] osa FRAS ~ **maggiore/minore**: osa mayor/menor.

orso /'orso/ [sm] **1** ZOOL oso **2** FIG (persona) cardo.

ortaggio /or'tadd͡ʒo/ [sm] hortaliza (f).

ortica /or'tika/ [sf] ortiga.

orticaria /orti'karja/ [sf] urticaria.

orto /'ɔrto/ [sm] huerto FRAS ~ **botanico**: jardín botánico.

ortografia /ortogra'fia/ [sf] ortografía.

ortopedico /orto'pɛdiko/ [agg/sm] ortopédico.

orzaiolo /ordza'jɔlo/ [sm] orzuelo.

orzata /or'dzata/ [sf] horchata.

orzo /'ɔrdzo/ [sm] cebada (f).

osare /o'zare/ [v tr/intr] atreverse, osar, arriesgarse.

oscar /'ɔskar/ [sm inv] **1** (cinema) oscar **2** FIG primer premio (sing).

osceno /oʃ'ʃɛno/ [agg] **1** obsceno **2** (orribile) horroroso, horrible (m,f).

oscillare /oʃʃil'lare/ [v intr] oscilar.

oscillazione /oʃʃillat'tsjone/ [sf] **1** oscilación **2** FIG (prezzi) fluctuación.

oscurare /osku'rare/ [v tr] **1** oscurecer, entenebrecer **2** FIG ofuscar ♦ [v intr prnl] oscurecerse, nublarse.

oscurità /oskuri'ta*/ [sf inv] oscuridad (sing).

oscuro /os'kuro/ [agg] **1** oscuro, sombrío **2** FIG (sconosciuto) desconocido, anónimo **3** FIG (incomprensibile) incomprensible (m,f), hermético.

ospedale /ospe'dale/ [sm] hospital FRAS **ricoverare in ~**: internar, ingresar.

ospitale /ospi'tale/ [agg m,f] hospitalario (m).

ospitalità /ospitali'ta*/ [sf inv] hospitalidad (sing), acogida (sing) FRAS **dare ~**: hospedar.

ospitare /ospi'tare/ [v tr] alojar, acoger, hospedar.

ospite /'ɔspite/ [sm,f] huesped (f -a).

ospizio /os'pittsjo/ [sm] asilo.

osseo /'ɔsseo/ [agg] óseo.

osservare /osser'vare/ [v tr] observar.

osservatorio /osserva'tɔrjo/ [sm] observatorio.

osservazione /osservat'tsjone/ [sf] **1** observación **2** (rimprovero) reproche (m).

ossessione /osses'sjone/ [sf] **1** obsesión, manía **2** FIG pesadilla.

ossia /os'sia/ [cong] **1** (cioè) o sea **2** (o meglio) es decir.

ossigenare (-rsi) /ossidʒe'nare/ [v tr prnl] oxigenar (-se).

ossigenato /ossidʒe'nato/ [agg] oxigenado FRAS **acqua ossigenata**: agua oxigenada.

ossigeno /os'sidʒeno/ [sm] oxígeno.

osso /'ɔsso/ [sm] hueso ■ pl irr **ossa** (f) FRAS **all'~**: al extremo | **essere un ~ duro**: ser un hueso | **farsi le ossa**: ir acostumbrándose | **~ sacro**: hueso sacro | **ridurre all'~**: reducir a lo indispensable.

ossobuco /osso'buko/ [sm] ossobuco.

ostacolare /ostako'lare/ [v tr] obstaculizar, estorbar ♦ [v prnl] estorbarse.

ostacolo /os'takolo/ [sm] obstáculo FRAS **corsa a ostacoli**: carrera de vallas.

ostaggio /os'taddʒo/ [sm] rehén.

oste (-essa) /'ɔste/ [sm] tabernero, mesonero.

ostello /os'tɛllo/ [sm] albergue, hostal FRAS **~ della gioventù**: albergue juvenil.

osteria /oste'ria/ [sf] mesón (m), tasca, taberna.

ostetrica /os'tɛtrika/ [sf] matrona, comadrona.

ostetrico /os'tɛtriko/ [agg] obstétrico ♦ [sm] obstetra (m,f), tocólogo.

ostia /'ɔstja/ [sf] hostia.

ostile /os'tile/ [agg m,f] hostil.

ostilità /ostili'ta*/ [sf inv] hostilidad (sing).

ostinarsi /osti'narsi/ [v intr prnl] obstinarse.

ostinato /osti'nato/ [agg/sm] **1** (testardo) obstinado, testarudo **2** (volonteroso) insistente (m,f), tenaz (m,f).

ostrica /'ɔstrika/ [sf] ostra.

ostruire (-rsi) /ostru'ire/ [v tr/intr prnl] obstruir (-se), atascar (-se).

otite /o'tite/ [sf] otitis (inv).

otorinolaringoiatra /otorinolaringo'jatra/ [sm,f] otorrinolaringoiatra.

ottantenne /ottan'tɛnne/ [agg m,f/sm,f] ochentón (f -a).

ottantina /ottan'tina/ [sf] **1** (età) los ochenta **2** (approssimazione) unos ochenta.

ottenere /otte'nere/ [v tr] obtener.

ottica /'ɔttika/ [sf] óptica.

ottico /'ɔttiko/ [agg/sm] óptico.

ottimismo /otti'mizmo/ [sm] optimismo.

ottimista /otti'mista/ [agg m,f/sm,f] optimista.

ottimo /'ɔttimo/ [sup] óptimo, excelente (m,f).

ottobre /ot'tobre/ [sm] octubre.

ottocento /otto'tʃento/ [sm inv] (secolo) siglo XIX.

ottone /ot'tone/ [sm] latón.

otturare /ottu'rare/ [v tr] **1** obturar, obstruir **2** (dente) empastar, *Amer* emplomar.

otturazione /otturat'tsjone/ [sf] **1** obstrucción **2** (dente) empaste (m), *Amer* emplomadura.

ottuso /ot'tuzo/ [agg] **1** obtuso **2** FIG lerdo, tardo.

ouverture /uvɛr'tyr/ [sf inv] obertura (sing).

ovaia /o'vaja/ [sf] ovario (m).

ovale /o'vale/ [agg m,f] ovalado (m), oval.

ovatta /o'vatta/ [sf] guata, algodón en rama.

ovazione /ovat'tsjone/ [sf] ovación, vítor (m).

overdose /over'doze/ [sf inv] sobredosis.

ovest /'ɔvest/ [sm] oeste.

ovile /o'vile/ [sm] redil, aprisco.

ovino /o'vino/ [agg/sm] ovino.

ovolo /'ɔvolo/ [sm] (fungo) oronja (f).

ovulo /'ɔvulo/ [sm] óvulo.

ovvero /ov'vero/ [cong] (cioè) o sea.

ovvio /'ɔvvjo/ [agg] obvio.

oziare /ot'tsjare/ [v intr] holgazanear, *Amer* haraganear.

ozio /'ɔttsjo/ [sm] ociosidad (f), ocio.

ozono /od'dzɔno/ [sm] ozono.

Pp

pacchetto /pak'ketto/ [sm] paquete.

pacco /'pakko/ [sm] paquete FRAS ~ **postale**: paquete postal | **spedire un ~**: enviar un paquete.

pace /'patʃe/ [sf] paz FRAS **lasciare in ~**: dejar en paz.

pacemaker /pez'mɛker/ [sm inv] marcapasos.

pacifico /pa'tʃifiko/ [agg] pacífico.

pacifista /patʃi'fista/ [agg m,f/sm,f] pacifista.

padano /pa'dano/ [agg] del valle del Po.

padella /pa'dɛlla/ [sf] **1** sartén, *Amer* paila **2** (per malati) cuña.

padiglione /padiʎ'ʎone/ [sm] pabellón.

padre /'padre/ [sm] padre.

padrino /pa'drino/ [sm] padrino.

padrone /pa'drone/ [sm] patrón (f -a), dueño FRAS ~ **di casa**: dueño de casa.

paesaggio /pae'zaddʒo/ [sm] paisaje.

paesano /pae'zano/ [agg/sm] pueblerino.

paese /pa'eze/ [sm] **1** país **2** (villaggio) pueblo.

Paesi Baschi /pa'ezi baski/ [sm pl] País Vasco (sing).

paga /'paga/ [sf] sueldo (m).

pagabile /pa'gabile/ [agg m,f] pagadero (m).

pagaia /pa'gaja/ [sf] pagaya.

pagamento /paga'mento/ [sm] pago FRAS **ordine di ~**: libranza | ~ **in**

contanti: pago al contado | **~ a rate**: pago a plazos.

pagano /pa'gano/ [agg/sm] pagano.

pagare /pa'gare/ [v tr] **1** (anche FIG) pagar **2** FAM (offrire) ofrecer FRAS **~ alla consegna**: pagar a la entrega | **~ anticipato**: pagar por adelantado | **~ a rate**: pagar a plazos.

pagella /pa'dʒella/ [sf] (scolastica) papeleta.

pagina /'padʒina/ [sf] página FRAS **~ degli spettacoli**: cartelera.

paglia /'paʎʎa/ [sf] paja FRAS **avere la coda di ~**: no tener la conciencia tranquila.

pagliaccio /paʎ'ʎattʃo/ [sm] payaso.

pagliaio /paʎ'ʎajo/ [sm] almiar, parva (f) de paja.

pagnotta /paɲ'ɲotta/ [sf] hogaza.

pagoda /pa'goda/ [sf] pagoda.

paio /'pajo/ [sm] par ■ pl irr **paia** (f).

pala /'pala/ [sf] pala.

palasport /pala'sport/ [sm inv] palacio de deportes.

palato /pa'lato/ [sm] paladar.

palazzina /palat'tsina/ [sf] palacete (m).

palazzo /pa'lattso/ [sm] **1** palacio **2** (immobile) edificio FRAS **~ di giustizia**: palacio de justicia.

palco /'palko/ [sm] palco.

palcoscenico /palkoʃ'ʃeniko/ [sm] escenario, palco escénico.

palermitano /palermi'tano/ [agg/sm] palermitano, panormitano.

palestra /pa'lestra/ [sf] gimnasio (m).

palio /'paljo/ [sm] palio, carrera (f) FRAS **mettere in ~**: poner en juego** | **~ di Siena**: palio de Siena (carrera de caballos sin silla).

palla /'palla/ [sf] **1** pelota **2** (al pl) VOLG cojones (m), pelotas FRAS **che palle!**: ¡qué coñazo!, ¡qué lata! | **rompere/far girare le palle**: dar el coñazo, tocar las pelotas.

pallacanestro /pallaka'nestro/ [sf] baloncesto (m).

pallanuoto /palla'nwɔto/ [sf] water polo (m).

pallavolo /palla'volo/ [sf] voleibol (m).

pallido /'pallido/ [agg] pálido FRAS **non avere la più pallida idea**: no tener ni la más remota idea.

pallino /pal'lino/ [sm] **1** (caccia) balín **2** (su tessuto) lunar **3** FIG inclinación (f), afición (f).

pallonata /pallo'nata/ [sf] pelotazo (m).

palloncino /pallon'tʃino/ [sm] globo FRAS **prova del ~**: test alcohólico.

pallone /pal'lone/ [sm] balón.

pallottola /pal'lɔttola/ [sf] (arma da fuoco) bala.

palma /'palma/ [sf] ANAT (anche BOT) palma FRAS **~ da cocco**: cocotero | **~ da datteri**: datilera.

Palma di Maiorca /'palma dima'jɔrka/ [sf] Palma de Mallorca.

palmo /'palmo/ [sm] palmo.

palo /'palo/ [sm] **1** palo, estaca (f) **2** (della luce) poste.

palombaro /palom'baro/ [sm] buzo.

palombo /pa'lombo/ [sm] mustela (f).

palpare /pal'pare/ [v tr] palpar.

palpebra /'palpebra/ [sf] párpado (m).

palude /pa'lude/ [sf] pantano (m).

paludoso /palu'doso/ [agg] **1** (acque) palúdico, palustre (m,f) **2** (terreno) pantanoso.

panama /'panama/ [sm inv] ABB panamá (sing).

panamense /pana'mense/ [agg m,f/ sm,f] panameño (m).

panca /'panka/ [sf] banco (m).

pancarrè /pankar'rɛ*/ [sm inv] pan (sing) de molde.

pancetta /pan'tʃetta/ [sf] CUC panceta, tocino (m) entreverado FRAS **mettere su ~**: echar barriga.

panchina /pan'kina/ [sf] **1** banco (m), asiento (m) **2** (calcio) banquillo (m).

pancia /'pantʃa/ [sf] FAM barriga, panza FRAS **avere male di/alla ~**: doler la barriga.

panciera /pan'tʃɛra/ [sf] faja.

pancreas /'pankreas/ [sm inv] páncreas.

panda /'panda/ [sm inv] panda (sing).

pane /'pane/ [sm] (anche FIG) pan FRAS **~ in cassetta/pan carré**: pan de molde | **~ bianco**: pan candeal | **~ fresco**: pan del día | **~ nero/integrale**: pan integral | **pan grattato**: pan rallado.

panetteria /panette'ria/ [sf] panadería, tahona.

panettiere /panet'tjere/ [sm] panadero, tahonero.

panfilo /'panfilo/ [sm] yate.

panico /'paniko/ [sm] pánico.

panificio /pani'fitʃo/ [sm] **1** (negozio) panadería (f) **2** (laboratorio) panificadora (f).

panino /pa'nino/ [sm] bocadillo.

paninoteca /panino'tɛka/ [sf] FAM sandwichería, bocatería.

panna /'panna/ [sf] nata FRAS **~ montata**: nata montada.

pannello /pan'nɛllo/ [sm] panel FRAS **pannelli solari**: paneles solares | **~ di controllo**: tablero de control.

panno /'panno/ [sm] **1** género, tela (f) **2** (al pl) ropa (f sing) FRAS **mettersi nei panni di qualcuno**: estar en el pellejo de alguien, ponerse en el lugar de alguien | **non voler essere nei panni di qualcuno**: no querer estar/hallarse en el pellejo de alguien.

pannocchia /pan'nɔkkja/ [sf] panocha, mazorca.

pannolino /panno'lino/ [sm] **1** (bebè) pañal **2** (donna) compresa (f) higiénica.

pannolone /panno'lone/ [sm] pañal para adultos incontinentes.

panorama /pano'rama/ [sm] panorama.

panoramico /pano'ramiko/ [agg] panorámico.

pantalone /panta'lone/ [sm] pantalón FRAS **gonna ~**: falda pantalón.

pantano /pan'tano/ [sm] pantano, ciénaga (f).

pantera /pan'tɛra/ [sf] pantera.

pantheon /'panteon/ [sm inv] panteón (sing).

pantofola /pan'tɔfola/ [sf] zapatilla, chinela.

papa /'papa/ [sm] papa FRAS **a ogni morte di ~**: de Pascuas a Ramos.

papà /pa'pa*/ [sm inv] FAM papá* (sing).

papaia /pa'paja/ [sf] **1** (albero) papayo (m) **2** (frutto) papaya.

p

papavero /pa'pavero/ [sm] amapola (f).

papero /'papero/ [sm] ganso, oca (f) macho.

papilla /pa'pilla/ [sf] papila.

pappa /'pappa/ [sf] (bebè) potito (m) FRAS ~ reale: jalea real.

pappagallo /pappa'gallo/ [sm] 1 ORN papagayo, loro 2 (per fare pipì) chata (f).

paprica /'paprika/ [sf] pimentón (m) en polvo, paprika.

pap-test /pap'test/ [sm inv] citología (f sing).

parabrezza /para'breddza/ [sm inv] parabrisas.

paracadute /paraka'dute/ [sm inv] paracaídas.

paracadutismo /parakadu'tizmo/ [sm] paracaidismo.

paracarro /para'karro/ [sm] guardacantón.

paradiso /para'dizo/ [sm] (anche FIG) paraíso.

paradossale /parados'sale/ [agg m,f] paradójico (m).

parafango /para'fango/ [sm] guardabarros (inv).

parafulmine /para'fulmine/ [sm] pararrayos (inv).

paraggi /pa'raddʒi/ [sm pl] cercanías (f), alrededores.

paragonare /parago'nare/ [v tr] comparar.

paragone /para'gone/ [sm] comparación (f) FRAS non esserci ~: mediar un abismo.

paraguaiano /paragwa'jano/ [agg/ sm] paraguayo.

paralisi /pa'ralizi/ [sf inv] 1 MED parálisis 2 FIG paralización (sing).

paralizzare /paralid'dzare/ [v tr] paralizar.

paralizzato /paralid'dzato/ [agg] paralizado.

parallela /paral'lela/ [sf] 1 paralela 2 SPORT (pl al) paralelas.

parallelo /paral'lelo/ [agg/sm] paralelo.

paramedico /para'mediko/ [agg] paramédico ◆ [sm] ayudante técnico sanitario.

paranoia /para'nɔja/ [sf] paranoia, monomanía.

paraorecchie /parao'rekkje/ [sm inv] orejera (f sing).

parapendio /parapen'dio/ [sm inv] parapente.

parapetto /para'petto/ [sm] parapeto, baranda (f).

paraplegico /para'plɛdʒiko/ [agg/sm] parapléjico.

parapsicologia /parapsikolo'dʒia/ [sf] parapsicología.

parare /pa'rare/ [v tr] 1 (addobbare) engalanar 2 (schivare) esquivar, atajar 3 SPORT parar.

parassita /paras'sita/ [agg m,f/ sm,f/sm] (anche FIG) parásito (m).

parata /pa'rata/ [sf] parada.

paraurti /para'urti/ [sm inv] parachoques, Amer paragolpes.

parcella /par'tʃella/ [sf] honorarios (m pl).

parcheggiare /parked'dʒare/ [v tr] aparcar, estacionar Amer parquear FRAS ~ in divieto di sosta: aparcar en prohibido.

parcheggiatore (-trice) /parkedd ʒa'tore/ [sm] guardacoches (inv).

parcheggio /par'keddʒo/ [sm] aparcamiento, estacionamiento, Amer parqueo FRAS **divieto di ~**: prohibido aparcar | **~ a pagamento**: aparcamiento pagado | **~ custodito/privato/pubblico**: aparcamiento vigilado/privado/público.

parchimetro /par'kimetro/ [sm] parquímetro.

parco /'parko/ [sm] parque FRAS **~ giochi**: parque infantil.

parecchio /pa'rekkjo/ [agg/avv/pron] mucho.

pareggiare /pared'dʒare/ [v tr] igualar ♦ [v intr/tr] SPORT empatar.

pareggio /pa'reddʒo/ [sm] SPORT empate.

parente /pa'rente/ [sm,f] pariente.

parentela /paren'tela/ [sf] parentesco (m).

parentesi /pa'rentezi/ [sf inv] paréntesis (m).

parere /pa'rere/ [sm] parecer FRAS **a mio ~**: en mi opinión, a mi juicio | **cambiare ~**: mudar de parecer ♦ [v intr/imp] parecer FRAS **a quanto pare**: por lo que parece | **che te ne pare?**: ¿qué te parece? | **mi pare**: me parece, creo que | **non mi pare vero!**: ¡parece mentira! | **pare di sì/no**: parece que sí/no | **ti pare?/non ti pare?**: ¿no crees?, ¿no te parece?

paresi /pa'rezi/ [sf inv] paresia (sing).

parete /pa'rete/ [sf] pared.

pari /'pari/ [agg inv] **1** (stesso) mismo (m sing) **2** (alla stessa altezza) igual (sing), liso (m sing) **3** (gioco) empatado (m sing) FRAS **di ~ passo**: al mismo paso | **ragazza alla ~**: chica a la par ♦ [sm] **1** par (f) **2** SPORT empate FRAS **essere in ~**:

estar a la par ♦ [sm,f] igual FRAS **senza ~**: sin par/igual.

Parigi /pa'ridʒi/ [sf] París.

parigino /pari'dʒino/ [agg/sm] parisino, parisiense (m,f).

parità /pari'ta*/ [sf inv] **1** paridad (sing), igualdad (sing) **2** SPORT empate (m sing).

parlamentare /parlamen'tare/ [agg m,f/sm,f] parlamentario (m).

parlamento /parla'mento/ [sm] parlamento, Cortes (f pl).

parlare (-rsi) /par'lare/ [v intr/tr prnl] hablar (-se) FRAS **con chi parlo?**: ¿quién habla? | **non se ne parla!**: ¡ni hablar! | **~ bene/male di qualcuno/qualcosa**: hablar bien/mal de alguien/algo | **parlarne**: hablar de/sobre algo.

parola /pa'rɔla/ [sf] palabra FRAS **a parole**: de boquilla | **libertà di ~**: libertad de expresión | **non capire una ~**: no entender palabra.

parolaccia /paro'lattʃa/ [sf] palabrota, taco (m).

parquet /par'kɛ/ [sm inv] parqué (sing).

parrocchia /par'rɔkkja/ [sf] parroquia.

parroco /'parroko/ [sm] cura, párroco.

parrucca /par'rukka/ [sf] peluca.

parrucchiere /parruk'kjere/ [sm] peluquero.

parte /'parte/ [sf] parte FRAS **a ~**: aparte | **da che/da quale ~**: por dónde | **dall'altra ~**: por el otro lado | **dalle parti di**: cerca de, en los alrededores de | **d'altra ~**: por otro lado, por otra parte | **da quelle/queste parti**: en aquel/este lugar | in ~: en parte | la maggior ~: la mayor parte, la mayoría.

partecipante /partetʃi'pante/ [agg m,f/sm,f] participante.

partecipare /partetʃi'pare/ [v intr/tr] participar.

partecipazione /partetʃipat'tsjone/ [sf] participación.

partenza /par'tentsa/ [sf] 1 (anche SPORT) salida 2 (veicolo) arranque (m) 3 (al pl, stazione, aeroporto) tablero (m sing) de salida FRAS **essere in ~**: estar a punto de salir (medio de transporte); estar listo para salir (persona) | **in ~**: saliendo.

particolare /partiko'lare/ [agg m,f] particular ♦ [sm] detalle, pormenor.

particolarità /partikolari'ta*/ [sf inv] particularidad (sing).

partigiano /parti'dʒano/ [sm] partisano.

partire /par'tire/ [v intr] 1 (anche veicolo) partir 2 (andarsene) marcharse, irse 3 FIG (cominciare) partir, empezar, iniciar FRAS **a ~ da**: a partir de.

partita /par'tita/ [sf] SPORT partido (m) FRAS **~ a carte**: partida de cartas | **~ di biliardo**: mesa | **~ amichevole**: partido amistoso.

partito /par'tito/ [sm] partido.

partner /'partner/ [sm,f inv] 1 pareja (f sing) 2 COMM socio (m sing).

parto /'parto/ [sm] parto FRAS **~ cesareo**: cesárea | **sala ~**: paritorio.

partorire /parto'rire/ [v tr] parir.

part time /par'taim/ [sm inv] tiempo (sing) parcial.

parziale /par'tsjale/ [agg m,f] parcial.

parzialità /partsjali'ta*/ [sf inv] parcialidad (sing).

pascolare /pasko'lare/ [v intr] pacer, pastar.

pascolo /'paskolo/ [sm] 1 (luogo) prado, pasto 2 pacedura (f).

Pasqua /'paskwa/ [sf] Pascua FRAS **augurare la buona ~**: desear feliz Pascua | **essere contento come una ~**: estar como unas pascuas.

pasquale /pas'kwale/ [agg m,f] pascual.

pasquetta /pas'kwetta/ [sf] lunes de Pascua.

passabile /pas'sabile/ [agg m,f] pasable, aceptable.

passaggio /pas'saddʒo/ [sm] 1 paso 2 (traversata) viaje, travesía (f) 3 MUS pasaje 4 SPORT (calcio) pase FRAS **dare un ~**: llevar con el coche | **essere di ~**: estar de paso | **~ a livello**: paso a nivel | **~ pedonale**: paso de peatones/cebra.

passante /pas'sante/ [sm,f] transeúnte FRAS **~ ferroviario**: enlace subterráneo que comunica dos estaciones en una ciudad.

passaporto /passa'porto/ [sm] pasaporte FRAS **rilasciare il ~**: expedir el pasaporte.

passare /pas'sare/ [v intr] pasar ♦ [v tr] 1 pasar 2 CUC (frullare) hacer puré, moler 3 CUC (in padella) saltear FRAS **~ agli esami**: aprobar | **~ avanti**: colarse | **passarsela**: llevar un buen pasar, pasarlo bien.

passatempo /passa'tɛmpo/ [sm] pasatiempo.

passato /pas'sato/ [agg/sm] pasado.

passeggero /passed'dʒɛro/ [agg/sm] pasajero.

passeggiare /passedˈdʒare/ [v intr/ tr] pasear.

passeggiata /passedˈdʒata/ [sf] paseo (m).

passeggino /passedˈdʒino/ [sm] cochecito.

passeggio /pasˈseddʒo/ [sm] paseo FRAS **andare a ~**: pasear.

passerella /passeˈrella/ [sf] **1** (anche MAR) pasarela **2** (ferrovia) pasadera.

passero /ˈpassero/ [sm] gorrión.

passionale /passjoˈnale/ [agg m,f] pasional, temperamental.

passione /pasˈsjone/ [sf] pasión FRAS **avere una ~ per qualcosa/ qualcuno**: sentir pasión por algo/ alguien.

passivo /pasˈsivo/ [agg/sm] pasivo.

passo /ˈpasso/ [sm] **1** paso **2** FIG (decisione) decisión (f), determinación (f) FRAS **a due/quattro passi**: al lado, a unos dos/pocos pasos | **fare due/quattro passi**: dar una vuelta, pasear | **~ carrabile**: vado permanente.

password /ˈpasword/ [sf inv] INFORM contraseña (sing).

pasta /ˈpasta/ [sf] (anche CUC) pasta FRAS **essere della stessa ~**: ser de la misma calaña | **~ lievitata**: masa con levadura | **~ sfoglia/sfogliata**: hojaldre | **~ surgelata**: masa congelada | **~ verde**: pasta alimenticia con espinacas.

pastafrolla /pastaˈfrolla/ [sf] pastaflora.

pastasciutta /pastaʃˈʃutta/ [sf] pasta.

pastello /pasˈtello/ [agg inv/sm] pastel.

pasticceria /pastittʃeˈria/ [sf] pastelería, bollería.

pasticciare /pastitˈtʃare/ [v tr] garabatear.

pasticciere /pastitˈtʃere/ [sm] pastelero.

pasticcino /pastitˈtʃino/ [sm] pasta (f) de té.

pasticcio /pasˈtittʃo/ [sm] FIG chapuza (f) FRAS **mettersi nei pasticci**: meterse en líos.

pasticcione /pastitˈtʃone/ [agg/sm] chapucero.

pastificio /pastiˈfitʃo/ [sm] **1** (industria) fábrica (f) de pastas alimenticias **2** (negozio) tienda (f) de pastas alimenticias frescas.

pastiglia /pasˈtiʎʎa/ [sf] (anche meccanico) pastilla.

pastina /pasˈtina/ [sf] pasta para sopa, *Amer* pastines (m pl).

pasto /ˈpasto/ [sm] comida (f) FRAS **vino da ~**: vino de mesa.

pastore /pasˈtore/ [sm] pastor (f -a).

patata /paˈtata/ [sf] patata.

pâté /paˈte*/ [sm inv] paté.

patente /paˈtente/ [sf] **1** licencia, permiso (m) **2** (automobilistica) permiso/carné (m) de conducir.

paternità /paterniˈta*/ [sf inv] paternidad (sing).

paterno /paˈterno/ [agg] paternal (m,f).

patetico /paˈtetiko/ [agg] patético.

patina /ˈpatina/ [sf] pátina.

patinato /patiˈnato/ [agg] glaseado.

patio /ˈpatjo/ [sm] patio.

patire /paˈtire/ [v tr/intr] sufrir, padecer.

patologia /patoloˈdʒia/ [sf] patología.

p

patria /'patrja/ [sf] patria.

patrigno /pa'triɲɲo/ [sm] padrastro.

patrimonio /patri'mɔnjo/ [sm] patrimonio FRAS **costare un ~**: costar una barbaridad | **~ artistico**: patrimonio artístico.

patriottico /patri'ɔttiko/ [agg] patriótico.

patrono (-a) /pa'trɔno/ [sm] patrón (f -a).

patta /'patta/ [sf] bragueta.

patteggiare /patted'dʒare/ [v tr] pactar ◆ [v intr] entablar negociaciones.

pattinaggio /patti'naddʒo/ [sm] patinaje FRAS **~ a rotelle**: patinaje sobre ruedas | **~ artistico**: patinaje artístico | **~ su ghiaccio**: patinaje sobre hielo.

pattino /'pattino/ [sm] (anche MAR) patín FRAS **pattini a rotelle**: patines de ruedas | **pattini da ghiaccio**: patines de hielo.

patto /'patto/ [sm] pacto FRAS **a ~ che**: a condición de (que) | **scendere/venire a patti**: transigir, tratar.

pattuglia /pat'tuʎʎa/ [sf] patrulla.

pattumiera /pattu'mjera/ [sf] cubo de la basura.

paura /pa'ura/ [sf] miedo (m).

pauroso /pau'roso/ [agg] **1** (spaventoso) espantoso **2** (persona) miedoso, pusilánime (m,f).

pausa /'pauza/ [sf] pausa.

pavé /pa've*/ [sm inv] adoquinado (sing).

pavimento /pavi'mento/ [sm] pavimento.

pavone /pa'vone/ [sm] pavo real.

paziente /pat'tsjente/ [agg m,f/sm,f] paciente.

pazienza /pat'tsjentsa/ [sf] paciencia FRAS **perdere la ~**: perder la paciencia.

pazzesco /pat'tsesko/ [agg] **1** demencial (m,f) **2** FIG absurdo, disparatado.

pazzia /pat'tsia/ [sf] locura.

pazzo /'pattso/ [agg/sm] loco FRAS **andare ~**: volver loco | **cose da pazzi!**: ¡qué locura/barbaridad!

peccato /pek'kato/ [sm] **1** pecado **2** FIG lástima (f), pena ◆ **è un ~!**: ¡es una lástima!

pecora /'pekora/ [sf] oveja.

pedaggio /pe'daddʒo/ [sm] peaje FRAS **~ autostradale**: peaje de autopista.

pedagogia /pedago'dʒia/ [sf] pedagogía.

pedalare /peda'lare/ [v intr] pedalear.

pedale /pe'dale/ [sm] pedal.

pedalò /peda'lɔ*/ [sm inv] patín.

pedata /pe'data/ [sf] **1** (orma) huella, pisada **2** (calcio) puntapié (m), patada.

pediatra /pe'djatra/ [sm,f] pediatra.

pediatrico /pe'djatriko/ [agg] pediátrico.

pedicure /pedi'kur/ [sm,f inv] pedicuro (m sing).

pedina /pe'dina/ [sf] **1** (dama) peón (m), pieza **2** FIG muñeco (m), títere (m).

pedofilo /pe'dɔfilo/ [sm] pedófilo.

pedonale /pedo'nale/ [agg m,f] peatonal FRAS **isola ~**: área peatonal | **passaggio ~**: cruce/paso de peatones.

pedone /pe'done/ [sm] **1** peatón (f -a) **2** (scacchi) peón.

peggio /'peddʒo/ [agg inv] peor ◆ [avv] **1** peor **2** (meno) menos • *senza occhiali ci vedo ~*: sin gafas veo menos FRAS **cambiare in ~**: cambiar para peor, empeorar ◆ [sm inv] lo peor.

peggioramento /peddʒora'mento/ [sm] empeoramiento.

peggiorare /peddʒo'rare/ [v tr/intr] empeorar (-se).

peggiore /ped'dʒore/ [agg m,f] peor ◆ [sm,f] el/la peor.

pegno /'peɲɲo/ [sm] prenda (f).

pelare /pe'lare/ [v tr] **1** pelar **2** SCHERZ (rapare) cortar al rape.

pelata /pe'lata/ [sf] SCHERZ (calvizie) calva, *Amer* pelada.

pelato /pe'lato/ [agg] pelado ◆ [sm] **1** (pomodoro) tomate entero pelado **2** FAM (persona) calvo.

pelle /'pelle/ [sf] piel FRAS **avere la ~ d'oca**: tener piel de gallina | **lasciarci la ~**: dejar/perder el pellejo.

pellegrinaggio /pellegri'naddʒo/ [sm] romería (f), peregrinación (f).

pellerossa /pelle'rossa/ [sm,f] piel roja ∎ pl irr **pellirosse**.

pelletteria /pellette'ria/ [sf] peletería.

pellicano /pelli'kano/ [sm] pelícano.

pelliccia /pelli'ttʃeria/ [sf] peletería.

pelliccia /pel'littʃa/ [sf] (anche ABB) piel.

pellicola /pel'likola/ [sf] **1** (fotografica) carrete (m), rollo (m) **2** (cinematografica) película.

pelo /'pelo/ [sm] **1** (anche FIG) pelo **2** ANAT (peluria) vello FRAS **cercare il ~ nell'uovo**: buscarle tres pies al gato | **per un ~**: por un pelo.

peloso /pe'loso/ [agg] peludo.

pelvi /'pelvi/ [sf inv] pelvis.

pena /'pena/ [sf] (anche GIUR) pena FRAS **a mala ~**: a duras penas | **fare ~**: dar lástima | **valere/non valere la ~**: valer/no valer la pena.

penale /pe'nale/ [agg m,f] penal.

penalizzare /penalid'dzare/ [v tr] **1** SPORT penalizar **2** FIG perjudicar, dañar.

pendere /'pendere/ [v intr] **1** (essere sospeso) pender, colgar **2** (essere inclinato) inclinarse, ladearse.

pendio /pen'dio/ [sm] pendiente (f).

pendolare /pendo'lare/ [sm,f] conmuter.

pendolino /pendo'lino/ [sm] AVE (Alta Velcidad Española).

pene /'pene/ [sm] pene.

penetrare /pene'trare/ [v intr/tr] penetrar.

penicillina /penitʃil'lina/ [sf] penicilina.

penisola /pe'nizola/ [sf] península.

penitenza /peni'tentsa/ [sf] penitencia.

penitenziario /peniten'tsjarjo/ [sm] penitenciaría (f).

penna /'penna/ [sf] **1** pluma **2** (al pl) CUC macarrón FRAS **lasciarci le penne**: dejar/perder el pellejo | **~ a sfera**: bolígrafo | **~ stilografica**: pluma estilográfica.

pennarello /penna'rello/ [sm] rotulador.

pennellata /pennel'lata/ [sf] pincelada.

pennello /pen'nello/ [sm] **1** (pittore) pincel **2** (imbianchino) brocha (f) FRAS **~ da barba**: brocha de afeitar.

penoso /pe'noso/ [agg] penoso.

p

pensare /pen'sare/ [v intr] **1** pensar **2** (incaricarsi) encargarse, ocuparse ◆ [v tr] **1** pensar **2** (immaginarsi) imaginarse FRAS **ci penso io!**: ¡eso está hecho! | **~ ai fatti propri**: ir a los suyo.

pensiero /pen'sjero/ [sm] **1** pensamiento **2** FIG (ansia) preocupación (f) FRAS **essere sopra ~**: estar distraído | **levarsi il ~**: solucionar un asunto.

pensilina /pensi'lina/ [sf] marquesina.

pensionante /pensjo'nante/ [sm,f] pensionista.

pensionato /pensjo'nato/ [agg] (persona) jubilado, pensionista (m,f) ◆ [sm] **1** (persona) jubilado, pensionista (m,f) **2** (luogo) internado, pensionado.

pensione /pen'sjone/ [sf] (anche locanda) pensión FRAS **essere in ~**: estar jubilado.

pensoso /pen'soso/ [agg] pensativo.

Pentecoste /pente'koste/ [sf] Pentecostés (m).

pentirsi /pen'tirsi/ [v intr prnl] arrepentirse.

pentola /'pentola/ [sf] olla.

pepare /pe'pare/ [v tr] sazonar con pimienta.

pepe /'pepe/ [sm] pimienta (f) FRAS **~ bianco/nero**: pimienta blanca/ negra.

peperoncino /peperon'tʃino/ [sm] guindilla (f).

peperone /pepe'rone/ [sm] pimiento.

per /per/ [prep] **1** (moto attraverso luogo, stato in luogo, mezzo, causa, misura, moltiplicazione, percentuale) por ◆ *il treno passa ~ Bologna*:

el tren pasa por Bolonia | *vagabondare ~ la città*: vagabundear por la ciudad | *spedire ~ posta*: enviar por correo | *fare qualcosa ~ gli altri*: hacer algo por el prójimo | *prendere ~ un braccio*: agarrar por un brazo | *lo ha comprato ~ pochi soldi*: lo ha comprado por poco | *due ~ persona*: dos por persona | *un interesse del dieci ~ cento*: un interés del diez por ciento | *~ Dio!*: ¡por Dios! | *capire una cosa ~ un'altra*: entender una cosa por otra **2** (moto a luogo, tempo determinato, scopo, destinazione) para ◆ *partire ~ Parigi*: salir para París | *sarò di ritorno ~ le dieci*: regresaré para las diez | *prepararsi ~ il viaggio*: prepararse para el viaje | *c'è una lettera ~ te*: hay una carta para ti **3** (modo) en ◆ *parlare ~ scherzo*: hablar en broma **4** (tempo continuato) durante ◆ *aspettare ~ ore*: esperar durante horas FRAS **~ adesso**: por ahora | **~ caso**: por casualidad | **~ ciò**: por esto/ello | **~ di là/qui**: por allá/aquí | **~ ora**: por ahora | **~ poco**: por poco | **~ sempre**: para siempre | **stare ~**: estar para, estar a punto de.

pera /'pera/ [sf] pera.

percento /per'tʃento/ [avv] por ciento.

percentuale /pertʃentu'ale/ [sf] **1** porcentaje (m) **2** COMM comisión.

percezione /pertʃet'tsjone/ [sf] percepción.

perché /per'ke*/ [avv] por qué ◆ *~ hai mentito?*: ¿por qué has mentido? ◆ [cong] **1** porque ◆ *non sono venuto ~ ero ammalato*: no vine porque estaba enfermo **2** (affinché) para que • *te lo dico ~ tu lo sappia*: te lo digo para que lo sepas.

perciò /per'tʃɔ/ [cong] por lo tanto.

percorrere /per'korrere/ [v tr] recorrer.

percorso /per'korso/ [sm] recorrido.

perdente /per'dɛnte/ [agg m,f/sm,f] perdedor (f -a).

perdere (-rsi) /'perdere/ [v tr/intr/intr prnl] perder (-se) FRAS **lasciamo ~!**: ¡dejemos estar! | **non avere nulla da ~**: no tener nada que perder | **~ di vista**: perder de vista | **~ l'abitudine**: perder la costumbre | **~ la faccia**: quedarse hecho un mico | **~ la memoria**: perder la memoria | **~ la pazienza**: perder la paciencia | **~ la speranza**: perder la esperanza | **~ la testa**: perder la cabeza.

perdita /'perdita/ [sf] **1** pérdida **2** (gas) fuga, escape (m).

perdonare /perdo'nare/ [v tr/intr] perdonar.

perdono /per'dono/ [sm] perdón.

perenne /pe'rɛnne/ [agg m,f] perenne.

perfettamente /perfetta'mente/ [avv] **1** (molto bene) perfectamente **2** (completamente) totalmente, completamente.

perfetto /per'fetto/ [agg] perfecto.

perfezionare (-rsi) /perfettsjo'nare/ [v tr/intr prnl] perfeccionar (-se).

perfezione /perfet'tsjone/ [sf] perfección.

perfino /per'fino/ [avv] hasta, incluso, *Amer* inclusive.

pergolato /pergo'lato/ [sm] glorieta (f).

pericolante /periko'lante/ [agg m,f] ruinoso (m).

pericolo /pe'rikolo/ [sm] **1** peligro **2** FIG FAM probabilidad (f), posibilidad (f) • *non c'è ~ che venga*: no hay ninguna probabilidad de que venga FRAS **essere fuori ~**: estar fuera de peligro | **essere in ~**: estar/encontrarse en peligro.

pericoloso /periko'loso/ [agg] peligroso.

periferia /perife'ria/ [sf] periferia, afueras (pl).

periferico /peri'feriko/ [agg] periférico.

perimetro /pe'rimetro/ [sm] perímetro.

periodico /peri'ɔdiko/ [agg] periódico ◆ [sm] revista (f).

periodo /pe'riodo/ [sm] período FRAS **~ di tempo**: lapso de tiempo.

peritonite /perito'nite/ [sf] peritonitis (inv).

perizoma /perid'dzɔma/ [sm] (costume da bagno) tanga.

perla /'perla/ [sf] perla.

perlomeno /perlo'meno/ [avv] al menos.

permaloso /perma'loso/ [agg] susceptible (m,f), quisquilloso.

permanente /perma'nɛnte/ [agg m,f/sf] permanente.

permanenza /perma'nɛntsa/ [sf] permanencia FRAS **buona ~!**: ¡feliz estancia!

permesso /per'messo/ [agg] permitido, consentido FRAS **~?/è ~?**: ¿está permitido?, ¿se puede? ◆ [sm] permiso.

permettere (-rsi) /per'mettere/ [v tr prnl] permitir (-se) FRAS **permet-**

ti?/**permette?**: si me permites/permite.

pernice /per'nitʃe/ [sf] perdiz.

perno /'perno/ [sm] **1** perno **2** FIG meollo, fundamento.

pernottamento /pernotta'mento/ [sm] alojamiento.

pernottare /pernot'tare/ [v intr] alojarse.

pero /'pero/ [sm] peral.

però /pe'rɔ*/ [cong] pero.

perone /pe'rone/ [sm] peroné.

perpendicolare /perpendiko'lare/ [agg m,f/sf] perpendicular.

perplesso /per'plesso/ [agg] perplejo.

perquisire /perkwi'zire/ [v tr] **1** (persona) cachear **2** (luogo) registrar.

persecuzione /persekut'tsjone/ [sf] persecución.

perseguitare /persegwi'tare/ [v tr] perseguir.

persiana /per'sjana/ [sf] persiana.

persistente /persis'tente/ [agg m,f] persistente.

persona /per'sona/ [sf] **1** (anche GIUR) persona **2** tipo (m), cuerpo (m), figura ◆ *avere cura della propria* ~: cuidar su figura FRAS **conoscere di** ~: conocer personalmente | **di/in** ~: en persona, personalmente.

personaggio /perso'naddʒo/ [sm] personaje.

personal computer /'personal kom'pjuter/ [sm inv] ordenador personal.

personale /perso'nale/ [agg m,f] personal ◆ [sf] exposición ◆ [sm] (lavoratori) plantilla (f).

personalità /personali'ta*/ [sf inv] personalidad (sing).

personalmente /personal'mente/ [avv] personalmente.

persuadere /persua'dere/ [v tr] persuadir ◆ [v prnl] **1** (decidersi) decidirse **2** (convincersi) persuaderse, convencerse.

pertanto /per'tanto/ [cong] por eso, por lo tanto.

pertosse /per'tosse/ [sf] tos ferina.

perturbazione /perturbat'tsjone/ [sf] perturbación.

Perù /pe'ru*/ [sm] Perú.

Perugia /pe'rudʒa/ [sf] Perusa.

perugino /peru'dʒino/ [agg/sm] perusino.

peruviano /peru'vjano/ [agg/sm] peruano.

perverso /per'verso/ [agg] perverso.

pervertito /perver'tito/ [agg/sm] pervertido.

pesante /pe'sante/ [agg m,f] (anche FIG) pesado (m) FRAS **aria** ~: atmósfera cargada | **cibo** ~: comida indigesta.

pesantezza /pesan'tettsa/ [sf] (anche FIG) pesadez.

pesare (-rsi) /pe'sare/ [v tr prnl/intr] (anche FIG) pesar (-se) FRAS ~ **come una piuma**: ser liviano como una pluma.

pesca /'peska/ [sf] **1** BOT melocotón (m), *Amer* durazno (m) **2** pesca ◆ *la* ~ *del tonno*: la pesca del atún **3** FIG rifa ◆ ~ *di beneficenza*: rifa de beneficencia FRAS **canna da** ~: caña de pescar | ~ **noce**: nectarina | ~ **a strascico**: pesca de arrastre | ~ **d'alto mare/altura**: pesca de altura | ~ **sportiva**: pesca deportiva | ~ **subacquea**: pesca submarina.

pescare /pes'kare/ [v tr] pescar.

pescatore (-trice) /peska'tore/ [sm] pescador (f -a).

pesce /'peʃʃe/ [sm] **1** ITT pez **2** (cibo) pescado **3** (al pl, astronomia, astrologia) Piscis FRAS **essere sano come un ~**: sano como una manzana | **nuotare come un ~**: nadar como un pez | **~ affumicato**: pescado ahumado | **~ bianco**: pescado blanco | **~ d'aprile**: inocentada | **~ spada**: pez espada | **prendere a pesci in faccia**: poner como un trapo.

pescecane /peʃʃe'kane/ [sm] tiburón.

peschereccio /peske'rettʃo/ [sm] pesquero.

pescheria /peske'ria/ [sf] pescadería.

pescivendolo /peʃʃi'vendolo/ [sm] pescadero.

pesco /'pesko/ [sm] melocotonero, *Amer* duarzno.

peso /'peso/ [sm] (anche FIG) peso FRAS **a ~**: a peso | **dare ~**: dar importancia | **essere di ~ a qualcuno**: ser una carga para alguien | **~ lordo/netto**: peso bruto/neto.

pessimismo /pessi'mizmo/ [sm] pesimismo.

pessimista /pessi'mista/ [agg m,f/ sm,f] pesimista.

pessimo /'pessimo/ [sup] pésimo, malísimo.

pestare /pes'tare/ [v tr] **1** pisar **2** (tritare) machacar, moler **3** (picchiare) dar una paliza.

peste /'peste/ [sf] peste FRAS **essere una ~**: ser una peste.

pesticida /pesti'tʃida/ [sm] pesticida.

petalo /'petalo/ [sm] pétalo.

peto /'peto/ [sm] pedo.

petroliera /petro'ljera/ [sf] petrolero (m).

petrolifero /petro'lifero/ [agg] petrolífero FRAS **giacimento ~**: yacimiento petrolífero | **pozzo ~**: pozo de petróleo.

petrolio /pe'trɔljo/ [sm] petróleo.

pettegolezzo /pettego'leddzo/ [sm] chisme, cotilleo FRAS **fare pettegolezzi**: andar con chismes.

pettegolo /pet'tegolo/ [agg/sm] chismoso, cotilla (m,f).

pettinare (-rsi) /petti'nare/ [v tr prnl] peinar (-se).

pettinatura /pettina'tura/ [sf] peinado (m).

pettine /'pettine/ [sm] peine.

petto /'petto/ [sm] pecho FRAS **a doppio ~**: cruzado.

pezza /'pettsa/ [sf] trapo (m), tela.

pezzente /pet'tsente/ [sm,f] mendigo (m).

pezzo /'pettso/ [sm] **1** pedazo, porción (f) • *un ~ di torta*: un pedazo de pastel **2** fragmento, triza (f) • *un ~ di vetro*: un fragmento de vidrio **3** (meccanico, moneta, gioco, abbigliamento) pieza (f) **4** (articolo giornalistico) artículo FRAS **cadere a pezzi**: caerse a pedazos | **fare a pezzi**: hacer trizas | **~ di ricambio**: repuesto, pieza de recambio | **~ grosso**: pez gordo.

piacere /pja'tʃere/ [v intr] gustar • [sm] **1** placer **2** (favore) favor, servicio FRAS **a ~**: a placer/gusto | **per ~**: por favor | **~!**: ¡mucho gusto!, ¡encantado!

piacevole /pja'tʃevole/ [agg m,f] agradable.

piaga /'pjaga/ [sf] llaga.

piana /'pjana/ [sf] (terreno) llanura, llano (m).

pianeggiante /pjaned'dʒante/ [agg m,f] llano (m).

pianerottolo /pjane'rɔttolo/ [sm] rellano.

pianeta /pja'neta/ [sm] planeta.

piangere /'pjandʒere/ [v intr/tr] llorar.

pianista /pja'nista/ [sm,f] pianista.

piano /'pjano/ [agg] (anche FIG) llano ◆ [avv] 1 despacio, lentamente 2 FIG (con cura) cuidadosamente 3 (voce) en voz baja, *Amer* despacio ◆ [sm] 1 (anche fotografia) plano 2 (tavola) tablero 3 (edificio) piso, planta (f) 4 (progetto, lavoro) plan, proyecto 5 MUS piano FRAS ~ rialzato: entrepiso | ~ terra/pian terreno: planta baja.

pianoforte /pjano'fɔrte/ [sm] piano.

pianta /'pjanta/ [sf] 1 ANAT BOT (anche calzature) planta 2 ARCH (anche mappa) mapa (m).

piantagione /pjanta'dʒone/ [sf] plantación.

piantare /pjan'tare/ [v tr] plantar FRAS ~ in asso: dejar plantado | piantarla: acabar, terminar.

pianto /'pjanto/ [sm] llanto.

pianura /pja'nura/ [sf] llanura.

piastrella /pjas'trella/ [sf] azulejo (m), baldosa.

piattaforma /pjatta'forma/ [sf] plataforma.

piatto /'pjatto/ [agg] 1 plano 2 FIG aburrido, monótono ◆ [sm] plato FRAS piatti pronti: comida para llevar | ~ da portata: fuente | ~ del giorno: menú del día | ~ fondo:

plato hondo/sopero | ~ freddo: plato frío | ~ piano: plato llano | ~ tipico: plato típico | ~ unico: plato combinado | primo ~: primer plato | secondo ~: segundo (plato).

piazza /'pjattsa/ [sf] plaza FRAS assegno fuori ~: cheque fuera de plaza.

piazzale /pjat'tsale/ [sm] plaza (f).

piazzarsi /pjat'tsarsi/ [v prnl] 1 FAM (mettersi) instalarse, colocarse 2 SPORT clasificarse, colocarse

piazzola /pjat'tsɔla/ [sf] (autostrada) área de aparcamiento.

piccante /pik'kante/ [agg m,f] (anche FIG) picante.

picche /'pikke/ [sf pl] (carte) picas.

picchiare /pik'kjare/ [v tr] 1 (cose) golpear, batir 2 (persone) pegar ◆ [v intr] golpear, llamar ◆ [v prnl] pegarse.

piccino /pit'tʃino/ [agg] pequeño.

piccione /pit'tʃone/ [sm] palomo FRAS prendere due piccioni con una fava: matar dos pájaros de un tiro | tiro al ~: tiro de pichón.

picco /'pikko/ [sm] pico FRAS colare a ~: irse a pique.

piccolo /'pikkolo/ [agg] pequeño FRAS fare le ore piccole: trasnochar | piccola pubblicità: anuncios económicos ◆ [sm] 1 (bambino) niño, pequeño 2 (animale) cría (f).

piccozza /pik'kɔttsa/ [sf] SPORT (alpinismo) piolet (m).

picnic /pik'nik/ [sm inv] picnic.

pidocchio /pi'dɔkkjo/ [sm] 1 piojo 2 FIG SPREG tacaño.

piede /'pjɛde/ [sm] pie FRAS andare a piedi: caminar, ir a pie | cena/pranzo in piedi: cena/almuerzo en pie | **stare in piedi**: estar de pie, *Amer* estar parado.

piega /'pjega/ [sf] **1** pliegue (m) **2** (pantaloni) raya FRAS **messa in ~**: marcado del pelo.

piegare /pje'gare/ [v tr] **1** doblar **2** (inclinare) inclinar ♦ [v intr] doblarse ♦ [v intr prnl] **1** doblarse, inclinarse **2** FIG (sottomettersi) doblegarse.

Piemonte /pje'monte/ [sm] Piamonte.

piemontese /pjemon'tese/ [agg m,f/ sm,f] piamontés (f -a).

piena /'pjena/ [sf] **1** (fiume) crecida **2** FIG (persone) lleno (m).

pieno /'pjeno/ [agg/sm] lleno FRAS **essere ~ come un uovo**: estar repleto | **fare il ~ di benzina**: llenar el depósito de gasolina.

pietà /pje'ta*/ [sf inv] piedad (sing).

pietanza /pje'tantsa/ [sf] plato (m).

pietoso /pje'toso/ [agg] penoso, lastimoso.

pietra /'pjetra/ [sf] piedra FRAS **~ pomice**: piedra pómez | **~ preziosa**: piedra preciosa.

pigiama /pi'dʒama/ [sm] pijama (m,f), *Amer* piyama (m,f).

pigliare /piʎ'ʎare/ [v tr] FAM coger, tomar.

pigna /'pinɲa/ [sf] piña.

pignolo /pin'ɲolo/ [agg/sm] puntilloso.

pigrizia /pi'grittsja/ [sf] pereza.

pigro /'pigro/ [agg] perezoso.

pila /'pila/ [sf] pila FRAS **~ a pastiglia**: pila de botón.

pilastro /pi'lastro/ [sm] pilar.

pillola /'pillola/ [sf] píldora.

pilota /pi'lota/ [agg inv/sm,f] piloto.

pinacoteca /pinako'tɛka/ [sf] pinacoteca.

pineta /pi'neta/ [sf] pinar (m).

ping-pong /pim'pɔng/ [sm inv] pimpón (sing).

pinguino /pin'gwino/ [sm] **1** ZOOL pingüino **2** (gelato da passeggio) polo, *Amer* paleta (f).

pinna /'pinna/ [sf] aleta.

pino /'pino/ [sm] pino.

pinolo /pi'nolo/ [sm] piñón.

pinza /'pintsa/ [sf] **1** pinza **2** (al pl) pinzas, tenazas.

pinzetta /pin'tsetta/ [sf] pinzas (pl).

pio /'pio/ [agg] pío, devoto.

pioggia /'pjɔddʒa/ [sf] (anche FIG) lluvia.

piombare /pjom'bare/ [v intr] (anche FIG) caer.

piombo /'pjombo/ [sm] plomo.

pioppo /'pjɔppo/ [sm] álamo, chopo.

piovere /'pjɔvere/ [v imp/intr] llover FRAS **~ a catinelle/dirotto**: llover a mares/cántaros.

piovoso /pjo'voso/ [agg] lluvioso.

piovra /'pjɔvra/ [sf] pulpo (m).

pipa /'pipa/ [sf] pipa.

pipì /pi'pi*/ [sf inv] FAM pis (m).

pipistrello /pipis'trello/ [sm] murciélago.

piragna /pi'raɲa/ [sm inv] piraña (sing).

piramide /pi'ramide/ [sf] pirámide.

pirata /pi'rata/ [agg inv/sm] pirata.

pirofila /pi'rɔfila/ [sf] fuente de pyrex.

piroscafo /pi'rɔskafo/ [sm] piróscafo.

pisciare /piʃ'ʃare/ [v intr/tr] VOLG orinar.

piscina /piʃ'ʃina/ [sf] piscina, *Amer* pileta.

pisello /pi'sɛllo/ [sm] **1** BOT guisante, *Amer* arveja (f) **2** POP (pene) pito.

pista /'pista/ [sf] pista FRAS ~ cicla-
bile: carril de bicicletas | ~ da ba-
llo: pista de baile | ~ di pattinag-
gio: pista de patinaje | ~ di sci: pis-
ta de esquí.

pistacchio /pis'takkjo/ [sm] pistacho.

pistola /pis'tɔla/ [sf] pistola.

pistone /pis'tone/ [sm] pistón.

pitone /pi'tone/ [sm] pitón.

pittore (-trice) /pit'tore/ [sm] (anche
imbianchino) pintor (f -a).

pittoresco /pitto'resko/ [agg] pintoresco.

pittura /pit'tura/ [sf] pintura.

pitturare /pittu'rare/ [v tr] pintar.

più /'pju*/ [agg inv] 1 (misura, numero, quantità) más ● *oggi ho ~ caldo
di ieri*: hoy tengo más calor que
ayer 2 (molti) muchos (m pl) ● *mi
fermerò ~ giorni*: me quedaré muchos días FRAS a ~ tardi!: ¡hasta
ahora!, ¡hasta luego! ◆ [avv] 1 más
2 (temperatura) sobre cero ● *il termometro segna ~ uno*: el termómetro marca un grado sobre cero
FRAS in/di ~: de más, de sobra | né
~, né meno: ni más ni menos | non
poterne ~: no poder más | per di ~:
además | ~ o meno: más o menos ◆
[sm] 1 lo más ● *cerca di correre il ~
possibile*: trata de correr lo más posible 2 la mayor parte (f) ● *il ~ è fatto*: la mayor parte está hecha FRAS
tutt'al ~: a lo sumo | parlare del ~
e del meno: hablar del tiempo.

piuma /'pjuma/ [sf] pluma.

piumino /pju'mino/ [sm] ABB plumífero.

piumone /pju'mone/ [sm] (letto)
edredón.

piuttosto /pjut'tɔsto/ [avv] más bien
◆ [cong] (solo nella locuzione)
FRAS ~ che/di: antes que/de.

pizza /'pittsa/ [sf] pizza FRAS ~ a
taglio: pizza al corte | ~ da aspor-
to: pizza para llevar.

pizzeria /pittse'ria/ [sf] pizzería.

pizzicare /pittsi'kare/ [v tr/intr] picar.

pizzico /'pittsiko/ [sm] 1 pellizco 2
(pochino) pizca (f) 3 (di insetto) picadura (f).

pizzo /'pittso/ [sm] 1 encaje 2 (barba)
perilla (f).

placca /'plakka/ [sf] placa.

plagiare /pla'dʒare/ [v tr] plagiar.

planare /pla'nare/ [v intr] planear.

planetario /plane'tarjo/ [agg/sm]
planetario.

plasma /'plazma/ [sm] plasma.

plastica /'plastika/ [sf] 1 (materiale)
plástico (m) 2 MED plástica.

platano /'platano/ [sm] plátano.

platea /pla'tea/ [sf] platea, patio (m)
de butacas.

plettro /'plɛttro/ [sm] plectro.

pleurite /pleu'rite/ [sf] pleuritis (inv).

plotone /plo'tone/ [sm] pelotón.

plurale /plu'rale/ [agg m,f/sm] plural.

Plutone /plu'tone/ [sm] (astronomia,
astrologia) Plutón.

pluviale /plu'vjale/ [agg m,f] pluvial
FRAS foresta ~: selva ecuatorial.

pneumatico /pneu'matiko/ [agg/sm]
neumático.

po' /'pɔ/ [agg/avv/pron] poco FRAS
un ~: un poco, algo.

poco /'pɔko/ [agg/avv/pron/sm] poco
FRAS a ~ a ~: poco a poco | ci
vuole ~: es fácil | per ~: por poco |

~ male!: ¡hubiera podido ir peor! | **un ~:** un poco, algo.

podere /po'dere/ [sm] finca (f), granja (f).

podio /'pɔdjo/ [sm] podio.

poesia /poe'zia/ [sf] poema (m).

poeta (-essa) /po'ɛta/ [sm] poeta (f -isa).

poetico /po'ɛtiko/ [agg] poético.

poggiatesta /poddʒa'tɛsta/ [sm inv] reposacabezas.

poi /'pɔi/ [avv] **1** luego, después **2** (inoltre) además FRAS **in ~:** en adelante | **prima o ~:** antes o después.

poiché /poi'ke*/ [cong] puesto que, ya que, pues.

poker /'pɔker/ [sm inv] (carte) póquer (sing).

polare /po'lare/ [agg m,f] polar.

polemica /po'lɛmika/ [sf] polémica.

poliambulatorio /poliambula'tɔrjo/ [sm] ambulatorio.

policlinico /poli'kliniko/ [sm] policlínica (f).

poligono /po'ligono/ [sm] polígono.

poliomielite /poljomie'lite/ [sf] poliomielitis (inv).

polipo /'pɔlipo/ [sm] pólipo.

polistirolo /polisti'rɔlo/ [sm] poliestireno.

politecnico /poli'tɛkniko/ [sm] (università) facultad de ingeniería.

politica /po'litika/ [sf] política.

politico /po'litiko/ [agg/sm] político.

polizia /polit'tsia/ [sf] policía FRAS **agente di ~:** agente de policía | **~ stradale:** policía de tráfico.

poliziesco /polit'tsjesko/ [agg] policial (m,f), policiaco.

poliziotto /polit'tsjɔtto/ [agg inv/sm] policía.

polizza /'polittsa/ [sf] póliza FRAS **~ di assicurazione:** póliza de seguro.

pollaio /pol'lajo/ [sm] **1** gallinero **2** FIG alboroto, jaleo.

pollice /'pollitʃe/ [sm] pulgar FRAS **avere il ~ verde:** tener buena mano para la jardinería.

polline /'polline/ [sm] polen.

pollivendolo /polli'vendolo/ [sm] pollero.

pollo /'pollo/ [sm] **1** ZOOL pollo **2** FIG primo.

polmone /pol'mone/ [sm] pulmón.

polmonite /polmo'nite/ [sf] pulmonía.

polo /'pɔlo/ [agg inv/sf inv] ABB polo (sost m sing) ♦ [sm] polo.

polpa /'polpa/ [sf] **1** (frutta) pulpa **2** (carne) molla.

polpaccio /pol'pattʃo/ [sm] pantorrilla (f).

polpastrello /polpas'trɛllo/ [sm] yema (f).

polpo /'polpo/ [sm] pulpo.

polsino /pol'sino/ [sm] puño.

polso /'polso/ [sm] pulso.

poltrona /pol'trona/ [sf] **1** sillón (m) **2** (teatro) butaca **3** FIG (carica) cargo (m), puesto (m).

polvere /'polvere/ [sf] polvo (m) FRAS **in ~:** en polvo.

pomata /po'mata/ [sf] pomada, crema.

pomeridiano /pomeri'djano/ [agg] postmeridiano.

pomeriggio /pome'riddʒo/ [sm] tarde (f) FRAS **nel primo/tardo ~:** al comienzo/al final de la tarde.

pomice /'pomitʃe/ [sf] pómez, piedra pómez.

p

pomodoro /pomo'dɔro/ [sm] **1** (pianta) tomatera (f) **2** (frutto) tomate FRAS **conserva/salsa di ~**: conserva/salsa de tomate | **succo di ~**: zumo de tomate.

pompa /'pompa/ [sf] **1** bomba **2** FAM (benzina) gasolinera FRAS **~ antiincendio**: bomba de incendios.

pompelmo /pom'pelmo/ [sm] **1** (pianta) toronjo **2** (frutto) toronja (f), pomelo.

pompiere /pom'pjɛre/ [sm] bombero.

ponente /po'nɛnte/ [sm] poniente, occidente.

pongo /'pɔngo/ [sm] plastilina (f).

ponte /'ponte/ [sm] puente FRAS **tagliare i ponti con qualcuno**: romper con alguien.

pontefice /pon'tefitʃe/ [sm] pontífice.

ponteggio /pon'teddʒo/ [sm] andamiaje.

pontile /pon'tile/ [sm] muelle, embarcadero.

pony /'pɔni/ [sm inv] poni (sing).

pop /'pɔp/ [agg inv] pop.

popcorn /pɔp'kɔrn/ [sm inv] palomitas (f pl).

popolare /popo'lare/ [agg m,f] popular ♦ (**-rsi**) [v tr/intr prnl] poblar (-se).

popolarità /popolari'ta*/ [sf] popularidad (sing).

popolato /popo'lato/ [agg] populoso.

popolazione /popolat'tsjone/ [sf] población.

popolo /'pɔpolo/ [sm] pueblo.

popoloso /popo'loso/ [agg] populoso.

poppa /'pɔppa/ [sf] MAR popa.

poppante /pop'pante/ [sm,f] niño (m) de pecho.

porcellana /portʃel'lana/ [sf] porcelana.

porcello /por'tʃello/ [sm] cochinillo.

porcheria /porke'ria/ [sf] porquería.

porcile /por'tʃile/ [sm] (anche FIG) pocilga (f).

porcino /por'tʃino/ [sm] boleto.

porco /'pɔrko/ [sm] **1** POP cerdo, *Amer* chancho **2** (carne) cerdo.

porcospino /porkos'pino/ [sm] **1** (istrice) puerco espín **2** (riccio) erizo.

porfido /'pɔrfido/ [sm] pórfido.

porgere /'pɔrdʒere/ [v tr] **1** pasar, alcanzar **2** FIG dar, presentar FRAS **~ la mano**: tender la mano.

pornografia /pornogra'fia/ [sf] pornografía.

poro /'pɔro/ [sm] poro.

poroso /po'roso/ [agg] poroso.

porre (**-rsi**) /'porre/ [v tr prnl] poner (-se) FRAS **~ fine/termine**: poner fin | **~ limiti**: poner límites.

porro /'pɔrro/ [sm] **1** BOT puerro **2** MED verruga (f).

porta /'pɔrta/ [sf] puerta.

portabagagli /portaba'gaʎʎi/ [sm inv] **1** (persona) mozo de estación **2** (veicolo) portaequipajes.

portacenere /porta'tʃenere/ [agg inv/sm inv] cenicero (sing).

portachiavi /porta'kjavi/ [sm inv] llavero (sing).

portaerei /porta'erei/ [agg inv/sm,f inv] portaaviones (m).

portafoglio /porta'fɔʎʎo/ [sm] cartera (f), billetero.

portafortuna /portafor'tuna/ [sm inv] amuleto (sost sing).

portale /por'tale/ [sm] puerta (f) monumental.

portamento /porta'mento/ [sm] porte.

portamonete /portamo'nete/ [sm inv] portamonedas.

portaocchiali /portaok'kjali/ [agg inv/sm inv] funda (f sing), estuche (sing).

portaombrelli /portaom'brelli/ [sm inv] paragüero (sing).

portapacchi /porta'pakki/ [sm inv] **1** (bicicletta, moto) trasportín (sing) **2** (automobile) baca (f sing), *Amer* parrilla (f sing).

portare /por'tare/ [v tr] **1** llevar **2** (farsi portare) traer • *mi porti il conto*: tráigame la cuenta **3** (misura di scarpe) calzar **4** (misura di abiti) tener, llevar FRAS ~ **avanti**: llevar adelante | ~ **bene gli anni**: llevar bien los años.

portasci /portaʃ'ʃi*/ [sm inv] baca (f sing) portaesquís.

portata /por'tata/ [sf] **1** (piatto) plato (m) **2** (capacità) tonelaje (m), cabida **3** FIG (importanza) envergadura FRAS **alla ~ di tutti**: al alcance de todos | **a ~ di mano**: al alcance de la mano.

portatile /por'tatile/ [agg m,f/sm,f] portátil.

portatore (-**trice**) /porta'tore/ [sm] portador (f -a) FRAS **al ~**: al portador.

portellone /portel'lone/ [sm] **1** MAR (anche aereo) portalón **2** (veicolo) puerta (f) trasera.

porticato /porti'kato/ [sm] soportales (pl).

portico /'portiko/ [sm] pórtico, porche.

portiera /por'tjera/ [sf] (veicolo) puerta, portezuela.

portiere /por'tjere/ [sm] (anche SPORT) portero FRAS ~ **di notte**: portero de noche.

portinaio /porti'najo/ [agg/sm] portero.

portineria /portine'ria/ [sf] portería.

porto /'porto/ [sm] puerto FRAS ~ **d'armi**: licencia/permiso de armas.

Portogallo /porto'gallo/ [sm] Portugal.

portoghese /porto'gese/ [agg m,f/ sm,f] portugués (f -a).

portone /por'tone/ [sm] portal.

Portorico /porto'riko/ [sm] Puerto Rico.

portoricano /portori'kano/ [agg/sm] puertorriqueño, portorriqueño.

porzione /por'tsjone/ [sf] porción.

posa /'posa/ [sf] **1** colocación **2** (fotografia) exposición, pose FRAS **teatro di ~**: estudio.

posare /po'sare/ [v tr] poner, colocar ♦ [v intr] **1** (appoggiare) apoyarse, descansar **2** (mettersi in posa) posar ♦ [v intr prnl] posarse, apoyar.

posata /po'sata/ [sf] cubierto (m).

positivo /pozi'tivo/ [agg] **1** positivo **2** afirmativo • *risposta positiva*: respuesta afirmativa.

posizione /pozit'tsjone/ [sf] posición FRAS **luci di ~**; pilotos.

possedere /posse'dere/ [v tr] **1** (anche FIG) poseer, tener **2** FIG dominar, arrastrar • *lasciarsi ~ dall'ira*: dejarse dominar por la ira.

possedimento /possedi'mento/ [sm] posesión (f).

possessivo /posses'sivo/ [agg] posesivo.

possesso /pos'sɛsso/ [sm] posesión (f).

possessore (-ditrice) /posses'sore/ [sm] poseedor (f -a).

possibile /pos'sibile/ [agg m,f/sm] posible.

possibilità /possibili'ta*/ [sf inv] posibilidad (sing).

possidente /possi'dɛnte/ [agg m,f/ sm,f] terrateniente.

posta /'pɔsta/ [sf] **1** correo (m) **2** (gioco, scommessa) apuesta FRAS **fermo ~**: lista de correos | **~ aerea**: correo por avión | **~ elettronica**: correo electrónico.

postacelere /posta't ʃɛlere/ [sm] correo expreso ■ pl irr **postaceleri** (anche **postacelere**).

postale /pos'tale/ [agg m,f] postal FRAS **codice di avviamento ~**: código postal | **pacco ~**: paquete postal, Amer encomienda.

posteggiare /posted'dʒare/ [v tr] aparcar, estacionar, Amer parquear.

posteggiatore (-trice) /posteddʒa' tore/ [sm] guardacoches (m,f inv) FRAS **~ abusivo**: gorrilla.

posteggio /pos'teddʒo/ [sm] aparcamiento, estacionamiento, Amer parqueo.

posteriore /poste'rjore/ [agg m,f] posterior.

posticipare /postitʃi'pare/ [v tr] aplazar, posponer.

postino /pos'tino/ [sm] cartero.

posto /'posto/ [sm] **1** lugar **2** (spazio) espacio, sitio **3** (a sedere) asiento, plaza (f) **4** (veicolo) asiento **5** (lavoro) puesto FRAS **mettere a ~**: ordenar (hacer orden); poner en su sitio (objeto) | **~ auto**: aparcamiento | **~ di blocco**: puesto de control | **~ in piedi**: sitio para estar de pie | **~ letto**: cama | **~ riservato agli invalidi**: puesto reservado a inválidos.

potabile /po'tabile/ [agg m,f] potable.

potare /po'tare/ [v tr] podar.

potente /po'tɛnte/ [agg m,f] potente ◆ [sm] poderoso.

potentino /poten'tino/ [agg/sm] habitante (m,f) de Potenza.

potenza /po'tɛntsa/ [sf] potencia.

potenziare /poten'tsjare/ [v tr] potenciar.

potere /po'tere/ [v intr] poder ◆ [sm] poder FRAS **~ d'acquisto**: poder adquisitivo.

povero /'pɔvero/ [agg/sm] pobre (m,f).

povertà /pover'ta*/ [sf inv] pobreza (sing).

pozza /'pottsa/ [sf] charco (m).

pozzanghera /pot'tsangera/ [sf] charco (m).

pozzo /'pottso/ [sm] pozo.

pralina /pra'lina/ [sf] CUC almendra garrapiñada.

pranzare /pran'dzare/ [v intr] almorzar, comer.

pranzo /'prandzo/ [sm] **1** almuerzo, comida (f) **2** (formale) banquete FRAS **sala da ~**: comedor.

prateria /prate'ria/ [sf] pradería.

pratica /'pratika/ [sf] práctica FRAS **in ~**: prácticamente.

praticabile /prati'kabile/ [agg m,f] factible.

praticare /prati'kare/ [v tr] **1** practicar **2** hacer, efectuar ◆ **~ uno sconto**: hacer un descuento.

praticità /pratit∫i'ta*/ [sf inv] funcionalidad (sing).

pratico /'pratiko/ [agg] práctico.

prato /'prato/ [sm] prado.

preavviso /preav'vizo/ [sm] previo aviso.

precarietà /prekarje'ta*/ [sf inv] precariedad (sing).

precario /pre'karjo/ [agg] **1** precario **2** (persona) interino.

precauzione /prekaut'tsjone/ [sf] precaución.

precedente /pret∫e'dɛnte/ [agg m,f/ sm] precedente.

precedenza /pret∫e'dɛntsa/ [sf] precedencia, prioridad FRAS **avere la ~**: tener preferencia | **dare la ~**: ceder el paso.

precedere /pre't∫edere/ [v intr] preceder.

precipitare (**-rsi**) /pret∫ipi'tare/ [v tr prnl/v intr/intr prnl] precipitar (-se).

precipitoso /pret∫ipi'toso/ [agg] FIG precipitado.

precipizio /pret∫i'pittsjo/ [sm] precipicio.

precisamente /pret∫iza'mente/ [avv] **1** (con precisione) esmeradamente **2** (esattamente) precisamente, justamente.

precisare /pret∫i'zare/ [v tr] precisar, detallar.

precisione /pret∫i'zjone/ [sf] precisión, exactitud.

preciso /pre't∫izo/ [agg] **1** preciso **2** (persona) esmerado **3** (uguale) idéntico, igual (m,f).

precoce /pre'kɔt∫e/ [agg m,f] precoz.

precotto /pre'kɔtto/ [agg/sm] precocinado.

preda /'prɛda/ [sf] presa.

predatore (**-trice**) /preda'tore/ [agg/ sm] predador (f -a) FRAS **uccello ~**: ave de presa/rapiña.

predica /'prɛdika/ [sf] (anche FIG) sermón (f).

predicare /predi'kare/ [v tr/intr] predicar.

predilezione /predilet'tsjone/ [sf] predilección.

predire /pre'dire/ [v tr] predecir.

predisporre (**-rsi**) /predis'porre/ [v tr prnl] predisponer (-se).

predisposizione /predispozit'tsjo ne/ [sf] predisposición.

predisposto /predis'posto/ [agg] predispuesto.

predominio /predo'minjo/ [sm] predominio.

prefabbricato /prefabbri'kato/ [agg/sm] prefabricado.

prefazione /prefat'tsjone/ [sf] prefacio (m).

preferenza /prefe'rɛntsa/ [sf] preferencia.

preferibile /prefe'ribile/ [agg m,f] preferible.

preferire /prefe'rire/ [v tr] preferir.

preferito /prefe'rito/ [agg/sm] preferido, favorito.

prefestivo /prefes'tivo/ [agg] de la víspera de un día festivo.

prefetto /pre'fetto/ [sm] prefecto.

prefettura /prefet'tura/ [sf] gobernación civil.

prefisso /pre'fisso/ [sm] prefijo.

pregare /pre'gare/ [v tr] rogar.

preghiera /pre'gjera/ [sf] **1** (religiosa) oración, rezo (m) **2** (supplica) ruego (m).

pregiato /pre'dʒato/ [agg] valioso, preciado.

p

pregio /'predʒo/ [sm] **1** (cosa) valor **2** (persona) cualidad (f), virtud (f).

pregiudizio /predʒu'dittsjo/ [sm] prejuicio.

prego /'prego/ [inter] **1** ¡de nada! • *"Grazie" "~!"*: "Gracias" "¡De nada!" **2** por favor • *~, si accomodi*: por favor, pase usted.

preistoria /preis'tɔrja/ [sf] prehistoria.

preistorico /preis'tɔriko/ [agg] prehistórico.

prelevamento /preleva'mento/ [sm] (denaro) retiro FRAS **fare/effettuare un ~**: retirar/sacar dinero.

prelevare /prele'vare/ [v tr] **1** (denaro) retirar, sacar **2** MED tomar.

prelibato /preli'bato/ [agg] exquisito.

prelievo /pre'ljevo/ [sm] **1** (denaro) retiro **2** MED toma (f).

preliminare /prelimi'nare/ [agg m,f/sm] preliminar.

preludio /pre'ludjo/ [sm] MUS preludio.

premaman /prema'man/ [agg inv/ sm inv] premamá*.

prematuro /prema'turo/ [agg/sm] prematuro.

premere /'premere/ [v tr] comprimir, apretar ♦ [v intr] **1** (fare pressione) presionar **2** (gravare) gravar, cargar **3** FIG (interessare) importar, interesar.

premessa /pre'messa/ [sf] premisa.

premettere /pre'mettere/ [v tr] anteponer.

premiare /pre'mjare/ [v tr] premiar.

premiazione /premjat'tsjone/ [sf] ceremonia del premio.

premier /'premjer/ [sm inv] primer ministro.

premio /'premjo/ [sm] premio.

premuroso /premu'roso/ [agg] atento.

prendere /'prendere/ [v tr] **1** (anche mezzo pubblico) coger, *Amer* tomar **2** (comprare) comprar **3** (stipendio) cobrar **4** (portare via) llevarse **5** tomar • *~ un caffè*: tomar un café | *~ il sole*: tomar el sol | *una decisione*: tomar una decisión | *~ le misure*: tomar las medidas **6** (abitudine, malattia) coger FRAS **andare/passare a ~**: ir a buscar/recoger | **non prendersela**: tomar las cosas como vienen | **prende qualcosa?**: ¿desea tomar algo? | *~ **paura***: asustarse | *~ **posto***: tomar asiento | **prendersela**: enfadarse.

prenotare /preno'tare/ [v tr] reservar.

prenotazione /prenotat'tsjone/ [sf] reserva FRAS **disdire/annullare una ~**: cancelar una reserva.

preoccupante /preokku'pante/ [agg m,f] preocupante.

preoccupare (**-rsi**) /preokku'pare/ [v tr/intr prnl] preocupar (-se), inquietar (-se).

preoccupazione /preokkupat'tsjone/ [sf] preocupación.

preparare (**-rsi**) /prepa'rare/ [v tr prnl/intr prnl] preparar (-se).

preparativi /prepara'tivi/ [sm pl] preparativos.

preparatorio /prepara'tɔrjo/ [agg] preparatorio.

preparazione /preparat'tsjone/ [sf] **1** preparación **2** SPORT entrenamiento (m).

prepotente /prepo'tente/ [agg m,f/ sm,f] prepotente.

prepotenza /prepo'tentsa/ [sf] prepotencia.

presa /'presa/ [sf] toma FRAS **macchina da ~**: cámara | **~ di corren-**

te elettrica: toma de corriente | ~ in giro: tomadura de pelo.

presbite /'prezbite/ [agg m,f/sm,f] présbita.

prescindere /preʃ'ʃindere/ [v intr] prescindir FRAS a ~ da: prescindiendo de.

prescrivere /pres'krivere/ [v tr] prescribir.

prescrizione /preskrit'tsjone/ [sf] prescripción.

presentabile /prezen'tabile/ [agg m,f] presentable.

presentare (-rsi) /prezen'tare/ [v tr prnl/intr prnl] presentar (-se).

presentatore (-trice) /prezenta'tore/ [sm] presentador (f -a).

presentazione /prezentat'tsjone/ [sf] presentación FRAS fare le presentazioni: presentar.

presente /pre'zente/ [agg m,f/sm,f/sm] presente FRAS avere/tenere ~: tener presente.

presentimento /prezenti'mento/ [sm] presentimiento, corazonada (f).

presenza /pre'zentsa/ [sf] presencia.

presepio /pre'zɛpjo/ [sm] belén, nacimiento.

preservare /preser'vare/ [v tr] preservar.

preservativo /preserva'tivo/ [sm] preservativo, condón.

preside /'preside/ [sm,f] director (f -a) de un instituto de enseñanza media FRAS ~ di facoltà: decano.

presidente (-essa) /presi'dɛnte/ [sm] presidente.

presidenza /presi'dɛntsa/ [sf] presidencia FRAS ufficio/consiglio di ~: presidencia.

pressappoco /pressap'pɔko/ [avv] aproximadamente, poco más o menos.

pressi /'pressi/ [sm pl] inmediaciones (f).

pressione /pres'sjone/ [sf] (anche FIG) presión FRAS bassa ~: baja presión | fare ~ su qualcuno: ejercer/hacer presión sobre alguien | ~ sanguigna: presión sanguínea.

presso /'presso/ [prep] **1** (vicino) cerca de **2** FIG en, para • *lavora ~ il comune*: trabaja en el ayuntamiento **3** (a casa di) con, en casa de.

prestabilito /prestabi'lito/ [agg] preestablecido.

prestare (-rsi) /pres'tare/ [v tr prnl/intr prnl] prestar (-se).

prestazione /prestat'tsjone/ [sf] **1** prestación **2** SPORT actuación.

prestigiatore (-trice) /prestidʒa'tore/ [sm] prestidigitador (f -a).

prestigio /pres'tidʒo/ [sm] prestigio, renombre FRAS giochi di ~: prestidigitación.

prestigioso /presti'dʒoso/ [agg] prestigioso.

prestito /'prestito/ [sm] préstamo FRAS dare in ~: prestar | prendere in ~: tomar prestado.

presto /'presto/ [avv] pronto FRAS a ~!: ¡hasta ahora/luego/pronto! | è ~: es temprano.

presumere /pre'zumere/ [v tr] presumir.

presuntuoso /prezuntu'oso/ [agg/sm] presuntuoso, presumido.

presunzione /prezun'tsjone/ [sf] presunción.

prete /'prete/ [sm] cura, sacerdote.

p

pretendere /pre'tɛndere/ [v tr] **1** pretender **2** (chiedere) pedir.

pretesa /pre'tesa/ [sf] pretensión FRAS **essere senza pretese**: no tener pretensiones.

pretesto /pre'tɛsto/ [sm] **1** (scusa) pretexto, excusa (f) **2** (occasione) motivo, ocasión (f).

pretura /pre'tura/ [sf] juzgado (m).

prevalente /preva'lɛnte/ [agg m,f] predominante.

prevalenza /preva'lɛntsa/ [sf] mayoría.

prevalere /preva'lere/ [v intr] predominar.

prevedere /preve'dere/ [v tr] prever.

prevedibile /preve'dibile/ [agg m,f] previsible.

prevendita /pre'vendita/ [sf] venta anticipada.

prevenire /preve'nire/ [v tr] **1** (anticipare) preceder, anticipar **2** prevenir.

preventivo /preven'tivo/ [agg] preventivo ♦ [sm] presupuesto.

prevenuto /preve'nuto/ [agg] receloso, prevenido.

prevenzione /preven'tsjone/ [sf] prevención.

previdente /previ'dɛnte/ [agg m,f] precavido (m), previsor (f -a).

previdenza /previ'dɛntsa/ [sf] previsión.

previsione /previ'zjone/ [sf] previsión FRAS **~ meteorologica/del tempo**: parte meteorológico.

previsto /pre'visto/ [sm] lo previsto.

prezioso /pret'tsjoso/ [agg] precioso, valioso.

prezzemolo /pret'tsemolo/ [sm] perejil.

prezzo /'prɛttso/ [sm] (anche FIG) precio FRAS **a basso ~**: barato, a bajo precio | **~ fisso**: precio fijo.

prigione /pri'dʒone/ [sf] **1** prisión **2** FIG calabozo (m).

prigioniero /pridʒo'njero/ [agg/sm] prisionero.

prima /'prima/ [avv/cong] antes FRAS **~ o poi**: antes o después | **~ possibile**: lo antes posible ♦ [prep] (spazio, tempo) antes de FRAS **~ di tutto**: en primer lugar, ante todo ♦ [sf] **1** (scuola) primer grado (m) **2** (cinema, teatro) estreno (m) **3** (veicolo) primera **4** (aereo, treno) primera clase.

primario /pri'marjo/ [sm] (ospedale) médico (en) jefe.

primato /pri'mato/ [sm] **1** primacía (f) **2** SPORT récord*, plusmarca (f).

primavera /prima'vera/ [sf] primavera.

primaverile /primave'rile/ [agg m,f] primaveral.

primitivo /primi'tivo/ [agg/sm] primitivo.

primizia /pri'mittsja/ [sf] primicia.

primo /'primo/ [agg num] primero FRAS **a prima vista**: a primera vista | **per ~**: el primero ♦ [sm] **1** primero **2** CUC primer plato.

primogenito /primo'dʒɛnito/ [agg/sm] primogénito.

primula /'primula/ [sf] prímula.

principale /printʃi'pale/ [agg m,f] principal.

principe /'printʃipe/ [sm] príncipe.

principessa /printʃi'pessa/ [sf] princesa.

principiante /printʃi'pjante/ [agg m,f/sm,f] principiante.

principio /prin'tʃipjo/ [sm] principio
FRAS in/al ~: en/al principio.

priorità /priori'ta*/ [sf inv] prioridad
(sing).

privare (-rsi) /pri'vare/ [v tr prnl]
privar (-se).

privatizzare /privatid'dzare/ [v tr]
privatizar.

privatizzazione /privatiddzat'tsjo
ne/ [sf] privatización.

privato /pri'vato/ [agg] privado.

privilegiato /privile'dʒato/ [agg/sm]
privilegiado.

privilegio /privi'ledʒo/ [sm] privilegio.

privo /'privo/ [agg] falto, desprovisto.

pro /prɔ/ [prep] en favor de.

probabile /pro'babile/ [agg m,f] probable.

probabilità /probabili'ta*/ [sf inv]
probabilidad (sing).

problema /pro'blema/ [sm] problema.

problematico /proble'matiko/ [agg]
problemático.

proboscide /pro'bɔʃʃide/ [sf] probóscide, trompa.

procedere /pro'tʃedere/ [v intr] **1**
(andare avanti) avanzar **2** proceder.

procedimento /protʃedi'mento/
[sm] procedimiento.

procedura /protʃe'dura/ [sf] procedimiento (m).

processare /protʃes'sare/ [v tr] GIUR
procesar.

processione /protʃes'sjone/ [sf]
procesión.

processo /pro'tʃɛsso/ [sm] proceso.

proclamare /prokla'mare/ [v tr] proclamar.

procreare /prokre'are/ [v tr] pro-
crear.

procura /pro'kura/ [sf] GIUR fiscalía.

procurare /proku'rare/ [v tr] procurar.

procuratore (-trice) /prokura'tore/
[sm] procurador FRAS ~ legale:
procurador judicial.

prodigioso /prodi'dʒoso/ [agg] prodigioso.

prodotto /pro'dotto/ [sm] producto.

produrre /pro'durre/ [v tr] producir.

produttivo /produt'tivo/ [agg] **1** pro-
ductivo **2** (industria) de producción.

produttore (-trice) /produt'tore/
[agg/sm] productor (f -a).

produzione /produt'tsjone/ [sf] producción.

profanare /profa'nare/ [v tr] profanar.

profano /pro'fano/ [agg] profano.

professionale /professjo'nale/ [agg
m,f] profesional.

professione /profes'sjone/ [sf] profesión.

professionista /professjo'nista/
[sm,f] profesional.

professore (-essa) /profes'sore/
[sm] profesor (f -a).

profeta (-essa) /pro'fɛta/ [sm] profeta (f -isa).

profilattico /profi'lattiko/ [sm] profiláctico.

profilo /pro'filo/ [sm] perfil.

profitto /pro'fitto/ [sm] provecho.

profondità /profondi'ta*/ [sf inv]
(anche FIG) profundidad (sing).

profondo /pro'fondo/ [agg] (anche
FIG) profundo ◆ [sm] lo profundo.

profugo /'prɔfugo/ [agg/sm] fugitivo.

p

profumare (-rsi) /profu'mare/ [v tr prnl/intr] perfumar (-se).

profumazione /profumat'tsjone/ [sf] perfume (m).

profumeria /profume'ria/ [sf] perfumería.

profumo /pro'fumo/ [sm] perfume.

progettare /prodʒet'tare/ [v tr] proyectar.

progetto /pro'dʒɛtto/ [sm] proyecto.

prognosi /'prɔɲɲozi/ [sf inv] pronóstico (m sing) FRAS ~ **riservata**: pronóstico reservado.

programma /pro'gramma/ [sm] **1** programa **2** (progetto) plan, proyecto.

programmare /program'mare/ [v tr] programar.

programmazione /programmat'tsjone/ [sf] programación.

progredire /progre'dire/ [v intr] **1** adelantar, avanzar **2** FIG progresar.

progredito /progre'dito/ [agg] desarrollado.

progressista /progres'sista/ [agg m,f/sm,f] progresista.

progressivo /progres'sivo/ [agg] progresivo.

progresso /pro'grɛsso/ [sm] progreso.

proibire /proi'bire/ [v tr] prohibir.

proibito /proi'bito/ [agg] prohibido.

proiettare (-rsi) /projet'tare/ [v tr/intr prnl] proyectar (-se).

proiettile /pro'jɛttile/ [sm] proyectil.

proiettore /projet'tore/ [sm] proyector.

proiezione /projet'tsjone/ [sf] proyección.

proletario /prole'tarjo/ [agg/sm] proletario.

prolunga /pro'lunga/ [sf] alargadera.

prolungamento /prolunga'mento/ [sm] prolongación (f).

prolungare (-rsi) /prolun'gare/ [v tr/intr prnl] prolongar (-se).

promessa /pro'messa/ [sf] promesa.

promettere /pro'mettere/ [v tr] prometer.

promiscuo /pro'miskuo/ [agg] promiscuo.

promontorio /promon'tɔrjo/ [sm] promontorio.

promotore (-trice) /promo'tore/ [agg/sm] promotor (f -a).

promozionale /promottsjo'nale/ [agg m,f] propagandístico (m).

promozione /promot'tsjone/ [sf] **1** SPORT promoción **2** (lavoro) ascenso (m), promoción **3** (scuola) aprobado (m).

promuovere /pro'mwɔvere/ [v tr] **1** promover **2** (scuola) aprobar, pasar a.

pronostico /pro'nɔstiko/ [sm] pronóstico.

prontezza /pron'tettsa/ [sf] prontitud.

pronto /'pronto/ [agg] listo FRAS ~ **soccorso**: urgencias ♦ [inter] (telefono) ¡diga!, *Amer* ¡aló!

pronuncia /pro'nuntʃa/ [sf] pronunciación.

pronunciare /pronun'tʃare/ [v tr] pronunciar.

propaganda /propa'ganda/ [sf] propaganda.

propenso /pro'penso/ [agg] propenso.

propizio /pro'pittsjo/ [agg] propicio.

propoli /'prɔpoli/ [sm,f inv] propóleos (m).

proporre /pro'porre/ [v tr] proponer ◆ [v prnl] ofrecerse.

proporzionale /proportsjo'nale/ [agg m,f] proporcional.

proporzionato /proportsjo'nato/ [agg] proporcionado.

proporzione /propor'tsjone/ [sf] proporción.

proposito /pro'pozito/ [sm] propósito FRAS **a ~!**: ¡a propósito!, ¡por cierto! | **di ~**: de/a propósito, adrede.

proposta /pro'posta/ [sf] propuesta, proposición.

proprietà /proprje'ta*/ [sf inv] propiedad (sing) FRAS **~ immobiliare**: inmueble | **~ privata**: propiedad privada.

proprietario /proprje'tarjo/ [agg/sm] propietario.

proprio /'proprjo/ [agg] **1** propio **2** (appropriato) apropiado, conveniente (m,f) **3** su, sus • *ognuno è padrone in casa propria*: cada uno manda en su casa FRAS **nome ~**: nombre propio | **vero e ~**: verdadero ◆ [avv] **1** precisamente, justamente • *~ adesso stavo uscendo*: precisamente ahora estaba saliendo **2** (assolutamente) en absoluto • *non ne sapevo ~ nulla*: no sabía nada en absoluto **3** (veramente) muy • *sto ~ male*: estoy muy mal **4** (davvero, sicuramente) claro • *avevi ~ ragione tu!*: ¡claro que tenías razón tú! FRAS **né ~ così!**: ¡ni más ni menos! ◆ [pron] **1** suyo • *qui ci sono i libri, ognuno si riprenda il ~*: aquí están los libros, cada uno que coja el suyo **2** propio • *è più facile vedere i difetti degli altri che i propri*: es más fácil ver los defectos ajenos que los propios ◆ [sm] lo propio FRAS **lavorare in ~**: trabajar por su cuenta.

proroga /'proroga/ [sf] prórroga.

prosa /'proza/ [sf] prosa.

prosciutto /pro'ʃutto/ [sm] jamón.

proseguimento /prosegwi'mento/ [sm] continuación (f).

proseguire /prose'gwire/ [v tr] proseguir, continuar ◆ [v intr] (continuare) continuar, seguir.

prosperare /prospe'rare/ [v intr] prosperar.

prosperità /prosperi'ta*/ [sf inv] prosperidad (sing).

prospettiva /prospet'tiva/ [sf] perspectiva.

prospetto /pros'petto/ [sm] prospecto, folleto.

prossimità /prossimi'ta*/ [sf inv] proximidad (sing) FRAS **in ~ di**: en las cercanías de (lugar); cerca de, sobre (tiempo).

prossimo /'prossimo/ [agg] próximo.

prostata /'prostata/ [sf] próstata.

prostituire (**-rsi**) /prostitu'ire/ [v tr prnl] prostituir (-se).

prostituta /prosti'tuta/ [sf] prostituta.

prostituzione /prostitut'tsjone/ [sf] prostitución.

protagonista /protago'nista/ [sm,f] protagonista.

proteggere (**-rsi**) /pro'teddʒere/ [v tr prnl] proteger (-se).

protesi /'protezi/ [sf inv] prótesis FRAS **~ dentaria**: prótesis dental.

protesta /pro'testa/ [sf] protesta.

protestante /protes'tante/ [agg m,f/sm,f] protestante.

p

protestare /protes'tare/ [v intr] protestar.

protettivo /protet'tivo/ [agg] protector (f -a).

protetto /pro'tetto/ [agg] protegido.

protettore (-trice) /protet'tore/ [agg] protector (f -a) ◆ [sm] **1** protector (f -a) **2** GERG (prostituta) chulo.

protezione /protet'tsjone/ [sf] protección FRAS ~ **civile**: protección civil.

protrarre (-rsi) /pro'trarre/ [v tr/intr prnl] prolongar (-se).

prova /'prɔva/ [sf] **1** prueba **2** (teatro) ensayo (m).

provare /pro'vare/ [v tr] **1** probar **2** (sentire) sentir, experimentar **3** (teatro) ensayar.

provenienza /prove'njentsa/ [sf] proveniencia, procedencia.

provenire /prove'nire/ [v intr] provenir.

proverbio /pro'verbjo/ [sm] refrán, proverbio.

provetta /pro'vetta/ [sf] probeta.

provincia /pro'vintʃa/ [sf] **1** provincia **2** (burocratico) gobernación.

provinciale /provin'tʃale/ [agg m,f] provincial ◆ [sf] (strada) carretera comarcal ◆ [sm,f] (anche SPREG) provinciano.

provino /pro'vino/ [sm] (presentazione cinematografica) tráiler, avance.

provocante /provo'kante/ [agg m,f] provocativo (m).

provocare /provo'kare/ [v tr] provocar.

provocatore (-trice) /provoka'tore/ [agg/sm] provocador (f -a).

provocazione /provokat'tsjone/ [sf] provocación.

provvedere /provve'dere/ [v intr/tr] proveer.

provvedimento /provvedi'mento/ [sm] **1** medida (f), disposición (f) **2** GIUR providencia (f) FRAS **prendere provvedimenti**: tomar medidas.

provvidenza /provvi'dentsa/ [sf] providencia.

provvigione /provvi'dʒone/ [sf] corretaje (m).

provvisorio /provvi'zɔrjo/ [agg] provisional (m,f).

provviste /prov'viste/ [sf pl] provisiones.

provvisto /prov'visto/ [agg] dotado.

prua /'prua/ [sf] proa.

prudente /pru'dente/ [agg m,f] prudente.

prudenza /pru'dentsa/ [sf] prudencia.

prudere /'prudere/ [v intr] picar.

prugna /'pruɲɲa/ [sf] ciruela FRAS ~ **secca**: ciruela pasa.

pruno /'pruno/ [sm] endrino.

prurito /pru'rito/ [sm] picazón (f), picor.

pseudonimo /pseu'dɔnimo/ [sm] seudónimo.

psiche /'psike/ [sf] psique.

psichiatra /psi'kjatra/ [sm,f] psiquiatra.

psichiatria /psikja'tria/ [sf] psiquiatría.

psicoanalisi /psikoa'nalizi/ [sf inv] psicoanálisis.

psicofarmaco /psiko'farmako/ [sm] psicofármaco.

psicologia /psikolo'dʒia/ [sf] psicología.

psicologico /psiko'lɔdʒiko/ [agg] psicológico.

psicologo /psi'kɔlogo/ [sm] psicólogo.

psicosomatico /psikoso'matiko/ [agg] psicosomático.

psoriasi /pso'riazi/ [sf inv] psoriasis.

pubblicare /pubbli'kare/ [v tr] publicar.

pubblicazione /pubblikat'tsjone/ [sf] publicación.

pubblicità /pubblitʃi'ta*/ [sf inv] publicidad (sing) FRAS **piccola ~**: anuncios económicos.

pubblicitario /pubblitʃi'tarjo/ [agg/ sm] publicitario.

pubblico /'pubbliko/ [agg/sm] público FRAS **giardini pubblici**: jardines públicos | **in ~**: en público | **~ ministero**: fiscal | **trasporto ~**: transporte público.

pube /'pube/ [sm] pubis (inv).

pubertà /puber'ta*/ [sf inv] pubertad (sing).

pudore /pu'dore/ [sm] pudor.

pugilato /pudʒi'lato/ [sm] pugilato, boxeo.

pugile /'pudʒile/ [sm] púgil, boxeador.

Puglia /'puʎʎa/ [sf] Apulia.

pugliese /puʎ'ʎese/ [agg m,f/sm,f] pullés (f -a).

pugnale /puɲ'ɲale/ [sm] puñal.

pugno /'puɲɲo/ [sm] **1** puño **2** puñetazo • **dare un ~**: asestar un puñetazo **3** (anche FIG) puñado • **un ~ di sale**: un puñado de sal FRAS **tenere in ~**: tener en un puño.

pulce /'pultʃe/ [sf] pulga FRAS **mettere la ~ nell'orecchio**: meter la mosca detrás de la oreja.

pulcino /pul'tʃino/ [sm] pollito, pollo FRAS **bagnato come un ~**: calado hasta los huesos.

puledro /pu'ledro/ [sm] potro.

pulire /pu'lire/ [v tr] limpiar.

pulito /pu'lito/ [agg] limpio.

pulizia /pulit'tsia/ [sf] limpieza.

pullman /'pulman/ [sm inv] autocar (sing).

pulmino /pul'mino/ [sm] furgoneta (f).

pulpito /'pulpito/ [sm] púlpito.

pulsante /pul'sante/ [sm] **1** interruptor **2** pulsador, llamador • **il ~ del campanello**: el pulsador del timbre.

pulsazione /pulsat'tsjone/ [sf] latido (m), pulsación.

puma /'puma/ [sm inv] puma (sing).

punch /'puntʃ/ [sm inv] ponche (sing).

pungente /pun'dʒɛnte/ [agg m,f] (freddo) cortante.

pungere /'pundʒere/ [v tr] **1** pinchar **2** (irritare) picar **3** (freddo) cortar, pelar ◆ [v prnl] pincharse.

pungiglione /pundʒiʎ'ʎone/ [sm] aguijón.

punire /pu'nire/ [v tr] castigar.

punizione /punit'tsjone/ [sf] **1** castigo (m), pena **2** SPORT penalti (m).

punta /'punta/ [sf] **1** punta **2** (trapano) broca FRAS **avere sulla ~ della lingua**: tener en la punta de la lengua | **ore di ~**: horas punta.

puntare /pun'tare/ [v intr] dirigirse FRAS **~ al successo**: tender al éxito.

puntata /pun'tata/ [sf] **1** (scommessa) apuesta **2** (radio, TV) episodio (m), capítulo (m).

punteggio /pun'teddʒo/ [sm] **1** SPORT tantos (pl), puntos (pl) **2** (esame) puntuación (f).

puntino /pun'tino/ [sm] punto FRAS **a ~**: a la perfección.

punto /'punto/ [sm] punto FRAS **essere sul ~ di**: estar a punto de | **~ di partenza**: punto de partida | **~ di vista**: punto de vista.

puntuale /puntu'ale/ [agg m,f] puntual.

puntura /pun'tura/ [sf] **1** pinchazo (m) **2** (insetto) picadura **3** POP (iniezione) inyección, pinchazo (m).

pupazzo /pu'pattso/ [sm] títere, muñeco.

pupilla /pu'pilla/ [sf] niña, pupila.

purché /pur'ke*/ [cong] con tal que, siempre que.

pure /'pure/ [avv] también • *lui oggi parte e io ~*: él parte hoy y yo también.

purezza /pu'rettsa/ [sf] pureza.

purga /'purga/ [sf] purga.

purgante /pur'gante/ [sm] purgante, laxante.

purgarsi /pur'garsi/ [v prnl] tomar un purgante.

purgatorio /purga'tɔrjo/ [sm] purgatorio.

puro /'puro/ [agg] (anche FIG) puro FRAS **aria pura**: aire puro | **per ~ caso**: de/por pura casualidad.

purtroppo /pur'trɔppo/ [avv] desgraciadamente.

pus /'pus/ [sm] pus.

putrefatto /putre'fatto/ [agg] podrido.

putrefazione /putrefat'tsjone/ [sf] putrefacción.

puttana /put'tana/ [sf] VOLG puta.

puttanata /putta'nata/ [sf] VOLG putada.

puzza /'puttsa/ [sf] hedor (m), tufo (m).

puzzare /put'tsare/ [v intr] heder, apestar FRAS **~ di bruciato**: oler a chamusquina.

puzzolente /puttso'lɛnte/ [agg m,f] maloliente.

pyrex /'pireks/ [sm inv] pirex.

Qq

qua /'kwa*/ [avv] aquí, acá FRAS **al di ~**: del otro lado | **di ~**: de/desde aquí (punto de partida); por aquí (lugar) | **eccoci ~**: aquí estamos | **guarda ~!**: ¡mira! | **per di ~**: por aquí.

quaderno /kwa'dɛrno/ [sm] cuaderno.

quadrante /kwa'drante/ [sm] (orologio) esfera (f).

quadrare /kwa'drare/ [v tr] cuadrar ◆ [v intr] COMM cuadrar, corresponder.

quadrato /kwa'drato/ [agg] **1** cuadrado **2** FIG (equilibrato) juicioso, sensato ◆ [sm] **1** cuadrado **2** (pugilato) cuadrilátero.

quadretto /kwa'dretto/ [sm] cuadro.

quadriennale /kwadrien'nale/ [agg m,f] cuatrienal.

quadrifoglio /kwadri'fɔʎʎo/ [sm] trébol de cuatro hojas.

quadro /'kwadro/ [agg] **1** cuadrado **2** (al pl, carte) diamantes ◆ [sm] (anche FIG) cuadro.

quadrupede /kwa'drupede/ [agg m,f] cuadrúpedo (m).

quadruplo /'kwadruplo/ [agg/sm] cuádruplo.

quaggiù /kwad'dʒu*/ [avv] aquí, aquí abajo.

quaglia /'kwaʎʎa/ [sf] perdiz pardilla.

qualche /'kwalke*/ [agg m,f] **1** alguno (m) ● *hai ~ problema?*: ¿tienes algún problema? **2** cierto (m) ● *ho ~ ragione per pensare che non sia vero*: tiengo ciertos motivos para pensar que no es verdad FRAS **in/da ~ parte**: por algún lado, en alguna parte | **~ volta**: algunas veces.

qualcosa /kwal'kɔsa/ [pron] algo FRAS **qualcos'altro?**: ¿algo más?

qualcuno /kwal'kuno/ [pron] **1** alguno, unos **2** (persona) alguien ● *è venuto ~?*: ¿ha venido alguien? FRAS **qualcun altro**: alguien más.

quale /'kwale/ [agg m,f] qué, cuál FRAS **nel qual caso**: en cuyo caso | **~ che sia**: cual sea | **tale (e) ~**: tal y cual ◆ [pron m,f] **1** que (inv), cual ● *il libro del ~ parli*: el libro de que hablas **2** (interrogativo) cuál.

qualifica /kwa'lifika/ [sf] **1** cargo (m), atribución **2** (titolo) título (m).

qualificare /kwalifi'kare/ [v tr] cualificar, especializar ◆ [v prnl] calificarse.

qualità /kwali'ta*/ [sf inv] **1** calidad (sing) **2** (requisito) capacidad (sing) **3** (specie) género (m sing), clase (sing) ● *aveva ogni ~ di frutta*: tenía toda clase de frutas FRAS **di prima ~**: de gran categoría.

qualsiasi /kwal'siasi/ [agg m,f] cualquier (f -a).

qualunque /kwa'lunkwe/ [agg m,f] **1** cualquier (f -a) **2** (enfatico) todo (m) ● *a ~ costo*: a toda costa ■ **qua-**

lunque + congv cualquiera* que + subj ● ~ sia: cualquiera que sea.

quando /'kwando/ [avv] **1** cuando **2** (interrogativo, esclamativo) cuándo FRAS **da ~**: desde que | **di ~ in ~**: de vez en cuando | **fino a ~**: hasta cuando ◆ [cong/sm inv] cuando FRAS **~ mai!**: ¡desde cuándo!

quantità /kwanti'ta*/ [sf inv] cantidad (sing) FRAS **in ~**: en abundancia.

quantitativo /kwantita'tivo/ [agg/ sm] cuantitativo.

quanto /'kwanto/ [agg] **1** (interrogativo, esclamativo) cuánto **2** (relativo) cuanto ● *prendi quanti libri vuoi*: coge cuantos libros quieras ◆ [avv] **1** (interrogativo, esclamativo) cuánto **2** (relativo) cuanto ● *studierò ~ posso*: estudiaré cuanto pueda **3** (comparativo) como ● *è tanto buona ~ bella*: es tan buena como bonita FRAS **per ~**: por mucho (aunque); sin embargo (no obstante) | **~ mai!**: ¡ojalá no! | **~ meno**: lo menos | **~ prima**: lo antes posible, cuanto antes ◆ [pron] **1** (interrogativo, esclamativo) cuánto **2** (relativo) cuanto ● *invitane quanti desideri*: invita a cuantos desees ■ **tanto quanto** tanto cuanto ● *ha tanto denaro ~ ne ha bisogno*: tiene tanto dinero cuanto pueda necesitar FRAS **quanti ne abbiamo?**: ¿a qué/ cuántos estamos?

quarantena /kwaran'tɛna/ [sf] cuarentena.

quarantenne /kwaran'tɛnne/ [agg m,f/sm,f] de cuarenta años, cuarentón (f -a).

quarantina /kwaran'tina/ [sf] **1** (età) los cuarenta **2** (approssimazione) unos cuarenta.

quaresima /kwa'rezima/ [sf] cuaresma.

quartetto /kwar'tetto/ [sm] cuarteto.

quartiere /kwar'tjere/ [sm] **1** barrio **2** (periferia) arrabal FRAS **~ residenziale**: ciudad jardín | **quartier generale**: cuartel general | **quartieri dormitorio**: ciudades dormitorio.

quarto /'kwarto/ [sm] cuarto FRAS **passare un brutto ~ d'ora**: pasar un mal rato | **quarti di finale**: cuartos de final | **~ d'ora**: cuarto de ora.

quarzo /'kwartso/ [sm] cuarzo FRAS **orologio al ~**: reloj de cuarzo.

quasi /'kwazi/ [avv] casi FRAS **~ mai**: casi nunca ◆ [cong] como si FRAS **~ che**: como si, casi que.

quassù /kwas'su*/ [avv] aquí arriba FRAS **da/di ~**: desde aquí.

quattordicenne /kwattordi'tʃenne/ [agg m,f/sm,f] de catorce años, catorceañero (m).

quattrino /kwat'trino/ [sm] dinero FRAS **non avere il becco di un ~**: no tener ni un duro.

quattro /'kwattro/ [agg num inv/sm,f inv] cuatro FRAS **abitare a ~ passi**: vivir a cuatro pasos | **dirne ~ a qualcuno**: cantarle las cuarenta | **essere ~ gatti**: ser dos gatos | **fare ~ chiacchiere**: charlar un rato | **fare ~ passi**: darse una vuelta | **farsi in ~**: desvivirse/matarse por | **parlare a quattr'occhi**: hablar con confianza | **sonata a ~ mani**: sonata a cuatro manos.

quattrocento /kwattro'tʃento/ [sm inv] (secolo) siglo XV.

quello /'kwello/ [agg] aquel (f -la) ■ pl **quegli** aquellos ■ pl **quei** aquellos ■ **quello stesso** + sost aquel (mismo) + sust • ~ *stesso giorno*: aquel mismo día FRAS **in quel mentre/frattempo**: mientras tanto ♦ [pron] aquél (f -la) ■ **quello che** (relativo) el que • ~ *che dici tu è americano*: el que dices es americano ■ **quello che** (relativo neutro) lo que • *ho fatto ~ che potevo*: hice lo que podía ■ **quello di** el de • ~ *di ieri era buono*: el de ayer estaba rico.

quercia /'kwɛrtʃa/ [sf] encina, roble (m).

querela /kwe'rela/ [sf] querella FRAS **sporgere ~ contro qualcuno**: querellarse contra alguien.

quesito /kwe'zito/ [sm] interrogativo.

questionario /kwestjo'narjo/ [sm] formulario, cuestionario FRAS **compilare un ~**: rellenar un formulario.

questione /kwes'tjone/ [sf] **1** (fatto) cuestión **2** (discussione) disputa, discusión.

questo /'kwesto/ [agg] este (f -a) ■ **questo stesso + sost** este (mismo) + sust • ~ *stesso giorno*: este mismo día FRAS **quest'oggi**: hoy mismo | **uno** di questi giorni: un día de éstos ♦ [pron] **1** éste **2** (neutro) esto • ~ *è tutto quello che ho*: esto es todo lo que tengo.

questore /kwes'tore/ [sm] jefe de policía.

questura /kwes'tura/ [sf] jefatura de policía.

qui /'kwi*/ [avv] aquí FRAS **da/di ~**: desde este lugar, desde aquí | **ecco ~**: he aquí | **è di ~**: es de aquí | **fin ~**: hasta aquí | **per di ~**: por aquí.

quietanza /kwje'tantsa/ [sf] recibo (m).

quiete /'kwjɛte/ [sf] quietud, tranquilidad.

quieto /'kwjɛto/ [agg] quieto.

quindi /'kwindi/ [avv] luego • ~ *questa volta non viene*: luego esta vez no viene ♦ [cong] por lo tanto.

quindicenne /kwindi'tʃenne/ [agg m,f/sm,f] de quince años, quinceañero (m).

quindicina /kwindi'tʃina/ [sf] **1** (giorni) quincena, unos quince **2** (approssimazione) unos quince.

quinta /'kwinta/ [sf] **1** quinta **2** (teatro) bastidor (m) FRAS **stare dietro le quinte**: participar en algo sin mostrarse.

quiz /'kwidz/ [sm inv] adivinanza (f sing).

quota /'kwɔta/ [sf] **1** cuota **2** (altitudine) cota, altura FRAS **prendere/perdere ~**: tomar/perder cota.

quotazione /kwotat'tsjone/ [sf] cotización.

quotidiano /kwoti'djano/ [agg] cotidiano, diario ♦ [sm] diario, periódico.

quoziente /kwot'tsjɛnte/ [sm] cociente FRAS **~ d'intelligenza**: cociente intelectual.

q

Rr

rabarbaro /ra'barbaro/ [sm] ruibarbo.

rabbia /'rabbja/ [sf] rabia FRAS fare ~: dar rabia.

rabbioso /rab'bjoso/ [agg] rabioso.

rabbrividire /rabbrivi'dire/ [v intr] estremecerse.

raccapricciante /rakkaprit'tʃante/ [agg m,f] espeluznante.

raccattare /rakkat'tare/ [v tr] levantar, recoger.

racchetta /rak'ketta/ [sf] 1 (tennis) raqueta 2 (ping-pong) pala 3 (sci) bastón de esquí.

raccogliere /rak'kɔʎʎere/ [v tr] 1 recoger 2 AGR cosechar ◆ [v intr prnl] reunirse, agruparse.

raccolta /rak'kɔlta/ [sf] recogida FRAS ~ differenziata di rifiuti: recogida selectiva de residuos.

raccolto /rak'kɔlto/ [agg] 1 recogido 2 FIG (comportamento) recatado, decente (m,f) ◆ [sm] AGR cosecha (f).

raccomandabile /rakkoman'dabile/ [agg m,f] recomendable.

raccomandare /rakkoman'dare/ [v tr] 1 recomendar 2 (affidare) confiar FRAS mi raccomando!: ¡por favor!

raccomandata /rakkoman'data/ [sf] carta certificada FRAS ~ con ricevuta di ritorno: carta certificada con acuse de recibo.

raccomandato /rakkoman'dato/ [agg/sm] enchufado, recomendado.

raccomandazione /rakkomandat'tsjone/ [sf] recomendación.

raccontare /rakkon'tare/ [v tr] contar.

racconto /rak'konto/ [sm] cuento, relato.

raccordo /rak'kɔrdo/ [sm] empalme FRAS ~ anulare: autovía de circunvalación | ~ stradale/autostradale: enlace con la autopista.

rachitico /ra'kitiko/ [agg/sm] raquítico.

racket /'raket/ [sm inv] criminalidad (f sing) organizada FRAS il ~ della droga: el narcotráfico.

rada /'rada/ [sf] GEOG rada.

radar /'radar/ [agg inv/sm inv] radar (sing).

raddoppiare /raddop'pjare/ [v tr] doblar ◆ [v intr] duplicarse.

raddrizzare (-rsi) /raddrit'tsare/ [v tr prnl] enderezar (-se).

radersi /'radersi/ [v prnl] afeitarse FRAS radere al suolo: arrasar, asolar.

radiatore /radja'tore/ [sm] radiador.

radiazione /radjat'tsjone/ [sf] radiación.

radicale /radi'kale/ [agg m,f] radical.

radicchio /ra'dikkjo/ [sm] achicoria (f).

radice /ra'ditʃe/ [sf] raíz.

radio /'radjo/ [agg inv] radio FRAS **giornale ~**: boletín radiofónico informativo ♦ [sf inv] radio (sing).

radioamatore (-trice) /radjoama'tore/ [sm] radioaficionado.

radioattività /radjoattivi'ta*/ [sf inv] radiactividad (sing).

radioattivo /radjoat'tivo/ [agg] radiactivo.

radiocronaca /radjo'krɔnaka/ [sf] crónica radiofónica.

radiofonico /radjo'fɔniko/ [agg] radiofónico.

radiografia /radjogra'fia/ [sf] radiografía.

radiologia /radjolo'dʒia/ [sf] radiología.

radiologo /ra'djɔlogo/ [sm] radiólogo.

radiosveglia /radjoz've ʎʎa/ [sf] radiodespertador (m).

radiotaxi /radjo'taksi/ [sm inv] radiotaxi (sing).

radioterapia /radjotera'pia/ [sf] radioterapia.

rado /'rado/ [agg] ralo FRAS **di ~**: raramente, rara vez | **non di ~**: a menudo.

radunare (-rsi) /radu'nare/ [v tr/intr prnl] reunir (-se).

raduno /ra'duno/ [sm] reunión (f).

radura /ra'dura/ [sf] (bosco) claro (m).

raffica /'raffika/ [sf] ráfaga.

raffigurare /raffigu'rare/ [v tr] (pittura) representar.

raffigurazione /raffigurat'tsjone/ [sf] representación.

raffinare /raffi'nare/ [v tr] refinar.

raffinatezza /raffina'tettsa/ [sf] finura, refinamiento (m).

raffinato /raffi'nato/ [agg] refinado.

raffineria /raffine'ria/ [sf] refinería.

rafforzare /raffor'tsare/ [v tr] reforzar ♦ [v intr prnl] (anche FIG) fortalecerse, vigorizarse.

raffreddamento /raffredda'mento/ [sm] enfriamiento.

raffreddare /raffred'dare/ [v tr] (anche FIG) enfriar ♦ [v intr prnl] **1** enfriarse **2** MED resfriarse.

raffreddore /raffred'dore/ [sm] resfriado, *Amer* resfrío FRAS **~ da fieno**: fiebre del heno.

raffronto /raf'fronto/ [sm] comparación (f).

ragazzo /ra'gattso/ [sm] **1** muchacho, chico **2** FAM (fidanzato) novio, chico FRAS **ragazza alla pari**: chica au pair | **ragazza madre/~ padre**: madre soltera/padre soltero.

raggio /'raddʒo/ [sm] **1** rayo **2** (bicicletta) radio **3** (carcere) ala (f).

raggiungere /rad'dʒundʒere/ [v tr] alcanzar.

raggiungibile /raddʒun'dʒibile/ [agg m,f] alcanzable, asequible.

raggomitolarsi /raggomito'larsi/ [v prnl] acurrucarse.

raggruppamento /raggruppa'mento/ [sm] conjunto, grupo.

raggruppare (-rsi) /raggrup'pare/ [v tr prnl] agrupar (-se).

ragionamento /radʒona'mento/ [sm] razonamiento.

ragionare /radʒo'nare/ [v intr] razonar.

ragione /ra'dʒone/ [sf] razón FRAS **dare ~**: dar la razón | **non sentire ragioni**: no querer atender a razones | **per nessuna ~**: para nada | **senza ~**: sin motivo.

ragioneria /radʒoneˈria/ [sf] contabilidad.

ragionevole /radʒoˈnevole/ [agg m,f] razonable.

ragioniere /radʒoˈnjere/ [sm] contable (m,f).

ragnatela /raɲɲaˈtela/ [sf] telaraña.

ragno /ˈraɲɲo/ [sm] araña (f).

raid /ˈraid/ [sm inv] raid.

rallegrare (**-rsi**) /ralleˈgrare/ [v tr/intr prnl] alegrar (-se).

rallentamento /rallentaˈmento/ [sm] disminución (f).

rallentare /rallenˈtare/ [v tr] (veicolo) reducir la velocidad.

rallentatore /rallentaˈtore/ [sm] cámara lenta **FRAS al ~**: a cámara lenta.

rame /ˈrame/ [sm] cobre.

ramificare (**-rsi**) /ramifiˈkare/ [v tr/intr prnl] ramificar (-se).

rammendare /rammenˈdare/ [v tr] remendar, zurcir.

rammollire /rammolˈlire/ [v tr] **1** ablandar **2** FIG debilitar ◆ [v intr prnl] (anche FIG) ablandarse.

ramo /ˈramo/ [sm] BOT rama (f).

rampa /ˈrampa/ [sf] (scala) tramo (m) **FRAS ~ di accesso**: rampa de acceso | **~ di lancio**: rampa de lanzamiento.

rampicante /rampiˈkante/ [sm] enredadera (f).

rampone /ramˈpone/ [sm] (alpinismo) crampón.

rana /ˈrana/ [sf] rana **FRAS nuoto a ~**: natación de braza.

rancido /ˈrantʃido/ [agg] rancio.

rancore /ranˈkore/ [sm] rencor.

randagio /ranˈdadʒo/ [agg] (cane) callejero.

rango /ˈrango/ [sm] rango.

rannicchiarsi /rannikˈkjarsi/ [v prnl] acurrucarse.

rannuvolare (**-rsi**) /rannuvoˈlare/ [v tr/intr prnl] nublar (-se).

rantolo /ˈrantolo/ [sm] estertor.

rapa /ˈrapa/ [sf] nabo (m) **FRAS cime di ~**: nabizas | **testa di ~**: pedazo de alcornoque.

rapace /raˈpatʃe/ [agg m,f] de rapiña ◆ [sm] ORN rapaz (f).

rapare (**-rsi**) /raˈpare/ [v tr prnl] rapar (-se).

rapida /ˈrapida/ [sf] GEOG rápido (m).

rapidità /rapidiˈta*/ [sf inv] rapidez (sing).

rapido /ˈrapido/ [agg] **1** rápido **2** breve (m,f) ◆ *una rapida visita*: una visita breve ◆ [sm] (treno) rápido.

rapimento /rapiˈmento/ [sm] secuestro.

rapina /raˈpina/ [sf] atraco (m).

rapinare /rapiˈnare/ [v tr] atracar.

rapinatore (**-trice**) /rapinaˈtore/ [sm] atracador (f -a).

rapire /raˈpire/ [v tr] secuestrar.

rapitore (**-trice**) /rapiˈtore/ [agg/sm] secuestrador (f -a).

rapporto /rapˈporto/ [sm] relación (f).

rappresaglia /rappreˈsaʎʎa/ [sf] represalia.

rappresentante /rapprezenˈtante/ [sm,f] representante **FRAS ~ di commercio**: representante, viajante de comercio.

rappresentanza /rapprezenˈtantsa/ [sf] representación.

rappresentare /rapprezen'tare/ [v tr] representar.

rappresentativo /rapprezenta'tivo/ [agg] representativo.

rappresentazione /rapprezentat'tsjone/ [sf] representación.

raptus /'raptus/ [sm inv] rapto (sing).

rarità /rari'ta*/ [sf inv] rareza (sing).

raro /'raro/ [agg] raro.

rasare /ra'zare/ [v tr] (capelli) rapar ♦ [v prnl] **1** (capelli) raparse **2** (barba) rasurarse.

raschiare /ras'kjare/ [v tr] raspar, rascar.

rasentare /razen'tare/ [v intr] rozar.

raso /'razo/ [agg/sm] raso.

rasoio /ra'zojo/ [sm] navaja (f) de afeitar FRAS ~ **elettrico**: maquinilla eléctrica | ~ **radi e getta**: maquinilla desechable.

rasoterra /razo'terra/ [avv] a ras del suelo.

rassegna /ras'seɲɲa/ [sf] festival (m) FRAS ~ **stampa**: reseña de prensa.

rassegnarsi /rasseɲ'ɲarsi/ [v intr prnl] resignarse FRAS **rassegnare le dimissioni**: dimitir.

rassegnazione /rasseɲɲat'tsjone/ [sf] resignación.

rasserenare (-rsi) /rassere'nare/ [v tr/intr prnl] serenar (-se).

rassicurante /rassiku'rante/ [agg m,f] tranquilizador (f -a).

rassicurare /rassiku'rare/ [v tr] **1** (calmare) calmar, tranquilizar **2** (incoraggiare) alentar, animar ♦ [v intr prnl] tranquilizarse.

rassicurazione /rassikurat'tsjone/ [sf] garantía, certeza.

rassodante /rasso'dante/ [agg m,f] reafirmante.

rassomigliare (-rsi) /rassomiʎ'ʎare/ [v intr/prnl] parecerse.

rastrellare /rastrel'lare/ [v tr] **1** AGR rastrillar **2** (perlustrare) rastrear.

rastrello /ras'trello/ [sm] rastrillo.

rata /'rata/ [sf] **1** COMM plazo (m), *Amer* cuota **2** (mutuo) prorrata.

rateale /rate'ale/ [agg m,f] a plazos, *Amer* en cuotas.

rateizzare /rateid'dzare/ [v tr] dividir en plazos al pago.

ratto /'ratto/ [sm] ZOOL rata (f).

rattoppare /rattop'pare/ [v tr] (stoffa) remenda.

rattoppo /rat'tɔppo/ [sm] parche.

rattrappire (-rsi) /rattrap'pire/ [v tr/intr prnl] entumecer (-se).

rattristare (-rsi) /rattris'tare/ [v tr/intr prnl] entristecer (-se), apenar (-se).

rauco /'rauko/ [agg] ronco.

ravanello /rava'nɛllo/ [sm] rábano.

ravioli /ravi'ɔli/ [sm pl] raviolis.

ravvivare /ravvi'vare/ [v tr] avivar.

razionale /rattsjo'nale/ [agg m,f] racional.

razionalità /rattsjonali'ta*/ [sf inv] racionalidad (sing).

razza /'rattsa/ [sf] **1** raza **2** FIG tipo (m) **3** ITT raya.

razzia /rat'tsia/ [sf] razia.

razziale /rat'tsjale/ [agg m,f] racial.

razzismo /rat'tsizmo/ [sm] racismo.

razzista /rat'tsista/ [agg m,f/sm,f] racista.

razzo /'raddzo/ [sm] cohete FRAS **partire a/come un ~**: salir como un rayo.

re /re*/ [sm inv] **1** (anche carte) rey (sing) **2** MUS re.

reagire /rea'dʒire/ [v intr] reaccionar.

reale /re'ale/ [agg m,f] real.

realista /rea'lista/ [agg m,f/sm,f] realista.

realizzare /realid'dzare/ [v tr/intr] **1** realizar **2** SPORT (calcio) marcar ◆ [v intr prnl/prnl] realizarse.

realizzazione /realiddzat'tsjone/ [sf] realización.

realtà /real'ta*/ [sf inv] realidad (sing) FRAS in ~: en realidad.

reato /re'ato/ [sm] delito.

reattore /reat'tore/ [sm] reactor.

reazionario /reattsjo'narjo/ [agg/sm] reaccionario.

reazione /reat'tsjone/ [sf] reacción.

rebus /'rebus/ [sm inv] jeroglífico (sing).

recapitare /rekapi'tare/ [v tr] entregar.

recapito /re'kapito/ [sm] **1** (indirizzo) dirección (f) **2** (consegna) entrega (f) FRAS ~ telefonico: número telefónico.

recensione /retʃen'sjone/ [sf] reseña.

recente /re'tʃente/ [agg m,f] reciente FRAS di ~: recientemente.

reception /re'sepʃon/ [sf inv] recepción (sing).

recessione /retʃes'sjone/ [sf] recesión.

recinto /re'tʃinto/ [sm] recinto.

recinzione /retʃin'tsjone/ [sf] cerca.

recipiente /retʃi'pjente/ [sm] recipiente, envase.

reciproco /re'tʃiproko/ [agg] recíproco.

recita /'retʃita/ [sf] representación.

recitare /retʃi'tare/ [v tr/intr] (cinema, teatro) interpretar.

recitazione /retʃitat'tsjone/ [sf] (cinema, teatro) actuación.

reclamare /rekla'mare/ [v intr/tr] reclamar.

reclamo /re'klamo/ [sm] reclamación (f), queja (f).

reclinabile /rekli'nabile/ [agg m,f] reclinable.

reclusione /reklu'zjone/ [sf] reclusión.

recluso /re'kluso/ [agg/sm] preso.

recluta /'rekluta/ [sf] (militare) recluta (m), *Amer* conscripto (m).

record /'rekord/ [agg inv/sm inv] récord* (sing).

recriminare /rekrimi'nare/ [v intr] reprochar.

recuperare /rekupe'rare/ [v tr] recuperar.

recupero /re'kupero/ [sm] **1** recuperación (f) **2** SPORT partido de desempate.

redattore (-trice) /redat'tore/ [sm] **1** (giornale) redactor (f -a) **2** (editoria) editor (f -a).

redazione /redat'tsjone/ [sf] redacción.

reddito /'reddito/ [sm] renta (f) FRAS dichiarazione dei redditi: declaración de renta.

redimere (-rsi) /re'dimere/ [v tr prnl] redimir (-se).

redine /'redine/ [sf] rienda.

reduce /'redutʃe/ [agg m,f/sm,f] superviviente (agg).

referendum /refe'rendum/ [sm inv] referéndum (sing).

referenza /refe'rentsa/ [sf] referencia.

refrigeratore /refridʒera'tore/ [sm] congelador.

refrigerio /refri'dʒɛrjo/ [sm] refrigerio, alivio.

regalare /rega'lare/ [v tr] regalar.

regalo /re'galo/ [agg inv] de regalo ◆ [sm] regalo.

regata /re'gata/ [sf] regata.

reggere /'rɛddʒere/ [v tr] **1** sostener, sujetar **2** resistir, aguantar ● ~ *il peso*: resistir el peso ◆ [v intr] **1** resistir, aguantar ● ~ *al peso*: resistir al peso **2** FIG tenerse en pie ● *la tua teoria non regge*: tu teoría no se tiene en pie ◆ [v intr prnl] sostenerse FRAS ~ **al paragone**: admitir comparación.

reggia /'rɛddʒa/ [sf] palacio (m) real.

reggimento /reddʒi'mento/ [sm] regimiento.

reggino /red'dʒino/ [agg/sm] habitante (m,f) de Reggio Calabria.

reggiseno /reddʒi'seno/ [sm] sostén, sujetador FRAS ~ **a balconcino**: sujetador de aros.

regia /re'dʒia/ [sf] dirección.

regime /re'dʒime/ [sm] régimen.

regina /re'dʒina/ [agg inv/sf] (anche carte) reina.

regionale /redʒo'nale/ [agg m,f] regional FRAS **treno** ~: tren regional.

regione /re'dʒone/ [sf] región.

regista /re'dʒista/ [sm,f] **1** (cinema) director (f -a) **2** (teatro) director (f -a) de escena.

registrare /redʒis'trare/ [v tr] registrar.

registratore /redʒistra'tore/ [sm] (suono) grabadora (f) FRAS ~ **di cassa**: (caja) registradora.

registrazione /redʒistrat'tsjone/ [sf] **1** (contratto) registro (m) **2** (suono) grabación.

registro /re'dʒistro/ [sm] registro.

regnare /reɲ'ɲare/ [v intr] reinar.

regno /'reɲɲo/ [sm] (anche FIG) reino.

regola /'rɛgola/ [sf] regla FRAS **essere in** ~: estar en regla.

regolabile /rego'labile/ [agg m,f] ajustable.

regolamentare /regolamen'tare/ [agg m,f] reglamentario (m).

regolamento /regola'mento/ [sm] reglamento.

regolare /rego'lare/ [agg m,f] regular ◆ [v tr] regular ◆ [v prnl] (moderarsi) moderarse FRAS ~ **un conto**: pagar una cuenta.

regolarità /regolari'ta*/ [sf inv] regularidad (sing).

regolarmente /regolar'mente/ [avv] regularmente.

regolazione /regolat'tsjone/ [sf] **1** regulación, graduación **2** (meccanica) reglaje (m), ajuste (m).

regresso /re'gresso/ [sm] regresión (f).

reinserimento /reinseri'mento/ [sm] **1** (lavoratore) reincorporación (f) **2** (detenuto) reinserción (f).

reinserire /reinse'rire/ [v tr] **1** (cosa) volver a introducir **2** (persona) reincorporar ◆ [v prnl] reintegrarse.

relativo /rela'tivo/ [agg] relativo.

relazione /relat'tsjone/ [sf] relación.

relegare /rele'gare/ [v tr] relegar.

religione /reli'dʒone/ [sf] religión.

religioso /reli'dʒoso/ [agg] religioso.

reliquia /re'likwja/ [sf] reliquia.

relitto /re'litto/ [sm] MAR derrelicto.

remare /re'mare/ [v intr] remar.

remo /'rɛmo/ [sm] remo FRAS **barca a remi**: bote de remos.

remoto /re'mɔto/ [agg] remoto.

renale /re'nale/ [agg m,f] renal.

rendere /'rɛndere/ [v tr] **1** (restituire) devolver **2** (produrre) rendir • *il motore rende poco*: el motor rinde poco **3** (far diventare) volver, poner • *il rumore la rende nervosa*: el ruido la pone nerviosa ◆ [v prnl] hacerse • *rendersi utile*: hacerse útil FRAS **~ l'idea**: hacerse entender | **rendersi conto di qualcosa**: darse cuenta de algo, percatarse de algo.

rendimento /rendi'mento/ [sm] rendimiento.

rendita /'rɛndita/ [sf] renta.

rene /'rɛne/ [sm] ANAT riñón ∎ pl irr **reni** (f).

renitenza /reni'tɛntsa/ [sf] renuencia.

renna /'rɛnna/ [sf] **1** ZOOL reno (m) **2** (pelle conciata) ante (m).

reparto /re'parto/ [sm] **1** COMM departamento, sección (f) **2** MED división (f).

repellente /repel'lɛnte/ [agg m,f] repelente.

reperibile /repe'ribile/ [agg m,f] localizable.

reperto /re'pɛrto/ [sm] **1** resto **2** MED informe.

repertorio /reper'tɔrjo/ [sm] repertorio.

replica /'rɛplika/ [sf] **1** réplica **2** (teatro) representación **3** (radio, TV) retransmisión.

reportage /repor'taʒ/ [sm inv] reportaje (sing).

repressione /repres'sjone/ [sf] represión.

reprimere (**-rsi**) /re'primere/ [v tr prnl] reprimir (-se).

repubblica /re'pubblika/ [sf] república.

repubblicano /repubbli'kano/ [agg/sm] republicano.

reputazione /reputat'tsjone/ [sf] reputación.

requisire /rekwi'zire/ [v tr] requisar.

requisito /rekwi'zito/ [sm] requisito.

resa /'resa/ [sf] **1** rendición, capitulación • *costringere alla ~*: intimar a la rendición **2** rendimiento (m) • *la ~ di un motore*: el rendimiento de un motor FRAS **~ dei conti**: rendición de cuentas.

residente /resi'dɛnte/ [agg m,f/sm,f] residente.

residenza /resi'dɛntsa/ [sf] residencia.

residuo /re'siduo/ [sm] residuo.

resina /'rezina/ [sf] resina.

resistente /resis'tɛnte/ [agg m,f] resistente.

resistenza /resis'tɛntsa/ [sf] resistencia.

resistere /re'sistere/ [v intr] resistir.

resoconto /reso'konto/ [sm] relación (f).

respingere /res'pindʒere/ [v tr] **1** rechazar **2** (esame) suspender.

respirare /respi'rare/ [v intr/tr] respirar.

respiratore /respira'tore/ [sm] **1** MED respirador **2** MAR escafandra (f) autónoma.

respirazione /respirat'tsjone/ [sf] respiración.

respiro /res'piro/ [sm] **1** respiración (f) **2** FIG respiro, descanso • *lavorare senza ~*: trabajar sin descanso.

responsabile /respon'sabile/ [agg m,f/sm,f] responsable.

responsabilità /responsabili'ta*/ [sf inv] responsabilidad (sing).

responsabilizzare (-rsi) /responsabilid'dzare/ [v tr/intr prnl] responsabilizar (-se).

ressa /'ressa/ [sf] muchedumbre.

restare /res'tare/ [v intr] quedarse FRAS **non resta che**: no queda más que.

restaurare /restau'rare/ [v tr] restaurar.

restauro /res'tauro/ [sm] restauración (f).

restituire /restitu'ire/ [v tr] restituir.

resto /'resto/ [sm] **1** resto **2** (denaro) vuelta (f) **3** (al pl) restos.

restringersi /res'trindʒersi/ [v intr prnl] (tessuto) encogerse.

rete /'rete/ [sf] **1** (anche FIG, radio, TV) red **2** (calcio) portería.

reticente /reti'tʃente/ [agg m,f] reticente.

retina /'retina/ [sf] ANAT retina.

retribuire /retribu'ire/ [v tr] retribuir.

retribuzione /retribut'tsjone/ [sf] retribución.

retro /'retro/ [sm inv] **1** (moneta) reverso (sing) **2** (foglio) vuelta (f sing) **3** (edificio) parte (f) trasera **4** (negozio) trastienda (f).

retrocedere /retro'tʃedere/ [v intr] retroceder ♦ [v tr] **1** degradar **2** SPORT retroceder.

retrocessione /retrotʃes'sjone/ [sf] SPORT descenso (m).

retrogrado /re'trɔgrado/ [agg/sm] retrógrado.

retrogusto /retro'gusto/ [sm] regusto.

retromarcia /retro'martʃa/ [sf] marcha atrás, *Amer* reversa FRAS **fare ~**: dar marcha atrás.

retrospettiva /retrospet'tiva/ [sf] retrospectiva.

retrovisore /retrovi'zore/ [agg/sm] retrovisor (sost) FRAS **specchietto ~**: espejo retrovisor.

retta /'retta/ [sf] (solo nella locuzione) FRAS **dare ~**: hacer caso, escuchar.

rettangolo /ret'tangolo/ [sm] rectángulo.

rettile /'rettile/ [sm] reptil.

rettilineo /retti'lineo/ [sm] camino rectilíneo.

retto /'retto/ [agg/sm] recto.

rettore (**-trice/-tora**) /ret'tore/ [sm] rector (f -a).

reumatismo /reuma'tizmo/ [sm] reumatismo.

reverendo /reve'rendo/ [sm] FAM cura, sacerdote.

reversibile /rever'sibile/ [agg m,f] reversible.

revisione /revi'zjone/ [sf] revisión.

revocare /revo'kare/ [v tr] revocar, anular FRAS **~ uno sciopero**: desconvocar una huelga.

riabilitare /riabili'tare/ [v tr] rehabilitar.

riabilitazione /riabilitat'tsjone/ [sf] rehabilitación.

riacquistare /riakkwis'tare/ [v tr] FIG recobrar • **~ le forze**: recobrar las fuerzas.

riagganciare /riaggan'tʃare/ [v tr] (telefono) colgar.

rialzare /rial'tsare/ [v tr] (prezzi) alzar, subir ◆ [v prnl] levantarse.

rialzo /ri'altso/ [sm] alza (f).

rianimare (-rsi) /riani'mare/ [v tr/intr prnl] reanimar (-se).

rianimazione /rianimat'tsjone/ [sf] reanimación FRAS centro di ~: unidad de cuidados intensivos.

riapertura /riaper'tura/ [sf] reapertura.

riapparire /riappa'rire/ [v intr] reaparecer.

riappropriarsi /riappro'prjarsi/ [v intr prnl] recobrar ● ~ della libertà: recobrar la propia libertad.

riaprire (-rsi) /ria'prire/ [v tr/intr prnl] reabrir (-se).

riassumere /rias'sumere/ [v tr] 1 (lavoratore) volver a contratar 2 (fare un riassunto) resumir.

riassunto /rias'sunto/ [sm] resumen.

riavere /ria'vere/ [v tr] recobrar ◆ [v intr prnl] volver en sí.

riavvicinamento /riavvitʃina'mento/ [sm] FIG reconciliación (f).

riavvicinare (-rsi) /riavvitʃi'nare/ [v tr prnl] FIG reconciliar (-se).

riavvolgere /riav'vɔldʒere/ [v tr] (pellicola) rebobinar.

ribadire /riba'dire/ [v tr] confirmar.

ribaltabile /ribal'tabile/ [agg m,f] (sedile) abatible.

ribaltare /ribal'tare/ [v tr] 1 volcar, tumbar 2 FIG dar un vuelco ● ~ la situazione: dar un vuelco a la situación ◆ [v intr prnl] volcarse.

ribassare /ribas'sare/ [v tr] rebajar ◆ [v intr] bajar, descender.

ribasso /ri'basso/ [sm] baja (f).

ribattere /ri'battere/ [v tr] (contestare) replicar.

ribellarsi /ribel'larsi/ [v intr prnl] rebelarse.

ribelle /ri'belle/ [agg m,f/sm,f] rebelde.

ribellione /ribel'ljone/ [sf] rebelión.

ribes /'ribes/ [sm inv] 1 (pianta) grosellero (sing) 2 (frutto) grosella (f sing).

ribrezzo /ri'breddzo/ [sm] asco, repugnancia (f).

ricaduta /rika'duta/ [sf] MED recaída.

ricalcare /rikal'kare/ [v tr] calcar.

ricamare /rika'mare/ [v tr] bordar.

ricambiare /rikam'bjare/ [v tr] devolver.

ricambio /ri'kambjo/ [sm] recambio, repuesto FRAS pezzo di ~: recambio, repuesto.

ricamo /ri'kamo/ [sm] bordado.

ricapitolare /rikapito'lare/ [v tr] resumir.

ricarica /ri'karika/ [sf] recarga.

ricaricabile /rikari'kabile/ [agg m,f] recargable.

ricattare /rikat'tare/ [v tr] chantajear.

ricatto /ri'katto/ [sm] chantaje.

ricavare /rika'vare/ [v tr] 1 sacar 2 (guadagnare) ganar.

ricavo /ri'kavo/ [sm] ganancia (f).

ricchezza /rik'kettsa/ [sf] riqueza.

riccio /'rittʃo/ [agg] rizado FRAS insalata riccia: escarola rizada ◆ [sm] 1 (capelli) rizo 2 BOT ZOOL erizo FRAS ~ di mare: erizo de mar/marino.

ricciolo /'rittʃolo/ [sm] rizo.

ricco /'rikko/ [agg/sm] rico.

ricerca /ri'tʃerka/ [sf] 1 busca, búsqueda 2 (studio) investigación

FRAS ~ **di mercato**: estudio de mercado.

ricercare /ritʃer'kare/ [v tr] **1** (persona) buscar **2** (fare uno studio) investigar.

ricercatezza /ritʃerka'tettsa/ [sf] **1** (vestire) refinamiento (m) **2** (modi) amaneramiento (m).

ricercato /ritʃer'kato/ [agg] **1** cotizado **2** (elegante) refinado **3** (modi) rebuscado, amanerado ◆ [sm] tránsfuga (m,f).

ricercatore (-trice) /ritʃerka'tore/ [sm] **1** investigador (f -a) **2** (università) ayudante (m,f).

ricetta /ri'tʃetta/ [sf] (anche MED) receta.

ricettario /ritʃet'tarjo/ [sm] (anche MED) recetario.

ricettività /ritʃettivi'ta*/ [sf inv] cabida (sing).

ricevente /ritʃe'vente/ [agg m,f] receptor (f -a).

ricevere /ri'tʃevere/ [v tr] recibir.

ricevimento /ritʃevi'mento/ [sm] recepción (f), fiesta (f).

ricevitore /ritʃevi'tore/ [sm] auricular.

ricevuta /ritʃe'vuta/ [sf] recibo (m), resguardo (m) FRAS ~ **di ritorno**: acuse de recibo (carta certificada).

richiamare /rikja'mare/ [v tr] **1** volver a llamar **2** (sgridare) reprender.

richiamo /ri'kjamo/ [sm] llamada (f).

richiedente /rikje'dɛnte/ [agg m,f/ sm,f] solicitante.

richiedere /ri'kjedere/ [v tr] **1** (chiedere indietro) pedir **2** (fare una ri-

chiesta) solicitar **3** (domandare) preguntar **4** requerir, necesitar ◆ *è una cosa che richiede tempo*: es algo que requiere tiempo.

richiesta /ri'kjesta/ [sf] **1** petición ◆ *fare una ~*: hacer una petición **2** solicitud ◆ *presentare una ~ in carta bollata*: presentar una solicitud en papel sellado.

richiudere (-rsi) /ri'kjudere/ [v tr/intr prnl] volver (-se) a cerrar.

riciclabile /ritʃi'klabile/ [agg m,f] reciclable.

riciclaggio /ritʃi'kladdʒo/ [sm] reciclaje FRAS ~ **di denaro sporco**: blanqueo de dinero sucio.

riciclare /ritʃi'klare/ [v tr] **1** reciclar **2** FIG blanquear ◆ *~ denaro sporco*: blanquear dinero sucio.

ricominciare /rikomin'tʃare/ [v tr/ intr] **1** recomenzar, volver a empezar **2** retomar, reanudar ◆ *~ il discorso*: retomar el discurso ◆ [v imp] volver ◆ *ricomincia a piovere*: vuelve a llover.

ricomparire /rikompa'rire/ [v intr] reaparecer.

ricompensa /rikom'pensa/ [sf] recompensa.

ricompensare /rikompen'sare/ [v tr] recompensar.

riconciliare (-rsi) /rikontʃi'ljare/ [v tr prnl] reconciliar (-se).

riconciliazione /rikontʃiliat'tsjone/ [sf] reconciliación.

ricondurre /rikon'durre/ [v tr] **1** (riportare) reconducir **2** FIG atribuir ◆ *~ dei fenomeni a una causa*: atribuir algunos fenómenos a una causa FRAS ~ **alla ragione**: hacer entrar en razón.

ricongiungere (**-rsi**) /rikon'dʒun dʒere/ [v tr prnl] reunir (-se), juntar (-se).

riconoscenza /rikonoʃ'ʃentsa/ [sf] agradecimiento (m).

riconoscere (**-rsi**) /riko'noʃʃere/ [v tr prnl] reconocer (-se).

riconoscimento /rikonoʃʃi'mento/ [sm] **1** reconocimiento **2** identificación (f) • **~ della salma**: identificación del cadáver.

riconquistare /rikonkwis'tare/ [v tr] reconquistar.

riconsegnare /rikonseɲ'ɲare/ [v tr] devolver, restituir.

riconvertire /rikonver'tire/ [v tr] (industria) reconvertir.

ricoperto /riko'perto/ [agg] CUC bañado.

ricoprire /riko'prire/ [v tr] **1** revestir **2** CUC bañar **3** (posto di lavoro, carica) ocupar ♦ [v intr prnl] revestirse.

ricordare /rikor'dare/ [v tr] **1** recordar **2** conmemorar • **una lapide che ricorda i caduti**: una lápida que conmemora a los caídos ♦ [v intr prnl] recordar, acordarse.

ricordo /ri'kɔrdo/ [sm] recuerdo.

ricorrente /rikor'rɛnte/ [agg m,f] recurrente.

ricorrenza /rikor'rɛntsa/ [sf] fiest.

ricorrere /ri'korrere/ [v intr] **1** recurrir • **~ a un amico per un favore**: recurrir a un amigo para un favor **2** repetirse • **un fenomeno che ricorre con regolarità**: un fenómeno que se repite con regularidad.

ricorso /ri'korso/ [sm] (anche GIUR) recurso.

ricostituente /rikostitu'ɛnte/ [agg m,f/sm] reconstituyente.

ricostruire /rikostru'ire/ [v tr] reconstruir.

ricostruzione /rikostrut'tsjone/ [sf] reconstrucción.

ricoverare (**-rsi**) /rikove'rare/ [v tr/intr prnl] (ospedale) ingresar (-se).

ricoverato /rikove'rato/ [agg/sm] (ospedale) ingresado.

ricovero /ri'kɔvero/ [sm] ingreso.

ricreativo /rikrea'tivo/ [agg] recreativo.

ricredersi /ri'kredersi/ [v intr prnl] cambiar de opinión.

ridare /ri'dare/ [v tr] **1** volver a dar **2** (rendere) devolver.

ridere /'ridere/ [v intr] reír.

ridicolo /ri'dikolo/ [agg/sm] ridículo.

ridire /ri'dire/ [v tr] **1** repetir **2** (obiettare) objetar, replicar.

ridistribuzione /ridistribut'tsjone/ [sf] redistribución.

ridiventare /ridiven'tare/ [v intr] volver a ser/convertirse.

ridosso /ri'dɔsso/ [sm] (solo nella locuzione) FRAS **a ~**: al abrigo.

ridotto /ri'dotto/ [agg] reducido ♦ [sm] (teatro) foyer (inv).

ridurre (**-rsi**) /ri'durre/ [v tr/intr prnl] reducir (-se) FRAS **ridursi uno straccio**: estar hecho polvo.

riduttivo /ridut'tivo/ [agg] restrictivo.

riduzione /ridut'tsjone/ [sf] **1** reducción **2** (sconto) rebaja, descuento (m) FRAS **~ cinematografica**: adaptación cinematográfica.

riedizione /riedit'tsjone/ [sf] **1** reedición **2** (cinema, teatro) reposición.

rieducazione /riedukat'tsjone/ [sf] (anche MED) reeducación.

rieleggere /rie'leddʒere/ [v tr] reelegir.

riempire /riem'pire/ [v tr] **1** (anche FIG) llenar **2** CUC rellenar ◆ [v intr prnl] llenarse.

rientrare /rien'trare/ [v intr] **1** regresar, volver **2** (a casa) recogerse FRAS ~ **in possesso**: recobrar.

rientro /ri'entro/ [sm] regreso.

riepilogo /rie'pilogo/ [sm] resumen.

riequilibrare (-rsi) /riekwili'brare/ [v tr/intr prnl] reequilibrar (-se).

riesaminare /riezami'nare/ [v tr] volver a examinar.

rievocazione /rievokat'tsjone/ [sf] conmemoración.

rifacimento /rifatʃi'mento/ [sm] **1** rehacimiento **2** (film, spettacolo teatrale) refundición (f).

rifare /ri'fare/ [v tr] rehacer ◆ [v intr prnl] (denaro) recuperar, recobrar.

riferimento /riferi'mento/ [sm] referencia (f) FRAS **punto di ~**: punto de referencia.

riferire (-rsi) /rife'rire/ [v tr/intr prnl] referir (-se).

rifinitura /rifini'tura/ [sf] acabado (m).

rifiorire /rifjo'rire/ [v intr] (anche FIG) reflorecer.

rifiutare /rifju'tare/ [v tr] rehusar ◆ [v intr prnl] negarse.

rifiuto /ri'fjuto/ [sm] **1** rechazo **2** (industriale) residuo, desecho **3** (al pl, spazzatura) basura (f).

riflessione /rifles'sjone/ [sf] reflexión.

riflessivo /rifles'sivo/ [agg] reflexivo.

riflesso /ri'flesso/ [sm] **1** reflejo **2** FIG repercusión (f).

riflettere /ri'flettere/ [v tr] reflejar ◆ [v intr] reflexionar ◆ [v prnl] **1** reflejarse **2** FIG influir.

riflettore /riflet'tore/ [sm] reflector.

riforma /ri'forma/ [sf] reforma.

riformare /rifor'mare/ [v tr] reformar.

riformatorio /riforma'tɔrjo/ [sm] reformatorio.

rifornimento /riforni'mento/ [sm] abastecimiento, suministro FRAS ~ **di benzina**: abastecimiento de combustible/gasolina.

rifornire (-rsi) /rifor'nire/ [v tr prnl] abastecer (-se).

rifugiarsi /rifu'dʒarsi/ [v intr prnl] **1** refugiarse **2** (trovare riparo) resguardarse.

rifugiato /rifu'dʒato/ [agg/sm] refugiado.

rifugio /ri'fudʒo/ [sm] refugio.

riga /'riga/ [sf] **1** (anche capelli) raya **2** línea • *scrivere due righe*: escribir dos líneas.

rigato /ri'gato/ [agg] (stoffa) a/de rayas.

rigatoni /riga'toni/ [sm pl] macarrones.

rigattiere /rigat'tjere/ [sm] ropavejero.

rigenerare /ridʒene'rare/ [v tr] regenerar.

righello /ri'gello/ [sm] regla (f).

rigidità /ridʒidi'ta*/ [sf inv] rigidez (sing).

rigido /'ridʒido/ [agg] (anche FIG) rígido.

rigoglioso /rigoʎ'ʎoso/ [agg] lozano.

rigonfiamento /rigonfja'mento/ [sm] hinchazón (f).

rigonfio /ri'gonfjo/ [agg] hinchado.

rigore /ri'gore/ [sm] **1** rigor **2** SPORT penalti.

rigoroso /rigo'roso/ [agg] riguroso.

riguardare /rigwar'dare/ [v tr] concernir, atañer ◆ [v prnl] tener cuidado FRAS **per quanto mi riguarda**: por lo que me respecta.

riguardo /ri'gwardo/ [sm] consideración (f), respeto.

rigurgito /ri'gurdʒito/ [sm] regurgitación (f).

rilanciare /rilan'tʃare/ [v tr] **1** (asta) pujar **2** FIG relanzar.

rilasciare /rilaʃ'ʃare/ [v tr] **1** (documento) expedir **2** (prigioniero) liberar.

rilascio /ri'laʃʃo/ [sm] (documento) expedición (f) **2** (prigioniero) liberación (f).

rilassante /rilas'sante/ [agg m,f] relajante (m,f).

rilassare (-rsi) /rilas'sare/ [v tr prnl/intr prnl] relajar (-se).

rilassato /rilas'sato/ [agg] relajado.

rilegatura /rilega'tura/ [sf] encuadernación.

rileggere /ri'leddʒere/ [v tr] releer.

rilevante /rile'vante/ [agg m,f] relevante.

rilevare /rile'vare/ [v tr] **1** (mettere in evidenza) evidenciar, notar **2** comprar ● ~ *una ditta*: comprar una empresa.

rilievo /ri'ljevo/ [sm] relieve FRAS **alto ~**: alto relieve | **basso ~**: bajo relieve | **mettere in ~**: poner de relieve.

rima /'rima/ [sf] rima.

rimandare /riman'dare/ [v tr] **1** devolver **2** (persone) reexpedir **3** (spostare nel tempo) aplazar.

rimanente /rima'nente/ [sm] resto.

rimanenza /rima'nentsa/ [sf] COMM existencias (pl).

rimanere /rima'nere/ [v intr] **1** (non andarsene) quedarse **2** quedar ● *mi sono rimaste poco denaro*: me ha quedado poco dinero FRAS **~ a bocca aperta**: quedarse con la boca abierta.

rimarginarsi /rimardʒi'narsi/ [intr prnl] cicatrizarse.

rimbalzare /rimbal'tsare/ [v intr] rebotar.

rimbalzo /rim'baltso/ [sm] rebote.

rimbambito /rimbam'bito/ [agg/sm] chocho.

rimboccare /rimbok'kare/ [v tr] doblar FRAS **rimboccarsi le maniche**: arremangarse.

rimborsare /rimbor'sare/ [v tr] reembolsar.

rimborso /rim'borso/ [sm] reembolso.

rimboschimento /rimboski'mento/ [sm] reforestación (f).

rimediare /rime'djare/ [v intr] remediar, reparar ◆ [v tr] FAM **1** conseguir, encontrar ● ~ *i soldi per il viaggio*: conseguir el dinero para el viaje **2** remediar, reparar ● ~ *un errore*: reparar un error.

rimedio /ri'medjo/ [sm] remedio.

rimessa /ri'messa/ [sf] (parcheggio) cochera.

rimettere /ri'mettere/ [v tr] **1** volver a poner ● ~ *in discussione*: volver a poner en discusión **2** poner ● ~ *in libertà*: poner en libertad **3** vomitar ◆ [v intr prnl] **1** volver a ponerse **2** (malattia) recobrarse, reponerse FRAS **rimetterci**: salir perdiendo

rimmel /'rimmel/ [sm inv] rímel.

rimorchiare /rimor'kjare/ [v tr] remolcar.

rimorchio /ri'mɔrkjo/ [sm] remolque.

rimorso /ri'mɔrso/ [sm] remordimiento.

rimostranza /rimos'trantsa/ [sf] queja, reclamación.

rimozione /rimot'tsjone/ [sf] remoción FRAS ~ **forzata**: no aparcar llamamos grúa.

rimpatriare /rimpa'trjare/ [v tr] repatriar.

rimpiangere /rim'pjandʒere/ [v tr] añorar.

rimpianto /rim'pjanto/ [sm] nostalgia (f), añoranza (f).

rimpiazzare /rimpjat'tsare/ [v tr] reemplazar.

rimpinzare (-rsi) /rimpin'tsare/ [v tr prnl] atiborrar (-se), llenar (-se).

rimproverare /rimprove'rare/ [v tr] reprochar, reprender.

rimprovero /rim'prɔvero/ [sm] reproche.

rimunerazione /rimunerat'tsjone/ [sf] remuneración.

rimuovere /ri'mwɔvere/ [v tr] **1** remover, quitar **2** (incarico) destituir.

rinascere /ri'naʃʃere/ [v intr] (anche FIG) renacer.

rincarare /rinka'rare/ [v tr/intr] aumentar.

rincaro /rin'karo/ [sm] encarecimiento.

rincasare /rinka'sare/ [v intr] volver a casa.

rinchiudere (-rsi) /rin'kjudere/ [v tr prnl] encerrar (-se).

rincoglionito /rinkoʎʎo'nito/ [agg/sm] VOLG gilipollas (m,f inv).

rincorrere /rin'korrere/ [v tr] perseguir, seguir ♦ [v prnl] perseguirse.

rincorsa /rin'korsa/ [sf] impulso (m).

rincretinire (-rsi) /rinkreti'nire/ [v tr/intr prnl] volverse tonto.

rinfacciare /rinfat'tʃare/ [v tr] reprochar.

rinforzare /rinfor'tsare/ [v tr] reforzar ♦ [v intr prnl] fortalecerse.

rinforzo /rin'fɔrtso/ [sm] refuerzo.

rinfrescare (-rsi) /rinfres'kare/ [v tr prnl] refrescar (-se).

rinfresco /rin'fresko/ [sm] refresco.

ringhiera /rin'gjera/ [sf] barandilla FRAS **casa di ~**: casa de balcón corrido.

ringiovanire /rindʒova'nire/ [v tr] rejuvenecer.

ringraziamento /ringrattsja'mento/ [sm] agradecimiento.

ringraziare /ringrat'tsjare/ [v tr] agradecer, dar las gracias.

rinnegare /rinne'gare/[v tr] renegar.

rinnovabile /rinno'vabile/ [agg m,f] renovable.

rinnovare (-rsi) /rinno'vare/ [v tr/intr prnl] renovar (-se).

rinnovo /rin'nɔvo/ [sm] renovación (f).

rinoceronte /rinotʃe'ronte/ [sm] rinoceronte.

rinomato /rino'mato/ [agg] renombrado, famoso.

rinsecchirsi /rinsek'kirsi/ [v intr prnl] resecar (-se).

rintanarsi /rinta'narsi/ [v intr prnl] **1** (animale) esconderse **2** FIG encerrarse.

rintracciare /rintrat'tʃare/ [v tr] **1** (cosa) hallar, encontrar **2** (persona) localizar.

rinuncia /ri'nuntʃa/ [sf] **1** renuncia **2** sacrificio (m) • *una vita di rinunce*: una vida de sacrificios.

rinunciare /rinun'tʃare/ [v intr] renunciar.

rinvenire /rinve'nire/ [v tr] (ritrovare) hallar, encontrar ◆ [v intr] **1** (ritornare in sé) volver en sí **2** (fiori) revivir, reverdecer.

rinviare /rinvi'are/ [v tr] **1** (lettera) reenviar **2** (posticipare) aplazar.

rinvio /rin'vio/ [sm] **1** reenvío **2** SPORT (calcio) contrarresto **3** (appuntamento) aplazamiento FRAS **~ a giudizio**: encausamiento.

rionale /rio'nale/ [agg m,f] de barrio.

riordinare /riordi'nare/ [v tr] volver a ordenar.

ripagare /ripa'gare/ [v tr] recompensar.

riparare /ripa'rare/ [v tr] reparar ◆ [v prnl] **1** protegerse • *ripararsi dalla pioggia*: protegerse de la lluvia **2** resguardarse • *ripararsi sotto un albero*: resguardarse bajo un árbol.

riparazione /riparat'tsjone/ [sf] reparación.

riparlare /ripar'lare/ [v intr] volver a hablar ◆ [v prnl] volver a dirigirse la palabra.

riparo /ri'paro/ [sm] amparo.

ripartire (-rsi) /ripar'tire/ [v tr prnl] repartir (-se).

ripartizione /ripartit'tsjone/ [sf] repartición.

ripassare /ripas'sare/ [v tr] repasar.

ripensamento /ripensa'mento/ [sm] cambio de ideas.

ripensare /ripen'sare/ [v intr] **1** repensar **2** cambiar de idea/parecer.

ripercussione /riperkus'sjone/ [sf] repercusión.

ripetere (-rsi) /ri'petere/ [v tr prnl/intr prnl] repetir (-se).

ripetitore /ripeti'tore/ [sm] repetidor.

ripetizione /ripetit'tsjone/ [sf] repetición FRAS **~ di chiamata**: repetición automática del número telefónico.

ripetuto /ripe'tuto/ [agg] repetido.

ripiano /ri'pjano/ [sm] (scaffale) anaquel, estante.

ripicca /ri'pikka/ [sf] despecho.

ripido /'ripido/ [agg] empinado.

ripiegare /ripje'gare/ [v tr] doblar ◆ [v intr] FIG (accontentarsi) conformarse.

ripiego /ri'pjego/ [sm] recurso.

ripieno /ri'pjeno/ [agg/sm] CUC relleno.

riporre /ri'porre/ [v tr] **1** reponer **2** FIG depositar, poner • *ho riposto in te tutta la mia fiducia*: he depositado toda mi confianza en ti.

riportare /ripor'tare/ [v tr] (restituire) devolver.

riposante /ripo'sante/ [agg m,f] relajante.

riposare (-rsi) /ripo'sare/ [v intr/intr prnl] reposar (-se).

riposo /ri'poso/ [sm] reposo FRAS **buon ~!**: ¡que descanses!

ripostiglio /ripos'tiʎʎo/ [sm] trastero.

riprendere /ri'prendere/ [v tr] **1** retomar **2** (discorso) reanudar **3** (fotografia) fotografiar **4** (cinema, TV) filmar, rodar ◆ [v intr prnl] (da malattia) reponerse ◆ [v intr] **1** recomenzar **2** (proseguire) reanudarse, continuar FRAS **~ fiato**: tomar aliento.

ripresa /ri'presa/ [sf] **1** reanudación **2** repunte (m) • **~ dell'economia**: repunte de la economía **3** (automobile) aceleración **4** (cinema, fotografia, TV) toma.

riprodurre (-rsi) /ripro'durre/ [v tr/intr prnl] reproducir (-se).

riproduzione /riprodut'tsjone/ [sf] reproducción.

riprova /ri'prɔva/ [sf] nueva prueba/ evidencia.

ripugnante /ripuɲ'ɲante/ [agg m,f] repugnante.

risaia /ri'saja/ [sf] arrozal (m).

risalire /risa'lire/ [v tr] (fiume) remontar ◆ [v intr] **1** subir de nuevo **2** FIG datar, remontarse • **il campanile risale al Quattrocento**: la torre de la iglesia data del siglo XV.

risalita /risa'lita/ [sf] nueva subida FRAS **mezzi di ~**: remontes.

risaltare /risal'tare/ [v intr] resaltar, destacar.

risalto /ri'salto/ [sm] FIG relieve FRAS **mettere in ~**: poner de relieve.

risanare /risa'nare/ [v tr] sanear.

risaputo /risa'puto/ [agg] notorio.

risarcimento /risartʃi'mento/ [sm] indemnización (f).

risarcire /risar'tʃire/ [v tr] indemnizar.

risata /ri'sata/ [sf] carcajada.

riscaldamento /riskalda'mento/ [sm] **1** calefacción (f) **2** SPORT precalentamiento.

riscaldare (-rsi) /riskal'dare/ [v tr prnl] calentar (-se) ◆ [v intr prnl] **1** calentarse **2** FIG enardecerse • **gli animi si sono riscaldati**: los ánimos se han enardecido.

riscatto /ris'katto/ [sm] rescate.

rischiararsi /riskja'rarsi/ [v intr prnl] despejarse.

rischiare /ris'kjare/ [v tr] arriesgar ◆ [v intr] correr peligro, peligrar.

rischio /'riskjo/ [sm] riesgo.

rischioso /ris'kjoso/ [agg] arriesgado.

risciacquare /riʃʃak'kware/ [v tr] enjuagar.

riscontro /ris'kontro/ [sm] cotejo.

riscoperta /risko'perta/ [sf] redescubrimiento (m).

riscuotere /ris'kwɔtere/ [v tr] **1** (denaro) cobrar **2** (tasse) recaudar **3** FIG (ottenere) alcanzar.

risentimento /risenti'mento/ [sm] resentimiento.

risentire /risen'tire/ [v intr] sentir, resentirse ◆ **~ di uno sforzo**: sentir un esfuerzo FRAS **a risentirci!**: ¡hasta pronto!

riserva /ri'sɛrva/ [sf] reserva FRAS **~ di caccia**: coto de caza | **~ di pesca**: coto de pesca | **~ faunistica**: reserva faunística | **~ naturale**: reserva/parque nacional.

riservare /riser'vare/ [v tr] reservar.

riservatezza /riserva'tettsa/ [sf] reserva.

riservato /riser'vato/ [agg] reservado.

risiedere /ri'sjedere/ [v intr] residir.

riso /'riso/ [sm] **1** risa (f) **2** BOT arroz ■ pl irr f **risa** (nel sign 1).

risoluzione /risolut'tsjone/ [sf] resolución.

risolvere (-rsi) /ri'sɔlvere/ [v tr/intr prnl] resolver (-se).

risorgere /ri'sɔrdʒere/ [v intr] resucitar.

risorsa /ri'sorsa/ [sf] recurso (m).

risparmiare /rispar'mjare/ [v tr] ahorrar FRAS ~ **il fiato**: ahorrarse las palabras.

risparmiatore (-trice) /risparmja'tore/ [sm] ahorrador (f -a).

risparmio /ris'parmjo/ [sm] ahorro FRAS **libretto di ~**: cartilla/libreta de ahorro.

rispecchiare (-rsi) /rispek'kjare/ [v tr prnl] (anche FIG) reflejar.

rispettabile /rispet'tabile/ [agg m,f] respetable.

rispettare /rispet'tare/ [v tr] respetar.

rispetto /ris'petto/ [sm] respeto FRAS **mancare di ~ verso qualcuno**: faltar el respeto a uno.

risplendere /ris'plendere/ [v intr] resplandecer, brillar.

rispondere /ris'pondere/ [v intr] responder, contestar.

risposta /ris'posta/ [sf] respuesta, contestación.

rissa /'rissa/ [sf] riña.

ristabilire (-rsi) /ristabi'lire/ [v tr/intr prnl] restablecer (-se).

ristagnare /ristaɲ'ɲare/ [v intr] estancarse.

ristampa /ris'tampa/ [sf] (libro) reedición.

ristorante /risto'rante/ [sm] restaurante.

ristoratore (-trice) /ristora'tore/ [sm] dueño de un restaurante.

ristretto /ris'tretto/ [agg] **1** estrecho **2** reducido, contado, escaso • *un ~ numero di amici*: un reducido número de amigos FRAS **caffè ~**: café corto.

ristrutturare /ristruttu'rare/ [v tr] **1** (edificio) rehabilitar, *Amer* refaccionar **2** (aziende) reestructurar.

risultare /risul'tare/ [v intr] **1** resultar **2** (sembrare) parecer.

risultato /risul'tato/ [sm] resultado.

risuolare /riswo'lare/ [v tr] remontar.

risuonare /riswo'nare/ [v intr] (anche FIG) resonar.

risurrezione /risurret'tsjone/ [sf] resurrección.

risuscitare /risuʃʃi'tare/ [v tr/intr] resucitar.

risveglio /riz'veʎʎo/ [sm] despertar.

risvolto /riz'vɔlto/ [sm] **1** ABB solapa (f) **2** FIG implicancia (f), consecuencia (f).

ritardare /ritar'dare/ [v intr] tardar, demorarse ◆ [v tr] retrasar • ~ *il pagamento*: retrasar el pago.

ritardo /ri'tardo/ [sm] retraso, atraso FRAS **arrivare in ~**: llegar con retraso.

ritegno /ri'teɲɲo/ [sm] discreción (f) FRAS **senza ~**: sin recato.

ritenere /rite'nere/ [v tr] **1** retener **2** (giudicare) considerar, creer, juzgar ◆ [v prnl] considerarse.

ritenuta /rite'nuta/ [sf] retención.

ritirare (-rsi) /riti'rare/ [v tr prnl] retirar (-se) ◆ [v intr prnl] (tessuto) encogerse.

ritirata /riti'rata/ [sf] retirada.

ritiro /ri'tiro/ [sm] **1** retirada (f) **2** (documento) privación (f) **3** sport abandono.

ritmo /'ritmo/ [sm] ritmo.

rito /'rito/ [sm] rito.

ritoccare /ritok'kare/ [v tr] retocar
FRAS ~ **i prezzi**: reajustar los precios.

ritornare /ritor'nare/ [v intr] volver
FRAS ~ **indietro**: volver atrás.

ritorno /ri'torno/ [sm] vuelta (f)
FRAS fare ~: regresar | **girone di**
~: segunda vuelta del campeonato
de liga.

ritorsione /ritor'sjone/ [sf] retorsión.

ritrarre /ri'trarre/ [v tr] **1** retirar **2**
(pittura) retratar ♦ [v prnl] retroceder.

ritratto /ri'tratto/ [sm] retrato.

ritrovamento /ritrova'mento/ [sm]
hallazgo.

ritrovarsi /ritro'varsi/ [v prnl] encontrarse.

rituale /ritu'ale/ [agg m,f/sm] ritual.

riunificazione /riunifikat'tsjone/ [sf]
reunificación.

riunione /riu'njone/ [sf] reunión.

riunire (-**rsi**) /riu'nire/ [v tr prnl/intr
prnl] reunir (-se).

riuscire /riuʃ'ʃire/ [v intr] **1** salir, resultar • *il lavoro è riuscito bene*: el
trabajo ha salido bien **2** (farcela) lograr.

riuscita /riuʃ'ʃita/ [sf] éxito (m).

riva /'riva/ [sf] orilla.

rivale /ri'vale/ [agg m,f/sm,f] rival.

rivalità /rivali'ta*/ [sf inv] rivalidad
(sing).

rivedere (-**rsi**) /rive'dere/ [v tr prnl]
volver a ver (-se).

rivelare (-**rsi**) /rive'lare/ [v tr prnl]
revelar (-se).

rivelazione /rivelat'tsjone/ [sf] revelación.

rivendere /ri'vendere/ [v tr] revender.

rivendicare /rivendi'kare/ [v tr] reivindicar.

rivendicazione /rivendikat'tsjone/
[sf] reivindicación.

rivendita /ri'vendita/ [sf] (negozio)
tienda.

rivenditore (-**trice**) /rivendi'tore/
[sm] vendedor (f -a) al por menor.

riversarsi /river'sarsi/ [v intr prnl] **1**
(acque) anegar **2** FIG (persone) invadir.

rivestimento /rivesti'mento/ [sm]
(fodera) forro.

rivestire /rives'tire/ [v tr] **1** (foderare) forrar **2** FIG (carica) ocupar, desempeñar ♦ [v prnl] volver a vestirse.

riviera /ri'vjera/ [sf] costa.

rivincita /ri'vintʃita/ [sf] **1** SPORT desquite (m), desempate (m) **2** revancha.

rivista /ri'vista/ [sf] (giornale) revista.

rivolgere (-**rsi**) /ri'vɔldʒere/ [v tr
prnl] dirigir (-se).

rivolta /ri'vɔlta/ [sf] revuelta.

rivoltella /rivol'tella/ [sf] revólver
(m).

rivoluzionario /rivoluttsjo'narjo/
[agg/sm] revolucionario.

rivoluzione /rivolut'tsjone/ [sf] revolución.

roba /'rɔba/ [sf] **1** objeto (m), cosa **2**
(indumenti) ropa FRAS che ~!:
¡qué cosa tan rara! | ~ da matti:
¡habrase visto!

robusto /ro'busto/ [agg] robusto.

rocca /'rɔkka/ [sf] roca.

roccaforte /rokka'fɔrte/ [sf] **1** fortaleza **2** FIG baluarte (m).

r

roccia /'rɔttʃa/ [sf] roca FRAS **scarpe da ~**: botines de escalada.

rocciatore (-**trice**) /rottʃa'tore/ [sm] (alpinismo) escalador (f -a) de rocas.

roccioso /rot'tʃoso/ [agg] rocoso.

roco /'rɔko/ [agg] ronco.

rodaggio /ro'daddʒo/ [sm] rodaje.

rodere /'rodere/ [v tr] roer ◆ [v prnl] FIG reconcomerse.

rogna /'roɲɲa/ [sf] **1** VET roña **2** FIG FAM lata, rollo (m).

rognone /roɲ'ɲone/ [sm] riñón.

rogo /'rɔgo/ [sm] hoguera (f).

romagnolo /romaɲ'ɲolo/ [agg/sm] habitante (m,f) de Romaña.

romano /ro'mano/ [agg/sm] romano.

romantico /ro'mantiko/ [agg/sm] romántico.

romanzo /ro'mandzo/ [sm] novela (f) FRAS **~ giallo**: novela policiaca.

rombo /'rombo/ [sm] ITT rodaballo.

rompere /'rompere/ [v tr] **1** (anche FIG) romper **2** (fratturare) quebrar ◆ [v intr] **1** romper **2** VOLG (scocciare) joder ◆ [v intr prnl] **1** romperse **2** FIG VOLG (scocciarsi) cabrearse.

rompiscatole /rompis'katole/ [sm,f inv] FAM pesado (m sing).

rondine /'rondine/ [sf] golondrina.

ronzare /ron'dzare/ [v intr] zumbar.

ronzio /ron'dzio/ [sm] zumbido.

rosa /'rɔza/ [agg inv/sm inv] rosa ◆ [sf] **1** (pianta) rosal (m) **2** (fiore) rosa.

rosario /ro'zarjo/ [sm] rosario.

rosato /ro'zato/ [agg] rosado.

roseo /'rɔzeo/ [agg] róseo, rosáceo.

rosmarino /rozma'rino/ [sm] romero.

rosolare /rozo'lare/ [v tr] CUC dorar.

rosolia /rozo'lia/ [sf] rubéola.

rospo /'rɔspo/ [sm] sapo.

rossetto /ros'setto/ [sm] barra de labios.

rosso /'rosso/ [agg] **1** rojo **2** (vino) tinto FRAS **capelli rossi**: pelo rojo | **cin**ema a luci rosse: cine porno | **diventare ~**: ponerse rojo ◆ [sm] rojo FRAS **essere in ~**: estar al descubierto (cuenta corriente)| **~ d'uovo**: yema del huevo.

rosticceria /rostittʃe'ria/ [sf] rotisería.

rotaia /ro'taja/ [sf] carril (m), riel (m).

rotazione /rotat'tsjone/ [sf] rotación.

rotella /ro'tɛlla/ [sf] rueda FRAS **gli manca una ~**: le falta un tornillo.

rotolare /roto'lare/ [v intr] rodar ◆ [v prnl] revolcarse.

rotolo /'rɔtolo/ [sm] rollo.

rotondo /ro'tondo/ [agg] redondo.

rotta /'rotta/ [sf] **1** (aerea) ruta **2** MAR rumbo (m).

rottamazione /rottamat'tsjone/ [sf] desguace (m).

rottame /rot'tame/ [sm] chatarra (f).

rotto /'rotto/ [agg] **1** roto **2** (osso) fracturado.

rottura /rot'tura/ [sf] rotura FRAS **~ di palle**: coñazo.

rotula /'rɔtula/ [sf] rótula.

roulette /ru'lɛt/ [sf inv] ruleta (sing).

roulotte /ru'lɔt/ [sf inv] caravana (sing).

round /'raund/ [sm inv] SPORT round.

routine /ru'tin/ [sf inv] rutina (sing).

rovente /ro'vɛnte/ [agg m,f] candente.

rovesciare /roveʃ'ʃare/ [v tr] **1** (versare) verter, derramar **2** (capovolge-

re) volcar **3** FIG derrocar, derribar ● ~ *un governo*: derrocar un gobierno ◆ [v intr prnl] **1** volcarse **2** (versarsi) derramarse, verterse.

rovescio /ro'veʃʃo/ [agg] vuelto al revés FRAS **a ~**: al revés ◆ [sm] **1** (anche tennis) revés **2** (moneta) reverso.

rovina /ro'vina/ [sf] ruina.

rovinare /rovi'nare/ [v tr] arruinar.

rovinato /rovi'nato/ [agg] **1** (persona) arruinado **2** (cosa) estropeado.

rovo /'rovo/ [sm] zarza (f).

rozzo /'roddzo/ [agg] **1** basto, tosco **2** (persona) rudo, grosero, borde (m,f).

rubare /ru'bare/ [v tr] robar.

rubinetto /rubi'netto/ [sm] **1** grifo **2** (gas) llave de paso.

rubino /ru'bino/ [agg inv/sm] rubí*.

rubrica /ru'brika/ [sf] **1** (indirizzi) agenda **2** (telefono) guía.

rucola /'rukola/ [sf] ruca.

rudere /'rudere/ [sm] ruina (f) FRAS **essere un ~**: estar hecho una ruina.

ruffiano /ruf'fjano/ [sm] pelota (m,f).

ruga /'ruga/ [sf] arruga.

ruggine /'ruddʒine/ [sf] herrumbre.

rugiada /ru'dʒada/ [sf] rocío (m).

rugoso /ru'goso/ [agg] **1** (pelle) arrugado **2** (superficie) rugoso.

rullino /rul'lino/ [sm] carrete, rollo.

rum /rum/ [sm inv] ron (sing).

ruminante /rumi'nante/ [agg m,f/ sm] rumiante.

rumore /ru'more/ [sm] ruido.

rumoroso /rumo'roso/ [agg] ruidoso.

ruolo /'rwɔlo/ [sm] (anche cinema, teatro) papel FRAS **docente/professore di ~**: profesor titular.

ruota /'rwɔta/ [sf] rueda FRAS **~ di scorta**: rueda de repuesto.

ruotare /rwo'tare/ [v intr] girar, dar vuelta ◆ [v tr] volver, hacer girar.

rurale /ru'rale/ [agg m,f] rural.

ruscello /ruʃ'ʃello/ [sm] arroyo.

ruspante /rus'pante/ [agg m,f] de corral.

russare /rus'sare/ [v intr] roncar.

rustico /'rustiko/ [sm] casa de labranza.

rutto /'rutto/ [sm] eructo.

ruvido /'ruvido/ [agg] áspero.

r

Ss

sabato /'sabato/ [sm] sábado.

sabbia /'sabbja/ [sf] arena.

sabbioso /sab'bjoso/ [agg] arenoso.

sabotaggio /sabo'taddʒo/ [sm] sabotaje.

sabotatore (-trice) /sabota'tore/ [agg/sm] saboteador (f -a).

sacca /'sakka/ [sf] bolsa.

saccarina /sakka'rina/ [sf] sacarina.

saccheggiare /sakked'dʒare/ [v tr] saquear.

sacchetto /sak'ketto/ [sm] bolsa (f).

sacco /'sakko/ [sm] 1 saco 2 FIG FAM (tanto) montón FRAS colazione al ~: picnic | divertirsi un ~: pasarlo bomba | ~ a pelo: saco de dormir.

sacerdote /satʃer'dɔte/ [sm] sacerdote.

sacramento /sakra'mento/ [sm] sacramento.

sacrario /sa'krarjo/ [sm] sagrario.

sacrificare (-rsi) /sakrifi'kare/ [v tr prnl] sacrificar (-se).

sacrificato /sakrifi'kato/ [agg] 1 sacrificado 2 (sprecato) desaprovechado, desperdiciado.

sacrificio /sakri'fitʃo/ [sm] sacrificio.

sacrilegio /sakri'ledʒo/ [sm] sacrilegio.

sacro /'sakro/ [agg] sagrado FRAS arte sacra: arte sacro | libri sacri/sacra scrittura: sagradas escrituras.

sadismo /sa'dizmo/ [sm] sadismo.

safari /sa'fari/ [sm inv] safari (sing).

saggezza /sad'dʒettsa/ [sf] sabiduría.

saggio /'saddʒo/ [agg] sabio ♦ [sm] 1 (persona) sabio 2 (libro) ensayo.

Sagittario /sadʒit'tarjo/ [sm] (astronomia, astrologia) Sagitario.

sagoma /'sagoma/ [sf] silueta.

sagra /'sagra/ [sf] feria.

sagrato /sa'grato/ [sm] plaza delante de la iglesia.

sagrestano /sagres'tano/ [sm] sacristán.

sagrestia /sagres'tia/ [sf] sacristía.

saio /'sajo/ [sm] hábito.

sala /'sala/ [sf] sala FRAS ~ cinematografica: sala de cine | ~ da ballo: sala de fiestas | ~ da pranzo: comedor | ~ d'aspetto: sala de espera | ~ giochi: sala de juegos.

salame /sa'lame/ [sm] salchichón, salami.

salamoia /sala'mɔja/ [sf] salmuera.

salare /sa'lare/ [v tr] salar.

salario /sa'larjo/ [sm] salario, sueldo.

salatino /sala'tino/ [sm] canapé.

salato /sa'lato/ [agg] 1 CUC salado 2 FIG (costoso) caro.

saldare /sal'dare/ [v tr] 1 (metallo) soldar 2 (conto) saldar.

saldatura /salda'tura/ [sf] soldadura.

saldo /'saldo/ [agg] 1 (stabile) firme (m,f) 2 FIG sólido ♦ [sm] 1 saldo 2 (al pl) rebajas (f) • *saldi di fine stagione*: rebajas de fin de temporada.

sale /'sale/ [sm] sal (f) FRAS **conservare sotto ~**: poner bajo sal | **~ fino/grosso**: sal fina/gorda.

salice /'salitʃe/ [sm] sauce.

saliera /sa'ljera/ [sf] salero (m).

salire /sa'lire/ [v intr/tr] subir (-se).

salita /sa'lita/ [sf] pendiente, cuesta FRAS **strada in ~**: calle/carretera empinada.

saliva /sa'liva/ [sf] saliva.

salma /'salma/ [sf] cadáver (m).

salmonato /salmo'nato/ [agg] asalmonado.

salmone /sal'mone/ [sm] salmón.

salone /sa'lone/ [sm] salón FRAS **~ di bellezza**: salón de belleza.

salopette /salo'pet/ [sf inv] peto (m sing).

salotto /sa'lɔtto/ [sm] **1** sala (f) de estar **2** (mobili) tresillo, salón.

salpare /sal'pare/ [v intr] zarpar.

salsa /'salsa/ [sf] salsa.

salsedine /sal'sedine/ [sf] sal.

salsiccia /sal'sittʃa/ [sf] salchicha, longaniza.

saltare /sal'tare/ [v intr] saltar • [v tr] **1** saltar, salvar **2** FIG saltarse • *l'autobus ha saltato una fermata*: el autobús se saltó una parada **3** CUC saltear FRAS **~ agli occhi**: saltar a la vista | **~ di gioia**: dar saltos de alegría/contento | **~ fuori**: aparecer de repente | **~ giù dal letto**: saltar de la cama.

saltatore (-trice) /salta'tore/ [sm] SPORT saltador (f -a).

salto /'salto/ [sm] (anche FIG) salto FRAS **~ con l'asta**: salto con pértiga | **~ in alto/lungo**: salto de altura/longitud.

saltuario /saltu'arjo/ [agg] esporádico, ocasional (m,f).

salubre /sa'lubre/ [agg m,f] saludable.

salume /sa'lume/ [sm] embutido.

salumeria /salume'ria/ [sf] charcutería.

salutare (-rsi) /salu'tare/ [v tr prnl] saludar (-se) FRAS **ti saluto!/vi saluto!**: ¡adiós!

salute /sa'lute/ [inter] **1** (brindisi) ¡salud! **2** (starnuto) ¡jesús! • [sf] salud FRAS **bere/brindare alla ~ di qualcuno**: brindar a la salud de alguien.

saluto /sa'luto/ [sm] saludo FRAS **distinti saluti**: (le) saluda atentamente | **tanti salu*ti*!**: ¡saludos!

salvabile /sal'vabile/ [agg m,f] salvable.

salvadanaio /salvada'najo/ [sm] hucha (f).

salvadoregno /salvado'reɲɲo/ [agg/sm] salvadoreño.

salvagente /salva'dʒente/ [sm] salvavidas (inv) FRAS **giubbotto ~**: chaleco salvavidas.

salvaguardare /salvagwar'dare/ [v tr] salvaguardar • [v prnl] protegerse.

salvare (-rsi) /sal'vare/ [v tr prnl] salvar (-se).

salvaslip /salvaz'lip/ [sm inv] protege-eslip (sing).

salvataggio /salva'taddʒo/ [sm] salvamento FRAS **cintura di ~**: cinturón salvavidas.

salvatore (-trice) /salva'tore/ [agg/sm] salvador (f -a).

salvavita /salva'vita/ [agg inv/sm inv] cortacircuitos (sost).

salve /'salve/ [inter] ¡hola!

salvezza /sal'vettsa/ [sf] salvación.

salvia /'salvja/ [sf] salvia.

salvietta /sal'vjetta/ [sf] **1** servilleta **2** (asciugamano) toalla.

salvo /'salvo/ [agg/prep] salvo ♦ [sm] (solo nella locuzione) FRAS **in ~**: a salvo.

sambuca /sam'buka/ [sf] anisete (m).

sanare /sa'nare/ [v tr] sanear.

sanatoria /sana'torja/ [sf] condonación.

sandalo /'sandalo/ [sm] **1** BOT sándalo **2** (calzature) sandalia (f) FRAS **~ infradito**: chancleta.

sangue /'sangwe/ [sm] (anche FIG) sangre (f) FRAS **donatore di ~**: donante de sangre | **~ freddo**: sangre fría.

sanguigno /san'gwiɲɲo/ [agg] sanguíneo.

sanguinaccio /sangwi'nattʃo/ [sm] (insaccato) morcilla (f).

sanguinare /sangwi'nare/ [v intr] sangrar.

sanità /sani'ta*/ [sf inv] sanidad (sing) FRAS **ministero della ~**: ministerio de sanidad.

sanitario /sani'tarjo/ [agg] sanitario.

sano /'sano/ [agg] **1** (persona) sano **2** (aria) saludable (m,f).

santo /'santo/ [agg/sm] santo FRAS **vin ~**: vino licoroso.

santuario /santua'rjo/ [sm] santuario.

sapere /sa'pere/ [v tr/intr] saber FRAS **~ a memoria**: saber de memoria.

sapiente /sa'pjente/ [sm,f] sabio (m).

sapienza /sa'pjentsa/ [sf] sabiduría.

sapone /sa'pone/ [sm] jabón.

saponetta /sapo'netta/ [sf] pastilla de jabón.

sapore /sa'pore/ [sm] sabor, gusto.

saporito /sapo'rito/ [agg] sabroso.

saracinesca /saratʃi'neska/ [sf] cierre (m) metálico.

sarago /'sarago/ [sm] sargo.

Saragozza /sara'gottsa/ [sf] Zaragoza.

saragozzano /saragot'tsano/ [agg/sm] zaragozano.

sarcasmo /sar'kazmo/ [sm] sarcasmo.

sarda /'sarda/ [sf] sarda.

Sardegna /sar'deɲɲa/ [sf] Cerdeña.

sardina /sar'dina/ [sf] sardina.

sardo /'sardo/ [agg/sm] sardo.

sarto /'sarto/ [sm] **1** (da uomo) sastre **2** (da donna) modisto.

sartoria /sarto'ria/ [sf] **1** casa de modas **2** (creazione di moda) alta costura.

sasso /'sasso/ [sm] piedra (f).

sassofono /sas'sofono/ [sm] saxófono.

satellite /sa'tellite/ [agg inv/sm] satélite.

satira /'satira/ [sf] sátira.

Saturno /sa'turno/ [sm] (astronomia, astrologia) Saturno.

sauna /'sauna/ [sf] sauna.

savana /sa'vana/ [sf] sabana.

savoiardo /savo'jardo/ [sm] bizcocho de soletilla.

saziare (**-rsi**) /sat'tsjare/ [v tr/int. prnl] saciar (-se).

sazio /'sattsjo/ [agg] lleno, saciado

sbadato /zba'dato/ [agg/sm] descuidado, distraído.

sbadigliare /zbadiʎ'ʎare/ [v intr] bostezar.

sbadiglio /zba'diʎʎo/ [sm] bostezo.

sbafare /zba'fare/ [v tr] POP tragar, zampar.

sbagliare /zbaʎ'ʎare/ [v tr] errar, fallar ◆ [v intr/intr prnl] equivocarse.

sbaglio /'zbaʎʎo/ [sm] 1 (errore) equivocación (f), error 2 (disattenzione) descuido FRAS **per ~**: por descuido.

sbalordire /zbalor'dire/ [v tr] asombrar, dejar pasmado ◆ [v intr prnl] pasmarse.

sbalordito /zbalor'dito/ [agg] pasmado.

sbandare /zban'dare/ [v intr] (veicolo) patinar.

sbandato /zban'dato/ [sm] inadaptado.

sbarazzare (-rsi) /zbarat'tsare/ [v tr prnl] desembarazar (-se) FRAS **~ la tavola**: quitar la mesa.

sbarbarsi /zbar'barsi/ [v prnl] afeitarse.

sbarcare /zbar'kare/ [v tr/intr] desembarcar.

sbarco /'zbarko/ [sm] 1 desembarco, desembarque 2 (luogo) desembarcadero.

sbarra /'zbarra/ [sf] 1 barrote (m) 2 GIUR barra, barandilla 3 SPORT barra fija.

sbarrare /zbar'rare/ [v tr] 1 obstruir, cerrar 2 cerrar ◆ *un uomo le sbarrò il passo*: un hombre le cerró el paso FRAS **~ la strada**: atravesarse/cruzarse en el camino.

sbattere /'zbattere/ [v tr] 1 (ali, anche CUC) batir 2 (gettare) arrojar 3 FIG arrojar, echar, expulsar ◆ **~ qualcuno fuori di casa**: arrojar a alguien de la casa ◆ [v intr] (porta, finestra) golpear FRAS **~ la porta**: dar un portazo | **sbattersene**: traerla floja.

sbavare (-rsi) /zba'vare/ [v intr/prnl] babear (-se).

sberla /'zberla/ [sf] bofetada, torta.

sbiadito /zbja'dito/ [agg] desteñido.

sbiancare /zbjan'kare/ [v tr] blanquear ◆ [v intr prnl] 1 blanquearse 2 FIG (impallidire) palidecer.

sbilanciare /zbilan'tʃare/ [v tr] desequilibrar.

sbloccare /zblok'kare/ [v tr] (meccanico) desbloquear.

sboccare /zbok'kare/ [v intr] (anche FIG) desembocar.

sbocciare /zbot'tʃare/ [v intr] BOT abrirse.

sbornia /'zbɔrnja/ [sf] POP borrachera, mona FRAS **prendere una ~**: coger una borrachera.

sborsare /zbor'sare/ [v tr] desembolsar.

sbottonare /zbotto'nare/ [v tr] desabotonar, desabrochar.

sbracciarsi /zbrat'tʃarsi/ [v intr prnl] bracear.

sbracciato /zbrat'tʃato/ [agg] (indumento) sin mangas.

sbrigarsi /zbri'garsi/ [v intr prnl] darse prisa, apresurarse.

sbrogliare /zbroʎ'ʎare/ [v tr] 1 (filo, corda) desenredar 2 FIG aclarar.

sbronza /'zbrondsa/ [sf] FAM borrachera.

sbronzo /'zbrondso/ [agg] FAM borracho.

sbucare /zbu'kare/ [v intr] salir.

sbucciare /zbut'tʃare/ [v tr] pelar.

sbucciatura /zbuttʃa'tura/ [sf] (ferita) abrasión.

sbuffare /zbuf'fare/ [v intr] resoplar, resollar.

scacchiera /skak'kjera/ [sf] tablero (m).

scacciare /skat'tʃare/ [v tr] echar, arrojar.

scacco /'skakko/ [sm] **1** (al pl, gioco) ajedrez (sing) **2** (pezzo del gioco) pieza (f) de ajedrez **3** (quadretto) cuadro FRAS ~ **matto**: jaque mate.

scadente /ska'dɛnte/ [agg m,f] ordinario (m).

scadenza /ska'dɛntsa/ [sf] **1** (farmaci, alimenti, passaporto) caducidad **2** (termine) vencimiento (m). FRAS **a breve/lunga ~**: a corto/largo plazo.

scadere /ska'dere/ [v intr] **1** decaer, declinar **2** vencer, caducar ◆ *questo farmaco è scaduto*: este fármaco está caducado.

scaduto /ska'duto/ [agg] caducado.

scaffale /skaf'fale/ [sm] estante, repisa (f).

scafo /'skafo/ [sm] casco.

scagliare /skaʎ'ʎare/ [v tr] arrojar, lanzar ◆ [v prnl] **1** arremeter, acometer **2** FIG (insultare) denostar.

scaglionare /skaʎʎo'nare/ [v tr] escalonar.

scala /'skala/ [sf] escalera FRAS ~ **mobile**: escalera mecánica.

scalata /ska'lata/ [sf] (anche SPORT) escalada.

scalatore (-trice) /skala'tore/ [sm] escalador (f -a).

scaldabagno /skalda'baɲɲo/ [sm] calentador de agua.

scaldare (-rsi) /skal'dare/ [v tr prnl/intr prnl] (anche FIG) calentar (-se).

scalinata /skali'nata/ [sf] escalinata.

scalino /ska'lino/ [sm] **1** escalón, peldaño **2** FIG paso, grado.

scalo /'skalo/ [sm] **1** (ferroviario) estación (f) **2** (aereo) escala (f).

scalogno /ska'loɲɲo/ [sm] chalote.

scalpello /skal'pɛllo/ [sm] cincel.

scalpore /skal'pore/ [sm] sensación (f).

scalzo /'skaltso/ [agg] descalzo.

scambiare /skam'bjare/ [v tr] **1** (di persona) confundir **2** (cosa) cambiar **3** (parere, sguardo) intercambiar, cambiar ◆ [v prnl] cambiarse.

scambio /'skambjo/ [sm] cambio.

scamiciato /skami'tʃato/ [sm] ABB pichi.

scamosciato /skamoʃ'ʃato/ [agg] de gamuza/ante.

scampare /skam'pare/ [v tr] salvarse ◆ [v intr] escapar ● ~ *al naufragio*: escapar del naufragio.

scampo /'skampo/ [sm] **1** ITT cigala (f) **2** salvación (f).

scampolo /'skampolo/ [sm] retazo.

scandalizzare (-rsi) /skandalid'dzare/ [v tr/intr prnl] escandalizar (-se).

scandalo /'skandalo/ [sm] escándalo.

scanner /s'kanner/ [sm inv] escáner (sing).

scantinato /skanti'nato/ [sm] sótano.

scapito /'skapito/ [sm] detrimento, daño FRAS **a ~ di qualcuno**: en detrimento/mengua/menoscabo de alguien.

scapola /'skapola/ [sf] omóplato (m), paletilla.

scapolo /'skapolo/ [agg/sm] soltero.

scappamento /skappa'mento/ [sm] escape FRAS tubo di ~: tubo de escape.

scappare /skap'pare/ [v intr] **1** escapar, huir **2** (prigione) evadir **3** FIG correr • *è tardi, devo ~ a casa*: es tarde, tengo que correr a casa.

scappatoia /skappa'toja/ [sf] salida.

scarabocchiare /skarabok'kjare/ [v tr] garabatear.

scarafaggio /skara'faddʒo/ [sm] cucaracha (f).

scaramanzia /skaraman'tsia/ [sf] superstición.

scarcerare /skartʃe'rare/ [v tr] excarcelar.

scarcerazione /skartʃerat'tʃjone/ [sf] excarcelación.

scardinare /skardi'nare/ [v tr] desquiciar.

scarica /'skarika/ [sf] (arma da fuoco) ráfaga FRAS ~ elettrica: descarga eléctrica.

scaricare /skari'kare/ [v tr] (anche FIG) descarga ◆ [v prnl] **1** descargar **2** FIG relajarse • *lo sport aiuta a scaricarsi*: el deporte ayuda a relajarse ◆ [v intr prnl] (batteria) descargarse.

scarico /'skariko/ [sm] **1** descarga (f) • *vietato lo ~*: prohibida la descarga **2** (luogo) vertedero FRAS tubo di ~: tubo de escape.

scarlattina /skarlat'tina/ [sf] escarlatina.

scarno /'skarno/ [agg] FIG escueto.

scarola /ska'rɔla/ [sf] escarola.

scarpa /'skarpa/ [sf] zapato (m) FRAS scarpe basse: zapatos planos | scarpe col tacco alto: zapatos de tacón | ~ scollata: zapato escotado.

scarpata /skar'pata/ [sf] GEOG cuesta, pendiente.

scarpone /skar'pone/ [sm] bota (f) FRAS scarponi da sci: botas de esquí | scarponi per alta montagna: botas de montaña.

scarseggiare /skarsed'dʒare/ [v intr] escasear.

scarsezza /skar'settsa/ [sf] escasez.

scarso /'skarso/ [agg] escaso.

scartare /skar'tare/ [v tr] **1** (pacchetto) desenvolver **2** (gioco) descartarse de.

scassare (-rsi) /skas'sare/ [v tr/intr prnl] FAM romper (-se).

scassinare /skassi'nare/ [v tr] forzar.

scatenare /skate'nare/ [v tr] FIG incitar, azuzar ◆ [v intr prnl] FIG **1** (temporale) desatarse **2** exaltarse.

scatola /'skatola/ [sf] caja FRAS cibi in ~: alimentos enlatados | rompere/far girare le scatole: tocar los huevos, dar la tabarra | ~ di cioccolatini: bombonera.

scatoletta /skato'letta/ [sf] lata.

scattare /skat'tare/ [v intr] **1** saltar **2** sport arrancar ◆ [v tr] (fotografia) sacar.

scatto /'skatto/ [sm] **1** (telefono) paso **2** SPORT arrancada (f) FRAS di ~: de golpe | uno ~ d'ira: un arrebato de ira.

scavalcare /skaval'kare/ [v tr] salvar.

scavare /ska'vare/ [v tr] cavar.

scavo /'skavo/ [sm] excavación (f).

scegliere /'ʃeʎʎere/ [v tr] elegir.

scelta /'ʃelta/ [sf] 1 elección 2 (assortimiento) surtido (m).

scemo /*'ʃemo/ [agg] 1 estúpido, tonto 2 insulso, soso • un libro ~: un libro insulso ◆ [sm] tonto.

scena /*'ʃena/ [sf] escena FRAS andare in ~: estrenar | colpo di ~: golpe de efecto.

scenata /*ʃe'nata/ [sf] escena, escándalo (m).

scendere /*'ʃendere/ [v intr] 1 (anche FIG) bajar 2 bajar, apearse • ~ dal treno: bajar del tren ◆ [v tr] descender, bajar.

sceneggiatura /*ʃeneddʒa'tura/ [sf] guión (m).

scenografia /*'ʃenogra'fia/ [sf] 1 escenografía 2 (elementi scenici) decorado (m).

scettico /*'ʃettiko/ [agg/sm] escéptico.

scheda /'skeda/ [sf] 1 ficha 2 (elezioni) papeleta FRAS ~ magnetica: tarjeta magnética | ~ telefonica: tarjeta telefónica.

schedina /ske'dina/ [sf] (totocalcio) quiniela.

scheggia /'skeddʒa/ [sf] astilla.

scheletro /'skeletro/ [sm] esqueleto.

schema /'skema/ [sm] esquema.

scherma /'skerma/ [sf] esgrima.

schermo /'skermo/ [sm] pantalla (f).

scherzare /sker'tsare/ [v intr] bromear.

scherzo /'skertso/ [sm] broma (f) FRAS per ~: en broma.

schettino /'skettino/ [sm] patín de ruedas.

schiaccianoci /skjattʃa'notʃi/ [sm inv] cascanueces.

schiacciare /skjat'tʃare/ [v tr] 1 (anche FIG) aplastar • ~ il nemico: aplastar al enemigo 2 pisar • ~ un piede: pisar un pie 3 (interruttore) pulsar.

schiaffeggiare /skjaffed'dʒare/ [v tr] abofetear, sopapear.

schiaffo /'skjaffo/ [sm] bofetada (f).

schiamazzo /skja'mattso/ [sm] jaleo, alboroto.

schiantare /skjan'tare/ [v tr] destrozar, romper ◆ [v intr prnl] estrellarse, chocar.

schiarire /skja'rire/ [v tr] (anche FIG) aclarar.

schiavitù /skjavi'tu*/ [sf inv] esclavitud (sing).

schiavo /'skjavo/ [agg/sm] esclavo.

schiena /'skjena/ [sf] espalda.

schienale /skje'nale/ [sm] respaldo.

schiera /'skjera/ [sf] hilera, fila FRAS case a ~: casas adosadas.

schieramento /skjera'mento/ [sm] SPORT alineación (f).

schierarsi /skje'rarsi/ [v prnl] FIG tomar partido • ~ contro la pena di morte: tomar partido contra de la pena de muerte.

schietto /'skjetto/ [agg] FIG franco.

schifato /ski'fato/ [agg] asqueado.

schifezza /ski'fettsa/ [sf] asco (m).

schifo /'skifo/ [sm] asco FRAS fare ~: dar asco.

schifoso /ski'foso/ [agg] 1 asqueroso 2 pésimo, horrible (m,f) • un film ~: una película pésima.

schiuma /'skjuma/ [sf] espuma FRAS bagno ~: gel de baño.

schivo /'skivo/ [agg] arisco, huraño.

schizofrenico /skiddzo'freniko/ [agg] esquizofrénico.

schizzare /skit'tsare/ [v tr] **1** (sporcare) salpicar **2** FIG (disegno) bosquejar.

schizzinoso /skittsi'noso/ [agg] delicado.

schizzo /'skittso/ [sm] **1** (scritto) esbozo **2** (disegno) croquis (inv), bosquejo.

sci /'ʃi*/ [sm inv] esquí (sing).

scia /'ʃia/ [sf] estela.

sciacallo /ʃa'kallo/ [sm] **1** ZOOL chacal **2** FIG depredador (f -a).

sciacquare /*ʃak'kware/ [v tr] enjuagar.

sciagura /*ʃa'gura/ [sf] desgracia.

sciagurato /*ʃagu'rato/ [agg] desgraciado.

scialacquare /*ʃalak'kware/ [v tr] derrochar.

scialbo /*'ʃalbo/ [agg] (persona) soso.

scialle /*'ʃalle/ [sm] chal.

sci-alpinismo /*ʃi alpi'nizmo/ [sm] esquí de travesía.

sciame /*'ʃame/ [sm] enjambre.

sciare /*ʃi'are/ [v intr] esquiar.

sciarpa /*'ʃarpa/ [sf] bufanda.

sciatica /*'ʃatika/ [sf] ciática.

sciatore (-trice) /*ʃia'tore/ [sm] esquiador (f -a).

sciatto /*'ʃatto/ [agg] dejado.

scientifico /ʃen'tifiko/ [agg] científico FRAS liceo ~: BUP de orientación científica.

scienza /'ʃentsa/ [sf] ciencia.

scienziato /*ʃen'tsjato/ [sm] científico.

scimmia /*'ʃimmja/ [sf] mono (m), simio (m).

scimpanzé /*ʃimpan'tse*/ [sm inv] chimpancé (sing).

scintilla /*ʃin'tilla/ [sf] chispa.

scintillante /*ʃintil'lante/ [agg m,f] reluciente, resplandeciente.

scintillio /*ʃintil'lio/ [sm] destello, brillo.

sciocchezza /*ʃok'kettsa/ [sf] tontería, bobada FRAS costare/pagare una ~: salir regalado.

sciocco /*'ʃɔkko/ [agg/sm] tonto, bobo.

sciogliere /*ʃoʎʎere/ [v tr] **1** (nodo, capelli) soltar **2** (zucchero) deshacer **3** (società) disolver ♦ [v intr prnl] derretirse ♦ *il gelato si scioglie col caldo*: el helado se derrite con el calor.

scioglimento /*ʃoʎʎi'mento/ [sm] FIG disolución (f) ♦ *lo ~ del parlamento*: la disolución del parlamento.

scioltezza /*ʃol'tettsa/ [sf] soltura.

sciolto /*'ʃɔlto/ [agg] **1** disuelto **2** (capelli, movimenti) suelto.

scioperare /*ʃope'rare/ [v intr] ponerse en huelga.

sciopero /*'ʃɔpero/ [sm] huelga (f).

sciovia /*ʃio'via/ [sf] telesquí (m).

scippare /*ʃip'pare/ [v tr] dar un tirón.

scippo /*'ʃippo/ [sm] tirón.

scirocco /*ʃi'rɔkko/ [sm] siroco.

sciroppato /*ʃirop'pato/ [agg] en almíbar.

sciroppo /*ʃi'rɔppo/ [sm] **1** MED jarabe **2** CUC almíbar.

sciupare /*ʃu'pare/ [v tr] **1** estropear **2** (buttare via) despediciar, malgastar ♦ [v intr prnl] estropearse, deteriorarse.

S

scivolare /ʃivo'lare/ [v intr] **1** resbalar **2** resbalarse, escurrirse • *il sapone mi è scivolato di mano*: se me ha resbalado el jabón de las manos.

scivolo /*'ʃivolo/ [sm] (gioco) tobogán.

scivoloso /*'ʃivo'loso/ [agg] **1** (che fa scivolare) resbaladizo **2** (che scivola) escurridizo.

sclerosi /skle'rɔzi/ [sf inv] esclerosis.

scocciare /skot'tʃare/ [v tr] FAM fastidiar, dar la lata ♦ [v intr prnl] FAM aburrirse.

scocciatore (-trice) /skottʃa'tore/ [sm] FAM pelma (m,f), pesado.

scodella /sko'dɛlla/ [sf] plato (m) hondo/sopero.

scogliera /skoʎ'ʎɛra/ [sf] acantilado (m).

scoglio /'skɔʎʎo/ [sm] escollo.

scoiattolo /sko'jattolo/ [sm] ardilla (f).

scolapasta /skola'pasta/ [sm inv] escurridor (sing).

scolapiatti /skola'pjatti/ [sm inv] escurreplatos.

scolare /sko'lare/ [v tr] **1** escurrir **2** CUC colar.

scolaro /sko'laro/ [sm] escolar (m,f), alumno.

scolastico /sko'lastiko/ [agg] escolar (m,f).

scoliosi /sko'ljɔzi/ [sf inv] escoliosis.

scollare (-rsi) /skol'lare/ [v tr/intr prnl] despegar (-se).

scollato /skol'lato/ [agg] ABB escotado.

scollatura /skolla'tura/ [sf] escote (m) FRAS ~ a V: escote de pico.

scolorire (-rsi) /skolo'rire/ [v tr/intr prnl] desteñir (-se).

scolpire /skol'pire/ [v tr] **1** (legno) labrar, tallar **2** (marmo, pietra) esculpir.

scommessa /skom'messa/ [sf] apuesta.

scommettere /skom'mettere/ [v tr] apostar.

scomodo /'skɔmodo/ [agg] incómodo.

scomparire /skompa'rire/ [v intr] desaparecer.

scomparsa /skom'parsa/ [sf] **1** desaparición **2** (morte) muerte.

scompartimento /skomparti'mento/ [sm] compartimiento.

scompenso /skom'penso/ [sm] descompensación (f).

scomporsi /skom'porsi/ [v intr prnl] descomponerse.

sconcertante /skontʃer'tante/ [agg m,f] desconcertante.

sconcertare (-rsi) /skontʃer'tare/ [v tr/intr prnl] desconcertar (-se).

sconcio /'skontʃo/ [agg] obsceno, indecente (m,f).

scondito /skon'dito/ [agg] sin aliñar.

sconfiggere /skon'fiddʒere/ [v tr] vencer, derrotar.

sconfitta /skon'fitta/ [sf] derrota.

sconforto /skon'fɔrto/ [sm] desaliento.

scongelare /skondʒe'lare/ [v tr] descongelar.

scongiurare /skondʒu'rare/ [v tr] **1** (supplicare) rogar **2** (evitare) conjurar.

sconosciuto /skonoʃ'ʃuto/ [agg/sm] desconocido.

sconsigliare /skonsiʎ'ʎare/ [v tr] desaconsejar.

sconsolato /skonso'lato/ [agg] desolado, desconsolado.

scontare /skon'tare/ [v tr] **1** (prezzo) rebajar **2** (condanna) expiar.

scontato /skon'tato/ [agg] **1** (prezzo) rebajado **2** previsible • *un risultato ~*: un resultado previsible.

scontento /skon'tɛnto/ [agg] descontento.

sconto /'skonto/ [sm] (prezzo) rebaja (f), descuento.

scontrarsi /skon'trarsi/ [v intr prnl/ prnl] chocar.

scontrino /skon'trino/ [sm] tique.

scontro /'skontro/ [sm] choque.

scontroso /skon'troso/ [agg] huraño, hosco.

sconvolgente /skonvol'dʒɛnte/ [agg m,f] impresionante, tremendo (m).

sconvolgere /skon'vɔldʒere/ [v tr] **1** arruinar **2** FIG trastornar • *~ i piani*: trastornar los planes ◆ [v intr prnl] trastornarse.

sconvolto /skon'vɔlto/ [agg] **1** arruinado **2** FIG trastornado.

scopa /'skopa/ [sf] escoba.

scopare /sko'pare/ [v tr] **1** barrer **2** VOLG follar, echar un polvo.

scoperta /sko'pɛrta/ [sf] descubrimiento (m).

scoperto /sko'pɛrto/ [agg] desnudo, descubierto FRAS **assegno ~**: cheque en descubierto ◆ [sm] intemperie (f) FRAS **dormire allo ~**: dormir a la intemperie.

scopo /'skɔpo/ [sm] finalidad (f).

scoppiare /skop'pjare/ [v intr] **1** reventar **2** (esplosivo, anche FIG) es-

tallar FRAS **~ dal caldo**: asarse, reventar de calor.

scoppio /'skɔppjo/ [sm] (anche FIG) estallido.

scoprire /sko'prire/ [v tr] descubrir ◆ [v prnl] **1** (spogliarsi) desataparse **2** descubrirse.

scoraggiarsi /skorad'dʒarsi/ [v intr prnl] desalentarse, desanimarse.

scordare (-rsi) /skor'dare/ [v tr/intr prnl] olvidar (-se).

scoreggia /sko'reddʒa/ [sf] VOLG pedo (m).

scorfano /'skɔrfano/ [sm] ITT escorpena (f).

scorgere /'skɔrdʒere/ [v tr] vislumbrar, columbrar.

scorpione /skor'pjone/ [sm] **1** ZOOL escorpión **2** (astrologia, astronomia) Escorpio (m,f).

scorrere /'skorrere/ [v intr] **1** (anche FIG) correr **2** (corda) deslizarse.

scorretto /skor'retto/ [agg] **1** (sbagliato) equivocado, incorrecto **2** (azione, persona) grosero, maleducado.

scorso /'skorso/ [agg] pasado • *l'anno ~*: el año pasado.

scorta /'skɔrta/ [sf] **1** escolta • *la ~ di un magistrato*: la escolta de un magistrado **2** (provvista) provisión FRAS **ruota di ~**: rueda de repuesto.

scorza /'skɔrtsa/ [sf] (frutto) cáscara.

scossa /'skɔssa/ [sf] (terreno) temblor (m) FRAS **~ di terremoto**: temblor de tierra | **~ elettrica**: descarga eléctrica.

scotch /'skɔtʃ/ [sm inv] celo (sing).

scottare (-rsi) /skot'tare/ [v tr/ intr/intr prnl] quemar (-se).

S

scottatura /skotta'tura/ [sf] quemadura.

scout /'skaut/ [agg inv/sm,f inv] escultista (sing).

scovare /sko'vare/ [v tr] FIG dar con, encontrar.

screpolare (-rsi) /skrepo'lare/ [v tr/intr prnl] agrietar (-se).

screpolato /skrepo'lato/ [agg] agrietado.

scricchiolare /skrikkjo'lare/ [v intr] (cardini) chirriar.

scritta /'skritta/ [sf] 1 inscripción 2 (graffito) pintada • *un muro pieno di scritte*: un muro lleno de pintadas.

scritto /'skritto/ [agg/sm] escrito.

scrittore (-trice) /skrit'tore/ [sm] escritor (f -a).

scrittura /skrit'tura/ [sf] 1 escritura 2 letra • *ha una ~ chiara*: tiene una letra clara.

scrivania /skriva'nia/ [sf] escritorio (m).

scrivere /'skrivere/ [v tr] 1 escribir 2 escribirse • *quadro si scrive con la q*: cuadro se escribe con la c.

scroccare /skrok'kare/ [v tr] FAM gorronear.

scrofa /'skrɔfa/ [sf] cerda, marrana.

scrollare /skrol'lare/ [v tr] sacudir.

scroscio /'skrɔʃʃo/ [sm] fragor, estruendo FRAS ~ **di pioggia**: chaparrón.

scrostarsi /skros'tarsi/ [v intr prnl] desconcharse.

scrupolo /'skrupolo/ [sm] escrúpulo.

scrupoloso /skrupo'loso/ [agg] escrupuloso.

scrutare /skru'tare/ [v tr] escrutar, escudriñar.

scrutinio /skru'tinjo/ [sm] 1 (politica) escrutinio 2 (scuola) evaluación (f).

scucirsi /sku'tʃirsi/ [v intr prnl] descoserse.

scuderia /skude'ria/ [sf] cuadra.

scudetto /sku'detto/ [sm] (calcio) título de liga.

scudo /'skudo/ [sm] escudo.

scultore (-trice) /skul'tore/ [sm] escultor (f -a).

scultura /skul'tura/ [sf] escultura.

scuocere /'skwɔtʃere/ [v intr prnl] recocerse.

scuola /'skwɔla/ [sf] 1 (anche FIG) escuela 2 (istituzione) educación, enseñanza • *la riforma della ~*: la reforma de la educación FRAS ~ **dell'obbligo/elementare**: EGB | ~ **guida**: autoescuela | ~ **materna**: jardín de infancia | ~ **media**: los tres últimos años de EGB | ~ **secondaria superiore**: BUP (con aceso a la universidad); formación profesional (sin aceso a la universidad).

scuotere /'skwɔtere/ [v tr] sacudir.

scurire (-rsi) /sku'rire/ [v tr/intr prnl] oscurecer (-se).

scuro /'skuro/ [agg] 1 oscuro 2 (carnagione) moreno 3 FIG ceñudo, torvo.

scusa /'skuza/ [sf] 1 disculpa • *lettera di ~*: carta de disculpa 2 (pretesto) excusa FRAS **chiedere ~**: pedir disculpas/perdón.

scusare (-rsi) /sku'zare/ [v tr prnl] disculpar (-se).

sdebitarsi /zdebi'tarsi/ [v prnl] FIG corresponder, pagar.

sdoganare /zdoga'nare/ [v tr] pagar los impuestos de aduana.

sdraiarsi /zdra'jarsi/ [v prnl] **1** tenderse, tumbarse **2** (a letto) acostarse.

sdraiato /zdra'jato/ [agg] **1** tendido, tumbado **2** (a letto) acostado.

se /se*/ [cong] si FRAS **come ~**: como si | **neanche ~**: aunque | **~ mai**: en caso que | **~ non**: si no ◆ [pron m,f] se ◆ **~ lo lasciò scappare**: se lo dejó escapar.

sé /se*/ [pron m,f] sí FRAS **con ~**: consigo | **essere chiuso in ~**: estar ensimismado | **essere fuori di ~**: estar fuera de sí | **~ stesso**: sí mismo.

sebbene /seb'bene/ [cong] aunque.

seccante /sek'kante/ [agg m,f] FIG fastidioso (m), molesto (m).

seccare /sek'kare/ [v tr] **1** secar **2** FIG (scocciare) fastidiar ◆ [v intr prnl] **1** secarse **2** FIG (scocciarsi) aburrirse, cansarse.

seccatura /sekka'tura/ [sf] FIG lata, fastidio (m).

secchiello /sek'kjello/ [sm] cubo.

secchio /'sekkjo/ [sm] cubo, balde.

secco /'sekko/ [agg/sm] (anche FIG) seco FRAS **lavaggio a ~**: lavado en seco.

secolare /seko'lare/ [agg m,f] secular.

secolo /'sɛkolo/ [sm] siglo.

seconda /se'konda/ [sf] **1** segunda **2** (treno, aereo, nave) segunda clase FRAS **a ~ di**: según.

secondario /sekon'darjo/ [agg] secundario.

secondino /sekon'dino/ [sm] carcelero.

secondo /se'kondo/ [prep] según FRAS **~ me/te/lui**: según yo/tú/él ◆ [sm] segundo.

sedano /'sɛdano/ [sm] apio.

sedativo /seda'tivo/ [sm] sedante.

sede /'sɛde/ [sf] sede.

sedentario /seden'tarjo/ [agg] sedentario.

sedere /se'dere/ [sm] trasero, culo FRAS **prendere a calci nel ~**: tratar muy mal ◆ (**-rsi**) [v intr/intr prnl] sentarse FRAS **posti a ~**: asientos.

sedia /'sɛdja/ [sf] silla FRAS **~ a sdraio**: tumbona.

sedicenne /sedi't∫ɛnne/ [agg m,f] dieciseisañero (m) ◆ [sm,f] chico/chica de dieciséis años.

sedile /se'dile/ [sm] asiento FRAS **~ anteriore/posteriore**: asiento delantero/trasero.

sedurre /se'durre/ [v tr] seducir.

seduta /se'duta/ [sf] sesión.

seduttore (**-trice**) /sedut'tore/ [agg/sm] seductor (f -a).

sega /'sega/ [sf] sierra.

segale /'segale/ [sf] centeno (m).

segare /se'gare/ [v tr] serrar.

segatura /sega'tura/ [sf] serrín (m).

seggio /'sɛddʒo/ [sm] (parlamento) escaño FRAS **~ elettorale**: mesa electoral.

seggiolino /seddʒo'lino/ [sm] **1** sillita (f) **2** (pieghevole) silla (f) de tijeras.

seggiolone /seddʒo'lone/ [sm] sillón.

seggiovia /seddʒo'via/ [sf] telesilla.

segmento /seg'mento/ [sm] segmento.

segnalare /seɲɲa'lare/ [v tr] señalar.

segnalazione /seɲɲalat'tsjone/ [sf] señal.

segnale /seɲ'ɲale/ [sm] señal (f).

S

segnaletica /seɲɲaˈletika/ [sf] señalización FRAS ~ **stradale**: señales de tráfico.

segnare /seɲˈɲare/ [v tr] **1** señalar **2** (scrivere un appunto) anotar, apuntar **3** marcar • *l'orologio segna le tre*: el reloj marca las tres | *~ un goal*: marcar un gol.

segno /ˈseɲɲo/ [sm] señal (f) FRAS **in ~ di**: en prueba de | **~ zodiacale**: signo del zodíaco | *tiro a ~*: tiro al blanco.

segregazione /segregatˈtsjone/ [sf] segregación.

segretario /segreˈtarjo/ [sm] secretario.

segreteria /segreteˈria/ [sf] secretaría FRAS ~ **telefonica**: contestador automático | **servizio di ~ telefonica**: mensajería.

segreto /seˈgreto/ [agg/sm] secreto.

seguente /seˈgwɛnte/ [agg m,f] siguiente, sucesivo (m).

seguire /seˈgwire/ [v tr/intr] (anche FIG) seguir.

seguito /ˈsegwito/ [sm] consecuencias (f pl) • *la faccenda non ebbe ~*: el asunto no tuvo consecuencias FRAS **di ~**: acto seguido | **in ~ a qualcosa**: a causa de algo.

seicento /seiˈtʃɛnto/ [sm inv] (secolo) siglo XVII.

selettivo /seletˈtivo/ [agg] selectivo.

selezionare /selettsjoˈnare/ [v tr] seleccionar.

selezione /seletˈtsjone/ [sf] selección.

self-service /self ˈsɛrvis/ [sm inv] autoservicio (sing).

sella /ˈsella/ [sf] (cavallo) silla.

sellino /selˈlino/ [sm] (bicicletta) sillín.

selva /ˈselva/ [sf] selva.

selvaggina /selvadˈdʒina/ [sf] caza.

selvaggio /selˈvaddʒo/ [agg/sm] salvaje (m,f).

selvatico /selˈvatiko/ [agg] salvaje (m,f).

semaforo /seˈmaforo/ [sm] semáforo.

sembrare /semˈbrare/ [v intr/imp] parecer.

seme /ˈseme/ [sm] semilla (f) FRAS **olio di semi**: aceite de semillas | **semi di zucca**: pipas de calabaza.

semestre /seˈmɛstre/ [sm] semestre.

semifinale /semifiˈnale/ [sf] semifinal.

semina /ˈsemina/ [sf] siembra.

seminare /semiˈnare/ [v tr] **1** AGR sembrar **2** FIG FAM despistar • *ha seminato i poliziotti*: ha despistado a los policías.

seminario /semiˈnarjo/ [sm] seminario.

seminterrato /seminterˈrato/ [sm] semisótano.

semisecco /semiˈsekko/ [agg] semiseco.

semmai /semˈmai/ [avv] si acaso.

semolato /semoˈlato/ [agg] refinado.

semolino /semoˈlino/ [sm] sémola (f).

semplice /ˈsemplitʃe/ [agg m,f] **1** sencillo (m) **2** simple, sólo (avv) • *è una ~ domanda*: es sólo una pregunta.

semplicemente /semplitʃeˈmente/ [avv] **1** (con semplicità) simplemente, sencillamente **2** (soltanto) solamente.

semplicità /semplitʃi'ta*/ [sf inv] sencillez (sing).

semplificare /semplifi'kare/ [v tr] simplificar.

sempre /'sɛmpre/ [avv] **1** siempre **2** (rafforzativo) cada vez • *ci capisco ~ meno*: cada vez entiendo menos **3** todavía, aún • *sei ~ arrabbiato con me?*: ¿aún sigues enfadado conmigo? FRAS **da ~**: desde/de siempre | **per ~**: por/para siempre.

sempreverde /sempre'verde/ [agg m,f/sm,f] de hoja perenne (agg).

senape /'sɛnape/ [sf] mostaza.

senato /se'nato/ [sm] senado.

senatore (-trice) /sena'tore/ [sm] senador (f -a).

senilità /senili'ta*/ [sf inv] senectud (sing).

senno /'senno/ [sm] juicio.

seno /'seno/ [sm] pecho.

sensato /sen'sato/ [agg] sensato.

sensazionale /sensattsjo'nale/ [agg m,f] sensacional.

sensazione /sensat'tsjone/ [sf] **1** sensación **2** FIG impresión • *ho la ~ che non verrà*: tengo la impresión de que no vendrá.

sensibile /sen'sibile/ [agg m,f] sensible.

sensibilità /sensibili'ta*/ [sf inv] sensibilidad (sing).

senso /'sɛnso/ [sm] **1** sentido **2** sensación (f) • *provare un ~ di malessere*: sentir una sensación de malestar **3** (schifo) asco **4** (al pl) sentidos FRAS **in ~ lato**: en sentido lato | **recuperare/riprendere i sensi**: volver en sí | **~ unico**: sentido único | **~ vietato**: dirección prohibida.

sensuale /sensu'ale/ [agg m,f] sensual.

sensualità /sensuali'ta*/ [sf inv] sensualidad (sing).

sentenza /sen'tɛntsa/ [sf] sentencia.

sentiero /sen'tjero/ [sm] senda (f), vereda (f).

sentimentale /sentimen'tale/ [agg m,f/sm,f] sentimental.

sentimento /senti'mento/ [sm] sentimiento.

sentinella /senti'nella/ [sf] centinela (m).

sentire /sen'tire/ [v tr] **1** sentir **2** (ascoltare) escuchar • *andare a ~ una conferenza*: ir a escuchar una conferencia **3** (chiedere) preguntar • *senti che cosa vogliono*: pregunta qué es lo que quieren ◆ [v prnl] sentirse, estar.

senza /'sɛntsa/ [cong/prep] sin ■ **senza di + pron pers** sin + pron pers • *non posso stare ~ di te*: no puedo estar sin ti FRAS **~ dubbio**: sin duda | **~ impegno**: sin compromiso | **senz'altro**: desde luego.

separare (-rsi) /sepa'rare/ [v tr prnl] separar (-se).

separato /sepa'rato/ [agg] separado.

separazione /separat'tsjone/ [sf] separación.

sepolcro /se'polkro/ [sm] sepulcro.

sepolto /se'polto/ [agg] enterrado.

sepoltura /sepol'tura/ [sf] (luogo) sepulcro (m).

seppellire /seppel'lire/ [v tr] **1** (sotto terra) enterrar **2** sepultar • *la valanga seppellì il paese*: el alud sepultó el pueblo.

seppia /'seppja/ [sf] sepia FRAS **nero di ~**: tinta de sepia.

sequenza /se'kwɛntsa/ [sf] secuencia.

sequestrare /sekwɛs'traɾe/ [v tr] secuestrar.

sequestro /se'kwɛstro/ [sm] secuestro.

sera /'seɾa/ [sf] **1** tarde • *le sei di ~*: las seis de la tarde **2** noche • *questa ~ andremo al cinema*: esta noche iremos al cine FRAS **abito da ~**: traje de noche | **buona ~**: buenas tardes (de 18 a 21); buenas noches (después de las 21) | **di ~**: al atardecer | **domani ~**: mañana por la noche | **ieri ~**: anoche | **verso ~**: al caer la tarde.

serale /se'ɾale/ [agg m,f] nocturno (m) FRAS **scuola ~**: escuela nocturna.

serata /se'ɾata/ [sf] velada.

serbare /ser'baɾe/ [v tr] guardar.

serbatoio /serba'tojo/ [sm] (veicolo) depósito, *Amer* tanque.

serenità /sereni'ta*/ [sf inv] serenidad (sing), calma (sing).

sereno /se'ɾeno/ [agg] sereno ◆ [sm] buen tiempo.

sergente /ser'dʒɛnte/ [sm] sargento.

serial /'sɛrjal/ [sm inv] serial (sing), serie (f sing).

serie /'sɛrje/ [sf inv] **1** serie (sing) **2** SPORT división (sing).

serietà /serje'ta*/ [sf inv] seriedad (sing).

serio /'sɛrjo/ [agg] serio ◆ [sm] lo serio FRAS **fare sul ~**: no estar bromeando | **sul ~**: en serio.

serpe /'sɛrpe/ [sf] **1** serpiente **2** (biscia) culebra.

serpeggiare /serped'dʒaɾe/ [v intr] FIG cundir, crecer.

serpente /ser'pɛnte/ [sm] serpiente (f).

serra /'sɛrra/ [sf] **1** AGR invernadero (m) **2** GEOG cordillera FRAS **effetto ~**: efecto invernadero.

serranda /ser'randa/ [sf] cierre (m) metálico.

serratura /serra'tuɾa/ [sf] cerradura.

server /'sɛrver/ [sm inv] INFORM servidor (sing).

servile /ser'vile/ [agg m,f] servil.

servire /ser'viɾe/ [v tr] servir ◆ [v intr] **1** servir **2** FAM (avere bisogno) necesitar, hacer falta ◆ [v intr prnl] servirse.

servitù /servi'tu*/ [sf inv] **1** servidumbre (sing) **2** (personale) servicio (m sing).

servizio /ser'vittsjo/ [sm] **1** servicio **2** (giornalistico) reportaje **2** (al pl) cocina y baño FRAS **area/stazione di ~**: área/estación de servicio | **fuori ~**: fuera de servicio | **~ meteorologico**: servicio meteorológico.

servo /'sɛrvo/ [sm] (anche FIG) siervo.

servofreno /servo'freno/ [sm] servofreno.

servosterzo /servos'tɛrtso/ [sm] dirección asistida.

sessantenne /sessan'tɛnne/ [agg m,f/sm,f] sesentón (f -a).

sessantina /sessan'tina/ [sf] **1** (età) los sesenta **2** (approssimazione) unos (m) sesenta.

sesso /'sɛsso/ [sm] sexo.

sessuale /sessu'ale/ [agg m,f] sexual.

sesto /'sesto/ [sm] ARCH cimbra (f) FRAS **rimettersi in ~**: reponerse.

set /'sɛt/ [sm inv] **1** (cinema) plató (sing) **2** (oggetti) juego (sing) ◆ *un ~ di valigie*: un juego de maletas.

seta /'seta/ [sf] seda.

sete /'sete/ [sf] (anche FIG) sed FRAS **morire di ~**: morirse de sed.

setola /'setola/ [sf] cerda.

setta /'sɛtta/ [sf] secta.

settantenne /settan'tenne/ [agg m,f/ sm,f] setentón (f -a).

settantina /settan'tina/ [sf] **1** (età) los setenta **2** (approssimazione) unos setenta.

settecento /sette'tʃento/ [sm inv] (secolo) siglo XVIII.

settembre /set'tembre/ [sm] septiembre.

settentrionale /settentrjo'nale/ [agg m,f] septentrional.

settentrione /setten'trjone/ [sm] septentrión.

settimana /setti'mana/ [sf] semana FRAS **fine ~**: fin de semana | **~ bianca**: semana de vacaciones en la montaña.

settimanale /settima'nale/ [agg m,f] semanal ◆ [sm] (giornale) semanario.

settore /set'tore/ [sm] (anche FIG) sector.

severità /severi'ta*/ [sf inv] severidad (sing).

severo /se'vero/ [agg] severo.

seviziare /sevit'tsjare/ [v tr] violar.

sexy /'sɛksi/ [agg inv] sexy.

sezione /set'tsjone/ [sf] sección.

sfacciato /sfat'tʃato/ [agg/sm] atrevido.

sfamare (-rsi) /sfa'mare/ [v tr prnl] saciar (-se).

sfarzoso /sfar'tsoso/ [agg] suntuoso.

sfasciare /sfaʃ'ʃare/ [v tr] **1** romper, destrozar **2** (togliere una fascia) desvendar ◆ [v intr prnl] romperse.

sfaticato /sfati'kato/ [agg/sm] holgazán (f -a), vago.

sfavorevole /sfavo'revole/ [agg m,f] desfavorable.

sfera /'sfɛra/ [sf] (anche FIG) esfera FRAS **penna a ~** : bolígrafo, *Amer* birome.

sfiancare /sfjan'kare/ [v tr] (stancare) agotar.

sfiancato /sfjan'kato/ [agg] (stanco) agotado.

sfida /'sfida/ [sf] desafío (m), reto (m).

sfidante /sfi'dante/ [agg m,f/sm,f] **1** retador (f -a) **2** SPORT competidor (f -a).

sfidare /sfi'dare/ [v tr] (anche SPORT) desafiar.

sfiducia /sfi'dutʃa/ [sf] desconfianza.

sfiga /'sfiga/ [sf] VOLG mala pata/suerte.

sfigato /sfi'gato/ [sm] VOLG **1** (sfortunato) gafe (m,f) **2** (da poco) petardo.

sfigurare /sfigu'rare/ [v tr] (deturpare) desfigurar ◆ [v intr] (fare brutta figura) quedar mal.

sfilare /sfi'lare/ [v intr] desfilar.

sfilata /sfi'lata/ [sf] desfile (m) FRAS **~ di moda**: desfile de modas.

sfinire /sfi'nire/ [v tr] agotar.

sfinito /sfi'nito/ [agg] agotado.

sfintere /sfin'tere/ [sm] esfínter.

sfiorare /sfjo'rare/ [v tr] **1** rozar **2** FIG mencionar, tocar ◆ *non ~ quell' argomento*: no menciones ese tema.

S

sfiorire /sfjo'rire/ [v intr] marchitarse.

sfitto /'sfitto/ [agg] desalquilado, vacío.

sfizio /'sfittsjo/ [sm] POP antojo, capricho FRAS **per ~**: por capricho.

sfocato /sfo'kato/ [agg] (fotografia) movido.

sfociare /sfo'tʃare/ [v intr] desembocar.

sfoderato /sfode'rato/ [agg] sin forro.

sfogare (-rsi) /sfo'gare/ [v tr/intr prnl] desahogar (-se).

sfoggiare /sfod'dʒare/ [v tr] lucir.

sfoggio /'sfɔddʒo/ [sm] despliegue.

sfoglia /'sfɔʎʎa/ [sf] hoja.

sfogliare /sfoʎ'ʎare/ [v tr] hojear.

sfogo /'sfogo/ [sm] **1** FIG desahogo, alivio **2** POP erupción (f) • *uno ~ sulle labbra*: una erupción en los labios.

sfollamento /sfolla'mento/ [sm] evacuación (f).

sfollato /sfol'lato/ [agg/sm] evacuado.

sfoltire /sfol'tire/ [v tr] aclarar.

sfondare /sfon'dare/ [v tr] **1** desfondar **2** (muro) derribar, abatir.

sfondo /'sfondo/ [sm] **1** fondo **2** FIG inspiración (f), tema • *un romanzo a ~ sociale*: una novela de inspiración social.

sformare (rsi) /sfor'mare/ [v tr/intr prnl] deformar (-se).

sfornare /sfor'nare/ [v tr] CUC deshornar, desenhornar.

sfortuna /sfor'tuna/ [sf] mala suerte FRAS **portare ~**: ser gafe (persona); traer/dar mala suerte (cosa).

sfortunato /sfortu'nato/ [agg] desafortunado.

sforzare /sfor'tsare/ [v tr] forzar ♦ [v intr prnl] esforzarse.

sforzo /'sfɔrtso/ [sm] esfuerzo.

sfottere (-rsi) /'sfottere/ [v tr prnl] POP tomar (-se) el pelo.

sfrattare /sfrat'tare/ [v tr] desahuciar.

sfratto /'sfratto/ [sm] desahucio.

sfregare /sfre'gare/ [v tr] frotar.

sfregiare /sfre'dʒare/ [v tr] **1** (persona) desfigurar **2** (cosa) rayar.

sfregio /'sfredʒo/ [sm] **1** costurón **2** (cosa) raya (f), marca (f).

sfrontato /sfron'tato/ [agg/sm] descarado.

sfruttamento /sfrutta'mento/ [sm] explotación (f).

sfruttare /sfrut'tare/ [v tr] (anche FIG) explotar.

sfuggire /sfud'dʒire/ [v tr] evitar, esquivar ♦ [v intr] escapar FRAS **lasciarsi ~ l'occasione**: dejarse escapar la ocasión.

sfumare /sfu'mare/ [v tr] **1** matizar, esfumar **2** (capelli) cortar a ras del peine ♦ [v intr] FIG malograrse, desvanecerse • *la sua speranza sfumò*: su esperanza se desvaneció.

sfumatura /sfuma'tura/ [sf] **1** matiz (m) **2** (capelli) corte (m) a ras del peine.

sfuso /'sfuzo/ [agg] a granel.

sgabello /zga'bello/ [sm] taburete.

sgabuzzino /zgabud'dzino/ [sm] trastero.

sgambato /zgam'bato/ [agg] de muslos escotados.

sgambetto /zgam'betto/ [sm] zancadilla (f).

sganciare /zgan't∫are/ [v tr] **1** desenganchar **2** FIG FAM (soldi) soltar la pasta ♦ [v intr prnl] **1** desengancharse **2** FIG FAM (impegni) librarse.

sgangherato /zgange'rato/ [agg] destartalado.

sgarbato /zgar'bato/ [agg/sm] insolente (m,f), descortés (m,f).

sgarbo /'zgarbo/ [sm] desaire.

sgasato /zga'zato/ [agg] sin gas.

sgelare /dzʒe'lare/ [v tr/intr/imp] deshelar.

sgobbare /zgob'bare/ [v intr] FAM currar.

sgocciolare /zgottʃo'lare/ [v intr] gotear.

sgombero /'zgombero/ [sm] (persone) desalojo, desalojamiento.

sgombrare /zgom'brare/ [v tr] **1** (cose) despejar **2** (persone) desalojar.

sgombro /zgo'mbro/ [sm] ITT caballa (f), escombro.

sgomento /zgo'mento/ [sm] consternación (f), abatimiento FRAS *lasciarsi prendere dallo ~*: dejarse llevar por el abatimiento.

sgonfiare /zgon'fjare/ [v tr] desinflar ♦ [v intr prnl] (anche MED) deshincharse.

sgorgare /zgor'gare/ [v intr] brotar, manar.

sgradevole /zgra'devole/ [agg m,f] desagradable.

sgraziato /zgrat'tsjato/ [agg] desamañado.

sgretolare (-rsi) /zgreto'lare/ [v tr/intr prnl] desmoronar (-se).

sgridare /zgri'dare/ [v tr] reprender, regañar.

sguaiato /zgwa'jato/ [agg] grosero.

sgualcito /zgwal'tʃito/ [agg] arrugado.

sguardo /'zgwardo/ [sm] mirada (f).

sguazzare /zgwat'tsare/ [v intr] **1** (persona) chapotear **2** (animale) revolcarse **3** FIG regodearse ♦ *in certe situazioni lui ci sguazza*: en ciertas situaciones se regodea.

shampoo /*'ʃampo/ [sm inv] champú (sing) FRAS *fare lo ~*: lavar el pelo.

sherry /*'ʃerri/ [sm inv] jerez (sing).

shock /*'ʃɔk/ [sm inv] choque (sing).

show-room /*'ʃo'rum/ [sm inv] sala (f sing) de exposición.

si /si/ [pron m,f] se ♦ *~ lava le mani*: se lava las manos ■ **si + verbo imp** **1** uno + verbo imp ♦ *ci ~ accorge tardi dei propri errori*: uno se da cuenta demasiado tarde de sus errores **2** haber que ♦ *a tavola ~ sta seduti composti*: en la mesa hay que sentarse bien ♦ [sm inv] MUS si.

sì /si*/ [avv/sm] sí FRAS *dire di ~*: asentir | *pare/sembra di ~*: parece que sí | *~ certamente!*: sí claro, claro que sí | *speriamo di ~*: ojalá.

sia /'sia/ [cong] (con sia, che) tanto ... como ♦ *verranno ~ lei che suo marito*: vendrán tanto ella como su marido.

sicario /si'karjo/ [sm] sicario.

sicché /sik'ke*/ [cong] así que.

siccità /sittʃi'ta*/ [sf inv] sequía (sing).

siccome /sik'kome/ [cong] puesto/dado que.

siciliano /sitʃi'ljano/ [agg/sm] siciliano, sículo.

sicura /si'kura/ [sf] seguro (m).

S

sicurezza /siku'rettsa/ [sf] seguridad
FRAS agente di pubblica ~: policía | cassetta di ~: caja de seguridad | cintura di ~: cinturón de seguridad | uscita di ~: salida de
emergencia.

sicuro /si'kuro/ [agg/sm] seguro
FRAS di ~: seguramente | essere ~
di sé: estar muy seguro de sí mismo.

siderurgico /side'rurdʒiko/ [agg] siderúrgico.

sidro /'sidro/ [sm] sidra (f).

siepe /'sjɛpe/ [sf] seto (m).

siero /'sjɛro/ [sm] suero FRAS ~ antivipera: suero antitóxico.

sieropositivo /sjeropozi'tivo/ [agg/
sm] seropositivo.

sigaretta /siga'retta/ [sf] cigarrillo
(m), pitillo (m).

sigaro /'sigaro/ [sm] puro.

sigillare /sidʒil'lare/ [v tr] sellar.

sigla /'sigla/ [sf] sigla FRAS ~ musicale: sintonía.

significare /siɲɲifi'kare/ [v tr] significar.

significativo /siɲɲifika'tivo/ [agg]
significativo.

significato /siɲɲifi'kato/ [sm] significado.

signora /siɲ'ɲora/ [sf] señora.

signore /siɲ'ɲore/ [sm] señor.

signorile /siɲɲo'rile/ [agg m,f] señorial.

signorina /siɲɲo'rina/ [sf] señorita.

silenziatore /silentsja'tore/ [sm] silenciador.

silenzio /si'lentsjo/ [sm] silencio
FRAS fare ~: guardar silencio.

silenzioso /silen'tsjoso/ [agg] silencioso.

silurare /silu'rare/ [v tr] 1 golpear 2
FIG destituir.

siluro /si'luro/ [sm] torpedo.

simbolico /sim'bɔliko/ [agg] simbólico.

simbolo /'simbolo/ [sm] símbolo.

simile /'simile/ [agg m,f/sm,f] semejante.

similpelle /simil'pelle/ [sf inv] similcuero (m sing).

simmetrico /sim'metriko/ [agg] simétrico.

simpatia /simpa'tia/ [sf] simpatía.

simpatico /sim'patiko/ [agg] simpático.

simulare /simu'lare/ [v tr] simular,
aparentar.

simultaneo /simul'taneo/ [agg] simultáneo.

sinagoga /sina'gɔga/ [sf] sinagoga.

sinceramente /sintʃera'mente/
[avv] sinceramente.

sincerità /sintʃeri'ta*/ [sf inv] sinceridad (sing).

sincero /sin'tʃero/ [agg] sincero.

sincronizzato /sinkronid'dzato/
[agg] sincronizado.

sindacale /sinda'kale/ [agg m,f] sindical.

sindacalista /sindaka'lista/ [sm,f]
sindicalista.

sindacato /sinda'kato/ [sm] sindicato.

sindaco /'sindako/ [sm] alcalde
(f -sa), Amer intendente municipal.

sindone /'sindone/ [sf] sudario (m)
FRAS Sacra ~: Sábana Santa.

sindrome /'sindrome/ [sf] MED síndrome (m).

sinfonia /sinfo'nia/ [sf] sinfonía.

singhiozzo /sin'gjottso/ [sm] **1** hipo **2** (di pianto) sollozo.

single /'singol/ [sm,f inv] soltero (m sing).

singolare /singo'lare/ [agg m,f] singular.

singolo /'singolo/ [agg] **1** cada (inv) **2** individual (m,f) • *camera singola*: habitación individual.

sinistra /si'nistra/ [sf] izquierda FRAS **sulla/alla ~**: a mano izquierda | **tenere la ~**: circular por la izquierda.

sinistro /si'nistro/ [agg] **1** izquierdo **2** FIG siniestro • *sguardo ~*: mirada siniestra ◆ [sm] siniestro.

sinonimo /si'nɔnimo/ [sm] sinónimo.

sintesi /'sintezi/ [sf inv] síntesis.

sintetico /sin'tɛtiko/ [agg] sintético.

sintomo /'sintomo/ [sm] síntoma.

sintonizzare (-rsi) /sintonid'dzare/ [v tr/intr prnl] sintonizar (-se).

sinusite /sinu'zite/ [sf] sinusitis (inv).

sipario /si'parjo/ [sm] telón.

sirena /si'rɛna/ [sf] sirena FRAS **~ d'allarme**: sirena de alarma.

siringa /si'ringa/ [sf] jeringuilla FRAS **~ usa e getta**: jeringa desechable.

sismico /'sizmiko/ [agg] sísmico.

sistema /sis'tɛma/ [sm] sistema.

sistemare /siste'mare/ [v tr] **1** (mettere in ordine) ordenar, arreglar **2** resolver, componer • *~ una faccenda*: resolver un asunto ◆ [v prnl] instalarse.

sistemazione /sistemat'tsjone/ [sf] **1** disposición **2** (alloggio) acomo-

dación, alojamiento (m) **3** (impiego) colocación, empleo (m).

situare (-rsi) /situ'are/ [v tr/intr prnl] situar (-se).

situazione /situat'tsjone/ [sf] situación.

Siviglia /si'viʎʎa/ [sf] Sevilla.

sivigliano /siviʎ'ʎano/ [agg/sm] sevillano.

skate-board /s'kɛitbord/ [sm inv] monopatín (sing).

ski-lift /ski'lift/ [sm inv] telesquí (sing).

skipper /s'kipper/ [sm inv] patrón (sing).

slacciare (-rsi) /zlat'tʃare/ [v tr/intr prnl] **1** (lacci) desatar (-se) **2** (bottoni) desabrochar (-se), desabotonar (-se).

slalom /'zlalom/ [sm inv] SPORT eslalon (sing).

slanciato /zlan'tʃato/ [agg] esbelto.

slancio /'zlantʃo/ [sm] **1** impulso **2** FIG arranque, arrebato • *~ di generosità*: arranque de generosidad.

slavina /zla'vina/ [sf] avalancha, alud (m).

sleale /zle'ale/ [agg m,f] desleal.

slegare (-rsi) /zle'gare/ [v tr prnl] desatar (-se).

slip /z'lip/ [sm inv] **1** eslip **2** (costume da bagno) bañador (sing).

slitta /'zlitta/ [sf] trineo (m).

slittare /zlit'tare/ [v intr] **1** (veicolo) patinar **2** FIG (data) aplazar.

slogare (-rsi) /zlo'gare/ [v tr/intr prnl] dislocar (-se), torcer (-se).

slogatura /zloga'tura/ [sf] dislocación.

sloggiare /zlod'dʒare/ [v intr] desalojar.

smacchiatore /zmakkja'tore/ [sm] quitamanchas (inv).

smagliarsi /zmaʎ'ʎarsi/ [v intr prnl] **1** hacer una carrera **2** MED estriarse.

smagliatura /zmaʎʎa'tura/ [sf] **1** carrera **2** MED estría.

smaltare /zmal'tare/ [v tr] esmaltar.

smaltire /zmal'tire/ [v tr] **1** FIG pasarse • ~ *la rabbia*: pasarse la rabia **2** COMM agotar **3** (rifiuti) eliminar.

smalto /'zmalto/ [sm] esmalte FRAS ~ **per unghie**: esmalte de uñas.

smania /'zmanja/ [sf] desasosiego (m).

smarrimento /zmarri'mento/ [sm] **1** (perdita) extravío **2** FIG desconcierto.

smarrire (-rsi) /zmar'rire/ [v tr/intr prnl] extraviar (-se), perder (-se).

smemorato /zmemo'rato/ [agg/sm] desmemoriado.

smentire /zmen'tire/ [v tr] **1** desmentir **2** retractar • *ha smentito la sua dichiarazione*: ha retractado su declaración.

smeraldo /zme'raldo/ [sm] esmeralda (f).

smettere /'zmettere/ [v tr] **1** dejar **2** (indumenti) desechar ◆ [v intr] dejar, parar FRAS **smettila!/la smetta!/smettetela!**: ¡basta ya!

smilzo /'zmiltso/ [agg] espigado.

smog /'zmɔg/ [sm inv] smog, esmog.

smoking /'zmɔkiŋ/ [sm inv] esmoquin (sing).

smontabile /zmon'tabile/ [agg m,f] desmontable.

smontare /zmon'tare/ [v tr] **1** desmontar **2** FIG rebatir • ~ *un'accusa*: rebatir una acusación ◆ [v intr] **1** (cavallo) desmontar **2** (turno di lavoro) salir, terminar.

smorfia /'zmɔrfja/ [sf] mueca.

smottamento /zmotta'mento/ [sm] desprendimiento.

smuovere /'zmwɔvere/ [v tr] **1** mover, desplazar **2** FIG (dissuadere) disuadir, apear ◆ [v intr prnl] FIG (dissuadersi) apartarse, apearse.

snello /'znɛllo/ [agg] esbelto.

snervante /zner'vante/ [agg m,f] agobiante.

snocciolare /znottʃo'lare/ [v tr] deshuesar.

snodare (-rsi) /zno'dare/ [v tr/intr prnl] (slacciare) desanudar (-se).

soap opera /so'pɔpera/ [sf inv] telenovela (sing), culebrón (m sing).

soave /so'ave/ [agg m,f] suave.

sobbalzo /sob'baltso/ [sm] tumbo.

sobborgo /sob'borgo/ [sm] suburbio.

sobrio /'sɔbrjo/ [agg] sobrio.

soccorrere /sok'korrere/ [v tr/intr] socorrer.

soccorso /sok'korso/ [sm] socorro FRAS **pronto ~**: urgencias (hospital) | ~ **stradale**: auxilio en carretera.

sociale /so'tʃale/ [agg m,f] social.

socialismo /sotʃa'lizmo/ [sm] socialismo.

socialista /sotʃa'lista/ [agg/sm,f] socialista.

socializzare /sotʃalid'dzare/ [v tr/intr] socializar.

società /sotʃe'ta*/ [sf inv] sociedad (sing).

socievole /so'tʃevole/ [agg m,f] sociable.

socio /'sɔtʃo/ [sm] socio.

soda /'sɔda/ [sf] soda.

soddisfare /soddis'fare/ [v tr/intr] satisfacer.

soddisfatto /soddis'fatto/ [agg] satisfecho.

soddisfazione /soddisfat'tsjone/ [sf] satisfacción.

sodo /'sodo/ [agg] firme (m,f) FRAS **uovo ~**: huevo duro.

sofferenza /soffe'rentsa/ [sf] sufrimiento (m).

soffiare /sof'fjare/ [v tr/intr] soplar.

soffice /'soffitʃe/ [agg m,f] blando (m).

soffio /'soffjo/ [sm] soplo.

soffitta /sof'fitta/ [sf] desván (m), buhardilla.

soffitto /sof'fitto/ [sm] techo.

soffocamento /soffoka'mento/ [sm] ahogo, asfixia (f).

soffocante /soffo'kante/ [agg m,f] (anche FIG) sofocante.

soffocare /soffo'kare/ [v tr] sofocar.

soffriggere /sof'friddʒere/ [v tr] sofreír.

soffrire /sof'frire/ [v tr] **1** sufrir **2** pasar • **~ la fame**: pasar hambre ◆ [v intr] sufrir, padecer.

soffritto /sof'fritto/ [sm] sofrito.

sofisticato /sofisti'kato/ [agg] **1** sofisticado **2** (prodotto alimentare) adulterado.

soggettivo /soddʒet'tivo/ [agg] subjetivo.

soggetto /sod'dʒetto/ [sm] **1** tema **2** (cinema, TV) argumento, guión.

soggezione /soddʒet'tsjone/ [sf] embarazo (m), vergüenza (f).

soggiornare /soddʒor'nare/ [v intr] permanecer, quedarse.

soggiorno /sod'dʒorno/ [sm] **1** estancia (f) **2** (salotto) sala de estar

FRAS **permesso di ~**: permiso de residencia para extranjeros.

soglia /'soʎʎa/ [sf] **1** umbral (m), puerta, entrada **2** FIG umbrales (m pl) • **essere sulla ~ dei trent'anni**: estar en los umbrales de los treinta años FRAS **~ del dolore**: umbral del dolor.

sogliola /'soʎʎola/ [sf] lenguado (m).

sognare /soɲ'ɲare/ [v tr/intr] soñar.

sogno /'soɲɲo/ [sm] sueño.

soia /'soja/ [sf] soja.

sol /'sɔl/ [sm inv] MUS sol (sing).

solaio /so'lajo/ [sm] desván.

solare /so'lare/ [agg m,f] solar FRAS **crema/latte ~**: crema/leche bronceadora.

solco /'solko/ [sm] surco.

soldato /sol'dato/ [sm] soldado.

soldi /'sɔldi/ [sm pl] dinero (sing), Amer plata (f sing).

sole /'sole/ [sm] sol FRAS **occhiali da ~**: gafas de sol.

solenne /so'lenne/ [agg m,f] solemne.

soletta /so'letta/ [sf] (calzature) plantilla.

solidarietà /solidarje'ta*/ [sf inv] solidaridad (sing), solidariedad (sing).

solido /'sɔlido/ [agg/sm] sólido.

solista /so'lista/ [agg m,f/sm,f] solista.

solitario /soli'tarjo/ [agg/sm] solitario.

solito /'sɔlito/ [agg] **1** (abituale) acostumbrado, habitual (m,f) • **trovarsi al ~ bar**: encontrarse en el bar habitual **2** (che si ripete) mismo • **la solita storia**: la misma historia **3** (persona) de siempre • **tu sei sem-**

pre il ~ ottimista: tú eres el optimista de siempre ◆ [sm] lo habitual FRAS **di ~**: generalmente.

solitudine /soli'tudine/ [sf] soledad.

sollecitare /solletʃi'tare/ [v tr] solicitar.

solletico /sol'letiko/ [sm] cosquillas (f pl) FRAS **soffrire il ~**: tener cosquillas.

sollevare /solle'vare/ [v tr] **1** levantar, alzar **2** FIG confortar ◆ [v intr prnl] **1** levantarse **2** FIG (protestare) rebelarse.

sollievo /sol'ljevo/ [sm] **1** alivio **2** (consolazione) consuelo FRAS **tirare un respiro di ~**: respirar con alivio.

solo /'solo/ [agg/avv] solo ◆ [sm] **1** único **2** MUS solista (m,f sing).

solstizio /sol'stittsjo/ [sm] solsticio.

soltanto /sol'tanto/ [avv] **1** justo, precisamente ● *l'ho saputo ~ in questo momento*: me he enterado justo en este momento **2** sólo, solamente ● *ho fatto ~ un errore*: he hecho sólo una falta.

solubile /so'lubile/ [agg m,f] soluble.

soluzione /solut'tsjone/ [sf] solución.

somaro /so'maro/ [sm] asno, burro.

somiglianza /somiʎ'ʎantsa/ [sf] semejanza, parecido (m).

somigliare (-rsi) /somiʎ'ʎare/ [v tr prnl/intr] parecer, semejarse.

somma /'somma/ [sf] suma.

sommare /som'mare/ [v tr] sumar.

sommario /som'marjo/ [sm] índice.

sommergere /som'mɛrdʒere/ [v tr] **1** sumergir **2** FIG cubrir ● *è sommerso dai debiti*: está cubierto de deudas.

sommergibile /sommer'dʒibile/ [sm] submarino.

sommerso /som'mɛrso/ [agg] sumergido.

somministrare /somminis'trare/ [v tr] suministrar.

sommossa /som'mɔssa/ [sf] revuelta.

sommozzatore (-trice) /sommottsa'tore/ [sm] submarinista (m,f), buzo.

sonda /'sonda/ [sf] sonda.

sondaggio /son'daddʒo/ [sm] sondeo.

sonnifero /son'nifero/ [agg/sm] somnífero.

sonno /'sonno/ [sm] sueño FRAS **cadere dal ~**: caerse de sueño.

sonoro /so'nɔro/ [agg] sonoro.

sontuoso /sontu'oso/ [agg] suntuoso.

soppalco /sop'palko/ [sm] altillo.

sopportare /soppor'tare/ [v tr] soportar.

sopportazione /sopportat'tsjone/ [sf] aguante (m), paciencia.

sopprimere /sop'primere/ [v tr] suprimir.

sopra /' sopra/ [agg inv] de arriba ◆ [avv] encima, arriba ● *un gelato con ~ la panna*: un helado con la nata encima FRAS **di ~**: arriba ◆ [prep] **1** sobre **2** (a nord di) al norte de **3** (maggiore) de más de ● *bambini ~ i tre anni*: niños de más de tres años FRAS **al di ~ di**: por encima de.

soprabito /so'prabito/ [sm] abrigo de entretiempo.

sopracciglio /soprat'tʃiʎʎo/ [sm] ceja (f) ∎ pl irr **sopracciglia** (f).

sopraffare /sopraf'fare/ [v tr] atropellar.

sopralluogo /sopral'lwɔgo/ [sm] inspección (f).

soprammobile /sopram'mɔbile/ [sm] bibelot*.

soprannaturale /soprannatu'rale/ [agg m,f] sobrenatural.

soprannome /sopran'nome/ [sm] apodo.

soprano /so'prano/ [sm] soprano.

soprattutto /soprat'tutto/ [avv] sobre todo.

sopravvissuto /sopravvis'suto/ [agg/sm] superviviente (m,f).

sopravvivere /soprav'vivere/ [v intr] sobrevivir.

soprelevata /soprele'vata/ [sf] carretera elevada.

sopruso /so'pruzo/ [sm] abuso, atropello.

sorbetto /sor'betto/ [sm] sorbete.

sordido /'sordido/ [agg] sórdido.

sordità /sordi'ta*/ [sf inv] sordera (sing).

sordo /'sordo/ [agg/sm] sordo.

sordomuto /sordo'muto/ [agg/sm] sordomudo.

sorella /so'rella/ [sf] hermana.

sorgente /sor'dʒɛnte/ [sf] manantial (m).

sorgere /'sordʒere/ [v intr] nacer.

sorpassare /sorpas'sare/ [v tr] **1** superar **2** (veicolo) adelantar.

sorpasso /sor'passo/ [sm] (veicolo) adelantamiento FRAS **divieto di ~**: prohibido adelantar.

sorprendente /sorpren'dɛnte/ [agg m,f] sorprendente.

sorprendere /sor'prendere/ [v tr] sorprender ♦ [v intr prnl] asombrarse, sorprenderse.

sorpresa /sor'presa/ [sf] sorpresa.

sorreggere (-rsi) /sor'reddʒere/ [v tr prnl] sostener (-se).

sorridente /sorri'dɛnte/ [agg m,f] sonriente.

sorridere /sor'ridere/ [v intr] sonreír.

sorriso /sor'riso/ [sm] sonrisa (f).

sorso /'sorso/ [sm] sorbo.

sorte /'sorte/ [sf] suerte FRAS **estrarre/tirare a ~**: echar a suerte.

sorteggio /sor'teddʒo/ [sm] sorteo.

sorveglianza /sorveʎ'ʎantsa/ [sf] vigilancia.

sorvegliare /sorveʎ'ʎare/ [v tr] vigilar.

sosia /'sɔzja/ [sm,f inv] sosia (sing).

sospendere /sos'pendere/ [v tr] FIG suspender.

sospensione /sospen'sjone/ [sf] suspensión.

sospeso /sos'peso/ [agg] **1** suspendido **2** (incerto) en ascuas FRAS **ponte ~**: puente colgante | **stare col fiato ~**: estar con el alma en vilo.

sospettare /sospet'tare/ [v tr/intr] sospechar.

sospetto /sos'petto/ [agg] sospechoso ♦ [sm] sospecha (f).

sospettoso /sospet'toso/ [agg] desconfiado, receloso.

sospirare /sospi'rare/ [v intr] suspirar.

sospiro /sos'piro/ [sm] suspiro.

sosta /'sɔsta/ [sf] alto (m) FRAS **area di ~**: área de descanso | **divieto di ~**: prohibido aparcar/estacionar.

S

sostanza /sos'tantsa/ [sf] sustancia.

sostanzioso /sostan'tsjoso/ [agg] sustancioso.

sostare /sos'tare/ [v intr] detenerse, pararse.

sostegno /sos'teɲɲo/ [sm] sostén.

sostenere /soste'nere/ [v tr] **1** (anche FIG) sostener **2** FIG apoyar • ~ *una candidatura*: apoyar una candidatura ◆ [v prnl/intr prnl] sostenerse.

sostenitore (-trice) /sosteni'tore/ [agg/sm] partidario.

sostituire (-rsi) /sostitu'ire/ [v tr prnl] sustituir.

sostituto /sosti'tuto/ [sm] sustituto.

sostituzione /sostitut'tsjone/ [sf] sustitución.

sottaceto /sotta't ʃeto/ [agg inv/sm] encurtido (sing).

sott' acqua /sot'takkwa/ [avv] debajo del agua.

sotterfugio /sotter'fudʒo/ [sm] subterfugio.

sotterraneo /sotter'raneo/ [agg/sm] subterráneo.

sotterrare /sotter'rare/ [v tr] enterrar.

sottile /sot'tile/ [agg m,f] **1** sutil **2** (magro) delgado (m).

sottinteso /sottin'teso/ [sm] sobrentendido.

sotto /'sotto/ [agg inv] de abajo ◆ [avv] debajo, abajo • *ti aspetto ~*: te espero abajo FRAS di ~: abajo, debajo ◆ [prep] **1** bajo • ~ *terra*: bajo tierra | *essere ~ l'effetto dell'anestesia*: estar bajo los efectos de la anestesia | ~ *zero*: bajo cero **2** (a sud di) al sur de • *trenta chilometri ~ Roma*: treinta kilómetros al sur de Roma **3** (minore) de menos de •

bambini ~ i dodici anni: niños de menos de de doce años FRAS al di ~ di: por debajo de.

sottobosco /sotto'bosko/ [sm] sotobosque.

sottobraccio /sotto'brattʃo/ [avv] cogido del brazo.

sottocoperta /sottoko'perta/ [avv] bajo el puente de cubierta.

sottocosto /sotto'kosto/ [avv] a bajo coste.

sottocutaneo /sottoku'taneo/ [agg] subcutáneo.

sottolineare /sottoline'are/ [v tr] **1** subrayar **2** FIG destacar, resaltar.

sott' olio /sot'tɔljo/ [agg inv/avv] en aceite.

sottomano /sotto'mano/ [avv] a mano.

sottomarca /sotto'marka/ [sf] subproducto (m).

sottomarino /sottoma'rino/ [agg/sm] submarino.

sottomesso /sotto'messo/ [agg] sometido.

sottomettere (-rsi) /sotto'mettere/ [v tr/intr prnl] someter (-se).

sottopassaggio /sottopas'saddʒo/ [sm] paso subterráneo FRAS ~ **pedonale**: paso de peatones subterráneo.

sottoporre (-rsi) /sotto'porre/ [v tr] someter (-se).

sottoscrivere /sottos'krivere/ [v tr] (anche FIG) suscribir.

sottoscrizione /sottoskrit'tsjone/ [sf] suscripción.

sottosopra /sotto'sopra/ [avv] FIG patas arriba.

sottosuolo /sotto'swɔlo/ [sm] subsuelo.

sottosviluppato /sottozvilup'pato/ [agg] subdesarrollado.

sottoterra /sotto'tɛrra/ [avv] bajo tierra.

sottovalutare /sottovalu'tare/ [v tr] subvalorar.

sottovoce /sotto'votʃe/ [avv] en voz baja.

sottovuoto /sotto'vwɔto/ [agg inv/avv] al vacío.

sottozero /sottod'dzɛro/ [agg inv/avv] bajo cero.

sottrarre /sot'trarre/ [v tr] **1** (anche FIG) sustraer • ~ *il portafoglio*: sustraer la billetera **2** (salvare) salvar, librar ◆ [v prnl] sustraerse, eludir.

sottrazione /sottrat'tsjone/ [sf] sustracción.

sovrabbondanza /sovrabbon'dantsa/ [sf] superabundancia.

sovraccarico /sovrak'kariko/ [agg] recargado.

sovraffollamento /sovraffolla'mento/ [sm] aglomeración (f).

sovrano /so'vrano/ [sm] soberano.

sovrappeso /sovrap'peso/ [sm] sobrepeso.

sovrapporre (-rsi) /sovrap'porre/ [v tr/intr prnl] sobreponer (-se).

sovrastare /sovras'tare/ [v tr] dominar.

sovrumano /sovru'mano/ [agg] sobrehumano.

sovvenzionare /sovventsjo'nare/ [v tr] subvencionar.

sovversivo /sovver'sivo/ [agg/sm] subversivo.

spaccare (-rsi) /spak'kare/ [v tr/intr prnl] partir (-se), quebrar (-se).

spacciare /spat'tʃare/ [v tr] (droga) traficar ◆ [v prnl] hacerse pasar por.

spacciatore (-trice) /spattʃa'tore/ [agg/sm] (droga) camello.

spaccio /'spattʃo/ [sm] **1** venta (f) **2** (negozio) tienda (f) **3** (droga) trapicheo.

spacco /'spakko/ [sm] ABB abertura (f).

spada /'spada/ [sf] espada.

spaghettata /spaget'tata/ [sf] POP comilona de espaguetis.

spaghetti /spa'getti/ [sm pl] espaguetis (inv).

Spagna /'spaɲɲa/ [sf] España.

spagnolo /spaɲ'ɲɔlo/ [agg/sm] español (f -a).

spago /'spago/ [sm] hilo bramante.

spaiato /spa'jato/ [agg] desparejo.

spalancare (-rsi) /spalan'kare/ [v tr/intr prnl] abrir (-se) de par en par.

spalare /spa'lare/ [v tr] espalar.

spalla /'spalla/ [sf] **1** ANAT hombro (m) **2** ZOOL paletilla.

spalliera /spal'ljera/ [sf] **1** respaldo (m) **2** (letto) cabecera.

spallina /spal'lina/ [sf] ABB **2** tirante (m) **2** (imbottitura) hombrera.

spalti /'spalti/ [sm pl] (stadio) gradas (f).

spanna /'spanna/ [sf] (mano) palmo (m).

spappolarsi /spappo'larsi/ [v intr prnl] hacerse papilla.

sparare /spa'rare/ [v tr] **1** disparar **2** FIG (raccontare) contar • ~ *balle*: contar trolas ◆ [v intr] disparar, tirar.

sparatoria /spara'tɔrja/ [sf] tiroteo (m).

sparecchiare /sparek'kjare/ [v tr] quitar la mesa.

S

spareggio /spa'reddʒo/ [sm] SPORT desempate.

spargere /'spardʒere/ [v tr] **1** esparcir **2** FIG difundir, propagar • ~ *una notizia*: difundir una noticia ◆ [v intr prnl] **1** desparramarse **2** FIG difundirse, propagarse • *la voce si sparse rapidamente*: la voz se difundió rápidamente.

spargimento /spardʒi'mento/ [sm] esparcimiento FRAS ~ **di sangue**: derramamiento de sangre.

sparire /spa'rire/ [v intr] desaparecer.

sparlare /spar'lare/ [v intr] hablar mal.

sparo /'sparo/ [sm] disparo.

sparso /'sparso/ [agg] esparcido.

spartire /spar'tire/ [v tr] repartir, dividir.

spartito /spar'tito/ [sm] partitura (f).

spartitraffico /sparti'traffiko/ [agg inv/sm inv] (sede stradale) separador (sing) FRAS **banchina/isola ~**: refugio.

spasmo /'spazmo/ [sm] espasmo.

spasso /'spasso/ [sm] pasatiempo FRAS **andare a ~**: pasear.

spatola /'spatola/ [sf] espátula

spaventare (-rsi) /spaven'tare/ [v tr/intr prnl] asustar (-se).

spavento /spa'vento/ [sm] susto.

spaventoso /spaven'toso/ [agg] espantoso.

spaziale /spat'tsjale/ [agg m,f] espacial.

spazientirsi /spattsjen'tirsi/ [v intr prnl] impacientarse.

spazio /'spattsjo/ [sm] espacio.

spazioso /spat'tsjoso/ [agg] espacioso.

spazzaneve /spattsa'neve/ [sm inv] quitanieves.

spazzare /spat'tsare/ [v tr] barrer.

spazzatura /spattsa'tura/ [sf] **1** barrido (m) **2** (contenitore) basura, inmundicia.

spazzino /spat'tsino/ [sm] barrendero.

spazzola /'spattsola/ [sf] cepillo (m).

spazzolare /spattso'lare/ [v tr] cepillar.

spazzolino /spattso'lino/ [sm] cepillo.

specchiarsi /spek'kjarsi/ [v prnl] mirarse en el espejo.

specchietto /spek'kjetto/ [sm] espejo FRAS ~ **retrovisore**: retrovisor.

specchio /'spekkjo/ [sm] (anche FIG) espejo FRAS **guardarsi nello ~**: mirarse en el espejo.

speciale /spe'tʃale/ [agg m,f] especial FRAS **treno ~**: tren especial.

specialista /spetʃa'lista/ [agg m,f/sm,f] especialista.

specialità /spetʃali'ta*/ [sf inv] especialidad (sing).

specializzarsi /spetʃalid'dzarsi/ [v prnl] especializarse.

specie /'spetʃe/ [sf inv] especie (sing).

specificare /spetʃifi'kare/ [v tr] especificar.

specifico /spe'tʃifiko/ [agg] específico.

speculare /speku'lare/ [v intr] especular.

speculazione /spekulat'tsjone/ [sf] especulación.

spedire /spe'dire/ [v tr] **1** enviar **2** (merce) consignar.

spedizione /spedit'tsjone/ [sf] expedición.

spedizioniere /spedittsjo'njere/ [sm] fletador (f -a), expedidor (f -a).

spegnere /'speɲɲere/ [v tr] apagar • [v intr prnl] **1** apagarse **2** (morire) morirse.

spellarsi /spel'larsi/ [v prnl] arañarse.

spendere /'spendere/ [v tr] gastar.

spennare /spen'nare/ [v tr] desplumar.

spensierato /spensje'rato/ [agg/sm] despreocupado.

spento /'spento/ [agg] apagado.

speranza /spe'rantsa/ [sf] esperanza.

sperare /spe'rare/ [v tr/intr] esperar FRAS **spero di no/sì**: ojalá que no/sí.

sperduto /sper'duto/ [agg] remoto • *uno paesino ~*: un apartado pueblito.

spericolato /speriko'lato/ [agg/sm] temerario, atrevido.

sperimentale /sperimen'tale/ [agg m,f] experimental.

sperimentare /sperimen'tare/ [v tr] experimentar.

sperimentazione /sperimentat'tsjone/ [sf] experimentación.

sperma /'sperma/ [sm] esperma.

spermatozoo /spermatod'dzɔo/ [sm] espermatozoo.

sperperare /sperpe'rare/ [v tr] derrochar.

spesa /'spesa/ [sf] **1** gasto • (m) **2** compra • *uscire a fare spese*: ir de compras FRAS **spese bancarie**: comisión por servicios bancarios.

spesso /'spesso/ [agg] espeso • [avv] a menudo, frecuentemente •

questo gli accade ~: esto le sucede frecuentemente.

spessore /spes'sore/ [sm] grosor.

spettabile /spet'tabile/ [agg m,f] (corrispondenza) señores • *~ ditta...*: muy señores míos

spettacolo /spet'takolo/ [sm] **1** espectáculo **2** (cinema) sesión (f) **3** escena (f) • *uno ~ orribile*: una escena horrible.

spettare /spet'tare/ [v intr] corresponder.

spettatore (-trice) /spetta'tore/ [agg/sm] espectador (f -a).

spettegolare /spettego'lare/ [v intr] chismorrear, cotillear.

spettinare (-rsi) /spetti'nare/ [v tr/intr prnl] despeinar (-se).

spettro /'spettro/ [sm] espectro.

speziato /spet'tsjato/ [agg] especiado.

spezie /'spettsje/ [sf pl] especias.

spezzare /spet'tsare/ [v tr] partir • [v intr prnl] romperse.

spezzatino /spettsa'tino/ [sm] carne en trozos.

spezzato /spet'tsato/ [agg] tronchado • [sm] ABB traje deportivo.

spia /'spia/ [sf] **1** espía (m,f) **2** chivato (m) • *la ~ della polizia*: el chivato de la policía **3** TECN indicador (m), piloto (m).

spiacere /spja'tʃere/ [v intr] sentir, lamentar FRAS **se non ti spiace**: si no te importa.

spiacevole /spja'tʃevole/ [agg m,f] desagradable.

spiaggia /'spjaddʒa/ [sf] playa.

spianare /spja'nare/ [v tr] allanar.

spiare /spi'are/ [v tr] espiar.

spiazzo /'spjattso/ [sm] claro.

spiccare /spik'kare/ [v tr] GIUR emitir FRAS ~ **il volo**: levantar/alzar el vuelo | ~ **un salto**: dar un salto/brinco.

spicchio /'spikkjo/ [sm] **1** (agrumi) gajo **2** (frutta) raja (f) FRAS ~ **d'aglio**: diente de ajo.

spicciarsi /spit'tʃarsi/ [v intr prnl] darse prisa.

spicciolo /'spittʃolo/ [agg/sm] (denaro) suelto.

spider /'spaider/ [sm,f inv] convertible (m sing).

spiedini /spje'dini/ [sm pl] pinchos.

spiedo /'spjɛdo/ [sm] asador.

spiegare (-rsi) /spje'gare/ [v tr prnl] explicar (-se) FRAS **mi spiego/mi sono spiegato?**: ¿está claro? | **non so se mi spiego**: no sé si me entiendes.

spiegazione /spjegat'tsjone/ [sf] explicación.

spietato /spje'tato/ [agg] despiadado.

spiffero /'spiffero/ [sm] FAM corriente (f).

spiga /'spiga/ [sf] espiga.

spigliato /spiʎ'ʎato/ [agg] desenvuelto, espabilado.

spigola /'spigola/ [sf] lubina.

spigolo /'spigolo/ [sm] esquina (f), canto.

spilla /'spilla/ [sf] **1** (gioiello) broche (m) **2** prendedor (m). FRAS ~ **da balia**: imperdible.

spillo /'spillo/ [sm] alfiler FRAS **tacchi a** ~: tacones de aguja.

spina /'spina/ [sf] **1** (anche FIG) espina **2** (elettrica) enchufe (m) FRAS **birra alla** ~: cerveza de barril | ~ **dorsale**: espina dorsal.

spinacio /spi'natʃo/ [sm] espinaca (f).

spinello /spi'nɛllo/ [sm] GERG porro.

spingere /'spindʒere/ [v tr] **1** empujar **2** (pulsante) apretar, pulsar.

spinoso /spi'noso/ [agg] **1** espinoso **2** FIG difícil (m,f).

spinta /'spinta/ [sf] empujón (m).

spinterogeno /spinte'rɔdʒeno/ [sm] delco.

spionaggio /spio'naddʒo/ [sm] espionaje.

spiovente /spjo'vente/ [agg m,f] en declive.

spirale /spi'rale/ [sf] espiral.

spirito /'spirito/ [sm] **1** espíritu **2** humor, sentido del humor **3** alcohol etílico FRAS **battuta di** ~: ocurrencia, salida.

spiritoso /spiri'toso/ [agg] gracioso ◆ [sm] SPREG chistoso.

spirituale /spiritu'ale/ [agg m,f] espiritual.

splendente /splen'dente/ [agg m,f] resplandeciente.

splendere /'splɛndere/ [v intr] resplandecer.

splendido /'splɛndido/ [agg] espléndido.

splendore /splen'dore/ [sm] **1** esplendor **2** maravilla (f) ◆ *quella ragazza è uno* ~: esa chica es una maravilla.

spogliare (-rsi) /spoʎ'ʎare/ [v tr prnl] desnudar (-se).

spogliarello /spoʎʎa'rɛllo/ [sm] estriptis (inv).

spogliatoio /spoʎʎa'tojo/ [sm] vestuario.

spolverare /spolve'rare/ [v tr/intr] desempolvar.

spolverizzare /spolverid'dzare/ [v tr] CUC espolvorear.

sponda /'sponda/ [sf] **1** ribera, orilla **2** (letto) borde (m).

sponsor /s'ponsor/ [sm inv] patrocinador (sing, f -a).

sponsorizzare /sponsorid'dzare/ [v tr] patrocinar.

spontaneo /spon'taneo/ [agg] espontáneo.

spopolare (-rsi) /spopo'lare/ [v tr/intr prnl] despoblar (-se).

sporadico /spo'radiko/ [agg] aislado.

sporcare (-rsi) /spor'kare/ [v tr] (anche FIG) ensuciar (-se).

sporcizia /spor't∫ittsja/ [sf] suciedad.

sporco /'sporko/ [agg] (anche FIG) sucio.

sporgente /spor'dʒente/ [agg m,f] saliente.

sporgenza /spor'dʒentsa/ [sf] saliente (m).

sporgere (-rsi) /'spordʒere/ [v tr prnl] asomar (-se) ◆ [v intr] sobresalir.

sport /'sport/ [sm inv] deporte (sing).

sportello /spor'tello/ [sm] **1** puerta (f) **2** (ufficio postale) ventanilla (f) **3** (banca) filial (f).

sportivo /spor'tivo/ [agg] **1** deportivo **2** deportista (m,f) • *un ragazzo ~*: un muchacho deportista ◆ [sm] deportista (m,f).

sposare (-rsi) /spo'zare/ [v tr prnl] casarse.

sposato /spo'zato/ [agg/sm] casado.

sposo /'spozo/ [sm] novio.

spostamento /sposta'mento/ [sm] **1** desplazamiento, corrimiento **2**

cambio • *~ d' orario*: cambio de horario.

spostare /spos'tare/ [v tr] **1** desplazar **2** (orario) aplazar ◆ [v prnl] moverse.

spot /'spot/ [sm inv] (radio, TV) anuncio (sing).

spray /'sprai/ [agg inv] spray, espray.

sprecare /spre'kare/ [v tr] desperdiciar.

spreco /'spreko/ [sm] **1** derroche, desperdicio **2** pérdida (f) • *~ di tempo*: pérdida de tiempo.

spremere /'spremere/ [v tr] exprimir.

spremuta /spre'muta/ [sf] zumo.

sprezzante /spret'tsante/ [agg m,f] desdeñoso (m), despreciativo (m).

sprezzo /'sprettso/ [sm] desprecio, desdén.

sprofondare /sprofon'dare/ [v intr] hundirse ◆ [v prnl] arrellanarse • *sprofondarsi in una poltrona*: arrellanarse en un sillón.

sproporzione /spropor'tsjone/ [sf] desproporción.

sprovvisto /sprov'visto/ [agg] desprovisto.

spruzzare /sprut'tsare/ [v tr] rociar.

spruzzata /sprut'tsata/ [sf] **1** rociada **2** FIG (pioggia) rocío (m).

spruzzo /'spruttso/ [sm] (acqua) salpicadura (f).

spudorato /spudo'rato/ [agg] desvergonzado, descarado.

spugna /'spuɲɲa/ [sf] **1** esponja **2** TESS toalla.

spumante /spu'mante/ [sm] vino espumoso.

spuntare /spun'tare/ [v tr] **1** quitar la punta **2** (capelli) atusar ◆ [v intr] **1**

(germogliare) brotar **2** (sole) salir, nacer **3** (venire fuori) aparecer ◆ [v intr prnl] (perdere la punta) despuntarse.

spuntino /spun'tino/ [sm] tentempié.

sputare /spu'tare/ [v tr/intr] (anche FIG) escupir.

sputo /'sputo/ [sm] salivazo.

sputtanare /sputta'nare/ [v tr] putear ◆ [v intr prnl] VOLG quedar a la altura del betún.

squadra /'skwadra/ [sf] **1** (operai) cuadrilla **2** (anche SPORT) equipo (m).

squalificare /skwalifi'kare/ [v tr] descalificar.

squallido /'skwallido/ [agg] **1** (panorama) triste (m,f) **2** (vita) gris (m,f) **3** (fatto) sórdido **4** (ambiente) cutre (m,f).

squalo /'skwalo/ [sm] tiburón.

squama /'skwama/ [sf] escama.

squilibrato /skwili'brato/ [agg/sm] desequilibrado.

squilibrio /skwi'librjo/ [sm] desequilibrio.

squillare /skwil'lare/ [v intr] (telefono) sonar.

squillo /'skwillo/ [sm] (telefono) timbrazo.

squisito /skwi'zito/ [agg] exquisito.

sradicare /zradi'kare/ [v tr] (anche FIG) desarraigar.

srotolare /zroto'lare/ [v tr] desenrollar.

stabile /'stabile/ [agg m,f] estable ◆ [sm] **1** inmueble, edificio **2** (teatro) teatro de repertorio.

stabilimento /stabili'mento/ [sm] (industria) establecimiento FRAS ~

balneare: balneario | ~ **termale**: balneario, termas.

stabilire (-**rsi**) /stabi'lire/ [v tr prnl] establecer (-se).

stabilità /stabili'ta*/ [sf inv] estabilidad (sing).

staccare (-**rsi**) /stak'kare/ [v tr/intr prnl] desprender (-se).

stadio /'stadjo/ [sm] (anche FIG) estadio.

staffa /'staffa/ [sf] **1** (equitazione) estribo (m) **2** (alpinismo) trepador (m).

staffetta /staf'fetta/ [sf] SPORT relevo (m).

stagionale /stadʒo'nale/ [agg m,f] estacional.

stagionato /stadʒo'nato/ [agg] **1** (vino) viejo **2** (salumi) curado **3** (formaggio) maduro.

stagionatura /stadʒona'tura/ [sf] **1** (vino) crianza **2** (salumi) cura **3** (formaggio) maduración.

stagione /sta'dʒone/ [sf] **1** estación **2** SPORT (anche teatro) temporada FRAS **alta/bassa** ~: temporada alta/baja | **fuori** ~: fuera de temporada | **mezza** ~: entretiempo.

stagnare /staɲ'ɲare/ [v intr] estancarse.

stagno /'staɲɲo/ [sm] estanque.

stagnola /staɲ'ɲɔla/ [sf] papel aluminio/estañ.

stalla /'stalla/ [sf] AGR **1** (bovini, animali domestici) establo (m) **2** (equini) caballeriza.

stamani /sta'mani/ [avv] esta mañana.

stamattina /stamat'tina/ [avv] esta mañana.

stampa /'stampa/ [sf] **1** imprenta **2** (giornali) prensa **3** (riproduzione) estampa **4** (fotografia) revelado (m).

stampante /stam'pante/ [sf] impresora.

stampare /stam'pare/ [v tr] **1** (libri, giornali) imprimir **2** (fotografie) revelar.

stampato /stam'pato/ [agg] **1** impreso **2** TESS estampado.

stampella /stam'pella/ [sf] muleta.

stampo /'stampo/ [sm] (utensile da cucina) molde.

stanare /sta'nare/ [v tr] **1** desencovar **2** FIG desanidar.

stancare (-rsi) /stan'kare/ [v tr/intr prnl] cansar (-se).

stanchezza /stan'kettsa/ [sf] cansancio (m).

stanco /'stanko/ [agg] cansado FRAS **essere ~ morto**: estar muerto de cansancio.

stand /'stend/ [sm inv] (fiera) stand, caseta (f sing).

standard /s'tandard/ [agg inv] de serie.

stand-by /stem'bai/ [sm inv] (aeroporto) lista (f sing) de espera.

stangata /stan'gata/ [sf] FIG (conto) palo (m).

stanghetta /stan'getta/ [sf] (occhiali) patilla de las gafas.

stanotte /sta'notte/ [avv] **1** (presente) esta noche **2** (passata) anoche.

stantio /stan'tio/ [agg] **1** (vino, alimenti) rancio **2** (pane, biscotti, torte) duro.

stanza /'stantsa/ [sf] habitación, cuarto (m).

stanziare /stan'tsjare/ [v tr] (denaro) destinar.

stappare /stap'pare/ [v tr] destapar.

stare /'stare/ [v intr] **1** estar **2** (abitare) vivi ■ **stare + ger** estar + gerundio • *stava fumando*: estaba fumando ■ **stare per + inf** estar a punto de + inf, estar para + inf, *Amer* estar por + inf • *sta per piovere*: está para llover FRAS **~ bene**: estar/encontrarse bien (de salud); sentar bien (ropa, adorno); ser bien visto/considerado (comportamiento) | **~ male**: estar/encontrarse mal (de salud); sentar mal (ropa, adorno).

starnutire /starnu'tire/ [v intr] estornudar.

starnuto /star'nuto/ [sm] estornudo.

starter /s'tarter/ [sm inv] (automobile) starter.

stasera /sta'sera/ [avv] esta noche.

statale /sta'tale/ [agg m,f] **1** estatal **2** público (m) • *scuola ~*: escuela pública FRAS **strada ~**: carretera nacional.

statistica /sta'tistika/ [sf] estadística.

stato /'stato/ [sm] estado FRAS **capo dello ~**: jefe de estado | **colpo di ~**: golpe de estado | **~ civile**: estado civil.

statua /'statua/ [sf] estatua.

statura /sta'tura/ [sf] estatura.

statuto /sta'tuto/ [sm] estatuto.

stavolta /sta'volta/ [avv] FAM esta vez.

stazionario /stattsjo'narjo/ [agg] estacionario.

stazione /stat'tsjone/ [sf] **1** estación **2** cuartel (m) • **~ di polizia**: cuartel de policía FRAS **~ degli autobus**: terminal/estación de autobuses.

S

stecca /'stekka/ [sf] **1** MUS (stonatura) gallo (m) **2** (sigarette) cartón (m) FRAS ~ **del biliardo**: taco.

steccato /stek'kato/ [sm] valla (f).

stella /'stella/ [sf] (anche FIG) estrella FRAS ~ **a cinque stelle**: de cinco estrellas | ~ **cadente**: estrella fugaz | ~ **filante**: serpentina (de carnaval).

stellato /stel'lato/ [agg] estrellado.

stelo /'stɛlo/ [sm] BOT tallo FRAS **lampada a ~**: lámpara de pie.

stemma /'stemma/ [sm] escudo (de armas).

stendere /'stɛndere/ [v tr] **1** extender **2** (sdraiare) tender ♦ [v prnl] (sdraiarsi) tenderse, tumbarse.

stentare /sten'tare/ [v intr] costarle.

stento /'stɛnto/ [sm] privación (f) FRAS **a ~**: a duras penas.

stereo /'stereo/ [agg inv/sm inv] estéreo.

stereofonico /stereo'fɔniko/ [agg] estereofónico.

stereotipo /stere'ɔtipo/ [sm] estereotipo.

sterile /'stɛrile/ [agg m,f] (anche FIG) estéril.

sterilizzare /sterilid'dzare/ [v tr] esterilizar.

sterminare /stermi'nare/ [v tr] exterminar.

sterminato /stermi'nato/ [agg] inmenso.

sterminio /ster'minjo/ [sm] exterminio.

sterno /'stɛrno/ [sm] esternón.

sterrato /ster'rato/ [agg/sm] desmonte.

sterzare /ster'tsare/ [v tr/intr] virar.

sterzo /'stertso/ [sm] dirección (f).

stesso /'stesso/ [agg] **1** mismo **2** (proprio) propio ♦ *lo fece con le sue stesse mani*: lo hizo con sus propias manos ♦ [pron] mismo FRAS **fa lo ~**: da igual.

steward /'stjuard/ [sm inv] auxiliar (sing) de vuelo.

stick /'stik/ [sm inv] barra (f sing).

stile /'stile/ [sm] estilo.

stilista /sti'lista/ [sm,f] modisto.

stilografica /stilo'grafika/ [sf] estilográfica.

stima /'stima/ [sf] estima, aprecio (m) FRAS **avere ~ di qualcuno**: estimar a alguien.

stimare /sti'mare/ [v tr] estimar, apreciar.

stimolare /stimo'lare/ [v tr] estimular.

stimolo /'stimolo/ [sm] estímulo.

stinco /'stinko/ [sm] **1** ANAT canilla (f) **2** ZOOL corvejón.

stingere (-**rsi**) /'stindʒere/ [v tr/intr prnl] desteñir (-se).

stipato /sti'pato/ [agg] abarrotado.

stipendio /sti'pendjo/ [sm] sueldo.

stipite /'stipite/ [sm] jamba (f), mangueta (f).

stipsi /'stipsi/ [sf inv] estreñimiento (m sing).

stipulare /stipu'lare/ [v tr] hacer, cerrar.

stiramento /stira'mento/ [sm] MED distensión (f).

stirare /sti'rare/ [v tr] planchar ♦ [v prnl] FAM desperezarse.

stitichezza /stiti'kettsa/ [sf] POP estreñimiento (m).

stitico /'stitiko/ [agg] estreñido.

stiva /'stiva/ [sf] MAR bodega.

stivale /sti'vale/ [sm] bota (f).

stivaletto /stiva'letto/ [sm] botín.

stoccafisso /stokka'fisso/ [sm] bacalao.

stoffa /'stɔffa/ [sf] tela, género (m).

stomaco /'stɔmako/ [sm] **1** ANAT estómago **2** FIG valo ■ pl **stomaci, stomachi** FRAS **rimanere sullo ~**: repetir (comida).

stomatite /stoma'tite/ [sf] estomatitis (inv).

stonare /sto'nare/ [v tr/intr] desentonar.

stonato /sto'nato/ [agg] desentonado.

stop /'stɔp/ [inter] ¡alto! ◆ [sm inv] **1** (veicolo) luz de freno **2** stop.

storcere /'stɔrtʃere/ [v tr] torcer, doblar FRAS **~ il naso**: torcer la nariz.

stordire /stor'dire/ [v tr] aturdir.

stordito /stor'dito/ [agg] aturdido.

storia /'stɔrja/ [sf] **1** historia **2** (racconto) cuento (m) **3** (questione) reparo (m).

storico /'stɔriko/ [agg] histórico FRAS **centro ~**: casco antiguo.

storione /sto'rjone/ [sm] esturión.

stormo /'stɔrmo/ [sm] bandada (f).

storpio /'stɔrpjo/ [agg/sm] lisiado.

storta /'stɔrta/ [sf] FAM esguince (m).

storto /'stɔrto/ [agg] torcido ◆ [avv] de través.

stoviglie /sto'viʎʎe/ [sf pl] vajilla (sing).

strabico /'strabiko/ [agg/sm] estrábico.

strabiliante /strabi'ljante/ [agg m,f] asombroso (m).

strabismo /stra'bizmo/ [sm] estrabismo.

stracciare /strat'tʃare/ [v tr/intr prnl] rasgar (-se).

stracciato /strat'tʃato/ [agg] **1** desgarrado, rasgado **2** (prezzo) tirado.

straccio /'strattʃo/ [sm] trapo FRAS **sentirsi uno ~**: estar molido.

strada /'strada/ [sf] **1** (urbana) calle **2** (extraurbana) carretera **3** (anche FIG) camino (m) • *la ~ è lunga*: el camino es largo | *essere sulla cattiva ~*: ir por mal camino FRAS **andare fuori ~**: salirse del camino | **attraversare la ~**: cruzar la calle | **~ ferrata**: vía férrea | **~ privata**: calle privada | **~ provinciale**: carretera comarcal | **~ senza uscita**: calle sin salida | **~ statale**: carretera nacional.

stradale /stra'dale/ [agg m,f] de carretera FRAS **carta ~**: mapa de carreteras | **cartello ~**: señal de tráfic | **incidente ~**: accidente de carretera ◆ [sf] policía de tráfico.

strage /'stradʒe/ [sf] **1** masacre **2** estragos (m pl) • *il gatto ha fatto ~ delle poltrone*: el gato hizo estragos de los sillones.

strambo /'strambo/ [agg] **1** extravagante (m,f), excéntrico **2** (persona) estrafalario.

stranezza /stra'nettsa/ [sf] extrañeza.

strangolare /strango'lare/ [v tr] estrangular.

straniero /stra'njero/ [agg/sm] extranjero.

strano /'strano/ [agg] extraño.

straordinario /straordi'narjo/ [agg] extraordinario ◆ [sm] (orario di lavoro) horas (f pl) extra.

strapazzare /strapat'tsare/ [v tr] maltratar.

strapieno /stra'pjeno/ [agg] **1** rebosante (m,f) **2** (di persone) atestado.

S

strapiombo /stra'pjombo/ [sm] barranco.

strappare /strap'pare/ [v tr] **1** arrancar **2** (dente) sacar ◆ [v intr prnl] desgarrarse, rasgarse.

strappo /'strappo/ [sm] **1** desgarro **2** FIG excepción (f) FRAS **~ muscolare**: desgarro.

strapuntino /strapun'tino/ [sm] edredón.

straripare /strari'pare/ [v intr] desbordarse.

strascico /'straʃʃiko/ [sm] **1** ABB cola (f) **2** FIG séquito, secuela (f) FRAS **pesca a ~**: pesca de arrastre.

stratagemma /strata'dʒemma/ [sm] estratagema (f).

strategia /strate'dʒia/ [sf] estrategia.

strategico /stra'tɛdʒiko/ [agg] estratégico.

strato /'strato/ [sm] capa (f).

stravaccarsi /stravak'karsi/ [v intr prnl] POP arrellanarse.

stravagante /strava'gante/ [agg m,f] extravagante.

stravecchio /stra'vekkjo/ [agg] (vino, liquore) añejo.

stravolgere /stra'vɔldʒere/ [v tr] FIG alterar, trastornar.

stravolto /stra'vɔlto/ [agg] (turbato) trastornado.

straziante /strat'tsjante/ [agg m,f] desgarrador (f -a).

strazio /'strattsjo/ [sm] **1** (anche FIG) tortura (f), tormento **2** FIG SCHERZ rollo, lata (f) ● *che ~ quel film!*: ¡qué rollo de película!

strega /'strega/ [sf] bruja.

stregone /stre'gone/ [sm] brujo.

stremato /stre'mato/ [agg] agotado, rendido.

stremo /'stremo/ [sm] límite, extremo FRAS **essere allo ~**: no poder más.

strepito /'strepito/ [sm] jaleo, alboroto.

strepitoso /strepi'toso/ [agg] estrepitoso.

stress /'strɛs/ [sm inv] estrés (sing).

stressante /stres'sante/ [agg m,f] estresante.

stretta /'stretta/ [sf] **1** apretón (m) **2** FIG vuelco (m) ● *sentire una ~ al cuore*: darle un vuelco el corazón FRAS **~ di mano**: apretón de manos.

stretto /'stretto/ [agg] **1** (anche FIG) estrecho **2** FIG estricto ● *la ~ osservanza del regolamento*: el estricto cumplimiento del reglamento FRAS **abito ~**: traje ajustado | **parente ~**: pariente cercano ◆ [sm] GEOG estrecho.

stridulo /'stridulo/ [agg] chillón (f -a).

strillare /stril'lare/ [v intr/tr] chillar.

striminzito /strimin'tsito/ [agg] (stretto) ceñido.

stringa /'stringa/ [sf] cordón (m).

stringato /strin'gato/ [agg] **1** (atado) con cordones **2** FIG conciso, breve (m,f).

stringere /'strindʒere/ [v tr] **1** apretar **2** (patto, accordo) cerrar, hacer **3** (indumento) estrechar ◆ [v prnl] correrse FRAS **~ amicizia con qualcuno**: trabar amistad con alguien | **~ la mano**: estrechar la mano.

striscia /'striʃʃa/ [sf] **1** tira **2** (tessuto) lista FRAS **strisce pedonali**: paso de peatones/cebra.

strisciare /striʃ'ʃare/ [v tr] arrastrar ◆ [v intr] arrastrarse.

striscione /striʃ'ʃone/ [sm] pancarta (f).

stritolare /strito'lare/ [v tr] triturar.

strizzare /strit'tsare/ [v tr] estrujar FRAS ~ l'**occhio**: guiñar el ojo.

strofinaccio /strofi'nattʃo/ [sm] paño, trapo.

strofinare /strofi'nare/ [v tr] frotar.

stroncare /stron'kare/ [v tr] 1 tronchar 2 FIG (reprimere) sofocar 3 FIG (critica) triturar.

stronzata /stron'tsata/ [sf] FIG VOLG 1 (azione) gilipollez, putada 2 (frase, commento) parida, chorrada.

stronzo /'strontso/ [sm] VOLG 1 cagada (f) 2 FIG (persona) cabrón, borde (m,f).

stropicciare /stropit'tʃare/ [v tr] POP a-rrugar, chafar FRAS **stropicciar-si gli occhi**: restregarse los ojos.

strozzare /strot'tsare/ [v tr] 1 estrangular • ~ **una persona**: estrangular a una persona 2 ahogar, sofocar • **questa cravatta mi strozza**: esta corbata me ahoga ◆ [v intr prnl] morir estrangulado ◆ [v prnl] estrangularse.

strozzino /strot'tsino/ [sm] usurero.

struccare (-rsi) /struk'kare/ [v tr prnl] desmaquillar (-se).

strumentale /strumen'tale/ [agg m,f] instrumental FRAS **musica ~**: música instrumental.

strumentazione /strumentat'tsjone/ [sf] instrumentos (m pl).

strumento /stru'mento/ [sm] 1 instrumento 2 (utensile) herramienta (f).

strutto /'strutto/ [sm] manteca.

struttura /strut'tura/ [sf] estructura.

strutturare /struttu'rare/ [v tr] estructurar.

struzzo /'struttso/ [sm] avestruz.

stucco /'stukko/ [sm] estuco FRAS **rimanere di ~**: quedar de una pieza.

studente (-essa) /stu'dente/ [sm] estudiante (m,f) FRAS **casa dello ~**: residencia universitaria.

studiare /stu'djare/ [v tr] 1 estudiar 2 pensar • ~ **il modo per risolvere un problema**: pensar cómo solucionar un problema.

studio /'studjo/ [sm] 1 estudio 2 (ufficio) despacho FRAS **borsa di ~**: beca.

studioso /stu'djoso/ [agg/sm] estudioso.

stufa /'stufa/ [sf] estufa.

stufare /stu'fare/ [v tr] 1 CUC estofar 2 FIG FAM cansa ◆ [v intr prnl] FIG FAM cansarse.

stufo /'stufo/ [agg] FAM harto, cansado.

stuoia /'stwɔja/ [sf] (spiaggia) esterilla.

stupefacente /stupefa'tʃente/ [agg m,f] 1 asombroso (m) 2 (droga) estupefaciente ◆ [sm] (droga) estupefaciente.

stupefatto /stupe'fatto/ [agg] pasmado.

stupendo /stu'pendo/ [agg] estupendo, admirable (m,f).

stupidaggine /stupi'daddʒine/ [sf] estupidez, tontería.

stupidità /stupidi'ta*/ [sf inv] estupidez (sing), tontería.

stupido /'stupido/ [agg] estúpido, tonto.

stupire (-si) /stu'pire/ [v tr/intr prnl] sorprender (-se), asombrar (-se).

stupore /stu'pore/ [sm] asombro.

stuprare /stu'prare/ [v tr] violar.

stupro /'stupro/ [sm] violación (f).

sturare /stu'rare/ [v tr] **1** (bottiglia) destapar **2** (lavandino) desatascar.

stuzzicadenti /stuttsika'dɛnti/ [sm inv] palillo (sing).

stuzzicare /stuttsi'kare/ [v tr] FIG despertar • ~ *l'appetito*: despertar el apetito.

stuzzichino /stuttsi'kino/ [sm] POP pincho, tapa (f).

su /su*/ [avv] arriba FRAS **in** ~: arriba ◆ [prep] **1** (stato in luogo) en, sobre • *la lettera è sul tavolo*: la carta está sobre la mesa **2** (moto a luogo) a • *salire sulla montagna*: subir a la montaña **3** (contro) contra, sobre • *la polizia sparò sui manifestanti*: la policía disparó contra los manifestantes **4** (verso) a, hacia • *le finestre guardano sul parco*: las ventanas dan hacia el parque **5** (modale, strumentale) en • *incisione* ~ *rame*: grabado en cobre FRAS ~ **misura**: a la medida.

subacqueo /su'bakkweo/ [agg] impermeable ◆ [sm] SPORT submarinista (m,f).

subaffitto /subaf'fitto/ [sm] subarriendo.

subalterno /subal'tɛrno/ [agg] subordinado, inferior (m,f).

subconscio /sub'kɔnʃo/ [sm] subconsciencia (f).

subdolo /'subdolo/ [agg] falso, hipócrita (m,f).

subentrare /suben'trare/ [v intr] suceder.

subire /su'bire/ [v tr] sufrir.

subito /'subito/ [avv] **1** inmediatamente, enseguida • *torno* ~: regreso enseguida **2** rápidamente • *questo tipo di pasta cuoce* ~: este tipo de pasta se cuece rápidamente FRAS ~ **dopo**: inmediatamente después.

suburbano /subur'bano/ [agg] suburbano.

succedere /sut't∫edere/ [v intr] suceder.

successione /suttʃes'sjone/ [sf] sucesión.

successivo /suttʃes'sivo/ [agg] sucesivo, siguiente (m,f).

successo /sut't∫esso/ [sm] éxito.

succhiare /suk'kjare/ [v tr] chupar.

succo /'sukko/ [sm] jugo, zumo FRAS ~ **di frutta**: zumo de fruta | ~ **gastrico**: jugo gástrico.

succube /'sukkube/ [sm,f] esclavo (m).

succursale /sukkur'sale/ [sf] sucursal, filial.

sud /'sud/ [sm] sur.

sudare /su'dare/ [v intr] sudar.

sudato /su'dato/ [agg] sudado.

sudicio /'suditʃo/ [agg] sucio.

sudiciume /sudi'tʃume/ [sm] suciedad (f).

sudore /su'dore/ [sm] sudor.

sufficiente /suffi'tʃɛnte/ [agg m,f/sm] suficiente.

sufficienza /suffi'tʃɛntsa/ [sf] **1** suficiencia **2** (voto) aprobado (m) FRAS **a** ~: suficiente.

suffragio /suf'fradʒo/ [sm] sufragio FRAS ~ **universale**: sufragio universal.

suggerire /suddʒe'rire/ [v tr] sugerir.

suggestivo /suddʒes'tivo/ [agg] sugestivo.

sughero /'sugero/ [sm] corcho.

sugli /'suʎʎi/[prep art m pl] en los, sobre los ● ~ *scalini*: sobre los escalones.

sugo /'sugo/ [sm] **1** (anche FIG) jugo **2** CUC salsa (f) ● *spaghetti al ~*: espaguetis con salsa.

sui /sui/ [prep art m pl] en los, sobre los ● ~ *ripiani c'è polvere*: hay polvo sobre los anaqueles.

suicida /sui'tʃida/ [agg m,f/sm,f] suicida.

suicidarsi /suitʃi'darsi/ [v prnl] suicidarse.

suicidio /sui'tʃidjo/ [sm] suicidio.

suino /su'ino/ [agg] de cerdo ● [sm] cerdo.

sul /'sul/ [prep art m sing] en el, sobre el ● *metti il libro ~ mobile*: pon el libro sobre el mueble.

sulfamidico /sulfa'midiko/ [agg/sm] sulfamida (f).

sulfureo /sul'fureo/ [agg] sulfúreo.

sulla /'sulla/ [prep art f sing] en la, sobre la ● *ha messo la bottiglia ~ tavola*: ha puesto la botella sobre la mesa.

sulle /'sulle/ [prep art f pl] en las, sobre las ● *hai delle macchie ~ guance*: tienes unas manchas en las mejillas.

sullo /'sullo/ [prep art m sing] en el, sobre el ● ~ *specchio c'è una macchia*: en el espejo hay una mancha.

sultanina /sulta'nina/ [agg/sf] pasa de Corinto.

suo /'suo/ [agg] su (m,f) ● [pron] suyo ■ pl irr **suoi** FRAS *i ~*: su familia, los suyos.

suocero /'swotʃero/ [sm] suegro.

suola /'swola/ [sf] suela.

suolo /'swolo/ [sm] suelo.

suonare /swo'nare/ [v tr] tocar ● [v intr] **1** (campanello, sveglia) sonar **2** (campana) repicar **3** MUS tocar.

suono /'swono/ [sm] sonido.

suora /'swora/ [sf] monja.

super /'super/ [agg inv/sf inv] súper FRAS **benzina ~**: (gasolina) súper.

superalcolico /superal'koliko/ [agg/sm] superalcóholico.

superare /supe'rare/ [v tr] **1** superar **2** (veicolo) adelantar FRAS **~ un esame**: aprobar (un examen).

superbo /su'perbo/ [agg] soberbio.

superficiale /superfi'tʃale/ [agg m,f] superficial.

superficie /super'fitʃe/ [sf] superficie ■ pl **superfici**.

superfluo /su'perfluo/ [agg/sm] superfluo.

superiore /supe'rjore/ [agg m,f/sm] superior FRAS **scuole medie superiori**: BUP.

superiorità /superjori'ta*/ [sf inv] superioridad (sing).

supermercato /supermer'kato/ [sm] supermercado.

superstite /su'perstite/ [agg m,f/sm,f] superviviente.

superstizione /superstit'tsjone/ [sf] superstición.

superstizioso /superstit'tsjoso/ [agg/sm] supersticioso.

superstrada /super'strada/ [sf] autovía.

supervisore /supervi'zore/ [sm] supervisor (f -a).

suppellettile /suppel'lettile/ [sf] bibelot* (m).

supplementare /supplemen'tare/ [agg m,f] (anche MAT) suplementario (m) FRAS **tempi supplementa-ri**: prórroga.

supplemento /supple'mento/ [sm] suplemento FRAS ~ **rapido**: suplemento de tren rápido.

supplente /sup'plɛnte/ [agg m,f/ sm,f] sustituto (m).

supplica /'supplika/ [sf] súplica.

supplicare /suppli'kare/ [v tr/intr] suplicar.

supplizio /sup'plittsjo/ [sm] suplicio.

supporre /sup'porre/ [v tr] suponer.

supporto /sup'pɔrto/ [sm] (anche FIG) soporte.

supposizione /suppozit'tsjone/ [sf] suposición.

supposta /sup'posta/ [sf] supositorio (m).

supremazia /supremat'tsia/ [sf] supremacía.

surf /'sɛrf/ [sm inv] **1** surf **2** (tavola) tabla (f sing).

surgelare /surdʒe'lare/ [v tr] congelar.

surgelato /surdʒe'lato/ [agg/sm] congelado.

surreale /surre'ale/ [agg m,f] surreal.

surrogato /surro'gato/ [agg/sm] sucedáneo.

suscettibile /suʃʃet'tibile/ [agg m,f] susceptible.

suscitare /suʃʃi'tare/ [v tr] suscitar, provocar.

susina /su'zina/ [sf] ciruela.

susino /su'zino/ [sm] ciruelo.

sussidio /sus'sidjo/ [sm] subsidio, indemnización (f) FRAS ~ **di disoccupazione**: subsidio de desempleo/paro.

sussistenza /sussis'tɛntsa/ [sf] subsistencia.

sussurrare /sussur'rare/ [v tr/intr] susurrar.

svago /'zvago/ [sm] distracción (f).

svaligiare /zvali'dʒare/ [v tr] desvalijar.

svalutare (-rsi) /zvalu'tare/ [v tr/intr prnl] devaluar (-se).

svalutazione /zvalutat'tsjone/ [sf] devaluación.

svanire /zva'nire/ [v intr] **1** (odore, sapore, profumo) desvanecerse **2** FIG borrarse.

svantaggio /zvan'taddʒo/ [sm] desventaja (f).

svedese /zve'dese/ [agg m, f/sm,f] sueco (m).

sveglia /'zveʎʎa/ [inter] ¡despertar!, ¡a levantarse! ◆ [sf] despertador (m) FRAS **dare la ~**: despertar.

svegliare (-rsi) /zveʎ'ʎare/ [v tr/intr prnl] despertar (-se).

sveglio /'zveʎʎo/ [agg] **1** despierto **2** FIG FAM listo.

svelare /zve'lare/ [v tr] FIG revelar.

svelto /'zvelto/ [agg] rápido FRAS **alla svelta**: rápido.

svendere /'zvendere/ [v tr] malvender.

svendita /'zvendita/ [sf] liquidación, rebaja.

svenimento /zveni'mento/ [sm] desmayo.

svenire /zve'nire/ [v intr] desmayarse.

sventolare /zvento'lare/ [v tr/intr] (bandiera, vela) flamear, ondear.

sventura /zven'tura/ [sf] **1** (sfortuna) desventura, mala suerte **2** (avversità) desgracia, desdicha.

svergognato /zvergoɲ'nato/ [agg/ sm] desvergonzado, descarado.

svernare /zver'nare/ [v intr] pasar el invierno.

svestire (-rsi) /zves'tire/ [v tr prnl] desnudar (-se), desvestir (-se).

Svezia /'zvɛtsja/ [sf] Suecia.

svezzamento /zvettsa'mento/ [sm] destete.

sviluppare /zvilup'pare/ [v tr] **1** desarrollar **2** (fotografie) revelar ◆ [v intr prnl] **1** crecer, desarrollarse **2** (diffondersi) desencadenarse, difundirse.

sviluppo /zvi'luppo/ [sm] **1** desarrollo **2** (fotografia) revelado, procesado FRAS ~ **e stampa**: revelado.

svincolo /'zvinkolo/ [sm] (strada) enlace.

svitare /zvi'tare/ [v tr] desatornillar.

svogliato /zvoʎ'ʎato/ [agg] desganado.

svolgere /'zvɔldʒere/ [v tr] **1** (lavoro, compito) desempeñar **2** (pacchetto) desenvolver ◆ [v intr prnl] **1** (filo, corda) desenrollarse, extenderse **2** fig desarrollarse • *i fatti si sono svolti così*: los hechos se han desarrollado de esta manera **3** estar ambientado • *il racconto si svolge a Buenos Aires*: el cuento está ambientado en el Buenos Aires.

svolta /'zvɔlta/ [sf] **1** (veicolo) vuelta **2** (strada) curva **3** FIG cambio (m) • *una ~ nella sua vita*: un cambio en su vida.

svuotare /zvwo'tare/ [v tr] vaciar.

Tt

tabaccheria /tabakke'ria/ [sf] estanco (m).

tabacco /ta'bakko/ [sm] tabaco.

tabella /ta'bella/ [sf] cuadro (m).

tabellone /tabel'lone/ [sm] tablero.

tabù /ta'bu*/ [agg inv/sm inv] tabú (sing).

tacchino /tak'kino/ [sm] pavo.

tacco /'takko/ [sm] tacón.

tacere /ta'tʃere/ [v intr/tr] callar.

taciturno /tatʃi'turno/ [agg] taciturno, callado.

tafano /ta'fano/ [sm] tábano.

taglia /'taʎʎa/ [sf] talla FRAS ~ **forte**: talla fuerte | ~ **unica**: talla única.

tagliando /taʎ'ʎando/ [sm] cupón.

tagliare (-rsi) /taʎ'ʎare/ [v tr prnl/intr] (anche FIG) cortar (-se) FRAS ~ **la strada a qualcuno**: cruzarse en el camino de alguien.

tagliatelle /taʎʎa'telle/ [sf pl] tallarines (m).

tagliere /taʎ'ʎere/ [sm] tajadera (f).

taglio /'taʎʎo/ [sm] corte FRAS **banconota di piccolo ~**: billete fraccionario | **pizza a ~**: pizza en porciones.

tailleur /ta'jer/ [sm inv] traje (sing) sastre.

takeaway /teike'wei/ [sm inv] tienda de comida para llevar.

talco /'talko/ [sm] talco.

tale /'tale/ [agg m,f] **1** tal **2** (molto) tanto (m) • *aveva una ~ paura*: tenía tanto miedo ♦ [pron m,f] **1** persona (f) • *lei è la ~ che tu cerchi*: ella es la persona que tú buscas **2** uno (m) • *c'è una ~ che domanda di te*: hay una que pregunta por ti.

talento /ta'lento/ [sm] talento.

tallone /tal'lone/ [sm] talón.

talmente /tal'mente/ [avv] tan.

talora /ta'lora/ [avv] algunas veces, a veces.

talpa /'talpa/ [sf] topo (m).

talvolta /tal'vɔlta/ [avv] a veces, algunas veces.

tamarindo /tama'rindo/ [sm] tamarindo.

tamburello /tambu'rɛllo/ [sm] **1** MUS pandereta (f) **2** (gioco) juego de pelota con pandero.

tamburo /tam'buro/ [sm] tambor.

tamponamento /tampona'mento/ [sm] (veicolo) choque.

tamponare /tampo'nare/ [v tr] **1** (anche MED) taponar **2** (veicolo) chocar.

tampone /tam'pone/ [sm] **1** MED tapón **2** (assorbente interno) tampón.

tana /'tana/ [sf] guarida.

tanga /'tanga/ [sm inv] tanga (sing).

tangente /tan'dʒente/ [sf] SPREG comisión, *Amer* mordida.

tangenziale /tandʒen'tsjale/ [sf] carretera de circunvalación.

tanica /'tanika/ [sf] bidón (m).

tanto /'tanto/ [agg] tanto, mucho ■ **tanto... quanto** tanto... cuanto • *ha ~ denaro quanto ne ha bisogno*: tiene tanto dinero cuanto puede necesitar FRAS **da ~**: desde hace mucho | **ogni ~**: de vez en cuando | **tante grazie**: muchas gracias ♦ [avv] **1** (con verbi) mucho, tanto • *studia ~*: estudia tanto **2** (con aggettivi) tan • *è ~ triste*: está tan triste FRAS **non ~**: no tanto | **~ per cambiare**: para varía ♦ [cong] total • *decidi tu, ~ per noi va bene*: decide tú, total, para nosotros está bien ♦ [pron] **1** (al pl) muchos • *tanti dicono che non è vero*: muchos dicen que no es verdad **2** mucho • *vuoi della farina? ne ho tanta*: ¿quieres harina? tengo mucha ■ **tanto quanto** lo que • *guadagno ~ quanto mi basta*: gano lo que me sirve.

tapiro /ta'piro/ [sm] tapir.

tappa /'tappa/ [sf] (anche SPORT) etapa.

tappare /tap'pare/ [v tr] tapar.

tapparella /tappa'rɛlla/ [sf] FAM persiana enrollable.

tappeto /tap'peto/ [sm] **1** alfombra (f) **2** (pugilato, lotta) lona (f).

tappezzeria /tappettse'ria/ [sf] **1** (stoffa) tapicería **2** (carta) papel (m) pintado.

tappo /'tappo/ [sm] (anche FIG) tapón FRAS **~ a corona**: chapa.

tarantella /taran'tɛlla/ [sf] tarantela.

tardare /tar'dare/ [v intr] tardar.

tardi /'tardi/ [avv] tarde FRAS **a più ~!**: ¡hasta luego/ahora! | **sul ~**: al atardecer.

tardo /'tardo/ [agg] **1** tardo **2** tardío • *in tarda età*: en edad tardía FRAS **a notte tarda**: muy avanzada la noche.

targa /'targa/ [sf] **1** placa, letrero (m) **2** (veicolo) matrícula, *Amer* placa.

tariffa /ta'riffa/ [sf] tarifa FRAS ~ **doganale**: arancel aduanero.

tarlo /'tarlo/ [sm] carcoma (f).

tarocco /ta'rɔkko/ [sm] tarot.

tartaruga /tarta'ruga/ [sf] **1** (anche FIG) tortuga **2** (materiale) carey (m).

tartina /tar'tina/ [sf] canapé (m).

tartufo /tar'tufo/ [sm] trufa (f).

tasca /'taska/ [sf] **1** bolsillo (m) **2** (valigia, borsa) compartimiento (m).

tascabile /tas'kabile/ [agg m,f] de bolsillo.

tassa /'tassa/ [sf] **1** tasa **2** FAM impuesto (m) • *pagare le tasse*: pagar los impuestos.

tassametro /tas'sametro/ [sm] taxímetro.

tassare /tas'sare/ [v tr] tasar.

tassista /tas'sista/ [sm,f] taxista.

tasso /'tasso/ [sm] (banca) tipo FRAS ~ **di natalità/mortalità**: tasa de natalidad/mortalidad.

tastiera /tas'tjera/ [sf] (anche MUS) teclado (m).

tasto /'tasto/ [sm] tecla (f).

tattica /'tattika/ [sf] táctica.

tatto /'tatto/ [sm] tacto.

tatuaggio /tatu'addʒo/ [sm] tatuaje.

taverna /ta'vɛrna/ [sf] taberna.

tavola /'tavola/ [sf] **1** tabla **2** (per mangiare) mesa FRAS **apparecchiare/sparecchiare la ~**: poner/quitar la mesa | ~ **a vela**: tabla de windsurf | ~ **calda**: cafetería | ~ **fredda**: bar.

tavoletta /tavo'letta/ [sf] tableta.

tavolino /tavo'lino/ [sm] escritorio.

tavolo /'tavolo/ [sm] mesa (f).

taxi /'taksi/ [sm inv] taxi (sing).

tazza /'tattsa/ [sf] (anche water) taza.

tazzina /tat'tsina/ [sf] tacita.

te /te*/ [pron m,f sing] **1** ti • *per ~ sarebbe meglio*: para ti sería mejor **2** te • *compratelo*: cómpratelo ■ v + **da te** v + tú/por tu cuenta • *fallo da ~*: hazlo tú FRAS **per/secondo ~**: en tu opinión.

tè /tɛ*/ [sm] té.

teatrale /tea'trale/ [agg m,f] (anche FIG) teatral.

teatro /te'atro/ [sm] teatro FRAS ~ **stabile**: compañía de teatro | ~ **tenda**: carpa.

tecnica /'tɛknika/ [sf] técnica.

tecnico /'tɛkniko/ [agg/sm] técnico.

tecnologia /teknolo'dʒia/ [sf] tecnología.

tedesco /te'desko/ [agg/sm] alemán (f -a).

tee-shirt /tiʃ'ʃert/ [sf inv] camiseta (sing).

tegame /te'game/ [sm] sartén (f).

teglia /'teʎʎa/ [sf] fuente para horno.

tegola /'tegola/ [sf] teja.

teiera /te'jera/ [sf] tetera.

tela /'tela/ [sf] **1** tela, paño (m), género (m) **2** (quadro) tela, lienzo (m).

telaio /te'lajo/ [sm] telar.

telecamera /tele'kamera/ [sf] videocámara.

telecomando /teleko'mando/ [sm] telecomando.

telecronaca /tele'krɔnaka/ [sf] crónica televisiva.

telefilm /tele'film/ [sm inv] telefilme (sing).

telefonare (-rsi) /telefo'nare/ [v intr/tr prnl] telefonear (-se).

telefonata /telefo'nata/ [sf] llamada telefónica FRAS ~ **a carico del**

destinatario: conferencia a cobro revertido | **~ interurbana**: conferencia interurbana.

telefonico /tele'foniko/ [agg] telefónico FRAS **cabina telefonica**: cabina telefónica | **elenco ~**: guía/listín de teléfonos.

telefonino /telefo'nino/ [sm] móvil.

telefono /te'lɛfono/ [sm] teléfono FRAS **colpo di ~**: telefonazo | **riagganciare il ~**: colgar el teléfono | **rispondere al ~**: contestar al teléfono | **~ a gettoni**: teléfono de fichas | **~ a scheda (magnetica)**: teléfono con tarjeta | **~ cellulare**: teléfono movil.

telegiornale /teledʒor'nale/ [sm] telediario.

telegramma /tele'gramma/ [sm] telegrama.

telenovela /teleno'bela/ [sf] telenovela.

telepatia /telepa'tia/ [sf] telepatía.

telescopio /teles'kɔpjo/ [sm] telescopio.

teleselezione /teleselet'tsjone/ [sf] servicio telefónico interurbano automático.

telespettatore (-**trice**) /telespetta'tore/ [sm] telespectador (f -a).

televisione /televi'zjone/ [sf] televisión FRAS **~ privata**: cadena privada | **~ via cavo**: televisión vía cable.

tellina /tel'lina/ [sf] telina.

telo /'telo/ [sm] paño, tela (f) FRAS **~ da mare**: toalla.

telone /te'lone/ [sm] lona (f) impermeable.

tema /'tɛma/ [sm] **1** tema **2** (scolastico) composición (f).

temere /te'mere/ [v tr/intr] temer FRAS **non avere nulla da ~**: no tener nada que temer.

tempera /'tɛmpera/ [sf] temple (m).

temperamento /tempera'mento/ [sm] temperamento, carácter*.

temperato /tempe'rato/ [agg] (clima) templado.

temperatura /tempera'tura/ [sf] temperatura FRAS **a ~ ambiente**: del tiempo.

temperino /tempe'rino/ [sm] sacapuntas (inv).

tempesta /tem'pɛsta/ [sf] tempestad FRAS **~ di mare**: temporal.

tempestare /tempes'tare/ [v tr] cubrir.

tempia /'tɛmpja/ [sf] sien.

tempio /'tɛmpjo/ [sm] templo ■ pl irr **templi** (anche pl r **tempi**)

tempo /'tɛmpo/ [sm] **1** tiempo **2** (teatro) acto, parte (f) FRAS **a/in ~**: a/con tiempo | **previsioni del ~**: previsiones del tiempo | **tempi supplementari**: prórroga (fútbol) | **~ pieno**: dedicación exclusiva.

temporale /tempo'rale/ [sm] tormenta (f).

temporaneo /tempo'raneo/ [agg] (lavoro) temporal (m,f).

tenace /te'natʃe/ [agg m,f] tenaz.

tenaglia /te'naʎʎa/ [sf] **1** tenazas (pl) **2** (dentista) gatillo (m).

tenda /'tɛnda/ [sf] **1** cortina **2** (da campeggio) tienda, *Amer* carpa FRAS **levare le tende**: levantar las tiendas | **~ canadese**: tienda canadiense.

tendenza /ten'dɛntsa/ [sf] tendencia.

tendere /'tɛndere/ [v tr/intr] tender.

tendine /'tɛndine/ [sm] tendón.

tenebre /'tɛnebre/ [sf pl] tinieblas.

tenebroso /tene'broso/ [agg] tenebroso.

tenente /te'nɛnte/ [sm] teniente.

tenere /te'nere/ [v tr] tener ♦ [v intr] **1** aguantar **2** interesar, importar • *ci tengo molto al tuo benessere*: me interesa mucho tu bienestar ♦ [v prnl] tenerse FRAS ~ **compagnia**: acompañar.

tenerezza /tene'rettsa/ [sf] FIG ternura.

tenero /'tɛnero/ [agg] tierno.

tennis /'tɛnnis/ [sm inv] tenis.

tennista /ten'nista/ [sm,f] tenista.

tenore /te'nore/ [sm] MUS tenor FRAS ~ **di vita**: tren de vida.

tensione /ten'sjone/ [sf] tensión.

tentacolo /ten'takolo/ [sm] tentáculo.

tentare /ten'tare/ [v tr] **1** intentar **2** FIG tentar • *è un'idea che mi tenta*: es una idea que me tienta.

tentativo /tenta'tivo/ [sm] tentativa (f), intento.

tentazione /tentat'tsjone/ [sf] tentación.

tenuta /te'nuta/ [sf] **1** (proprietà) hacienda **2** ABB traje (m) FRAS ~ **di strada**: estabilidad.

teoria /teo'ria/ [sf] teoría FRAS **in ~**: en teoría.

tepore /te'pore/ [sm] tibieza (f).

teppista /tep'pista/ [sm,f] gamberro (m).

terapia /tera'pia/ [sf] terapia.

tergicristallo /terdʒikris'tallo/ [sm] limpiaparabrisas (inv).

termale /ter'male/ [agg m,f] termal FRAS **stabilimento ~**: termas, balneario.

terme /'tɛrme/ [sf pl] termas.

termico /'tɛrmiko/ [agg] térmico.

terminal /'tɛrminal/ [sm inv] terminal (f sing).

terminare /termi'nare/ [v tr/intr] terminar.

termine /'tɛrmine/ [sm] término FRAS **a breve/lungo ~**: a corto/largo plazo | **portare a ~**: llevar a cabo/efecto.

termometro /ter'mɔmetro/ [sm] termómetro.

termosifone /termosi'fone/ [sm] radiador.

termostato /ter'mɔstato/ [sm] termóstato.

terno /'tɛrno/ [sm] (lotto) terno FRAS **vincere un ~ al lotto**: tocarle/caerle la lotería.

terra /'tɛrra/ [agg inv] bajo (m sing) FRAS **piano ~**: planta baja ♦ [sf] tierra FRAS **avere una gomma a ~**: tener un neumático pinchado | **essere a ~**: estar por los suelos | **~ cotta**: terracota.

terrazzo /ter'rattso/ [sm] **1** GEOG terraza (f) **2** ARCH terrazo.

terremoto /terre'moto/ [sm] (anche FIG) terremoto.

terreno /ter'reno/ [agg/sm] terreno.

terrestre /ter'rɛstre/ [agg m,f] terrestre.

terribile /ter'ribile/ [agg m,f] terrible.

territorio /terri'tɔrio/ [sm] territorio.

terrore /ter'rore/ [sm] terror.

terrorismo /terro'rizmo/ [sm] terrorismo.

terrorista /terro'rista/ [agg m,f/sm,f] terrorista.

terrorizzare /terrorid'dzare/ [v tr] aterrorizar.

terzetto /ter'tsetto/ [sm] MUS terceto.

terziario /ter'tsjarjo/ [agg] terciario.

terzino /ter'tsino/ [sm] (calcio) defensa (m,f) lateral.

teschio /'teskjo/ [sm] calavera (f).

tesi /'tezi/ [sf inv] tesis FRAS **~ di laurea**: tesina de licenciatura.

teso /'teso/ [agg] **1** (in tensione) tenso **2** (steso) estirado FRAS **avere i nervi tesi**: tener los nervios crispados.

tesoro /te'zɔro/ [sm] **1** tesoro **2** FIG FAM (persona) amor, tesoro FRAS **caccia al ~**: juego del tesoro escondido | **ministero del ~**: ministerio de economía y hacienda.

tessera /'tessera/ [sf] **1** (documento) carnet (m) **2** (elettronica, magnetica) tarjeta.

tesserino /tesse'rino/ [sm] **1** (documento) carnet **2** (elettronico, magnetico) tarjeta (f) FRAS **~ dell'autobus**: abono.

tessile /'tessile/ [agg m,f] textil.

tessuto /tes'suto/ [sm] tejido.

test /'test/ [sm inv] **1** (scolastico) test, prueba (f sing) **2** experimento (sing) • **~ nucleare**: experimento nuclear.

testa /'testa/ [sf] (anche FIG) cabeza FRAS **a ~**: por cabeza | **avere mal di ~**: tener dolor de cabeza | **fare di ~ propria**: hacer lo que le da la gana | **perdere la ~**: perder la cabeza.

testamento /testa'mento/ [sm] testamento.

testardo /tes'tardo/ [agg/sm] terco, tozudo.

testata /tes'tata/ [sf] **1** TECN cabeza **2** (giornale) periódico (m).

testicolo /tes'tikolo/ [sm] testículo.

testimone /testi'mɔne/ [sm,f] testigo.

testimonianza /testimo'njantsa/ [sf] **1** GIUR testimonio (m) **2** muestra • **~ di affetto**: muestra de afecto.

testimoniare /testimo'njare/ [v tr] testimoniar ♦ [v intr] testificar.

testo /'testo/ [sm] texto.

testone /tes'tone/ [sm] cabezón (f -a).

tetano /'tetano/ [sm] tétanos (inv).

tetro /'tetro/ [agg] tétrico.

tetta /'tetta/ [sf] FAM teta.

tettarella /tetta'rella/ [sf] (poppatoio) tetilla.

tetto /'tetto/ [sm] techo.

tettoia /tet'toja/ [sf] cobertizo (m).

thermos /'termos/ [sm inv] termo (sing).

ti /ti/ [pron m,f sing] te.

tibia /'tibja/ [sf] tibia.

tic /'tik/ [sm] tic*.

tiepido /'tjepido/ [agg] tibio.

tifare /ti'fare/ [v intr] FAM ser forofo de.

tifo /'tifo/ [sm] **1** MED tifus (inv) **2** FAM SPORT afición (f).

tifoso /ti'foso/ [agg/sm] FAM SPORT hincha (m,f), forofo.

tiglio /'tiʎʎo/ [sm] tilo.

tigre /'tigre/ [sf] tigre (f -esa).

timbrare /tim'brare/ [v tr] sellar FRAS **~ il cartellino**: fichar | **~ il biglietto**: picar el billete.

timbro /'timbro/ [sm] timbre.

timidezza /timi'dettsa/ [sf] timidez.

timido /'timido/ [agg/sm] tímido.

timo /'timo/ [sm] tomillo.

timone /ti'mone/ [sm] timón.

timore /ti'more/ [sm] **1** (paura) temor, miedo **2** (preoccupazione) aprensión (f), preocupación (f).

timpano /'timpano/ [sm] tímpano.

tinca /'tinka/ [sf] tenca.

tingere (-rsi) /'tindʒere/ [v tr/intr prnl] teñir (-se).

tinta /'tinta/ [sf] **1** pintura **2** color (m), tinte (m) • *una bella ~*: un hermoso color FRAS **in ~**: a juego | **in ~ unita**: de un solo color.

tintoria /tinto'ria/ [sf] tintorería, tinte (m).

tintura /tin'tura/ [sf] **1** (azione) teñido (m) **2** (prodotto per tingere) tinte (m) FRAS **~ di iodio**: tintura de yodo.

tipico /'tipiko/ [agg] típico.

tipo /'tipo/ [sm] tipo.

tipografia /tipogra'fia/ [sf] tipografía, imprenta.

tip tap /tip'tap/ [sm inv] claqué (sing).

tir /'tir/ [sm inv] camión (sing) con remolque.

tiranno /ti'ranno/ [sm] tirano.

tirare /ti'rare/ [v tr] tirar ♦ [v intr] **1** tirar **2** (vento) soplar, correr FRAS **~ fuori**: sacar | **~ il fiato**: echar un suspiro de alivio.

tirchio /'tirkjo/ [agg/sm] FAM tacaño.

tiro /'tiro/ [sm] **1** tiro **2** FIG POP (sigaretta) calada (f) FRAS **~ al piattello**: tiro al plato.

tirocinio /tiro'tʃinjo/ [sm] práctica (f).

tirrenico /tir'reniko/ [agg] tirreno.

tisana /ti'zana/ [sf] tisana, pócima.

titolare /tito'lare/ [sm,f] propietario (m).

titolo /'titolo/ [sm] título FRAS **titoli di stato**: títulos públicos | **~ di studio**: título de estudio.

titubante /titu'bante/ [agg m,f] titubeante FRAS **essere ~**: titubear.

tivù /ti'vu*/ [sf inv] FAM tele (sing).

tizio /'tittsjo/ [sm] tío.

to' /'tɔ/ [inter] FAM **1** (tieni) toma **2** (meraviglia, stupore) ¡mira!, ¡vaya!

toast /'tɔst/ [sm inv] bikini (sing).

toccare (-rsi) /tok'kare/ [v tr prnl/intr] tocar (-se) FRAS **~ con mano**: tocar con mano | **~ ferro**: tocar madera.

tocco /'tokko/ [sm] **1** toque **2** MUS ejecución (f).

toga /'tɔga/ [sf] toga.

togliere (-rsi) /'tɔʎʎere/ [v tr prnl] quitar (-se) FRAS **~ dai guai**: sacar de apuros | **~ di mezzo**: quitar de en medio | **togliersi un dente**: sacarse una muela.

toilette /twa'lɛt/ [sf inv] lavabo (m sing), aseo (m sing), servicio (m sing).

tolleranza /tolle'rantsa/ [sf] tolerancia.

tollerare /tolle'rare/ [v tr] tolerar.

tomba /'tomba/ [sf] tumba.

tombola /'tombola/ [sf] bingo.

tonaca /'tɔnaka/ [sf] túnica.

tondo /'tondo/ [agg] redondo FRAS **chiaro e ~**: sin rodeos | **cifra tonda**: cifra redonda.

tonico /'tɔniko/ [agg/sm] tónico FRAS **acqua tonica**: tónica.

tonnara /ton'nara/ [sf] almadraba.

tonno /'tonno/ [sm] atún.

tono /'tɔno/ [sm] tono.

tonsilla /ton'silla/ [sf] amígdala.

tonsillite /tonsil'lite/ [sf] amigdalitis (inv).

topazio /to'pattsjo/ [sm] topacio.

topo /'tɔpo/ [sm] ratón.

toppa /'tɔppa/ [sf] (serratura) ojo (m).

torace /to'ratʃe/ [sm] tórax (inv).

torbido /'torbido/ [agg] turbio.

torchio /'tɔrkjo/ [sm] **1** prensa (f) **2** (olive) lagar.

torcia /'tɔrtʃa/ [sf] antorcha FRAS ~ eletRICA: linterna.

torcicollo /tortʃi'kɔllo/ [sm] tortícolis (inv).

tordo /'tordo/ [sm] tordo, zorzal.

torinese /tori'nese/ [agg m,f/sm,f] turinés (f -a).

Torino /to'rino/ [sf] Turín.

tormenta /tor'menta/ [sf] ventisca.

tormentare /tormen'tare/ [v tr] atormentar.

tormento /tor'mento/ [sm] FIG tormento.

tornante /tor'nante/ [sm] curva (f) cerrada.

tornare /tor'nare/ [v intr] **1** volver, regresar • ~ a casa: regresar a casa **2** resultar, salir • il conto torna: la cuenta sale.

torneo /tor'nɛo/ [sm] torneo.

toro /'tɔro/ [sm] **1** toro **2** (astronomia astrologia) Tauro.

torre /'torre/ [sf] torre.

torrefazione /torrefat'tsjone/ [sf] (negozio) tostadero (m).

torrente /tor'rɛnte/ [sm] torrente.

torrido /'torrido/ [agg] tórrido, abrasador (f -a).

torrone /tor'rone/ [sm] turrón.

torsolo /'torsolo/ [sm] corazón.

torta /'torta/ [sf] CUC tarta, pastel (m), Amer torta FRAS ~ salata: pastel.

tortellini /tortel'lini/ [sm pl] tipo de ravioles.

tortiera /tor'tjɛra/ [sf] tortera, molde (m).

torto /'tɔrto/ [sm] injusticia (f), agravio FRAS **avere** ~: estar equivocado | **fare un** ~: cometer una injusticia.

tortuoso /tortu'oso/ [agg] tortuoso.

tortura /tor'tura/ [sf] (anche FIG) tortura, tormento (m).

torturare (-rsi) /tortu'rare/ [v tr prnl] (anche FIG) torturar (-se).

tosare /to'zare/ [v tr] (animali) trasquilar.

toscano /tos'kano/ [agg/sm] toscano. ◆ [sm] (sigaro) puro.

tosse /'tosse/ [sf] tos.

tossico /'tɔssiko/ [agg] tóxico.

tossicodipendente /tossikodipen'dɛnte/ [agg m,f/sm,f] toxicómano (m).

tossire /tos'sire/ [v intr] toser.

tostapane /tosta'pane/ [sm inv] tostador (sing).

tostare /tos'tare/ [v tr] tostar.

totale /to'tale/ [agg m,f/sm] total.

totocalcio /toto'kaltʃo/ [sm] quiniela (f).

tovaglia /to'vaʎʎa/ [sf] mantel (m).

tovagliolo /tovaʎ'ʎɔlo/ [sm] servilleta (f).

tra /tra*/ [prep] **1** (stato in luogo, moto in luogo, moto attraverso luogo, moto a luogo, relazione) entre • ~ edificio ed edificio ci sono molti alberi: entre edificio y edificio hay muchos árboles | è scomparso ~ la folla: desapareció entre la multitud | ~ Napoli e Milano c'è una bella distanza: entre Nápoles y Milán hay una buena distancia | era indecisa ~ la gonna e i pantaloni: estaba indecisa entre la falda y el pantalón **2** (tempo) dentro de, en • *arriverà ~ due giorni*: llegará dentro de dos días **3** (attraverso) a través • *il sole passava ~ le persiane*: el sol pasaba a través de las persianas **4** (distanza) a • *~ due chilometri c'è un telefono*: a dos kilómetros hay un teléfono FRAS **mettere il bastone ~ le ruote**: poner trabas | **~ i piedi**: en medio | **~ l'altro**: además.

traboccare /trabok'kare/ [v intr] rebosar.

traccia /'trattʃa/ [sf] huella.

tracciare /trat'tʃare/ [v tr] trazar.

trachea /tra'kɛa/ [sf] tráquea.

tracolla /tra'kɔlla/ [sf] (borsa) bandolera.

tradimento /tradi'mento/ [sm] traición (f).

tradire (-rsi) /tra'dire/ [v tr prnl] traicionar (-se).

traditore (-trice) /tradi'tore/ [agg/sm] traidor (f -a).

tradizionale /tradittsjo'nale/ [agg m,f] tradicional.

tradizione /tradit'tsjone/ [sf] tradición.

tradurre /tra'durre/ [v tr] traducir.

traduzione /tradut'tsjone/ [sf] traducción.

trafficante /traffi'kante/ [sm,f] SPREG **traficante**.

trafficare /traffi'kare/ [v intr] SPREG traficar.

traffico /'traffiko/ [sm] tráfico.

traforo /tra'foro/ [sm] (galleria) túnel.

tragedia /tra'dʒɛdja/ [sf] tragedia.

traghetto /tra'getto/ [sm] transbordador, ferry* (inv).

tragico /'tradʒiko/ [agg] trágico.

tragitto /tra'dʒitto/ [sm] trayecto.

traguardo /tra'gwardo/ [sm] meta (f).

trainare /trai'nare/ [v tr] remolcar.

traino /'traino/ [sm] (veicolo) remolque.

tram /'tram/ [sm inv] tranvía (sing).

trama /'trama/ [sf] trama.

tramezzino /tramed'dzino/ [sm] sándwich*.

tramite /'tramite/ [sm] FIG vía (f), medio.

tramontana /tramon'tana/ [sf] tramontana.

tramontare /tramon'tare/ [v intr] ponerse.

tramonto /tra'monto/ [sm] (anche FIG) ocaso.

trampolino /trampo'lino/ [sm] trampolín.

trancio /'trantʃo/ [sm] pedazo.

tranello /tra'nɛllo/ [sm] trampa (f) FRAS **tendere un ~**: tender/poner una trampa.

tranne /'tranne/ [prep] excepto, salvo.

tranquillante /trankwil'lante/ [agg m,f/sm] tranquilizante, calmante.

tranquillità /trankwilli'ta*/ [sf inv] tranquilidad (sing).

tranquillizzare (-rsi) /trankwillid'dzare/ [v tr/intr prnl] tranquilizar (-se).

tranquillo /tran'kwillo/ [agg] tranquilo.

transalpino /transal'pino/ [agg] transalpino.

transatlantico /transa'tlantiko/ [sm] transatlántico.

transenna /tran'sɛnna/ [sf] (barriera smontabile) barrera de contención.

transessuale /transessu'ale/ [agg m,f/sm,f] transexual.

transitabile /transi'tabile/ [agg m,f] transitable.

transito /'transito/ [sm] tránsito FRAS **divieto di ~**: prohibida la circulación.

trapano /'trapano/ [sm] **1** TECN taladro **2** MED trépano.

trapasso /tra'passo/ [sm] GIUR traspaso FRAS **~ di proprietà**: traspaso de propiedad.

trapianto /tra'pjanto/ [sm] trasplante.

trappola /'trappola/ [sf] trampa.

trapunta /tra'punta/ [sf] edredón (m).

trarre /'trarre/ [v tr] **1** llevar **2** FIG sacar, liberar • **~ d'impaccio**: sacar de un apuro.

trasandato /trazan'dato/ [agg] descuidado.

trasbordare /trazbor'dare/ [v tr/intr] transbordar.

trascinare (-**rsi**) /traʃʃi'nare/ [v tr prnl/intr prnl] arrastrar (-se).

trascorrere /tras'korrere/ [v tr/intr] transcurrir, pasar.

trascurare (-**rsi**) /trasku'rare/ [v tr prnl] descuidar (-se).

trascurato /trasku'rato/ [agg] descuidado.

trasferibile /trasfe'ribile/ [agg m,f] transferible FRAS **assegno ~**: cheque al portador | **assegno non ~**: cheque cruzado.

trasferimento /trasferi'mento/ [sm] traslado.

trasferire (-**rse**) /trasfe'rire/ [v tr/intr prnl] trasladar (-se).

trasferta /tras'fɛrta/ [sf] **1** viaje (m) de trabajo **2** SPORT fuera de su campo FRAS **indennità di ~**: dieta.

trasformare (-**rsi**) /trasfor'mare/ [v tr/intr prnl] transformar (-se).

trasformatore /trasforma'tore/ [sm] transformador.

trasformazione /trasformat'tsjone/ [sf] transformación.

trasfusione /trasfu'zjone/ [sf] transfusión.

trasgredire /trazgre'dire/ [v tr/intr] transgredir.

traslocare /trazlo'kare/ [v tr] trasladar.

trasloco /traz'lɔko/ [sm] mudanza (f), traslado.

trasmettere /traz'mettere/ [v tr] transmitir.

trasmissione /trazmis'sjone/ [sf] **1** transmisión **2** (radio, TV) programa (m).

trasparente /traspa'rɛnte/ [agg m,f] transparente.

traspirare /traspi'rare/ [v intr] transpirar.

trasportare /traspor'tare/ [v tr] transportar.

trasporto /tras'pɔrto/ [sm] **1** transporte **2** FIG entusiasmo, pasión (f) FRAS **ministero dei trasporti e telecomunicazioni**: ministerio de transportes, turismo y comunicaciones | **trasporti pubblici**: transportes públicos.

trasversale /trazver'sale/ [agg m,f/sf] transversal.

trattabile /trat'tabile/ [agg m,f] tratable.

trattamento /tratta'mento/ [sm] tratamiento.

trattare /trat'tare/ [v tr/intr] tratar FRAS **di che si tratta?**: ¿de qué se trata?

trattativa /tratta'tiva/ [sf] negociación, *Amer* tratativa.

trattato /trat'tato/ [sm] tratado.

trattenere (-**rsi**) /tratte'nere/ [v tr prnl] retener (-se).

tratto /'tratto/ [sm] **1** trazo, rasgo, línea (f) **2** trecho, tramo • *un ~ di strada*: un trecho de camino FRAS **d'un/tutt'a un ~**: de repente/golpe y porrazo.

trattore /trat'tore/ [sm] tractor.

trattoria /tratto'ria/ [sf] mesón (m).

trauma /'trauma/ [sm] trauma.

traumatologico /traumato'lɔdʒiko/ [agg] traumatológico.

trave /'trave/ [sf] viga.

traversa /tra'vɛrsa/ [sf] (strada) travesía.

traversata /traver'sata/ [sf] travesía.

traverso /tra'vɛrso/ [agg] transversal (m,f), travesero.

travestimento /travesti'mento/ [sm] disfraz.

travestire (-**rsi**) /traves'tire/ [v tr prnl] disfrazar (-se).

travolgente /travol'dʒente/ [agg m,f] arrollador (f -a) FRAS **bellezza ~**: belleza cautivadora.

travolgere /tra'vɔldʒere/ [v tr] arrollar.

trazione /trat'tsjone/ [sf] tracción FRAS **~ anteriore/posteriore**: tracción anterior/posterior.

treccia /'trettʃa/ [sf] **1** trenza **2** CUC trenza (de pan).

trecento /tre'tʃento/ [sm inv] (secolo) siglo XIV.

tredicenne /tredi'tʃenne/ [agg m,f/ sm,f] de trece años.

tredicesima /tredi'tʃɛzima/ [sf] paga extra.

tregua /'tregwa/ [sf] tregua.

trekking /'trekkiŋ/ [sm inv] senderismo (sing).

tremare /tre'mare/ [v intr] temblar.

tremendo /tre'mɛndo/ [agg] tremendo.

treno /'trɛno/ [sm] tren FRAS **~ navetta**: tren que transporta coches.

trentenne /tren'tenne/ [agg m,f/ sm,f] treintañero (m).

trentina /tren'tina/ [sf] **1** (età) los treinta **2** (approssimazione) unos treinta.

trentino /tren'tino/ [agg/sm] tridentino.

triangolo /tri'angolo/ [sm] triángulo.

tribù /tri'bu*/ [sf inv] tribu (sing).

tribuna /tri'buna/ [sf] tribuna.

tribunale /tribu'nale/ [sm] tribunal, *Amer* corte (f).

tributo /tri'buto/ [sm] tributo.

tricheco /tri'kɛko/ [sm] morsa (f).

triciclo /tri'tʃiklo/ [sm] triciclo.

tricolore /triko'lore/ [agg m,f] tricolor.

trielina /trie'lina/ [sf] tricloroetileno (m).

triennale /trien'nale/ [sf] exposición trienal.

triestino /tries'tino/ [agg/sm] triestino.

triglia /'triʎʎa/ [sf] salmonete (m).

trimestre /tri'mestre/ [sm] trimestre.

trincea /trin'tʃea/ [sf] trinchera.

trinità /trini'ta*/ [sf inv] trinidad (sing).

trio /'trio/ [sm] trío.

trionfare /trion'fare/ [v intr] (anche FIG) triunfar.

trionfo /tri'onfo/ [sm] triunfo.

triplicare (-rsi) /tripli'kare/ [v tr/intr prnl] triplicar (-se).

triplo /'triplo/ [agg/sm] triple (m,f).

trippa /'trippa/ [sf] CUC callos (m pl), *Amer* mondongo (m).

triste /'triste/ [agg m,f] triste.

tristezza /tris'tettsa/ [sf] tristeza.

tritare /tri'tare/ [v tr] picar.

trito /'trito/ [agg] picado • *carne trita*: carne picada ◆ [sm] CUC picadillo.

trittico /'trittiko/ [sm] tríptico.

triviale /tri'vjale/ [agg m,f] corriente.

trofeo /tro'feo/ [sm] trofeo.

tromba /'tromba/ [sf] 1 MUS trompeta 2 METEO tromba.

trombone /trom'bone/ [sm] trombón.

troncare /tron'kare/ [v tr] 1 tronchar 2 FIG cortar • *~ una discussione*: cortar una discusión.

tronco /'tronko/ [sm] tronco.

trono /'trɔno/ [sm] trono.

tropicale /tropi'kale/ [agg m,f] tropical.

tropico /'trɔpiko/ [sm] trópico.

troppo /'trɔppo/ [agg] demasiado ◆ [avv] 1 demasiado • *mangia ~*: come demasiado 2 (con altri avverbi) tan, muy • *non fare ~ tardi*: no llegues tan tarde FRAS **non ~**: no muy | **~ poco**: muy poco ◆ [pron] 1 (al pl) demasiados, demasiada gente • *troppi lo sanno*: demasiados lo saben 2 demasiado, mucho • *io*

ho bevuto poco vino e tu ~: yo he tomado poco vino y tú demasiado ◆ [sm] exceso.

trota /'trɔta/ [sf] trucha FRAS **~ salmonata**: trucha asalmonada.

trottare /trot'tare/ [v intr] trotar.

trotto /'trɔtto/ [sm] trote FRAS **corse al ~**: carreras de trote.

trottola /'trɔttola/ [sf] trompo (m), peonza.

trovare (-rsi) /tro'vare/ [v tr prnl/intr prnl] encontrar (-se) FRAS **andare a ~ qualcuno**: ir a ver a alguien.

trovata /tro'vata/ [sf] 1 expediente (m), salida 2 idea genial.

truccare /truk'kare/ [v tr] 1 falsificar, alterar 2 (cosmesi) maquillar, pintar ◆ [v prnl] (cosmesi) maquillarse, pintarse.

trucco /'trukko/ [sm] 1 (cosmesi) maquillaje 2 (anche magia) truco.

truffa /'truffa/ [sf] 1 GIUR estafa, fraude (m) 2 (imbroglio) timo (m).

truffare /truf'fare/ [v tr] (imbrogliare) estafar.

truppa /'truppa/ [sf] tropa.

tu /tu*/ [pron m,f/sm] tú FRAS **dare del ~**: tutear | **parlare a ~ per ~**: hablar cara a cara.

tuba /'tuba/ [sf] 1 MUS tuba 2 ANAT trompa.

tubatura /tuba'tura/ [sf] tubería, cañería.

tubercolosi /tuberko'lɔzi/ [sf inv] tuberculosis.

tubero /'tubero/ [sm] tubérculo.

tubetto /tu'betto/ [sm] tubo.

tubo /'tubo/ [sm] tubo FRAS **gonna a ~**: falda ceñida | **non capire un ~**: no entender ni jota | **~ di scappamento**: tubo de escape.

tucano /tu'kano/ [sm] tucán.

tuffarsi /tuf'farsi/ [v prnl] (anche FIG) zambullirse.

tuffo /'tuffo/ [sm] **1** zambullida (f) **2** SPORT salto del trampolín.

tumefazione /tumefat'tsjone/ [sf] tumefacción.

tumore /tu'more/ [sm] tumor FRAS ~ maligno/benigno: tumor maligno/benigno.

tunica /'tunika/ [sf] túnica.

tunnel /'tunnel/ [sm inv] túnel (sing).

tuo /'tuo/ [agg] tu (m,f) ♦ [pron] tuyo ● *il mio cappotto è come il ~*: mi abrigo es igual al tuyo ■ pl irr **tuoi** FRAS **i tuoi**: tus padres, los tuyos.

tuono /'twono/ [sm] trueno.

tuorlo /'tworlo/ [sm] yema (f).

turare /tu'rare/ [v tr] taponar ♦ [v intr prnl] atascarse ● *si è turato il tubo di scarico*: se ha atascado el desagüe.

turbare (-rsi) /tur'bare/ [v tr/intr prnl] turbar (-se).

turbodiesel /turbo'dizel/ [agg inv/sm inv] turbodiesel.

turbolento /turbo'lento/ [agg] turbulento.

turchese /tur'kese/ [agg m,f/sm] turquesa (f).

turismo /tu'rizmo/ [sm] turismo.

turista /tu'rista/ [sm,f] turista.

turistico /tu'ristiko/ [agg] turístico FRAS **accompagnatore ~**: acompañante turístico | **agenzia turistica**: agencia turística | **classe turistica**: clase turista | **operatore ~**: tour operador.

turno /'turno/ [sm] turno FRAS **essere di ~**: estar de turno | **farmacia di ~**: farmacia de guardia.

tuta /'tuta/ [sf] mono (m) FRAS ~ **sportiva/da ginnastica**: chándal | ~ **subacquea**: traje isotérmico.

tutelare /tute'lare/ [v tr] tutelar ♦ [v prnl] cautelarse.

tutore (-trice) /tu'tore/ [sm] tutor (f -a).

tuttavia /tutta'via/ [cong] sin embargo.

tutto /'tutto/ [agg/avv/pron] todo FRAS **a tutti i costi**: a toda costa | **fare di ~**: hacer de todo | **tutt'al più**: como mucho | **tutte le direzioni**: todas las direcciones | **tutti e due**: ambos | ~ **compreso**: todo incluido ♦ [sm inv] todo (sing) FRAS **fare il ~ esaurito**: estar agotado/completo.

tv /'tiv'vu•/ [agg inv/sf inv] ABBR tele (sing).

Uu

ubbidienza /ubbi'djentsa/ [sf] obediencia.

ubbidire /ubbi'dire/ [v tr/intr] obedecer.

ubriacare /ubria'kare/ [v tr] emborrachar, embriagar ♦ [v intr prnl] **1** emborracharse **2** FIG embriagarse.

ubriaco /ubri'ako/ [agg/sm] **1** borracho, bebido **2** FIG aturdido, mareado FRAS **~ fradicio**: borracho como una cuba/mona.

uccello /ut't∫ɛllo/ [sm] pájaro, ave (f) FRAS **~ del malaugurio**: pájaro de mal agüero.

uccidere (**-rsi**) /ut't∫idere/ [v tr prnl] matar (-se).

udienza /u'djentsa/ [sf] audiencia.

udire /u'dire/ [v tr] oír.

udito /u'dito/ [sm] oído.

uff /'uf/ [inter] ¡uf!

ufficiale /uffi't∫ale/ [agg m,f] oficial ♦ [sm] **1** (militare) oficial **2** (burocratico) funcionario FRAS **pubblico ~**: funcionario público | **~ giudiziario**: ujier.

ufficio /uf'fit∫o/ [sm] **1** (luogo) oficina (f), despacho **2** (carica) cargo FRAS **~ di collocamento**: oficina de empleo | **~ informazioni**: oficina de información | **~ del turismo**: oficina de turismo | **~ postale**: oficina de correos.

uguaglianza /ugwaʎ'ʎantsa/ [sf] **1** (identità) igualdad **2** (parità) paridad, correspondencia.

uguagliare /ugwaʎ'ʎare/ [v tr] **1** (anche SPORT) igualar **2** (pareggiare) nivelar.

uguale /u'gwale/ [agg m,f] igual.

ulcera /'ult∫era/ [sf] úlcera.

ulteriore /ulte'rjore/ [agg m,f] sucesivo (m) FRAS **per ulteriori informazioni**: para mayor información.

ultimare /ulti'mare/ [v tr] concluir, ultimar.

ultimo /'ultimo/ [agg/sm] último FRAS **all'ultima moda**: a la última | **all'~ momento**: a última hora | **da/in ~**: por último | **fino all'~**: hasta el final.

ultrasuono /ultra'swɔno/ [sm] ultrasonido.

ultravioletto /ultravio'letto/ [agg/sm] ultravioleta (m,f) FRAS **raggi ultravioletti**: rayos ultravioletas.

umanità /umani'ta*/ [sf inv] humanidad (sing).

umanitario /umani'tarjo/ [agg] humanitario.

umano /u'mano/ [agg] **1** (anche FIG) humano **2** (benevolo) bondadoso, comprensivo.

Umbria /'umbria/ [sf] Umbría.

umbro /'umbro/ [agg/sm] umbro.

umidità /umidi'ta*/ [sf inv] humedad (sing).

umido /'umido/ [agg] **1** mojado **2** (clima) húmedo.

umile /'umile/ [agg m,f] humilde.

umiliare (**-rsi**) /umi'ljare/ [v tr prnl] humillar (-se).

umiliazione /umiljat'tsjone/ [sf] humillación, bochorno (m).

umiltà /umil'ta*/ [sf inv] humildad (sing).

umore /u'more/ [sm] humor FRAS **essere di buon/mal ~**: estar de buen/mal humor.

umorismo /umo'rizmo/ [sm] humorismo FRAS **avere il senso dell'~**: tener el sentido del humor.

un /un/ [art indet m sing] un.

una /'una/ [art indet f sing] una, un • *un' aquila*: un águila | **~ mela**: una manzana ◆ [sf] una.

unanimità /unanimi'ta*/ [sf inv] unanimidad (sing) FRAS **all'~**: por unanimidad.

uncinetto /untʃi'netto/ [sm] ganchillo FRAS **lavorare all'~**: hacer ganchillo.

uncino /un'tʃino/ [sm] garfio.

undicenne /undi'tʃenne/ [agg m,f/ sm,f] de once años, onceañero.

ungere /'undʒere/ [v tr] **1** untar **2** (lubrificare) engrasar, lubricar ◆ [v prnl] untarse.

unghia /'ungja/ [sf] **1** uña **2** (felini) garra, zarpa FRAS **smalto per unghie**: esmalte/laca de uñas | **~ incarnata**: uñero.

unico /'uniko/ [agg/sm] único FRAS **atto ~**: paso.

unificare (-rsi) /unifi'kare/ [v tr prnl] unificar (-se).

uniformare /unifor'mare/ [v tr] **1** uniformar **2** (adeguare) adecuar, ajustar ◆ [v prnl] (conformarsi) ajustarse, conformarse ◆ [v intr prnl] uniformarse.

uniforme /uni'forme/ [agg m,f/sf] uniforme.

unilaterale /unilate'rale/ [agg m,f] unilateral.

unione /u'njone/ [sf] **1** (coesione) unión **2** FIG (armonia) armonía, concordancia FRAS **~ monetaria**: unión monetaria.

unire (-rsi) /u'nire/ [v tr prnl/intr prnl] unir (-se).

unità /uni'ta*/ [sf inv] unidad (sing) FRAS **~ sanitaria locale**: sección local de sanidad civil.

unitario /uni'tarjo/ [agg/sm] unitario.

unito /u'nito/ [agg] unido, solidario FRAS **tinta unita**: liso, de un solo color.

universale /univer'sale/ [agg m,f] universal FRAS **donatore ~**: donador universal | **gruppo sanguigno ~**: grupo sanguíneo universal.

università /universi'ta*/ [sf inv] universidad (sing).

universitario /universi'tarjo/ [agg/ sm] universitario.

universo /uni'verso/ [sm] universo.

uno /'uno/ [art indet m sing] un • [pron/sm] uno FRAS **a ~ a ~**: uno a uno | **l'un l'altro**: uno a otro | **~ dietro l'altro**: uno tras otro.

unto /'unto/ [agg] grasiento ◆ [sm] unto.

uomo /'wɔmo/ [sm] hombre ▪ pl irr **uomini** FRAS **andare a passo d'~**: andar muy lentamente | **da ~**: de caballero | **~ d'affari**: hombre de negocios.

uovo /'wɔvo/ [sm] huevo ▪ pl irr **uova** FRAS **bianco/chiara d'~**: clara de huevo | **pasta all'~**: pasta al huevo | **rosso d'~**: yema.

uragano /ura'gano/ [sm] huracán.

uranio /u'ranjo/ [sm] uranio.

Urano /u'rano/ [sm] (astrologia, astronomia) Urano.

urbanistico /urba'nistiko/ [agg] urbanístico, urbanista (m,f).

urbano /ur'bano/ [agg] urbano, municipal (m,f) FRAS **centro ~**: centro urbano | **collegamento ~**: conexión urbana | **nettezza urbana**: limpieza de las calles.

urgente /ur'dʒɛnte/ [agg m,f] urgente, apremiante.

urgenza /ur'dʒɛntsa/ [sf] urgencia.

urina /u'rina/ [sf] orina.

urlare /ur'lare/ [v intr/tr] gritar FRAS **~ a squarciagola**: desgañitarse.

urlo /'urlo/ [sm] grito.

urna /'urna/ [sf] (anche politico) urna.

urtare /ur'tare/ [v tr] **1** chocar, golpear **2** FIG (irritare) irritar, crispar ♦ [v intr/prnl] chocar ♦ [v intr prnl] irritarse FRAS **~ i nervi**: crispar los nervios.

urto /'urto/ [sm] choque.

uruguaiano /urugwa'jano/ [agg/sm] uruguayo.

usanza /u'zantsa/ [sf] **1** uso (m), costumbre **2** (moda) moda.

usare /u'zare/ [v tr] **1** usar, utilizar **2** (esercitare) ejercer ♦ [v intr] estar de moda, llevarse ♦ [v imp] estilarse, usarse ● *da queste parti si usa così*: aquí se estila así FRAS **usa e getta**: de usar y tirar, desechable.

usato /u'zato/ [agg] **1** usado, gastado **2** (di seconda mano) de segunda mano ♦ [sm] ocasión (f) FRAS **mercato dell'~**: mercado de viejo, rastro.

uscio /'uʃʃo/ [sm] puerta (f).

uscire /uʃ'ʃire/ [v intr] **1** (anche prodotto commerciale) salir **2** (pubblicazione) publicarse **3** (provenire) proceder FRAS **~ a fare compere**: salir de compras | **~ di strada**: descarriar.

uscita /uʃ'ʃita/ [sf] **1** salida **2** (denaro) gasto (m), egreso (m) **3** FIG (scappatoia) escapatoria, salida FRAS **non avere via d'~**: estar en un callejón sin salida | **strada senza ~**: callejón sin salida | **~ di sicurezza**: salida de emergencia.

usignolo /uziɲ'ɲɔlo/ [sm] ruiseñor, roncal.

uso /'uzo/ [sm] uso FRAS **fuori ~**: fuera de uso | **istruzioni per l'~**: instrucciones para el uso | **solo per ~ interno/esterno**: sólo para uso interno/externo.

ustione /us'tjone/ [sf] quemadura.

usuale /uzu'ale/ [agg m,f] usual, corriente.

usura /u'zura/ [sf] **1** (prestito) usura **2** (deterioramento) desgaste (m).

usuraio /uzu'rajo/ [sm] usurero.

utensile /u'tɛnsile/ [sm] utensilio, útil FRAS **utensili da cucina**: enseres.

utente /u'tɛnte/ [sm,f] usuario (m).

utero /'utero/ [sm] útero.

utile /'utile/ [agg m,f] útil FRAS **posso esserle ~?**: ¿puedo ayudarle en algo? ♦ [sm] **1** utilidad (f), provecho **2** (economico) ganancia (f), beneficio FRAS **~ lordo/netto**: beneficio bruto/neto.

utilità /utili'ta/ [sf inv] utilidad (sing).

utilizzare /utilid'dzare/ [v tr] utilizar, usar.

uva /'uva/ [sf] uva FRAS **~ bianca**: uva blanca | **~ passa**: pasa | **~ spina**: uva espina | **~ sultanina**: pasa de Corinto.

Vv

vacanza /va'kantsa/ [sf] (ferie) vacaciones (pl) FRAS **andare/essere in ~**: ir/estar de vacaciones | **vacanze estive/natalizie/pasquali**: vacaciones de verano/de navidades/de pascua.

vacca /'vakka/ [sf] vaca.

vaccinare /vattʃi'nare/ [v tr] vacunar.

vaccinazione /vattʃinat'tsjone/ [sf] vacunación.

vaccino /vat'tʃino/ [sm] MED vacuna (f).

vaffanculo /vaffan'kulo/ [inter] VOLG ¡vete a tomar por el culo!

vagabondo /vaga'bondo/ [sm] **1** vagabundo, *Amer* linyera **2** FIG (fannullone) zascandil (f -a), haragán (f -a).

vagare /va'gare/ [v intr] vagar.

vagina /va'dʒina/ [sf] vagina.

vaginale /vadʒi'nale/ [agg m,f] vaginal.

vaglia /'vaʎʎa/ [sm inv] giro (sing), vale (sing) FRAS **ricevere/spedire un ~**: recibir/enviar un giro postal | **~ postale**: giro postal.

vago /'vago/ [agg] vago ◆ [sm] vaguedad (f) FRAS **rimanere/tenersi nel ~**: no quedar en nada.

vagone /va'gone/ [sm] vagón FRAS **~ letto**: coche cama | **~ merci**: vagón de carga | **~ ristorante**: coche/vagón restaurante.

valanga /va'langa/ [sf] (anche FIG) alud (m), avalancha.

valdostano /valdos'tano/ [agg/sm] habitante (m,f) de Val d'Aosta.

Valenza /va'lentsa/ [sf] Valencia.

valenzano /valen'tsano/ [agg/sm] valenciano.

valere /va'lere/ [v intr/tr] valer FRAS **farsi ~**: imponerse | **l'uno vale l'altro**: el uno y el otro son lo mismo | **non ~ niente**: ser poquita cosa | **vale/non vale la pena**: (no) merece/vale la pena.

valeriana /vale'rjana/ [sf] valeriana.

valicare /vali'kare/ [v tr] atravesar un paso, pasar un puerto.

valico /'valiko/ [sm] paso, puerto.

validità /validi'ta*/ [sf inv] **1** validez (sing) **2** (durata) vigencia (sing).

valido /'valido/ [agg] **1** GIUR válido, valedero **2** eficaz (m,f), eficiente (m,f).

valigeria /validʒe'ria/ [sf] (negozio) tienda de articulos de viaje, *Amer* valijería.

valigia /va'lidʒa/ [sf] maleta, *Amer* valija FRAS **fare le valigie**: hacer el equipaje, *Amer* empacar.

vallata /val'lata/ [sf] valle (m), vega, hoya.

valle /'valle/ [sf] valle (m) FRAS **~ da pesca**: estanque de pesca | **~ fluviale**: valle fluvial | **~ glaciale**: valle glaciar.

valore /va'lore/ [sm] valor FRAS **campione senza ~**: muestra sin valor | **di grande ~**: muy valioso.

valoroso /valo'roso/ [agg/sm] valiente (m,f).

valuta /va'luta/ [sf] divisa FRAS ~ **debole/forte**: divisa débil/fuerte.

valutare /valu'tare/ [v tr] **1** COMM valorar, valuar **2** FIG (analizzare) valorar.

valutario /valu'tarjo/ [agg] monetario.

valutazione /valutat'tsjone/ [sf] COMM valoración, evaluación.

valvola /'valvola/ [sf] válvula FRAS ~ **di sicurezza**: válvula de seguridad | **valvole dell'auto**: válvulas del coche.

valzer /'valtser/ [sm inv] vals, *Amer* valse (sing).

vampata /vam'pata/ [sf] **1** llamarada **2** (rossore) rubor (m).

vandalo /'vandalo/ [sm] vándalo.

vanga /'vanga/ [sf] pico (m), zapapico (m).

vangelo /van'dʒelo/ [sm] (anche FIG) evangelio.

vaniglia /va'niʎʎa/ [sf] vainilla.

vanità /vani'ta*/ [sf inv] vanidad (sing).

vanitoso /vani'toso/ [agg/sm] vanidoso, presumido.

vano /'vano/ [agg] FIG vano ◆ [sm] **1** (finestra) vano **2** (stanza) cuarto, ambiente FRAS ~ **portabagagli**: maletero.

vantaggio /van'taddʒo/ [sm] **1** (anche SPORT) ventaja (f) **2** FIG (miglioramento) beneficio FRAS **trarre ~**: sacar partido.

vantaggioso /vantad'dʒoso/ [agg] ventajoso, provechoso.

vantarsi /van'tarsi/ [v intr prnl] jactarse.

vapore /va'pore/ [sm] vapor FRAS **cucinare al ~**: cocinar al vapor.

vaporetto /vapo'retto/ [sm] lancha (f).

varare /va'rare/ [v tr] MAR botar FRAS ~ **una legge**: sancionar una ley.

varcare /var'kare/ [v tr] cruzar.

varco /'varko/ [sm] brecha (f), abertura (f) FRAS **aprirsi un ~**: abrirse paso.

variabile /va'rjabile/ [agg m,f] variable FRAS **tempo ~**: tiempo variable.

variare /va'rjare/ [v tr/intr] variar.

variazione /varjat'tsjone/ [sf] (anche MUS) variación.

varicella /vari'tʃella/ [sf] varicela.

varietà /varje'ta*/ [sf inv] variedad (sing) ◆ [sm inv] (teatro) variedades (pl) FRAS ~ **televisivo**: magacín.

vario /'varjo/ [agg] vario.

variopinto /varjo'pinto/ [agg] variopinto, multicolor (m,f).

varo /'varo/ [sm] MAR botadura (f).

vasca /'vaska/ [sf] **1** pila **2** (piscina) largo FRAS ~ **da bagno**: bañera, *Amer* bañadera.

vaselina /vaze'lina/ [sf] vaselina.

vasellame /vazel'lame/ [sm] vajilla (f).

vaso /'vazo/ [sm] **1** (per alimenti) vasija (f) **2** ANAT vaso FRAS ~ **capillare**: vaso capilar | ~ **da fiori**: búcaro, florero.

vasocostrittore /vazokostrit'tore/ [sm] vasoconstrictor.

vasodilatatore /vazodilata'tore/ [sm] vasodilatador.

vassoio /vas'sojo/ [sm] bandeja (f).

vasto /'vasto/ [agg] vasto FRAS **su vasta scala**: en gran escala.

ve /ve/ [pron m,f pl] os • ~ *ne pentirete!*: ¡os arrepentiréis!

vecchiaia /vek'kjaja/ [sf] vejez FRAS **essere il bastone della ~**: ser el báculo de alguien.

vecchio /'vekkjo/ [agg] **1** viejo **2** (maggiore) mayor (m,f) **3** (vino) añejo FRAS **di vecchia data**: de toda la vida | **un ~ amico**: un amigo de toda la vida • [sm] viejo.

vedere /ve'dere/ [v tr] **1** ver **2** (scorgere) divisar • [v prnl] verse FRAS **avere a che ~ con**: tener que ver con | **non dare a ~**: no dejar trasparentar | **non ~ l'ora di**: no ver la hora de | **vedremo/si vedrà**: veremos.

vedovo /'vedovo/ [sm] viudo.

veduta /ve'duta/ [sf] **1** vista **2** FIG (al pl) opiniones.

vegetale /vedʒe'tale/ [agg m,f/sm] vegetal.

vegetariano /vedʒeta'rjano/ [agg/sm] vegetariano.

vegetazione /vedʒetat'tsjone/ [sf] vegetación FRAS **~ mediterranea**: garriga.

veggente /ved'dʒɛnte/ [agg m,f/ sm,f] vidente.

veglia /'veʎʎa/ [sf] vigilia FRAS **~ funebre**: velatorio.

vegliare /veʎ'ʎare/ [v intr/tr] velar.

veglione /veʎ'ʎone/ [sm] cotillón FRAS **~ di san Silvestro**: cotillón del día de fin de año.

veicolo /ve'ikolo/ [sm] vehículo.

vela /'vela/ [sf] MAR vela FRAS **alzare le vele**: alzar velas | **ammainare le vele**: amainar velas | **andare a gonfie vele**: ir viento en popa | **volo a ~**: vuelo sin motor | **volta a ~**: bóveda vaída.

velato /ve'lato/ [agg] velado FRAS **calze velate**: medias de cristal.

veleno /ve'leno/ [sm] veneno.

velenoso /vele'noso/ [agg] venenoso.

veliero /ve'ljero/ [sm] velero.

velista /ve'lista/ [sm,f] deportista de vela.

velivolo /ve'livolo/ [sm] aeronave (f).

velluto /vel'luto/ [sm] **1** TESS terciopelo **2** FIG seda (f) FRAS **~ a coste**: pana | **~ riccio**: terciopelo encarrujado.

velo /'velo/ [sm] **1** velo **2** FIG manto, cortina (f) FRAS **stendere un ~ pietoso su qualcosa**: correr/echar un tupido velo sobre algo | **zucchero a ~**: azúcar glas.

veloce /ve'lotʃe/ [agg m,f] veloz, rápido (m) FRAS **~ come un lampo/fulmine**: como alma que lleva el diablo.

velocista /velo'tʃista/ [sm,f] SPORT velocista.

velocità /velotʃi'ta*/ [sf inv] velocidad (sing) FRAS **a piccola/grande ~**: a pequeña/gran velocidad | **corsa/gara di ~**: prueba de velocidad.

velocizzare /velotʃid'dzare/ [v tr] agilizar.

velodromo /ve'lɔdromo/ [sm] velódromo.

vena /'vena/ [sf] vena FRAS **essere in ~**: estar en vena.

venale /ve'nale/ [agg m,f] venal.

venato /ve'nato/ [agg] veteado.

venatura /vena'tura/ [sf] **1** (legno) veta **2** BOT nervadura.

vendemmia /ven'demmja/ [sf] vendimia.

vendemmiare /vendem'mjare/ [v tr] vendimiar.

vendere (-rsi) /'vendere/ [v tr prnl] vender (-se) FRAS ~ **al dettaglio**: vender al detalle, *Amer* menudear | ~ **all'ingrosso**: comerciar al por mayor | **vendesi**: se vende.

vendetta /ven'detta/ [sf] venganza.

vendicare (-rsi) /vendi'kare/ [v tr prnl] vengar (-se) FRAS **vendicarsi di qualcuno**: vengarse de alguien.

vendita /'vendita/ [sf] **1** venta **2** (negozio) tienda FRAS **in ~**: en venta | ~ **al dettaglio/all'ingrosso**: venta al detalle/al por mayor | ~ **a rate**: venta a plazos.

venditore (-trice) /vendi'tore/ [agg/sm] vendedor (f -a) FRAS ~ **all'asta**: subastador | ~ **ambulante**: vendedor ambulante, *Amer* placero.

venerdì /vener'di'/ [sm inv] viernes FRAS ~ **diciassette**: martes y trece | ~ **santo**: viernes santo.

Venere /'venere/ [sf] (astronomia, astrologia) Venus.

veneto /'veneto/ [agg/sm] véneto.

Veneto /'veneto/ [sm] Véneto.

Venezia /ve'nettsja/ [sf] Venecia.

veneziana /venet'tsjana/ [sf] (tenda) persiana.

veneziano /venet'tsjano/ [agg/sm] veneciano.

venezuelano /venettsue'lano/ [agg/sm] venezolano.

venire /ve'nire/ [v intr] **1** venir **2** (giungere) llegar • *è venuto il momento*: ha llegado el momento **3** FAM (costare) costar, valer • *quanto viene?*: ¿cuánto cuesta? ■ **far venire qualcuno** llamar a alguien • *ho fatto* ~ *l' elettricista*: llamé al electricista ■ **venire da** + **inf** dar/entrar + **sost**, entrar ganas de + inf • *mi viene da ridere*: me entran ganas de reír FRAS ~ **al dunque**: ir al grano | ~ **a sapere**: enterarse | ~ **in mente**: ocurrírsele | ~ **voglia**: antojársele.

ventaglio /ven'taʎʎo/ [sm] abanico.

ventata /ven'tata/ [sf] ventada.

ventenne /ven'tenne/ [agg m,f/sm,f] de veinte años, veinteañero (m).

ventilare /venti'lare/ [v tr] ventilar.

ventilatore /ventila'tore/ [sm] ventilador FRAS ~ **a pale**: ventilador de techo.

ventina /ven'tina/ [sf] **1** (età) los veinte **2** (approssimazione) unos veinte, veintena.

ventiquattrore /ventikwat'trore/ [sf inv] **1** (valigia) maletín (m sing) **2** (corsa automobilistica) veinticuatro horas.

vento /'vento/ [sm] viento FRAS **avere il ~ a favore**: estar a favor del viento | **giacca a ~**: anorak | ~ **di mare/terra**: viento marero/terral.

ventosa /ven'tosa/ [sf] ventosa.

ventoso /ven'toso/ [agg] ventoso.

ventre /'ventre/ [sm] vientre.

vera /'vera/ [sf] (anello) alianza.

veranda /ve'randa/ [sf] **1** veranda **2** (terrazzo) galería.

verbale /ver'bale/ [sm] acta (f) FRAS **mettere a ~**: levantar acta.

verbo /'vɛrbo/ [sm] verbo.

verde /'verde/ [agg m,f/sm] verde
FRAS **benzina ~**: gasolina verde |
carta ~: carta verde | **numero ~**:
número verde | **zona ~**: espa-
cio/área verde.

verdura /ver'dura/ [sf] verdura.

vergine /'verdʒine/ [agg m,f] **1** (anche FIG) virgen **2** nuevo (m) • *pellicola ~*: película nueva FRAS **miele
~**: miel virgen | **olio ~**: aceite vir-
gen ♦ [sf] **1** virgen **2** (astronomia,
astrologia) Virgo.

verginità /verdʒini'ta*/ [sf inv] virgi-
nidad (sing).

vergogna /ver'goɲɲa/ [sf] **1** vergüenza **2** (timidezza) apocamiento
(m) FRAS **avere ~**: dar vergüen-
za/corte.

vergognarsi /vergoɲ'narsi/ [v prnl]
1 avergonzarse **2** (per timidezza)
apocarse, cortarse FRAS **~ come
un ladro**: caérsele la cara de vergüenza.

vergognoso /vergoɲ'noso/ [agg] **1**
vergonzoso **2** (timido) apocado, tímido.

verifica /ve'rifika/ [sf] verificación.

verificare /verifi'kare/ [v tr] verificar.

verità /veri'ta*/ [sf inv] verdad (sing)
FRAS **in ~**: en verdad.

verme /'vɛrme/ [sm] **1** ZOOL gusano
2 FIG FAM sabandija (f) FRAS **essere nudo come un ~**: no tener dónde caerse muerto.

vermut /'vermut/ [sm inv] vermut
(sing), vermú (sing).

vernice /ver'nitʃe/ [sf] **1** barniz (m)
2 (pelle) charol (m).

verniciare /verni'tʃare/ [v tr] barnizar.

vero /'vero/ [agg] verdadero FRAS
non mi pare ~!: ¡parece mentira! |
~ e proprio: verdadero ♦ [sm] verdad (f), lo verdadero FRAS **a dire il
~**: a decir verdad.

verruca /ver'ruka/ [sf] verruga.

versamento /versa'mento/ [sm] **1**
(anche MED) derrame **2** (banca) ingreso, imposición (f) FRAS **distinta di ~**: risguardo, impreso de im-
posición/depósito.

versante /ver'sante/ [sm] GEOG vertiente (f).

versare /ver'sare/ [v tr] **1** verter **2**
(rovesciare) derramar **3** (banca) ingresar, imponer ♦ [v intr prnl] verterse.

versione /ver'sjone/ [sf] versión.

verso /'verso/ [prep] **1** hacia **2** (nei
pressi) cerca de, por ♦ [sm] **1** (poesia) verso **2** (animale) voz FRAS
non c'è ~: no hay manera, *Amer* no
hay caso | **prendere per il ~ giusto**:
cogerle las vueltas.

vertebra /'vɛrtebra/ [sf] vértebra.

vertebrale /verte'brale/ [agg m,f]
vertebral.

verticale /verti'kale/ [agg m,f/sf]
vertical.

vertice /'vɛrtitʃe/ [sm] **1** cumbre (f)
2 (geometrico) vértice, cúspide (f)
FRAS **incontro al ~**: conferencia
cumbre.

vertigine /ver'tidʒine/ [sf] vértigo
(m) FRAS **soffrire di vertigini**: tener vértigos.

verza /'verdza/ [sf] berza.

vescica /veʃ'ʃika/ [sf] vejiga.

vescovo /'veskovo/ [sm] obispo.

vespa /'vɛspa/ [sf] avispa.

vespaio /vesˈpajo/ [sm] avispero.

vestaglia /vesˈtaʎʎa/ [sf] bata, salto de cama.

veste /'vɛste/ [sf] (abito) vestido (m), traje (m) FRAS **in ~ di**: en calidad de/en cuanto.

vestiario /vesˈtjarjo/ [sm] vestuario FRAS **capo di ~**: prenda de vestir.

vestire (**-rsi**) /vesˈtire/ [v tr prnl/intr] vestir (-se).

vestito /vesˈtito/ [sm] vestido, traje.

veterano /veteˈrano/ [agg/sm] veterano.

veterinario /veteriˈnarjo/ [agg/sm] veterinario.

vetrata /veˈtrata/ [sf] vidriera.

vetrina /veˈtrina/ [sf] **1** (negozio) escaparate (m), *Amer* vidriera **2** (credenza) cristalera.

vetrinista /vetriˈnista/ [sm,f] escaparatista.

vetro /'vetro/ [sm] **1** vidrio, cristal **2** AUTO ventanilla (f) FRAS **doppio ~**: contravidriera | **~ di sicurezza**: vidrio de seguridad | **~ soffiato**: vidrio bufado.

vetroresina /vetroˈrezina/ [sf] fibra de vidrio.

vetta /'vetta/ [sf] cumbre.

vettovaglie /vettoˈvaʎʎe/ [sf pl] vituallas.

vettura /vetˈtura/ [sf] **1** (automobile) automóvil (m), coche (m) **2** (treno) vagón (m), coche (m) FRAS **~ ristorante**: coche/vagón restaurante.

vezzo /'vettso/ [sm] hábito.

vi /vi/ [pron m,f pl] os • **~ guarda**: os mira.

via /'via/ [avv] fuera FRAS **andare ~**: irse, marcharse; desaparecer, qui-

tarse (mancha) | **buttare ~**: tirar, *Amer* botar | **mandare ~**: despedir, echar | **portare ~**: llevarse ♦ [inter] ¡fuera! FRAS **~!**/**~ da qui!**: ¡largo!/¡largo de aquí! ♦ [sf] **1** (strada) calle **2** paso (m), camino (m) • *aprirsi una ~ nel bosco*: abrirse paso en el bosque **3** (anche FIG) vía • **~ satellite**: vía satélite **4** FIG (soluzione) manera FRAS **dare/lasciare ~ libera**: dejar vía libre, dejar el campo libre | **foglio di ~**: mandato de expulsión | **per ~ aerea**: por avión | **per ~ orale**: por vía oral | **~ cavo**: vía cable | **~ di mezzo**: término medio | **~ lattea**: vía láctea ♦ [sm inv] SPORT salida (f sing).

viabilità /viabiliˈta*/ [sf inv] viabilidad (sing).

viacard /viaˈkard/ [sf inv] tarjeta para pago de autopista.

viadotto /viaˈdotto/ [sm] viaducto.

viaggiare /viadˈdʒare/ [v intr] viajar ♦ [v tr] recorrer.

viaggiatore (**-trice**) /viaddʒaˈtore/ [agg/sm] viajero (f -a).

viaggio /viˈaddʒo/ [sm] viaje FRAS **buon ~!**: ¡buen viaje! | **mettersi in ~**: salir de viaje.

viale /viˈale/ [sm] avenida (f), bulevar.

viavai /viaˈvai/ [sm inv] vaivén (sing).

vibrare /viˈbrare/ [v tr] vibrar.

vibrazione /vibratˈtsjone/ [sf] vibración.

vicedirettore (**-trice**) /vitʃediretˈtore/ [sm] vicedirector (f -a).

vicenda /viˈtʃenda/ [sf] caso (m) FRAS **a ~**: el uno al otro.

vicepresidente (-essa) /vitʃepre
si'dente/ [sm] vicepresidente (f -a).

viceversa /vitʃe'versa/ [avv] viceversa.

vicinanza /vitʃi'nantsa/ [sf] **1** vecindad, proximidad, cercanía **2** FIG afinidad **3** (al pl) alrededores (m).

vicino /vi'tʃino/ [agg] **1** cercano, vecino **2** (tempo) próximo ◆ [avv]
cerca FRAS da ~: de cerca ◆ [prep]
(a) cerca de ◆ [sm] vecino.

vicolo /'vikolo/ [sm] callejón FRAS
~ **cieco**: callejón sin salida.

video /'video/ [agg inv/sm inv] vídeo
(sing), Amer video (sing).

videocamera /video'kamera/ [sf]
videocámara.

videocassetta /videokas'setta/ [sf]
videocasete (m).

videogioco /video'dʒɔko/ [sm] videojuego.

videonoleggio /videono'leddʒo/
[sm] videoclub.

videoregistratore /videoredʒistra'
tore/ [sm] vídeo.

vidimare /vidi'mare/ [v tr] legalizar.

Vienna /'vjenna/ [sf] Viena.

viennese /vjen'nese/ [agg m,f/sm,f]
vienense, vienés (f -a).

vietare /vje'tare/ [v tr] vedar.

vietato /vje'tato/ [agg] vedado FRAS
passaggio ~: prohibido el paso |
sosta vietata: prohibido aparcar,
Amer estacionamiento prohibido |
ai minori di 14/18 anni: prohibido
a menores de 14/18 años | ~ **fuma-
re**: prohibido/se prohíbe fumar | ~
l'ingresso ai cani: perros no,
prohibida la entrada a los perros.

vigilanza /vidʒi'lantsa/ [sf] vigilancia.

vigilare /vidʒi'lare/ [v tr] vigilar, controlar.

vigilato /vidʒi'lato/ [agg/sm] vigilado FRAS **libertà vigilata**: libertad
vigilada | ~ **speciale**: vigilado por
la policía.

vigile (-essa) /'vidʒile/ [sm] guardia
urbano/municipal (m,f) FRAS ~
del fuoco: bombero.

vigilia /vi'dʒilja/ [sf] vigilia FRAS ~
di Natale: Nochebuena.

vigliaccheria /viʎʎakke'ria/ [sf] **1**
cobardía **2** (azione) canallada, be-
llacada.

vigliacco /viʎ'ʎakko/ [agg/sm] cobarde (m,f), Amer maula (m,f).

vigna /'viɲɲa/ [sf] viña.

vigogna /vi'goɲɲa/ [sf] lana de vicuña.

vigore /vi'gore/ [sm] **1** vigor, pujan-
za (f) **2** FIG fuerza (f) FRAS **esse-
re/entrare in** ~: estar/entrar en vigencia.

vigoroso /vigo'roso/ [agg] vigoroso,
pujante (m,f).

vile /'vile/ [agg m,f] ruín, vil.

villa /'villa/ [sf] **1** chalé (m) **2** (in
città) palacete (m) FRAS **ville a
schiera**: chalés/casas adosadas.

villaggio /vil'laddʒo/ [sm] aldea (f),
poblado FRAS ~ **olimpico**: ciudad
olímpica | ~ **turistico**: urbanización
turística.

villeggiante /villed'dʒante/ [sm,f]
veraneante.

villeggiatura /villeddʒa'tura/ [sf] veraneo (m) FRAS **andare/essere in**
~: ir/estar de veraneo.

viltà /vil'ta*/ [sf inv] vileza (sing),
ruindad (sing).

vinaio /vi'najo/ [sm] vinatero.

vincente /vin'tʃɛnte/ [agg m,f/sm,f] ganador (f -a).

vincere /'vintʃere/ [v tr] **1** vencer, ganar **2** (lotteria) ganar, tocar ♦ [v intr] ganar.

vincitore (**-trice**) /vintʃi'tore/ [agg/ sm] vencedor (f -a), ganador (f -a).

vinicolo /vi'nikolo/ [agg] vinícola (m,f).

vinificatore (**-trice**) /vinifika'tore/ [sm] vinificador (f -a).

vino /'vino/ [sm] vino FRAS ~ **bianco**: vino blanco | ~ **d'annata**: vino de solera | ~ **da tavola**: vino de mesa | ~ **frizzante**: vino de aguja | ~ **novello**: vino nuevo | ~ **rosato**: vino rosado | ~ **rosso**: vino tinto.

viola /vi'ɔla/ [agg inv/sm inv] violeta (sing), morado (m sing) ♦ [sf] **1** BOT violeta **2** MUS viola.

violare /vio'lare/ [v tr] violar.

violazione /violat'tsjone/ [sf] violación.

violentare /violen'tare/ [v tr] **1** violentar **2** (violenza carnale) violar.

violentatore (**-trice**) /violenta'tore/ [sm] violador (f -a).

violento /vio'lɛnto/ [agg] violento.

violenza /vio'lɛntsa/ [sf] violencia.

violinista /violi'nista/ [sm,f] violinista, violín (m).

violino /vio'lino/ [sm] violín.

violoncello /violon'tʃɛllo/ [sm] violonchelo.

viottolo /vi'ɔttolo/ [sm] vereda (f).

vipera /'vipera/ [sf] víbora.

virale /vi'rale/ [agg m,f] viral.

virata /vi'rata/ [sf] viraje (m).

virgola /'virgola/ [sf] coma.

virile /vi'rile/ [agg m,f] viril.

virtù /vir'tu*/ [sf inv] virtud (sing).

virtuale /virtu'ale/ [agg m,f] virtual FRAS **realtà** ~: realidad virtual.

virtuoso /virtu'oso/ [agg/sm] virtuoso.

virus /'virus/ [sm inv] (anche INFORM) virus.

viscerale /viʃʃe'rale/ [agg m,f] visceral.

viscere /'viʃʃere/ [sf pl] entrañas.

viscido /'viʃʃido/ [agg] **1** viscoso **2** FIG (persona) baboso.

viscosa /vis'kosa/ [sf] viscosilla.

visibile /vi'zibile/ [agg m,f] visible.

visibilità /vizibili'ta*/ [sf inv] visibilidad (sing).

visiera /vi'zjera/ [sf] visera FRAS **berretto a** ~: gorra.

visione /vi'zjone/ [sf] **1** (anche FIG) visión **2** (cinema) proyección FRAS **film di prima** ~: película de estreno.

visita /'vizita/ [sf] **1** (anche MED) visita **2** (controllo) inspección, control (m) FRAS **biglietto da** ~: tarjeta | ~ **guidata**: visita turística con guía.

visitare /vizi'tare/ [v tr] (anche MED) visitar.

visitatore (**-trice**) /vizita'tore/ [sm] visitante (m,f).

visivo /vi'zivo/ [agg] visual (m,f).

viso /'vizo/ [sm] rostro.

visone /vi'zone/ [sm] visón.

vissuto /vis'suto/ [agg] experimentado.

vista /'vista/ [sf] vista FRAS **a** ~ **d'occhio**: ojos vistas | **conoscere di** ~: conocer de vista | **essere in** ~: ser muy conocido | **pagare a** ~: pa gar a la vista | **perdere di ~**: perder de vista.

vistare /vis'tare/ [v tr] visar.

visto /'visto/ [sm] visado, *Amer* visa (f).

vistoso /vis'toso/ [agg] vistoso, llamativo.

visuale /vizu'ale/ [agg m,f] visual.

vita /'vita/ [sf] **1** (anche FIG) vida **2** cintura • *avere una ~ sottile*: tener cintura esbelta FRAS **assicurazione sulla ~**: seguro sobre la vida | **essere in fin di ~**: estar moribundo.

vitale /vi'tale/ [agg m,f] vital.

vitalità /vitali'ta*/ [sf inv] vitalidad (sing).

vitamina /vita'mina/ [sf] vitamina.

vite /'vite/ [sf] **1** BOT vid **2** (meccanica) tornillo (m), rosca.

vitello /vi'tɛllo/ [sm] **1** ZOOL (anche pelle) becerro **2** (carne) ternera (f) FRAS **bistecca/carne di ~**: filete/carne de ternera.

viticoltore (-**trice**) /vitikol'tore/ [sm] viticultor (f -a).

vitigno /vi'tiɲɲo/ [sm] cepa.

vittima /'vittima/ [sf] víctima.

vitto /'vitto/ [sm] comida (f) FRAS **~ e alloggio**: alojamiento y comida.

vittoria /vit'tɔrja/ [sf] victoria.

vittorioso /vitto'rjoso/ [agg] victorioso, triunfante (f -a).

viva /'viva/ [inter] ¡arriba!, ¡viva!

vivace /vi'vatʃe/ [agg m,f] **1** vivaracho (m) **2** FIG vivo (m), llamativo (m).

vivaio /vi'vajo/ [sm] AGR (anche pesca) vivero.

vivere /'vivere/ [sm] vivir, vida (f) ♦ [v intr/tr] vivir.

viveri /'viveri/ [sm pl] víveres.

vivibile /vi'vibile/ [agg m,f] vivible.

vivisezione /viviset'tsjone/ [sf] vivisección.

vivo /'vivo/ [agg/sm] vivo FRAS **farsi ~**: dejarse sentir | **nel ~ di una questione**: en el meollo de una cuestión | **ritrarre dal ~**: representar del natural | **~ e vegeto**: vivito y coleando.

viziare /vit'tsjare/ [v tr] mimar, consentir.

vizio /'vittsjo/ [sm] **1** vicio **2** (cattiva abitudine) mala costumbre (f) **3** (educazione) mimo.

vizioso /vit'tsjoso/ [agg/sm] vicioso FRAS **circolo ~**: círculo vicioso.

vocabolario /vokabo'larjo/ [sm] vocabulario.

vocabolo /vo'kabolo/ [sm] vocablo.

vocale /vo'kale/ [agg m,f/sf] vocal.

vocazione /vokat'tsjone/ [sf] vocación.

voce /'votʃe/ [sf] voz FRAS **alzare la ~**: levantar la voz | **dire a ~**: decir personalmente | **parlare ad alta/bassa ~**: hablar en voz alta/baja | **sotto ~**: en voz baja.

voga /'voga/ [sf] **1** MAR boga **2** FIG moda FRAS **essere in ~**: estar en boga, estar de moda.

vogatore /voga'tore/ [sm] (attrezzo ginnico) bogador.

voglia /'vɔʎʎa/ [sf] gana, ganas (pl) FRAS **avere ~ di qualcosa**: tener ganas de algo, apetecerle algo | **contro ~**: de mala gana | **far venire ~**: entrarle/darle ganas | **non ne ho ~**: me da pereza, no me da la gana.

voi /'voi/ [pron m,f pl] vosotros (f -as).

voialtri /vo'jaltri/ [pron m pl] vosotros (f -as).

V

volante /vo'lante/ [agg m,f] volador (f -a) FRAS disco ~: platillo volante | **otto** ~: montaña rusa ♦ [sf] (polizia) patrulla de policía móvil ♦ [sm] (veicolo) volante.

volantino /volan'tino/ [sm] octavilla (f).

volare /vo'lare/ [v intr] **1** (anche FIG) volar **2** (cadere) caer FRAS ~ **giù**: caerse abajo.

volata /vo'lata/ [sf] **1** FIG escapada **2** SPORT (ciclismo) esprint (m) FRAS **di ~**: al vuelo, *Amer* a las voladas.

volatile /vo'latile/ [sm] volátil.

volenteroso /volente'roso/ [agg] voluntarioso.

volentieri /volen'tjeri/ [avv] **1** con gusto, de buena gana **2** (esclamativo) por cierto, claro.

volere /vo'lere/ [sm] voluntad (f) ♦ [v tr] **1** querer **2** (essere necessario) necesitar, hacerle falta ♦ [v prnl] quererse FRAS **senza volerlo**: sin querer | ~ **bene**: amar, querer | **volerne a qualcuno**: tener entre ceja y ceja.

volgare /vol'gare/ [agg m,f] **1** (anche FIG SPREG) vulgar **2** FIG (cosa) común.

volgarità /volgari'ta/ [sf inv] **1** vulgaridad (sing) **2** (frase sconcia) grosería (sing).

volgere (-rsi) /'vɔldʒere/ [v tr prnl] volver (-se).

voliera /vo'ljera/ [sf] pajarera.

volo /'volo/ [sm] **1** vuelo **2** FIG (caduta) caída (f) FRAS **capire al ~**: coger al vuelo | **fare un ~**: caerse | **in ~**: en vuelo.

volontà /volon'ta/ [sf inv] voluntad (sing) FRAS **a ~**: a discreción.

volontariato /volonta'rjato/ [sm] voluntariado.

volontario /volon'tarjo/ [agg/sm] voluntario.

volpe /'volpe/ [sf] (anche FIG) zorro (m).

volt /'vɔlt/ [sm inv] voltio (sing).

volta /'vɔlta/ [sf] **1** vez **2** FIG turno (m) **3** ARCH bóveda FRAS **a volte**: a veces | **un'altra ~**: otra vez | **una ~**: antes | **una ~ per tutte**: por última vez, una vez por todas | **una ~ tanto**: por una vez | ~ **a botte**: bóveda de/en cañón | ~ **a crociera**: bóveda de arista | ~ **a vela**: bóveda vaída.

voltaggio /vol'taddʒo/ [sm] voltaje.

voltare /vol'tare/ [v tr] **1** volver **2** doblar ♦ ~ *l'angolo*: doblar la esquina ♦ [v intr] doblar ♦ ~ *a destra*: doblar a la derecha ♦ [v prnl] volverse.

volto /'volto/ [sm] **1** rostro, cara (f) **2** FIG aspecto.

volubile /vo'lubile/ [agg m,f] FIG voluble.

volume /vo'lume/ [sm] **1** volumen **2** (quantità) cantidad (f) FRAS ~ **d'affari**: giro de negocios.

voluminoso /volumi'noso/ [agg] abultado, voluminoso.

vomitare /vomi'tare/ [v tr/intr] vomitar.

vomito /'vɔmito/ [sm] vómito.

vongola /'vongola/ [sf] almeja.

vorace /vo'ratʃe/ [agg m,f] voraz.

voragine /vo'radʒine/ [sf] abismo (m).

vortice /'vɔrtitʃe/ [sm] vórtice.

vostro /'vɔstro/ [agg/pron] vuestro.

votare /vo'tare/ [v tr/intr] votar ♦ [v prnl] (dedicarsi) entregarse.

votazione /votat'tsjone/ [sf] **1** votación **2** (scuola) calificación.

voto /'voto/ [sm] **1** voto **2** (scuola) calificación (f), nota (f).

vulcanico /vul'kaniko/ [agg] volcánico FRAS **roccia vulcanica**: roca volcánica.

vulcano /vul'kano/ [sm] volcán.

vulva /'vulva/ [sf] vulva.

vuotare (-rsi) /vwo'tare/ [v tr prnl] vaciar (-se).

vuoto /'vwoto/ [agg] vacío FRAS **a mani vuote**: con las manos vacías | **a stomaco ~**: en ayunas ♦ [sm] **1** vacío **2** FIG falta (f), carencia (f) FRAS **assegno a ~**: cheque en descubierto | **~ d'aria**: bache | **~ di bottiglia**: casco de botella.

Ww

wafer /'vafer/ [sm inv] wafer, galletas austriacas.

wagon-lit /vagon'li/ [sm inv] coche cama.

wagon-restaurant /va'gon resto'ran/ [sm inv] coche/vagón restaurante.

walkman /'wɔlkmen/ [sm inv] walkman.

water /'vater/ [sm inv] váter (sing).

watt /'vat/ [sm inv] vatio (sing), watt.

week-end /wi'kɛnd/ [sm inv] fin de semana.

western /'western/ [agg inv/sm inv] (cinema) western.

whisky /'wiski/ [sm inv] whisky, güisqui (sing).

windsurf /wind'sɛrf/ [sm inv] windsurf, tabla de vela.

word processor /wordpro'sessor/ [sm inv] procesador de textos.

würstel /'vyrstəl/ [sm inv] salchicha de Frankfurt.

w

Xx

x /iks/ [agg inv] x, equis FRAS **raggi** ~: rayos X.

xenofobia /ksenofoˈbia/ [sf] xenofobia.

xenofobo /kseˈnɔfobo/ [agg/sm] xenófobo.

xerocopia /kseroˈkɔpja/ [sf] xerocopia.

xerografia /kserograˈfia/ [sf] xerografía.

xilografico /ksiloˈgrafiko/ [agg] xilográfico.

Yy

yacht /ˈjɔt/ [sm inv] yate (sing).

yankee /ˈjɛnki/ [agg inv/sm,f inv] yanqui (sing).

yiddish /ˈjidiʃ/ [agg inv/sm] yiddish.

yoga /ˈjɔga/ [sm inv] yoga.

yogurt /ˈjɔgurt/ [sm inv] yogur (sing).

yogurtiera /jogurˈtjera/ [sf] yogurtera.

yo-yo /joˈjɔ/ [sm inv] yoyó (sing).

yucca /ˈjukka/ [sf] yuca.

Zz

zabaione /*dzaba'jone/ [sm] sabayón.

zaffata /*tsaffata/ [sf] vaharada.

zafferano /*dzaffe'rano/ [sm] azafrán.

zaffiro /*dzaffiro/ [sm] zafiro.

zaino /*dzaino/ [sm] mochila (f) FRAS ~ **portabebè**: portabebé a hombros.

zampa /*tsampa/ [sf] **1** (anche mobile) zanca **2** (felini) zarpa FRAS **a quattro zampe**: a gatas | **giù le zampe!**: ¡quita los manos de ahí¡

zampillo /*tsam'pillo/ [sm] chorro.

zampino /*tsam'pino/ [sm] **1** FIG garra (f), zarpa (f) **2** CUC mano de cerdo/ternera FRAS **mettere lo ~ in qualcosa**: meter las narices en algo.

zampirone /*dzam'pirone/ [sm] espiral matamosquitos.

zampogna /*tsam'poɲɲa/ [sf] gaita.

zampone /*tsam'pone/ [sm] brazuelo de cerdo embutido.

zanna /*tsanna/ [sf] colmillo (m).

zanzara /*dzan'dzara/ [sf] mosquito (m), *Amer* zancudo (m).

zanzariera /*dzandza'rjera/ [sf] mosquitera.

zappa /*tsappa/ [sf] azada FRAS **darsi la ~ sui piedi**: tirar piedras contra el propio tejado.

zappare /*tsap'pare/ [v tr] cavar.

zar /*tsar/ [sm inv] zar (sing).

zattera /*tsattera/ [sf] balsa FRAS ~ **di salvataggio**: balsa salvavidas.

zavorra /*dza'vorra/ [sf] lastre (m).

zebra /*dzɛbra/ [sf] **1** ZOOL cebra **2** FIG FAM (al pl) paso de cebra.

zecca /*tsekka/ [sf] **1** ZOOL garrapata **2** (moneta) ceca FRAS **nuovo di ~**: de estreno, flamante.

zelante /*dze'lante/ [agg m,f] aplicado (m), esmerado (m).

zenit /*dzɛnit/ [sm inv] cenit.

zenzero /*dzendzero/ [sm] jengibre.

zeppa /*tseppa/ [sf] **1** cuña, tarugo (m) **2** (calzature) plataforma.

zeppo /*tseppo/ [agg] repleto, atestado FRAS **pieno ~**: de bote en bote.

zerbino /*dzer'bino/ [sm] felpudo.

zero /*dzɛro/ [agg num/sm] cero FRAS **sotto/sopra ~**: bajo/sobre cero | **tagliare i capelli a ~**: cortar el pelo al rape.

zeta /*dzɛta/ [sf inv] zeta (sing) FRAS **dalla a alla ~**: de cabo a rabo.

zigomo /*dzigomo/ [sm] pómulo FRAS ~ **pronunciato**: pómulo saliente.

zigzagare /*dzigdza'gare/ [v intr] zigzaguear.

zimbello /*tsim'bello/ [sm] FIG FAM hazmerreír, comidilla (f).

zingaro /*tsingaro/ [sm] gitano.

zio /*tsio/ [sm] tío.

zittire /*tsit'tire/ [v intr/tr] sisear, abuchear ◆ [v intr prnl] callarse.

zitto /*tsitto/ [agg] callado, silencioso FRAS ~ ~: a la chita callando, sigilosamente ♦ [inter] chis, chitón FRAS **stai ~!**: ¡cállate!

zizzania /*dzid'dzanja/ [sf] cizaña FRAS **mettere ~**: meter cizaña.

zoccolo /*tsɔkkolo/ [sm] **1** (calzature) zueco, chanclo **2** ZOOL pezuña (f) **3** (battiscopa) zócalo, rodapié.

zodiacale /*dzodia'kale/ [agg m,f] zodiacal.

zodiaco /*dzo'diako/ [sm] zodíaco.

zolfo /*tsolfo/ [sm] azufre.

zolla /*dzolla/ [sf] terrón (m).

zolletta /*dzol'letta/ [sf] terrón (m), cuadradillo (m).

zona /*dzɔna/ [sf] zona FRAS **fuori ~**: lejos | **~ pedonale/verde**: zona peatonal/verde | **~ disco**: zona azul | **~ franca**: zona franca | **~ residenziale**: zona de ensanche.

zonzo /*dzondzo/ [avv] (solo nella locuzione) FRAS **andare a ~**: callejear.

zoo /*dzɔɔ/ [sm inv] zoo (sing), zoológico (sing).

zoologico /*dzoo'lɔdʒiko/ [agg] zoológico FRAS **giardino ~**: (parque) zoológico.

zoom /*dzum/ [sm inv] zoom.

zoppicare /*tsoppi'kare/ [v intr] **1** cojear **2** FIG vacilar, cojear.

zoppo /*tsɔppo/ [agg/sm] cojo.

zucca /*tsukka/ [sf] **1** BOT calabaza, Amer zapallo (m) **2** FIG FAM (testa) coco (m), tarro (m) FRAS **non avere sale in ~**: no tener juicio.

zuccata /*tsuk'kata/ [sf] cabezada, calabazada.

zuccherare /*tsukke'rare/ [v tr] azucarar.

zuccheriera /*tsukke'rjɛra/ [sf] azucarera.

zucchero /*tsukkero/ [sm] azúcar FRAS **barbabietola da ~**: remolacha azucarera | **canna da ~**: caña de azúcar | **~ a velo**: azúcar en polvo | **~ di canna**: azúcar moreno | **~ filato**: algodón dulce | **~ in zollette**: azúcar en terrones.

zucchina /*tsuk'kina/ [sf] calabacín (m), Amer zapallito (m).

zuccone /*tsuk'kone/ [agg/sm] cabezón (f -a), zote (m,f).

zuffa /*tsuffa/ [sf] **1** bronca, riña **2** FIG (discussione) polémica, disputa.

zumare /*dzu'mare/ [v intr] utilizar el zoom.

zuppa /*tsuppa/ [sf] sopa FRAS **che ~!**: ¡qué rollo!, Amer ¡qué bodrio!

zuppiera /*tsup'pjɛra/ [sf] sopera.

zuppo /*tsuppo/ [agg] empapado.

Frasi utili
Frases útiles

VITA QUOTIDIANA E SERVIZI
VIDA DIARIA Y SERVICIOS

Saluti e presentazioni
Saludos y presentaciones

Ciao
Hola

Buongiorno
Buenos días (dal mattino fino al dopopranzo)
Buenas tardes (dal dopopranzo fino all'imbrunire)

Buonasera
Buenas tardes (fino all'ora di cena)
Buenas noches (dopo cena)

Buonanotte
Buenas noches

Arrivederci
Adiós/Hasta luego

A presto
Hasta pronto

A domani
Hasta mañana

A più tardi
Hasta ahora

Ci vediamo
Hasta la vista

Ci sentiamo
Hasta luego

Buone vacanze!
¡Felices vacaciones!

Buon viaggio!
¡Buen viaje!

Grazie!
¡Gracias!

Prego!
¡De nada!

Per favore
Por favor

Scusa/scusi
Perdona/perdone, Disculpa/disculpe, ¡Perdón!

Parla italiano/spagnolo?
¿Habla usted italiano/español?

No non parlo italiano/spagnolo
No, no hablo italiano/español

Capisco un po' di italiano/di spagnolo
Entiendo algo de italiano/español

Scusa/scusi non ho capito, può ripetere?
Disculpa/disculpe, no te/le he entendido. ¿Podría/podrías repetir?

Come ti chiami/si chiama?
¿Cómo te llamas/se llama?

Mi chiamo Anna
Me llamo Ana

Piacere!
Mucho gusto, Encantado/a

Questa è mia sorella
Ésta es mi hermana

Questo è un mio amico
Éste es un amigo mío

Di dove sei/è?
¿De dónde eres/es?

Sono di Milano/Sono italiano
Soy de Milán/Soy italiano

Come stai/sta?
¿Qué tal (estás/está)?

Bene, grazie e tu/lei?
Bien, gracias ¿y tú/usted?

Molto bene, grazie
Muy bien, gracias

Non tanto bene
No muy bien

Male
Mal

Vuoi/vuole bere qualcosa con
me/noi?
*¿Te/le apetece tomar algo
conmigo/con nosotros?*

Vuoi/vuole uscire con noi?
¿Te/le apetece salir con nosotros?

Sì/No
Sí/No

Va bene!
¡Vale!

D'accordo!
¡De acuerdo!

No grazie, mi dispiace ma non posso
Gracias, lo siento pero no puedo

Dogana, frontiera
Aduana, frontera

Il passaporto prego
(Su) pasaporte, por favor

Ha il visto?
¿Tiene visado?

Quanto si ferma?
¿Cuánto se va a quedar?

Resterò una settimana/un mese
Me quedaré una semana/un mes

Sono qui per lavoro/per vacanze/di
passaggio
*Estoy aquí por trabajo/de
vacaciones/de paso*

I bambini sono registrati sul mio
passaporto
*Los niños están incluidos en mi
pasaporte*

Ha valuta?
¿Lleva divisas?

Ha qualcosa da dichiarare?
¿Algo que declarar?

Non ho niente da dichiarare
No tengo nada que declarar

Ho una stecca di sigarette
Llevo un cartón de cigarrillos

Scusi, è consentito portare due
stecche di sigarette/due bottiglie di
whisky?
*Perdone, ¿está permitido llevar dos
cartones de cigarrillos/dos botellas
de whisky?*

È sua questa valigia?
¿Esta maleta es suya?

Ha altri bagagli?
¿Lleva más equipaje?

Apra questa valigia per favore
Abra esta maleta, por favor

Questo è per mio uso personale
Esto es de uso personal

Per questo c'è il dazio /una tassa da pagare
Hay que pagar aduana/un impuesto sobre esto

Ambasciata,
consolato
*Embajada,
consulado*

Il mio visto è scaduto, vorrei rinnovarlo
Mi visado ha caducado, quisiera renovarlo

Ho perso il passaporto
He perdido mi pasaporte

Riempia/compili questo modulo
Rellene este formulario/impreso

Ho perso/mi hanno rubato i traveller's cheques
He perdido/me han robado mis cheques de viaje

Ho perso/mi hanno rubato il portafoglio/le valigie
Me han robado la cartera/las maletas

Mi hanno rubato la macchina/la moto
Me han robado el coche/la moto

Banca, cambio
Banco, oficina de cambio

A che ora aprono/chiudono le banche?
¿A qué hora abren/cierran los bancos?

Dov'è l'ufficio/lo sportello cambio?
¿Dónde está la oficina/ventanilla de cambio?

Vorrei cambiare questi traveller's cheques/queste lire in pesetas
Quisiera cambiar estos cheques de viaje/estas liras en pesetas

In che taglio li vuole?
¿Cómo los quiere?

Mi dia banconote da 5000 pesetas/di piccolo taglio per favore
Déme billetes de 5000 pesetas/billetes pequeños, por favor

Quanto trattenete di commissione?
¿Cuánto cobran de comisión?

È possibile avere contanti con la carta di credito?
¿Se puede sacar efectivo con la tarjeta de crédito?

È possibile incassare questo assegno?
¿Sería posible cobrar este cheque?

Qual è il corso del cambio?
¿A cuánto está el cambio?

Posso vedere il suo passaporto?
¿Puedo ver su pasaporte?

Ecco il mio passaporto
Aquí tiene mi pasaporte

Firmi qui/faccia una firma qui per favore
Firme/ponga su firma ahí, por favor

Posta
Correo

A che ora apre/chiude la posta?
¿A qué hora abre/cierra (la oficina de) correos?

Scusi dove si trova l'ufficio postale più vicino?
Disculpe, ¿dónde está la oficina de correos más cercana?

Scusi, c'è una buca delle lettere qui vicino?
Disculpe, ¿hay algún buzón por aquí?

Dove posso comprare dei francobolli?
¿Dónde puedo comprar unos sellos?

Vorrei un francobollo per questa lettera/questa cartolina
Quisiera un sello para esta carta/postal

Vorrei tre francobolli da 900 lire
Quisiera tres sellos de 900 liras

Vorrei spedire un pacco in Italia
Quisiera enviar un paquete a Italia

Quanto costa spedire un pacco in Italia?
¿Cuánto cuesta enviar un paquete a Italia?

Vorrei spedire una raccomandata/un vaglia
Quisiera enviar una carta certificada/un giro postal

Riempia/compili questo modulo con mittente e destinatario
Rellene este impreso poniendo remitente y destinatario

Qual è il codice postale?
¿Cuál es el código postal?

Quanto impiegherà ad arrivare?
¿Cuánto tardará en llegar?

Vorrei mandare un telegramma
Quisiera enviar un telegrama

Quanto costa a parola?
¿Cuánto cuesta por palabra?

È possibile mandare un fax a questo numero?
¿Sería posible enviar un fax a este número?

Telefono
Teléfono

Scusi, c'è un telefono pubblico/una cabina telefonica qui vicino?
Perdone, ¿hay un teléfono público/una cabina de teléfono por aquí?

È possibile telefonare in Italia?
¿Sería posible llamar a Italia?

Questo telefono è a moneta/a scheda telefonica/a scatti?
¿Este teléfono es de monedas/con tarjeta telefónica/de pasos?

Dove posso comprare una scheda telefonica?
¿Dónde puedo comprar una tarjeta telefónica?

Qual è il prefisso di…?
¿Qué prefijo tiene…?

Vorrei fare una telefonata a carico del destinatario
Quisiera llamar a cobro revertido

Per favore mi chiami questo numero di…
Póngame con este número de… por favor

Resti in linea
No cuelgue

Código telefónico italiano	Alfabeto telefonico spagnolo
A come Ancona	*A de Alemania*
B come Bologna	*B de Barcelona*
C come Como	*C de Cádiz*
D come Domodossola	*Ch de Checoslovaquia*
E come Empoli	*D de Dinamarca*
F come Firenze	*E de España*
G come Genova	*F de Francia*
H come Hotel	*G de Gerona*
I come Imola	*H de Huelva*
J i lunga	*I de Italia*
K kappa	*J de Jaén*
L come Livorno	*K de Kilo*
M come Milano	*L de Lugo*
N come Napoli	*Ll de llave*
O come Otranto	*M de Madrid*
P come Padova	*N de Noruega*
Q come Quarto	*Ñ de ñandú*
R come Roma	*O de Oviedo*
S come Savona	*P de París*
T come Torino	*Q de Quito*
U come Udine	*R de Roma*
V come Venezia	*S de Sevilla*
W v doppia	*T de Teruel*
X ics	*U de Uruguay*
Y i greca	*V de Valencia*
Z zeta	*W de Washington*
	X de xilofón
	Y i griega
	Z de Zaragoza

La linea è occupata/sovraccarica
Está comunicando/La línea está sobrecargada

Si è interrotta la comunicazione
Se ha cortado la comunicación

Mi può ridare la linea per favore?
¿Podría darme línea otra vez, por favor?

Per favore parli più forte/più lentamente
Hable más alto/despacio, por favor

Buongiorno, vorrei parlare con… sono/mi chiamo…
Buenos días, soy/me llamo… quisiera hablar con…

Buongiorno, l'interno 176 per favore
Buenos días, la extensión 176 por favor

Un attimo prego
Un momento, por favor

Ha sbagliato numero
Se ha equivocado de número

Non è in casa/in ufficio
No está

Richiami più tardi
Vuelva a llamar más tarde

Vuole lasciare un messaggio?
¿Quiere dejar un recado?

Può dirgli/dirle che ha telefonato…
Dígale que ha llamado… por favor

A che ora posso trovarlo/trovarla?
¿Sobre qué ora va a estar?

Ore
Horas

Mi scusi, può dirmi che ore sono/che ora è?
Perdone, ¿tiene hora?

Sono le nove/le quattro/le dieci
Son las nueve/las cuatro/las diez

È l'una/è mezzogiorno/è mezzanotte
Es la una/son las doce/es medianoche

Sono le tre e dieci/e un quarto/e mezzo
Son las tres y diez/y cuarto/y media

Sono le quattro meno venti/meno un quarto
Son las cuatro menos veinte/menos cuarto

Mancano venti minuti alle quattro
Son las cuatro menos veinte

Sono le quattro del mattino/del pomeriggio
Son las cuatro de la madrugada/de la tarde

Sono le sette di sera
Son las siete de la tarde

Il treno per Milano partirà alle quattordici e venticinque
El tren para Milán tiene salida a las dos y veinticinco de la tarde

Le banche sono aperte dalle 9.00 alle 14.45
Los bancos están abiertos desde las nueve hasta las tres menos cuarto

I negozi rimangono aperti dalle 9.00 alle 19.30
Las tiendas permanecen abiertas de nueve a siete y media

A che ora ci vediamo?
¿A qué hora quedamos?

Verso le sette
A eso de las siete/Sobre las siete

Alle sette in punto
A las siete en punto

Tra le sette e le otto
Entre siete y ocho

Tra due ore/dieci minuti
Dentro de dos horas/diez minutos

Il mio orologio è avanti/indietro
Llevo el reloj adelantado/atrasado

Tempo meteorologico
Tiempo atmosférico

Che tempo fa oggi?
¿Qué tiempo hace hoy?

Che tempo è previsto per domani?
¿Qué tiempo está previsto para mañana?

C'è il sole
Hace sol

Piove
Llueve

Il cielo è coperto
El cielo está cubierto

È nuvoloso
El cielo está nublado

Tira vento
Hace viento

Fa freddo
Hace frío

Nevica
Nieva

Grandina
Graniza

C'è un temporale/un acquazzone
Hay tormenta/un chubasco

Che bella giornata!
¡Qué buen día hace!

Che brutto tempo!
¡Qué mal tiempo hace!

Quanti gradi ci sono oggi?
¿Cuántos grados hay hoy?

Due gradi sotto zero
Dos grados bajo cero

Trentacinque gradi all'ombra
Treinta y cinco grados a la sombra

Qui d'estate fa sempre questo caldo?
¿Aquí siempre hace tanto calor en verano?

Date e feste
Fechas y fiestas

Che giorno è oggi?
¿Qué día es hoy?

È sabato/è domenica/è il 25 luglio
Es sábado/es domingo/es veinticinco de julio

Al mattino
Por la mañana

Nel pomeriggio
Por la tarde

Alla sera
Por la tarde (fino all'ora di cena)
Por la noche (dopo cena)

Di/la notte
De noche

Durante il giorno
Durante el día

L'altro ieri
Anteayer

Due giorni fa
Hace dos días

Fra una settimana
Dentro de una semana

Il mese scorso/la settimana scorsa
El mes pasado/la semana pasada

Il mese prossimo/la settimana
prossima
*El mes que viene/la semana que
viene*

Per due anni
Por dos años

Días festivos en Italia	Giorni festivi in Spagna
1 gennaio - Capodanno	*1 de enero – día del Año Nuevo*
6 gennaio - Epifania	6 de enero – día de Reyes
25 aprile - Anniversario della Liberazione	19 de marzo – San José
1 maggio - Festa del lavoro	1 mayo – fiesta del Trabajo
15 agosto - Ferragosto	25 de julio – Santiago
1 novembre - Ognissanti	15 de agosto – Asunción
8 dicembre - Immacolata Concezione	12 de octubre – día de la Hispanidad
25 dicembre - Natale	1 de noviembre – Todos los Santos
26 dicembre - Santo Stefano	6 de diciembre – día de la Constitución
data variabile – Pasqua e lunedì dell'Angelo (Pasquetta)	8 de diciembre – Purísima Concepción
	25 de diciembre – Navidad
	fecha variable – Jueves Santo, Viernes Santo y Pascua de Resurrección
	fecha variable – Corpus Christi

TRASPORTI
TRANSPORTES

Auto, moto
Coche, moto

Chiedere la strada
Preguntar por el camino

Può dirmi qual è la strada per...?
*¿Podría indicarme el camino
para...?*

Da che parte devo andare per...?
¿Por dónde tengo que ir para...?

È questa la strada giusta per...?
¿Voy bien para...?

Come si arriva in centro?
¿Cómo se llega al centro?

Sempre dritto poi gira alla seconda
a destra/sinistra
*Siga todo derecho y después tuerza
por la segunda calle de la
derecha/izquierda*

È di fronte a.../dietro a.../
di fianco a...
*Está delante de.../detrás de.../
al lado de...*

Vada fino al terzo incrocio/semaforo
e poi giri a destra/sinistra
*Siga hasta el tercer cruce/semáforo
y después gire a mano derecha/
izquierda*

Vada in fondo a questa strada
*Siga hasta el final de la calle/
carretera*

Prenda la strada per...
Coja el camino/la carretera por...

Segua le indicazioni per...
*Siga los letreros/
las indicaciones para...*

Ha sbagliato strada
*Se ha equivocado de camino/
carretera*

Deve tornare indietro
Tiene que dar la vuelta (a piedi)/
Tiene que dar marcha atrás
(in macchina)

Quanto dista da qui?
¿Cuánto dista de aquí?

Saranno dieci chilometri
Como unos diez kilómetros

Quanto tempo ci vuole?
¿Cuánto se tarda en llegar?

Ci vogliono/ci vorranno dieci minuti/
due ore
*Se tarda unos diez minutos/
un par de horas*

Ci vuole/ci vorrà un'ora
Se tarda una hora

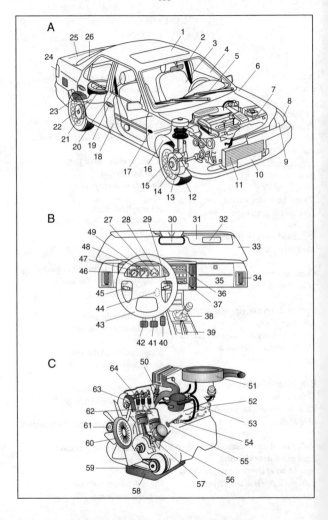

AUTOMOBILE / *AUTOMÓVIL*

A Struttura - *Estructura*

1 tettuccio apribile / *techo solar/transparente*
2 cintura di sicurezza / *cinturón de seguridad*
3 sedile / *asiento*
4 finestrino / *ventanilla*
5 tergicristallo / *limpiaparabrisas*
6 cofano / *capot*
7 batteria / *batería*
8 lampeggiatore / *luz de cruce*
9 faro / *faro*
10 targa / *matrícula*
11 radiatore / *radiador*
12 pneumatico / *neumático*
13 freno a disco / *freno de disco*
14 cerchione / *llanta*
15 ammortizzatore / *amortiguador*
16 parafango / *guardabarros*
17 indicatore di direzione / *indicador de dirección*
18 portiera / *puerta*
19 maniglia / *manilla*
20 poggiatesta / *reposacabeza*
21 ruota di scorta / *rueda de recambio*
22 serbatoio / *depósito de gasolina*
23 tubo di scappamento / *tubo de escape*
24 luce di posizione e stop / *luces de posición y stop*
25 portellone / *puerta trasera*
26 lunotto / *luna*

B Cruscotto - *Panel/Tablero*

27 livello di benzina / *nivel gasolina*
28 temperatura acqua / *temperatura agua*
29 comando del tergicristallo / *mando de limpiaparabrisas*
30 specchietto retrovisore / *espejo retrovisor*
31 aletta parasole / *parasol*
32 specchietto di cortesia / *espejito*
33 parabrezza / *parabrisas*
34 bocchetta di aerazione / *rejilla de ventilación*
35 bauletto / *guantera*
36 autoradio / *autorradio*
37 aria condizionata / *aire acondicionado*
38 leva del cambio / *palanca del cambio*
39 freno a mano / *freno de mano*
40 acceleratore / *acelerador*
41 freno / *freno*
42 pedale della frizione / *pedal del embrague*
43 volante / *volante*
44 clacson / *claxon*
45 comando luci e indicatori di direzione / *mando luces e indicadores de dirección*
46 contagiri / *cuentarrevoluciones*
47 tachimetro / *taquímetro*
48 livello olio / *nivel aceite*
49 contachilometri / *cuentakilómetros*

C Motore - *Motor*

50 iniettore / *inyector*
51 filtro dell'aria / *filtro del aire*
52 coperchio delle punterie / *tapa empujadores*
53 spinterogeno / *delco*
54 candela / *bujía*
55 valvola di scarico / *válvula de descarga*
56 pistone / *pistón*
57 biella / *biela*
58 coppa dell'olio / *cárter (del aceite)*
59 cinghia del ventilatore / *correa del ventilador*
60 ventilatore / *ventilador*
61 alternatore / *alternador*
62 valvola di aspirazione / *válvula de aspiración*
63 cinghia di trasmissione / *correa de transmisión*
64 cilindro / *cilindro*

Si può entrare in centro con la
macchina/la moto?
*¿Se puede circular por el centro
en coche/moto?*

È possibile parcheggiare in centro?
¿Se puede aparcar en el centro?

Da dove si prende l'autostrada?
¿Dónde se coge la autopista?

Rifornimento carburante
Llenar el depósito

C'è un distributore/una stazione
di servizio qui vicino?
*¿Hay una gasolinera/una estación
de servicio por aquí?*

Mi faccia il pieno di super/senza
piombo/gasolio/ per favore
*Llene el depósito de súper/de
gasolina sin plomo/de gasóleo por
favor*

Mi può controllare l'acqua/l'olio/
la pressione delle gomme?
*¿Podría controlar el agua/el
aceite/la presión de los neumáticos?*

È possibile fare un cambio d'olio?
¿Sería posible cambiar el aceite?

Vorrei cambiare le candele
Quisiera cambiar las bujías

Mi pulisca il parabrezza per favore
Límpieme el parabrisas por favor

Guasti
Averías

Scusi, mi sa dire dov'è un
meccanico/un'officina di
riparazione/un gommista?
*Perdone, ¿sabría decirme dónde
hay un taller mecánico/de
reparaciones/de recauchutados?*

Ho un guasto all'automobile/alla
moto
El coche/la moto tiene una avería

La mia macchina/moto non parte
El coche/la moto no arranca

La macchina/moto fa dei rumori
strani
*El coche/la moto hace unos ruidos
raros*

Ho forato. Mi può riparare
la gomma?
*Tengo un neumático pinchado.
¿Puede arreglarlo?*

Deve avere dei problemi con il
carburatore/i freni/la batteria/la
frizione
*Debe de tener problemas con el
carburador/los frenos/la batería/el
embrague*

Si può chiamare un carro attrezzi?
¿Sería posible llamar una grúa?

Quanto costerà?
¿Cuánto va a costar?

Quanto tempo ci vuole/impiegherete
per la riparazione?
*¿Cuánto tiempo va/van a tardar
en la reparación?*

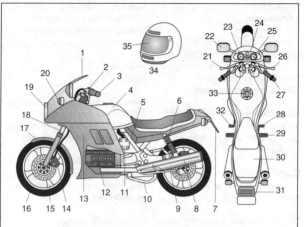

MOTOCICLETTA / *MOTOCICLETA*

1 parabrezza / *parabrisas*
2 clacson / *claxon*
3 manopola / *manillar*
4 serbatoio / *depósito de gasolina*
5 telaio / *chasis*
6 ammortizzatore / *amortiguador*
7 targa / *matrícula*
8 tubo di scappamento / *tubo de escape*
9 albero di trasmissione / *árbol de transmisión*
10 cavalletto / *patín de apoyo*
11 carburatore / *carburador*
12 motore / *motor*
13 carenatura / *carenado*
14 freno a disco / *freno de disco*
15 cerchione / *llanta*
16 pneumatico / *neumático*
17 parafango / *guardabarros*
18 forcella / *horquilla*
19 faro anteriore / *faro delantero*
20 freccia / *luz intermitente*

21 frizione / *embrague*
22 specchietto retrovisore / *espejo retrovisor*
23 tachimetro / *taquímetro*
24 cruscotto / *panel/tablero*
25 contagiri / *cuentarrevoluciones*
26 leva freno anteriore / *palanca freno delantero*
27 acceleratore / *acelerador*
28 pedale freno posteriore / *pedal freno trasero*
29 poggiapiedi / *estribo*
30 sella / *sillín*
31 fanale posteriore / *faro trasero*
32 pedale del cambio / *pedal del cambio*
33 tappo del serbatoio / *tapón del depósito*
34 casco di protezione / *casco de protección*
35 visiera / *visera*

Parcheggio
Aparcamiento

C'è un parcheggio qui vicino?
¿Hay algún aparcamiento por aquí?

Dove si può parcheggiare?
¿Dónde es posible aparcar?

Vorrei lasciare qui la macchina
per due giorni
*Quisiera dejar aquí el coche
por dos días*

Questo parcheggio è a pagamento?
*¿Este aparcamiento es de los de
pago?*

Questo parcheggio è custodito anche
di notte?
*¿Este aparcamiento también está
vigilado de noche?*

Quanto si paga all'ora/al giorno?
*¿Cuánto es la tarifa por hora/
al día?*

Quanto posso rimanere qui?
¿Cuánto me puedo quedar aquí?

Ci vuole il disco orario?
¿Es de estacionamiento limitado?

Non ho spiccioli per il parchimetro.
Può cambiarmi questa banconota?
*No tengo suelto para el parquímetro.
¿Puede cambiarme este billete?*

I vigili mi hanno portato via la
macchina/mi hanno messo le
ganasce: sa a chi devo rivolgermi?

*La policía urbana se ha llevado mi
coche/le ha puesto el cepo a mi
coche: ¿sabe usted adónde tengo
que acudir?*

Noleggio
Alquiler

Vorrei noleggiare una macchina
di piccola/media cilindrata
*Deseo alquilar un coche de pequeña
cilindrada/cilindrada mediana*

La vorrei per un fine settimana/
un giorno/un mese
*Lo quisiera por un fin de semana/
un día/un mes*

Ci sono tariffe speciali?
¿Hay tarifas especiales?

Qual è la tariffa settimanale/
giornaliera?
¿Cúal es la tarifa semanal/diaria?

Il chilometraggio è incluso?
¿El kilometraje va incluido?

Posso riconsegnare la macchina
in un'altra città?
*¿Puedo devolver el coche en otra
ciudad distinta?*

L'assicurazione è compresa?
¿El seguro está incluido?

Ci sono diversi tipi di assicurazione?
¿Hay más tipos de seguros?

Siamo in due a guidarla, occorre
un'assicurazione particolare?

*Vamos a conducir entre dos
personas, ¿hace falta algún seguro
en particular?*

Si può andare oltre il confine?
¿Se puede pasar la frontera?

Ecco la mia patente
Ahí tiene mi carné de conducir

Posso pagare con carta di credito?
*¿Puedo pagar con tarjeta de
crédito?*

Treno
Tren

Informazioni, biglietti
Informaciones, billetes

Vorrei prenotare un posto sul treno
per Firenze
*Quiero reservar una plaza en el tren
para Florencia*

A che ora parte il primo treno
per Roma?
*¿A qué hora sale el primer tren
para Roma?*

C'è un treno per Milano nel
pomeriggio?
*¿Hay algún tren para Milán por la
tarde?*

Il treno delle 16.25 per Rimini
viaggia anche nei giorni festivi?
*¿El tren de las cuatro y veinticinco
para Rímini también lo hay en los
días festivos?*

È un treno locale/diretto/
un intercity/un pendolino
*Es un cercanías/un directo/un
intercity/un tren de alta velocidad*

A che ora arriva a Firenze il treno
delle 15.45 per Roma?
*¿A qué hora llega a Florencia el tren
de las cuatro menos cuarto para
Roma?*

Arriva alle 19.15
Llega a las siete y cuarto

Il treno si fermerà a Prato?
¿El tren va a parar en Prato?

Devo cambiare treno?
¿Tengo que hacer transbordo?

Cambi a Bologna e prenda il diretto
delle 12.30
*Haga transbordo en Bolonia y coja
el tren directo de las doce y media*

C'è una coincidenza?
¿Hay empalme?

Il treno per Firenze parte alle 20
*El tren para Florencia tiene salida
a las ocho de la tarde*

Vorrei partire la mattina/il
pomeriggio/la sera
*Quisiera salir por la mañana/
por la tarde/de noche*

Vorrei prendere il primo treno
Quisiera coger el primer tren

Vorrei un biglietto di andata e ritorno
Quiero un billete de ida y vuelta

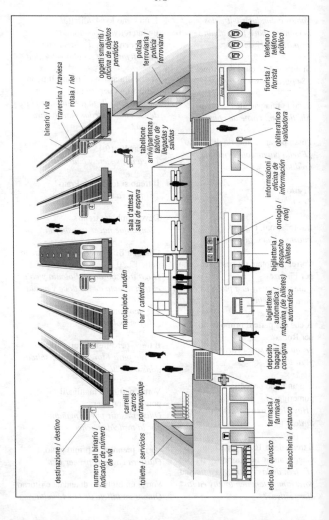

oggetti smarriti / oficina de objetos perdidos

polizia ferroviaria / policía ferroviaria

telefono / teléfono público

traversina / traviesa

rotaia / riel

binario / vía

fiorista / florista

tabellone arrivi/partenze / tablón de llegadas y salidas

obliteratrice / validadora

informazioni / oficina de información

sala d'attesa / sala de espera

orologio / reloj

marciapiede / andén

biglietteria / despacho billetes

bar / cafetería

biglietteria automatica / máquina (de billetes) automática

deposito bagagli / consigna

carrelli / carros portaequipaje

farmacia / farmacia

destinazione / destino

numero del binario / indicador de número de vía

toilette / servicios

edicola / quiosco

tabaccheria / estanco

Vorrei un biglietto di prima/
seconda classe
*Quiero un billete de primera/
segunda clase*

Vorrei un posto vicino al finestrino
Quisiera una plaza con ventanilla

Vorrei un posto fumatori/
non fumatori
*Quisiera una plaza de fumador/
no fumador*

Quanto costa il biglietto di andata
e ritorno?
*¿Cuánto cuesta el billete de ida
y vuelta?*

Bisogna pagare un supplemento?
¿Hay que pagar suplemento?

Ci sono sconti per studenti/anziani?
*¿Hay descuentos para
estudiantes/personas mayores?*

Devo convalidare il biglietto prima
di salire in vettura?
*¿Tengo que convalidar el billete
antes de subir al tren?*

Da che binario parte il treno per
Milano?
¿De qué vía sale el tren para Milán?

Il suo treno partirà dal secondo
binario
Su tren sale de la vía dos

C'è servizio ristorante/bar sul treno?
*¿El tren tiene servicio restaurante/
de cafetería?*

C'è un vagone letto sul treno?
¿El tren tiene coche cama?

È possibile prenotare una cuccetta?
¿Sería posible reservar una litera?

In vettura
En el tren

È libero questo posto?
¿Está libre esta plaza?

Sì è libero/No è occupato
Sí, está libre/No, está ocupada

Scusi, questo posto è prenotato
Perdone, este asiento está reservado

Quanto tempo si ferma il treno?
¿Cuánto tiempo va a parar el tren?

Le dà fastidio se apro il finestrino?
*¿Le molesta que baje
la ventanilla?*

Dov'è il vagone ristorante?
¿Dónde está el vagón restaurante?

Dov'è il vagone letto?
¿Dónde está el coche cama?

Ci sono posti liberi nel vagone
letto?
*¿Queda alguna plaza libre en el
coche cama?*

Ci sono delle cuccette libere?
¿Hay literas libres?

Biglietti prego!
¡Billetes por favor!

Su questo treno si paga il supplemento. Ce l'ha il supplemento rapido?
Para este tren hay que pagar suplemento. ¿Usted tiene suplemento?

Non ha convalidato il biglietto, mi dispiace ma devo farle la multa
Usted no ha convalidado el billete. Lo siento pero le tengo que poner una multa

Deposito bagagli e facchini
Consigna y mozos de equipaje

Mi può prendere il bagaglio per favore?
¿Puede coger mi equipaje por favor?

Dove sono i carrelli portabagagli?
¿Dónde están los carritos portaequipajes?

Dov'è il deposito bagagli?
¿Dónde está la consigna?

Vorrei depositare i miei bagagli per un giorno
Quisiera dejar mi equipaje por un día

Aereo
Avión

A che ora parte il volo per Madrid?
¿A qué hora sale el vuelo para Madrid?

Dove devo presentarmi per il check-in?
¿Adónde me tengo que presentar para facturar mi equipaje?

A che ora devo presentarmi per il check-in?
¿A qué hora tengo que estar para facturar el equipaje?

Quanti bagagli ha?
¿Cuánto equipaje tiene?

Deve presentarsi all'uscita 7
Se tiene usted que presentar en la puerta siete

Solo bagaglio a mano
Sólo equipaje de mano

Vorrei un biglietto di andata e ritorno/di sola andata per Barcellona
Quisiera un billete de ida y vuelta/ de ida para Barcelona

Vorrei un posto fumatori/non fumatori
Quisiera una plaza de fumador/no fumador

Qual è il numero del volo?
¿Cuál es el número del vuelo?

C'è un autobus/una navetta per l'aeroporto?
¿Hay algún autobús hasta el aeropuerto/hay algún enlace con el aeropuerto?

Vorrei annullare/cambiare/ confermare la mia prenotazione/ il mio biglietto per Venezia sul volo AZ534
Quisiera cancelar/cambiar/ confirmar mi reserva/mi billete para Venecia en el vuelo AZ534

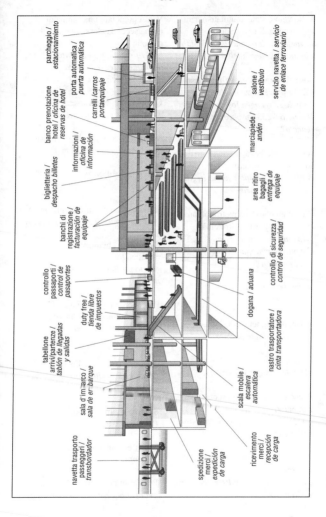

parcheggio / estacionamiento

porta automatica / puerta automática

banco prenotazione hotel / oficina de reservas de hotel

carrelli / carros portaequipaje

informazioni / oficina de información

salone / vestíbulo

servizio navetta / servicio de enlace ferroviario

marciapiede / andén

biglietteria / despacho billetes

area ritiro bagagli / entrega de equipaje

banchi di registrazione / facturación de equipaje

controllo passaporti / control de pasaportes

duty free / tienda libre de impuestos

controllo di sicurezza / control de seguridad

dogana / aduana

tabellone arrivi/partenze / tablón de llegadas y salidas

nastro trasportatore / cinta transportadora

sala d'imbarco / sala de embarque

scala mobile / escalera automática

navetta trasporto passeggeri / transbordador

spedizione merci / expedición de carga

ricevimento merci / recepción de carga

Il suo volo è stato annullato a causa
della nebbia/di uno sciopero
*Su vuelo ha sido cancelado debido
a la niebla/a una huelga*

Dove si ritirano i bagagli del volo
AZ534 proveniente da Venezia?
*¿Dónde se recogen los equipajes
del vuelo AZ534 procedente de
Venecia?*

Scusi, il mio bagaglio non è arrivato,
dove posso rivolgermi?
*Perdone, mi equipaje no ha llegado,
¿adónde debo dirigirme?*

C'è un autobus/una metropolitana/
una navetta per il centro città?
*¿Hay autobús/metro para
el centro/hay algún enlace
con la ciudad?*

Nave, traghetto
Barco, ferry

Vorrei un biglietto per...
Quiero un billete para...

Dove ci si imbarca?
¿Dónde hay que embarcarse?

A che ora mi devo presentare per
l'imbarco?
*¿A qué hora tengo que estar para
embarcar?*

Quanto costa il biglietto per l'auto/
la moto?
*¿Cuánto cuesta el billete del coche/
de la moto?*

Vorrei prenotare una cabina di
prima/seconda classe per due
persone
*Quiero reservar un camarote
de primera/segunda para
dos personas*

Quanto dura la traversata?
¿Cuánto dura la travesía?

Vorrei qualcosa per il mal di mare
Quisiera algo contra el mareo

Mezzi pubblici, taxi
Tranporte público, taxis

C'è una stazione di taxi qui vicino?
¿Hay una parada de taxis por aquí?

È possibile chiamare un taxi/
radiotaxi?
*¿Sería posible llamar un taxi/
radiotaxi?*

Per favore mi porti alla
stazione/all'aeroporto/in via...
*A la estación/al aeropuerto/calle...
por favor*

Qual è la tariffa per l'aeroporto?
*¿Cuál es la tarifa para el
aeropuerto?*

Si fermi qui per favore
Pare aquí por favor

Quant'è?/Quanto le devo?
¿Cuánto es?/¿Qué le debo?

Può farmi/posso avere la ricevuta?
¿Podría hacerme/dejarme recibo?

Dov'è la stazione della metropolitana più vicina?
¿Dónde está la estación de metro más cercana?

Dov'è la fermata dell'autobus numero 56?
¿Dónde está la parada del autobús número 56?

Questo autobus va in piazza.../via...?
¿Este autobús pasa por la plaza.../la calle...?

Sa quale autobus arriva in piazza.../via...?
¿Sabe usted qué autobús llega hasta la plaza.../la calle...?

Dove si comprano i biglietti per l'autobus/il tram/la metropolitana?
¿Dónde se compran los billetes del autobús/del tranvía/del metro?

Vorrei due biglietti della metropolitana, per favore
Quisiera dos billetes de metro, por favor

Quanto costa un biglietto?
¿Cúanto cuesta un billete?

Avete abbonamenti settimanali/carnet di biglietti/biglietti giornalieri?
¿Tienen abonos semanales/billetes de diez viajes/tarjeta un día?

Avete una cartina dei mezzi di trasporto urbani/delle linee della metropolitana?
¿Tienen un plano del transporte urbano/del metro?

A che ora cominciano a circolare i mezzi di trasporto?
¿A qué hora empiezan a circular los medios de transporte?

A che ora smettono di circolare i mezzi di trasporto?
¿A qué hora dejan de circular los medios de transporte?

Ogni quanto passa questo autobus/tram?
¿Cada cuánto tiempo pasa este autobús/tranvía?

Quante fermate ci sono fino a piazza.../via...
¿Cuántas paradas hay hasta la plaza/la calle...?

Dove devo cambiare per andare a piazza.../via...
¿Dónde tengo que cambiar para ir a la plaza.../la calle...?

Mi può dire dove devo scendere?
¿Podría decirme dónde me tengo que bajar?

ALLOGGIO
ALOJAMIENTO

Albergo, pensione, ostello
Hotel, hostal, albergue juvenil

Avete un elenco degli alberghi?
¿Tienen una lista de los hoteles?

Può indicarmi un albergo a quattro
stelle/economico?
*¿Puede indicarme un hotel de cuatro
estrellas/un hotel barato?*

Buongiorno, mi chiamo...
ho prenotato una camera singola/
doppia/matrimoniale
*Buenos días, me llamo...
he reservado una habitación
individual/doble*

Vorrei una camera
singola/doppia/matrimoniale/con
bagno/con vista sul mare/tranquilla
*Quisiera una habitación
individual/doble/con baño/con vistas
al mar/tranquila*

C'è l'aria condizionata/la
televisione/la radio/il frigo bar/
il telefono in camera?
*¿La habitación tiene aire
acondicionado/televisión/radio/
minibar/teléfono?*

Si può aggiungere un lettino
per il bambino?
*¿Sería posible añadir una cama
pequeña para el niño?*

Quanto costa per notte?
¿Cuánto cuesta por noche?

La colazione è inclusa?
¿El desayuno va incluido?

Fate pensione completa/
mezza pensione?
*¿Tienen pensión completa/
media pensión?*

Ci sono riduzioni per i bambini?
¿Hay descuentos para los niños?

È possibile vedere la camera?
¿Sería posible ver la habitación?

Va bene, la prendo
Ésta me vale

Non mi piace/è troppo piccola/
rumorosa/buia/fredda,
ne avete un'altra?
*No me gusta/es demasiado pequeña/
ruidosa/fría,
¿tienen otra?*

È un po' cara, non avete nulla
di meno caro?
*Es algo cara, ¿no tienen algo
más barato?*

Per quante notti si trattiene/si
ferma/vi trattenete/vi fermate?
*¿Cúantas noches se va/van a
quedar?*

Mi fermo/ci fermiamo per due notti/
per una settimana
*Me quedaré una noche/dos noches/
una semana*

Non lo so/Non ho ancora deciso
No sé/Todavía no lo tengo decidido

Mi può lasciare un documento
per favore?
*¿Puede dejarme un documento
por favor?*

Può riempire/compilare questo
modulo per favore?
*¿Puede rellenar este impreso
por favor?*

Dove posso parcheggiare
la macchina?
*¿Dónde puedo aparcar/estacionar
el coche?*

Avete un garage?
¿Tienen garaje?

Avete convenzioni con teatri/
autonoleggi?
*¿Tienen convenio con algún
teatro/alguna agencia de alquiler
de coches?*

A che piano è la mia stanza?
¿En qué piso está mi habitación?

È al quarto piano
Está en el cuarto piso

Può far portare i miei/nostri bagagli
in camera?
*¿Puede llevarme/llevarnos
el equipaje a la habitación?*

Può svegliarmi/svegliarci alle...
*¿Puede despertarme/despertarnos
a las...?*

A che ora servite la colazione/il
pranzo/la cena?
*¿A qué hora sirven el desayuno/
la comida/la cena?*

Si può avere la colazione in camera?
*¿Es posible desayunar
en la habitación?*

Qual è il voltaggio dell'impianto
elettrico?
*¿Qué voltaje tiene la instalación
eléctrica?*

Posso/possiamo avere una coperta
in più/un cuscino in più?
*Quisiera/quisiéramos otra
manta/una almohada más*

Fate servizio di lavanderia?
¿Tienen servicio de lavandería?

Vorrei far lavare questi pantaloni
Desearía lavar estos pantalones

Quando saranno pronti?
Ne ho bisogno per...
¿Cuándo van a estar?
Los necesito para...

Mi può chiamare un taxi per favore?
¿Podría llamarme un taxi por favor?

La chiave della camera numero 2,
per favore
*La llave de la habitación número 2,
por favor*

Parto/partiamo domani mattina,
mi/ci prepara il conto per favore?
*Me marcho/nos marchamos mañana
por la mañana, ¿me prepara la
cuenta, por favor?*

Posso/possiamo pagare con la carta
di credito?
*¿Puedo/podemos pagar con tarjeta
de crédito?*

C'è un ostello in questa città?
*¿Hay un albergue juvenil en esta
ciudad?*

C'è posto per quattro per due notti in
questo ostello?
*¿Hay cuatro plazas para dos noches
en este albergue?*

Ci può fornire le lenzuola?
¿Nos da las sábanas?

Si può cucinare in ostello?
¿Se puede cocinar en este albergue?

Qual è l'orario per rientrare la sera?
*¿Para qué hora hay que regresar
de noche?*

Reclami
Reclamaciones

Il riscaldamento/il condizionatore/la
luce non funziona
*La calefacción/el aire
acondicionado/la iluminación
no funciona*

Non c'è acqua calda
No hay agua caliente

Non c'è carta igienica
Falta el papel higiénico

La finestra non si apre/chiude
La ventana no se abre/cierra

Il lavandino è otturato
El lavabo está atascado

Il lavandino perde
El lavabo pierde

La persiana è rotta
La persiana está rota

La camera non è stata rifatta
La habitación todavía está por asear

Il rubinetto sgocciola
El grifo pierde/gotea

Campeggio
Camping

C'è un campeggio qui vicino?
¿Hay un camping cerca de aquí?

Avete un posto
tenda/roulotte/camper?
*¿Tienen una plaza para la
tienda/caravana/autocaravana?*

Quanto costa al giorno per
tenda/roulotte/camper/persona?
*¿Cúanto cuesta al día por
tienda/caravana/autocaravana/
persona?*

Con moto/auto?
*¿La moto va incluida/
el coche va incluido?*

C'è l'allacciamento elettrico/
la piscina/il ristorante/il bar/
il supermercato?
¿Tienen acometida de la luz/
piscina/restaurante/cafetería/
supermercado?

Ci sono dei negozi?
¿Hay tiendas?

Dove sono i bagni?
¿Dónde están los servicios?

Dove possiamo ricaricare la bombola?
¿Dónde podemos rellenar
la bombona?

Avete una mappa del campeggio?
¿Tienen un mapa del camping?

C'è accesso al mare?
¿Tienen acceso a la playa?

È possibile usare le cucine?
¿Se puede usar la cocina?

RISTORAZIONE
RESTAURACIÓN

Bar
Cafetería

Vorrei un cappuccino e una brioche
*Quisiera un café con leche
y un cruasán*

Vorrei un caffè e un bicchiere
d'acqua minerale
*Quisiera un café y un vaso
de agua mineral*

Vorrei un tè
Quisiera un té

Al latte o al limone?
¿Con leche o con limón?

Vuole acqua naturale o gassata?
¿Quiere agua con o sin gas?

Posso avere anche un po' di latte
freddo?
¿Me trae un poco de leche fría?

Vorrei un panino al prosciutto crudo
e mozzarella e una birra piccola
*Quisiera un bocadillo de jamón
serrano y mozarela y una caña*

Vorrei uno di quei tramezzini/panini
a destra/sinistra/sopra/sotto
*Quisiera uno de esos sándwiches
de la derecha/de la izquierda/
de arriba/de abajo*

Vorrei un aperitivo della casa
Quisiera un aperitivo de la casa

Vorrei un chinotto/un'aranciata/
una limonata/una limonada
*Quisiera una quina/una
naranjada/una limonada/ un zumo
de pomelo*

Vorrei un lattina di birra da portare via
*Quisiera una lata de cerveza
para llevar*

Ristorante
Restaurante

Vorrei prenotare/riservare un tavolo
per sei per stasera
*Quisiera reservar una mesa para
seis personas para esta noche*

Per che ora?
¿Para qué hora?

Verremo alle 9.00
Llegaremos/estaremos a las nueve

È possibile mangiare all'aperto?
¿Sería posible comer en la terraza?

Avete un settore non fumatori?
¿Tienen zona de no fumadores?

Allora un tavolo all'aperto/
nel settore non fumatori
*Pues una mesa en la terraza/la zona
de no fumadores*

Avete un tavolo per quattro?
*¿Tiene una mesa para cuatro
personas?*

È libero questo tavolo?
¿Está libre esta mesa?

Vorrei/vorremmo il menu per favore
¿Me/nos trae la carta por favor?

Avete un menu turistico/a prezzo fisso?
¿Tienen menú turístico/del día?

Cosa desidera/porto da bere?
¿Qué quiere/qué le traigo para beber?

Avete una lista dei vini?
¿Tienen una lista de vinos?

Abbiamo del vino della casa
Tenemos vino de la casa

Che cosa mi/ci consiglia come antipasto/primo/secondo/dolce?
¿Qué me/nos aconseja de entrada/como primer plato/segundo plato/postre?

Non posso mangiare cibi che contengano...
No puedo comer platos que lleven...

Avete piatti vegetariani?
¿Tienen platos vegetarianos?

Vorrei/vorremmo qualcosa di leggero per favore
Tráigame/tráiganos algo ligero por favor

Vorrei/vorremmo un coltello/un altro tovagliolo/il pane/il sale per favore

Tráigame/tráiganos un cuchillo/otra servilleta/el pan/la sal, por favor

Questo non è il piatto che ho ordinato
Este plato no es el que he pedido

Questo vino sa di tappo
Este vino sabe a corcho

Quest'acqua non è fresca
El agua no está fría

La pasta è troppo salata
La pasta lleva demasiada sal

Questa carne è fredda
La carne está fría

Dove sono i gabinetti?
¿Dónde están los servicios?

Posso/possiamo avere il conto e due caffè per favore?
¿Me/nos trae la cuenta y dos cafés, por favor?

Posso/possiamo pagare con carta di credito?
¿Puedo/podemos pagar con tarjeta de crédito?

Il servizio è compreso?
¿El servicio está incluido?

Il coperto è compreso?
¿El cubierto está incluido?

Mi pare che ci sia un errore nel conto
Creo que hay un error en la cuenta

GASTRONOMIA
GASTRONOMÍA

Principales formas de preparar los alimentos

ai ferri *a la parrilla*
al cartoccio *a la papillote*
al forno *al horno*
al gratin *al gratén*
al sangue *poco hecho/a*
all'arrabbiata *con salsa de tomate picante*
alla cacciatora *a la cazadora*
alla fiamma *flameado*
alla griglia *a la parrilla*
alla milanese *a la milanesa*
alla parmigiana *a la parmesana*
alla pescatora *a la marinera*
alla piastra *a la plancha*
allo spiedo *al asador/a l'ast*
arrosto *asado*
ben cotta *muy hecho/a*
bollito *hervido*
fritto *frito*
in bella vista *con gelatina, mayonesa y ensaladilla*
in fricassea *fricasé*
in insalata *en ensalada*
in umido *guisado/estofado*
sott'aceto *encurtido/en vinagre*
trifolato *salteado/a con ajo y perejil*

Embutidos

bresaola *cecina de vaca*
prosciutto crudo *jamón serrano*
prosciutto cotto *jamón cocido*
salame *salami/salchichón*
speck *jamón ahumado*

Principali preparazioni preparazioni delle vivande

adobado *marinato*
a la marinera *alla pescatora*
a la papillote *al cartoccio*
a la parrilla *ai ferri/alla griglia*
a la plancha *alla piastra*
al asador/a l'ast *allo spiedo*
al gratén *al gratin*
al horno *al forno*
al vapor *al vapore*
asado *arrosto*
empanado *impanato*
encurtido *sott'aceto*
en ensalada *in insalata*
en escabeche *marinato*
en vinagre *sott'aceto*
escaldado *scottato*
estofado *in umido*
flameado *alla fiamma*
frito *fritto*
guisado *in umido*
hervido *bollito*
muy/poco hecho/a *ben cotto/al sangue*
pasado por agua *sbollentato*
salteado *saltato*

Insaccati

butifarra *salsiccia a base di carne di maiale*
cecina *bresaola*
chorizo *salsiccia di carne di maiale stagionata*
jamón cocido/(de) York *prosciutto cotto*
jamón en dulce *prosciutto cotto nel vino bianco*
jamón serrano *prosciutto crudo*
morcilla *salsiccia di sanguinaccio*
salchichón *salame*

Entrantes/Entremeses y Tapas

affettato misto *bandeja de fiambres/embutidos*
antipasto al carrello *carrito de entremeses*
bruschetta *pan tostado con ajo y aceite de oliva*
cocktail di gamberetti *cóctel de gambas*
insalata caprese *ensalada de tomate con mozarela y aceitunas*
insalata di mare *salpicón de marisco*
insalata di riso *ensalada de arroz*
insalata russa *ensaladilla (rusa)*
mozzarella in carrozza *sándwich de mozarela con anchoas frito*
pinzimonio *vinagreta*
supplì *croqueta de arroz rellena de carne y mozarela*
vol-au-vent *volován/tartaleta de hojaldre*

Antipasti

angulas a la cazuela *ceche fritte con aglio e spolverizzate di pepe rosso*
bandeja de embutidos/encurtidos/queso con aceitunas *vassoio di salumi/sottaceti/formaggio e olive*
banderilla *spiedino*
boquerones fritos/en vinagreta *acciughe fritte/marinate*
calamares fritos *calamari/anelli di mare fritti*
canapé *canapé*
chicharrón *cicciolo*
corteza *cotenna di maiale fritta*
croqueta *crocchetta*
empanada de atún/bonito *panzerotto di pasta sfoglia ripieno di tonno, pomodoro e cipolla*
ensaladilla (rusa) *insalata russa*
mejillones (a la) vinagreta *cozze marinate in olio, aceto, cipolla e peperone rosso*
montadito *tartina*
pan con tomate *bruschetta con pane, pomodoro fresco e olio d'oliva*
paté *paté*
pincho *spiedino*
pincho de tortilla *bocconcino di frittata*
sándwich *tramezzino*
tapa *assaggio*

Pizze - Pizzas

pizza capricciosa *pizza caprichosa*
pizza margherita *pizza margarita*
pizza napoletana *pizza napolitana*
pizza quattro stagioni *pizza cuatro estaciones*
pizza prosciutto e funghi *pizza de jamón y setas*

Vini - Vinos

abboccato *embocado*
amabile *amable*
bianco *blanco*
d'annata *de (gran) solera*
aromatico *aromático*
dolce *dulce*
frizzante *de aguja*
giovane *joven*
invecchiato *de crianza*
leggero *ligero*
nuovo/novello *novel*
rosato *rosado*
rosso *tinto*
secco *seco*
vecchio *añejo*

Sopas

brodo vegetale *caldo de verduras*
cacciucco *caldereta de pescado a la livornesa*
minestrone di verdure *menestra de verduras*
passato di verdura *crema de verduras*
pasta e fagioli *sopa de pasta y alubias*
zuppa di pesce *sopa de pescado*

Minestre

fabada (asturiana) *piatto unico a base di fagioli in umido e carne di maiale*
gazpacho *crema fredda a base di pomodori e peperoni*
potaje *legumi in umido*
sopa de ajos *zuppa all'aglio*
sopa de cebolla *zuppa di cipolla*
sopa de fideos *minestra in brodo*
sopa de mariscos *zuppa di pesce*
sopa de verduras *minestra di verdura*

Pasta y arroces

crespelle *crepes*
fonduta *fondue*
gnocchi alla romana *ñoquis a la romana*
gnocchi di patate *ñoquis de patatas*
lasagne al forno *lasaña al horno*
pasta con le sarde *macarrones/espaguetis con sardinas, anchoas, hinojo y aceite*
pasta in bianco *fideos con aceite/mantequilla*
tagliatelle al ragù *cintas boloñesa (con salsa de tomate y carne)*
risotto ai frutti di mare *arroz con mariscos*
risotto alla milanese *arroz con azafrán*
spaghetti alla carbonara *espaguetis a la carbonara*
spaghetti al pomodoro e basilico *espaguetis con tomate y albahaca*
timballo di maccheroni *timbal de macarrones*
trenette al pesto *tallarines con salsa pesto*

Pasta e riso

fideuá *piatto a base di pasta lunga, pesce e frutti di mare cucinato in padella*
paella (valenciana) *piatto a base di riso allo zafferano e frutti di mare cucinato in padella*
paella de conejo *piatto a base di riso, coniglio, pollo e verdure cucinato in padella*
potaje de arroz con garbanzos *minestra di riso e ceci*
ensalada de pasta *insalata di pasta*
ensalada de arroz *insalata di riso*

Carne

bollito misto *cocido (mixto)*
brasato *braseado*
carpaccio *carpaccio*
costoletta/cotoletta alla milanese *chuletilla de ternera a la milanesa (empanada)*
cotechino *salchichón cocido*
fegato alla veneziana *hígado a la veneciana (con cebollas)*

Carne

cocido *bollito misto*
chuleta/chuletilla de ternera *costoletta/cotoletta di vitello*
chuletón *fiorentina*
pollo a l'ast *pollo allo spiedo*
albóndiga *polpetta*
lechón/cochinillo asado *porchetta*
escalope *scaloppina*

fiorentina *chuletón*
involtino *rollito de carne con relleno de carne, queso y/o verduras*
pollo alla diavola *pollo a la diabla (abierto por la mitad y asado)*
polpetta *albóndiga*
porchetta *lechón/cochinillo asado*
saltimbocca *rollito de ternera relleno con jamón y salvia*
scaloppina *escalope*
spezzatino *guiso/estofado de carne*
tagliata *carne asada que se sirve en lonchas muy finas con aceite y hierbas aromáticas*
trippa alla fiorentina *callos a la florentina (con tomate y queso parmesano)*
vitello tonnato *ternera fría con salsa de atún*

guiso/estofado de carne *spezzatino*
callos a la madrileña *trippa alla madrilena (piatto a base di trippa e carne di maiale)*
filete de ternera *filetto di vitello*
entrecot *costata*
lomo adobado *lombata marinata in olio, aceto, sale e origano*
solomillo *lombata*
costilla *costina*
manitas de cerdo estofadas *zampetti di maiale in umido*
pierna de carnero *cosciotto d'agnello*

Pescado

baccalà alla vicentina *bacalao preparado con ajo, cebolla, anchoas, leche y queso parmesano*
branzino al cartoccio *lubina a la papillote*
frittura di pesce *fritura de pescado*
grigliata mista di pesce *parrillada de pescado y mariscos*
pesce in bianco *pescado hervido con aceite y limón*
sogliola alla mugnaia *lenguado a la molinera (rebozado en harina y salteado con mantequilla y jugo de limón)*
zuppa di cozze e vongole *sopa de almejas y mejillones*

Pesce

bacalao al pil-pil *baccalà in casseruola con peperoncino*
calamares fritos *calamari/anelli di mare fritti*
chipirones en su tinta *piatto a base di riso, seppie e nero di seppia*
fritura de pescado *frittura di pesce*
gambas al ajillo *gamberi fritti con peperoncino e prezzemolo*
lenguado al horno *sogliola al forno*
marmitako *zuppa di pesce con patate, peperoni e cipolle*
mejillones a la marinera *cozze alla marinara*
parrillada de pescado y mariscos *grigliata mista di pesce*
rodaballo a la gallega *rombo stufato con aglio, cipolle e alloro*

Huevos

frittata/omelette con carciofi *tortilla/ tortilla con alcachofas*
uova strapazzate *huevos revueltos*
uovo all'occhio di bue/al tegamino *huevo al plato*
uovo alla coque *huevo pasado por agua*
uovo sodo *huevo duro*

Uova

tortilla española/de patatas *frittata con patate*
tortilla francesa *frittata con uovo e latte*
huevo duro *uovo sodo*
huevo pasado por agua *uovo alla coque*
huevo al plato *uovo all'occhio di bue/al tegamino*
revuelto de setas/gambas/espárragos trigueros *uova strapazzate con funghi/ gamberi/asparagi selvatici*

Verduras

insalata mista *ensalada mixta*
legumi in umido *potaje de alubias/gar- banzos*
melanzane alla parmigiana *berenjenas a la parmesana (gratinadas con tomate y queso parmesano)*
patate fritte *patatas fritas*
peperonata *pisto a base de pimientos, tomates, cebolla y ajo*
peperoni ripieni *pimientos rellenos*
purè di patate *puré de patatas*
sformato di spinaci *pudín de espinacas*
verdure al vapore *verduras al vapor*
verdure bollite *verduras hervidas*

Verdure

escalibada *melanzane, pomodori, peperoni rossi e cipolle al cartoccio conditi con olio, sale e pepe*
ensalada campera *insalata di patate, cipolla, pomodoro, uovo sodo, peperone e olive nere*
guisantes con almejas *piselli con le vongole*
judías verdes con jamón *fagiolini con prosciutto*
patatas fritas *patatine fritte*
pimientos rellenos *peperoni ripieni*
pisto manchego *stufato di pomodori, zucchine e cipolla*
puré de patatas *purè di patate*
porrusalda *stufato di porri, patate e carote*
verduras al vapor *verdure al vapore*
verduras hervidas *verdure bollite*

Quesos

caciocavallo *queso de pasta hilada fabricado con leche entera de vaca más o menos sabroso según el curado*
caciotta *queso semiblando fabricado con leche de vaca u oveja de sabor delicado recién fabricado y picante después de curado*

Formaggi

burgos *formaggio semiduro di latte di capra o di pecora e capra dal sapore delicato*
cabrales *formaggio semimolle di latte di mucca, capra e pecora con muffe azzurre di sapore e odore molto pronunciati*
cuajada *cagliata di latte di pecora*

caprino *queso fresco de leche de cabra*

fontina *queso graso de leche entera de vaca de sabor y olor delicados*

gorgonzola *queso azul blando y mantecoso fabricado con leche entera de vaca de sabor y olor más o menos picantes según la variedad*

grana *queso duro fabricado con leche de vaca semidesnatada de sabor intenso y fragante*

mozzarella (di bufala) *mozarela (de leche de búfala)*

parmigiano reggiano *queso parmesano*

pecorino *queso duro de leche de oveja de sabor más o menos picante según la zona de producción*

ricotta *requesón*

scamorza (affumicata) *queso de pasta hilada fabricado con leche de vaca o de cabra y vaca de sabor más o menos suave (puede ser ahumado)*

manchego *formaggio stagionato di latte di pecora di sapore e odore pronunciati*

maó *formaggio semimolle di latte di mucca dal sapore più o meno pronunciato secondo la stagionatura*

quesuco de Liébana *formaggio molle di latte di mucca, capra e pecora dal sapore dolce e delicato, con retrogusto leggermente amarognolo*

tetilla *formaggio cremoso di latte di mucca dal sapore delicato, a volte tendente al dolce*

torta del casar *formaggio molle di latte di capra dal sapore deciso e dall'odore leggermente fermentato*

zamorano *formaggio duro di latte di capra dal sapore pronunciato*

Postres

babà *pasta/pastelito de bizcocho borracho*

bavarese *bavaroise*

bignè *petisú, buñuelo de viento*

cannolo *canutillo (con crema/requesón y fruta confitada)*

cassata *tarta helada con fruta confitada y nata*

crème caramel *flan*

crostata di frutta *tarta de frutas*

gelato affogato *helado con café/licor*

meringata *tarta de merengue*

millefoglie *milhojas*

mousse *mousse*

panna cotta *flan de nata*

semifreddo *tarta helada*

strudel *rollo de frutas*

tiramisù *tiramisú (pastel preparado con bizcochos de soletilla, requesón y café)*

zuppa inglese *bizcocho borracho con crema pastelera*

Dolci

bizcocho borracho *pandispagna imbevuto di liquore*

brazo de gitano *tronchetto*

natillas *crema all'uovo*

crema catalana *crema all'uovo caramellata*

arroz con leche *riso e latte*

leche frita *latte fritto*

flan *crème caramel*

tarta de frutas *crostata di frutta*

milhojas *millefoglie*

mousse *mousse*

profiteroles *profiterol*

tarta helada *semifreddo*

EMERGENZE
EMERGENCIAS

Polizia
Policia

Aiuto!
¡Socorro!

Al ladro!
¡Al ladrón!

Devo denunciare un furto
Quiero denunciar un robo

Che cosa le hanno rubato?
¿Qué le han robado?

Sono stato scippato
Me han dado el tirón

Mi hanno rubato la macchina/
la borsetta/i documenti
*Me han robado el coche/el bolso/
mis documentos*

Compili/riempia questo modulo
Rellene este impreso, por favor

Dov'è il posto di polizia
più vicino?
*¿Dónde se encuentra el puesto
de policía más cercano?*

Chiami la polizia, c'è stato
un incidente
*Avise a la policía, ha habido
un accidente*

Medico, pronto soccorso
Médico, Urgencias

Può chiamare un
medico/l'ambulanza?
*¿Puede llamar al médico/a la
ambulancia?*

Presto, un medico/l'ambulanza!
*¡Rápido, un médico/una
ambulancia!*

È urgente!
¡Es urgente!

C'è stato un incidente/c'è un ferito
grave
*Ha habido un accidente/hay
un herido de gravedad*

Bisogna portarlo all'ospedale/
al pronto soccorso
*Hay que llevarlo al hospital/a
urgencias*

È caduto/si è ferito alla testa/
perde molto sangue
*Se ha caído/se ha herido en la
cabeza/pierde mucha sangre*

Mi sento male
Me encuentro mal

Dove le fa male?
¿Dónde le duele?

Mi fa male.../non posso muovere...
Me duele.../no puedo mover...

Deve fare una radiografia
Se tiene usted que hacer una radiografía

Ha un braccio rotto/una distorsione
Tiene usted el brazo fracturado/una distorsión

Devo metterle dei punti
Tengo que ponerle unos puntos

Qual è il suo gruppo sanguigno?
¿Qué grupo sanguíneo tiene?

A che ora riceve il medico?
¿A qué hora recibe el médico?

Vorrei consultare un medico generico/un pediatra/un ginecologo
Quisiera consultar a un médico/un pediatra/un ginecólogo

Può fissarmi un appuntamento domani/subito/al più presto?
¿Podría darme hora para mañana/ahora mismo/lo antes posible?

Che disturbi ha?
¿Qué le pasa?

Ho la febbre alta/i brividi/mal di testa/mal di stomaco
Tengo mucha fiebre/escalofríos/dolor de cabeza/dolor de estómago

Ho vomitato/ho la diarrea
He vomitado/tengo diarrea

Da quanto tempo le fa male/non si sente bene?
¿Hace cuánto tiempo que le duele/que no se encuentra bien?

Da ieri/da due giorni
Desde ayer/desde hace dos días

Si sdrai qui per favore
Túmbese/tiéndase aquí, por favor

Si spogli
Desnúdese

Le misuro la pressione
Le tomo la tensión

Respiri profondamente
Respire hondo

Apra la bocca
Abra la boca

Tossisca prego
Tosa, por favor

Deve restare a letto per una settimana
Tiene usted que guardar cama durante una semana

Prende già delle medicine?
¿Está tomando otras medicinas?

Che cura fa?
¿Cómo se está curando?

Sono malato di cuore
Sufro del corazón

Sono allergico a...
Soy alérgico a...

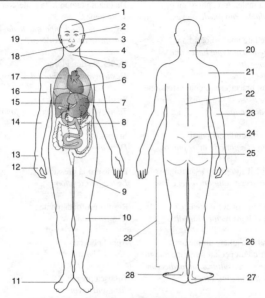

CORPO UMANO / *CUERPO HUMANO*

1 testa / *cabeza*
2 occhi / *ojos*
3 orecchie / *orejas*
4 mento / *mentón*
5 collo / *cuello*
6 cuore / *corazón*
7 stomaco / *estómago*
8 intestino / *intestino*
9 coscia / *muslo*
10 ginocchio / *rodilla*
11 piede / *pie*
12 mano / *mano*
13 polso / *muñeca*
14 avambraccio / *antebrazo*
15 fegato / *hígado*

16 braccio / *brazo*
17 polmone / *pulmón*
18 bocca / *boca*
19 naso / *nariz*
20 nuca / *nuca*
21 spalla / *hombro*
22 schiena / *espalda*
23 gomito / *codo*
24 regione lombare / *región lumbar*
25 gluteo / *nalga*
26 polpaccio / *pantorrilla*
27 tallone / *talón*
28 caviglia / *tobillo*
29 gamba / *pierna*

Sono diabetico
Soy diabético

Soffro di pressione alta
Padezco de tensión alta

Le prescrivo una medicina
*Le receto una medicina/un
medicamento/un fármaco*

Prenda queste compresse per due
volte al giorno/ogni quattro ore/
prima di ogni pasto/a stomaco
pieno
*Tome estos comprimidos dos veces
al día/cada cuatro horas/antes de
cada comida/con el estómago lleno*

Può farmi un certificato medico?
*¿Podría hacerme un certificado
médico?*

Dentista
Dentista

Conosce/può consigliarmi un buon
dentista?
*¿Conoce usted/podría aconsejarme
un buen dentista?*

Vorrei un appuntamento con il dottor
Rossi
*Quisiera pedir hora con el doctor
Rossi*

Ho male a questo dente
Me duele este diente

Mi fa male il primo molare a destra
*Me duele la primera muela a la
derecha*

Ho un ascesso
Tengo un absceso

Mi è saltata un'otturazione
Se me ha caído un empaste

Ho le gengive infiammate
Tengo las encías inflamadas

Apra bene la bocca
Abra bien la boca

Devo farle l'anestesia
*Le tengo que poner
anestesia*

Devo estrarle il dente
Le tengo que sacar el diente

Non voglio che mi estragga il dente,
può farmi una medicazione
provvisoria/può prescrivermi un
analgesico?
*No quiero que me saque el diente,
¿de momento podría aplicarme una
medicación/recetarme un
analgésico?*

Devo devitalizzarle il dente
*Le tengo que desvitalizar
el diente*

Sciacqui la bocca
Enjuáguese

Mi può riparare la dentiera?
*¿Podría arreglarme la dentadura
(postiza)?*

Quando sarà pronta?
¿Para cuándo va a estar?

Farmacia
Farmacia

Dov'è una farmacia di turno?
*¿Dónde hay una farmacia
de guardia?*

Dov'è la farmacia più vicina?
*¿Dónde está la farmacia más
cercana?*

Mi può consigliare/dare qualcosa per
il mal di testa/le scottature/le punture
d'insetto/il mal di denti?
*¿Podría aconsejarme/darme algo
contra el dolor de cabeza/las
quemaduras/las picaduras de
insectos/el dolor de muelas?*

Mi può misurare la pressione?
¿Me puede tomar la tensión?

Avete medicine omeopatiche?
¿Tienen productos homeopáticos?

Quante volte al giorno lo devo
prendere?
*¿Cuántas veces al día tengo que
tomarlo?*

Deve prenderla tre volte al giorno
a stomaco pieno
*Tiene que tomarlo tres veces al día
con el estómago lleno*

Sono allergico a...
Soy alérgico a...

Avete qualcosa per uso esterno?
¿Tienen algo de uso tópico?

Avete questa medicina?
¿Tienen esta medicina?

Per questa medicina/farmaco
ci vuole la ricetta
*Para esta medicina/este
medicamento se necesita
receta*

Non le posso dare questo farmaco
senza la ricetta
*No le puedo dar este medicamento
sin receta*

Le consiglio di farsi vedere da
un medico
*Le aconsejo que lo/la vea
un médico*

TURISMO
TURISMO

Visite in città
Visitando la ciudad

Scusi, dov'è l'ufficio del turismo?
Perdone, ¿dónde está la oficina de turismo?

Quali sono i monumenti più importanti di questa città?
¿Cúales son los monumentos más importantes de esta ciudad?

Mi/ci può consigliare un giro turistico della città?
¿Me/nos puede aconsejar un recorrido turístico de la ciudad?

Ci sono visite guidate?
¿Hay visitas guiadas?

Da dove partono?
¿De dónde salen?

A che ora?
¿A qué hora?

Quanto costa il giro turistico?
¿Cuánto cuesta la visita turística?

Quanto dura?
¿Cuánto dura?

Qual è l'orario di apertura dei musei?
¿Qué horario tienen los museos?

Quanto costa l'ingresso?
¿Cuánto cuesta la entrada?

Ci sono riduzioni per studenti/anziani?
¿Hay descuentos para estudiantes/mayores?

Avete una guida turistica in italiano/spagnolo?
¿Tienen guías turísticas en italiano/español?

È permesso fare fotografie?
¿Está permitido sacar fotografías?

Si può usare il flash?
¿Está permitido usar el flas?

Vorrei visitare la chiesa
Desearía visitar la iglesia

È possibile salire sul campanile/visitare la cripta?
¿Se puede subir al campanario/visitar la cripta?

Mare, lago, montagna
Playa, lago, montaña

Ci sono stabilimenti balneari?
¿Hay balnearios?

C'è un bagnino?
¿Hay bañista?

Ci sono spiagge libere?
¿Hay playas públicas?

Il mare è pulito?
¿El mar está limpio?

C'è divieto di balneazione?
¿Está prohibido bañarse?

Si può nuotare senza pericolo?
¿Se puede nadar sin peligro?

Vorrei affittare/noleggiare una sedia
a sdraio/una cabina/un
ombrellone/un pedalò
*Quisiera alquilar una tumbona/una
caseta/una sombrilla/un patín*

Avete una mappa dei sentieri?
¿Tienen un mapa de los senderos?

Da dove parte il sentiero per...
¿Dónde empieza el sendero para...?

Ci sono passeggiate non faticose?
¿Hay recorridos descansados?

C'è una pista di pattinaggio?
¿Hay una pista de patinaje?

Ci sono piste di fondo?
¿Hay pistas para el esquí de fondo?

Come sono gli impianti di risalita?
¿Cómo son los remontes?

C'è una funivia?
¿Hay teleférico?

Quanto costa il giornaliero?
¿Cuánto cuesta un forfait diario?

Si possono prendere lezioni di sci
private/di gruppo?
*¿Se pueden tomar clases
particulares de esquí/clases de esquí
en grupo?*

Vorrei affittare/noleggiare dei
pattini/degli sci/degli scarponi
*Quisiera alquilar unos
patines/esquíes/unas botas de esquí*

Cinema, teatri,
concerti, discoteche
*Cine, teatros, conciertos,
discotecas*

Che cosa danno al cinema questa sera?
¿Qué ponen esta noche en el cine?

A che ora comincia il primo/secondo
spettacolo?
*¿A qué hora empieza la
primera/segunda sesión?*

È un film in lingua
originale/doppiato?
*¿Es una película en versión
original/doblada?*

Quanto costano i biglietti?
¿Cuánto cuestan las entradas?

È possibile prenotare i biglietti?
¿Se pueden reservar las entradas?

Ha un programma degli spettacoli
teatrali/dei concerti per questa
settimana?
*¿Tiene el programa de los
espectáculos de teatro/de los
conciertos de esta semana?*

Che spettacolo c'è a teatro/
all'opera?
*¿Qué obra se representa en el
teatro/el teatro de la ópera?*

Ha un programma dello
spettacolo?
*¿Tiene un programa del
espectáculo?*

Quanto costano i biglietti in galleria/
in platea?
*¿Cuánto cuestan las entradas para
la galería/el patio de butacas?*

Vorrei prenotare due poltrone/due
posti in galleria per giovedì
*Quisiera reservar dos butacas/dos
localidades de la galería para el
jueves*

Non troppo indietro/avanti
No demasiado delante/detrás

Mi dispiace, per giovedì è tutto
esaurito
*Lo siento, para el jueves lo tenemos
todo agotado*

Abbiamo solo posti in platea
Sólo nos quedan butacas de patio

C'è una discoteca in città?
¿Hay una discoteca en esta ciudad?

Che musica suonano?
¿Qué tipo de música ponen?

A che ora chiude il locale?
¿A qué hora cierra el local?

La consumazione è compresa?
¿La consumición está incluida?

No, le consumazioni si pagano
a parte
No, las consumiciones se pagan aparte

ACQUISTI
COMPRAS

Abbigliamento
Indumentaria

Vorrei provare il vestito/la giacca/
la gonna/i pantaloni in vetrina
*Quisiera probar el vestido/la
chaqueta/la falda/los pantalones
del escaparate*

Vorrei vedere dei pantaloni/
un maglione/una giacca
*Quisiera ver unos pantalones/
un jersey/una chaqueta*

Che taglia porta?
¿Qué talla lleva/tiene/usa?

Porto la 44 (italiana)
*Tengo la cuarenta y cuatro
(italiana)*

In che colore lo/la/li vuole?
¿De qué color lo/la/los quiere?

C'è/ci sono in blu?
¿Lo/los tiene en azul marino?

Vorrei un colore chiaro/scuro
Quisiera un color claro/oscuro

C'è un camerino?
¿Hay un probador?

C'è uno specchio?
¿Hay un espejo?

Come va?
¿Qué tal?

Va bene
Bien

È un po' largo/stretto/corto/lungo
*Me viene algo
ancho/estrecho/corto/largo*

Avete una taglia superiore/inferiore?
*¿Tiene otra talla más grande/
más pequeña?*

Non mi piace il colore
No me gusta el color

Avete un altro colore?
¿Tienen otro color distinto?

Si possono fare delle modifiche?
¿Se podrían hacer unos arreglos?

Quanto tempo ci vuole
per le modifiche?
*¿Cuánto tiempo tardarán
en arreglarlo?*

Vorrei un maglione di lana/cotone
Quisiera un jersey de lana/algodón

Si può lavare in lavatrice?
¿Se puede poner en la lavadora?

Vorrei un paio di collant
Quisiera unos pantys

Che misura porta?
¿Qué talla usa?

La terza
La tercera

Calzature
Calzados

Vorrei provare quelle scarpe/quegli
stivaletti/quei sandali in vetrina
*Desearía probar esos zapatos/
botines/aquellas sandalias
del escaparate*

Che numero porta?
¿Qué número calza?

Porto il 39 (italiano)
Calzo el treinta y nueve (italiano)

In che colore le avete?
¿De qué color los tienen?

In blu grigio e nero
Los tenemos azules, grises y negros

Ha un calzascarpe?
¿Tiene un calzador?

Sono troppo
strette/piccole/grandi/larghe
*Son demasiado
estrechos/pequeños/grandes/
anchos*

Mi fanno male
Me aprietan/hacen daño

La suola è di vero cuoio?
¿La suela es de cuero legítimo?

Le scarpe sono di vera pelle?
¿Los zapatos son de piel legítima?

Posso provarle in blu?
¿Podría probar los azules?

Va bene, le prendo
Muy bien, los compro

Ottica, fotografia
Óptica, fotografía

Ho rotto gli occhiali/una stanghetta
degli occhiali
*Se me han roto las gafas/se me
ha roto una patilla de las gafas*

Ho perso una lente a contatto
He perdido una lentilla

Sono lenti dure/morbide
Son lentillas duras/blandas

Avete del liquido per lenti a
contatto?
*¿Tienen solución para el lavado
de las lentillas?*

Posso vedere degli occhiali da sole?
¿Puedo ver unas gafas de sol?

Vorrei un rullino a colori/in bianco
e nero/per diapositive da 24/36 pose
*Quisiera un carrete de veinticuatro/
treinta y seis exposiciones en color/
en blanco y negro*

Vorrei fare delle foto tessera
*Quisiera hacerme unas fotos
de carné*

Vorrei sviluppare questo rullino
su carta lucida/opaca
*Quisiera revelar este carrete
en papel brillante/mate*

Quanto costa lo sviluppo e stampa?
¿Cuánto cuesta el revelado?

Quando saranno pronte le foto?
¿Cuándo estarán las fotos?

Può riparare questa macchina
fotografica?
¿Podría arreglar esta cámara?

Non funziona il riavvolgimento/
il flash/l'esposimetro
*No funciona el mecanismo de
rebobinado del carrete/el flas/
el exposímetro*

Alimentari
Comestibles

Desidera?
¿Qué desea?

Cosa desidera?
¿En qué puedo servirle?

Vorrei...
Quisiera...

...quattro panini
...cuatro panecillos

...mezzo chilo di pane e un pezzo
di pizza
*...medio kilo de pan y un trozo
de pizza*

...tre etti di quella pizza
con le verdure
*...trescientos gramos de esa pizza
con verduras*

...mezzo chilo di spaghetti
e una scatola di pelati
*...medio kilo de espaguetis
y un bote de tomates pelados*

...tre etti di prosciutto crudo/
cotto tagliato fine/spesso
*...trescientos gramos de jamón
serrano/de York cortado en lonchas
finas/gruesas*

...un litro di latte
...un litro de leche

...un vasetto di marmellata
...un tarro de mermelada

...due scatolette di tonno
...dos latas de atún

...un tubetto di maionese
...un tubo de mayonesa

...una confezione di spinaci surgelati
...una bolsa de espinacas congeladas

...una scatola di cioccolatini
...una caja de bombones

...una bottiglia d'olio/di vino
bianco/acqua minerale
*...una botella de aceite/vino
blanco/agua mineral*

...una lattina di chinotto
...una lata de (refresco de) quina

...due bistecche di vitello/di manzo
...dos bistecs de ternera/de vaca

...un pezzo di vitello per arrosto
...un trozo de ternera para asados

...tre etti di carne trita
...trescientos gramos de carne picada

...sei uova
...seis huevos

...un chilo di pesche e quattro banane
...un kilo de melocotones y cuatro plátanos

...un mazzo di prezzemolo
...un manojo de perejil

...un grappolo d'uva bianca
...un racimo de uvas blancas

...mezzo chilo di gamberetti
...medio kilo de camarones

...due orate
... dos doradas

...un trancio di salmone
...un trozo de salmón

Quanto costa all'etto il parmigiano reggiano?
¿Cuánto cuestan cien gramos de queso parmesano?

Il pesce è fresco o surgelato?
¿El pescado es fresco o congelado?

Mi può pulire il pesce per favore?
¿Me podría limpiar el pescado por favor?

Vuole altro?
¿Qué más?

Qualcos'altro?
¿Algo más?

Basta così, grazie
Nada más, gracias

Posso avere una busta/un sacchetto?
¿Me da una bolsa?

Quant'è?
¿Cuánto es?

Sono 20.000 lire, paghi alla cassa
Son veintemil liras, pase por caja

Parrucchiere, barbiere
Peluquero, barbero

Vorrei taglio e messa in piega/una tintura/la permanente
Quisiera lavar y marcar/teñirme/hacerme la permanente

Può farmi uno shampoo antiforfora/per capelli secchi/grassi
¿Me puede poner un champú anticaspa/para pelo seco/graso?

Come li vuole tagliare?
¿Cómo quiere que le corte el pelo?

Molto corti
Muy corto

Li voglio solo spuntare
Sólo quiero recortarlo

Tagli un po' di più davanti/dietro/
sui lati
*Corte un poco más delante/detrás/
a los lados*

Me li può asciugare con
l'asciugacapelli?
*¿Podría secarme el pelo con el
secador?*

Mi può mettere il gel?
¿Podría ponerme gomina?

Non mi metta la lacca per favore
No me eche laca, por favor

Può farmi la barba?
¿Me puede afeitar?

Può accorciarmi le basette/
la barba?
*¿Podría recortarme las patillas/
la barba?*

Edicola, libreria, cartoleria
Quiosco, librería, papelería

Avete dei giornali italiani/
spagnoli?
*¿Tienen prensa italiana/
española?*

Avete un reparto di guide turistiche?
*¿Tienen una sección de guías
turísticas?*

Avete cartoline della città?
¿Tienen postales de la ciudad?

Avete cartine stradali?
¿Tienen mapas de carreteras?

Vorrei tre buste e della carta
da lettere
*Desearía tres sobres y papel
de escribir*

Vorrei una penna/un pennarello
Quiero una pluma/un rotulador

Vorrei una pianta della città
Quisiera un plano de la ciudad

Vorrei un blocco per appunti
Quisiera un bloc

Avete libri per bambini?
¿Tienen libros para niños?

Avete una guida degli avvenimenti
in città della settimana?
*¿Tienen la guía del ocio de esta
semana?*

Tabaccaio
Estanco

Vorrei un pacchetto/una stecca di
sigarette
*Quisiera un paquete/un cartón de
cigarrillos*

Sono forti quelle sigarette?
¿Esos cigarrillos son de los fuertes?

Vorrei delle sigarette leggere/
senza filtro
*Quisiera unos cigarrillos light/
sin filtro*

Vorrei del tabacco da pipa e dei nettapipa
Quisiera tabaco de pipa y unas escobillas (para limpiar la pipa)

Ha del gas per questo accendino?
¿Tiene gas para este mechero?

Vorrei dei francobolli/delle buste/delle cartoline
Quisiera unos sellos/unos sobres/ unas postales

Per favore mi dia quelle caramelle
Déme aquellos caramelos, por favor

Notas/*Note*

Notas/*Note*

Notas/*Note*

Notas/*Note*

Notas/*Note*

Notas/*Note*

Istruzioni per l'uso

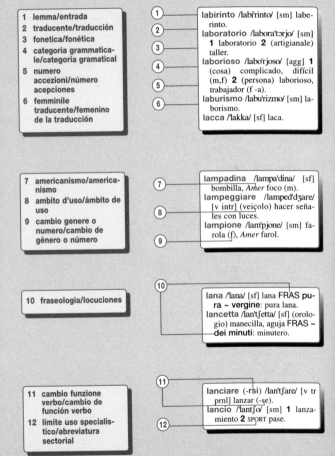

1 lemma/entrada
2 traducente/traducción
3 fonetica/fonética
4 categoria grammaticale/categoría gramatical
5 numero accezioni/número acepciones
6 femminile traducente/femenino de la traducción

1. labirinto /labiˈrinto/ [sm] laberinto.
2. laboratorio /laboraˈtɔrjo/ [sm] 1 laboratorio 2 (artigianale) taller.
3. laborioso /laboˈrjoso/ [agg] 1 (cosa) complicado, difícil (m,f) 2 (persona) laborioso, trabajador (f -a).
4. laburismo /labuˈrizmo/ [sm] laborismo.
5. lacca /ˈlakka/ [sf] laca.

7 americanismo/americanismo
8 ambito d'uso/ámbito de uso
9 cambio genere o numero/cambio de género o número

7. lampadina /lampaˈdina/ [sf] bombilla, *Amer* foco (m).
8. lampeggiare /lampedˈdʒare/ [v intr] (veiçolo) hacer señales con luces.
9. lampione /lamˈpjone/ [sm] farola (f), *Amer* farol.

10 fraseologia/locuciones

10. lana /ˈlana/ [sf] lana FRAS **pura ~ vergine**: pura lana.
lancetta /lanˈtʃetta/ [sf] (orologio) manecilla, aguja FRAS **~ dei minuti**: minutero.

11 cambio funzione verbo/cambio de función verbo
12 limite uso specialistico/abreviatura sectorial

11. lanciare (-rsi) /lanˈtʃare/ [v tr prnl] lanzar (-se).
12. lancio /ˈlantʃo/ [sm] 1 lanzamiento 2 SPORT pase.